契約法 新版

中田裕康

有斐閣

新版はしがき

　本書初版が刊行されたのは，民法（債権関係）改正法が公布されて日の浅い2017年9月だった。それから4年が経過した。改正法は，既に2020年4月に施行されている。この間，堰を切ったように，民法の他の部分の改正も相次いだ。民法以外の関連分野での法改正も少なくない。また，民法（債権関係）改正に関する解説書，注釈書，教科書が次々に公刊された。関連する重厚な研究書や優れた論文も多い。新たな判例もある。外国法の動きもある。この新版は，これらの動きを反映しようとするものである。

　もし可能なら民法（債権関係）改正法が施行された後に本書新版を刊行したいとは，かねてから考えていた。当初のイメージでは，改訂は，初版の「現行民法」という言葉を「改正前民法」に置き換えるなど，比較的簡単なものとなるはずだった。ところが，初版刊行後に著された関連文献の豊富さは，予想をはるかに超えるものであった。それらを咀嚼し，また，わずかなりとも自分でも考えてみながら，本書の改訂をすることは，思った以上に多くの時間を要する作業となった。

　本書の目標は，初版以来，変わらない。民法の研究者として，契約法のこれまでの流れと現在の姿を描くとともに，そのおもしろさを伝えたいということである（書斎の窓656号32頁参照）。
　初版については，多くの方から，温かいお言葉と，有益なご意見を頂戴した。新版がそれに少しでもお応えすることができていれば幸いである。

　私の大学教員生活は，来年3月をもって終わることになる。この新版を刊行できたのは，最後の勤務先となった早稲田大学の恵まれた人的・物的環境による。関係各位に深く感謝申し上げる。

i

改訂にあたって，初版以来ご担当くださった三宅亜紗美氏と，新たにご担当いただいている中野亜樹氏のお2人から，本当に大きなお力添えをいただいた。厚くお礼を申し上げる。

2021年9月

中田裕康

　第3刷に際して，デジタル社会形成整備法の借地借家法関連部分の施行（2022年5月18日）に伴う補訂をした（142頁・465頁・473頁・474頁）。また，わずかだが，参照文献を追加した（7頁・142頁）。

　第4刷に際して，法令改正・施行への対応（9頁・39頁・81頁・124頁・132頁・220頁・375頁・396頁・574頁・600頁）のほか，わずかだが補訂をした。

初版はしがき

　契約法はおもしろい，と思う。契約が社会において重要な機能を果たしていることはいうまでもない。当事者は，みずからにとって望ましい状態を実現するために合意する。しかし，合意は守られないことがある。その効力が争われることもある。その際，一方で合意の尊重が強調され，他方で合意に対する様々な枠づけが論じられる。そこに緊張関係が生じる。そのような緊張関係を解決するために，契約の概念が精錬され，契約技術が発達し，枠づけについての考察が深められる。契約に隣接する各種の法的仕組みや，法律外の関係に関心が及ぶこともある。それらをより遠くから観察し，契約観や契約思想が語られる。

　このおもしろさを書き表したかった。しかし，難航した。執筆の依頼を受けたのは，1997 年 2 月のことである。それから，在外研究があり，法科大学院制度が始まり，勤務先が 2 度変わり，民法が改正された。やっと脱稿できたのは，前任校を退職する直前の 2017 年 3 月のことである。

　遅れた結果，改正された民法を反映することができた。もっとも，本書は，改正民法の解説を直接の目的とするものではない。私は，今回の改正によって契約法が一新されたわけではないと思う。この改正は，これまでの判例，取引実務，歴史，外国での動き，そしてこれらを視野に入れた学説の蓄積を基礎とするものである。また，これからの学説や判例の展開を予定するものでもある。改正の前後を通じて連続している。その流れを描写することが，本書の目標の 1 つに加わったにすぎない。

　本書の執筆中，多くの方々から，完成に向けての激励のお言葉を頂戴した。時間が経ちすぎてしまい，そのうちの何人かの方が逝去された。お 1 人おひとりのお顔を思い浮かべ，遅れたことをお詫びしつつ，刊行のご報告とお礼を申し上げたい。

　これまでの間，素晴らしい研究・教育環境に恵まれた。千葉大学，一橋大学，東京大学，そして現在勤務する早稲田大学の関係各位に，心から感謝の意を表する。

　本書第 1 部は，米倉暢大氏（現，神戸大学准教授）に，原稿を読んでいただき，貴重な意見をいただいた。お礼を申し上げる。もちろん，ありうる過誤は，私の責任である。

　有斐閣書籍編集部の方々，特に歴代の担当編集者の皆様には，ご心配をおかけし，またお世話になった。なかでも，20 年前に執筆の声をかけてくださった中條信義氏（現，公益社団法人商事法務研究会），そして，執筆段階に入ってから，温かいお励ましと丁寧なご助力をいただいた，藤木雄，清田美咲，三宅亜紗美の各氏に，改めてお礼を申し上げたい。

2017 年 7 月
中田裕康

本書の記号と略語の説明

　本書では，人は，原則として，A，B，C で表す。ただし，債権者を G，債務者を S（ドイツ語の Gläubiger, Schuldner に由来する伝統的記号）で表すことや，原告を X，被告を Y（近年の慣行的記号）で表すこともある。物や権利は，原則として，甲，乙，丙で表す。

　条文は，民法については，平成 29（2017）年法律第 44 号（債権関係），平成 30（2018）年法律第 59 号（成年年齢），同年法律第 72 号（相続関係），令和元（2019）年法律第 2 号（国際的子奪取条約実施法関係），同年法律第 34 号（特別養子縁組），令和 3（2021）年法律第 24 号（所有者不明土地関係）及び同年法律第 37 号（デジタル社会形成関係）による改正後の条文数のみで表示し，改正前の規定は「旧〇〇条」という形で示す。すなわち，「400 条」は改正後の民法 400 条を，「旧 400 条」は改正前の民法 400 条を意味する。他の法律については原則として有斐閣刊『六法全書』巻末掲載の「法令名略語」による。たとえば，「商 507 条」は商法 507 条を意味する。法律改正前の規定については，たとえば，「2017 年改正前商 514 条」という形で示す。

　●は，本文の記述を具体化し，わかりやすくするための説明・例示・敷衍・補足などである。契約法を初めて学ぶ読者を想定している。

　◆は，本文の記述よりもさらに基礎的又は発展的な問題の検討や，私見の提示などである。2017 年改正前の民法及びこの改正の経緯についての説明も，ここで行う。契約法をひととおり修得した読者を想定している。

　文献の引用は，下記〈凡例〉の左欄の名称等による。それ以外の文献は，各章ごとに紹介する。その際，論文は，副題を省略することがある。文章の引用に際しては，現代表記・算用数字に改めることもある。

〈凡例〉　　　　　　　　右欄の〈年，刷〉は使用したものを表す（無記載は第 1 刷）

I　体系書・教科書（契約法・債権各論）

石外編	石外克喜編『現代民法講義 5』1991 年，法律文化社
石　坂	石坂音四郎『日本民法下巻〔合本〕第三編債権総論』1921 年，有斐閣〔初版 1915・16 年〕
石　田	石田穣『民法 V（契約法）』1982 年，青林書院〈1989 年 3 刷〉
稲本ほか	稲本洋之助ほか『民法講義 5 契約』1978 年，有斐閣
内田勝	内田勝一『債権各論講義ノート』1994 年，成文堂〈1995 年 2 刷〉
内　田	内田貴『民法 II 債権各論〔第 3 版〕』2011 年，東京大学出版会
梅	梅謙次郎『民法要義巻之三（債権編）〔訂正増補 33 版〕』私立法政大学・有斐閣書房，1912 年〔初版 1897 年〕〈復刻版，1984 年，有斐閣〉
近　江	近江幸治『民法講義 V 契約法〔第 3 版〕』2006 年，成文堂
大　村	大村敦志『基本民法 II 債権各論〔第 2 版〕』2005 年，有斐閣

大村（4）	大村敦志『新基本民法4 債権編〔第2版〕』2019年，有斐閣
大村（5）	大村敦志『新基本民法5 契約編〔第2版〕』2020年，有斐閣
岡松	岡松参太郎『註釋民法理由下巻　債権編』1897年，有斐閣書房〈1898年6版〉
奥田＝池田編	奥田昌道＝池田真朗編『法学講義民法5 契約』2008年，悠々社
戒能	戒能通孝『債権各論』1946年，厳松堂書店〈1950年4版〉
加賀山	加賀山茂『契約法講義』2007年，日本評論社
笠井＝片山	笠井修＝片山直也『債権各論Ⅰ』2008年，弘文堂
加藤	加藤雅信『新民法大系Ⅳ契約法』2007年，有斐閣
川井	川井健『民法概論4 債権各論〔補訂版〕』2010年，有斐閣
神戸	神戸寅次郎『註釈民法全書第8巻　契約総則』1915年，厳松堂書店〈復刻版『神戸寅次郎著作集（上）』1969年，慶應義塾大学法学研究会〉
北川	北川善太郎『債権各論〔第3版〕』2003年，有斐閣
来栖	来栖三郎『契約法』1974年，有斐閣
後藤	後藤巻則『契約法講義〔第4版〕』2017年，弘文堂
潮見2版	潮見佳男『基本講義 債権各論Ⅰ〔第2版〕』2009年，新世社〈2010年2刷〉
潮見	潮見佳男『基本講義 債権各論Ⅰ〔第3版〕』2017年，新世社
潮見各Ⅰ	潮見佳男『契約各論Ⅰ』2002年，信山社出版
潮見新各Ⅰ	潮見佳男『新契約各論Ⅰ』2021年，信山社出版
潮見新各Ⅱ	潮見佳男『新契約各論Ⅱ』2021年，信山社出版
品川上	品川孝次『契約法上巻〔補正版〕』1995年，青林書院
品川下	品川孝次『契約法下巻』1998年，青林書院
末川上	末川博『契約法上（総論）』1958年，岩波書店
末川下	末川博『契約法下（各論）』1975年，岩波書店〈同年2刷〉
末弘	末弘嚴太郎『債権各論』1918年，有斐閣〈1920年5版〉
鈴木	鈴木禄弥『債権法講義〔4訂版〕』2001年，創文社
双書（5）	遠藤浩ほか編『民法（5）契約総論〔第4版〕』1996年，有斐閣
双書（6）	遠藤浩ほか編『民法（6）契約各論〔第4版〕』1997年，有斐閣
中舎	中舎寛樹『債権法 債権総論・契約』2018年，日本評論社
野澤	野澤正充『契約法 セカンドステージ債権法Ⅰ〔第3版〕』2020年，日本評論社
鳩山上	鳩山秀夫『増訂日本債権法各論（上巻）』1924年，岩波書店〈1934年20刷〉
鳩山下	鳩山秀夫『増訂日本債権法各論（下巻）』1924年，岩波書店〈1936年19刷〉
半田	半田吉信『契約法講義〔第2版〕』2005年，信山社出版
平井	平井宜雄『債権各論Ⅰ上　契約総論』2008年，弘文堂

平野（5）	平野裕之『民法総合5 契約法〔第3版総合〕』2007年，信山社出版	
平　野	平野裕之『債権各論I契約法』2018年，日本評論社	
広　中	広中俊雄『債権各論講義〔第6版〕』1994年，有斐閣	
藤岡ほか	藤岡康宏ほか『民法Ⅳ──債権各論〔第4版〕』2019年，有斐閣	
星　野	星野英一『民法概論Ⅳ（契約）〔合本新訂〕』1986年，良書普及会〈1994年5刷〉	
松井ほか	松井和彦ほか『契約法』2018年，日本評論社	
松　坂	松坂佐一『民法提要　債権各論〔第5版〕』1993年，有斐閣	
水　本	水本浩『契約法』1995年，有斐閣	
三宅総	三宅正男『契約法（総論）』1978年，青林書院〈1987年4刷〉	
三宅各上	三宅正男『契約法（各論）上巻』1983年，青林書院〈1989年2刷〉	
三宅各下	三宅正男『契約法（各論）下巻』1988年，青林書院	
山野目	山野目章夫『民法概論4 債権各論』2020年，有斐閣	
山　本	山本敬三『民法講義Ⅳ-1 契約』2005年，有斐閣	
山本ほか	山本豊ほか『民法5 契約』2018年，有斐閣	
柚　木	柚木馨『債権各論（契約総論）』1956年，青林書院	
吉　田	吉田邦彦『契約各論講義録（契約法Ⅱ）』2016年，信山社	
我妻上	我妻栄『債権各論上巻』1954年，岩波書店〈1971年18刷〉	
我妻中Ⅰ	我妻栄『債権各論中巻一』1957年，岩波書店〈1972年15刷〉	
我妻中Ⅱ	我妻栄『債権各論中巻二』1962年，岩波書店〈1972年9刷〉	

Ⅱ　その他の教科書・研究書等

荒木・労働	荒木尚志『労働法〔第4版〕』2020年，有斐閣
伊藤・破産	伊藤眞『破産法・民事再生法〔第4版〕』2018年，有斐閣
内田・民Ⅰ	内田貴『民法Ⅰ総則・物権総論〔第4版〕』2008年，東京大学出版会
江頭・商取引	江頭憲治郎『商取引法〔第8版〕』2018年，弘文堂
大村・消費者	大村敦志『消費者法〔第4版〕』2011年，有斐閣
潮見・債総Ⅰ	潮見佳男『債権総論Ⅰ〔第2版〕』2003年，信山社出版
潮見・新債総Ⅰ	潮見佳男『新債権総論Ⅰ』2017年，信山社出版
四宮＝能見・総則	四宮和夫＝能見善久『民法総則〔第9版〕』2018年，弘文堂
菅野・労働	菅野和夫『労働法〔第12版〕』2019年，弘文堂
中田・債総	中田裕康『債権総論〔第4版〕』2020年，岩波書店
中田・解消	中田裕康『継続的売買の解消』1994年，有斐閣
中田・研究	中田裕康『継続的取引の研究』2000年，有斐閣
中野＝下村・民執	中野貞一郎＝下村正明『民事執行法』2016年，青林書院
原田・ローマ法	原田慶吉『ローマ法〔改訂〕』1955年，有斐閣〔初版1949年〕
樋口・アメリカ	樋口範雄『アメリカ契約法〔第2版〕』2008年，弘文堂

平井・債総	平井宜雄『債権総論〔第2版〕』1994年，弘文堂	
星野・借地借家	星野英一『借地・借家法』1969年，有斐閣	
星野・民	星野英一『民法＝財産法＝』1994年，放送大学教育振興会	
山口・フランス	山口俊夫『フランス債権法』1986年，東京大学出版会	
米倉・プレ	米倉明『プレップ民法〔第5版〕』2018年，弘文堂	
我妻・総則	我妻栄『新訂民法総則』1965年，岩波書店〈1970年8刷〉	
我妻・債総	我妻栄『新訂債権総論』1964年，岩波書店〈1971年9刷〉	

Ⅲ　講座・コンメンタール等

注民（10）	奥田昌道編『注釈民法（10）債権（1）』1987年，有斐閣
注民（11）	西村信雄編『注釈民法（11）債権（2）』1965年，有斐閣
注民（12）	磯村哲編『注釈民法（12）債権（3）』1970年，有斐閣
新版注民（10）Ⅰ	奥田昌道編『新版注釈民法（10）Ⅰ債権（1）債権の目的・効力（1）』2003年，有斐閣
新版注民（10）Ⅱ	奥田昌道編『新版注釈民法（10）Ⅱ債権（1）債権の目的・効力（2）』2011年，有斐閣
新版注民（13）	谷口知平＝五十嵐清編『新版注釈民法（13）債権（4）〔補訂版〕』2006年，有斐閣
新版注民（14）	柚木馨＝高木多喜男編『新版注釈民法（14）債権（5）』1993年，有斐閣
新版注民（15）	幾代通＝広中俊雄編『新版注釈民法（15）債権（6）〔増補版〕』1996年，有斐閣
新版注民（16）	幾代通＝広中俊雄編『新版注釈民法（16）債権（7）』1989年，有斐閣
新版注民（17）	鈴木禄弥編『新版注釈民法（17）債権（8）』1993年，有斐閣
新注民（14）	山本豊編『新注釈民法（14）債権（7）』2018年，有斐閣
新注民（15）	窪田充見編『新注釈民法（15）債権（8）』2017年，有斐閣
改正コメ	松岡久和＝松本恒雄＝鹿野菜穂子＝中井康之編『改正債権法コンメンタール』2020年，法律文化社
講座Ⅳ	星野英一編集代表『民法講座（4）債権総論』1985年，有斐閣
講座Ⅴ	前同『民法講座（5）契約』1985年，有斐閣
講座別Ⅰ	前同『民法講座別巻1』1990年，有斐閣
講座別Ⅱ	前同『民法講座別巻2』1990年，有斐閣
星野古稀上・下	星野英一古稀『日本民法学の形成と課題　上・下』1996年，有斐閣
百年Ⅰ	広中俊雄＝星野英一編『民法典の百年Ⅰ全般的観察』1998年，有斐閣
百年Ⅲ	前同『民法典の百年Ⅲ個別的観察（2）債権編』1998年，有斐閣

大系Ⅰ～Ⅷ	『契約法大系Ⅰ～Ⅷ』1962～65 年，有斐閣
現大系Ⅰ～Ⅸ	『現代契約法大系　第 1 巻～第 9 巻』1983～85 年，有斐閣
展望Ⅲ～Ⅵ	椿寿夫編『講座現代契約と現代債権の展望（3）～（6）』1990～94 年，日本評論社
分析展開	山田卓生ほか『分析と展開　民法Ⅱ債権〔第 5 版〕』2005 年，弘文堂
民事法Ⅲ	鎌田薫ほか編著『民事法Ⅲ債権各論〔第 2 版〕』2010 年，日本評論社
争　点	内田貴＝大村敦志編『民法の争点』2007 年，有斐閣

〔民法改正の検討〕

改正課題	山本敬三ほか『債権法改正の課題と方向』別冊 NBL 51 号，1998 年，商事法務研究会
基本方針Ⅰ～Ⅴ	民法（債権法）改正検討委員会編『詳解　債権法改正の基本方針Ⅰ～Ⅴ』2009～10 年，商事法務
森田・深める	森田宏樹『債権法改正を深める』2013 年，有斐閣

〔2017 年改正〕

井上＝松尾・改正	三井住友銀行総務部法務室著，井上聡＝松尾博憲編著『practical 金融法務　債権法改正〔第 2 版〕』2020 年，金融財政事情研究会
内田・改正	内田貴『改正民法のはなし』2020 年，民事法務協会
大村＝道垣内・改正	大村敦志＝道垣内弘人編『解説　民法（債権法）改正のポイント』2017 年，有斐閣
改正と民法学Ⅰ～Ⅲ	安永正昭＝鎌田薫＝能見善久監修『債権法改正と民法学Ⅰ～Ⅲ』2018 年，商事法務
鎌田ほか・改正	鎌田薫＝内田貴ほか『重要論点　実務　民法（債権関係）改正』2019 年，商事法務
潮見・改正	潮見佳男『民法（債権関係）改正法の概要』2017 年，金融財政事情研究会
潮見ほか・改正	潮見佳男＝千葉惠美子＝片山直也＝山野目章夫編『詳解 改正民法』2018 年，商事法務
潮見ほか・BA 改正	潮見佳男＝北居功＝高須順一＝赫高規＝中込一洋＝松岡久和編著『Before/After 民法改正』2017 年，弘文堂
道垣内＝中井・改正	道垣内弘人＝中井康之編著『債権法改正と実務上の課題』2019 年，有斐閣〔初出 2018 年〕
中田ほか・改正	中田裕康＝大村敦志＝道垣内弘人＝沖野眞已『講義 債権法改正』2017 年，商事法務
平野・改正	平野裕之『新債権法の論点と解釈〔第 2 版〕』2021 年，慶應義塾大学出版会
森田・改正	森田修『「債権法改正」の文脈──新旧両規定の架橋のために』

	2020 年，有斐閣〔初出 2016～19 年〕
山野目・改正	山野目章夫『新しい債権法を読みとく』2017 年，商事法務

IV 立法関係資料

〔明治民法等〕

民法速記録 I～VII	法務大臣官房司法法制調査部監修『日本近代立法資料叢書 1～7　法典調査会民法議事速記録一～七』1983～84 年，商事法務研究会
総会速記録	前同『同 12　法典調査会民法総会議事速記録』1988 年，同上
主査会速記録	前同『同 13　法典調査会民法主査会議事速記録』1988 年，同上
整理会速記録	前同『同 14　法典調査会民法整理会議事速記録』1988 年，同上
民法修正案理由書	廣中俊雄編著『民法修正案（前三編）の理由書』1987 年，有斐閣
Exposé des motifs, t. 1～4	Code civil de l'Empire du Japon accompagné d'un exposé des motifs, t. 1-4, 1891, Kokubunsha 〈復刻版『日本立法資料全集別巻 28～31』1993 年，信山社出版〉
仏訳民法	Code civil de l'Empire du Japon, Traduction par I. Motono et M. Tomii, 1898, Librairie de la Société du Recueil Général des Lois et des Arrêts 〈復刻版，1997 年，新青出版〉

〔現代語化〕

吉田＝筒井・現代語化	吉田徹＝筒井健夫編著『改正民法の解説［保証制度・現代語化］』2005 年，商事法務

〔2017 年改正〕

論点整理説明	商事法務編『民法（債権関係）の改正に関する中間的な論点整理の補足説明』2011 年，商事法務
中間試案説明	商事法務編『民法（債権関係）の改正に関する中間試案の補足説明』2013 年，商事法務
部会資料	法制審議会民法（債権関係）部会において審議に付された資料（法務省ホームページに掲載。序章注 17）記載の出版物もある）
部会議事録	同部会の審議の議事録（同上）
一問一答	筒井健夫＝村松秀樹編著『一問一答 民法（債権関係）改正』2018 年，商事法務

V 判例評釈・判例解説

判民大 10	『判例民法大正十年度』（大正 11 年度まで）有斐閣

判民昭 10	『判例民事法昭和十年度』（大正 12 年度～昭和 27 年度，昭和 40 年度，昭和 41 年度）有斐閣
最判解民平 30	『最高裁判所判例解説民事篇平成 30 年度』（昭和 29 年度～）法曹会
百選 I	潮見佳男 = 道垣内弘人編『民法判例百選 I 総則・物権〔第 8 版〕』2018 年，有斐閣
百選 II	窪田充見 = 森田宏樹編『民法判例百選 II 債権〔第 8 版〕』2018 年，有斐閣
百選 III	水野紀子 = 大村敦志編『民法判例百選 III 親族・相続〔第 2 版〕』2018 年，有斐閣
百選 II〔4 版〕	星野英一 = 平井宜雄編『民法判例百選 II 債権〔第 4 版〕』1996 年，有斐閣
百選 II〔5 版〕	星野英一 = 平井宜雄 = 能見善久編『民法判例百選 II 債権〔第 5 版新法対応補正版〕』2005 年，有斐閣
百選 I〔6 版〕	中田裕康 = 潮見佳男 = 道垣内弘人編『民法判例百選 I 総則・物権〔第 6 版〕』2009 年，有斐閣
百選 II〔6 版〕	前同『民法判例百選 II 債権〔第 6 版〕』2009 年，有斐閣
百選 II〔7 版〕	中田裕康 = 窪田充見編『民法判例百選 II 債権〔第 7 版〕』2015 年，有斐閣
百選 III〔初版〕	水野紀子 = 大村敦志編『民法判例百選 III 親族・相続』2015 年，有斐閣
重判令 2	『令和 2 年度重要判例解説（ジュリスト増刊）』（昭和 43 年度～）有斐閣
基本判例	平井宜雄編『民法の基本判例〔第 2 版〕』1999 年，有斐閣
判例に学ぶ	星野英一編『判例に学ぶ民法』1994 年，有斐閣

VI　条約・国際的原則等

CISG	United Nations Convention on Contracts for the International Sale of Goods（1980）（条文は「国際売買約」で引用する）
UP1994	UNIDROIT Principles of International Commercial Contracts（1994）
UP2004	UNIDROIT Principles of International Commercial Contracts（2004）
UP2010	UNIDROIT Principles of International Commercial Contracts（2010）
UP	UNIDROIT Principles of International Commercial Contracts（2016）（2016 年版で内容の変化がない場合，それ以前の版の引用は割愛）
PECL I～III	Principles of European Contract Law, Parts I & II（2000），Part III（2003）
DCFR	Principles, Definitions and Model Rules of European Private Law —— Draft Common Frame of Reference（2009）
CESL	Proposal for a REGULATION OF THE EUROPEAN PARLIAMENT AND OF THE COUNCIL on a Common European Sales Law（2011）

Ⅶ 判例集・雑誌

民録（大審院民事判決録），民集（大審院／最高裁判所民事判例集），裁集民（最高裁判所裁判集民事），判時（判例時報），判タ（判例タイムズ），新聞（法律新聞），裁判例（大審院裁判例），評論（法律学説判例評論全集），法協（法学協会雑誌），論叢（法学論叢），民商（民商法雑誌），北法（北大法学論集），名法（名古屋大学法政論集），阪法（阪大法学），都法（東京都立大学法学会雑誌），新報（法学新報），志林（法学志林），同法（同志社法学），早法（早稲田法学），関法（関西大学法学論集），上法（上智法学論集），法雑（法学雑誌），ジュリ（ジュリスト），法時（法律時報），曹時（法曹時報），金法（金融法務事情），金判（金融・商事判例），法教（法学教室），法セ（法学セミナー）など，通例の省略型を用いる。

目　次

はしがき i
本書の記号と略語の説明 iv

序　章　民法改正と契約法 1

第1節　民法のなかの契約法 1

1　2017年の民法改正 1
2　民法の制定とその後の1世紀 1
　(1) 民法の制定　　　　　　　　(2) 民法の諸改正
　(3) 契約・債権に関する民法の規定の維持
3　民法（債権法）改正が求められた理由 4
　(1) 民法の抱えていた問題　　　(2) 国際的な動き
　(3) 民法（債権法）改正の経緯
4　民法の限定的な改正 10

第2節　現代の契約現象 11

第3節　本書の内容と構成 13

第1部　契約法総論

第1章　契約の意義 17

第1節　契約の基本理念 17

1　契約とは何か 17
　(1) 日本における契約の概念　(a) 契約の概念の多様性　(b)「合意」としての契約——狭義の契約と広義の契約　(c)「法律行為」としての契約——伝統的定義の形成　(d) 伝統的定義に対する批判
　(2) 狭義の契約の位置づけ　(a) 狭義の契約　(b) 合意という観点からの位置づけ　(c) 法律行為という観点からの位置づけ
　(3) 合意を基礎とする契約

2　近代的契約法の形成と思想 22
　　　(1) 近代的契約法の形成　　(2) 近代的契約法の思想・契約観
　　3　契約自由の原則 23
　　　(1) 意義　 (a) 民法の規定 (b) 沿革
　　　(2) 契約自由の原則の制限　 (a) 前提と現実のずれ (b) 契約自由の原則の制限
　　　(3) 契約自由とその制限の関係
　　4　意思自治の原理——契約の拘束力 29
　　　(1) 意義　 (a) 形成 (b) 批判 (c) 契約の拘束力
　　　(2) 約款——希薄な意思による拘束　 (a) 約款の意義 (b) 約款の拘束力と法的性格 (c) 約款の適正化 (d) 約款の概念の意義 (e) 定型約款
　　　(3) 事情変更の原則——合意による拘束の限界　 (a) 意義 (b) 日本における事情変更の原則
　　5　契約の完結性——個別的で固定的な法律関係 47
　　　(1) 意義
　　　(2) 個別性に関する批判と対応　 (a) 当事者の社会的関係 (b) 契約と他の契約との関連性 (c) 契約の第三者への影響
　　　(3) 固定性に関する批判と対応　 (a) 事情の変更 (b) 軽微なトラブルの処理 (c) 当事者の裁量 (d) 当事者双方の履行すべき内容の不確定
　　　(4) 完結性の限界　 (a) 完結性の修正 (b) 完結性に関する合意
　　6　現代における契約 55
　　　(1) 近代的契約法と日本的契約観　 (a) 近代的契約法の修正と日本的契約観 (b)「前近代的な日本的契約観」論 (c) 日本の企業取引の実態との関係
　　　(2) 現代契約法の諸相——合意の尊重とその制限　 (a) 近代的契約法の補強 (b) 近代的契約法の補完 (c) 近代的契約法の補正

第2節　契約を規律する法 60
　1　一般的規律——強行規定と任意規定 60
　2　領域ごとの規律 62
　3　国際取引における規律 62
　　　(1) 国際売買における統一化　(2) 契約法レベルでの統一化

第3節　契約の種類 64
　1　典型契約・非典型契約 64
　　　(1) 概念　　　　　　　　　　(2) 典型契約の意義
　　　(3) 非典型契約の規律　　　　(4) 典型契約の分類
　2　民法上の契約の分類 69
　　　(1) 双務契約・片務契約　　　(2) 有償契約・無償契約
　3　判例・学説による契約の分類 73
　　　(1) 諾成契約・要物契約　 (a) 諾成契約 (b) 要物契約

(2) 一時的契約・継続的契約

第2章　契約の成立 ... 77

第1節　契約の成立に関する諸問題 ... 77

第2節　契約の成立にいたる時間の流れ ... 79

1　民法等の制定法の規律 79
　　(1) 申込み＝承諾モデル
　　(2) 申込み　　(a) 申込みと申込みの誘引　(b) 基本型　(c) 申込みの撤回の可能性（申込みの拘束力）　(d) 申込みの撤回の効力　(e) 申込みの効力（承諾適格）の存続期間
　　(3) 承諾　　(a) 承諾の意義　(b) 承諾義務　(c) 承諾の効力
　　(4) 申込みと承諾以外の方法による契約の成立　　(a) 意思実現――承諾の通知を必要としない場合　(b) 交叉申込み
　　(5) 懸賞広告　　(a) 意義　(b) 内容

2　申込み＝承諾モデルの問題点 98
　　(1) 契約成立過程の多様性
　　(2) 合意内容の確定性と合意の終局性　　(a)「確定的な合意」の2つの意味　(b) 合意内容の確定性　(c) 合意の終局性

第3節　合意の内容 ... 102

1　合意されるべき内容・合意された内容 102

2　合意されるべき内容 102
　　(1) 本質的部分の一致　　　　(2) 部分的未確定
　　(3) 部分的不一致（無意識の不一致）

3　合意された内容 105
　　(1) 意思表示の合致と意思の不合致
　　(2) 契約の解釈　　(a) 表示と真意　(b) 契約の解釈の種類
　　(3) 契約内容に取り込まれるべき合意の範囲

第4節　契約成立過程に関する規律 ... 110

1　契約成立過程の実態 110

2　契約の成立に関する規律 110
　　(1) 当事者の外部からの規律　　(a) 法律による規律　(b) 裁判所による規律
　　(2) 当事者の合意による規律　　(a) 契約成立の合意によるコントロール　(b) 予約　(c) 解約手付　(d) 中間的合意　(e) 契約の段階化　(f) 複数の契約の成立に関する合意

3　情報に関する規律 130
　　(1) 当事者の外部からの規律　　(a) 情報提供義務（説明義務）　(b) 守秘義務

(2) 当事者の合意による規律——情報の管理
　4　契約成立前の法律関係の統一的説明 135
　　　(1) 信義則　　　　　　　　　　　(2) 契約締結上の過失責任
　　　(3) プロセスとしての契約　　(a) 契約の熟度論　(b) 契約プロセス論

第5節　契約書の意義と機能 138
　1　契約方式の自由と契約書の要請 138
　2　契約書の機能 139
　3　契約書の今後 141
　　　(1) 書面の要求についての2つの方向
　　　(2) デジタル社会における契約書

第3章　契約の効力 143

第1節　契約の効力の意義 143
　1　契約の有効性・効果・効力 143
　　　(1) 契約の有効性　　　　　　　(2) 契約の効果
　　　(3) 契約の効力
　2　双務契約における相互の債務の関係 146

第2節　同時履行の抗弁 147
　1　意　義 147
　2　効　果 149
　　　(1) 履行の拒絶　　　　　　　　(2) 債務不履行責任の不発生
　　　(3) 相殺からの保護
　3　要　件 151
　　　(1) 概観
　　　(2) 同一の双務契約上の両債務の存在　　(a) 同時履行関係が認められる債務
　　　　　(b) 当事者の交替
　　　(3) 相手方の債務が弁済期にあること
　　　(4) 相手方がその債務の履行の提供をしないこと
　　　(5) 同時履行関係の主張の要否
　4　類似する制度・概念 157
　　　(1) 双務契約上の債務相互間以外の場合　　(a) 概観　(b) 民法の規定がある
　　　　　もの　(c) 判例・学説により認められているもの
　　　(2) 不安の抗弁権　　　　　　　(3) 留置権

第3節　危険負担 162
　1　意　義 162

        (1) 危険負担制度の位置づけ
        (2) 前提となる概念　　(a) 債権者・債務者　(b) 危険の負担　(c) 不能　(d) 当事者双方の責めに帰することができない事由
　　2　民法の危険負担制度 165
        (1) 概観──債務者主義と履行拒絶権構成
        (2) 当事者双方の責めに帰することができない事由がある場合
        (3) 債権者の責めに帰すべき事由がある場合　　(a) 反対給付の履行　(b) 利益の償還
        (4) 当事者双方に責めに帰すべき事由がある場合

　第4節　第三者のためにする契約 171
　　1　意　義 171
        (1) 第三者のためにする契約の許容　(2) 第三者のためにする契約の構造
　　2　要　件 175
　　3　効　果 176
        (1) 第三者・諾約者間の関係　　(a) 受益の意思表示の意義　(b) 受益の意思表示をした後の法律関係
        (2) 要約者・諾約者間の関係　　(a) 履行請求　(b) 損害賠償請求　(c) 解除
        (3) 要約者・第三者間の関係
　　4　適用範囲 179
        (1) 適用例　　　　　　　　　(2) 契約の解釈及び事実認定の基準

第4章　契約の終了 183

　第1節　契約の終了の意義 183
　　1　契約の終了のプロセス 183
　　2　契約の終了原因 185
        (1) 本来の終了原因　　(a) 一時的契約の場合　(b) 継続的契約の場合
        (2) 特別の終了原因　　(a) 当事者の合意による終了　(b) 一方当事者の意思表示による終了　(c) 当事者の意思に基づかない終了

　第2節　契約の解除 192
　　1　意　義 192
　　2　債務不履行による解除の意義 193
　　3　債務不履行による解除の要件 196
        (1) 概観　　(a) 要件の概観　(b) 規定の構成──分類の観点
        (2) 催告解除の要件　　(a) 概観　(b) 履行遅滞　(c) その他の債務不履行（履行遅滞，履行不能，履行拒絶以外のもの）　(d) 催告　(e) 軽微な不履行──消極的要件

(3) 無催告解除の要件　　(a) 概観　(b) 履行不能　(c) 履行拒絶　(d) 定期行為の履行遅滞　(e) 催告しても履行を受ける見込みがないことが明らかであるとき
　　(4) 債権者の帰責事由による不履行
　　(5) 債務者の帰責事由の不要

　4　解除の方式 …. 216
　　(1) 相手方に対する意思表示　　(2) 撤回の禁止
　　(3) 解除権者
　　(4) 解除権の不可分性　　(a) 意義　(b) 解除する側が数人いる場合　(c) 解除の相手方が数人いる場合　(d) 数人の者の1人についての解除権の消滅

　5　解除の効果 …. 221
　　(1) 効果の概要と法律構成　　(a) 効果の概要　(b) 効果の法律構成
　　(2) 原状回復　　(a) 意義　(b) 引き渡された物・金銭の返還
　　(3) 第三者との関係　　(a) 第三者の意義　(b) 解除後の第三者　(c) 解除前の第三者
　　(4) 損害賠償請求権　　(5) 他の契約への波及

　6　解除権の消滅 …. 242
　　(1) 民法の規定する特殊な消滅原因　　(a) 相手方の催告　(b) 解除権者による目的物の損傷等　(c) 数人の解除権者のうちの1人についての消滅
　　(2) 一般的な消滅原因　　(a) 債務不履行の解消　(b) 解除権の放棄　(c) 解除権の消滅時効

第5章　契約の変更 …………………………………………… 249

第1節　意　義 ……………………………………………………… 249

第2節　契約の内容の変更 ……………………………………… 249

　1　対象の限定と分類 …. 249
　　(1) 限定　　(2) 分類

　2　合意による変更 …. 252
　　(1) 契約締結後の合意　　(2) 変更条項

　3　法定の効果としての変更 …. 254
　　(1) 法律の規定　　(a) 継続性のある契約　(b) 団体性のある契約
　　(2) 裁判所の判断

第3節　契約の主体の変更 ……………………………………… 255

　1　合意による変更 …. 255
　　(1) 契約上の地位の移転　　(a) 意義　(b) 要件　(c) 効果
　　(2) 組合契約における脱退・加入

2　法定の効果としての変更 259

第2部　各種の契約

第6章　贈　与 263
第1節　意　義 263
第2節　贈与の成立 267
1　諾成契約 267
2　財産を与えること 269
　(1) 意義　　　　　　　　　(2) 他人の財産の贈与
3　無　償 270
第3節　贈与の効力 271
1　贈与者の義務――概観 271
2　贈与の目的である物又は権利の状態 271
　(1) 契約内容としての状態　(2) 負担付贈与
第4節　贈与の解消 275
1　書面によらない贈与の解除 275
　(1) 意義
　(2) 要件と方法　(a)「書面によらない」贈与であること　(b)「履行の終わった部分」でないこと　(c) 解除の意思表示　(d) 解除に関する総則的規定の適用の有無
2　債務不履行による解除 278
3　事情の変化のある場合の贈与の解消 279
　(1) 意義　　　　　　　　　(2) 履行前の履行拒絶
　(3) 履行後の解消
第5節　各種の贈与 281
1　負担付贈与 281
2　定期贈与 283
3　死因贈与 283

第7章　売　買 287

第1節　意 義 287
　1　売買の普遍性と多様性 287
　2　売買を規律する法 289
　　(1) 制定法と判例　　　　　(2) 日本の「生きた法」
　　(3) 民法の売買の節の規定

第2節　売買の成立 290
　1　諾成契約 290
　2　財産権の移転 290
　3　代金の支払 291
　4　契約成立過程 292
　5　売買の費用 292

第3節　売買の効力 292
　1　概　観 292
　2　売主の義務 293
　　(1) 概観
　　(2) 財産権移転義務　(a) 具体的内容　(b) 果実
　　(3) 担保責任　(a) 概観　(b) 目的物の契約不適合　(c) 移転した権利の契約
　　　不適合　(d) 物の不適合と権利の不適合を通じての規律　(e) 目的物の滅失等
　　　についての危険の移転　(f) 改正前民法における瑕疵担保責任の性質論
　3　買主の義務 336
　　(1) 代金支払義務　　(a) 代金額　(b) 支払時期　(c) 支払場所　(d) 代金の利息
　　　(e) 代金支払を拒絶できる場合
　　(2) 受領義務（引取義務）の存否

第4節　各種の売買 340
　1　売買の諸相 340
　　(1) 社会的実態に応じた類型化　　(2) 当事者
　　(3) 目的物　　　　　　　　　　　(4) 取引の態様
　2　買戻し特約付き売買 342
　　(1) 意義　　　　　　　　　　　　(2) 制度の概要

第8章　交　換 347

第9章　消費貸借 349

第1節　意 義 349

    1　概　念 …. 349
    2　２つの成立方法が定められた経緯 …. 350
        (1) 改正前民法のもとの状況　(a) 消費貸借の要物性に対する批判　(b) 諾成的消費貸借の承認
        (2) 要式契約としての消費貸借の追加

  第2節　消費貸借の成立 ………………………………………………… 353
    1　要物契約 …. 353
        (1) 意義——要物性の原則　　(2) 要物性による支障の緩和
    2　要式契約 …. 355
        (1) 意義
        (2) 要件　　(a) 合意　(b) 書面ですること
        (3) 受取り前の法律関係　(a) 借主の解除権　(b) 当事者の破産
    3　その他の成立方法 …. 359
        (1) 準消費貸借　　(a) 意義　(b) 新旧債務の関係
        (2) 予約

  第3節　消費貸借の効力 ………………………………………………… 363
    1　貸主の義務 …. 363
        (1) 要物契約における「貸す義務」の不存在
        (2) 要式契約における「貸す債務」
        (3) 目的物の状態に関する規律　　(a) 概観　(b) 利息付き消費貸借　(c) 無利息消費貸借
    2　借主の義務 …. 367
        (1) 返還義務　　(a) 返還すべき物　(b) 返還時期
        (2) 利息支払義務　　(a) 利息の意義　(b) 利息の規制

第10章　使用貸借 ………………………………………………… 373

  第1節　意　義 …………………………………………………………… 373
  第2節　使用貸借の成立 ………………………………………………… 374
    1　要物契約から諾成契約へ …. 374
    2　物の使用収益及び返還 …. 375
    3　無　償 …. 377
    4　目的物受取り前の貸主の解除権 …. 377
  第3節　使用貸借の効力 ………………………………………………… 378
    1　貸主の義務 …. 378

(1) 引渡債務　　　　　　　　(2) 使用収益許容義務
　　　(3) 費用償還義務
　　2　借主の義務 380
　　　(1) 目的物の使用収益に関する義務
　　　(2) 契約終了時の義務等
　　3　借主と第三者との関係 382
　　　(1) 目的物の新所有者との関係
　　　(2) 借主の使用収益を妨害する者との関係

　第4節　使用貸借の終了 383
　　1　終了と返還 383
　　2　終了原因 383
　　　(1) 期間満了等——当然終了　(a) 期間満了　(b) 目的に従った使用収益を
　　　　終えること　(c) 借主の死亡
　　　(2) 解除——意思表示による終了　(a) 期間及び目的に関連する規律　(b)
　　　　借主の義務違反等に関連する規律　(c) 目的物受取り前の貸主の解除　(d) 解
　　　　除の方法と効力

第11章　賃貸借 387

　第1節　意　義 387
　　1　賃貸借の対象 387
　　2　不動産賃貸借の3つの場面と法制度 388
　　　(1) 3つの場面
　　　(2) 不動産賃貸借に関する法制度の展開　(a) 旧民法　(b) 明治民法　(c) 特
　　　　別法——借地人・借家人の保護　(d) 特別法——多様化　(e) 現行民法

　第2節　当事者間の関係 393
　　1　賃貸借の成立 393
　　　(1) 諾成契約
　　　(2) 物の使用収益及び返還　(a) 物　(b) 使用収益及び返還　(c) 契約期間
　　　(3) 有償
　　2　賃貸借の効力 397
　　　(1) 賃貸人の義務　(a) 使用収益させる義務　(b) 費用負担　(c) 担保責任
　　　(2) 賃借人の義務　(a) 目的物の使用収益に関する義務　(b) 賃料支払義務
　　　　(c) 契約終了段階における義務等
　　　(3) 目的物の状態に関する問題　(a) 問題の所在　(b) 規律の内容
　　　(4) 付随的関係——敷金等　(a) 意義　(b) 敷金
　　3　賃貸借の終了 422

(1) 概観
　　(2) 本来の終了原因　　(a) 期間の定めのある賃貸借　(b) 期間の定めのない賃貸借
　　(3) 特別の終了原因　　(a) 概観　(b) 賃貸借契約の解除　(c) 賃借物の全部滅失等による使用収益不能
　　(4) 終了段階における当事者の義務

第3節　賃借人側の第三者との関係 430

1　賃借権の譲渡・目的物の転貸 430
2　承諾のある賃借権の譲渡 431
　　(1) 賃貸人と賃借人の関係（AB の関係）
　　(2) 賃借人と譲受人の関係（BC の関係）
　　(3) 賃貸人と譲受人の関係（AC の関係）
3　承諾のある転貸 432
　　(1) 賃貸人と賃借人の関係（AB の関係）　　(a) 原賃貸借の存続　(b) 転借人による目的物の滅失・損傷
　　(2) 賃借人と転借人の関係（BC の関係）　　(a) 転貸借の性質　(b) 原賃貸借の終了が転貸借に及ぼす影響
　　(3) 賃貸人と転借人の関係（AC の関係）　　(a) 転借人の義務　(b) 賃貸人の義務
4　承諾のない賃借権の譲渡及び転貸 439
　　(1) 賃貸人と賃借人の関係（AB の関係）　　(a) 賃貸人の解除権とその制限　(b) 無断譲渡・転貸の帰結
　　(2) 賃貸人と譲受人・転借人の関係（BC の関係）
　　(3) 賃貸人と譲受人・転借人の関係（AC の関係）

第4節　賃借人側でない第三者との関係 445

1　賃借人側でない第三者 445
2　目的物の新所有者等との関係 446
　　(1) 不動産賃貸借の対抗力　　(a) 規律の展開　(b) 対抗要件を具備しない賃貸借
　　(2) 不動産の譲渡と賃貸人たる地位の移転　　(a) 概観　(b) 不動産の賃貸人たる地位の移転が生じる諸場合　(c) 新賃貸人がその地位を賃借人に主張するための要件
3　二重賃借人との関係 456
4　不法占拠者等との関係 457

第5節　特別法上の賃貸借 459

1　概　観 459
　　(1) 経緯　　　　　　　　　　　(2) 適用対象

2　当事者間の関係 461
　　(1) 存続期間・更新等　　(a) 借地　(b) 借家
　　(2) 契約終了時の調整——買取請求権　　(a) 意義　(b) 借地　(c) 借家
　　(3) 契約内容の変更　　(a) 賃料増減請求権　(b) 借地条件の変更
　3　賃借人側の第三者との関係 481
　　(1) 借地　　(a) 転借地権者等の保護　(b) 土地の賃借権の譲渡・転貸の許可
　　　(c) 第三者の建物買取請求権
　　(2) 借家　　(a) 転借人の保護　(b) 建物賃借人の死亡
　4　賃借人側でない第三者との関係 484
　　(1) 借地　　　　　　　　　　　　(2) 借家
　5　被災借地借家法 486

第12章　雇　用 ... 489

第1節　意　義 ... 489

　1　雇用と役務提供契約 489
　2　雇用と労働契約 491

第2節　雇用の成立 ... 493

第3節　雇用の効力 ... 493

　1　労働者の義務 493
　　(1) 労働従事義務　　　　　　　　(2) 付随的義務
　2　使用者の義務 494
　　(1) 報酬支払義務　　(a) 報酬の内容と支払方法など　(b) 労働従事と報酬請求
　　　の関係
　　(2) 権利の譲渡制限　　　　　　　(3) 安全配慮義務

第4節　雇用の終了 ... 498

　1　期間の定めのある雇用 498
　　(1) 概観
　　(2) 期間経過前の解除　　(a) 長期の雇用における解除権　(b) やむを得ない事
　　　由による雇用の解除
　　(3) 期間満了と更新
　2　期間の定めのない雇用 500
　3　その他の終了事由 500
　　(1) 541条による解除　　　　　　(2) 使用者の破産
　　(3) 当事者の死亡

第13章　請　負 503

第1節　意　義 503

1　請負の多様性 503
2　「仕事の完成」の方法の多様性 504
3　請負の類型に応じた規律 504

第2節　請負の成立 505

第3節　請負の効力 506

1　請負人の権利義務 506
　(1) 仕事完成義務　　(a) 仕事の完成に向けて行為する義務　(b) 目的物引渡義務　(c) 仕事の完成に障害が生じた場合
　(2) 請負人の担保責任　　(a) 概観　(b) 目的物の種類・品質の不適合
　(3) 目的物の所有権の帰属　　(a) 問題の所在　(b) 注文者と請負人との間の問題　(c) 下請負人との関係　(d) 特約
2　注文者の義務 519
　(1) 報酬支払義務　　(a) 報酬の内容と支払時期　(b) 仕事完成と報酬請求の関係
　(2) 協力義務

第4節　請負の終了 521

1　各種の解除 521
2　注文者による任意解除 522
3　注文者の破産による解除 523

第14章　委　任 525

第1節　意　義 525

1　委任の概念 525
　(1) 委任と準委任　　　　(2) 無償委任と有償委任
2　委任と代理 526
3　各種の委任の発達と民法の委任の規定 527
　(1) 各種の委任の発達　　(2) 民法の委任

第2節　委任の成立 529

第3節　委任の効力 529

1　受任者の義務 529

(1) 事務処理義務　　(a) 意義 (b) 委任の本旨に従うこと (c) 善管注意義務 (d) 自己執行義務
　　(2) 個別的義務　　(a) 報告義務 (b) 受取物の引渡し等の義務 (c) 金銭消費の責任
　2　委任者の義務 536
　　(1) 受任者に損失を被らせない義務　　(a) 概観 (b) 費用支払義務 (c) 債務の代弁済義務等 (d) 損害賠償義務
　　(2) 報酬支払義務　　(a) 報酬支払義務の有無 (b) 報酬支払時期 (c) 委任の履行不能又は終了時の報酬請求
　　(3) 協力義務

第4節　委任の終了 540

　1　委任契約の解除 540
　　(1) 概観
　　(2) 各当事者の任意解除　　(a) 解除の自由と制限 (b) 具体的規律 (c) 解除が否定される場合
　2　その他の終了事由 543
　　(1) 委任の終了事由　　(a) 当事者の死亡 (b) 当事者の破産 (c) 受任者についての後見開始
　　(2) 委任の終了時の規律

第15章　寄　託 545

第1節　意　義 545

第2節　寄託の成立 546

　1　要物契約から諾成契約へ 546
　2　寄託物受取り前の寄託の解除 546
　　(1) 寄託者の解除権
　　(2) 受寄者の解除権　　(a) 書面によらない無償寄託における受寄者の解除権 (b) 有償寄託及び書面による無償寄託の受寄者の解除権

第3節　寄託の効力 548

　1　受寄者の義務 548
　　(1) 目的物保管義務　　(a) 注意義務 (b) 寄託物の使用の禁止 (c) 自己執行義務
　　(2) 保管に付随する義務　　(a) 通知義務 (b) その他の義務
　　(3) 目的物返還義務　　(a) 概観 (b) 返還時期 (c) 返還の相手方
　2　寄託者の義務 554

(1) 受寄者に損失を被らせない義務　　(a) 概観　(b) 損害賠償義務　(c) 費用支払義務等
(2) 報酬支払義務

第4節　寄託の終了 555

第5節　特殊の寄託 555

1　混合寄託 555
2　消費寄託 556
(1) 意義　　　　　　　　　　　(2) 預貯金契約

第6節　役務提供契約の区別 559

第16章　組　合 561

第1節　意　義 561

1　組合契約と組合 561
2　契約としての面——契約か合同行為か 562
(1) 合同行為論の台頭　　　　　(2) 契約の一般的規律の適用の有無
(3) 組合契約の性質
3　団体としての面——社団法人との関係 564
(1) 組合と社団
(2) 法人格の意義　(a) 法人格があることの効果　(b) 組合の場合
(3) 組織形態の多様化・柔軟化
4　組合の財産関係 568
5　組合の制度設計 569

第2節　組合契約の成立 569

1　成立要件 569
2　組合員の1人についての意思表示の無効等 570

第3節　組合契約の効力 571

1　組合員の義務 571
(1) 出資債務　　　　　　　　　(2) 共同事業遂行義務
2　組合の業務執行 573
(1) 業務執行の分析
(2) 業務の決定及び執行　(a) 業務の決定及執行の方法　(b) 業務執行者を定めない場合　(c) 業務執行者を定めた場合
(3) 組合代理　(a) 組合における第三者との法律行為　(b) 業務執行者を定めない場合　(c) 業務執行者を定めた場合

3　組合の財産関係 581
　　　(1) 概観
　　　(2) 組合財産　(a) 所有権などの物権　(b) 債権
　　　(3) 組合債務　(a) 組合の債権者と組合財産　(b) 組合の債権者と組合員の財産
　　　(4) 損益分配　(a) 損益分配の割合　(b) 利益と損失の概念

第 4 節　組合員の変動 588

　　1　概　観 588
　　2　加　入 588
　　　(1) 加入の要件　　　　　　　(2) 加入の効果
　　3　脱　退 589
　　　(1) 脱退の要件　(a) 任意脱退　(b) 非任意脱退
　　　(2) 脱退の効果　(a) 概観　(b) 総体的財産についての清算　(c) 組合債務についての組合債権者との関係

第 5 節　組合の解散と清算 592

　　1　概　観 592
　　2　解　散 592
　　3　清　算 594

第 17 章　終身定期金 595

第 18 章　和　解 599

第 1 節　意　義 599

第 2 節　和解の成立 602

　　1　2 要件論 602
　　2　和解の効力に着目する要件論 603

第 3 節　和解の効力 604

　　1　和解の確定効 604
　　　(1) 確定効の概念
　　　(2) 和解の要件の再検討　(a) 争いの存在　(b) 互譲
　　2　和解の効力の覆滅 605
　　　(1) 概観
　　　(2) 和解と錯誤　(a) 改正前民法のもとでの議論　(b) 現行民法のもとの規律
　　　(3) 債務不履行による解除

3 和解により確定された法律関係と従来の法律関係 609
4 和解の効力をもたない紛争解決合意 610

事項索引 611
判例索引 619

序章　民法改正と契約法

第1節　民法のなかの契約法

1　2017年の民法改正

「民法の一部を改正する法律」が2017年6月2日に公布され，2020年4月1日に施行された。契約法を中心とする債権法全般についての大改正だった。1896年に民法（前三編）が公布されてから120年余を経てのことである。もっとも，それは，当初，検討されていたよりも，かなり限定的な改正にとどまるものだった。民法の契約や債権に関する規定は，19世紀末から1世紀以上にわたってなぜ維持されてきたのか，なぜその改正が求められたのか，そしてなぜ限定的な改正にとどまったのか。これらの問題は，これからの契約法を考えるうえで重要な意味をもっている。まず，この3つの問題を検討しよう。そのためには，日本民法の歴史を少し振り返る必要がある。

2　民法の制定とその後の1世紀

(1)　民法の制定

日本で最初の民法は，1890（明治23）年に公布された。これは財産法の部分をフランスの法学者ボワソナード（Boissonade）が起草し，家族法の部分を日本人委員が起草したものであり，「旧民法」と呼ばれる。旧民法は，フランス法の直接的な影響下にあり，財産編，財産取得編，債権担保編，証拠編，人事編からなる。契約については，その一般的な規律が財産編に，各種の契約に関する規律が財産取得編に置かれた。旧民法は，1893年に施行される予定だったが，民法典論争があり，施行が延期された[1]。

そこで，旧民法を修正するという形式で，新しい民法が作られることになっ

た。3人の日本人学者（穂積陳重・富井政章・梅謙次郎）が起草し，法典調査会で検討されたうえ，帝国議会の審議を経て，財産法の部分（第1編～第3編）は1896年に，家族法の部分（第4編・第5編）は1898年に公布され，1898年にこれらの全体が施行された（これに伴い旧民法は廃止された）。これが現在の民法の原始規定にあたるものである。本書では，この民法を「明治民法」と呼ぶ[2]。

　財産法の部分についていうと，旧民法がフランス民法直系であったのに対し，明治民法においては，他の多くの国々の法も参照され，その影響を受けた。なかでも，当時，やはり法典編纂過程にあったドイツ民法草案の影響が大きい。

　その影響は，とりわけ民法典の構成において顕著である。次の2点で，明治民法はドイツ民法とほぼ同様の構成になった。第1点は，全体の編別である。フランス民法典（1804年）の原始規定は，「人」「財産及び所有権の諸変容」「所有権取得の諸態様」の3編から構成される。「人」が「物」を「取得する」という，日常的なイメージに沿った構成であり，インスティトゥティオネス体系という。旧民法もその系統である。これに対し，ドイツ民法典（1896年公布，1900年施行）は，より抽象化し，「総則」「債務関係法」「物権法」「親族法」「相続法」という5編の構成とした。明治民法も，ほぼ同様の編別である。第2点は，総則が多いことである。ドイツ民法典は，第1編総則をはじめとして，随所に総則的規定を置く。明治民法は，その影響のもと，各階層に総則という表題の規定群を置く（民法総則，債権総則，契約総則，売買総則など）。このような2つの特徴のあるドイツ民法典の構成をパンデクテン体系という。明治民法はこの体系をとった。

　ドイツ法の影響は，内容面でも大きい。契約法との関係で特に重要なのは，法律行為（90条以下）の概念の導入である。とはいえ，旧民法を経てフランス法に遡りうる規定はなお多い。英米法その他の諸国の法に由来する規定もある。また，日本の慣習について調査された事項もある（小柳・前掲注2) 20頁）。

1) 大久保泰甫＝高橋良彰『ボワソナード民法典の編纂』(1999)，星野通編著〔松山大学法学部松大GP推進委員会増補〕『民法典論争資料集〔復刻増補版〕』(2013〔初版1969〕)。旧民法制定前から現行民法の2003年改正までの変遷につき，前田達明編『史料民法典』(2004)。
2) 経緯の概観として，星野英一『民法のすすめ』(1998) 191頁以下，小柳春一郎「民法典の誕生」百年 I 3頁。起草者については，星野英一「日本民法学の出発点——民法典の起草者たち」同『民法論集第5巻』(1986) 145頁〔初出1977〕。関連資料は，本書凡例のIV立法関係資料〔明治民法等〕〔viii頁〕を参照。

(2) 民法の諸改正

明治民法のうち，家族法の部分は，第2次大戦後，日本国憲法が施行された1947年に全面改正され，表現も現代語化された。しかし，財産法の部分は，このときは第1編を中心とする小規模の改正しかされなかった。その後，財産法・家族法を通じていくつかの改正があった[3]。また，2004年には，財産法の部分も現代語化された[4]が，これは，ほぼ表現のみの現代化にとどまるものだった（以下，この2004年改正を「現代語化」という）。これらの改正を振り返ると，債権法の分野での改正は，他の分野に比べて非常に少なかったといえる。

(3) 契約・債権に関する民法の規定の維持

民法，特にその債権法の部分が1世紀以上にわたって維持されてきたことには，次の理由が考えられる。①民法の債権に関する規定には，ヨーロッパの長い歴史を経た普遍性，抽象性のあるものが少なくなく，長持ちしたこと。しかし，ヨーロッパ諸国の民法にも様々なヴァリエーションがあるし，現に改正されてもいるので，これだけでは説明できない。②特別法と判例による民法の補完。特別法や判例は，民法の規律を時代の要請に応じて部分的に修正したり，民法には一般的にしか規定されていない法理を具体化してきた。これはたしかに民法を保存する機能を果たしたが，同時に，民法の規律自体の意義を希薄化させることにもなった。③学説継受による条文の軽視[5]。民法が制定されて時を経ない1910年頃から，ドイツの民法学説が日本に導入され，日本民法の条文の文言や沿革にかかわらず，ドイツ流に解釈される現象（学説継受）が生じた。このため，民法の条文自体に対する関心が低下し，その改正も求められないことになった。④取引実務に支障がないこと。これには2つの要因がある。ⓐ契約法においては，契約自由の原則（→第1章第1節3〔23頁〕）がある。民法の規定が時代に合わなくても，当事者が自由に契約をすることによって，対処

---

3) 根抵当権に関する規定の新設（1971年），法定相続分の改正（1980年），特別養子制度の新設（1987年），成年後見制度の新設（1999年），担保物権法の改正（2003年），保証制度の改正（2004年），公益法人制度の全面改正（2006年），親権制度の改正（2011年）など。
4) 吉田＝筒井・現代語化，池田真朗編『新しい民法』（2005），中田「民法の現代語化」ジュリ1283号（2005）86頁。
5) 北川善太郎『日本法学の歴史と理論——民法学を中心として』（1968）385頁以下，星野英一「日本民法学史（1）」法教8号（1981）37頁参照。

することができた。ⓑ現実の取引では，取引慣行や信義則が重視され，民法はもとより契約さえ重要ではないといわれることもあった。かつて，日本人の法意識，日本の取引慣行などといわれたことである。現在では別の評価が有力であるが，なお根強くある感覚かもしれない（→第1章第1節6(1)〔55頁〕）。ⓔ民法の債権法の改正がむずかしかったこと。民法の規定には，ローマ法にまで遡るものや，立法当時の諸外国の法を参考にしたものが多い。また，民法制定から1世紀以上の間に，民法を基礎とする，多くの特別法，判例，学説，実務慣行が形成された。この間の外国法の展開もある。これらの蓄積のもつ意味を正確に理解し，吟味する必要がある。民法改正が他に及ぼす影響も慎重に検討しなければならない。改正には大きなエネルギーを要する。

3 民法（債権法）改正が求められた理由
(1) 民法の抱えていた問題

　これらの事情により，民法自体は維持されてきた。しかし，それは民法が尊重されてきたからではなく，その機能低下が痛痒を感じさせなかったからにすぎないのではないか，という疑問が生じる。実際，20世紀末の日本民法（契約法・債権法）には，次の問題が存在していた。

　第1に，民法全体についてのことだが，その規律内容がわかりにくいものとなっていた。これには，次の要因がある。①民法の規定がもともと難解であったこと。明治民法制定の背景には，不平等条約を改正するために主要法典の編纂が求められていたという事情があり，欧米からの信頼が得られる民法を制定することが急がれていた。そのために，法律用語もヨーロッパの言語に対応する言葉が新たに作成されたが，それは日常生活の言葉とは切り離されたものだった。明治民法の制定作業の中核を占めたのは，ヨーロッパで法学を学んだ少数のエリートである法学者であり，これを中心とする法律専門家同士の議論による法典形成がされた。さらに，旧民法に対しては教科書的であるという批判があり，それを改めようとした。こうして，明治民法は，専門家向けの規律として誕生した。このうち，表現上の難解さは現代語化の際にかなり解消されたが，基本原則や基本概念を明示しないなどの問題は残された。②学説継受の影響。前述の通り，民法制定後，条文に拘泥しない理解が学説を支配し，条文との乖離が生じた。③判例法理の発達。判例による法形成が進むにつれ，条文か

らは直ちに知りえない規範群が発達した。④社会経済状況の変化・科学技術の発達による規範の基礎の揺らぎ。民法の規定の前提となる社会経済状況や科学技術が変化した結果，条文の妥当性に疑義が生じるものが出てきた（たとえば，契約の成立に関する規律の前提となる通信手段の変化）。

> ◆ **明治民法の方針**　明治民法の制定にあたって，法典調査委員総会は，第1回・第2回会議（1893年4月・5月）で，「法典調査ノ方針」を決定し，「法典ノ条文ハ原則変則及ヒ疑義ヲ生スヘキ事項ニ関スル規則ヲ掲ケルニ止メ細密ノ規定ニ渉ラス」，「法典ノ文章ハ簡易ヲ主トシ」，「定義種別引例等ニ渉ルモノハ之ヲ削除ス」という方針を定めた（総会速記録3頁・27頁以下）。また，明治民法では，例外を規定することによって原則を読み取らせることにし，原則については規定しない，という形式がみられる。これらは，民法典論争において旧民法に投じられた「頗ル煩雑ニシテ法理ノ教科書」のようだといった批判（星野編著・前掲注1）185頁〔法学新報社説〕）を意識したものであろう。結果として，明治民法は，ドイツやフランスの民法の約半分程度の条文数からなる，圧縮されたものとなった。

第2に，とりわけ契約法の分野において，民法の空洞化といわれる現象があった。2点を指摘しよう。①特別法が発達し，民法が適用される領域が小さくなったこと。企業の取引では商法のほか多数の特別法や業法があり，さらに消費者取引では消費者契約法，ほとんどの雇用について労働契約法などの労働法が適用されるなど，民法が直接規律する領域が限定されるようになった。②社会における新しい法現象に民法が追いついていないこと。たとえば，現代の契約において，約款が重要な意味をもつが，改正前の民法にはこれに関する規定がなかった。

このように，民法が社会において十分な機能を発揮していないという問題が生じていた。

(2) 国際的な動き

契約法・債権法の改正の動きは日本だけのことではない。20世紀の終わり頃から，ヨーロッパやアジアなどの諸国では，契約法・債権法を改正又は新設する立法の動きが急速に進んだ。また，各国の国内法の整備だけではなく，国際物品売買契約に関する国連条約（ウィーン売買条約。United Nations Convention on Contracts for the International Sale of Goods〔CISG〕）[6]が成立し，多数の国が参

加している（1980年成立，88年発効。日本は2008年に加入し，09年から日本での効力が生じた→第1章第2節3(1)〔62頁〕）。さらに，研究者を中心とするいくつかのグループが国際的な契約法原則を公表した。

これらの動きの背景には，次の諸事情があると考えられる。①社会経済状況の変化や科学技術の発達に対応する必要，②市場のグローバル化による，取引ルールの現代化・明確化の要請，③社会主義国の市場経済化による，市場経済の基本ルールとしての契約法・債権法の整備の必要性，④ヨーロッパにおける統一契約法に向けての動きとその国内法への影響である。

◆ **外国での契約法・債権法の動き**[7]　　オランダ新民法典（1992年施行〔関連主要部分〕）[8]，ロシア連邦民法典第1部（1994年）・第2部（1996年），台湾民法（債権法）改正（1999年公布，2000年施行），ドイツ民法（債務法）改正（2001年公布，02年施行）[9]，ベトナム社会主義共和国民法制定（2005年），カンボディア王国民法典制定（2007年），アルゼンチン新民商法典制定（2014年審署，15年施行），フランス民法（契約法・債権債務関係法）改正（2016年）[10]，ラオス人民民主共和国民法制定（2018年）。

---

6) 曽野和明＝山手正史『国際売買法』(1993)，ペーター・シュレヒトリーム（内田貴＝曽野裕夫訳）『国際統一売買法』(1997)，甲斐道太郎ほか編『注釈国際統一売買法Ⅰ・Ⅱ』(2000・2003)，潮見佳男＝中田邦博＝松岡久和編『概説国際物品売買条約』(2010)。
7) 各国の状況については，以下の個別の文献のほか，加藤雅信ほか『民法改正と世界の民法典』(2009)。
8) 「特集・オランダ改正民法典」民商109巻4＝5号（1994），潮見佳男『契約責任の体系』(2000)。
9) ドイツ民法は，日本民法と同じ頃にできたものだが（1896年公布，1900年施行），その草案が日本民法の起草過程で影響を与えた。さらに，1910年頃からドイツの民法学説が日本の学説・判例に大きな影響を及ぼした（「学説継受」。北川・前掲注5)参照）。その後，わが国ではフランス民法の影響の再評価があるものの，なおドイツ民法の影響は大きい。その2001年の大改正は，CISG等の国際的な潮流も十分に検討し現代化したものであり，日本の学説にも新たな影響を及ぼしている。岡孝編『契約法における現代化の課題』(2002)，半田吉信『ドイツ債務法現代化法概説』(2003)，潮見佳男『契約法理の現代化』(2004)参照。
10) フランスでは，2016年2月に授権法律に基づくオルドナンスによる民法の改正がされ（同年10月1日施行），2018年4月に一部修正のうえ追認された（同年10月1日施行）。これにより，民法典の債権法は，民事責任と各種の契約の部分を除いて，全面的に改正された。これは，規律の現代化と平明化を図るものである。これに先立って提示された改正案として，カタラ（Catala）教授グループのカタラ草案（2005年），テレ（Terré）教授グループのテレ草案（2008年～13年），司法省草案（2008年～11年）がある。北村一郎「フランス民法典200年記念とヨーロッパの影」ジュリ1281号（2004）92頁，中田①「フランス民法改正案における継続的契約」淡路剛久古稀『社会の発展と権利の創造』(2012) 191頁，同②「2016年フランス民法（債権法）改正」日仏法学29号（2017）97頁，荻野奈緒ほか「フランス債務法改正オルドナンス（2016年2月10日のオルドナンス第131号）による民法典の改正」同法69巻1号（2017）279頁，馬場圭太「フランス民法典改正史」改正と民法学Ⅰ259頁，馬場圭太ほか「2016年債務法改正オルドナンスの追認」日仏法学30号（2019）142頁，フランソワ・アンセ

2020年施行)，中華人民共和国民法典制定（2020年公布，21年施行)[11]などがある。アメリカの統一商事法典（1951年成立，52年公刊）は第2編（売買）の改正（2003年）など，追加・改正が重ねられている[12]。韓国でも民法改正が検討された[13]。

◆ **国際的な契約原則**[14]　主なものとして，①ユニドロワ国際商事契約原則（1994年公表，2004年改訂及び追加，2010年改訂及び追加，2016年改訂〔UNIDROIT；UP〕），②ヨーロッパ契約法原則（Ⅰ部1995年〔2000年改訂〕，Ⅱ部2000年，Ⅲ部2003年〔各英語版公刊年。PECL〕），③ヨーロッパ私法の原則，定義，モデル準則──共通参照枠草案（2009年〔DCFR〕），④ヨーロッパ共通売買法（草案）（2011年〔CESL〕）がある。

ル及びベネディクト・フォヴァルク＝コソン（齋藤哲志＝中原太郎訳）『フランス新契約法』(2021) 参照。

11)　中国では，民法通則（1986年），契約法（1999年。従来の3法に代わるもの），不法行為法（2009年。権利侵害責任法）などの民事単行法があったが，2020年5月にこれらを統合する民法典が制定され，公布された（2021年1月1日施行）。全7編からなり，その第3編契約編は，通則・典型契約・準契約から構成される。債権編はなく，契約編通則の数章（契約の履行，契約の保全，契約の変更及び譲渡，契約上の権利義務の消滅，違約責任など）に，債権に関する諸規律がある。小田美佐子＝朱曄訳「中華人民共和国民法典」立命館法学390号412頁・391号436頁（2020），住田尚之「中国民法典の登場」国際商事法務48巻7号885頁〜49巻1号33頁（2020〜21），栗涛訳『中華人民共和国民法典Ⅰ』(2022)。

12)　もっとも，この第2編の改正は，州議会で採択されることがなく，失敗したといわれる（木戸茜「契約責任決定規範の多元性（1）」北法68巻6号〔2018〕1頁・42頁）。

13)　韓国では，1999年に法務部に設置された民法改正委員会の案に基づき，政府が2004年に改正案を国会に提出したが08年に廃案となった。09年からは法務部の新たな民法改正委員会で検討されたが，部分的な改正にとどまった。鄭鍾休「韓国民法の現代化」民商126巻2号・3号（2002），同「韓国民法の制定と発展」新井誠＝山本敬三編『ドイツ法の継受と現代日本法』(2009) 35頁，同「韓国における民法典改正の現状」ジュリ1406号（2010）70頁，徐熙錫「韓国における民法改正作業の最新動向」NBL 1016号67頁〜1018号55頁（2014），尹喆洪（金旼妹訳）「韓国債権法分野の最近の改正動向」広島法学40巻1号（2016）78頁。ハングル化につき，尹龍澤ほか編著『コリアの法と社会』(2020) 42頁〔中川敏弘〕。

14)　それぞれの英文表記は本書凡例Ⅵを参照。①の1994年版につき，曽野和明ほか訳『UNIDROIT国際商事契約原則』(2004)，2004年版につき，内田貴「ユニドロワ国際商事契約原則2004──改訂版の解説」NBL 811号38頁〜815号45頁（2005，未完），2010年版につき，私法統一国際協会（内田貴ほか訳）『UNIDROIT国際商事契約原則2010』(2013)，2016年版につき，同『UNIDROIT国際商事契約原則2016』(2020)，②につき，オーレ・ランドーほか（潮見佳男ほか監訳）『ヨーロッパ契約法原則Ⅰ・Ⅱ』(2006)，同『同Ⅲ』(2008)，その経緯等につき，ハイン・ケッツ（潮見佳男ほか訳）『ヨーロッパ契約法Ⅰ』(1999)，川角由和ほか編『ヨーロッパ私法の動向と課題』(2003)，ユルゲン・バセドウ編（半田吉信ほか訳）『ヨーロッパ統一契約法への道』(2004)，潮見・前掲注9)，③（概要版）につき，クリスティアン・フォン・バールほか編（窪田充見ほか監訳）『ヨーロッパ私法の原則・定義・モデル準則──共通参照枠草案（DCFR）』(2013)，④につき，内田貴監訳『共通欧州売買法（草案）共通欧州売買法に関する欧州議会および欧州理事会規則のための提案』別冊NBL 140号 (2012) がある。その他の関連文献等につき，中田・債総10頁以下参照。以上のほか，イタリアのガンドルフィ（Gandolfi）教授を中心とするヨーロッパ契約法草案（2001年・2007年）があり，ガンドルフィ草案と呼ばれることがある。2001年版につき，平野裕之「ヨーロッパ契約法典草案（パヴィア草案）第一編」法律論叢76巻2＝3号75頁・6号115頁（2004）。

①は，国際的な商事契約の取引原則について，各国の研究者・実務家が検討して条文の形で表し，解説を付したものである。条約ではなく，法的効力はないが，仲裁で使われたり，立法の際に参考とされることが期待されている。ユニドロワ（私法統一国際協会）は，ローマにある国際機関であり，戦前は国際連盟の附属機関だった。②は，欧州各国の研究者が共同で研究し（中心となる教授の名をとり，ランドー〔Lando〕委員会と呼ばれる），統一的な契約原則を条文の形で表し，解説と注を付したものである。③は，2つの研究グループが，一部はPECLに基づきつつ，私法のより広い領域（不法行為や信託等も含む）について，条文形式の準則を示し解説と注を付したものである。序論と準則部分を納める概略版と全6巻の完全版がある。②③も条約ではないが，将来のヨーロッパ統一契約法，さらには統一私法を目指すものとして注目される。④は，EU域内での国境を越えた売買を中心とする取引（消費者契約又は少なくとも一方が中小企業である事業者間契約）について，当事者が選択できる第2の契約法体系として，欧州議会及び欧州理事会規則を定めようとする欧州委員会の提案である（未採択）。

(3) 民法（債権法）改正の経緯

このような日本民法の抱える問題や国際的な動きを考慮し，日本でも民法（債権法）の現代化を検討する必要があるという認識が学界で広まった。20世紀末から21世紀初頭にかけて，研究者グループによるいくつかの私的共同研究の成果が公表された[15]。

この状況のもと，2009年10月に法務大臣が法制審議会に民法（債権関係）の改正に関する諮問をし[16]，同会に「民法（債権関係）部会」が設けられた（以下「部会」という）。部会は，同年11月から審議をし，2011年4月に「民法（債権関係）の改正に関する中間的な論点整理」（以下「中間論点整理」という）を，2013年2月に「民法（債権関係）の改正に関する中間試案」（以下「中間

---

15) 改正課題，内田貴ほか「座談会・債権法の改正に向けて」ジュリ1307号102頁・1308号134頁（2006），潮見佳男ほか「特集・契約責任論の再構築」ジュリ1318号（2006）81頁，民法（債権法）改正検討委員会編『債権法改正の基本方針』別冊NBL126号（2009），基本方針Ⅰ～Ⅴ，加藤ほか・前掲注7)，民法改正研究会（代表・加藤雅信）編『民法改正 国民・法曹・学界有志案』法時増刊（2009），椿寿夫ほか編『民法改正を考える』法時増刊（2008），金山直樹編『消滅時効法の現状と改正提言』別冊NBL122号（2008）。鳥瞰するものとして，星野英一「日本民法典の全面改正」ジュリ1339号（2007）90頁。
16) 「諮問第88号 民事基本法典である民法のうち債権関係の規定について，同法制定以来の社会・経済の変化への対応を図り，国民一般に分かりやすいものとする等の観点から，国民の日常生活や経済活動にかかわりの深い契約に関する規定を中心に見直しを行う必要があると思われるので，その要綱を示されたい」。

試案」という）を，2014年8月に「民法（債権関係）の改正に関する要綱仮案」を，2015年2月に「民法（債権関係）の改正に関する要綱案」を決定した。法制審議会総会は，同月，「要綱案」と同じ内容の「民法（債権関係）の改正に関する要綱」を決定し[17]，法務大臣に答申した。政府は，2015年3月，「要綱」を条文化した民法改正法案を国会に提出し，2017年5月，これが国会で可決され[18]，「民法の一部を改正する法律」（同年6月2日公布法律第44号）及びその施行に伴う関係法律整備法が成立した（同日公布法律第45号）。これは，2020年4月1日に施行された[19]。

以下，本書では，この改正のことを「今回の改正」又は「2017年改正」，改正された民法を「現行民法」[20]又は「改正民法」と呼び，その規定を「○○条」という形で示すことにする。改正前の民法は「改正前民法」と呼び，その規定を「旧○○条」として示す。

なお，部会での審議が始まった頃から，学界のみならず実務界でも議論が活発になり，多数の著作や意見書が公表された[21]。

---

17) 部会審議は，合計117回（部会99回，分科会18回）に及んだ。部会の議事録，審議資料，中間論点整理及び法務省民事局の補足説明，中間試案及び法務省民事局の補足説明，要綱案並びに総会の議事録及び要綱は，いずれも法務省ウェブサイトで閲覧できる。出版物としては，凡例Ⅳに記載したもののほか，部会の議事録及び審議資料につき，商事法務編『民法（債権関係）部会資料集第1集』（全6巻，2011～12），同編『同第2集』（全12巻，2012～16），同編『同第3集』（全7巻，2016～17），審議資料の一部につき，民事法研究会編集部編『民法（債権関係）の改正に関する検討事項』（2011），中間論点整理につき，金融財政事情研究会編『「民法（債権関係）の改正に関する中間的な論点整理」に対して寄せられた意見の概要』（2012）がある。

18) 信山社編『民法債権法改正・国会審議録集(1)』（2017）。国会での成立の遅れに伴う附則の技術的修正を除くと，法案と同じ内容である。なお，衆議院と参議院の各法務委員会で，改正法施行にあたって政府に格段の配慮を求める事項につき，附帯決議がされた。法制審議会から国会までの審議全体につき，「債権法改正立法資料集成」民商154巻4号（2018）194頁～（未完）。

19) 一部例外がある（附則21条2項・3項・33条2項・3項）。施行に伴う経過措置については，村松秀樹ほか「債権法改正に関する経過措置の解説」NBL1156号10頁～1165号23頁（2019～20）。なお，債権法改正の後，成年年齢引下げ等の改正（2018年6月公布，22年4月施行），相続法改正（2018年7月公布，20年4月までに順次施行），特別養子制度の改正（2019年6月公布，20年4月施行），所有者不明土地関係の改正（2021年4月公布，民法関係は23年4月施行），デジタル社会形成関係の改正（2021年5月公布，同年9月施行）及び親子法制の改正（2022年12月公布）があった。

20) 「現行民法」は，厳密には2017年改正後の諸改正（前の注）も経た後のものを意味する。

4 民法の限定的な改正

今回の改正によって，民法が抱えていた問題（→3(1)）は，かなり解消された。

まず，民法のわかりにくさについて。①立法当初からの難解さについては，基本原則や基本的概念の内容を明らかにする規定が新設された（契約自由の原則〔521条〕，弁済の意義〔473条〕など）。②学説継受の影響については，特定の国の法制度や学説を直輸入するのでなく，現時点での比較法的検討[22]を踏まえつつ，従来の法制度のもとでのわが国の取引実態をも考慮し，規律の現代化がされた（債務不履行による損害賠償〔415条以下〕，契約解除〔541条以下〕，危険負担〔536条〕など）。③判例法理と条文との乖離については，判例法理を明文化する規定が置かれた（意思無能力者のした行為の無効〔3条の2〕，代理権濫用〔107条〕など）。④社会経済状況・科学技術の変化による条文の基礎の揺らぎにも対応がされた（特別の短期消滅時効〔旧170条～旧174条〕の廃止，契約の成立の規律の変更〔旧526条1項の削除〕など）。

次に，民法の空洞化現象について。①他の法分野との関係を積極的に再構築することにより，一般法としての民法の意義が明確にされた（債権者代位権〔423条以下〕，詐害行為取消権〔424条以下〕，有価証券〔520条の2以下〕など）。②社会における新しい現象への対応もされた（消滅時効制度〔166条以下〕，法定利率〔404条〕，将来債権譲渡〔466条の6〕，定型約款〔548条の2以下〕など）。

---

21) 円谷峻編著『社会の変容と民法典』(2010)，池田真朗ほか編著『民法（債権法）改正の論理』(2010)，山本和彦ほか編『債権法改正と事業再生』(2011)，土田道夫編『債権法改正と労働法』(2012)，円谷峻編著『民法改正案の検討 第1巻～第3巻』(2013)，森田・深めるなど。このほか，東京・大阪・福岡などの弁護士会や関係団体の意見書が公表された。改正の意義につき，内田貴『民法改正』(2011)，大村敦志『民法改正を考える』(2011)，批判として，加藤雅信『民法（債権法）改正——民法典はどこにいくのか』(2011)，同『迫りつつある債権法改正』(2015) など。中間試案に関するものとして，内田貴『民法改正のいま——中間試案ガイド』(2013)，要綱仮案以降のものとして，瀬川信久編著『債権法改正の論点とこれからの検討課題』別冊NBL 147号 (2014)，「特集・債権法改正を論ずる」法時1079号 (2014)，潮見佳男『民法（債権関係）の改正に関する要綱仮案の概要』(2014) など。改正法について，凡例Ⅲ・Ⅳ記載のもののほか，筒井健夫ほか①「民法（債権法）改正の概要」NBL 1106号4頁～1120号40頁 (2017～18)，同②「民法（債権法）改正の要点」金法2072号42頁～2084号24頁 (2017～18)，山本敬三『民法の基礎から学ぶ民法改正』(2017)，Hiroo Sono, Luke Nottage, Andrew Pardieck, Kenji Saigusa, Contract Law in Japan, 2019。改正法に対する批判として，加藤雅信「債権法改正法の成立」名古屋学院大学論集（社会科学篇）54巻2号 (2017) 25頁。

22) 法務省民事局参事官室（参与室）編『民法（債権関係）改正に関する比較法資料』別冊NBL 146号 (2014)。

他方，改正の対象は，部会の審議から法案にいたる過程で，限定されていった。すなわち，中間論点整理，中間試案，要綱仮案の各段階で改正項目が大きく絞り込まれ，要綱，法案へといたる段階でも若干の削除があった。こうして，改正は当初検討されていたものよりも限定的なものとなった。また，原則を明示するなどによるわかりやすさについては，法制的な観点から，いくつかの規定について要綱仮案の段階で修正が加えられ，改正が見送られた。

> ◤ **見送られた改正**　中間試案から要綱仮案の段階で落とされた項目のうち，契約法に関係する主なものは次の通りである（数字は中間試案の項番）。①新たな規律の導入が見送られたものとして，授権（第4, 12），法律行為の一部無効（第5, 1），複数契約の解除（第11, 2），契約の解釈（第29），継続的契約（第34）など。②一般条項の具体化が見送られたものとして，暴利行為（第1, 2 (2)），付随義務・保護義務（第26, 3），信義則等の適用にあたっての考慮要素（第26, 4），契約交渉の不当破棄（第27, 1），契約締結過程における情報提供義務（第27, 2），事情変更の法理（第32），不安の抗弁権（第33）など。③このほか，従来の制度の改正や判例・学説の明文化が見送られたものが多数ある。法制的観点から修正された例としては，履行請求権（第9, 1），原始的不能（第26, 2）などがある（中田「部会資料83-1に関するコメント」〔2014年8月26日部会提出〕で疑義を示した）。

　中間試案で改正の提案がされた項目は，現代の契約現象に対応する必要があると考えられたものである。そのうち，要綱仮案において見送られた項目は，もともと意見が分かれていたもののほか，規律を条文化するにあたってその具体的表現及び内容について意見の一致にいたらなかったものである。もっとも，その多くは，民法で明確な規律として固定するよりも判例・学説による柔軟な法形成に委ねることが望ましいと考えられたものであり，現代の契約現象への対応の必要性やそのために判例・学説が形成してきた規律の内容が否定されたわけではない。

　それでは，どのような契約現象があるのか，これを次節で概観しよう。

第2節　現代の契約現象

　伝統的な契約のイメージは，対等な当事者が，ある特定の物を対象として，交渉し，内容や条件を協議して決定する単発取引である。実際，民法の契約に

関する規律は，中古住宅の売買を想定すると理解しやすい（米倉・プレ3頁以下参照）。しかし，現代の契約現象は，より多様である。

　第1に，契約の主体は，対等な当事者でないことが多い。消費者と事業者，素人と専門家の取引がむしろ多い。企業間取引においても，力関係の相違がある。

　第2に，契約の客体は，物であっても，不動産だけでなく，大量生産された商品など動産の取引が増加している。さらに，物に限らず，役務（サービス），権利，情報などに関する取引の重要性が増している。

　第3に，契約の類型としては，売買が重要であることは動かないが，役務を提供する契約や既存の類型にあてはまらない契約の重要性も増している。

　第4に，契約の形態は，当事者が交渉・協議して都度決定する単発取引には限られない。①定型化。約款による取引や，国内外の取引社会で標準条件が形成されていてそのなかからの選択をするにすぎない取引が多い。②集団化。ⓐ現実には，単発取引ではなく，複数の契約により構成される取引が多い。すなわち継続的取引（同種の契約を反復する取引），複合的取引（複数の契約から構成される1つの取引）が少なくない。その際，精緻な契約書が作成されることも多い。ⓑ当事者が多数である取引もある。特に，企業と多数の相手方が同種の契約を締結することは，システム化された取引においてしばしばみられる。労働契約については，特別の規律が発達している。③電子化。インターネットを用いた取引は，個人・企業を問わず，急速に増大している。そこでは，非対面，誤操作，情報保護，システムの安全性，簡易な国際取引，決済方法などに関わる新たな問題が多く現れている。

　第5に，契約に関する問題は，その成立と内容だけにあるのではない。交渉開始から履行が終了するにいたるまで様々な問題が生じうる。たとえば，当事者の一方が契約交渉を不当に破棄した場合や，契約締結後に事情が大きく変わった場合である。これらについて，民法は具体的な規定を置いていない。

　これらの問題について，改正前民法のもとでは，特別法によるほか，判例・学説による解釈によって解決された。その際，信義則などの一般条項が活用されることも多かった。これに対し，中間試案は，様々な項目について立法による規律の明確化を提示した。しかし，その多くは，改正民法には入らなかった。結果として，穏やかな改正になったわけだが，これは，立法による解決と判

例・学説による継続的な法形成との分担について，一定の判断がされたものとして理解することができる[23]。

第3節　本書の内容と構成

　今回の改正は，改正前民法の抱えていた問題に応えるものであり，現代の日本社会に適合する規定が整備された。しかし，現代の契約現象のすべてについて具体的規定を置くにはいたっていない。ここから，2つの課題が導かれる。第1に，改正が見送られた事項については，引き続き，判例・学説の展開に委ねられている。学説としては，問題点を分析し，それに対処する規律を提示することが求められる。第2に，改正された規定は，現代及び近い将来の日本社会にとって適切であると考えられた規律であるが，万古不易の絶対的規範であるわけではない。また，現行民法は，改正前民法と断絶したものではない。それは，改正前民法のもとであった問題を解決しようとするものである。学説としては，現行民法を歴史と比較法のなかに位置づけつつ，その解釈のあり方を示すことが求められる。

　本書は，現行民法における契約法の規律を叙述するとともに，学説に求められる上記の課題に応えることをも目指している。「第1部　契約法総論」と「第2部　各種の契約」のそれぞれにおいて，この目標に近づきたい。第1部では，契約の意義，成立，効力，終了，変更の5つの章において，第2部では，贈与から和解までの13の章において，これを試みる。

---

23)　改正民法が様々な対立の着地点であることにつき，中田「民法（債権法）改正の対立軸」瀬川信久・吉田克己古稀『社会の変容と民法の課題　上巻』(2018) 371頁。改正民法の立案担当者の説明として，一問一答1頁以下。

第1部
契約法総論

第1章　契約の意義

第1節　契約の基本理念

1　契約とは何か
(1)　日本における契約の概念
(a)　契約の概念の多様性

　契約を定義することは，意外にむずかしい。具体的に何が契約にあたるのかも，国や時代によって異なる。たとえば，名画を1000万円で売買する合意が契約であることは，広く認められる（売買契約）。しかし，成立した名画の売買契約を解消する合意（合意解除），名画を贈与する合意（贈与），美術館の売店で名画の絵葉書を100円で買うこと（現実売買）がそれぞれ契約かどうかは，分かれる。まず，日本における契約の概念の展開を振り返ろう。

(b)　「合意」としての契約──狭義の契約と広義の契約

　旧民法は，フランス民法の影響のもと，次のように定義していた。物権と債権とを問わず，権利の創設・移転・変更・消滅を目的とする複数の人の意思の合致を「合意」といい，そのうち，債権の創設を主たる目的とするものを「契約」という，と（財産編296条。原文では債権は「人権」と表現されている）。つまり，もっぱら物権の設定を目的とする意思の合致や，債権の消滅を目的とする意思の合致は，「合意」ではあるが「契約」ではない。債権の発生を主たる目的とするものだけが「契約」である。これを「狭義の契約」と呼ぼう。これに対し，明治民法の起草者は，「合意」と「契約」のこのような区別をやめ，旧民法にいう「合意」を「契約」と呼ぶことにした（「契約ナル語ヲ広義ニ用ユル」という。主査会速記録94頁〔富井政章発言〕，民法速記録Ⅲ643頁〔富井発言〕，民法修正案理由書498頁）。起草委員の1人も，契約を「法律上ノ効力ヲ生セシムル

ヲ目的トスル二人以上ノ意思ノ合致」と定義する（梅377頁）。これを「広義の契約」と呼ぼう。

無権代理における「契約」（113条～117条）は，広義の契約を意味する。他方，民法第3編第2章（521条～696条）は，債権発生原因の1つとしての契約に関する規定であり，狭義の契約を対象とする。このように，明治民法には，広義の契約と狭義の契約が含まれており，これが現在にいたっている。狭義の契約に関する規律は広義の契約にも類推適用されうると考えられるので，実際上はあまり問題にならないが，概念の不明瞭さが民法に内在している。

◆ **「契約」という言葉の由来**[1]　契約という言葉は，古く中国から伝わり，江戸時代にも使われていたが，「約束」などの言葉も同様に用いられていた。江戸時代末から明治にかけて，ヨーロッパの法律用語の翻訳をする際，フランス語のcontratなどの訳語として「約束」「約定」も検討されたが（津田），まもなくcontratを「契約」と訳すこと（箕作）が定着した。この語を旧民法が採用し，その内容が明治民法で拡張された，ということになる。

◆ **契約に関する規定の位置**　旧民法から明治民法にかけての契約概念の拡張には，ドイツ法の影響がうかがわれる（梅376頁，末弘10頁）。そうすると，広義の契約に関する通則的規定を，ドイツ法と同様，民法総則に置くことが考えられる（ド民145条～157条参照）。しかし，明治民法の起草者は，民法総則には法律行為の規定を置くだけにし，契約については，4種類の債権発生原因（契約・事務管理・不当利得・不法行為）の1つとして債権編に規定することにした（しかも，「主トシテ編纂上ノ便利ヲ量リ」，債権総則よりも後にまとめて配置した）。その結果，契約概念の拡張（広義の契約）と契約に関する規定の位置（債権発生原因の1つとしての契約）とが対応せず，一層わかりにくくなっている。

(c)　「法律行為」としての契約──伝統的定義の形成

旧民法から明治民法にいたる段階での変化は，もう1つあった。それは，法律行為の概念の採用である（90条以下）。法律行為は，意思表示を構成要素と

---

1)　津田真道訳『泰西國法論卷之一』（1866，自筆，国立国会図書館蔵）21丁裏，箕作麟祥訳『仏蘭西法律書民法第八』（1870，国立国会図書館蔵）1丁表，富井政章『契約法講義 全』（1888）15頁以下，磯部四郎編『民法應用字解 全』（1888）251頁，渡部萬蔵『現行法律語の史的考察』（1930）227頁以下，吉田慶子「日中における『契約』の使用と定着に関する一考察」或問29号（2016）141頁。中田薫『徳川時代の文学に見えたる私法』（1984）47頁〔底本は1956，初版は1925（1923年版の増訂版）〕参照。

するものであり，契約もその1つである。このため，契約は，「意思の合致（合意）」なのか，「意思表示の合致」なのかが問題となる。民法修正案理由書には，契約を「意思ノ投合ニ依リテ生スル法律行為」とする説明がある（民法修正案理由書498頁）。この説明では，契約は「意思ノ投合」であり，その本質は依然として合意である。しかし，当時から，契約を「意思ノ合致」ではなく「意思表示ノ合致」とするものもあった（岡松368頁）。これは，明治民法が契約を法律行為の一種とすること，及び，契約が申込みと承諾という2つの意思表示の合致によって成立するとすること（旧526条1項参照）と整合的な説明である。それはまた，当事者の意思だけでなく，その表示を重視し，これに対する相手方の信頼を保護しようという思想の反映でもある。このように，契約を「意思表示の合致」としてとらえる見方は，その後の学説にも受け継がれ（末弘11頁，鳩山上5頁，我妻・総則244頁），通説となった。こうして，契約とは「対立する二個以上の意思表示が合致して成立する法律行為」である（我妻・前同参照）と定義されることになる（伝統的定義）。

(d) 伝統的定義に対する批判

伝統的定義に対し，1970年代半ばに批判を投じる体系書が現れた。伝統的定義は，近代法律行為理論のうちの表示主義による定義であって，契約成立時点に着目して意思表示の合致という要素を要件として抽出したものであり，契約締結過程や契約の効果の側面を捨象している，という批判である。この著者は，契約を「約束であって，法律によってその履行が保護されているもの」と定義した（星野英一『民法概論Ⅳ第一分冊契約総論』〔1975〕3頁。星野3頁）。この問題提起は，当初は，一部の関心[2]を引くにとどまったが，その後の学説に影響を及ぼした。近年の体系書でも，契約の伝統的定義を踏襲するのではなく，より踏み込んだ説明をするものがある（平井27頁以下など）。

(2) 狭義の契約の位置づけ

(a) 狭義の契約

本書で取り扱うのは，民法第3編第2章が規律する，狭義の契約である。これを「合意であって，債権の発生を目的とするもの」と定義することにする。

---

2) 道田信一郎『契約社会 アメリカと日本の違いを見る』（1987）13頁。

この狭義の契約の概念自体は平明だが、それを包摂する上位概念との関係は、やや複雑である。

(b) 合意という観点からの位置づけ

合意という観点からは、「狭義の契約」は「広義の契約」に包摂され、「広義の契約」は「合意」に包摂される。

「広義の契約」とは、「合意であって、その内容の実現が法によって保護されるもの」である。狭義の契約との相違は、債権の発生以外の権利変動のみを目的とする合意も含むことである。たとえば、①物権の設定や変更に関する合意（抵当権設定契約など）、②債権の消滅や変更に関する合意（相殺契約、代物弁済契約、更改契約、合意解除など）は、広義の契約には含まれるが、狭義の契約には含まれない。なお、③現実売買（現金と引換えに店頭で商品を買うなどの取引）は、広義の契約には含まれるといいやすいが、狭義の契約に含まれるということも可能である。

「合意」とは、あらゆる合意のことであり、「その内容の実現が法によって保護される」か否かを問わない。友人と週末にテニスをする約束は、「合意」ではあるが、広義の契約には（したがって狭義の契約にも）含まれない。契約とはいえない合意を「徳義上の約束」と呼ぶこともある（中田・債総79頁参照）。

合意によらずに権利義務が生じる場合は、以上のいずれにも含まれない。すなわち、意思に基づくことなく権利義務が生じうる関係（租税、罰金、不法行為による損害賠償など）や、1人の意思だけで権利義務が生じる関係（遺言など）は、合意ではないから、契約ではない。

> ◆ **外国での契約概念（フランス）** フランス民法（1804年）は、狭義の契約に相当する「契約（contrat）」と広義の契約に相当する「合意（convention）」を区別して規定した。すなわち、「契約（contrat）とは、1人又は数人の人が、他の1人又は数人の人に対し、何かを与え、なし、又はなさない義務を負う1つの合意（convention）である」（フ民〔2016年改正前〕1101条）。日本の旧民法はこれを受け継ぐものである。もっとも、2016年の大改正により、conventionは後景に退き、contrat（「広義の契約」の概念に改められた）を中心とする規律に再編された。

(c) 法律行為という観点からの位置づけ

法律行為という観点からは、「狭義の契約」は「契約」に包摂され、「契約」

は「法律行為」に包摂される。

「契約」とは,「私法上の効果の発生を目的とする合意の総称」である（我妻上 42 頁）。(b)における「広義の契約」とほぼ同じだが,「法律行為」の下位概念として位置づけられるという違いがある。法律行為とは,「意思表示を要素とする私法上の法律要件」である（我妻・総則 238 頁）。法律行為には, 契約のほか, 単独行為（遺言等）があり, さらに合同行為（社団設立行為）の概念を設ける見解もある。他方, 単なる宗教的・道徳的・社交的関係を欲するにすぎない合意は, 意思表示の構成要素である効果意思を欠いているので, 法律行為ではなく, したがって契約ではない（我妻・総則 240 頁, 四宮＝能見・総則 224 頁）。

つまり, 契約かどうかは, (b)では, 合意のうち「その内容の実現が法によって保護される」広義の契約にあたるか否かで判断されるのに対し, (c)では, 最上位概念である法律行為のレベルで「効果意思」の有無により判断される。もっとも, (c)でも, 効果意思の有無は, 当事者の主観によるのではなく, 法律が当事者の意思に従って法律的効果を与える価値があると認めるかどうかで判断すると解する見解が一般的であるので（我妻・総則 240 頁, 山本 16 頁）, 実際には, (b)の判定と同様になる。

> ◆ 外国での契約概念（ドイツ）　　ドイツ民法（1896 年公布, 1900 年施行, 2001 年大改正）では, （広義の）契約（Vertrag）に関する規定を民法総則の法律行為の章のなかに置き（ド民 145 条〜157 条）, 債権関係の発生及び変更を目的とする契約に関する規定を債権編（同 311 条以下・433 条以下）に置く。後者を「債権契約」と呼ぶものもあるが（末弘 10 頁など）, この表現は物権行為と債権行為の区別の要否の問題との混同が生じる可能性があるので注意を要する（我妻上 43 頁）。

(3) **合意を基礎とする契約**

このように, 日本民法の契約は, フランス法に由来する合意としての契約に, ドイツ法に由来する法律行為としての契約の概念が重なって形成されている。両者には視点の違いがあるものの, 契約の概念が合意を基礎とするものであることには変わりない。これは, 19 世紀ヨーロッパ大陸の契約法, すなわち, 近代的契約法を摂取したものである。

◆ 外国の契約概念（アメリカ）[3]　　アメリカでは,「契約とは, 1 個又は 1 組の約

> 束（promise）であって，その違反に対して法が救済を与え，又は何らかの形でその履行を義務として認めるものをいう」と定義される（第2次契約法リステイトメント〔1979年〕1条）。当事者間の「合意」ではなく，当事者の一方が相手方に与える「約束」に着目する。ある約束に法的保護が与えられるか否かについては，将来の履行を伴う交換取引の保護の観点が重視され，約因（行為その他の履行，又は，反対約束）が必要とされる（同71条）。したがって，贈与や現実売買は契約には含まれない。なお，契約と別に「合意（agreement）」という概念もある（U.C.C.〔1952年公刊〕1-201条（b）(3)）。合意は約因など契約の成立要件を必要としないので，契約でない合意はありうる。他方，契約は一方の約束と他方の行為などによっても成立しうるので，合意のない契約もありうる。合意と契約とは包摂関係にない。

2 近代的契約法の形成と思想[4]

(1) 近代的契約法の形成

　契約の概念自体は古くからあるが，近代的契約法は，契約における自由と意思を重視する点に特徴がある。といっても，そのような契約法が突如として出現したわけではない。ヨーロッパにおける，17世紀から18世紀にかけての近代自然法学，18世紀以降の経済理論，政治思想，哲学などが素地としてあった。近代的契約法は，そのような素地のうえに，封建制社会から資本主義社会への転換にあたって，開花したものである。

　近代的契約法の意義は，しばしば「身分から契約へ」という言葉で表される。封建制社会にあっては，領主と家臣・農民，親方と徒弟などの関係は，身分に伴って発生し，そこでは相互になすべき給付の内容は確定していない。身分的な支配・服従関係のなかで，保護と忠誠という包括的で不定量の負担がある。これに対し，契約は，対等な当事者の自由な意思によって発生するものであり，身分によるものではない。その効果は，債務者に対して「特定の行為」を請求することのできる権利，つまり，債権の発生であり，全人格的な支配ではない。契約は，当事者の関係を部分化し，定量化する。

---

3) 樋口・アメリカ16頁以下・82頁以下（リステイトメントの翻訳〔表記法を除く〕も同書による）。木下毅『英米契約法の理論〔第2版〕』(1985) 163頁，道田・前掲注2) 13頁，内田貴『契約の再生』(1990) 14頁・107頁以下（契約類型を定めるローマ法の基礎を維持する大陸法と同法をそのままの形では継受しなかった英米法を対比する）参照。19世紀ドイツの諸立法において，かつては契約と並ぶ債権発生原因であった「約束」がその地位を失った経緯につき，滝沢昌彦『契約成立プロセスの研究』(2003) 23頁以下〔初出1993〕。

4) 星野英一①「現代における契約」同『民法論集第3巻』(1972) 1頁〔初出1966〕，同②「契約思想・契約法の歴史と比較法」同『民法論集第6巻』(1986) 201頁〔初出1983〕。

第 1 節　契約の基本理念

▶「身分から契約へ（from status to contract）」　これは，イギリスの歴史法学者ヘンリー・メイン（Henry Maine）が 1861 年に著した『古代法（ANCIENT LAW）』の第 5 章末に現れる言葉である。同書では，この言葉は原始社会からの発展として述べられているが，その後，しばしば，ヨーロッパにおける封建的な身分社会から近代的な市民社会への移行を示す表現として用いられるようになった。

(2)　近代的契約法の思想・契約観

　近代的契約法において，契約は，当事者の自由な意思に基づいて結ばれ，その効果は限定的である。本書では，この近代的契約法の基礎にある思想・契約観を，①契約自由の原則，②意思自治の原理，③契約の完結性という，3 つの角度から分析する。①は，人は自由に契約することができるという原則（→3），②は，契約はなぜ守らなければならないのかを契約当事者の意思によって説明する考え方（→4），③は，契約が当事者間に限定的な法的関係を発生させ（個別性），かつ，その関係は契約の成立時に固定される（固定性）という考え方（→5）である。

3　契約自由の原則
(1)　意　　義
(a)　民法の規定

　契約自由の原則[5]（liberté contractuelle; Vertragsfreiheit）とは，人は，国家の介入を受けることなく，自由に契約することができるという原則である。同原則については，旧民法には関連規定（財産編 303 条・327 条・328 条）があったが，明治民法は正面から規定せず，同原則を前提とする規定（90 条・91 条）を置くにとどめた。しかし，同原則が契約法の基本原則であることは，広く承認されており，今回の改正で明文化された。

　すなわち，①何人も，契約をするかどうかを自由に決定することができる

---

[5] 星野・前掲注4）①24 頁以下・同②206 頁以下，星野7頁，中田・研究423 頁以下。これに対し平井70 頁以下は，後記①を「市場的取引の原則」，②を「合意優先の原則」と呼び，日本民法で技術的意味のある契約自由の原則は「合意優先の原則」のみであるという。なお，平井72 頁は，③を方式主義の伝統の克服という沿革からとらえ，その沿革とは無縁の日本民法では掲げる意味がないというが，近代以降の新しい観点からの方式の要求との関係（谷口知平＝小野秀誠・新版注民（13）392 頁以下）も考慮すべきであろう。潮見佳男「方式の自由と方式要件の強化」改正と民法学Ⅲ 1 頁は，③について，方式主義（ヨーロッパにおける伝統）の否定と方式要件（経済活動の自由に対する制限）の強化として分析する。

(521条1項)。②契約の当事者は，契約の内容を自由に決定することができる（同条2項）。③契約の成立には，書面の作成その他の方式を具備することを要しない（522条2項）。①は，契約の成立に関する自由といわれ，契約をするかしないかの自由（締結の自由）と，誰と契約するかの自由（相手方選択の自由）を含む。②は，内容決定の自由又は契約の内容に関する自由といわれる。③は，方式の自由といわれる。

契約自由といっても無制限ではない。①③には「法令に特別の定めがある場合を除き」という限定，②には「法令の制限内において」という限定が付されている（→(2)(b)）。

> ◆ **契約自由の原則の積極面**　契約自由の原則には，契約をするについて国家による制約を受けないという上記の消極面のほか，国家が契約を尊重するという積極面もある。国家は，私人が締結した契約の内容を，できるだけその通りに裁判所を通じて実現させる。具体的には，当事者の一方が契約を守らないとき，他方が裁判を起こして勝訴すれば，裁判所は契約の内容を強制的に実現させたり，損害賠償をさせたりする。民法は，これを債権の効力のレベルで表明する（履行請求権については412条の2第1項，損害賠償については415条）。

(b)　沿　革

契約自由の原則は，近代資本主義経済を支えるものとして，所有権の絶対，過失責任の原則とともに，近代市民法の基本原則の1つと呼ばれる。この原則を明文で表明したものとしては，スイス債務法（1911年）19条1項（「契約の内容は法律の範囲内で自由に定めることができる」），ワイマール憲法（1919年）152条1項（「経済取引においては法律に従って契約の自由が行われる」）など20世紀に入ってからのものが多い。同原則は，大陸法系のみならず，英米法でも同様のもの（freedom of contract）があり（木下・前掲注3）52頁以下)，普遍性をもつ（原田・ローマ法172頁も参照）。近年の国際的な契約法原則でも，冒頭部分に配置される基本原則である（UP 1.1・1.2, PECL 1.102, DCFR II. 1.102, CESL 1）。

近代社会で契約自由の原則が支持されたことには，思想的背景と経済学的背景がある。思想的には，近代の自由主義政治思想，個人主義哲学によって裏づけられる（カルヴィニズムの影響を指摘する見解もある）。封建制に対するアンチテーゼとして個人の自由を強調する思潮に合致するものであった。経済学的に

は，18世紀スコットランドの経済学者アダム・スミス（Adam Smith）以来の経済自由主義，すなわち，私人間の取引には国家が介入せず，自由競争を基礎とする市場経済に委ねておけば「見えざる手」が働いてうまくいく，という考え方に適合的であった（18世紀フランスの経済学者グルネ〔Vincent de Gournay〕のいう「レセフェール」）。

　契約自由の原則の思想的背景から，同原則の前提とする人間像が浮かび上がる。それは，自らの意思で契約の成否・内容を決定し，それに対する責任をとる自由で平等な人々であり，具体的には市民階級である。これは，一方で，自由で平等な抽象的な人を意味する。その人々は，立場の互換性があるので，契約のどちら側の当事者になることもある（売主になることも買主になることもある）。これは民法の契約法の規律が中立的で均衡のとれたものであると評価される要因となる。他方で，民法で主として想定されている契約主体は，市民階級に属する人々（ブルジョワジー）である。これは，民法の契約法の中立性が現実の不平等を考慮していないものだと批判される要因となる。このように，想定される人間像が「対等で自由平等な抽象人」であり，かつ，「ブルジョワジー」であるという二面性は，その後の展開にも影響を及ぼすことになる。

(2) 契約自由の原則の制限

(a) 前提と現実のずれ

　契約自由の原則は近代法の基本原則の位置を占めるにいたったが，同原則には様々な問題もあることが認識されるようになる。まず，同原則の想定する人の実像がブルジョワジーであるとみる場合はもちろん，それが自由で平等な抽象的人間を想定するものだとしても，現実の人間とは乖離がある。また，自由主義経済論についても，ある人の行為が市場を介することなく他人に不利益を及ぼす場合（外部不経済）や，独占等により不完全競争となる場合がある。具体的には次の諸問題がある。

　第1は，立場の弱い当事者の保護である。現実の人間には社会的・経済的強弱があり，契約自由といっても，それは強者がその意思を弱者に押しつけるものにすぎない場合がある（苛酷な労働条件による雇用契約，賃借人に著しく不利な借地借家契約，高利の金銭消費貸借契約など）。また，契約交渉をする能力や契約に関する判断の前提となる情報を収集し処理する能力は，現実には，当事者間

(特に，事業者と消費者の間)で格差があり対等ではないという問題もある。

　第2は，社会的利益の保護である。契約を私人間の自由に委ねておくと，当事者双方は納得し満足していても，社会全体としての利益を損なう場合がある。これには，公序良俗に反する場合（妾契約など）のほか，政策的判断に基づく制定法の規律に反する場合（農地の売買など）もある。

　第3は，市場経済の基盤の確保である。契約が自由だとしても，カルテルなど私的独占や自由競争の制限を目的とする契約を放置すると，市場経済が危うくなる。契約自由の原則は，自由競争による市場経済と密接に結びついているのだから，そのような契約は同原則をいわば内側から蝕むものとして，制限されることがある（独占禁止法等）。

　このようなことから，契約自由の原則も制限を受けることになる。

(b) 契約自由の原則の制限

(i) 一般的な規制　　契約自由により，当事者間に不当な結果がもたらされたり，社会に不利益が及ぶ場合について，一般的な規制がある。すなわち，公序良俗違反による契約の無効，信義則・権利濫用による制限などである。契約の解釈により，問題となる条項が補充又は修正されることもある。不法行為責任が課せられることもある。

> ◆ **当事者間の合意による制限**　　当事者間で，契約自由を制限する合意をすれば，その効力は認められる。当事者が一定の範囲内で契約を締結する義務を負う合意，契約の成立には契約書の作成を必要とする合意などである。もちろん，「法令」の制約は受ける。

(ii) 制定法による制限　　次に，法律による個別的制限がある。

　第1に，成立に関する自由のうち，締結の自由については，締結する自由・しない自由の両面について制約がある。①契約を締結する自由の制限としては，土地の売買契約等が効力をもつためには許可を必要とする法律（国土利用14条，農地3条），特定の物品の取引を原則として禁止する法律（麻薬12条，毒物3条，食品衛生6条〔例外なし〕等），特定の関係者の取引を禁止する法律（金商166条・167条）がある。目的物又は一定の立場にある者に関する制限である。契約を締結する自由は，私人の自己決定権に直結するので，それを一般的に制限

することは慎重にすべきである（たとえば，一定年齢以上の高齢者の契約締結を一律に制限することは認めるべきではないだろう）。②契約を締結しない自由の制限[6]には，私法的なものと公法的なものがある。私法上のものとして，契約が締結されたものとみなされる場合（仮登記担保10条），一方の意思表示により契約が成立する場合（借地借家13条・14条・33条），契約の申込みがあったとみなす場合（労派遣40条の6），契約の締結を強制し承諾義務を課す場合（放送法64条1項につき最大判平29・12・6民集71巻10号1817頁），契約の更新拒絶を制限する場合（借地借家5条・6条・26条・28条），当事者に協議義務を課し，協議不調の場合には行政庁の決定により契約成立と同じ効果を生じさせる場合（鉱業89条〜95条）がある。公法上の効果を生ずるものとして，公法上の承諾義務を課す場合（電気17条，水道15条，鉄営6条，道運13条，医師19条，旅館5条），政府への売渡しを命じる場合（食糧39条）がある。契約の成立の強制（締約強制）については，公法的・公益的観点が重視される。他方，契約を締結しない自由があるとしても，契約交渉を不当に破棄した場合に損害賠償責任が認められることがある（→第2章第4節2(1)(b)(iii)〔112頁〕）。

　第2に，成立に関する自由のうち，相手方選択の自由の制限としては，相手方の選択について規制する法律（労組7条1号，雇均5条）がある。契約締結の拒絶が不法行為責任を生じさせることもある（外国人であることを理由に契約締結を拒絶した場合などにつき，大村敦志『不法行為判例に学ぶ』〔2011〕195頁以下参照）。これらの基礎には，差別禁止という基本的な理念がある。

　第3に，方式の自由の制限としては，書面の作成を効力要件とするもの（446条2項。さらに，465条の6以下参照），特定の条項の効力について書面の作成を要件とするもの（借地借家38条），相手方への書面の交付を義務づけるもの（割賦4条，特定商取引5条等，建設19条，宅建業37条），書面の作成を義務づけるもの（農地21条）がある。これは，方式主義をとらないことを前提に，一定の場合に方式を要求することが法の目的に合致する場合である（→第2章第5節1〔138頁〕）。

　第4に，内容決定の自由の制限について。①社会的・経済的に弱い立場にある者の保護を図るものとして，借地借家法，農地法，建設業法，労働諸法（労

---

6) 谷江陽介『締約強制の理論』（2016）。

働契約法，労働基準法，労働組合法，労働関係調整法等），利息制限法などがある。この中では，一方当事者の保護だけでなく，他の価値との両立・調整を目指すものも少なくない。②情報・交渉力の不均衡を考慮するものとして，消費者契約法その他の消費者保護法がある。また，一方当事者の立場に配慮するものとして，個人である保証人の保護（465条の2～465条の5），身元保証法がある。③市場経済の基盤確保のためのものとして，独占禁止法等の経済法がある。

(3) 契約自由とその制限の関係

契約自由を強調するか，その制限の意義を評価するかについて，異なる見方がある。1980年代には，契約自由の制限を積極的に評価し，「契約自由よりも契約正義を」，「意思よりも理性を」と主張する学説が有力になった（星野・前掲注4)②)。これに対し，1990年頃から，契約自由を強調する見解が再び勢力を増すようになった。その背景には，政策面の状況と思想面の動きがある。政策面では，規制緩和論に対応する形で契約自由が強調されるようになり，経済学者がこれを支持した[7]。契約自由を国家が制約することは，経済合理性に反し，非効率的であるので，市場経済に委ねるべきであるという考え方である。これを反映し，制定法のレベルでも，契約自由の復活現象がみられる（1999年借地借家法改正による定期借家制度導入〔同法38条〕など）。思想面では，リベラリズムの台頭がある。特に，憲法13条に基づく自己決定権によって契約自由を根拠づける見解が注目を集めた[8]。とはいえ，契約正義を重視する見解もなお有力であり，契約自由とその制限の調整をどのように図るのかは，依然として重大な課題である[9]。

改正民法は，内容決定の自由については，「法令の制限内において」という制約を付する（521条2項）。これは所有権の内容に関する規律（206条）と同様

---

[7] 川越憲治ほか「座談会・規制緩和時代における法の実現」NBL 632号4頁・633号43頁（1998），内田貴『契約の時代』(2000) 215頁以下参照。他方，経済学者の議論として，三輪芳朗『規制緩和は悪夢ですか』(1997)，同「消費者契約法」経済学論集69巻4号 (2004) 2頁。

[8] 山本敬三①「現代社会におけるリベラリズムと私的自治」論叢133巻4号1頁・5号1頁 (1993)，同②『公序良俗論の再構成』(2000)，同③「民法における公序良俗論の現況と課題」民商133巻3号 (2005) 1頁。

[9] 中田①「ビジネスに生きる民法」司法研修所論集116号 (2007) 42頁，同②「債権法における合意の意義」新世代法政策学研究8号 (2010) 1頁。

である。他方，締結の自由（521条1項）と方式の自由（522条2項）においては，「法令に特別の定めがある場合を除き」という，より限定的な制限になっている。締結の自由は自己決定権を尊重するものであり，方式の自由は単に方式主義をとらないことの表明であるので，その意義は異なるが，いずれも内容決定の自由より限定的な制約になっている。なお，成立に関する自由のうち相手方選択の自由について，不法行為責任が生じる場合のあることは前述の通りである（709条を「特別の定め」と解する）。521条1項が，成立に関する自由のうち，直接的には締結の自由を規定し，相手方選択の自由はその副次的なものとするにとどめ，明示していないのも，不当な差別的取扱いへの懸念を配慮してのことである（論点整理説明187頁，中間試案説明324頁，部会資料75A，第1，1説明2，第84回部会議事録51頁〔山野目章夫・大村敦志・笹井関係官発言〕参照）。

◆ **命令による制限**　206条も「法令」という文言を用いているので，所有権も法律だけでなく命令による制限にも服することになる。命令による所有権の制限の可否については，旧憲法時代から議論があったが（206条は，現代語化された点を除き原始規定のままである），日本国憲法は，財産権の内容は「法律」で定めると規定し（憲29条2項），法律事項と政令事項とを区別している（同41条・73条6号）ことから，206条の「法令」を法律及びその委任による命令に限定して解する学説が有力である（我妻栄『物権法』〔1952〕175頁，我妻栄〔有泉亨補訂〕『新訂物権法』〔1983〕271頁，加藤雅信『物権法〔第2版〕』〔2005〕250頁，川井健『民法概論2 物権〔第2版〕』〔2005〕142頁〔条例は肯定〕）。契約自由の原則の憲法上の根拠については議論があるが（中田・研究426頁），憲法13条に基礎を置く見解はもとより，同29条に基礎を置く見解でも，契約自由に対する制限が所有権の制限よりも当然に緩やかでよいということにはならないだろう。そこで，521条1項についても，「法令」は，法律及びその委任による命令並びに条例と解したい（政令につき，内閣法11条参照。条例につき，芦部信喜〔高橋和之補訂〕『憲法〔第7版〕』〔2019〕245頁以下参照）。

4　意思自治の原理──契約の拘束力

(1)　意　　義

(a)　形　　成

　意思自治の原理[10]（principe de l'autonomie de la volonté）とは，契約はなぜ守られなければならないのか（契約の拘束力の根拠）を当事者の意思によって説明する考え方である。

第1章　契約の意義

　契約の拘束力の根拠は，時代によって異なる。ローマ法では，それは契約の方式に求められる。すなわち，「単なる合意（裸の約束）からは訴権は生じない」のが原則であり，当事者が締結にあたって一定の方式を踏んだ契約だけが法的拘束力をもつものとされた。しかし，中世に入り，宗教的・道徳的観点から，方式がどうであれ合意は合意であるというだけで守られねばならない，という考え方が浸透した。これを表したのが「合意は守られなければならない（Pacta sunt servanda）」という有名な法諺である（グレゴリウス9世教皇令集〔1234年公布〕に元になる表現があり，遅くともこの頃には広まっていたようである）。その後，近代法においては契約の拘束力の根拠は意思にあると説明されるようになる。方式ゆえでも宗教的・道徳的観点からでもなく，人が自らそれを欲したがゆえに拘束されるという説明であり，これが「意思自治の原理」である。

> ◆ 批判の対象としての「意思自治の原理」　　かつては，意思自治の原理は，近代法の生成時に形成されたものであり，カント哲学に由来し，フランス民法（2016年改正前）1134条1項（「適法に形成された合意は，それを行った者に対しては，法律に代わる」）で表明されているという理解が有力だった。しかし，その後，同原理は，19世紀末に，契約の拘束力の根拠を意思のみに求めることに反対する批判者たちによって，批判の対象として措定されたものである，との理解が有力になっている[11]。

(b)　批　　判

　意思自治の原理に対しては，次の批判がある。①契約の拘束力とは法的な拘束力のことであり，その根拠は，結局は法律であるという批判。これは，いわば法律実証主義からの批判であり，契約は法律が認める限りにおいて拘束力を有するにすぎないと考える。②過去の意思による自己決定が現在の自己を拘束する理由が明らかでないという批判。それを説明するためには，意思以外に，相手方の信頼の保護や法的安定性の維持など客観的要素が考慮されるべきことになる。これは，意思主義に対する表示主義からの批判であり，「意思の合致」

---

10)　山口俊夫「フランス法における意思自治理論とその現代的変容」法学協会編『法学協会百周年記念論文集第3巻民事法』（1983）211頁，星野・前掲注4）②210頁以下，北村一郎「私法上の契約と『意思自律の原理』」『岩波講座基本法学4契約』（1983）165頁，フランス契約法については，森田宏樹「契約」北村一郎編『フランス民法典の200年』（2006）303頁。

11)　森田・前掲注10）310頁以下。カント哲学と意思自治との断絶については，村上淳一『ドイツ市民法史』（1985）26頁も参照。

ではなく「意思表示の合致」を重視する。③意思は尊重されるべきではあるが，現実には，合理的でない意思もあるという批判。この批判は，一方では，「意思の上に理性を」，「契約自由から契約正義へ」と主張する側からされ，他方では，意思の尊重を強調しつつ，情報の収集・処理が不完全であるために合理的な判断をすることが制約されていること（限定合理性）を理由に当事者の保護を考える側からされる。これは，基本思想のレベルでも，消費者保護等の実践的なレベルでも，問題となる。④意思自治の原理は契約締結時の意思に着目し，そこで契約の成立と内容を固定するが，その前後も考えるべきだという批判。これは，契約の締結前から履行後にも及ぶプロセスとしての当事者の事実上の関係を正面から認めるべきだという立場である。これについては，後に「契約の完結性」の項で取り上げる（→5）。

(c) 契約の拘束力

意思自治の原理には以上のような批判があり，現在，契約の拘束力の根拠については，これを意思に求める立場（意思自治の原理）と法律に求める立場（法律実証主義）を両端とする軸の間に，意思と法（制定法に限らない）の組み合わせによって説明するいくつかの立場が存在する。意思を重視する立場は個人主義・自由主義に，法を重視する立場は共同体主義・連帯主義に，親近性をもつものが多い[12]。

以下では，契約の拘束力が問題となる例として，約款（→(2)）と事情変更の原則（→(3)）について検討する。なお，本書は，意思自治を基本としつつ，それを補完するものとしての法の役割の意義を認める立場をとる。

> ◆ **私的自治の原則**[13]　　契約自由の原則・意思自治の原理に類似した言葉として，私的自治の原則（Privatautonomie）がある。ドイツの学説に由来するもので，私人の意思による法律関係形成の自由を意味する。この原則は，形式的にみれば，契約の自由・遺言の自由・社団設立の自由の上位概念である「法律行為の自由」にほかならないということもできる[14]。しかし，より重要なのは，この原則の基礎にある，私人が自由な意思決定により法律関係を形成しうるという理念である。この点で，

---

12) 森・前掲注10) 307 頁以下は，フランスにおいて，個人主義・自由主義と共同体主義・連帯主義の対立は，大局的には繰り返し現れる2つの潮流だと指摘する。フランスの連帯主義については，金山直樹「フランス契約法の最前線――連帯主義の動向をめぐって」野村豊弘還暦『二一世紀判例契約法の最前線』(2006) 547 頁。

13) 村上・前掲注11) 24 頁以下，星野・前掲注4) ②215 頁以下。

第1章　契約の意義

私的自治の原則は，意思自治の原理と重なることになる。そのうえで，①意思自治が自然法上の原理としての色彩が強いのに対し，私的自治は実定法上の原則として掲げられることが多いという理解（星野・前掲注4）②215頁以下）と，②自然法か実定法かより，私的自治が日本国憲法13条に基づく自由であることが重要であるという見解（山本・前掲注8）②18頁以下）に分かれる。

◾ **事実的契約関係理論**[15]　　一定の契約関係については，当事者の合意ではなく，事実経過によって基礎づけられるという考え方がある。たとえば，有料駐車場に駐車する行為は，その人の意思がどうであれ，駐車場料金の支払義務を生じさせる。仮に，自分は支払わないという紙を車に張りつけて駐車したとしても同様である。このような場合に，事実による契約関係の発生を認めるのが，事実的契約関係理論である。1941年にドイツのハウプト（Haupt）が提唱し，第2次大戦後，その一部をラーレンツ（Larenz）が「社会類型的行為理論」として発達させ，1956年にはこれらの理論を採用したとみられる連邦通常裁判所の判例も現れたが，その後，支持を失っている。日本でも，同理論を導入することには消極論が多い。ハウプトは，社会における契約現象と合意を基礎とする伝統的契約理論との乖離を鮮明に指摘し，伝統的契約理論に挑戦したが，その牙城に退けられたことになる。もっとも，①契約における合意の意義の検討を深化させ，②契約及びその隣接領域に関する諸問題（社会的接触関係による債権関係の発生，生存配慮領域における供給関係，大量ないし機械的取引の契約関係，制限行為能力者の日常生活に関する行為〔9条但書参照〕，黙示の意思表示，契約解釈における表示主義，事務管理と契約との関係など）の検討を発展させ，③契約締結時点ではなく事実の経過により形成される生活関係に着目する視点を提示したという点で，契約法の基礎理論に大きな刺激を与えたといえる。

◾ **意思理論（will theory）**[16]　　英米法においても，意思を契約の拘束力の基礎に置く見解がある。19世紀後半から20世紀初めにかけて，大陸法系の意思理論の影響のもとに，古典的意思理論が提唱された。純粋な形での意思理論は，英米法においては不可能であるとの指摘もあり，支持を得ていないが，その後も，間接的ないし部分的にせよ，意思に依拠する諸理論がみられ，契約法の存在意義を含め，議論されている。

---

14) もっとも，契約の自由・所有権の自由・相続の自由が私的自治の3原則であり，それが資本主義の要請に合したとの指摘もある（村上・前掲注11）24頁参照）。
15) この項は，五十川直行・新版注民（13）358頁以下に多くを負う。参考文献もこれに委ねる。
16) 木下・前掲注3）163頁以下，内田・前掲注3）72頁以下・107頁以下（なお，効率性の観点からの説明につき，同74頁以下参照）。

(2) 約款——希薄な意思による拘束
(a) 約款の意義

　当事者の一方が事業者である取引において，予め定式化された契約条項が印刷された書面が用いられることがある（保険，銀行取引，クレジット取引など）。パソコンでソフトウェアを利用する際には，詳細な契約条項が画面に現れ，「同意」の欄をクリックしないと先に進めないことが多い。顧客がそのような契約条項を記載した書面や画面に接することもないまま，事業者の作成した規定に従う前提で取引がされることも少なくない（公共交通機関の利用，電気・ガスの受給など）。このような「多数の契約に用いるために予め定式化された契約条項の総体」を約款という[17]。約款による取引においては，顧客が約款の内容を認識し又は理解することが困難であることが多く，仮に理解してその修正を求めたとしても，事業者に受け入れられないのが通例である。ここでは，契約自由の原則や意思自治の原理が大きく後退している。このような約款は，事業者と消費者との取引でも，事業者間の取引でも用いられる。

　大量の財・サービスを供給する事業者にとって，約款を用いて多数の顧客と画一的な条件で取引をすることは，取引の開始や履行に要するコストを引き下げ，また，履行に障害が起きた場合の解決の予測可能性を高めるなどの利点がある。顧客の側でも，その結果，相対的に低廉な価格で安定した供給を受けることができるという利点がある。その意味で，約款は有用なものである。しかし，顧客は認識さえしていない契約条項になぜ拘束されるのか，という問題がある。また，事業者の用意する条項は，事業者に一方的に有利であったり，顧客にとって予想外の内容のものであることがある。約款は，なぜ，いかなる要件のもとで，拘束力をもつのか，その内容の適正化はどのようにして図られるのか，適正化のための国家の介入はなぜ正当化されるのか，が検討課題となる。

　現行民法は，「定型約款」について新たな規律を設けた。その意義を理解するためには，約款一般についての説明がもう少し必要である。

(b) 約款の拘束力と法的性格

　約款が最初に大きな問題となったのは，火災保険約款の免責規定の効力に関

---

17)　この定義は，基本方針Ⅱ81頁によるものである（ドイツ民法305条1項も共通）。中田「約款の定義」『金融取引における約款等をめぐる法的諸問題（金融法務研究会報告書(26)）』(2015) 1頁参照。

してであった。大審院は，顧客は，契約の当時，約款の内容を知らなかったとしても，一応はこれによるという意思で契約したと推定されるから，免責規定の効力が認められるとした（大判大4・12・24民録21輯2182頁〔森林火災〕）。さらに，関東大震災（大正12〔1923〕年）の後，火災保険約款中の地震免責特約の効力の有無が争われたのを契機に，約款の拘束力と法的性格について議論が発達した。

> ◆ **約款の法的性格**[18]　まず，1920年代に，フランスのサレイユ（Saleilles）の示した「附合契約（contrat d'adhésion）」の観念に関する研究[19]が現れた。その後，1930年代以降，商法学者を中心に，ドイツ法を参照する議論が展開された（ドイツのライザー〔Raiser〕の約款法研究の影響が大きい）。そこでは，約款は「当該取引圏という部分社会における自治法」であるという自治法規説[20]，「取引は約款による」ということが商慣習法又は事実上の商慣習と認められる場合に約款の拘束力を認める白地商慣習（法）説[21]などが唱えられた[22]。しかし，私人の作成する契約条項を法規範と認めることは困難であるし，白地慣習（法）説では，拘束力が認められる約款の範囲を適切に画定することがむずかしい。現在では，約款も本質的には契約であると考える契約説[23]が多数説である。

当初の議論は，保険約款を中心として，約款の拘束力をどのように説明するかという観点からの法的性格論が中心であったが[24]，1960年代以降，約款の本質を契約だと考える契約説[25]が有力になるとともに，より広い範囲の約款が

---

18) 河上正二『約款規制の法理』（1988）178頁以下（法規説・契約説・多元説・制度説に分類する），潮見佳男・新版注民（13）179頁以下。

19) 杉山直治郎「附合契約の観念に就て」同『法源と解釈』（1957）507頁〔初出1924〕。相手方にとっては，所与の内容を全面的に受け入れるか否かの選択しかなく，契約するといっても，既に用意されたシステムに加入する（付着する）にすぎないという意味で，附合契約であるとし，その特殊性を論じる。

20) 田中耕太郎『商法総則概論』（1932）188頁，同「商法上の法律関係と其の定型化」同『商法学　特殊問題　中』（1956）9頁〔初出1933～37〕（ライザーの引用は後者の後半），西原寛一『商行為法』（3版，1973）52頁。約款の法規範性を認めつつ，制定法と契約法の中間に位置づけるものとして石原全『約款法の基礎理論』（1995）。

21) 石井照久『普通契約条款』（1957）〔初出1937・1940〕，同『商法総則（商法Ⅰ）〔第2版〕』（1971）50頁以下。

22) このほか，制度説を提示する米谷隆三『約款法の理論』（1954）など。

23) 山下友信「約款による取引」竹内昭夫＝龍田節編『現代企業法講座4 企業取引』（1985）1頁，河上・前掲注18）184頁。

24) その一面性を批判するものとして，広瀬久和「免責約款に関する基礎的考察」私法40号（1978）180頁。

対象とされ，議論の重点は，その内容の適正化へと移っていく[26]。

(c) 約款の適正化

(i) 約款の開示　契約説においては，約款の開示は，条項が契約の内容とされるための要件（組入れ要件）として重視される[27]。もっとも，その程度は一様ではない。約款による取引をできるだけ現実の合意に近いものにしようとすると，開示は，当該顧客が取引に際して具体的な認識にいたりうる可能性を確保するものであることが必要になる[28]。これは意思自治の原理を尊重する考え方だが，その基準では，実際には，形式的又は非効率的になるおそれがある。そもそも内容について現実の合意が認定されうる場合には，通常の契約の成立を認めれば足りる。また，約款の内容の適正化のためには，開示だけでなく，他の方法もあわせて検討する必要がある。そこで，開示については，たとえば，平均的な顧客層を基準として判断するなどにより，より緩やかな方法が検討されることになる。

(ii) 内容規制　約款の内容の公正さをもたらすために，大別して3つの方法がある。

第1は，法律に基づく行政庁の規制である。約款について行政庁の認可等が要件とされることは少なくない（保険約款〔保険業4条〕，運送約款〔道運11条，航空106条，貨物自運10条〕，電気託送供給等約款〔電気18条〕，郵便・信書便の約款〔郵便68条，民間信書送達17条〕，有料基幹放送契約約款〔放送147条〕，信託約款〔貸付信託3条〕，倉庫寄託約款〔倉庫業8条〕，旅行業約款〔旅行12条の2〕，自動車運転代行業約款〔自動車運転代行業務適正化13条〕，前払式割賦販売契約約款〔割賦15条〕など）。

第2は，約款の解釈である。解釈基準としては，客観的解釈（個々の顧客の理解ではなく，客観的にみて顧客圏の合理的平均人がどう理解するのかを基準にする），

---

25) 契約説も，約款の拘束力の理論的説明には努める。たとえば，機械的契約の一部分への連動で説明するものとして，河上・前掲注18) 185頁。

26) 星野・前掲注4) ①34頁以下。特に，1976年に西ドイツで約款規制法が成立したことを契機に，日本でも約款研究が進んだ。吉川吉衞「普通取引約款の基本理論――現代保険約款を一つの典型として」保険学雑誌481号1頁～485号99頁（1978～79）〔吉川・後掲注34〕に加筆のうえ所収〕，山下友信「普通保険約款論――その法的性格と内容的規制について」法協96巻9号61頁～97巻3号53頁（1979～80），河上・前掲注18）。

27) 自治法規説や白地商慣習（法）説などでは，約款の開示は，国家の制定法の公布とのアナロジーで言及されるにとどまる。

28) 基本方針Ⅱ94頁以下参照。

目的論的解釈（約款の条項を，孤立的にではなく，全条項から形成される目的との関連づけにおいて解釈する），制限的解釈（約款使用者の相手方に負担・責任を課する条項を厳格かつ制限的に解釈する），不明確準則（不明確な条項は約款作成者又は約款使用者の不利益に解釈する）などがあげられる。特に最後の準則が約款に特徴的なものである（ド民305c条2項）。裁判例でも，当事者の合理的意思による解釈や信義則などにより，条項の効果を制限するものがある（最判昭62・2・20民集41巻1号159頁，百選Ⅰ20［石川博康］〔保険約款。事故通知義務違反による免責条項］，最判平5・3・30民集47巻4号3262頁〔保険約款。故意免責条項〕，最判平15・2・28判時1829号151頁〔宿泊約款。物品の滅失等の場合の責任制限条項〕）。

　第3は，直接的内容規制である。全体としての公序良俗違反のほか，約款を構成する個別条項の効力が問題となる[29]。ここではなぜ内容を規制できるのかについて，①約款による取引であることに着目するもの（約款アプローチ）[30]，②交渉力の不均衡に着目するもの（交渉力アプローチ）[31]，③消費者契約であることに着目するもの（消費者アプローチ）[32]がある。②③においては，約款中の条項であることは，条項の不当性の評価にあたっての考慮要素であるにすぎない。そこで，約款かどうかではなく，不当条項規制という観点から適正化が図られることになる[33]。

　なお，2006年の消費者契約法改正で導入された不当条項使用差止請求権に関して，「不特定かつ多数の消費者との間で第8条から第10条までに規定する消費者契約の条項……を含む消費者契約」（同法12条3項・4項）という概念が導入された。この「消費者契約」は約款であることが多いが，それには限らないので，これは約款よりも広い概念である。

---

29) もっとも，個々の条項による使用者の利益・相手方の不利益はわずかだが，その差異が各条項においてみられ，全体としてみると微差の集積の結果として使用者の利益に大きく傾いているというタイプの約款もありうる。これも規制対象とする場合には，約款を単位とする規制が検討されるべきことになる。
30) 河上・前掲注18) 87頁。
31) 山本豊『不当条項規制と自己責任・契約正義』(1997) 42頁・75頁・83頁。
32) 大村敦志『消費者・家族と法』(1999) 5頁。
33) 山本豊「約款」争点219頁，大澤彩『不当条項規制の構造と展開』(2010)。先駆的研究として，広瀬久和「附合契約と普通契約約款」『岩波講座基本法学4 契約』(1983) 313頁の立法例の分類を参照。この反面，企業間契約における不当条項規制については，慎重論がある。山下友信「不当条項規制と企業間契約」関俊彦古稀『変革期の企業法』(2011) 255頁〔同『商事法の研究』(2015) 所収〕。

(d) 約款の概念の意義

 約款論の重点が約款の拘束力から内容の適正化へと移行し，不当条項規制こそが問題の本質であるという見方が強調されると，約款であることは条項の不当性の判定のための考慮要素にすぎないということにさえなりそうである。もっとも，約款という単位での規律は，組入れの要件としての開示のあり方，法律に基づく行政庁の規制，解釈，内容の変更，差止めの各場面では，有用性がある。また，約款は社会的存在としても認知されている。そこでは，希薄な意思によるものではあれ，契約としての約款を観念することは無意味ではない。約款の概念は広く設定しておき，個々の場面ごとにその概念の意義を考えれば足りるだろう。

(e) 定型約款[34]

(i) 定義　広い約款概念に関する規律を制定法に導入しようとすると，とりわけ約款を用いる事業者側から，規制の基準が不明確であって法的安定性に欠けるという批判が生じる。事業者間取引には規制を及ぼすべきではないという意見や，労働契約については独自の規律に従うべきであるという意見も強い。しかし，事業者間取引であっても，規律が適用されるべき場合はあるだろう。現行民法は，対象を限定し，そこでの規律を明確にするという方法をとる。

◆ **民法に約款に関する規律を置く意味**　不当な約款を規制するという観点からは，約款については，民法ではなく，個別の業法，消費者契約法，あるいは約款規制に関する特別法で規律する方が実効的・機動的な規制が可能になるとも考えられる。他方，現代社会で広く用いられている約款を，基本法である民法のなかに位置づけ，

---

[34] 鹿野菜穂子①「民法改正と約款規制」曹時67巻7号（2015）1頁，同②「『定型約款』規定の諸課題に関する覚書き」消費者法研究3号（2017）〔以下この項で「消研」という〕73頁，沖野眞已①「約款の採用要件について──『定型約款』に関する規律の検討」星野英一追悼『日本民法学の新たな時代』（2015）525頁，同②「『定型約款』のいわゆる採用要件について」消研97頁，河上正二①「『約款による契約』と『定型約款』」消研1頁，同②「改正民法における『定型約款』規定における若干の問題点」瀬川信久＝吉田克己古稀『社会の変容と民法の課題〔上巻〕』（2018）473頁，廣瀬久和①「民法改正案『定型約款』規定についての覚書（1）」青山法務研究論集13号（2017）159頁，同②「『定型約款』規定についての覚書を再び掲載するに当たって」消研207頁，山本敬三「改正民法における『定型約款』の規制とその問題点」消研31頁，丸山絵美子「『定型約款』に関する規定と契約法学の課題」消研155頁，大澤彩「『定型約款』時代の不当条項規制」消研177頁，山本豊「改正民法の定型約款に関する規律について」深谷格＝西内祐介編著『大改正時代の民法学』（2017）377頁，山下友信「定型約款」改正と民法学Ⅲ137頁，村松秀樹＝松尾博憲『定型約款の実務Q&A』（2018），吉川吉衞『定型約款の法理』（2019）。

適切な規律を置くべきであるという考え方もある。改正民法は，後の考え方に立つものといえよう。もちろん，民法の規律に加えて，個別的な規律がさらに置かれることはありうる。

　民法は，まず，「ある特定の者が不特定多数の者を相手方として行う取引であって，その内容の全部又は一部が画一的であることがその双方にとって合理的なもの」を「定型取引」とする（548条の2第1項柱書）。そのうえで，「定型取引において，契約の内容とすることを目的としてその特定の者により準備された条項の総体」を「定型約款」とし，それに関する規律を置く（548条の2～548条の4。経過措置につき，附則33条参照）。

◆ **定型約款にあたるもの**　具体的な約定が定型約款にあたるか否かの判断に際し，次の諸点が考慮対象となる。①548条の2第1項柱書。まず，「不特定多数の者を相手方として行う取引」という要件により，労働契約（相手方の個性に着目して締結される）の契約書ひな型等は除外される。次に，「内容の全部又は一部が画一的であること」が「双方にとって合理的」であることという要件により，事業者間の製品の原材料の供給契約で用いられる契約書は除外されるであろう。しかし，預金規定やコンピュータの一般的なソフトウェアの利用規約等は，事業者間取引であっても除外されないだろう（以上，部会資料83-2，第28，1，同86-2，第28，1参照。村松＝松尾・前掲注34）48頁以下）。他方，事業者・消費者間の取引で用いられる約定は，通常，定型約款と評価されるだろう。保険約款，旅行業約款，宿泊約款などである（潮見・改正226頁参照）。②特別法との関係。同項2号の「表示」に関し，運送等の取引について関係法律による特則がある（後掲注35）参照）。これらは民法の特則であるから，民法上の定型約款は，特則の対象となる約款を含み，これより広いものといえよう。③定型約款の効果との関係。約定を準備した事業者側は，548条の2第2項の場面ではそれは定型約款にあたらないと主張し，548条の4の場面では定型約款にあたると主張することが多いだろう。2つの場面において定型約款の概念を区別することは適当ではないので，両場面における判例の集積により，その概念は次第に収斂するであろう。定型約款に関する民法の規定を適切に解釈することを前提とすれば，出発点としては定型約款の概念は比較的緩やかに認めてよいと考える（広狭の概念の検討として，丸山・前掲注34）171頁以下，山下・同138頁以下参照）。

(ii)　**定型約款におけるみなし合意**　定型約款は，一定の要件を満たすとき，その個別条項の効力が認められる。すなわち，定型取引を行うことの合意（定型取引合意）をした者は，①定型約款を契約内容とする旨の合意をしたとき，

又は，②定型約款を準備した者（定型約款準備者）が「あらかじめ」その定型約款を契約内容とする旨を相手方に表示していたときは，定型約款の個別条項についても合意をしたものとみなされる（548条の2第1項）。

　①では包括的な合意があり，通常の契約の成立を認めることが可能な場合さえある状況である。②が重要である。定型取引合意において，②の「表示」があれば，個別条項の合意があったものとみなされる[35]。まず，定型約款の「準備」は，必ずしも定型約款準備者が「作成」したことを要しないと解すべきであろう。次に，「定型約款を契約内容とする旨の表示」が，定型取引合意に先立って（「あらかじめ」）されなければならない（ここに契約内容化への合意の契機がある）。表示は，相手方に対する個別的なものであることを要する（村松＝松尾・前掲注34）12頁・70頁以下）。

　さらに，③「定型約款の内容自体の表示」が求められる。すなわち，「定型約款準備者は，定型取引合意の前又は定型取引合意の後相当の期間内に相手方から請求があった場合には，遅滞なく，相当な方法でその定型約款の内容を示さなければならない」（548条の3第1項本文。消契3条1項3号参照）。定型約款準備者が定型取引合意の前においてこの請求を拒んだときは，「一時的な通信障害が発生した場合その他正当な事由がある場合」を除き，みなし合意の規定は，適用されない（同条2項）。この内容表示義務は，「定型約款準備者が既に相手方に対して定型約款を記載した書面を交付し，又はこれを記録した電磁的記録を提供していたとき」は適用されない（同条1項但書）。

◆ **事後の内容表示の問題**　　定型取引合意の後，相当期間内に相手方から請求があったのに，定型約款準備者が内容を表示しない場合，どうなるか。相手方は履行の強制及び損害賠償請求ができる（村松＝松尾・前掲注34）118頁）ほか，正当な理由のない拒絶については，信義則上，約款の内容たる条項の援用が否定されうると考える（沖野・同①579頁・②150頁。鹿野・同①26頁，山下・同151頁参照）。債務不履行に

---

35)　運送，道路の通行・利用，電気通信事業関係の取引については，特則がある。これらの取引については，②の表示すら困難であるが，取引自体の公共性が高く，厳格に表示を要求することなく定型約款の内容を契約内容とすることは，かえって利用者の利益にも資すると考えられるため，548条の2第1項2号の「表示していたとき」は「表示し，又は公表していた」とされる（いずれも今回の民法改正に伴う改正後の，鉄道営業法18条ノ2，軌道法27条ノ2，海上運送法32条の2，道路運送法87条，航空法134条の3，道路整備特別措置法55条の2，電気通信事業法167条の3）。つまり，事前の公表で足りる。これにつき，潮見30頁，潮見・新債総Ⅰ44頁は，「組入れ合意」による約款の拘束力の正当化との異質性を指摘する。

よる解除の可否は，不履行の軽微性の評価によることになるが（541条但書），少なくとも消費者契約においては，軽微とはいえないと評価する余地があろう（この場合の消費者の解除権の立法化も検討すべきである。廣瀬・同①179頁・②242頁参照）。なお，事後に表示された内容が相手方にとって予想外のものであった場合は，548条の2第2項で対応すべきである（契約からの離脱につき，鹿野・同②88頁参照）。

このような個別条項のみなし合意について，次の例外がある。すなわち，548条の2第1項の対象となる「条項のうち，相手方の権利を制限し，又は相手方の義務を加重する条項であって，その定型取引の態様及びその実情並びに取引上の社会通念に照らして第1条第2項に規定する基本原則〔信義則〕に反して相手方の利益を一方的に害すると認められるもの」については，合意をしなかったものとみなされる（548条の2第2項）。これは，ⓐ不当条項及びⓑ相手方に不意打ちとなる条項を排除するための規定である（鹿野・前掲注34）①26頁・28頁，沖野・同①568頁・②163頁。立法論的批判として，山本敬・同61頁以下，山本豊・同405頁）。これは，ⓐとⓑを融合する新たな規律を創造したというよりも，ⓐとⓑを取り込むものとして，それぞれについて蓄積された従来の判例・学説が考慮されうる規律として理解すべきであろう。したがって，ⓐとⓑのいずれかを欠くとして，この規定の適用を排除する方向ではなく，ⓐとⓑを相関的に評価し，この規定の適用の可能性を認める方向で解釈すべきものと考える（山下・前掲注34）162頁以下。森田・改正135頁以下参照）。

◆ **消費者契約法10条との関係** 548条の2第2項の表現は，消費者契約法10条と似ているが，同条や民法90条が「事実としての合意はあったが無効である」というのに対し，この規律は，「第1項により合意をしたものとみなされることはなく，むしろ合意をしなかったものとみなす」というものであるから，判断構造が異なる。消費者契約法10条が消費者と事業者との間の格差に鑑みて不当な条項を規制しようとするものであるのに対し，この規律は，内容を具体的に認識しなくとも個別条項について合意したものとみなされるという定型約款の特殊性を考慮したものであって，趣旨も異なる。判断基準として「その定型取引の態様及びその実情並びに取引上の社会通念に照らして」が用いられており，消費者契約法10条より広汎であることも，その反映である。548条の2第2項は，契約解釈，当事者の合理的意思の推測，信義則などの方法により条項の不当性を判断するという裁判例のとってきた方法を維持するものでもある。以上の結果，同項と消費者契約法10条とでは具体的な帰結が異なることもありうる（部会資料86-2，第28，2。村松＝松尾・前

掲注34）105頁以下）。

このような「表示」に関する規律は，約款の開示についての従来の議論（→(c)(i)〔34頁〕）のなかでは非常に緩やかなものである。その構造は，「定型取引」という取引類型について，上記の①の合意又は②の事前表示とそれを受けて取引をする相手方の黙示の同意（に基づく合意）のあることを前提とする「定型取引合意」を基礎とし，しかし，その内容の抽象性を補うために，③の定型約款の内容の表示（548条の3）について細密な規定を用意するとともに，④不当条項・不意打ち条項を排除する，という重層的なものである。一定の類型の約款について，「開示」のみに依拠するのでなく，2段階の表示の規律（②と③）と不当条項・不意打ち条項に関する規律（④）とを編成することにより，適切かつ実効的な規律をしようとするものである。この規律は，定型取引合意に先立つ②の表示を前提とする以上，なお契約説に立つと評価することができるだろう（鹿野・前掲注34）①20頁，沖野・同①551頁・②122頁，山下・同146頁参照）。

　(iii)　定型約款の変更[36]　　規制という観点からは，約款の変更は，規制の潜脱を容易にする，警戒すべきものである。他方，継続的な取引に関する約款においては，法令の変更や社会経済状況の変化により，変更が必要となることがある。約款の変更について規律を置かず，その効力を裁判所の個別判断に委ねる方法や，行政庁の業法的規制に委ねる方法も考えられるが，約款を用いた取引の適正化・安定化という観点からは，その一般的規律を明確にすることには，積極的な意義がある。

　民法は，厳格な要件のもとに変更を認める。すなわち，定型約款準備者は，次の2つの場合に，個別に相手方と合意をすることなく契約内容を変更することができる。①定型約款の変更が相手方の一般の利益に適合するとき，又は，②定型約款の変更が，ⓐ契約をした目的に反せず，かつ，ⓑ合理的なものであるとき，である。②ⓑは，変更の必要性，変更後の内容の相当性，548条の4

---

[36]　前掲注34）の各論稿のほか，三枝健治「約款の変更」法時1109号（2017）69頁（「通知と検討の機会」による同意の観点を指摘），桑岡和久「定型約款の変更」法時1127号（2018）81頁（相手方について変更の認識可能性と変更拒否〔契約からの離脱〕の機会の保障を要するという）。

により定型約款の変更をすることがある旨の定めの有無及びその内容その他の変更に係る事情に照らして判断される（同条1項）。ⓑの合理性は，定型約款準備者にとってのものではなく，客観的に評価されるべきものである（村松＝松尾・前掲注34）16頁。山下・同170頁以下参照）。ⓑを判断する事情のうち，定型約款の変更ができる旨の定めは，それがあれば自由に変更できるというものでも，なければ変更できないというものでもなく，合理性の判断の一要素となるものである。変更にあたって定型約款準備者が相手方の契約からの離脱可能性を提示したか否かは，「変更に係る事情」として，合理性の判断の考慮要素となるだろう（村松＝松尾・前掲注34）135頁以下参照）。

定型約款準備者は，この変更をするときは，効力発生時期を定め，かつ，定型約款を変更する旨及び変更後の定型約款の内容並びにその効力発生時期をインターネットの利用その他の適切な方法により周知しなければならない（同条2項）。また，上記②による変更は，548条の4第2項の効力発生時期が到来するまでに同項による周知をしなければ，効力を生じない（同条3項）。なお，定型約款の変更については，548条の2第2項の規定（不当条項等）は，適用されない（548条の4第4項）。より厳格であり，かつ，考慮要素も異なる548条の4第1項の規律によるからである（部会資料88-2，第28，4）。

◆ **契約の変更**　契約は，一方当事者が一方的に変更できないのが原則である。それなのに，定型約款の変更は認められるのか。この問題は，契約の構造との関係で変更の意味を考える必要がある。ここで主として問題となるのは，継続的契約であるが，それには様々なタイプのものがある（→第3節3(2)〔75頁〕）。当該契約と，それに基づいてされる個別の取引・給付との関係は多様であり，当事者の負う債務・義務の内容も多様である。たとえば，個別取引の具体的条件は，一方当事者の定めるところによるという合意の合理性は，一様ではない。その契約によって当事者間にいかなる法律関係が成立していたのかが，当該「変更」の評価の前提となる。また，「変更」にも様々なものがあるし（→第5章第2節〔249頁〕），変更される部分が当該契約においてもつ意味，遡及効の有無の違いもある。さらに，期間の定めのない継続的契約については，当事者は解約申入れをして終了させることができる（→第4章第1節2(1)(b)〔185頁〕）。定型約款準備者による解約申入れ及び新たな定型約款の合意という方法の可否と，定型約款の変更の可否とは，あわせて考える必要がある。548条の4は，これらの問題を，具体的な判断基準を示すという方法で規律しようとするものだと理解することができる。

なお，継続的契約以外の契約も，548条の4の対象になりうる。たとえば，分割履行契約（→第3節3(2)〔75頁〕）その他の契約において定型約款準備者がその未履行部分を変更する場合である。この場合，変更が相手方の一般の利益に適合するとき（同条1項1号）又は，契約をした目的に反せず，かつ合理的なものであるとき（同項2号）であっても，当初の契約を一方的に変更できないという原則がより直接的に働き，相手方の変更の拒絶又は契約からの離脱を認めるべきことが多いだろう。

(ⅳ) 定型約款に関する規律と約款に関する一般的規律　　定型約款については，従来の約款に関する規律は，みなし合意の除外規定（548条の2第2項）などの評価に際して，考慮されることになる。他方，定型約款に関する規律の及ばないところでは，他の規律（たとえば労働法の規律）のほか，約款に関する一般的規律に従うことになる（鹿野・前掲注34）②79頁，山本敬・同40頁）。定型約款に関する規定が新設された後も，約款に関する一般的規律の検討は，引き続き必要である。

(3) 事情変更の原則[37]——合意による拘束の限界
(a) 意　　義
　契約締結後に周囲の事情が変化したとしても，契約の拘束力はあるのが原則である。しかし，その変化が著しく，契約をそのまま履行することが困難になる場合もある。長期の供給契約を締結した後，経済状況が急変し，双方の給付が著しく不均衡になった場合などである。第2次世界大戦の戦中戦後の変動，1970年代のオイル・ショック，1980年代末以降のバブル経済とその崩壊など，経済の変動期にしばしば紛争が生じる。また，契約締結後に法令の変更があり，契約の履行の前提となる事情が変わってしまった場合などもある。これらの場合に，契約の解除又は改訂を認める法理として，事情変更の原則がある。

◆ **事情変更の原則の沿革と比較法**　　広い意味で事情が変化した場合に関する規律

---

[37] 五十嵐清『契約と事情変更』(1969)，同・新版注民(13)66頁，北山修悟①「契約の改訂」法協112巻1号(1995)73頁，同②「事情変更の原則」争点225頁，中村肇①「後発的事情変更の顧慮とその妥当性」富大経済論集46巻2号157頁～48巻1号153頁(2000～02)，同②「近時の『事情変更の原則』論の変容と『事情変更の原則』論の前提の変化について」明治大学法科大学院論集6号(2009)113頁，石川博康『再交渉義務の理論』(2011)〔初出2001〕，吉政知広『事情変更法理と契約規範』(2014)〔第1部初出2003～14〕。

はローマ法にも散見されるが，より一般性をもつ思想が中世教会法にみられ，その影響のもとに，中世イタリアの法学者（註解学派）が一般法理化した（「事態がこのようである限りは」と留保する「事情不変更条項」が，すべての契約に含まれていると考える。16世紀初頭に一般法理として確立）。その後の学説は，この法理を支持しつつ適用を制限するものと，原則として否定し例外的にのみ認めるものがあったが，いずれにせよその適用範囲の限定がされた。この状況のもと，18世紀のドイツ系の民法典でこの法理を採用するものがみられた。その後，資本主義経済の発展期には，取引安全が重視され，この法理は忘れられていたが，第1次世界大戦後，異常なインフレのもとのドイツで想起され，行為基礎論という形で再構成された。ドイツでは，第2次大戦後も，この法理に関する議論が展開し，2001年民法改正で行為基礎の障害という形で明文化された（ド民313条）（以上，中村・前掲注37）②）。他方，フランスでは，「不予見理論」の問題とされるが，民事事件において破毀院はこれをとってこなかった（行政事件ではコンセイユ・デタの採用例がある。中田・解消137頁以下・164頁以下）。しかし，2016年改正により導入された（フ民〔2016年改正後〕1195条）。アメリカでは，「実行不能（impracticability）」及び「フラストレーション（frustration）」の問題とされ，U.C.C. 2-615条（1952年公刊，2003年修正）が直接的には前者に言及するが，肯定例は1980年の連邦地方裁判所判決があるものの極めて例外的である（久保宏之『経済変動と契約理論』〔1992〕）。UP 6.2.1-6.2.3は「ハードシップ（hardship）」として，PECL 6.111, DCFR III. 1.110及びCESL 89は「事情の変更（change of circumstances）」として，規定を置く。

◆ 「契約を破る自由」[38]と事情変更の原則の関係　　アメリカ法では，「契約を守る」とは，契約を守って履行するか，これを破って損害賠償を支払うか，そのどちらかの行動を合理的に計算して選択することにすぎず，「契約を破る自由」があるといわれる（その背景には，契約違反に対する救済は，第1次的には損害賠償であり，それが不十分な場合に限って契約内容の実現〔特定履行〕が認められるという原則がある。アメリカ法でも「契約を破る自由」に対する抑制が図られているが，「契約は守られなければならない」ことから道徳的要素は外されている）。事情変更の原則が，当事者が契約を適法に解除して契約の拘束から免れることを可能にする制度であるのに対し，「契約を破る自由」は，契約違反となることを前提とするものであり，両者の次元は異なる。

(b)　日本における事情変更の原則

日本では，事情変更の原則は，戦間期に紹介され（勝本正晃『民法に於ける事

---

38)　樋口・アメリカ43頁以下，樋口範雄「契約を破る自由について」アメリカ法1983-2号（1984）217頁，同「不誠実な契約違反という不法行為（Tort of Bad Faith Breach of Contract）――契約を破る自由の例外」学習院大学法学部研究年報21号（1986）25頁。

情変更の原則』〔1926〕が代表的研究），現在では，判例・学説とも認める。大審院は，第2次世界大戦末期に，土地売買契約について，信義則を根拠として事情変更による解除の可能性を認めた（大判昭19・12・6民集23巻613頁，来栖三郎『判民昭19』206頁）。最高裁は，一般論としては同原則を認めるが（最判昭29・2・12民集8巻2号448頁〔事情の相違は認めつつ，解除を認めるべき信義衡平上の必要はないと判断〕，最判平9・7・1民集51巻6号2452頁，百選Ⅱ40［小粥太郎］〔予見可能性と帰責事由の点から適用を否定〕等），具体的事案で適用した例はない。

　問題は重層的である。まず，事情の変更があった場合に，契約の拘束力の例外を認めることは可能か。意思自治の原理は絶対的なものではなく，法の観点から契約の拘束力の例外を認める余地はある。現実の取引においては，事情の変化に応じた柔軟な解決がされることは稀ではなく，それは日本特有の現象ではない。実際，あくまでも契約の履行を迫ると，相手方が倒産し，その結果，債権者側もより大きな損害を被ることになり，経済的にも合理的でないことがある。少なくとも契約実務においては，契約の拘束力の例外が認められる場合はあり，法規範を支える基盤はあるといえよう。

　次に，例外を認めるとして，①立法で事情変更の原則についての一般的規定を置くか（ド民313条，イタリア民法1467条，フ民〔2016年改正後〕1195条，UP 6.2.1-6.2.3, PECL 6.111, DCFR Ⅲ. 1.110, CESL 89），②立法で個別の問題類型ごとに特別規定を置くか，③特別の立法なしに裁判所等が一般条項等により個別的解決をすることに委ねるか。日本では，①はなく，②はいくつかあり（609条・610条，借地借家11条・32条・17条，身元保証4条など），③は裁判所等が信義則を根拠に同法理を認めている。これは立法と司法の役割分担の問題である。①②は安定的解決に資するが，③は立法のない場合でも具体的妥当性が図られうる。これは，裁判所の権限をどの程度の大きさにするのが良いのかという問題でもある。

　◆ **部会での検討**　今回の改正に際して，「事情変更の法理」の明文化が検討され（中間試案説明382頁），「著しい事情の変更による解除」に絞って規定することも検討されたが（部会資料72B, 第1，同77A, 第1，同81-1, 第4），規定を設けることにより裁判外の紛争を惹起しかねないなどの意見も強く，他方，そのような懸念に応えるために制限的な要件の規律を置くと判例法理よりも厳格化なものとなるおそれもあり，部会での合意形成が困難であることから，取り上げられないこととなった

(部会資料 82-2, 9 頁。吉政知広「事情変更の法理」改正と民法学Ⅱ 449 頁，石川博康・改正コメ 970 頁以下参照)。

◆ **サブリース契約と事情変更の原則**　最判平 15・10・21（民集 57 巻 9 号 1213 頁，百選Ⅱ 67［内田貴］）は，いわゆるサブリース契約について，事情変更の原則という一般法理を適用するのでなく，借地借家法の条文の枠内で解決しようとした。

第 3 に，具体的な制定法がない場合に事情変更の原則を認める理論的根拠は何か。一般的には，信義則によって説明される。その根底には，契約の拘束力を意思と法の組み合わせに求める考え方が認められよう。

◆ **契約内容確定論**　これに対し，事情変更の原則のもとで論じられてきた問題は，リスク配分に関する規範を前提として，当事者が設定した契約規範の内容の確定の問題であるという見解もある（吉政・前掲注 37）60 頁以下，山本 103 頁）。ただ，それだけだと契約解釈という作業に過大な負担を持ち込むことになるおそれがある（北山・前掲注 37）②227 頁参照）。そこで，契約規範と契約改訂規範の関係の分析が試みられる。契約改訂は，契約を外在的に制限し又は変更するものではなく，契約を補充するために当事者自身による解決を支援するものとして位置づけられる（吉政・前掲注 37）151 頁以下）。契約制度の意義や法及び裁判所の役割も考慮した重要な構想である。もっとも，当事者が事後的な再交渉の可能性を契約内容に取り込みうることまでは前提とせずに現実的な対処を検討し（同 161 頁），また改訂されるべき契約の具体的内容を判断するにあたって当事者の仮定的合意を想定するので（同 164 頁），なお「外在的」要素が入りうるのではないかと思われる。

第 4 に，裁判所等が個別的に判断する場合，事情変更の原則の要件と効果が問題となる。要件は，判例・学説とも，次の 4 つとする。①契約の基礎となっていた客観的事情が契約締結後に変化したこと，②①について当事者に予見可能性がなかったこと，③①が当事者の責めに帰することのできない事由によって生じたものであること，④①の結果，当初の契約内容に当事者を拘束することが信義則上著しく不当と認められることである（①④につき，最判昭 29・2・12 前掲，②③につき，最判平 9・7・1 前掲）。

効果には，契約の解除と契約の改訂がありうる。このうち，契約の改訂については，裁判所が当事者に代わって契約内容を形成することが，理論上及び実際上，可能かという問題がある。そこで，裁判所が改訂するのでなく，当事者

に対し，再交渉をする義務を課することが考えられる。この義務の内容や義務違反の効果など難問があるが，一定の場合に，当事者が誠実に再交渉すべき義務を認め，それに反した当事者に損害賠償その他の不利益を課することは，可能であり，適切であるだろう[39]。

最後に，裁判所等の機関とは具体的には何か。契約の解除の可否は，裁判所の判断に親しむが，改訂については，取引の実態に関する知見や将来の予測も必要になるので，仲裁手続や裁判外紛争解決手続（ADR）が有効である。

5　契約の完結性——個別的で固定的な法律関係
(1)　意　義

近代的契約法の第3の特徴を，本書では，契約の完結性という言葉で表す。それは，契約の個別性と固定性からなる。これらの概念は，契約自由の原則や意思自治の原理のように一般的なものではないが，近代的契約法の特徴を浮き上がらせるための1つの視角として提示したい[40]。

契約の個別性とは，契約が，当事者間の社会的関係からも，他の契約からも切り離された限定的な法律関係を，当事者間でのみ発生させることである。第1に，契約によって生じる関係は，当事者の社会的関係から切り離されている。契約は，申込みと承諾という2つの意思表示が合致した瞬間に成立し，そこから発生した債務が履行されることによって直ちに終了する（sharp-in, sharp-out）。当事者は，契約の成立前や終了後は，法的には互いに無関係である。契約存続中も，当事者間には契約によって発生した債権債務関係だけが存在するものとされ，それ以外の関係は考慮されない。契約は，身分とは違い，部分的な関係のみを作り出すからである。第2に，契約は，他の契約からも切り離されている。同じ当事者の間で，複数の契約が併存し，又は，同種の契約が何度も反復されていても，各契約はそれぞれ独立している。契約当事者の一方が，第三者と別の契約をしたとしても，各契約は互いに影響しない。第3に，契約は，当

---

[39]　森田修『契約責任の法学的構造』（2006）315頁〔初出1996〕参照。
[40]　「個別性」・「固定性」という視角は，アメリカのマクニール（I. R. Macneil）が古典的契約法の特徴として指摘する「個別性（discreteness）」・「現在化（presentation）」の概念に着想を得ている（中田・解消420頁参照）。本文中のsharp-in, sharp-outもマクニールの表現である。それはまた，「契約の効力の相対性」・「契約の拘束力」の概念（星野・前掲注4）②214頁参照）にも近いが，観点が異なり，対象範囲もそれより広い。

事者間でのみ効力があり，第三者に対しては原則として効力を及ぼさない（契約の相対効）。

契約の固定性とは，契約による法律関係は，その成立時に固定されることである。いったん契約した以上，その後に事情が変わったとしても，当事者は契約で定められた義務を履行しなければならない。契約存続中に問題が生じたときは，すべて契約で定められた規律に従って解決される。したがって，当事者は，将来ありうる様々な事態をできる限り予測して，契約で明確に取り決めておく（将来の事態を「現在化」する）ことが求められる。契約は，当事者だけでなく，裁判官も拘束する。裁判官は，契約が適法なものである限り，その内容に介入することはできず，契約内容に従って解決しなければならない。

こうして，契約は，当事者間に個別化された固定的な法律関係を発生させる。それは，それ自体で完結した，閉ざされた小宇宙のようである。

しかし，このような契約の完結性に対しては，それでは社会における現実の問題を適切に規律できないという批判が投じられる。それに対応するため，契約の解釈，不法行為法による規律などによるほか，信義則（1条2項）がしばしば用いられる。以下，個別性（→(2)）と固定性（→(3)）に分けて検討する。

(2) 個別性に関する批判と対応

(a) 当事者の社会的関係

契約の背後にある当事者の社会的関係を無視すると，妥当でない結果が生じることがある。契約の成立段階，存続中，終了段階のそれぞれで問題が生じる。契約においては，存続中のみならず，成立前・終了後にも信義則が働くべきことは，1920年代から学説[41]が主張してきた。その後，いくつかの面で精緻化されている。

(i) 契約の成立段階の問題

α 契約交渉の破棄　　契約締結に向けての交渉を途中で破棄した者が，相手方に対して損害賠償責任を負うことがある。契約成立前であっても，相手方に対する信義則上の義務が発生し，その違反に対する損害賠償義務が生じる場合があることは，判例・学説で認められている（→第2章第4節2(1)(b)(iii)

---

41) 鳩山秀夫『債権法における信義誠実の原則』(1955) 295頁〔初出1924〕，牧野英一『民法の基本問題 第五』(1941) 489頁。

〔112頁〕）。

　β 説明義務・情報提供義務　　契約をしようとする者は，必要な情報を自ら収集して検討し，契約するか否かを自ら決定したうえで，そうすべきだというのが原則である。相手方は，沈黙が詐欺を構成する場合を除けば，説明をしたり情報を提供したりする義務はない。これは，合意の瑕疵（錯誤・詐欺・強迫）に関する民法の規定及び伝統的な民法理論がとる前提である。それは法的人格の自由平等という思想に由来するとともに，契約締結前には当事者は互いに義務を負わないという契約の個別性の現れでもある。しかし，一定の場合，当事者の一方に相手方に対する説明義務・情報提供義務が課せられることがある（→第2章第4節3(1)(a)〔130頁〕）。

　γ 契約成立後の後戻りの可能性　　契約成立後でも，なお浮動的な段階が存在することがある。クーリング・オフ制度により，消費者等が契約成立後も一定期間は契約を一方的に終了させることが認められる場合がある（特定商取引9条など）。これを契約成立後も一定期間はそこから任意に離脱できる法定の制度だと理解すると，契約成立の効果は，その間，浮動的なものとなる。同様の機能をもつものとして，解約手付（557条）などがある。ここでは契約がある瞬間に完全に成立するわけではないという意味で，個別性が修正されていることになる（→第2章第4節2(1)(a)〔110頁〕）。

　現行民法は，書面によらない贈与は履行済みの部分を除き解除できるとし（550条），また，改正前には要物契約とされていた契約について，目的物受取り前の解除を認める（587条の2第2項・593条の2・657条の2第1項・2項）。ここでも浮動的な状態が生じる。

　(ii)　契約存続中の問題　　契約によって当事者間に生じる法律関係は，契約から生じる債権債務関係である。その内容は契約解釈によって定まるが，信義則にも従う。そこで，契約解釈や信義則を通じて，当事者の現実の意思に基づかない義務が課せられることがある。つまり，当事者間の法律関係は，当事者の現実の意思のみによって確定されるのではなく，他の要素も考慮されて柔軟に形成される余地がある。

　(iii)　契約の終了段階の問題[42]　　契約が債務の履行によって直ちに終了するといっても，当事者にはその後も何らかの義務ないし負担が残ることがある。退職後の従業員が負う競業避止義務・秘密保持義務，元使用者が退職した従業

49

員に対して負う在職証明書の発行義務，機械の売主が販売後一定期間にわたって負う部品・消耗品等を製造・保管する義務，良好な眺望を売り物にしたリゾート・マンションの販売業者が売買終了後も隣地に眺望を妨げる建物を建築しない義務，また，契約終了後とは限らないが，貸金業者の借主に対する取引履歴開示義務（最判平17・7・19民集59巻6号1783頁），医師の患者や遺族に対する治療後の説明義務などである。これらを「余後効」「契約終了後の過失」「契約終了後の保護義務」などと呼ぶこともあるが，やや曖昧であり，分析する必要がある。まず，その義務自体が契約上の債務である場合がある（契約はまだ終了していない）。これは，契約の解釈によって定まることである。また，社会的接触関係による信義則上の義務，不法行為法上の義務が認められる場合もある。このように，それぞれの規範により評価すべきことであるが，社会的事実としては契約終了後も何らかの関係が残ることがある。「契約の終了」という概念にもかかわる問題である（→第4章第1節1〔183頁〕）。

(iv) プロセスとしての契約　以上のように，契約の個別性で想定される'sharp-in, sharp-out' とは異なる実態に伴う問題を，契約解釈や信義則で個別的に解決するのが一般的な方法である。これに対し，プロセスとしての契約関係を正面からとらえようとする試みもある（→6(2)(b)の「関係的契約法」〔58頁〕）。

(b) 契約と他の契約との関連性

契約と他の契約が社会的関係においては関連する場合がある[43]。2当事者の間で，複数の契約が並列的に存在する場合（リゾート・マンションの売買契約と売主の運営する近隣スポーツ施設を利用する会員契約，賃貸借契約と敷金契約），同種の契約が反復的に生起する場合（継続的な商品売買），基本となる契約に基づいて個別の契約が締結される場合（特約店契約）などがある。また，3当事者の間で，AB間の契約とBC間の契約が並列的に存在する場合（BがCから借り入れた資

---

[42] 潮見・新債総Ⅰ182頁以下，中田・債総152頁以下。契約の余後効については，熊田裕之「ドイツ法における契約終了後の過失責任」新報97巻1＝2号（1990）369頁，高嶌英弘「契約の効力の時間的延長に関する一考察」産大法学24巻3＝4号59頁・25巻1号1頁（1991），本田純一『契約規範の成立と範囲』（1999）255頁以下，蓮田哲也『契約責任の時間的延長──契約余後効論を中心として』（2020）。

[43] 山田誠一「『複合契約取引』についての覚書」NBL 485号30頁・486号52頁（1991），河上正二「複合的給付・複合的契約及び多数当事者の契約関係」磯村保ほか『民法トライアル教室』（1999）282頁，都筑満雄『複合取引の法的構造』（2007），小林和子「複数の契約と相互依存関係の再構成」一橋法学8巻1号（2009）135頁，酒巻修也『一部無効論の多層的構造』（2020）214頁以下。

金でAから物を購入する場合，AがBから借金をしCがBと保証契約を結ぶ場合），AB間の契約とBC間の契約が直列的に結ばれる場合（AからBが工事を請け負いBからCが下請負をする場合，AがBに物を売却しBがCにそれを転売する場合）がある。これらの場合，ある契約について生じた事由が他の契約にも影響するのか，ある契約の条項の効力が他の契約にも及ぶのか，直接の契約関係にない当事者（AB間，BC間に契約がある場合のAとC）の間に何らかの法律関係が認められないか，複数の契約を包摂する全体としての関係を法的にどう評価するかなどの問題がある。これらの場合に，契約の個別性が修正されたり，補足する制度が用意されたりすることがある。これも，契約の相対的効力の例外である（→第2章第4節2(2)(f)〔127頁〕・第4章第2節5(5)〔240頁〕）。

(c) 契約の第三者への影響

契約は，当事者間での相対的効力しか有しないとされるが，実際には，第三者に様々な影響を及ぼすことも少なくない。具体的には，第三者のためにする契約，複数契約の相互関係，契約侵害などにおいて，契約の相対効に言及されることがある。

> ◆ **契約の相対効**[44]　　契約の相対効（相対的効力）は，一般的な概念である。「ある人々の間でされた事柄は，その他の人々に害を及ぼすことも，利益を与えることもない」というローマ法の法理が，フランス民法（2016年改正前）1165条を経て，旧民法財産編345条に承継されたが，明治民法では当然のこととして削除された[45]。もっとも，ローマ法以来，その例外（特に，第三者に利益を与えることの許容）に関心がもたれており，ドイツ民法は第三者のためにする契約を広く認め，日本民法にも第三者のためにする契約の規定（537条～539条。旧537条・旧538条・539条）がある（→第3章第4節〔171頁〕）。他方，現実には，契約が第三者に利益だけでなく不利益を及ぼす場合もある。これについて，ドイツ法を参照し，契約の相対効が契約当事者の意思自治の原理から説明されてきたのに対し，第三者の私的自治の尊重という観点を指摘するものがある。また，フランス法を参照し，契約により債務者となった者が義務づけられること（契約の拘束力，債務的効力）と，社会的事実としての契

---

44) 野澤正充・新版注民（13）533頁以下，岡本裕樹「『契約は他人を害さない』ことの今日的意義」名法200号107頁～208号335頁（2004～05），片山直也『詐害行為の基礎理論』（2011）545頁以下。

45) 直接的には，債権の相対効に関する規定だが，「第三者ニ対スル債権者ノ権利」の節がいったん決められたものの，最終的には削除された（民法速記録Ⅲ100頁，整理会速記録243頁〔穂積陳重発言〕）。

> 約は第三者も尊重すべきこと（契約の対抗可能性）とを区別する見方（契約の相対効は前者の問題，契約侵害は後者の問題）も提示されている（フ民〔2016年改正後〕1199条・1200条参照）。

(3) 固定性に関する批判と対応

(a) 事情の変更

契約締結後の著しい事情の変化があった場合について，事情変更の原則が形成されたことは前述した（→4(3)）。

(b) 軽微なトラブルの処理

現実の取引（特に継続的契約による取引）においては，問題が発生したとき，契約で定められた規律によるのではなく，その時点での当事者の関係を背景にした柔軟な解決が図られることが多い。そのような事態について，2つの見方がありうる。第1は，それは当事者が現時点における諸事情（取引を継続することにより得られる利益，訴訟のコスト，将来の取引又は第三者との取引に及ぼす影響など）を勘案したうえでの経済合理性に基づく判断であり，法的には，当初契約の変更契約又は紛争を解決するための和解契約であるにすぎないという見方である。第2は，それは，当事者間又は当事者を含む取引社会における「生きた法」によるものであり，それは書かれた契約を上回る規範性をもつことがあるという見方である。第1の見方は明快であり，それ自体は正当だが，第2の見方を残すことにより，契約法と契約実務の関係をより深く分析する契機となる（→6(2)(b)）。

(c) 当事者の裁量

契約の固定性は，当事者がその契約に関して将来生じうる事態をできる限り予測し，その対応について予め協議をして取り決めておくという契約のあり方を想定している。その際，当事者は対等で自らの責任で意思決定をするのだから，契約で明確に規定しなかった事項については，不明確さによる不利益は甘受しなければならないし，相手方がそれを利用することは非難の対象にはならない。

このことは，事業者間の契約では，一般的には妥当するだろう。しかし，たとえば，医師と患者の診療契約や弁護士と依頼者の訴訟委任契約においては，それは実態にそぐわない。ここでは，将来起こりうる事態を網羅する詳細な契

約を締結するのではなく，当事者の一方が他方を信頼して，自己の身体や財産に関する事柄をその裁量に委ねる関係がある。この場合，相手方は専門家として高度の注意を払いつつ自らの技能を十分に発揮して委ねられたことを行う義務（高度善管注意義務）とともに，与えられた信頼を利用して自己や第三者の利益を図ってはならないという義務（忠実義務）を負う[46]。このような関係を「信認関係」と呼ぶこともある。ここでは，契約の固定性とは性質の異なる法律関係がみられる。

(d) 当事者双方の履行すべき内容の不確定

当事者双方が契約のなかですべての事柄を明確に取り決めておくというのは，現実的ではない。商談は，詳しい契約書へのサインによってではなく，握手によって成立することもある。将来の見通しが不確定な段階で，あるプロジェクトを協力して行うことについて基本合意をすることもある。これらの場合，契約の固定性の意義は低くなる。

(4) 完結性の限界[47]

(a) 完結性の修正

このように，契約の完結性は様々な面で修正されている。個別性については，契約の背後にある社会的関係を無視することが妥当でなく，それを反映することが求められる場合がある。固定性については，想定されうる事態すべてについて当事者が合理的に規律した「完備契約」を出発点とすること自体に，無理があるのかもしれない。理由はこうである。第1に，現実の契約は，不完全な情報のもとで合理性が限定された人によって締結されることが少なくない。第2に，当事者が契約締結段階から履行段階にかけて徐々にその内容を固めていくことがある。契約締結段階では基本的な合意をし，引き続いての協議により細部を決めていくことは稀ではない。この場合，契約締結時から履行時にかけて空白部分を充填する形で合意が完成していく。合意が契約締結時のみについ

---

[46] 樋口範雄『フィデュシャリー［信認］の時代』(1999)，能見善久「専門家の責任——その理論的枠組みの提案」専門家責任研究会編『専門家の民事責任』別冊 NBL 28 号 (1994) 4 頁。

[47] 前提及び対象は同じではないが，契約の内部構造及び両当事者にとってのその経済的意味を「契約の組成（エコノミー）」という概念で表し，取引としての契約を検討するフランスの学説は，この問題に取り組む1つの試みと解することができよう。この概念については，森田修『契約規範の法学的構造』(2016) 332 頁以下〔初出 2010〕。

第1章　契約の意義

て存在し，その後は，その履行のみであって合意が入る余地はないと考えるのは硬直的であり，実態にもそぐわない。

　以上のような問題について，従来，契約解釈や信義則などの一般的手法による個別的解決がされてきた。その理論的整序が課題である。

(b)　完結性に関する合意

　当事者が契約の完結性にかかわる合意をした場合にどうなるのか（中田・前掲注9)②12頁)。

　まず，個別性を操作する合意がある。1つの取引をあえて複数の契約に分割すること（同じ当事者間の契約の場合と第三者との契約を伴う場合がある），長期間にわたってされるべき取引について短期契約の更新という方法をとること，ある事業目的を達成するために1人の中軸となる当事者が多数の相手方と同種の契約をそれぞれ締結する（多数の2当事者間契約を集積する）方法をとることなどである。また，契約の成立を制御しようとする合意もある（→第2章第4節2(2)〔115頁〕）。他方，個別性にもかかわらず，契約に対外的な効力をもたせようとすることもある。特に，契約制度を用いて財産の一部を分離し，第三者にもその効果を及ぼそうとする試みがある（法人，担保物権，信託等の制度を用いずに，契約で類似の効果を得ることを狙う）。

　固定性については，これを強化するための合意がある。たとえば，当事者間で将来の変化に備えた変動条項等を予め合意しておくことにより，事情変更の原則の適用を排除しようとする場合がある。

　これらは契約の内容決定の自由の問題だが，契約から生じる債務の内容を決定するというのではなく，契約の構造自体についての合意であり，やや異なる問題が含まれている[48]。このような合意は，契約による「仕組み」の創設に際してしばしば用いられる。そのような「仕組み」の創設を自由とするのがまさに契約自由の原則だが，その限界を検討することは，「仕組み」を安定的なものとし，その活性化に資することにもなる。

---

48)　問題意識を示すものとして，中田・研究94頁注（64)，同・前掲注9)②12頁以下，伊藤進「非典型契約論について——まとめに代えて」椿寿夫＝伊藤進編『非典型契約の総合的検討』別冊NBL142号（2013）219頁。

6 現代における契約

(1) 近代的契約法と日本の契約観

(a) 近代的契約法の修正と日本的契約観

　近代的契約法の基礎にある契約自由の原則，意思自治の原理，契約の完結性は，いずれも現代ではかなり修正されている。ところで，わが国では，かねてから日本における契約意識・慣行の特殊性が指摘されることがあった。そこで，①近代的契約法，②その現代における修正，③いわゆる日本的契約観の3者の関係を検討する必要がある。

(b) 「前近代的な日本的契約観」論

　近代的契約法と現実との相違について，特に，第2次大戦後，日本特有の契約意識・慣行という面から論じられることが多くなった。そこで有力になったのが，日本における契約意識・慣行は前近代的な法意識や諸関係の残滓であるとして批判し，それを克服して，近代的契約法に基づく対等な当事者間の明確な債権債務関係を定立すべきことを提唱する見解である。このような主張は，1950年代から60年代にかけて普及し，支配的になった。特に，川島武宜『日本人の法意識』(1967)は，翻訳もされ，日本的契約観の特殊性のイメージを広める契機となった。同書では，日本においては，契約が成立したか，いつ成立したか，その内容が何かは不明確・不確定であり，問題が起きたときは「誠意をもって協議し」円満な解決をして「争を水に流す」ことが重要であるという見方が示され，近代的契約法と対比される（同書87頁以下）。ここでは，(a)の①と③が対比されている。これに対し，同じく①と③を対比しつつも，①はその抽象性・形式性ゆえに③をもカバーしうるとし，それらに対峙するものとして，実質的「正義」の実現を図ろうとする力もあると指摘する見解が登場した。すなわち，「近代契約法の形式的合理性の貫徹を要求する側の力」（必要に応じて③を利用する）と，「これを拒否する側の力」（③を排除・解体し，実質的「正義」の実現を指向する）との対抗関係を指摘する。この見解は，近代的契約法の意義は否定されるべきではないとしつつ，一般条項の増大や利益衡量主義によって市民間の権利主張の態度が抑圧されるようになることを警戒すべきだという（広中8頁・510頁）。ここでは，①③と②が対比されていることになる。

(c) 日本の企業取引の実態との関係

　これらに対し，1960年代から，日本の企業取引の実態を検討し，そこに存

在する規範を探究しようとする研究が進展する。その成果は，2つの方向で現れた。第1は，現実の取引に現れた諸問題を契約理論に反映させ，契約法の新たな体系を構築しようとするものである[49]。この見解は，社会で現実に存在する契約の類型，構造，技術，紛争解決方法を積極的に探求し，それを体系に取り込んでいこうとする。第2は，日本的契約観の特徴を，柔軟性を優先させる傾向と，信義誠実の原則及び信頼関係への好みとに見出し，それは日本人のメンタリティによるものだとしつつも，アリストテレス，トマス・アクィナス，ローマ法及び回教法における契約観と類似性があると指摘するものである[50]。これらの研究はいずれも，近代的契約法を相対化しようとするものであるとともに，「前近代的な日本的契約観」という見方を批判し，日本における取引実務に一定の合理性があること，それはまた日本に特有のものではないことを示唆する。つまり，(a)の①と②を対置し，③は②に含めて考える[51]。

(2) 現代契約法の諸相——合意の尊重とその制限

現在では，日本的契約観の特殊性を強調するのではなく，より普遍的な観点から近代的契約法の問題点を考察したうえ，現代的契約法を構想するものが多い。この立場における近代的契約法との接し方には，3種類のものがみられる。近代的契約法の補強（→(a)），補完（→(b)），補正（→(c)）である。これらは必ずしも排斥し合うわけではない。

(a) 近代的契約法の補強

まず，近代的契約法の基礎にある私的自治の原則の意義を再確認し，その基礎づけを補強しようとする試みがある。その代表的なものとして，私的自治・契約自由は憲法13条によって保障される自由だとする見解がある。リベラリズムを強調するこの立場においては，契約自由の制約の正当化は，それによって他人の権利や自由を侵害してはならないという，他人の権利・自由の保護と

---

49) 北川善太郎①『現代契約法 I』(1973)，同②『現代契約法 II』(1976)。加藤雅信編代『民法学説百年史』(1999) 431頁［中田］参照。
50) 星野英一①「民法解釈論序説」同『民法論集第1巻』(1970) 1頁・39頁［初出1968］，同②「日本における契約法の変遷」同・前掲注4) 第6巻288頁［初出1982］，星野・前掲注4)②261頁以下，星野・民104頁以下。
51) 1970年代後半の契約実務と契約法学の状況につき，中田「書評」NBL 1000号 (2013) 29頁。書かれた契約法と契約実務との乖離の非特殊性につき，中田・研究96頁。近年の分析として，宍戸善一ほか「『日本的取引慣行』の実態と変容」商事法務2142号 (2017) 4頁。

いう根拠によることになる。他方，契約自由は憲法上要請される基本権であるが，これを制約する公序良俗は憲法よりも下位の法律レベルでの要請だから，契約自由を公序良俗によって制約することは慎重でなければならないという（山本・前掲注8）①②③，山本19頁→3(3)〔28頁〕）。

この見解については，①契約自由が日本国憲法制定前から私法上の基本原則とされてきたことをどう評価するのか，②契約の主体が法人である場合の契約自由をどのように説明するのか（現代社会における契約の主体は少なくとも一方が企業ないし法人であることが大半だが，企業ないし法人の契約自由を憲法13条に求めることの可否・当否），③契約自由の制約の正当化根拠を「他人の権利・自由の保護」に求めると，実際上，制約はかなり狭くなるのではないか（契約ないし契約制度に対する社会の信頼等，より抽象的な利益が無視されるのではないか），④この見解では，諸問題が契約内容の確定の問題に還元されるので，契約解釈の担う役割が非常に大きなものとなるが，その負担が過大となり不安定又は硬直的になるおそれがあるのではないか，という課題がある。

◆ **経済学者の支持**　契約自由の原則は，もともと自由主義経済と強く結びついて形成されたが，現代の日本において，改めて経済学者の支持を得ている。すなわち，1990年代後半から規制緩和論に対応する形で契約自由が強調されるようになるが，経済学者からも積極的な支持が表明された（→3(3)）。さらに，契約を対象とする法と経済学の観点からの研究の成果が広く浸透し始めるが，そこでは，自由な取引がされる市場がまずは想定される。2000年頃からは，不完備契約理論が平明な入門書[52]によって広く知られるようになるが，同理論においても完備契約を理論的出発点としてそれを補正するという思考様式をとるため，やはり契約自由は大前提としての位置を占める。ここでは，国家が介入して契約自由を制約することは，①取引費用がかかるために完備契約が結べないので，これを補完し経済効率性を改善するため，②人間の合理性の限界（限定合理性）ゆえに不完備契約が結ばれることに対する保護のため，などの観点から検討されることになる。

◆ **市場型契約と組織型契約**[53]　近代的契約法について，経済学の理論を参照して，「市場」と「組織」という観点を導入し，「市場型契約」と「組織型契約」とを区別

---

52) 柳川範之『契約と組織の経済学』(2000) 6頁，宍戸善一＝常木淳『法と経済学』(2004) 1頁以下など。
53) 平井64頁以下・114頁以下，平井宜雄①「いわゆる継続的契約に関する一考察」星野古稀下697頁，同②「契約法学の再構築」ジュリ1158号96頁〜1160号99頁（1999）。

する見解がある。「市場型契約」の例は，ガソリンスタンドにたまたま立ち寄った車のドライバーとのガソリンの売買契約であり，「組織型契約」の例は，フランチャイズ契約や下請契約である。両者は，取引の対象となる財の代替性（経済学の「資産特殊性」に対応する概念）の大小によって区別される。財の非代替性が大きいと取引は継続的になり，当事者は術策を用いて意図的に私利を図るようになるので（機会主義的行動），その抑制が必要となる。「市場型契約」においては，当事者の自由な合意を基準として，権利義務関係が判断され，その判断には民法の規定や通常の契約解釈論が用いられるが，「組織型契約」においては「組織原理」が類推適用されるべきであるという。

(b) 近代的契約法の補完

近代的契約法とは別に，それを補完するもう1つの法体系を構築する試みがある。すなわち，近代的契約法の規律が妥当する領域と，それとは異なる理念によって規律されるべき領域との並立を考えるものである。

第1に，消費者契約を対象とする契約法の構想がある[54]。消費者と事業者との間には情報・交渉力の格差があり，消費者は精神・身体を備えるがゆえの脆弱性をもつ存在である（大村・消費者21頁以下）。ここで近代的契約法の人間像を前提とすることは適当でないとし，近代的契約法と消費者契約を対象とする契約法（制定法としての消費者契約法とは別）を並置しようとするものである。この方向には，「取引民法」と「生活民法」を並置する構想もある[55]。消費者契約法など消費者に関する法律の発達に伴い，実定法上も重要な意味をもつものである。

第2に，意思を中核とする近代的契約法と対置されるべきものとして「関係的契約法」を提唱する見解がある[56]。それは，共同体において共有された，「納得」のいく解決を導きうる「内在的規範」を中核とし，裁判官の解釈を通

---

[54] 制定法としての消費者契約法については，落合誠一『消費者契約法』(2001)，消費者庁消費者制度課編『逐条解説消費者契約法〔第4版〕』(2019)。理論的意味での消費者契約を対象とする契約法につき，大村・消費者，大村敦志『契約法から消費者法へ』(1999)。行動経済学を基礎とする法と経済学の観点からの分析として，西内康人『消費者契約の経済分析』(2016)。

[55] 大村敦志『法典・教育・民法学』(1999) 104頁以下，同『生活民法入門』(2003)。

[56] 内田・前掲注7) 43頁以下，内田貴『制度的契約論——民営化と契約』(2010) 111頁以下（関係的契約と後に提示された「制度的契約」との関係）。契約を関係という観点からとらえるアメリカの学説としては，マコーリー（Macaulay）の経験的研究（従来の契約法理論の批判）とマクニール（Macneil）の関係的契約理論が代表的なものである（中田・解消414頁以下，内田・前掲注3) 223頁以下，樋口・アメリカ349頁以下）。

じて，実定法に「吸い上げ」られたものである。「関係的契約原理」は，具体的には，「柔軟性原理」と「継続性原理」とからなる。従来，信義則によって解決されてきた諸問題の根底には，近代的契約法と「内在的規範」との相剋があったと考える。こうして，「貨幣を媒介とする経済サブシステムにおける形式主義的契約法（市場の論理）と生活世界における内在的規範を中核とする関係的契約法」との併存を構想する。

第3に，契約法と並ぶ「信認法」を定立しようとする試みがある[57]。自己責任及び自己利益追求を基軸とする契約関係においては，当事者は基本的に相手の利益を配慮する義務はない。これに対し，一定の権限を他人に委ね，信頼し依存する「信認関係」においては，受認者は自己の利益を図ることが禁止され，同人に依存する受益者は自己責任原則とは切り離される。たとえば，医者と患者との関係がそうである。分業と専門化を特色とする現代社会においては，信認関係を契約関係とは別のものとして認める必要がある。その規律は「曖昧な日本の契約」法に委ねるのでは不十分であり，「信認法」を構築する必要があるという。

近代的契約法の規律と並ぶもう1つの法領域を設けることは，魅力的な構想であり，特に消費者契約法については制定法においても領域が確立しつつある。ただ，次の点に留意する必要がある。①制定法によらずに，新たな法領域を構築する場合，そこでの規範内容が論者によって異なりうるため，不安定である。②2つの契約法を区別するため，中間的な性質をもつ法律関係も，どちらか一方に振り分けられ，そこでの規範のみを全面的に受けることになるため，硬直的な結果を生じるおそれがある。③もう1つの法領域を構築するいわば反作用として，近代的契約法の妥当する領域において自由意思・自己責任が過度に強調され，その柔軟性を失うおそれがある。④もう1つの法領域においても，個人の意思の尊重という理念は存在すると思われるので，2つの領域は連続的にならざるをえない。

(c)　近代的契約法の補正

近代的契約法の意義を認めつつ，それを補正しようとする試みもある。補正には2つの方向がある。

---

57)　樋口・前掲注46)。

第1は,「自由な意思」の形成を妨げる要因を除去することによって,実質的契約自由を回復しようとする方向である[58]。

第2は,契約正義の実現を意識しつつ,様々な方法で補正を試みる方向である。たとえば,①契約当事者間の「給付の均衡」に着目する方法[59],②「典型契約」のもつ意義を再評価する方法[60],③「合意の構造化」による方法[61],④「競争秩序」の私法への取込み,さらにはより一般的に,公法・私法の二分論を排し,行政法規の私法への取込みを図る方法[62]などである。これらの多くは,資本主義経済の発達,特に,事業者と消費者との取引に伴う問題の克服を意識しつつ,契約法自体のあり方を考えるものである。社会のなかの契約を考えるが,日本的契約意識・契約慣行の問題には直接的にはコミットせず,普遍的な契約理論を志向する。

> ◆ **本書の視点**　本書は,近代的契約法を基礎とし,合意の尊重とそれに対立する諸価値との対抗関係を認識したうえ,それらを調和させ,紛争の予防(履行の促進)と裁判の基準(不履行の処理)となる具体的結論を示すことを目指す。上記の第2の方法に属する。その際,①については給付の均衡とともに不確実性の均衡(中田・研究205頁・231頁)を,②③については契約の構造(→5(4)(b)〔54頁〕)をも意識して検討を進める。

第2節　契約を規律する法

1　一般的規律——強行規定と任意規定

契約法に関する一般的な規律は,民法である。任意規定が多いが,強行規定もある[63]。

契約自由が原則であるので,強行規定は例外的なものである(たとえば,678

[58) 石田喜久夫『現代の契約法』(1982)。
[59) 大村敦志『公序良俗と契約正義』(1995)。
[60) 大村敦志『典型契約と性質決定』(1997),山本敬三「契約法の改正と典型契約の役割」改正課題4頁,石川博康『「契約の本性」の法理論』(2010)〔初出2005〜07〕,森田修『契約の法性決定』(2020)〔初出2014〜15〕。
[61) 大村・前掲注54)92頁。
[62) 根岸哲「民法と独占禁止法」曹時46巻1号1頁・2号1頁(1994),曽野裕夫「『独禁法違反行為の私法上の効力論』覚書」金沢法学38巻1=2号(1996)263頁,大村・前掲注54)163頁,広中俊雄『新版民法綱要 第1巻総論』(2006)8頁以下。広範囲の検討として,吉田克己編著『競争秩序と公私協働』(2011)。

条2項。最判平11・2・23民集53巻2号193頁，百選Ⅰ17［大村敦志］）。強行規定に反する契約が無効であることは，91条の反対解釈から導く見解が伝統的通説であるが，近年，90条に根拠を求める見解が有力になっている。

> ◆ **強行規定に反する契約の無効**　特別法では，借地借家法9条，利息制限法1条など，規定に反する合意が無効であると明示するものもあるが，民法では明確ではない。明治民法起草者は，強行規定に反する法律行為が無効であることは法秩序の一貫性からして当然であると考えていた。しかし，その後，91条の反対解釈に根拠を求める見解が通説となった（鳩山秀夫『註釋民法全書第2巻法律行為乃至時効』〔1911（合本版）。使用版は1912年再版〕82頁，我妻・総則262頁）。これに対し，近年では，裁判例の分析や立法過程を検討したうえ，その根拠を90条に求める見解が有力になっている。この見解は，伝統的通説にはドイツ民法に対応する体系化の発想があったが，91条は，もともとは92条を導くための前提として置かれたものであり，任意規定について規定したにすぎないという[64]。沿革的にも，実質的にも妥当な見解といえよう。

任意規定については，91条は，当事者が「法令中の公の秩序に関しない規定」と異なる意思を表示したときは，「その意思に従う」と定める。つまり，当事者の意思が任意規定に優先する。それでは，なぜあえてそのような規定が置かれるのか。いくつかの説明がある[65]。

従来は，任意規定には，補充規定及び解釈規定としての意味があるという見解が一般的だった。補充規定とは，当事者が定めていなかった内容を補充する規定であり（たとえば，558条），解釈規定とは，当事者の定めた趣旨が明瞭でない場合にそれを明らかにするための規定である（たとえば，557条）。任意規定は，契約自由の原則を前提にして，当事者の意思の補充や解釈によってこれを補うという意味をもつにすぎないという理解である。

これに対し，近年，任意規定に，より積極的な意味を認めるべきだという見

---

63) 近江幸治＝椿寿夫編著『強行法・任意法の研究』（2018），「シンポジウム　強行法と任意法」私法81号（2019）3頁。

64) 大村・前掲注54）163頁，大村敦志①『民法読解総則編』（2009）275頁，同②『新基本民法1総則編〔第2版〕』（2019）82頁以下・140頁。先立つものとして，森田寛二「反対解釈の力学——民法91条をめぐる議論に接して」自治研究61巻8号（1985）19頁。

65) 松田貴文「任意法規をめぐる自律と秩序」民商148巻1号34頁・2号1頁（2013），同「契約法における任意法規の構造」神戸法学雑誌63巻1号（2013）171頁（自律，客観秩序又は社会的厚生を各基底的価値とする任意法規理論を提示し分析する）。

解が有力になっている。特に，約款による取引においてそう主張される。約款の本質は契約であると考える場合（→第1節4(2)(b)〔33頁〕），任意規定と異なる特約は自由なはずである。しかし，不合理な内容の約款を規制しようとする場合，不合理性の判断基準として，任意規定が参照されることがある。任意規定は，特約のない場合に適用され，それゆえ中立的であると想定されるので，そこからどれだけ隔たっているかが判断基準の1つとなる。また，約款のなかのある条項が無効だと判断された場合，その部分が白紙になるのではなく，そこを任意規定で補充することが考えられる。このように，任意規定は，約款の支配する現代社会で，約款を適正化し，秩序づけをするという機能も果たしている。消費者契約法10条は，このような考え方を一部取り入れている[66]。

2　領域ごとの規律

契約に関する規律には，個別的なもののほか，各種各層の法領域において，まとまったものがある。そこでは，当該法領域における指導理念が規律に反映することが多い。たとえば，商取引（商行為法），消費者取引（消費者契約法など），労働法（労働契約法など），倒産法（研究領域としての倒産契約法），公的セクターでの契約（公共契約，行政契約），国際取引（国際物品売買契約に関する国連条約など→3(1)）などである。民法の一般的規律（①）よりも各領域における規律（②）が優先して適用されるが，境界領域において②をどこまで及ぼしうるか，②が①自体を変容させることはないか（②による①の制約，②の「一般法化」など），両者の関係は様々な形で問題となりうる。

3　国際取引における規律
(1)　国際売買における統一化

国際売買においては，合意内容の確定，紛争処理機関の決定，適用される法の決定などをめぐって紛争が生じがちである。このため，実体法と手続法の双方で，取引における予測可能性を高くし，無用な紛争を避けるための試みが続けられてきた。ここでは，実体法の面での統一化の動きを概観する。3種類の方法がある。

66）　中田「消費者契約法と信義則論」ジュリ1200号（2001）70頁。

第1は，国際売買で頻繁に使用される取引条件の意味内容を統一する方法である。国際売買では，FOB（本船渡），CIF（運賃保険料込渡）などの言葉で，一定の取引条件を表すことが多い。その意味の理解が当事者間で異なっていると紛争のもとになる。そこで，国際商業会議所（ICC）は，1936 年以来，インコタームズ（Incoterms：International Commercial Terms）を策定し，その統一を図っている。最新版はインコタームズ 2020 であり，国際的な物品売買契約における取引条件として広く用いられている[67]。

◆ **FOB (free on board)** 一般的には，契約で定められた港で売主が商品を船積みすることによって引渡義務が完了する（売主は運賃を負担しない。船積み後に目的物が滅失しても，そのリスクは買主が負担する）という取引条件を意味するが，アメリカではこの言葉の使い方は多様である。また，一般的用語法であっても，滅失のリスクが移転する「船積み」とは具体的にはどの時点かが問題となる。この意味を明確にすることが求められる。

第2は，国際的な標準契約書式を定める方法である。たとえば，古くから国連ヨーロッパ経済委員会（ECE）が各種の標準契約書式を作っていた。

第3は，国際売買に関する統一条約を作る方法である。売買法は，民族的色彩が薄く技術的であることから，統一になじみやすい。国際売買に関する統一条約を作ろうとする試みは第2次大戦前からあったが，20世紀後半になって本格化した。この試みが結実したのが，1980 年に成立し，88 年に発効した国際物品売買契約に関する国連条約（ウィーン売買条約，CISG）である（→序章第1節3(2)〔5 頁〕）。主要国を含む多くの国が加入している。日本は 2008 年に加入し，09 年から日本でも効力が生じた。「適用範囲及び総則」「契約の成立」「物品の売買」「最終規定」の4部からなるが，第3部が量的にも中心であり，そこには「総則」「売主の義務」「買主の義務」「危険の移転」「売主及び買主の義務に共通する規定」の5章が含まれる。

◆ **CISG までの歩み** ユニドロワ（→序章第1節3(2)〔5 頁〕）が 1930 年に統一条約

---

[67] 遠藤健二「インコタームズ®2020 について」貿易と関税 810 号（2020）2 頁。2010 年版につき，ジャン・ランバーグ（新堀聰訳）『ICC インコタームズ 2010 の手引き』(2012)，江頭・商取引 53 頁以下・62 頁以下。

の作成作業を開始した。これをもとにして，1964年に，有体動産の国際的売買についての統一法に関する条約（ULIS）と有体動産の国際的売買契約の成立についての統一法に関する条約（ULF）がハーグで採択された（1972年発効)[68]。これが2つのハーグ条約である。しかし，加入国も少なく，普及しなかった。日本は会議には参加したが批准しなかった。他方，国連の国際商取引委員会（UNCITRAL）は，1968年頃から新たな統一法の作成に着手し，まず1974年に「動産の国際的売買における債権の期間制限に関する条約」を作成し（1980修正，88年発効)[69]，これに続いて，CISGを作成した。CISGは，ハーグ条約では別々だった，契約の成立と当事者の権利義務に関する事項を1つの条約で対象としており，ハーグ条約の締約国がCISGに加入する際には同条約を廃棄することが求められる。CISG以後では，欧州委員会が提案したヨーロッパ共通売買法（草案）（2011年）がある（→序章第1節3(2)）。

(2) 契約法レベルでの統一化

以上が売買契約についての統一の歩みだが，20世紀末以降，売買に限らない，契約法一般について統一の試みが進展した。契約法は，土地法や家族法に比べればもともと国際的統一に親しみやすい領域であるが，近年の社会主義国を含む市場経済の広がり，多国籍企業や電子取引によるグローバル化，ヨーロッパにおける統一契約法に向けての動きなどが重なり，統一の試みが促進されている。

国際的なものとしては，ユニドロワ国際商事契約原則（1994年・2004年・2010年・2016年）があり，欧州における統一の試みとして，ヨーロッパ契約法原則（1995年・2000年・2003年），ヨーロッパ私法の原則，定義，モデル準則──共通参照枠草案（2009年）などがある（→序章第1節3(2)）。

第3節　契約の種類

1　典型契約・非典型契約[70]

(1) 概　　念

民法第3編第2章（契約）には，13種類の契約に関する規定が置かれている。贈与（549条），売買（555条），交換（586条），消費貸借（587条），使用貸借

---

[68]　北川善太郎「ヘーグ国際動産売買統一法と日本民商法」比較法研究30号（1969）39頁。
[69]　曽野和明「『国際的動産売買における時効に関する条約』（1974年）注釈」国際法外交雑誌87巻3号（1988）35頁。

(593条),賃貸借 (601条),雇用 (623条),請負 (632条),委任 (643条),寄託 (657条),組合 (667条),終身定期金 (689条),和解 (695条) である。これら13種類の契約を典型契約という。典型契約は,有名契約ともいう。「有名」は,「有名な」ではなく,「固有の名称がある」という意味である (旧民法財産編303条2項)。典型契約 (有名契約) 以外の契約を非典型契約又は無名契約という。

このほか,民法の他の部分にも,一定の類型の契約に関する規定がある。保証契約 (446条),夫婦財産契約 (756条) などである。商法にも,一定の類型の契約に関する規定があるが (匿名組合契約〔商535条〕など),むしろ一定の類型の営業という観点から規律するものが多い (仲立営業〔商543条〕,運送営業〔商569条〕など)。これらを含めて広義の典型契約ということもある。

典型契約以外の契約を締結することは,契約自由の原則の通り,自由である。そのなかには,社会的には一定の類型として認知されているものもある。ホテル宿泊契約,ゴルフクラブ会員権契約,診療契約,ファイナンス・リース契約,フランチャイズ契約,ライセンス契約等々である。これらを契約の「現実類型」と呼ぶこともある[71]。また,資源開発,システム開発,企業間の提携など,特定の経済的目的を実現するために,法的には様々である契約形態や組織形態のなかから,その都度,選択し,時には組み合わせをして用いる場合も,その種の「契約」と呼ばれることがある (「資源開発契約」など)。このように多様な契約が存在する状況において,典型契約が果たす役割が何かが問題となる。

(2) 典型契約の意義

かつては,典型契約の意義について,消極的な評価をする見解が有力だった。すなわち,重要なのは個々の具体的な契約についての事実の確定であり,その契約が,ある典型契約にあたるかどうかはあまり意味がないという (来栖736

---

70) 典型契約につき,河上正二「契約の法的性質決定と典型契約」加藤一郎古稀『現代社会と民法学の動向 下』(1992) 277頁,大村・前掲注60),山本・前掲注60),森田・前掲注60),石川・前掲注60),石川博康①「典型契約と契約内容の確定」争点236頁,同②「典型契約規定の意義」改正と民法学Ⅱ409頁,基本方針Ⅳ1頁〜12頁,森田・前掲注10)。非典型契約につき,椿=伊藤編・前掲注48)。契約類型の設定の仕方につき,中田ほか・改正300頁以下[中田]。

71) この言葉は多義的である。社会的事実に着目するもの (北川・前掲注49) ①38頁は,現実の取引社会で定型化するにいたっている契約をこう呼ぶ),契約に関する規範の構成に関心をもつもの (石川・前掲注60) 507頁,同・前掲注70) ①238頁は,社会規範に基づく制度的存在としてとらえる) などがある。

頁以下。我妻上48頁，鈴木718頁も消極的）。しかし，近年では，典型契約に積極的な意義・機能を認める学説が有力である。学説の表現は多様だが[72]，ここでは2つに大別する。

第1の意義・機能は，基本的な契約類型を提示することによる便益の提供である。まず，事前的機能として，典型契約は，契約締結段階でモデルを提供することにより，当事者が自由に契約を設計するための道具として役立ち，私人の契約活動を支援するという意義がある[73]。次に，事後的機能として，典型契約は，締結された様々な契約に関する問題の解決に資するという意義がある。具体的には，①契約解釈の指針となる，②紛争発生時の解決の指針となる，③訴訟の際にどちらが何を主張すべきかの基準となる（要件事実との関係），④行政法・租税法など公法上の規律の対象となる契約を明らかにする（規制や課税の対象となる契約類型の特定）などである。事前・事後の各機能は関連している。事後的機能の内容が固まっていくにつれて，契約締結段階における予測可能性が高まり，事前的機能が向上する。他方，事前的機能は，契約自由を支援し新たな契約の形成を促すので，事後的機能に常に流動性がもたらされ，その硬直化が防止される。

第2の意義・機能は，契約当事者間の公平に資することである。典型契約は，長い歴史と経験のなかで人々が妥当と考える内容が精錬されてきた成果である。また，民法で想定される人間像が自由で平等な抽象的な，それゆえ立場の互換性のある人であるので，典型契約の規律内容は，どちらか一方の当事者を有利に取り扱うのではなく，中立的なものとなる。こうして，特約のない限り，その規律が適用されることにより，妥当と考えられる公平な契約関係が実現されることになる。もちろん，契約法の規定のほとんどは任意規定であり，異なる特約も有効である。しかし，任意規定の秩序づけ機能（→第2節1〔60頁〕）を通じて，より具体的には消費者契約法10条を通じて，あまりにも不当な契約は制御される可能性がある。このように，典型契約は，現実の契約を公平な内容のものへと導く機能がある。

---

72) 大村・前掲注60) 352頁は，「分析基準機能」「内容調整機能」「創造補助機能」，山本・前掲注60) 8頁・山本7頁は，「準拠枠設定機能」「内容形成機能」，潮見各Ⅰ10頁は，「準拠枠設定機能」「内容形成機能」「創造補助機能」，石川・前掲注70) ①236頁は，「内容形成機能」「分析基準機能」「創造補助機能」という。

73) 大村・前掲注60) 352頁，平井40頁，基本方針Ⅳ8頁参照。

典型契約の意義・機能は，以上の両面で評価すべきである。第1の意義・機能を見落とすと，典型契約は規制色の強い硬直的なものとなり，第2の意義・機能を見落とすと，典型契約と契約正義との関係を見逃すことになる。

◆ **消費者契約法10条における典型契約**　消費者契約法10条の適用においては，個々の任意規定だけでなく，典型契約の要素との関係が考慮されることがある。最判平23・7・15（民集65巻5号2269頁，百選Ⅱ63［大澤彩］）は，建物賃貸借契約の更新料条項が「一般的には賃貸借契約の要素を構成しない債務を特約により賃借人に負わせる」ものなので，同条（2016年改正前）の適用対象となるという。

(3)　**非典型契約の規律**

非典型契約も契約であるから，契約総則（521条〜548条の4）など一般的な規定が適用される。また，非典型契約のうち，有償契約（→2(2)）については，売買の節の規定が原則として準用される（559条）。

ある典型契約に類似するが少し異なる契約については，当該典型契約の規定が類推適用されることがある。たとえば，賃貸借契約は「物」を対象とするが（601条），その規律は「権利」の貸借についても類推適用されることがある（来栖300頁，星野190頁）。

複数の典型契約の中間的な契約については，①主たる典型契約の規律を原則として適用するという考え方（「従は主に従う」）と，②これを「混合契約」と呼び，問題となる事項ごとに適切な典型契約の規定を適用するという考え方がある。混合契約とは，複数の典型契約の要素をもつ契約という意味だが，ある典型契約の要素とそれ以外の要素をもつ契約も含めてそう呼ぶこともある（星野18頁）。

◆ **製作物供給契約**[74]　物を販売するのは売買であり，注文に応じて物を製作するのは請負であるが，注文に応じて物を製作して販売する契約を製作物供給契約という。オンデマンド方式で書籍を販売する契約，注文に応じて印鑑を彫って販売する契約，建売住宅だが一定の範囲内で注文者の希望を反映する部分のある契約などである。①の考え方では，その製作物供給契約において，売買と請負のどちらが主な

---

[74]　打田畯一「製作物供給契約」大系Ⅳ180頁，淡路剛久「製作物供給契約」現大系Ⅶ327頁，広中俊雄・新版注民（16）115頁。

のかによって振り分け，主たる契約の規律を適用する。その区別は，当事者の意思を標準として行うというのが古い時期の通説であり，主たる目的が仕事の完成であるものは請負，目的物の所有権の移転であるものは売買とした（梅703頁，末弘692頁）。これに対し，当事者の意思というだけでは区別の標準として抽象的にすぎるとし，取引の性質によって当事者の意思を類型化するという見解が有力になった（我妻中Ⅱ605頁，打田・前掲注74）194頁）。さらに，「製作義務」の有無により売買又は請負に性質決定するという見解も提示されている（潮見新各Ⅱ208頁〔請負とされる範囲が広くなりそうだが，641条の適用対象の拡張の当否につき，議論がありえよう〕）。この①の系統の見解だと，実態に合わない規定でも，一応は適用されることになるという問題がある。②の考え方では，複数の典型契約の規律が適用されることになる。たとえば，製作の面については請負の規定を適用し，供給の面については売買の規定を適用すると考える（鳩山下565頁〔類推適用〕，内田274頁）。この見解だと，どの事項にどちらの契約の規律を適用すべきかという問題が生じる。そこで，類型化が試みられる（広中・新版注民(16)117頁）。契約の目的物に応じて，原則として適用される典型契約を定めたうえ，必要に応じて，ある事項については別の典型契約の規律を適用する。たとえば，代替物を目的とする場合は売買，不代替物（特に建物）を目的とする場合は請負などである。結局，①と②のいずれでも類型化が試みられることになる。そうであれば，いったん主たる契約に振り分けるという作業を経る必要はなく，②を前提として類型に応じた具体的規律を検討する方向がよいだろう。

このほか，現実類型として社会的に認知されるにいたっている契約については，それ自体が新たな契約類型として，規範的意味をもつことがある（石川・前掲注60）505頁以下，同・前掲注70）①237頁以下）。

なお，ある契約が特別法や公法的規律の対象となるかどうかは，当該法律の趣旨・目的に応じて判断されるべきことになる。

◆ **契約の法性決定**　法性決定（qualification〔仏〕。法的性質決定，性質決定ともいう）とは，一般に，ある事実や行為などを既存の法的カテゴリーに分類することをいう。分類に際しては，その法的カテゴリーの本質的特徴が何かということと，それを対象たる事実等が備えているかが問題となる。契約については，たとえば，ある契約が売買契約であると評価することである。契約については，文言の意味を確定し（解釈），確定された内容の契約の性質を決定し（法性決定），その性質をもつ契約に関する法律の規定を適用して結論を出す（適用）という作業の一環をなす（→第2章第3節3(2)(b) 2つ目の◆〔108頁〕）。当事者は契約の性質を決定することができるが，当事者が法性決定をしなかったとき，又は，当事者が付した名称が不正確であるときは，裁判官が法性決定をし直すことができる。フランスで議論が進んでいる[75]。

(4) **典型契約の分類**

典型契約は，その債務の内容によって，次のように分類されることが多い。すなわち，①財産権を終局的に相手方に移転する「移転型」(贈与・売買・交換)，②財貨又は価値をある期間にわたって相手方に利用させる「貸借型」(消費貸借・使用貸借・賃貸借)，③一方が他方に役務を提供する「役務型」(雇用・請負・委任・寄託)，④その他（組合・終身定期金・和解）である（我妻中Ⅰ220頁参照）。

◆ **各種の分類**　移転型（交換型ともいう）・貸借型（利用型ともいう）・役務型（役務提供型，労務型ともいう）の分類は，絶対的なものではない。たとえば，歴史的には，賃貸借・雇用・請負が「貸借」の下位区分とされることがあったし（原田・ローマ法189頁参照），機能的には，賃貸借と役務型契約とが接近することがある（マンションの短期の賃貸借と滞在型ホテル）。

2　民法上の契約の分類[76)]

(1) **双務契約・片務契約**

各種の契約を通じたグループとして，民法の契約の章にまず登場するのは，双務契約である（533条以下）。双務契約とは，当事者双方が債務を負い，両者の債務が相互に対価としての意義をもつものをいう。そうでない契約，つまり，当事者の一方のみが債務を負う契約，又は，双方が債務を負うが両者の債務が相互に対価としての意義をもたない契約を片務契約という。対価的意義があるかどうかは，契約類型によって定型的に判断される。

たとえば，売買契約が成立すると，売主は目的物を引き渡す債務を負い，買主は代金を支払う債務を負う（555条）。双方の債務は，相互に見合っていて，対価としての意義をもつ。売買は双務契約である。これに対し，贈与契約が成立した場合，贈与者は目的物を引き渡す債務を負うが，受贈者は債務を負わない（549条）。贈与は，片務契約である。微妙なものとして，使用貸借契約（無

---

75)　大村・前掲注60）171頁・193頁以下，小粥太郎『民法学の行方』（2008）83頁〔初出2005〕，山代忠邦「契約の性質決定と内容調整」論叢177巻3号49頁～179巻5号43頁（2015～16），森田・前掲注60）。カタラ草案（前掲序章注10）1142条以下参照。

76)　広中俊雄「有償契約と無償契約」同『契約法の理論と解釈』（1992）4頁〔初出1956〕，山中康雄「双務契約・片務契約と有償契約・無償契約」大系Ⅰ58頁，於保不二雄「無償契約の特質」大系Ⅰ75頁。

償での物の貸借。593条）がある。使用貸借では，当事者双方が債務を負うが，両者の債務には対価的関係がない。使用貸借は片務契約である（→第10章第1節◆〔373頁〕）。

> ◆ **使用貸借の貸主の債務**　使用貸借の貸主は，①借主に目的物を引き渡す債務を負うが（593条），これは借主の債務（適切に使用収益をした後に返還すべき債務）の対価としての意義があるわけではない。貸主の「引き渡す債務」に対する借主の「借りる債務」を想定したとしても，後者は一種の受領義務であり，前者と対価的関係に立つわけではない（同時履行の関係にも立たない）。目的物が引き渡された後は，②ⓐ貸主にはもはや債務はなく，借主の上記債務があるだけだという考え方と，②ⓑ貸主は，期間中，借主に使用収益させる債務を負担するという考え方がありうる。ここで②ⓑに立ったとしても，貸主の債務は，借主の使用収益を忍容する消極的な債務であって，借主の上記債務の前提であるにすぎず，その対価としての意義があるわけではない。かつては，両債務の対価的意義を認め，使用貸借を双務契約として理解する見解もあったが（梅607頁以下。貸主の好意で使用収益させるにすぎない関係と，契約関係とを区別しようとするもの），支持を得られなかった（末弘538頁，鳩山下427頁）。また，貸主は，③費用償還義務や損害賠償義務を負うことがあるが（595条2項・596条），これも債務者の債務と対価的関係にない。このように，貸主の債務は，借主の債務との間で，相互に対価的意義をもつものではない。

　双務契約・片務契約は，法律上，具体的な効果が規定されている重要な分類である（533条・536条[77]・553条，破53条，民再49条，会更61条）。民法で重要なのは，同時履行の抗弁（533条）と危険負担（536条）の規律である。これは，当事者が互いに債務を負っている場合に，一方の債務が履行されなかったり消滅したりしたとき，他方の債務はどうなるか，という問題である。これを双務契約における債務の牽連性の問題という[78]。当事者の一方しか債務を負っていない場合には，この問題は発生する余地がない。双方が債務を負っていても，両債務が対価的意義をもたないときは，牽連性を認める必要がない。そこで，「対価的意義」とは何かが問題となる。双務契約と片務契約の分類は，ローマ

---

77) 536条は，適用対象を双務契約と明示していないが，沿革及び内容から双務契約に関する規定であると理解することができる（梅410頁以下。旧534条・旧535条参照）。岩川隆嗣『双務契約の牽連性と担保の原理』（2020）2頁・14頁〔初出2017～18〕。

78) 岩川・前掲注77) は，牽連性に基づく諸制度の根拠を「債務の対価関係」に求める伝統的理解を批判し，より広範な考察をする。

法以来のものであるが（原田・ローマ法171頁，山中・前掲注76）58頁，岩川・前掲注77）53頁以下），牽連性の強弱は各国の法制度によって一様ではない。また，各種の契約の規律内容も各国で異なることがある。そこで，対価的意義の有無は，実質的には，当該契約の債務内容に照らして，牽連性に関する規律（日本では533条・536条）を及ぼすべきかどうかによって判断されるべきことになる。

◆ **片務契約の補集合性と多様性** 双務契約は上記の規定の適用を受けるが，片務契約に関する規律は明確ではない。それは，片務契約が「双務契約以外の契約」といういわば補集合であるにすぎず，そのなかには多様な性質のものが含まれているからである。片務契約であることだけから直ちに何らかの結論を導くことについては，慎重であるべきである[79]。

(2) 有償契約・無償契約

　有償契約という言葉は559条に登場する。売買契約に関する規定は，原則として，それ以外の有償契約にも準用される（その有償契約の性質が準用を許さないときが除かれる）。有償契約とは，当事者が互いに経済的な意味での対価性をもつ給付をする契約である。双務契約・片務契約の区分が，契約から発生する両当事者の債務が相互に対価的意義をもつと定型的に評価できるか否かという概念的なものであるのに対し，有償契約・無償契約の区分は，契約の成立からその履行までの全体としての過程を見渡して，一方の給付に対して，経済的な対価としての反対給付がなされているか否かを実質的に評価することによる。双務契約は，双方が対価的意義をもつ債務を負担すること自体，経済的な対価性が満たされるので，すべて有償契約である（有償契約の概念は双務契約の概念よりも広い）。

　売買，賃貸借，雇用，請負は，いずれも有償・双務契約である。贈与，使用貸借，無利息消費貸借は，いずれも無償・片務契約である。無償・双務契約はありえない。問題は，有償・片務契約である。利息付き消費貸借契約がその典型例とされる。利息付き消費貸借契約においては，契約の成立にあたって貸主は金銭等を借主に現実に貸し渡し，これに対し，借主は，借りている間，利息

---

[79] 山中・前掲注76）58頁・65頁・74頁，中田「使用貸借の当事者の破産」曹時66巻2号1頁・3号1頁・15頁（2014）。

を支払う。それぞれの給付には対価的意義があり，有償契約である。しかし，貸主が借主に金銭を交付するのは，契約の成立要件であって契約に基づく債務ではない（587条）。貸主は契約上の債務の履行として金銭等を交付するのではなく，交付することによって契約が成立するのだから，互いに対価的意義を有する債務を負担しているとはいえない。したがって，双務契約ではない。

◆ **利息付き消費貸借の片務契約性** 利息付き消費貸借契約を諾成契約であると理解し，貸主の貸す債務を認めて，これを双務契約として位置づける見解もある（山中・前掲注76）73頁，於保・前掲注76）79頁）。この見解は，そうすることにより，利息付き消費貸借を含めて，有償契約＝双務契約，無償契約＝片務契約という定式が貫徹されるので，有償・無償とは別に双務・片務の分類をすることは無意味になるという（鈴木375頁参照）。消費貸借契約の要物性に対する批判は説得力があるが，それが諾成契約だとしても双方の債務の対価としての牽連性が認められるとはいえない。双務・片務，有償・無償の各分類は，それぞれの視点に違いがあり，機能も異なっている。すなわち，前者は，債務相互間の牽連性に着目して一方の債務の帰趨が他方に影響するかどうかを考える視点をもたらし，後者は，有償か無償かで異なる社会的・経済的関係及びその契約への反映を考える視点をもたらす。これらの区分は，民法典も採用している以上，やはり維持すべきである。なお，利息付き消費貸借を書面でする場合（587条の2）も，片務契約と解すべきである（→第9章第1節1，2つ目の◆〔350頁〕）。

有償契約は，ビジネス社会の基盤をなすものであり，売買契約の規律が559条を通じて広く及ぶ。これに対し，無償契約は，親族関係に基づくもの（夫の妻への生前贈与，親の子への土地の無償貸与），社交に伴うもの（バザーへの寄付，ボランティアの役務提供，歳暮），ビジネスの一環としてされるもの（下請企業への金型の貸与，スーパーでのカートの貸与）など，様々なものが含まれる。さらに，親族や友人間では，契約とはいえないような事実上の物や役務の提供もある（受験で上京した甥に対する試験期間中の自宅の一室の提供，友人の結婚式の司会）。つまり，無償契約は「非法」の世界[80]にも隣接する。また，血液・精子・卵子・臓器など人体由来の物の取引における「対象の無償性」と無償契約の関係も問題となる。他方，無償契約といっても常に一方的なものとは限らず，「お返し」を伴うことも少なくなく，むしろ互酬的な贈与こそが契約の原型だという見方

---

[80] 北村一郎「《非法》（non-droit）の仮説をめぐって」星野古稀上3頁。

もある。民法は，無償契約について，①契約の法的拘束力の発生の制御（書面によらない贈与は解除でき〔550条〕，目的物受取りの前は貸主は使用貸借を解除できる〔593条の2〕など），②債務者の注意義務の軽減（400条と659条とを比較せよ），③債務者の義務内容の推定（551条1項・590条1項・596条）の規定を置くが，その背後には多様な社会的関係がある。無償契約は，無償の社会的関係から法的規律の対象を切り出したものだが，その規律はなお社会的関係の影響を受ける。こうして，無償契約については様々の観点からの検討が求められる[81]。

3 判例・学説による契約の分類
(1) 諾成契約・要物契約
(a) 諾成契約
　諾成契約とは，当事者の合意だけで成立する契約である。民法では，売買（555条），賃貸借（601条）など，「一方が……約し，相手方が……約することによって，その効力を生ずる。」という表現で規定されることが多い。合意だけで契約が成立することを諾成主義と呼ぶ。日本民法は，諾成主義を原則としている。

(b) 要物契約
　要物契約とは，契約が成立するためには，合意だけではなく，当事者の一方が相手方に契約の目的である物や金銭を引き渡し，相手方がこれを受領することが必要だという契約である（手付契約〔557条〕→第2章第4節2(2)(c)(iv)〔124頁〕）。消費貸借（587条）のほか，改正前民法のもとでの使用貸借（旧593条），寄託（旧657条）がそうである（「物を受け取ることによって，その効力を生ずる。」という表現）。現行民法は，これらの契約について，一定の要件のもとで目的物の受取りがなくても成立することを認めたうえ，受取りまでは解除できることにした（587条の2・593条・593条の2・657条・657条の2）。

　諾成契約か要物契約かは，契約の成立要件の相違であり，したがって，いずれであるかにより契約の成否が左右されることになるが，契約の成立時期の相

---

[81] 吉田邦彦『契約法・医事法の関係的展開』(2003) 226頁〔初出2000〕，高橋清徳「関係の無償性と対象の無償性」広中俊雄傘寿『法の生成と民法の体系』(2006) 3頁，大村敦志「無償行為論の再検討へ」前同書33頁，森山浩江「現代の無償契約」争点234頁。無償契約の規律のあり方について，基本方針Ⅳ170頁以下参照。

違の問題となることもある（平井59頁）。

◼ 要物契約の諾成化　　要物契約に関する規定は，もともと諾成主義の例外であった。例外とされた理由は，ローマ法以来の歴史的沿革のほか，これらの契約の無償性と関連する。無償で物や金銭を与えたり，貸したりする場合，その背後には，相手に対する好意や愛情など，本来，法律で規律しがたい要素が含まれている。物や金銭が現実に相手に交付されれば，その状態は法的に保護されてよいが，単なる口頭の合意だけで法的拘束力が生じるとすると，合意の基盤となっている好意や愛情を法律で強制することになるか，又は，基盤を欠くことになった合意を強制することになり適当でない。そこで，要物契約は，無償の行為については，物や金銭が現実に交付されて初めて効力をもつとしたものだと説明される。

　この考え方を進めていくと，有償契約については要物契約であることに合理性がない，という批判にいたることになる。改正前民法で要物契約とされていた契約でも，有償の場合には口頭の合意の効力を認めるべきだというものである。たとえば，消費貸借は要物契約であるが，無利息で金銭を貸す場合は，好意によるものであり，実行されて初めて効力をもつといってよいが，利息をとって貸すのはビジネスなのだから，貸す約束をした以上，それだけで契約の効力を認めてよい，利息付き消費貸借は諾成契約とすべきである，ということになる（広中111頁・357頁）。

　改正民法は，従来，要物契約として契約の成立が制御されていたものについて，契約の種類により，要式契約を追加し，又は，諾成契約化したうえ，目的物受取り前の解除を認めることによって，当事者の保護を図ろうとする。

◼ 要式契約　　要式契約とは，契約が成立するには契約書の作成など一定の方式をとることが必要とされるものである。保証契約（446条2項），書面による消費貸借（587条の2）がそうである。要式契約以外でも，契約の成立・効力と書面とが関連づけられることがある（贈与〔550条〕など→第2章第5節〔138頁〕，谷口＝小野・新版注民（13）392頁以下）。

◼ 契約方式の自由と諾成主義の関係　　方式の自由は，契約自由の原則の一部として位置づけられる原則であり，契約には方式を要しないというものである（→第1節3(1)(a)〔23頁〕。方式主義と訴権法的構成からの解放につき，平井57頁参照）。諾成主義は，合意だけで契約が成立するという考え方であるが，いくつかの文脈で現れる。第1は，諾成契約と要物契約の区別という上述の文脈である（内田20頁）。第2は，諾成主義（consensualisme）と方式主義（formalisme）の対比であり，ここでは諾成主義は意思自治の原理と一体をなすものとして，契約の拘束力との関係が意識される（星野・前掲注4）②201頁・214頁・245頁，山口・フランス52頁）。第3は，諾成主義を契約の成立要件の基本原則として位置づけるものであり，方式の自由と機能的には

重なることになる（基本方針Ⅱ3頁・7頁以下参照）。諾成主義を第1の文脈でとらえると，要式契約は方式の自由の問題となるが（我妻上29頁），第3の文脈でとらえると，要式契約は要物契約と並んで諾成契約の例外と位置づけられることになる（潮見17頁）。契約自由の原則と意思自治の原理の関係にもかかわる問題であり，国際的な契約原則においても，方式の自由の規定の配置などについて，微妙な差異がみられる（UP 1.2, PECL 2.101 (2), DCFR II. 1.106 (1), CESL 6. 背景にある大陸法とコモンローにおける方式の自由の意義の相違につき，平井72頁）。

(2) 一時的契約・継続的契約[82]

売買や贈与など，即時に履行される契約を「一時的契約」又は「即時履行契約」といい，賃貸借や雇用など，契約の履行をするにあたって時間の経過を伴う契約を「継続的契約」又は「継続的履行契約」という。もっとも，境界線はそれほど明確ではない。売買であっても，契約締結の半年後に目的物を引き渡すべき場合や，目的物を10回に分割して引き渡す場合には，継続的契約との共通点が現れる（後者を「分割履行契約」ということもある。国際売買約73条参照）。大学教授が1回の講演をする場合と15回の連続講義をする場合とで，どこが違うのかも明瞭でない。また，継続的契約には，賃貸人の債務のように，ある状態を保つことによって連続的な履行がされるもののほか，ガス供給契約や新聞購読契約のように，反復的に供給されるもの（「継続的供給契約」ということもある）もある。

このように継続的契約の概念は定まりにくいが，それはこの概念が様々な場面で登場することによる。すなわち，①解消の要件・効果に特殊性がある，②事情変更の原則の主な適用対象となる，③債務の履行過程における信義則の機能が大きい，④契約当事者の変動の問題が生じやすい，⑤担保・保証をしばしば伴う，という契約類型として言及され，また，⑥執行・倒産の場面，⑦行政法の場面で現れることもある。これらのすべてについて，統一的な継続的契約の概念があるわけではなく，問題によって概念の外延も異なりうる。したがって，継続的契約については，どのような問題についての議論かを特定すること

---

[82] 平井・前掲注53) ①，内田・前掲注3)・7)・56)，新堂幸司＝内田貴編『継続的契約と商事法務』(2006)，中田・解消，中田・研究，中田①「契約における更新」平井宜雄古稀『民法学における法と政策』(2007) 311頁，同②「継続的契約関係の解消」争点230頁，同・前掲序章注10) ①。

が必要になる。その際，契約の継続性の問題と給付の分割可能性の問題の各面を検討することが有用である。

継続性の問題については，期間の定めのある契約と定めのない契約とについて，それぞれの終了の態様が問題となる。前者は，原則として期間満了によって終了するが，どのような要件のもとで更新がされるかが問題となる。後者は，解約申入れによって終了するが，それには合理的な期間の予告が求められる。両者とも，債務不履行又は法定の原因により解除されることがある。これらを通じて，「合意の尊重」，「長期契約の弊害防止」，「契約関係の安定性の保護」の各理念の調整が必要となる（→第4章第1節2(1)(b)3つ目の◆〔187頁〕）。今回の改正において，規定を置くことが検討されたが，見送られた（→第4章第1節2(1)(b)1つ目の◆〔186頁〕）。

給付の分割可能性については，一部の不履行がある場合に契約をどの範囲で解除できるかが主要な問題である（→第4章第2節3(2)(e)3つ目の◆〔207頁〕）。

> ◆ **基本契約と個別取引**　継続的契約の一類型として，基本契約に基づいて，個別の取引がされるものがある（特約店契約，銀行預金契約など）。「基本契約」が契約か単なる合意か，「個別取引」が基本契約の履行か個別の諸契約かは，その取引によって異なる。この関係を理解するためには，枠契約の概念が有用である（→第2章第4節2(2)(f)(ii)〔129頁〕，中田・研究32頁以下）。

第2章　契約の成立

第1節　契約の成立に関する諸問題

　契約の中核となるのは，当事者の合意である。内心の意思がたまたま一致しているだけでは足りない。各当事者の意思が何らかの形で相手方に伝達され，それが合致すること，すなわち，意思表示の合致が必要である。民法は，申込みという意思表示と承諾という意思表示が合致することにより契約が成立する，という構造を基本とする。この「申込みと承諾の合致」に関しては，様々な問題がある。

　第1に，申込み・承諾という意思表示のレベルでの問題がある。意思表示に無効事由・取消事由がないか，代理による意思表示の場合には代理の要件が満たされているか，などである。これらの問題は，主として民法総則で取り扱われる。本書では詳しくは立ち入らない。

　第2に，合意までの時間の流れに関する問題がある。AB間で意思表示の合致にいたるまでには，Aが申込みの通知を発し，それを受け取ったBが検討したうえで承諾の通知を発し，それをAが受け取るという時間の流れがある。その流れのなかでいつ契約が成立するのかという問題や，途中でトラブルが生じた場合の問題がある（→第2節1）。また，申込みと承諾による契約の成立といっても，単線的な流れではなく，行きつ戻りつということもあるし，どれが申込みでどれが承諾かも判然としない交渉の末に合意に達することもある。このような契約成立過程の実態を法的規律にどう反映するのかという問題もある（→第2節2）。

　第3に，合意の対象に関する問題がある。契約が成立するためには，何についての合意があることが必要かである（→第3節2）。たとえば，講演するとだ

け合意されていて，その日時場所が決まっていない場合，テーマが決まっていない場合，講演料が決まっていない場合，それぞれ契約は成立するのかである。

　第4に，意思表示は合致しているが，その意味や範囲について当事者の理解にずれがある場合の問題がある（→第3節3）。たとえば，契約書に「甲」と記載されているが，甲が何を意味するのかについて，双方の理解が食い違っている場合がある。また，マンションの売買において，広告文にあった「眺望のよい」ことが契約内容となっているのかどうかが争われる場合もある。

　以上は契約の成立に直接関係する問題であるが，第5に，契約成立前の当事者の関係についての問題がある。契約成立過程における法定の，又は，当事者の合意による規律として，契約の成立に関する規律（→第4節2）と，情報に関する規律（→第4節3）がある。

　最後に，契約と契約書の関係についても検討する必要がある（→第5節）。

　なお，契約が成立したとしてもそれが有効かどうかという問題もあるが，これは，契約の効力を取り扱う次章で検討する（→第3章第1節）。

> ◆ **民法の「契約の成立」の規定**　　旧民法は，財産編の「第2部　人権及ヒ義務」「第1章　義務ノ原因」「第1節　合意」に「第2款　合意ノ成立及ヒ有効ノ条件」を置き，上記のような問題について，まとめて規定していた（財産編304条〜326条）。パンデクテン体系をとる明治民法では，それらの多くは，民法総則や債権総則の問題とされ，結局，申込みと承諾に関するルールだけが債権編の契約の章の「契約の成立」の款に置かれることになった。
>
> ◆ **契約の「原因」**　　旧民法は，「真実且合法ノ原因」も契約の成立要件としていた（財産編304条1項3号）が，明治民法制定の際，それは「契約ノ意思，目的物又ハ縁由」にほかならない，という理由で落とされた（民法修正案理由書500頁）。学説は，その後も，無償契約における契約の拘束力の基礎づけや錯誤に関して，フランス法のコーズ（cause〔原因〕）の概念を参照するものがあり，近年では，典型契約及び契約の法的性質決定という観点からの「原因」についての研究がある[1]。もっとも，2016年改正の際，フランス民法典からコーズの概念が消除された。ただし，その実質的規律は維持されているという指摘がある。

---

1)　大村・前掲第1章注60）170頁以下，竹中悟人「契約の成立とコーズ」法協126巻12号1頁〜127巻7号1頁（2009〜10），山代・前掲第1章注75）。

第2節　契約の成立にいたる時間の流れ

1　民法等の制定法の規律
(1)　申込み＝承諾モデル

　契約の成立に関する民法の規律には，前提となる1つの考え方がある。契約は申込みと承諾がぴたりと一致することによって成立する，という考え方である（522条1項・528条）。申込みと承諾は，まるで鏡に映したようなものでなければならない，というものであり，アメリカでの表現にならい，鏡像原則（mirror image rule）と呼ばれることもある。

　契約当事者がそろって契約書に署名押印した場合には，申込みと承諾の合致というレベルでの問題が生じることは，まずない。しかし，遠隔地にいる当事者間で文書をやりとりする場合を考えると，申込みと承諾の間には時間的なずれが存在するし，内容的なずれが生じることもある。民法が制定されたのは郵便制度ができて間もない頃であり，このような問題は現実的なものであったことだろう。明治民法は8か条の規定を置いた（同521条～同528条。これに続く同529条以下は，懸賞広告に関する規定である→(5)）。この規律は，主として隔地者間の契約を想定している（旧526条1項等）。「隔地者間」とは，「対話者間」（525条2項・3項参照）に対する概念であり，申込みを発してから承諾が到達するまでの間に時間の経過が想定される状態を意味する。隔地者間で申込みと承諾が行きかう過程で，通知の到達が遅れた場合などについて細かい規定があり，学説の議論もあった。しかし，その後，通信手段の発展に伴い，これらの規定の基礎となる社会的状況に変化が生じた。このため，関心は，国際取引や電子取引のように現実の問題がある領域における規律のあり方に向かうとともに，民法の規律自体の見直しが論じられるようになった。現行民法は，契約の成立に関する規定を現代化・明確化した。

　●　民法（前三編）の公布（1896年）の頃の通信状況をみると，郵便制度が完成したのが1882年，市内電話の交換業務が始まったのが1890年，東京・大阪間の長距離通話が行われるようになったのが1899年である。

(2) 申込み

(a) 申込みと申込みの誘引

申込みとは,「契約の内容を示してその締結を申し入れる意思表示」である（522条1項。国際売買約14条，UP 2.1.2, PECL 2.201 (1), DCFR II. 4.201 (1), CESL 31 参照）。特定の人に対するものでも，不特定の人に対するものでもよい。2つのポイントがある。

第1は，内容の確定性である。「契約の内容を示して」する締結の申入れであり，相手方の承諾があれば直ちに契約が成立する程度にまで内容が確定している必要がある。もっとも，すべての内容が明示されている必要はなく，契約の解釈，任意規定，慣習などによって明確化ないし補充されるのであれば，かまわない。

第2は，表意者の拘束される意思である。契約の内容を示して「その締結を申し入れる」とは，相手方が承諾すればその契約が成立してよい，つまり相手方の承諾に表意者が拘束される，という意思の表明である。これに対し，相手方が応じる旨を表明しても直ちに契約が成立するのではなく，表意者がその人と契約するか否かの自由を留保している場合や，当事者間でさらに協議されることを予定している場合は，当初の申入れは申込みとはいえない。

これらの要素を欠く申入れであって，単に相手に申込みをさせようと誘う行為は，申込みの誘引という（「誘因（incentive）」ではなく「誘引（invitation）」である）。

● 文房具店が値段を表示して商品を陳列しているのは，買う人がいればその値段で売るという意思表示であり，申込みである。客が「これを下さい。」と言えば，それは承諾であり，契約が成立する。店員が「承知しました。ありがとうございます。」と言っても，それは事実上の応答にすぎない。これに対し，その文房具店が求人広告の掲示をした場合，それを見た人が応募したからといって直ちに契約が成立するわけではない。求人広告は申込みの誘引であり，それに対する応募が申込みであり，採用するという回答が承諾である。

申込みと申込みの誘引との区別は，申入れの法的性質決定の問題である。その申入れが，相手方の承諾さえあれば，それで契約が成立する，という意思表示と認められるものであれば申込みであり，申入れをした者になお諾否の余地があると解すべきときは，申込みの誘引である。具体的な判断要素としては,

次のものが考えられる（国際売買約 14 条参照）。

①相手方の特定性。その申入れが，ⓐ特定の人に向けられたものか，ⓑ不特定の人に向けられたものか。ⓐはⓑよりも申込みとされる可能性が高い。ⓑでは，契約の相手方の個性が重要か否かが問題となり，相手が誰でもよい場合は申込み，相手方の個性が重要である場合は申込みの誘引とされる可能性が高い。

②内容の具体性。契約内容が具体的に特定されている場合は，申込みとされる可能性が高い。

③その取引における慣行や地域の慣習。これは，内容の確定性を補充するというだけでなく，表意者の拘束される意思の有無の評価にも影響する。

④その申入れにおいて申込みとする旨の明示的な表示があれば，それは原則として尊重される。これは表意者の拘束される意思の問題である。

このように申込みか申込みの誘引かは，個別具体的に判断される。「正札つきの商品の陳列」を原則として申込みと解するか（我妻上 57 頁，星野 27 頁），申込みの誘引と解するか（遠田新一・新版注民（13）437 頁）の相違は，想定する店舗や商品の相違を反映しているのであろう。

◆ **通信販売及びインターネット・ショッピング**[2] 　上記の③の要素に関連する問題として，通信販売やインターネット・ショッピングによる取引がある。通信販売について，特定商取引法 2 条 2 項は，顧客の注文を申込みと位置づける（商品の内容・価格が明記されたカタログを配布しても，それは申込みの誘引にすぎない）。しかし，これは顧客の理解とは異なることもある（平井 146 頁参照）。ここでの問題は，ⓐ顧客の注文書が業者に届かなかった場合の契約の成否，ⓑ多数の顧客から注文を受けた業者が対応できない場合の債務不履行の成否である。カタログの配布が申込みであり，顧客の注文が承諾だとすると，次のようになる。ⓐについては，顧客の注文書が業者に届いた時点で契約が成立するので（97 条 1 項→ⓑ），業者は，それが届くまでは契約上の債務を負わない。ⓑについては，注文書が業者に届きさえすれば，契約が成立し，注文に応じきれない業者は債務不履行責任を負うことになる。このように顧客の注文が承諾だとすると，業者はⓑのリスクを負うことになる。業者がこのようなリスクを引き受けるつもりはないはずだから，カタログは申込みの誘引だと理解すべきだという見解と，業者は契約の成立に関する留保（成立時期，販売可能

---

[2] 沖野眞已「インターネット取引——消費者が行うインターネットによる商品の購入契約」野村豊弘還暦『二一世紀判例契約法の最前線』(2006) 343 頁，内田 31 頁。なお，取引デジタルプラットフォームを利用する消費者の利益保護法 (2021 年公布，22 年施行) 参照。

数量など)をカタログに記載することができるはずだから，その留保のないカタログは申込みと理解すべきだという見解がありうる。契約の成立に関する留保を業者が予め提示することの期待可能性と，提示のない場合のその留保についての相手方の認識可能性を考慮しながら，個別具体的に判断すべきである(結果として，ある通信販売が特定商取引法の適用外となることの問題は，別途解決すべきである)[3]。インターネット・ショッピングでも，同様の問題がある(東京地判平 17・9・2 判時 1922 号 105 頁は，ネット上の表示を申込みの誘引とし，さらに注文メールに対するサイト開設者の受注確認メールを承諾ではないとした)。これについては，オンライン上で給付可能なソフトウェアの販売など「在庫不足」が考えられない商品もあるという特徴もある。

◆ **申込みの誘引の概念の機能**　契約成立に先立って当事者がしたすべての表示が，申込みか申込みの誘引かに分類されうるわけではない。申込みの誘引にもあたらないような問合せや打診なども数多くある。申込みの誘引の概念は，2 つの意思表示の合致による契約の成立という民法典の基本思想を前提にしたうえで，申込みの概念の外延を画する機能をもつ。なお，申込みの誘引は，申込みとは違い，法律行為の要素となるわけではないから，厳密な意味での意思表示ではなく，「意思の通知」である(我妻上 57 頁など)。

◆ **申込みの抽出と内容の確定**　実際には，1 つの表示だけがあるのではなく，契約成立過程における当事者の多数の表示のなかから，「申込み」を抽出し，その内容を確定する作業が必要になることが多い。これは，意思表示の解釈を伴い，さらに契約交渉過程の当事者のやりとりをいかに契約内容に取り込むかという問題[4]にもなる(→第 3 節 3(3)〔109 頁〕)。他方，消費者の不作為を契約の申込みとみなす条項は，無効となることがある(消費契約 10 条)。

◆ **契約の競争締結**　一方の当事者に競争をさせ，最も有利な条件を提示した者と契約を締結する方法を，契約の競争締結という。そのうち，競争者が互いに他の競争者の条件を知ることができるものを「狭義の競争締結」といい，知りえないものを「入札」という。私人間のものと，国家機関等の管理する公的なものがある。

私人間の競争締結では，市場の「せり」や美術品のオークションなどがある。近年ではインターネット・オークションも普及している[5]。国際的なプラント建設における競争入札もある。

私人間の狭義の競争締結のうち，請負などではなく，売買を目的とするものを競

---

[3] PECL 2.201 (3) 及び DCFR II. 4.201 (3) は，事業者の広告，カタログ販売等においては，在庫又は供給者の役務供給能力が尽きるまでその価格で販売又は供給するという申込みであると推定されると規定する。滝沢・前掲第 1 章注 3) 80 頁参照。
[4] 山城一真『契約締結過程における正当な信頼──契約形成論の研究』(2014)〔初出 2010～11〕。

売という(「きょうばい」と読むことが多い)。3つの類型がある。①せり下げ競売。競売申出者Aがまず一定の売値を提示し,買い手がいなければ次第に値段を下げつつ,受諾者を求めるものである。Aの申出が申込み,受諾が承諾となる。②せり上げ競売(最低価格の提示のあるもの)。Aが最低価格を提示し,買い手がそれ以上の価格を申し出るのを待つ。Aの申出が申込み,買い手の申出が(より高価の申出のないことを条件とする)承諾となる。③せり上げ競売(最低価格の提示のないもの)。Aは,最低価格を提示せず,買い手のより高い価格での申出を待つ。Aが買い手の申し出た金額で売るかどうかは自由である。この場合,Aの申出は申込みの誘引,買い手の申出が申込みとなる。

私人間の競争締結のもう1つの方法である入札においては,入札申出者Aの入札を行うという表示が申込みの誘引,入札が申込み,落札の決定が承諾となる(Aに諾否の自由がある)ことが多い。契約条件が具体的に示され,最低価格又は最高価格が定められている場合は,当初の表示を申込みと解すべきこともある。

国家機関や地方公共団体が管理する公的な競争締結については,法律や規則で具体的に定められている(民事執行法のほか,税徴94条以下,会計29条の3以下,自治234条)。民事執行手続の一種としての競売(「けいばい」と読む。民執1条・45条以下・180条以下・195条参照)については,具体的な売却方法として「競り売り」「入札」等が定められている(同64条2項・134条等)。

(b) 基本型

(i) 概観　契約は,申込みに対し,相手方が承諾をすることによって成立する(522条1項)。もっとも,522条1項は,契約の成立の要素を示しているだけであり,成立時期を具体的に規律しているわけではない(部会資料81-3,6頁)。以下,具体的に説明する。

(ii) 原則──承諾の到達時　申込みも承諾も意思表示である。意思表示は,通知が相手方に到達した時から効力が生じる(到達主義。97条1項)。したがって,契約は,申込みを受けた相手方が承諾の通知をし,それが申込者に到達した時に,成立する。

● Aは,Bに対し,某月1日に申込みの手紙を出した。Aの手紙は3日にBに届いた。Bは2日間検討したうえ,5日に承諾の手紙を出し,それが7日にAに届い

---

5) インターネット・オークションの運営事業者の利用規約が定める落札者の地位は多様であり,落札によって直ちに出品者と落札者の契約が成立するとは限らない。磯村保「インターネット・オークション取引をめぐる契約法上の諸問題」民商133巻4=5号(2006)104頁・111頁以下,経済産業省『電子商取引及び情報財取引等に関する準則』(2020)109頁以下。なお,沖野・前掲注2)375頁以下は,出品者の消費者性及びオークションサイト事業者の地位と責任がインターネット・オークションの特徴的な問題だと指摘する。

た。この場合，申込みはBに到達した時（3日）に効力が生じ，承諾もAに到達した時（7日）に効力が生じ，その結果，契約は7日に成立する（以下では，すべてAがBに1日に申込みの手紙を出したという例で説明する）。

改正前民法は，相手方が承諾を発した時（上記の例だと5日）に契約が成立すると定めていたが（承諾の発信主義，旧526条1項），現行民法では意思表示の一般原則によることになる。

◆ **明治民法の選択**　意思表示一般及び契約の承諾について，到達主義と発信主義のいずれをとるべきかは，明治民法の起草委員の間で意見の対立があった。実業界の意見を徴したり多数の外国法も調べたうえ，意思表示一般については到達主義（旧97条1項），契約の承諾については発信主義（旧526条1項）がとられた[6]。取引の迅速の要請を尊重したからである（梅391頁）。すなわち，承諾の発信主義をとると，承諾を発信した者は，それが申込者に到達したことを確認しなくても，契約が成立したことを前提にして履行の準備をすることができるので，取引の迅速に資するという考え方である。

承諾の発信主義（ⓐ）と到達主義（ⓑ）を比較してみよう。①申込者が申込みを撤回できるのは，ⓐだと，承諾が発信されるまでだが，ⓑなら，承諾が到達するまでとなる（ⓐは申込者に不利）。②被申込者が承諾を撤回できるかどうかは，ⓐだと，承諾を発信すれば撤回できないが，ⓑだと，承諾が到達するまではできる（ⓐは申込者に有利）。③承諾が申込者に到達しなかったり，遅れて到達したりしたことによるリスクは，ⓐだと，申込者が負う（承諾の発信によって契約は成立しているから）が，ⓑだと，被申込者が負う（ⓐは申込者に不利）。明治民法は，①〜③のすべてについて，ⓐを貫いた。これは，総合的に考えると申込者に不利な規律である。特に，③が重大である。申込者は，通信事故等によって承諾が到達しないリスクを負担し（申込者が，承諾が来ないので断られたものと思い，第三者と契約した場合でも，元の契約に拘束されている），それに対応する措置を講じる必要がある。明治民法は，承諾の発信主義をとるだけでなく，後述の通り，申込みの拘束力を認めた（→(c)(ii)〔85頁〕）。その結果，明治民法の規律は，全体としてみると，申込者の不利益が大きいものだった[7]。それでもなお，取引の迅速化の要請が重視されたわけである。しかし，この考え方の妥当性は，現代では減少している。通信技術の発達により，承諾の発信から到達までの時間が短くなると，発信主義が取引の迅速化に資するというメリットは小さくなる。他方，通信技術が発達しても，承諾が到達しないリスクは依然と

---

[6] 星野英一「編纂過程から見た民法拾遺」同・前掲第1章注50）151頁〔初出1966〕。
[7] 能見善久「契約の成立・効力・内容について」法教200号（1997）20頁，四宮＝能見・総則291頁以下参照。

して残っており、これを申込者に負担させる理由は乏しい。承諾の発信主義を支える社会的状況は、もはや変化した。こうして、今回、改正された。

◆ **国際取引**　契約の成立時期に関する規律は、国際取引でも重要な問題となる（国際売買約14条～24条参照）。条約や国際的な契約原則では、前の◆の①について、申込みの撤回が可能なのは被申込者が承諾の通知を発するまでだとし、②③について、承諾が効力を生じるのは申込者に到達した時だとする（同16条1項・18条2項、UP 2.1.4（1）・2.1.6（2）、PECL 2.202（1）・205（1）、DCFR II. 4.202（1）・205（1）、CESL 32.1・35.1）。現行民法は、これらと基本的に同様である。

◆ **電子取引**　電子取引については、2001年に「電子消費者契約及び電子承諾通知に関する民法の特例に関する法律」が制定され、民法の特則として、隔地者間の電子契約（消費者契約であるか否かを問わない）について、承諾の到達主義がとられた（2017年改正前電子契約特4条）。改正民法が承諾の到達主義をとることになったので、もはやこの特則は不要となり、削除され、法律の題名も「電子消費者契約に関する民法の特例に関する法律」と改められた。同法は、現在では、消費者保護の観点から、電子消費者契約において、事業者が操作ミスを防止するための措置を講じていない場合は、消費者は、重過失があっても、なお95条の錯誤を主張できるという特例（電子契約特3条）を定めるものとして存続する（経済産業省・前掲注5）6頁以下〔契約の成立時期〕・12頁以下〔錯誤〕参照）。

(c)　申込みの撤回の可能性（申込みの拘束力）

(i)　**申込みの到達前**　申込みは、相手方に到達する前であれば、まだ効力が生じていないし（97条1項）、撤回しても相手方には何らの迷惑をかけないので、撤回が認められる。申込者の申込みは撤回されたことになるから、相手方がその後に届いた申込みに対し承諾しても、契約は成立しない。

● Aは1日に申込みの手紙を投函したが、気が変わり、翌2日、Bに申込みを撤回するというメールを送り、これは直ちにBに届いた。その後、3日に届いたAの手紙に対し、Bが承諾をしても、契約は成立しない。

(ii)　**申込みの到達後**

α　**相手方の保護の必要性**　問題は、申込みが相手方に到達した後である。申込みが到達した後も承諾がされるまでは自由に撤回できるという法制度もある。しかし、申込みを受けた相手方が契約を締結しうる可能性について抱く信頼を保護する必要がある。①相手方（B）は承諾前でも調査や準備をする

ことがあるし，②Bが申込者（A）以外の者からも同様の申込みを受けていて，条件を比較検討したうえ，他の者の申込みを拒絶した後，Aから撤回された場合，損害を被ることになるからである（梅380頁）。そこで，申込みを自由に撤回できないとする制度がとられる。これを，申込みの拘束力という。拘束力とは，相手方を拘束するという意味ではなく，申込みをした者がそれにより自らが拘束されるという意味である（ド民145条参照）。民法は，申込みの拘束力について，承諾期間の定めの有無によって分けて規定する。

β 承諾期間の定めのある場合

● AがBに「承諾するなら8日までにしてください。」との記載のある申込みを1日に出し，それが3日にBに届いた。

承諾期間を定めて申込みをした場合には，その期間中は撤回できない（523条1項本文）。申込者（A）は，申込みが相手方（B）に到達した時（3日）から承諾期間の末日（8日）までは撤回できない。できないというのは，撤回しても効力がなく，相手方が承諾の意思表示をすれば契約が成立するという意味である。ただし，申込者が撤回する権利を留保したときは別である（同項但書）。これらの規律は，隔地者間に限らず，対話者間にも及ぶ。

γ 承諾期間の定めのない場合

● AがBに，承諾期間を定めない申込みの手紙を1日に出し，それが3日にBに届いた。

承諾期間を定めずに申込みをした場合は，次の通りである。

①原則。「申込者が承諾の通知を受けるのに相当な期間」を経過するまでは撤回できない（525条1項）。相当な期間とは，「申込みが相手方に届くまでの時間」，「相手方がその申込みについて調査し検討するための時間」，「承諾が申込者に届くまでの時間」をあわせた期間である（これを「相当期間α」としておく）。

● (b)(ii)の●（83頁）の進行が標準的だとすると，7日までが相当期間αとなる。

②対話者間における特則。対話者に対して承諾期間を定めない申込みをした場合，その対話が継続している間（面談している間，電話で話している間など）は，いつでも撤回することができる（525条2項）。改正前民法には規定がなかったが，このように解する見解があった（梅387頁，星野28頁など。反対，我妻上60

頁など。また，2017年改正前商507条参照）。対話者間における交渉の実態に即するし，相手方を害するおそれもないからである（部会資料67A，第4，4説明1(1)。同83-1，第3，4説明参照）。もちろん，相手方が承諾すれば，もはや撤回できなくなる。

対話が継続している間に申込者が承諾の通知を受けなかったとき（撤回も承諾もないまま対話者関係が終了したとき）は，申込みは効力を失う。ただし，申込者が対話の終了後も申込みが効力を失わないと表示したときは，この限りでない（525条3項）。これは，申込みの効力の存続期間の問題である（→(e)(ii)γ）。

◆ **クーリング・オフによる申込みの撤回**　消費者法の領域では，クーリング・オフの一形態として，申込みの撤回が認められる場合がある（特定商取引9条等）。

◆ **申込みの拘束力**　英米法では，申込者だけが拘束されるのはアンバランスだという発想から，撤回自由が原則とされてきたが，一定の場合に撤回が制限されるようになっている（樋口・アメリカ114頁，平井153頁）。フランス法も，撤回自由を原則としていたが，判例及び制定法（消費法典等）による制限が課せられ（山口・フランス25頁），2016年改正において，一定期間は申込みを撤回できないとしつつ，それに反して撤回した場合には契約外責任のみを負うとされた（フ民〔2016年改正後〕1115条・1116条）。これに対し，ドイツ法では，申込者は，原則として申込みに拘束される（ド民145条）。国際物品売買条約は，撤回自由を原則として，一定の場合に制限をする（同16条）。

(d)　申込みの撤回の効力

申込みを撤回できることと，申込みが自動的に効力を失うことは，別である。承諾期間の定めのない申込みがされた後，相当期間αが経過すると申込者は撤回できるが，撤回しなければ申込みの効力は存続している。その間に承諾されると，契約は成立し，もはや撤回できなくなる。その可能性をなくすためには，申込みを撤回しておかなければならない。

申込みの撤回も意思表示だから，その効力は相手方に到達した時に生じる（97条1項）。したがって，相当期間α経過後の契約の成否は，申込みの撤回が相手方に到達した時と承諾が申込者に到達した時との先後で決まることになる。通信事故等により，どちらかの意思表示の到達が通常よりも遅れた（延着した）としても，考慮されない（承諾の発信主義を前提とする旧522条・旧527条は削除さ

れた）。

(e) 申込みの効力（承諾適格）の存続期間

(i) 発生　(c)(d)で検討したのは，申込みの拘束力の存続期間の問題（申込みを撤回できないのはいつからいつまでか）だった。これとは別に，申込みの効力（申込みの承諾適格）の存続期間の問題がある。これは，申込みがいわば生きている（承諾さえあれば契約が成立する状態にある）のはいつからいつまでかである。この期間は，申込みの効力が生じる時，すなわち相手方にそれが到達した時（97条1項）から始まる。

(ii) 消滅　問題はいつ終わるかである。申込みの効力の消滅事由は4つある。

α　申込みの撤回　申込みが有効に撤回されれば，申込みの効力は消滅する。①申込みの到達前，②承諾期間の定めのない申込みが到達し，ⓐ相当期間αを経過したとき（525条1項本文），又は，ⓑ対話者に対するものについて対話継続中（525条2項），③申込者が撤回権を留保したとき（523条1項但書・525条1項但書），申込者は撤回できる。

β　申込みの拒絶　申込みを受けた相手方が拒絶したときも，申込みの効力は消滅する。相手方は，いったん断ると，後になって承諾してもだめである。

γ　承諾期間の経過

㋐　承諾期間の定めのある申込みの場合　申込者がその期間内に承諾の通知を受けなかったときは，申込みは効力を失う（523条2項）。期間が経過すれば申込みの効力は自動的に消滅する。なお，承諾の通知の到達が通常よりも遅れた（延着した）としても，考慮されない（承諾の発信主義を前提とする旧522条は削除された。中間試案説明348頁，部会資料67A，44頁以下）。

㋑　承諾期間の定めのない申込みの場合　現行民法には規定がない。商法には規定があり，商人である隔地者の間では，申込みを受けた者が「相当の期間内に」承諾の通知を発しなかったときは，申込みの効力は自動的になくなる（商508条1項）。この規定は，商行為の商人間の取引の迅速性の要請に基づくといわれるが（落合誠一ほか『商法Ⅰ総則・商行為〔第6版〕』〔2019〕150頁〔山下友信〕），それ以外の取引であっても，申込みの効力がいつまでも存続するのは適当ではない。そこで，取引慣行及び信義則により，相当の期間が経過すれ

ば消滅する，と解すべきである（我妻上62頁）。この「相当の期間」と，申込みの拘束力に関する相当期間 α（→(c)(ii)γ）とは同じではない。申込みを撤回できる期間（相当期間 α）よりも，申込みの効力が自動的に消滅することになる期間（相当期間 β）の方が少し長い，と考えるのが合理的である。

◆ **明文化の見送り**　今回の改正の部会審議では，相当期間 β に関する規定を置くことが検討され，中間試案では，承諾期間の定めのない申込みは，「申込みの相手方が承諾することはないと合理的に考えられる期間が経過したときは，効力を失う」という規律が示された。しかし，文言上，相当期間 α と β を明確に区別することが困難であるという理由で明文化が見送られた（中間試案説明348頁以下，部会資料67A，46頁，第77回部会議事録48頁・51頁以下）。

δ　申込者の死亡等　　申込みをした後，申込者が死亡した場合など，どうなるのか。意思表示の一般原則によれば，表意者が通知を発した後に，死亡し，意思能力を喪失し，又は行為能力の制限を受けたとしても，意思表示の効力は妨げられない（97条3項）。この一般原則に対し，526条は，申込みについて特則を設け，一定の場合，申込みは，その効力を有しないものとする。

まず，この規律は，申込みの通知を発した後，申込者が死亡した場合，意思能力を有しない常況にある者となった場合（一時的な意思能力の喪失は含まれない），又は，行為能力の制限を受けた場合であることが前提となる。

これらの場合において，①申込者がその事実が生じたとすればその申込みは効力を有しない旨の意思を表示していたとき，又は，②相手方が承諾の通知を発する前にその事実が生じたことを知ったときには，その申込みは効力を生じない（526条。たとえば，申込者が行為能力の制限を受けた場合，申込みを取り消すことができるようになるのではなく，申込みが効力を有しないことになる）。

死亡等の事実が生じた時期は，申込みの発信から到達までの間であっても，その到達の後，承諾の発信までの間であってもよい。

これらは，改正前民法のもとで議論があった点について，明確にしたものである。

◆ **旧525条に関する議論と現行民法の関係**　申込者が死亡したなどの場合に旧97条2項の例外を定めていた旧525条について，次の2つの問題をめぐる議論が

あった。

　①第1の問題は，旧525条が適用されるのは，申込者の死亡等が申込みの発信から到達までの間（「期間Ⅰ」）に生じた場合に限られるのか，申込みの到達から承諾の発信までの間（「期間Ⅱ」）に生じた場合も含むのかである。明治民法の起草者や初期の学説（梅389頁，岡松424頁，石坂1855頁）は，死亡等が期間ⅠとⅡのいずれで生じた場合にも，申込みは効力を失うと考えていた。これに対し，1910年代の学説が，期間Ⅰで死亡等が生じていなかった場合には，申込みは到達の時点で効力が発生し（旧97条1項），その後に期間Ⅱで死亡等が生じてもその効力が失われることはない（同条2項の適用はないので，その特則たる旧525条も適用されない）と述べ（末弘76頁），これが通説となった（我妻上58頁）。この見解によれば，旧525条は期間Ⅰで死亡等が生じた場合にのみ適用され，死亡なら申込みの効力は生ぜず，行為能力の喪失（制限）なら申込みは取り消しうるものになる。また，期間Ⅱで申込者が死亡したときは，申込みの内容が申込者の相続人において申込者たる地位を承継する性質のものか否かによることになる（たとえば，委任契約の申込みは653条の類推解釈により失効する）。この通説に対し，起草者の見解と同様の結論を支持する学説も有力であった。起草者は，期間Ⅱも含めて申込者の相続人と相手方との利益を調整するため旧525条の要件を定めたものであり，通説のように解すると同条が適用される場合はほとんどなくなる（星野30頁，内田40頁），あるいは，承諾発信前の申込者の死亡等の問題と一般の意思表示における到達前の表意者の死亡等の問題は別である（三宅総14頁）という。旧525条の起草過程の議論（民法速記録Ⅲ688頁）や，同条が受け継いだ旧民法財産編308条5項の立法理由（Exposé des motifs, t.2, 359頁）でも，期間Ⅰでの死亡等に限定していない。実質的には，死亡等を申込みの撤回に引きつけて考え，申込みに対する相手方の信頼を保護するのか，死亡等の場合には，あえて契約を成立させるまでもないと考えるのか（相手方も死亡等を知れば契約の準備に取りかからないことが多いだろうから。平井156頁参照）の問題である（旧525条の趣旨としては，後者を選択したものと解すべきであろう）。

　改正民法526条は，期間Ⅱも含むことにした。同条の趣旨を申込者の通常の意思に求めるのであれば，死亡等が生じたのが期間ⅠかⅡかで区別することは適切ではないこと，申込みは，相手方に到達するのみでは法律効果を発生させない，暫定的・経過的な意思表示にすぎず，相手方が申込者の死亡等の事実を知っているのであれば，申込みが到達した後に申込みの効力を否定しても影響が少ないことが理由とされる。ただし，契約が成立すると信頼した相手方の利益を害しないように，承諾を発信するまでに相手方が申込者の死亡等の事実を知ったことを要件とする。

　②第2の問題は，旧525条の効果について，申込者が申込みの発信後に行為能力を喪失した（その制限を受けた）場合，申込みの効力が失われるのか（死亡の場合とそろえる），取り消しうるものとなるのか（もともと行為能力がなかった場合との均衡を考える）であった。

　改正民法526条は，申込者の通常の意思に鑑み，また，申込みがあるだけではま

だ契約が成立していない暫定的・経過的状態であることから、法律関係の安定性を重視し、一律に申込みの効力を認めないことにした（①②につき、中間試案説明352頁以下、部会資料67A、49頁以下）。

(3) 承　諾
(a) 承諾の意義

承諾とは、特定の申込みに対してされ、これとあいまって契約を成立させる意思表示である。申込者に対してされる必要があるが、黙示のものでもよい。

● ある行為（首を振るなど）が承諾にあたるかどうかは、意思表示の認定の問題である。機械による契約締結においても、どの段階で意思表示があったと認定しうるかの問題となる。たとえば、勝馬投票券の自動販売機による売買について、買主の現金と投票カードの投入（申込み）の後、機械の画面上に受付表示が現れた時点で売主の承諾があり、契約が成立するとした裁判例がある（大阪地判平15・7・30金判1181号36頁）。

承諾は、申込みと同一内容のものでなければならない。申込みを受けた人（被申込者）が申込みに条件をつけたり、変更を加えて承諾した場合は、元の申込みの拒絶となるとともに、新たな申込みをしたものとみなされる（528条）。鏡像原則の現れである（内田32頁）。

● AがBに「この中古テレビを1万円で買わないか。」と言ったのに対し、Bが「8000円なら買う。」と答えた場合、1万円での売却の申込みを拒絶し、8000円での買受けの申込みをしたことになる。Aが「じゃあ8000円でいいよ。」と言えば、それが承諾となる。

(b) 承諾義務

被申込者は、承諾する義務を負わない。事前の合意により承諾義務が課せられたり（→第4節2(2)(b)〔116頁〕）、公法上、承諾が強制されたりすること（→第1章第1節3(2)(b)(ii)〔26頁〕）はある。

被申込者には、返答をする義務もない。申込者が、その通知に「返事がなければ承諾したものとみなします。」と書いても、効力はない。当事者間で、「特に異議を述べない限り承諾したものとする。」と事前に合意しておくことは可能である（ただし、消費契約10条参照）。商人については、一定の場合、沈黙が承諾とみなされる（商509条2項）。商取引においては迅速な処理が要請される

し，通常の慣行にも合致しているからである。

> ◆ **物品が一方的に送付された場合**　申込者が申込みと同時に勝手に物品を送付した場合，受け取った者は，原則として，そのまま放置しても承諾したことにはならないし，返送義務もない。「購入しないときは返送してください。」と書いてあっても同じである。問題は，送付された物の保管義務である。受領したときは自己の財産におけると同一の注意をもって保管する責任があるという見解（我妻上72頁）が有力である。保管義務がないと考えても，その物品（所有権は申込者にある）を処分したり費消したりすると，不法行為責任が生じることがありうるので，結局は保管せざるをえなくなる。この問題につき，2つの方向の立法がある。第1は，商人の場合であり，一定の要件のもとで，受け取った者に保管義務を負わせる（商510条）。第2は，消費者等の場合であり，販売業者は，売買契約に基づかないで商品を送付した場合，その商品の返還を請求できず（2021年改正後特定商取引59条1項），相手方は，無償でその商品を使用・消費・処分できる。販売業者の消費者に対するこのような押しつけ販売をネガティブ・オプションという[8]。
>
> なお，意思実現（527条）の要件を満たす場合は，受け取った者が送付された物の利用・消費をすると契約が成立することがある（→(4)(a)2つ目の◆）。

(c)　承諾の効力

承諾によって契約が成立するのは，申込みが効力を有している（承諾適格がある）間である（→(2)(e)）。承諾期間の定めのある場合には，その期間内に承諾の通知が到達することが必要である（523条2項）。承諾が遅延した場合，申込者は，それを新たな申込みとみなすことができる（524条）。双方にとって便利だからである。

(4)　**申込みと承諾以外の方法による契約の成立**

(a)　意思実現――承諾の通知を必要としない場合

申込者が承諾の通知を不要とする意思表示をしていたこと，又は，取引上の慣習があることによって，承諾の通知が必要とされない場合，契約は，「承諾の意思表示と認めるべき事実があった時」に成立する（527条）。たとえば，上記の場合において，申込みを受けた者が，指定された第三者に商品を発送したとき，あるいは，目的物の製造に着手したとき，それぞれの時点で契約が成立

---

[8]　齋藤雅弘ほか『特定商取引法ハンドブック〔第6版〕』（2019）628頁以下。

したことになる。意思実現による契約の成立という。承諾による契約の成立のためには，承諾の通知の到達が必要だが（522条1項），意思実現では必要ない。黙示の承諾と意思実現との違いは，申込みを受けた者の行為が申込者に向けてされたものではない点にある。

改正前民法にもあった規律だが（旧526条2項），現行民法は，承諾の到達主義をとるので，意思実現との違いが大きくなる（意思実現では，申込者に向けての何らかの通知の発信さえ不要であり，もちろんその到達も必要ない）。

▶ **527条の適用範囲** 明治民法の起草者は，旧526条2項を広くとらえていた。すなわち，同項は，同条1項（承諾の通知の発信主義）を受けて，承諾の通知が必要とされない場合における契約の成立時期を明確にするための規定であると解していた（民法速記録Ⅲ 692頁〔梅謙次郎発言〕・707頁〔富井政章発言〕，梅394頁）。このため，被申込者が商品又は代金を申込者に発送した場合も，2項にあたると考えていた。その後，ドイツ学説の影響を受けた学説が同項を意思実現による契約の成立として位置づけ，意思表示による契約の成立と区別した（石坂1898頁。反対，末弘99頁）。その後も，意思表示と意思実現の区別は，各論者の意思表示理論（特に，表示意思を意思表示の要件と考えるか否か）を背景に議論された（鳩山上59頁，我妻上71頁等）。その際，「手紙で宿泊の申込みを受けたホテルが承諾の通知をしないまま客室をリザーヴして掃除をした場合（申込者が当日来なかったとすると，ホテルは契約違反による損害賠償を請求できる）」というドイツの古典的な例があげられるようになった。もっとも，承諾の通知について到達主義をとるドイツ法では，承諾の通知を到達させることが困難な場合などにおいて，意思実現による契約成立の意義が大きいが，承諾の発信主義をとる日本法では前提が異なるという指摘もあった（平井171頁参照。ドイツ法の詳細な検討とそれに基づく解釈論を示すものとして，滝沢・前掲第1章注3）103頁以下）。改正民法は，承諾の到達主義を採用したので，今後，承諾の通知の到達がなくても契約が成立するのはどのような場合かという形で，この問題が改めて注目されることが予想される。

▶ **送付された商品の利用・消費** 申込みとともに送付されてきた商品を被申込者が利用又は消費した場合に「承諾の意思表示と認めるべき事実」にあたるかどうかが問題となる。特に，被申込者が，①自分の所有物であると誤信して消費した場合や，②申込者から送付された物であると知りつつ承諾する意思がないのに消費した場合に，契約が成立するのか，成立するとして錯誤（95条）や心裡留保（93条）に準じる解決をすべきかどうかが問題となる。被申込者の行為について，承諾する意思を要すると考える（主観説）か否か（客観説）を両端とする見解の対立がありうる。原則として承諾する意思を要するとしつつ（①は契約不成立），必要に応じて心裡留

第2章　契約の成立

保の規定を類推適用する（②はこれで解決する）ことが考えられる（ドイツの議論につき，滝沢・前掲第1章注3）163頁以下，三宅総25頁）。

▶ **シュリンクラップ契約**　　意思実現による契約の成立は，「申込者の意思表示」又は「取引上の慣習」により，承諾の通知を必要としない場合であることが必要だが，この要件は，申込者が承諾の通知を受けることよる利益を失うことを正当化するためのものと解すべきである（それゆえ，「取引上の慣習」は申込者の所在地での慣習と解すべきである。我妻上70頁，平井170頁）。したがって，527条は，申込者がその意思表示によって相手方の行為の評価を決定することを当然に正当化するものとはいえない。シュリンクラップ契約（内田43頁，松田俊治『ライセンス契約法』〔2020〕57頁以下）において，ライセンス契約の「申込者の意思表示」により，承諾の通知を必要としない場合がありうるとしても，それだけのことであり，開封が「承諾の意思表示と認めるべき事実」にあたるか否かは慎重に解すべきである。

(b)　交叉申込み

AがBに対し申込みをし，それがBに到達する前に，BがAに対し，Aの申込みに対する承諾と同じ内容の申込みをした場合，それで契約が成立するか。明治民法起草者は，契約は申込みと承諾によってのみ成立すると考え，2つの申込みによる成立を否定していた（梅392頁～393頁）。しかし，その後の学説は，これを交叉申込みと呼び，それで契約が成立すると主張し，これが通説となった。申込みだけが2つあり，承諾はないが，その契約を成立させようとする当事者の意思表示の内容は合致しているのだからそれでよい，ただし，契約成立時期は2つの申込みの到達の遅い方の時点である（旧97条1項）という（石坂1803頁以下，末弘13頁，鳩山上56頁，我妻上70頁，星野34頁など）。これに対し，そのような解釈は，民法が承諾の発信主義をとることと整合しないと批判し，交叉申込みによる契約の成立を否定する見解（平井172頁）や，理論上・実際上の問題があること及び比較法的にも例のないことから，立法論として認めるべきではないという見解（基本方針Ⅱ72頁以下）もあった。

改正民法は，申込みに対し相手方が承諾したときに契約が成立すると規定するが（522条1項），これによって他の態様による契約成立が否定されるわけではない。また，承諾について到達主義がとられたので，発信主義との不整合という問題はなくなっている。もっとも，交叉申込みを契約の成立の態様の一類型として積極的に認めるというまでの意味は乏しいだろう。

第 2 節　契約の成立にいたる時間の流れ

◆ **交叉申込みによる契約の成立**　①実際面については，肯定説は，契約成立を認めることが敏活な取引界の需要をみたし当事者の意思にも適すると述べ（末弘 15 頁，我妻上 70 頁など），否定説は，交差する申込みを受けた当事者がそれで契約が成立したと考えるかどうか疑問があり，通信手段が発達した現在では改めて承諾した時点で契約成立を認めることで不都合はなく，肯定説をとると多数の申込みが交差した場合に問題が生じるという（基本方針Ⅱ 73 頁。論点整理説明 203 頁参照）。②機能的には，承諾期間の定めのある申込みの失効の有無（523 条 2 項）や，承諾期間の定めのない申込みにおいて相当期間経過後の申込みの撤回の可否（525 条 1 項本文）が異なる。③理論的には，交叉申込みによって意思表示又は意思の合致があったといえるかどうかであるが，これは契約成立において一致すべき意思表示又は意思の内容の問題である。①については，否定説の指摘にも傾聴すべきところがある。②は，肯定説の方が妥当な結論を導けるようであるが，否定説でも信義則を用いて対応できそうである。③については，古くからの議論があるが，決着がつきにくい（交叉申込みを「申込み・承諾型」と「練り上げ型」〔池田・後掲注 10〕参照〕のどちらに引きつけて考えるかによっても違う）。

　交叉申込みが現実の紛争となることはほとんど考えられないが，個別事案においては，交叉申込みによる成立を認めるか，承諾の意思表示の柔軟な認定又は契約不成立の主張の信義則による抑制で対応するか，の問題となる。ここでは，後者で足りるように思う。実際には，交叉申込みによる契約の成立を新たな制度において利用できるかという，より一般的な意味が重要である（電子記録債権の制度設計の際の議論につき，中田「通則（電子記録，電子記録債権に係る意思表示等）」池田真朗ほか編『電子記録債権法の理論と実務（別冊金融・商事判例）』〔2008〕42 頁・49 頁）。ここでは，（認められるとしても）例外的な場面で機能するはずの交叉申込みを一般化してそれに依拠するのではなく，その制度において承諾の意思表示を不要とすることによる影響を具体的に検討することがよいだろう。結局，交叉申込みを契約の成立の態様の一類型として積極的に認めるというまでの意味は乏しいと考える。

(5)　懸賞広告

(a)　意　義

　民法は，「契約の成立」の款の最後に，懸賞広告に関する規定を置く（529 条〜532 条）。懸賞広告とは，ある行為（たとえば，逃げた飼い猫を連れてくること）をした者に一定の報酬を与えるという広告である。懸賞広告をした者（懸賞広告者）は，その行為（指定行為）をした者に対し，その報酬を支払う義務を負う（529 条）。懸賞広告のうち，指定行為を完了した者の中から優等者のみに報酬を与えるものを，優等懸賞広告という（532 条）。懸賞論文，懸賞小説などであ

り，応募及び判定を伴うことになる。

　指定行為の種類や性質については，公序良俗や制定法による規制は別として，特に制限はない。ただ，「行為」でなければならないから，一定の「状態」の者についての広告（最も見事な赤毛の男に賞金を支払う）や，財産権の移転を目的とする広告（一定の条件の土地を一定額で購入する）は，これにあたらない。

　指定行為をした者が，その広告を知らなかった場合も，懸賞広告者は報酬支払義務を負う（529条）。客観的には懸賞広告者の期待は実現されているのだから，行為者の知不知にかかわらず，報酬を負担させることが適当だからである（中間試案説明356頁，部会資料67A，53頁）。改正前民法では明確でなく（旧529条），議論があったが，現行民法は明示した。

> ◆ **懸賞広告の法的性質**　契約説と単独行為説が対立する。①契約説は，懸賞広告は請負契約類似の契約の不特定多数の者に対する申込みであり，指定行為の完了がこれに対する承諾であると考える。明治民法起草者の見解であり有力説である（民法速記録Ⅲ 740頁〔富井政章発言〕，梅398頁，岡松443頁，石坂1928頁，末弘721頁，鳩山上86頁，石田40頁，半田70頁，平井176頁，植林弘＝五十嵐清・新版注民（13）510頁〔五十嵐〕）。②単独行為説は，懸賞広告は指定行為を完了した者に報酬を与えるという不特定多数人に対する一方的意思表示であると考える。この説も有力である（後記のほか，三宅総29頁，品川下409頁，平野（5）83頁）。単独行為説はさらに2つに分かれる。第1は，懸賞広告は，広告による意思表示のみによって成立する単独行為であり，懸賞広告者は，指定行為の完了（又は指定行為をした者のうちのある者が優等者と判定されること）を停止条件とする債務を負担するという（我妻上72頁，広中14頁，加藤42頁）。第2は，懸賞広告は，広告による意思表示と指定行為の完了という2個の法律事実からなる単独行為である（意思表示は1個しか含まれていない）という（神戸231頁，末川下194頁，西沢修「懸賞広告」大系Ⅵ1頁）。
>
> 　契約説と単独行為説の最も重要な相違は，懸賞広告を知らずに指定行為をした者の報酬請求権の取扱いである。①契約説では，見解が分かれる。ⓐ否定説は，その申込みに応ずる意思をもって指定行為をすることが必要であり，報酬請求権はないという（我妻上73頁参照。平井176頁は「特殊な契約」としつつ，報酬請求権を否定する）。ⓑ肯定説は，㋐特殊な契約と解する（内田45頁），㋑法律的行為に付与される法律効果として承諾があったものとして取り扱う（石田40頁），㋒報酬請求により承諾の意思表示の追完があったものとみる（半田70頁）などにより，契約説をとりつつ報酬請求権を認める（契約成立のためには必ずしも申込みに応ずる意思を要しないという指摘もある。星野35頁参照）。②単独行為説だと，報酬請求権があるといいやすい（ドイツ民法657条はその旨を規定する）。懸賞広告の規定が契約総則の節に置かれているの

は，起草者自身，その性質が契約か単独行為かをあえて決めないこととし，仮に単独行為だとしても契約に類するところがあるので本節で規定するのは不当ではないと述べていたこと〔民法修正案理由書508頁〕から，妨げとはならないという。

両説のいずれにせよ意思表示の解釈の問題は残るし，結論も接近する（民法上の懸賞広告を契約としつつ，それとは別に単独行為としての懸賞広告を認める見解〔戒能54頁〕や，民法上の懸賞広告を単独行為としつつ，広告を見て指定行為をすることが要件とされていると解しうる場合もあるという見解〔平野（5）83頁以下〕もある）。

改正民法は，指定行為をした者の広告についての認識を問わないと明示するので（529条），①ⓐ説はとることができず，①ⓑ説か②説になる。契約説は，規定の位置との関係が自然であるが，広告を知らないで指定行為をした者に報酬請求権を認めることの説明が技巧的になる。単独行為説では，その説明が簡単になるが，一方的債務負担行為という特殊な概念を認めることになる。このうち，知らないで指定行為をした者の報酬請求権については，広告・指定行為完了・報酬請求のそれぞれの意義をどう評価するかによって説明の仕方が変わるにすぎない（評価のためには，懸賞広告者の義務内容の分析と指定行為をした者の権利発生構造の分析が必要である）。他方，一方的債務負担行為については，わが国では本格的な検討が待たれる段階である。さしあたっては，民法上の懸賞広告は，ある行為をした者にその者の広告についての認識の有無を問わず報酬を与えるという趣旨の申込みと，指定行為を完了した者が報酬請求をすることにより指定行為完了時に遡って追完される承諾によって成立する，特殊な契約だといえば足りるだろう[9]。

(b) 内　　容

懸賞広告の撤回に関し，詳しい規定がある。撤回できる時期については，指定行為をする期間の定めの有無に応じて規定される（529条の2・529条の3）。撤回の方法については，撤回の広告が前の広告と同一の方法による場合と異なる方法による場合とに分けて，それぞれの効力が規定される（530条）。

報酬受領権者については，531条が規定する。指定行為をした者が数人ある場合，最初に指定行為を完了した者だけが報酬を受領する権利を有するのが原則である（同条1項）。

優等懸賞広告については，532条が規定する。これは応募を要素とするので，

---

[9] 改正民法のもとで，契約説として，潮見35頁，山野目26頁，単独行為説として，平野50頁，藤岡ほか35頁〔磯村保〕（以上2者は529条の改正を強調），大村敦志『新基本民法6不法行為編〔第2版〕』（2020）168頁（一方的債務負担行為論を提示。加藤42頁参照）。一方的債務負担行為につき，ムスタファ・メキ（山城一真訳）「『債務関係』，あるいは債務という観念（契約法研究）(1)」慶應法学20号（2011）229頁・246頁以下参照。

知らないで指定行為をするという事態は生じない。判定という要素を含むので，応募期間の定めが必要であり（同条1項），判定方法が問題となる（同条2項～4項）。

2 申込み＝承諾モデルの問題点
(1) 契約成立過程の多様性

民法は，契約の成立について，申込み＝承諾モデルを基本とする（→1(1)）。これは，内容が確定している1個の契約を想定し，それについての申込みと承諾が行きかい，両者が一致すればその時点で契約が成立するという，単純なモデルである。しかし，現実の契約の成立過程は，より多様である。

たとえば，次のような成立過程がある。①契約の種類及び内容の確定した契約であっても，締結するかどうかを慎重に検討しながら，相手方との協議を進めることがある（高額の商品を購入する場合，企業が従業員を採用する場合）。②契約の種類は確定しているが，その内容や条件が当初は確定しておらず，当事者の交渉の進展に伴い次第に煮詰まっていくこともある（山林の売買の場合）。③複数の当事者間で，まずある経済的目標が設定され，その目標を達成するために最も適合的な法的手段は何か（契約か会社設立か，契約だとしてどのタイプの契約にするかなど）の検討を経て，ある特定の契約という形態が選択されることもある（機械メーカーが販売実績のない地域における顧客獲得を現地の業者に委ねる場合，数社が協力して行う海外での資源開発プロジェクトの場合）。④好意による関係や単なる取引関係が，いつの間にか契約と評価されるべき関係になっていくこともある（学生が親戚の店の手伝いを時々し，たまにご馳走になったり小遣いをもらったりしていたが，次第に定期的な手伝いとなり謝礼もそれに応じた額の金銭になっていく場合）。

契約の成立過程は，契約の種類によって異なることがある。それは，契約の成立の主要な効果が契約の種類によって異なりうるからである（中田・研究432頁以下）。また，同じ種類の契約であっても，目的物によって異なることがある（八百屋での野菜の売買と，都心の商業地域の土地の売買）。

これらの多様な契約の成立過程においても，申込み＝承諾モデルが常に参照されるが，それだけでは具体的問題の妥当な解決にはいたらない。たとえば，当事者の一方が相手方との交渉と並行して履行の準備等を進めており，実質的

に合意がほぼ成立していたのに，交渉が理由もなく一方的に打ち切られた場合，企業間取引において交渉の初期段階で中間的な合意が締結されていた場合，両当事者が内容の一部について合意に達しないまま履行に入ってしまった場合などの問題である。このような交渉による契約の成立においては，申込み＝承諾モデルよりも，交渉によって，契約の重要な部分が合意されたところで，契約が成立するという方が自然である[10]。しかし，その場合であっても，契約が成立するまでは，交渉当事者の契約を締結しない自由が尊重される必要がある。

(2) 合意内容の確定性と合意の終局性

(a) 「確定的な合意」の2つの意味

契約の成立過程とは，このように契約に先行する不安定な関係から契約の成立にいたるプロセスである。それでは，どの段階になると契約が成立したことになるのか。契約が成立するためには，合意が確定的なものでなければならないといわれる[11]。この「確定性」には，合意内容の確定性と合意の終局性という2つの問題が含まれている[12]。

(b) 合意内容の確定性

契約が成立するためには，内容の確定した合意が存在することが必要である。もっとも，取引の細部の事項まですべて合意されていなくても契約は成立しうるし，不明確な表現であっても特定の意味だと確定できれば契約は成立しうる。そこで，合意されるべき内容は何か，また，合意された内容は何かが問題となる。これらのことを「合意の内容」の節で検討する（→第3節）。

---

[10] 池田清治『契約交渉の破棄とその責任』(1997) 106頁参照（「練り上げ型」を提示），平井146頁・163頁以下（交渉による成立を検討）。さらに，筏津安恕『失われた契約理論』(1998) も参照（合意内容の確定とそれに対する当事者全員の同意という2段階を区別）。

[11] 青山邦夫「売買契約の認定について」山本矩夫＝山口和男編『民事判例実務研究第4巻』(1985) 223頁，太田知行「契約の成立の認定」鈴木祿彌古稀『民事法学の新展開』(1993) 251頁。

[12] 中田・民事法Ⅲ5頁〜8頁。香川崇「諾成契約の今日的意義」九大法学77号 (1999) 135頁，大村・前掲第1章注64) ②46頁以下参照。また，ケッツ・前掲序章注14) 79頁以下と滝沢・前掲第1章注3) 245頁・255頁も比較参照。大村・前同は，合意の「範囲」と「深度・熟度」という概念で分析する。合意内容の確定性は「範囲」，合意の終局性は「熟度」とおおむね重なるだろう。「深度」は，どのような合意がされたのかという問題として検討する（→第3節3)。なお，PECL 2.101及びDCFR Ⅱ.4.101は，契約が締結されたといえるのは，①両当事者が法的に拘束される意図をもち，②十分な合意 (sufficient agreement) に達しているときであるとする。①は合意の終局性に，②は合意内容の確定性に近い。

第2章　契約の成立

● 広大な土地を所有する地主に対し，自宅用の小さな土地を求めている者が土地の一部を売ってほしいと申し出て，地主が「いいですよ。」と言ったとしても，対象となる土地が特定されておらず，代金額も定まっていない以上，売買契約が成立したとはいえない。

◆ **内容の不確定と契約の不成立又は無効**　合意内容が確定していない場合，契約は成立しないのか，成立するが無効なのか。①契約が成立するためにはその本質的部分（中心部分）についての合意が必要であり，それがないと契約は成立しないといわれる。②他方，契約ないし法律行為の有効要件として，内容の確定性があげられ，これを欠く契約は無効といわれる[13]。③また，債権の目的の要件として，給付内容の確定性があげられ，これを欠くと債権として成立せず，その効力をもちえないとされる[14]。

①は，ある特定の類型の契約を想定してその本質的部分についての合意の有無を問うという判断方法である。ⓐ合意がなければ契約は成立しないという理論的観点からのもの[15]と，ⓑ訴訟における要件事実の観点からのもの[16]がある。②は，契約の成立は広く認めたうえで，契約解釈などによる内容の補充・確定の可能性を検討し，また，未確定部分の重要性も考慮して，契約が有効か無効かを判定するという判断方法によるものである（佐久間毅『民法の基礎1総則〔第5版〕』〔2020〕51頁以下参照）。ただし，②をとっても，合意内容が未確定である場合は，次に述べる合意の終局性を欠くために不成立であることも多いだろう。③は②と結びつきやすいが，①とも両立しうる。

具体的な契約の成否が問題となる場面では，①の判断方法が用いられることが多い。契約の成立と解釈との関係を考える際には，②の判断方法が有用である。②の結果，無効とされる場合をあえて不成立と言い換える必要はないだろう。

(c)　合意の終局性

内容が確定しているかどうかと，その内容で最終的に合意するかどうかは，別のことである。合意の終局性は，後者の問題である。不動産売買など，契約締結までに相当期間の交渉が想定されるものでは，基本的な合意が成立した後

---

13)　内田・民I 268頁，四宮＝能見・総則 297頁。
14)　星野英一『民法概論Ⅲ（債権総論）』(1978) 12頁〔1992年補訂版6刷を使用〕，奥田昌道『債権総論〔増補版〕』(1992) 31頁，奥田昌道＝佐々木茂美『新版債権総論上巻』(2020) 38頁，中田・債総 30頁。
15)　大村・前掲第1章注64) ② 32頁，大村 (5) 24頁，奥田＝池田編 19頁〔沖野眞已〕。
16)　特に，冒頭規定説では，このような発想が強い。司法研修所編①『新問題研究要件事実 付―民法（債権関係）改正に伴う追補―』(2020) 9頁，同②『改訂紛争類型別の要件事実』(2006) 2頁。大村・前掲第1章注60) 39頁以下，石川博康「典型契約冒頭規定と要件事実論」大塚直ほか編『要件事実論と民法学との対話』(2005) 122頁参照。

も，当事者は，さらに調査，検討，内部手続等を進めつつ，相手方との間で，契約内容の細部の詰めや契約書の作成に向けて交渉を重ねる。その際，当事者は，ある段階までは，まだ契約を成立させないという意思であるはずである。そこでは，合意の未確定部分の重要性いかんを問わず，あるいは，未確定部分がもはや残っていなくても，なお契約が成立しないことがある。その法律構成は2つありうる。①当事者に契約成立の効果を発生させる意思がまだ存在していないという構成と，②確定した部分についての合意はあるが，それとは別に契約の即時の成立を妨げる合意も存在するという構成である。①が明快だが，②を支持する見解も有力である。合意の終局性については，「契約成立過程に関する規律」の節で検討する（→第4節）。

▶ **2つの構成の比較**　　給付内容の確定した契約の成否が争われる場合，①の構成では，成立を否定する当事者の意思についての相手方の認識可能性が問われることになり（心裡留保と同様の構造），②の構成では，確定した部分についての合意に加えて，成立を妨げる合意の成否が問われることになる。契約交渉を破棄した当事者の責任については，①では，別途，中間的合意の成否や信義則を考えることになり，②では，「確定した部分についての合意」の法的性質を考えることになる。微妙だが，②における「合意」の概念はなお不明確であり，「確定性」の意味を本文((a))のように整理するならば，契約の成立の問題としては，①が簡明であると思う。なお，②は，終局的ではあるが効果意思を欠く合意とは区別される。いわゆる「徳義上の約束」は，終局的なものであっても，性質上，契約とは認められないが，①は，時系列の中で契約の成立へと向かっていく過程の問題である。

▶ **効果の観点からの契約の成立**　　契約が成立するとどのような効果が発生するのかを考え，その効果を発生させるのにふさわしい段階に達した時に契約が成立したと認めるというのが，実際の判断過程であることもある。効果の中心となるのは，契約により債務が発生し，その履行を請求できることである[17]。もっとも，契約の種類によっては，履行の請求のほか，給付の保持（原状回復の否定），不履行についての損害賠償，条項の効力発生という効果が中心となることもある（中田・研究432頁以下）。

---

17)　河上正二「『契約の成立』をめぐって」判タ655号11頁・657号14頁（1988）。

第3節　合意の内容

1　合意されるべき内容・合意された内容

合意内容の確定性については，①何について合意されるべきかという問題と，②いかなる内容の合意がされたのかという問題がある。①では，契約が成立するためには，どのような事項についての合意が必要なのか，未確定部分があるときはどうなるのか，当事者が意識せずに部分的な不一致が生じていたらどうなるのかという問題がある（→2）。②は，いかなる契約が成立したのかの問題である。意思表示の合致と意思の不合致との関係，契約の解釈，契約内容に取り込まれるべき合意の範囲の問題がある（→3）。

2　合意されるべき内容

(1)　本質的部分の一致

契約が成立するためには，契約の本質的部分が合意によって確定していることが必要である。確定しているというのは，具体的に明示されている場合に限らず，解釈によって確定しうる場合も含む。解釈によっても確定できない場合は，契約は成立しない。本質的部分以外の事項についても，当事者の一方又は双方が合意のない限り契約しないというときは，その事項について合意されない限り，契約は成立しない（PECL 2.103 (2)，DCFR II. 4.103 (2) 参照）。

> ● 売買契約を例に考えよう。売買において，代金額は本質的部分であり，合意によって確定している必要がある。必ずしも具体的な金額が示されていなくてもよく，「時価による」という合意でもよい。さらに，時価によるという合意が明示されていなくても，当事者間で「時価による」という合意があると解釈できるのであればそれでよい。あとは時価がいくらかという事実認定の問題である。時価でなく，当事者の一方が定めている一般的基準によるという合意も同様である。このように，代金額が確定しうることが必要である（例外的な場合について→(2)）。これに対し，売買契約に関する費用の負担方法は本質的部分ではなく，それについて合意で確定していなくても，契約は成立する。この場合，任意規定（558条・485条参照）によって補充される。しかし，契約費用をどうするのかが当事者の間で重大な関心事となっていて，まだ交渉が続いているような場合は別である。この場合は，未確定部分についての合意が整うまでは，契約は成立しない。

◼ **本質的部分**　　契約が成立するために合意による確定が必要な部分は，本質的

(essential) 又は重要な (material) 部分（平井145頁）, 重要な部分（内田・民 I 268頁）, 中心部分・核心部分（大村 (5) 24頁。それ以外を周辺部分・付随部分と呼ぶ）などと呼ばれる。伝統的には, 契約の要素・常素・偶素あるいは本質的要素・本性的要素・偶有的要素という三分法があり, それについての合意の必要性及び合意による変更・排除の可能性という観点から分析される（石川・前掲第1章注60))。

契約成立のために必要な本質的部分が何であるかは, 抽象的にいえば契約の解釈によって定まる（平井146頁参照）。もっとも, それは成立したと仮定した契約についてのものである。具体的には次のような判断過程になる。成立したと主張される契約が典型契約である場合は, 各典型契約の節の冒頭の条文に規定された要件が基本となる（売買なら555条に定められた財産権の移転と代金の支払。中田・研究487頁以下, 奥田=池田編19頁［沖野］, 司法研修所編・前掲注16) ①9頁, ②2頁)。非典型契約のうち, 社会的に類型化されていると認められるもの（ホテル宿泊契約, ファイナンス・リース契約など）については, そのような類型における本質的部分が基本となる。類型化されていないものについては, 成立したと仮定した契約について考えるほかない。実際の訴訟においては, 成立したと主張する当事者のいう契約について判断されるので, それほど複雑なことにはならないだろう。

(2) 部分的未確定

このように, 本質的部分, あるいはそれ以外の事項であって当事者が契約成立をそれにかからしめている部分について, 合意がなく, 解釈や任意規定によっても補充されえない場合, 契約は成立しない。しかし, 実際の取引においては, このような合意がされないまま, 実行段階に入ることがある。たとえば, 請負工事をすること及び仕事の内容について合意したが, 報酬額が確定していない場合, 一般的には請負契約が成立したとはいえないが, 現実には, 報酬額は後で調整することにして工事を始めてしまうことがある。このような場合, 契約を常に無効とするのは適当ではなく, 契約を成立させたうえ, 事後的調整を図るべきこともある（UP 2.1.14 は, 意図的に未確定とされた条項を含む契約についても, 当事者が契約を締結する意思があるときは, 契約成立を妨げないとする)。

● 連続テレビ漫画映画（アニメ）の放送契約につき, 広告代理店がテレビ局に支払うべき電波料代金額及びその支払条件について合意にいたらないまま放送が開始した事例につき, 電波料支払の合意が放送契約における本質的要素であることは認めつつ, 業界の慣行などに鑑み, 電波料の額や支払条件について最終的な合意がなくとも, 放送契約は成立するとした裁判例がある（東京地判昭63・10・18判時1319号125頁, 中田「判批」別冊ジュリメディア判例百選〔2005〕206頁)。

(3) 部分的不一致(無意識の不一致)

　企業間では,取引に際して,それぞれが定型の書式を用いることが多い。たとえば,買主が「注文書」を,売主が「注文請書」を発行する。そこには,取引の付随的条項も予め印刷されていることが少なくないが,その内容は多少なりとも作成者に有利なものである。その結果,たとえば,目的物に不具合があった場合の事後措置について,注文書と注文請書とで,異なる内容の条項となっていることが生じうる。このような条項の相違にもかかわらず,商品名・数量・金額など必要な事項だけを記入して取引をしていても,通常は支障ない。しかし,深刻なトラブルが生じたとき,どの条項に従うべきかが問題となる。これが書式の戦い(書式の抵触ともいう。battle of the forms)と呼ばれる問題である。アメリカやドイツでかねてから議論が多いところであり[18],国際的な契約法原則等においても取り上げられている(UP 2.1.22, PECL 2.209, DCFR II. 4.209。U.C.C. 2-207参照)。

　問題は2段階ある。①まず,契約は成立するのか。Aが注文書でαという条件を示し,Bが注文請書でβという条件を示していたのだから,AとBには意思表示の合致はなく,契約は不成立ということになりそうである。しかし,書式を用いた取引の実情を考えると,それは適切な解決ではない。当事者が事前又は事後に遅滞なく反対の意思を個別的に表示していた場合を除き,両当事者の合意された内容により,契約は成立すると解すべきである(上記国際的契約諸原則等を参照)。②次に,異なる内容の条項はどうなるのか。Bによるβという新たな申込み(528条)にAが応じて履行することによって契約が成立したとも考えられる。履行直前の最後に送られた条項が契約内容になるという考え方である(last shot theory)。逆に,Aの条項をBは変更できないという考え方もありうる(first shot theory)。しかし,これらの解決は,偶然に左右され,また,前者では互いに last shot を狙って書面を交わし続けることにもなり,いずれも適当ではない。実質的に共通する範囲でのみ契約内容となり,抵触する部分については,いずれの条項も適用せず,その結果生じる空白部分については,当事者間の慣行,商慣習,任意法規,条理,信義則を順次適用するのが妥当である。

---

[18] 石原全「商取引における契約の成否と契約内容」民商85巻5号60頁~86巻1号64頁(1982),河上・前掲第1章注18) 220頁以下,樋口・アメリカ127頁。

3 合意された内容

(1) 意思表示の合致と意思の不合致

契約は，意思表示の合致によって成立するのが原則である。それでは，外見上は意思表示の合致があるが，両当事者の内心の意思が一致していない場合，契約は成立するのか。ここでは，2つのレベルの問題がある。第1のレベルは，Aの意思表示に問題がある場合である。Aの内心の意思とAの外部に対する表示とにずれがあり，その結果，Aの内心の意思とBの内心の意思が一致しない場合である。これは，意思表示のレベルの問題であり，心裡留保，虚偽表示，錯誤等に関する規律に従う。第2のレベルは，表示の意味について，AとBの理解が違っている場合である。これは，契約の解釈の問題である（→(2)）。以上のほか，どの範囲での合致があったといえるのかという問題もある（→(3)）。

(2) 契約の解釈[19]

(a) 表示と真意

意思表示が合致していても両当事者の内心の意思が一致していない場合，契約は成立しないという考え方（契約の成立に関する意思主義）がある（大判昭19・6・28民集23巻387頁，百選Ⅰ〔6版〕18［鹿野菜穂子］，百選Ⅰ18［大中有信］）。この考え方に対しては，①当事者の知りえない相手方の主観的意味により契約の成立が妨げられることになり，その当事者の信頼が害される，②錯誤（表示上

---

[19] 1960年代以降のものとして，穂積忠夫「法律行為の『解釈』の構造と機能」法協77巻6号1頁・78巻1号27頁（1961），内池慶四郎「無意識的不合意と錯誤との関係について」法学研究38巻1号（1965）187頁，賀集唱「契約の成否・解釈と証書の証明力」民商60巻2号（1969）3頁，磯村保①「ドイツにおける法律行為解釈論について」神戸法学27巻3号281頁～30巻4号705頁（1977~81），野村豊弘「法律行為の解釈」講座Ⅰ291頁，磯村保②「法律行為の解釈方法」ジュリ増刊・民法の争点Ⅰ（1985）30頁，太田知行「契約の解釈」碧海純一還暦『自由と規範——法哲学の現代的展開』（1985）115頁，山本敬三「補充的契約解釈」論叢119巻2号1頁～120巻3号1頁（1986），鹿野菜穂子「契約解釈における当事者の意思の探究」九大法学56号（1988）91頁，滝沢昌彦①「表示の意味の帰責について」一橋大学研究年報19号（1989）181頁，沖野眞已「契約の解釈に関する一考察」法協109巻2号61頁～8号1頁（1992，未完），滝澤孝臣「契約の解釈と裁判所の機能」NBL746号46頁～750号57頁（2002），上田誠一郎『契約解釈の限界と不明確条項解釈準則』（2003），滝沢昌彦②「法律行為の解釈」争点61頁など。継続的契約の解釈に関し，中田・前掲第1章注82）①。教科書・体系書で詳細なものとして，我妻・総則249頁以下，川島武宜『民法総則』（1965）188頁以下，平井76頁以下，石田穣『民法大系（1）民法総則』（2014）510頁以下。

の錯誤）に関する規律の適用場面がなくなる（錯誤の問題になる以前に不成立となる），という批判がある。現在では，この場合も，表示が合致している以上，契約の成立は認めるというのが学説の一般的な理解である（契約の成立に関する表示主義）。

そこで，どのような内容の契約が成立したのかが問題となる。かつての通説は，契約（法律行為）の解釈とは，表示行為の有すべき客観的意味を明らかにすることであり，当事者の真意（内心的効果意思）は，契約の効力の有無を左右することがあるだけで，契約の内容に影響を及ぼすことはないと考えていた（我妻・総則249頁・256頁）。

しかし，現在の多くの学説は，まずは当事者の真意を探求し，その合致があれば，それを内容とする契約が成立すると考える。

> ● AとBがピアレス号という船の積荷を目的とする売買契約をしたが，誤って契約書にピアレズ号と記載したとする。この場合，表示のうえでは，ピアレズ号の積荷の売買契約となっているが，当事者の真意はいずれもピアレス号だから，ピアレス号の積荷の売買契約が成立する。Aがピアレスと言い，Bがピアレズと言っても，どちらもピアレスのつもりなら，同様である。

問題は，真意が合致していない場合である。2つの考え方が有力である。第1説は，両当事者を含む社会において，その表示が有する客観的意味で理解すべきだという（客観的意味説）[20]。第2説は，第1説だと，どちらの当事者も考えていなかった内容の契約が成立することになり，それはおかしいと批判する。そこで，それぞれの当事者の理解のどちらがより正当性を有しているかを考え，正当性のある理解による意味での契約が成立し，正当性がどちらにもない，あるいはどちらにもあるときは，契約は不成立となるという（意味付与比較説）[21]。第1説・第2説のどちらをとるにせよ，成立した契約と異なる理解をしていた当事者については，錯誤の問題となる。

> ● AとBは，ピアレス号の積荷の売買をすると表示したのだが，ピアレス号には

---

[20] 星野英一『民法概論Ⅰ（序論・総則）』(1971) 177頁〔1993年改訂16刷を使用〕，四宮和夫『民法総則〔第4版〕』(1986) 149頁。この見解では，結果として，かつての通説と同様になる。客観的意味を尊重しつつ，当事者への帰責可能性を考慮するものもある（滝沢・前掲注19）①299頁）。

[21] 客観的意味説に対する批判として，賀集・前掲注19）17頁・27頁など。意味付与比較説をとるものとして，磯村・前掲注19）②32頁，鹿野・前掲百選39頁など。

3隻あって，Aはピアレス1号のつもりであり，Bはピアレス2号のつもりだった。しかし，その取引社会の常識ではピアレス号と言えばピアレス3号のことであったとする。第1説によると3号の積荷の売買契約が成立する（そのうえでAとBの錯誤が問題となる）。第2説によると1号又は2号の積荷の売買契約が成立する（そのうえでB又はAの錯誤が問題となる）か，あるいは，不成立となる（イギリスのピアレス号事件については，樋口・アメリカ169頁参照）。

◆ **契約の成立と解釈**　契約の解釈に関する見解によっては，契約の成立が解釈に先行するといえないこともある（森田・改正75頁以下参照）。意味付与比較説は，各当事者が表示に付与した意味のいずれにも正当性が認められない場合は，契約の成立が否定されるという。当事者のした表示が申込み又は承諾の意思表示として認められるか（否定されれば契約は成立しない）という法性決定の問題が契約の解釈の問題とされることもある（滝澤・前掲注19）746号48頁以下）。

(b)　契約の解釈の種類

このように，契約の解釈とは，まずは，当事者のした表示の意味内容を確定するという作業である。これを本来的解釈あるいは狭義の解釈という。「意味の発見（interpretation）」ということもある（穂積・前掲注19））。

このほかに，当事者のした契約の補充をすることも，契約の解釈という。これを補充的解釈という。契約の空白部分を解釈によって埋めるわけだが，その埋め方は，当事者がそのことを知っていれば合意していたはずであるという内容を補充することによる。もっとも，この場合，「はずである」という判断に際して規範的評価が入る余地がある。

以上のほか，当事者が契約書で明示しているにもかかわらず，裁判官がそれを修正することも，解釈と呼ぶことがある（修正的解釈）。これは裁判所が解釈を通じて契約内容を合理化するものだが，当事者の合意に介入するものであり，もはや解釈とは異質の作業であるという批判もある。修正の根拠としては，条理（四宮・前掲注20）150頁），信義則（四宮＝能見・総則219頁。修正は，条項の無効化とその部分の補充という2段階からなり，前者は任意規定の半強行法規化又は信義則により，後者は任意規定，信義則又は条理によるという），法秩序（石田・前掲注19）532頁），当事者の真意との不合致[22]などがある。

---

22)　沖野眞已「いわゆる例文解釈について」星野古稀上603頁，中田・研究458頁参照。

補充的解釈も修正的解釈も裁判官の規範的評価が入り連続性のあることから，両者を区別せず，「意味の持ち込み（construction）」（穂積・前掲注19)），「規範的解釈[23]」（平井91頁）と呼ぶ見解もある。たしかに連続性はあるが，当事者の仮定的真意を探求する補充的解釈と，条項の無効化とその部分の補充からなる修正的解釈には，異質な面があるので，一応区別することはできるだろう（磯村・前掲注19)②33頁，星野・民134頁参照）。

◆ **明文化の見送り**　今回の改正の中間試案の段階では，契約解釈原則について，次の規定を置くことが提案された（消極意見もあった。中間試案説明359頁）。
「①契約の内容について当事者が共通の理解をしていたときは，契約は，その理解に従って解釈しなければならない。②契約の内容についての当事者の共通の理解が明らかでないときは，契約は，当事者が用いた文言その他の表現の通常の意味のほか，当該契約に関する一切の事情を考慮して，当該契約の当事者が合理的に考えれば理解したと認められる意味に従って解釈しなければならない。③①及び②によって確定することができない事項が残る場合において，当事者がそのことを知っていれば合意したと認められる内容を確定することができるときは，契約は，その内容に従って解釈しなければならない。」
部会審議では，民法研究者はこの案に賛成するものが多かったが，裁判所などからの反対意見が強く，見送られた（部会資料75B，同80-3，31頁。第85回部会議事録1頁〜19頁，第92回部会議事録56頁〜59頁）。研究者は，①真意の合致を出発点とする契約解釈準則を明示することの意義を指摘するものが多く，②当事者の合意を基軸とする法律関係の規律において，契約解釈のもつ重要性を強調するものもあった。他方，裁判所側からは，契約書を出発点とする実務の観点から，明文規定を置くことに伴う望ましくない影響が指摘された（明確な契約書を作成してもそれと異なる理解だったという主張を誘発し，契約書のもつ紛争予防機能を減殺するおそれがある，契約解釈と事実認定は不即不離であり，前者の規律が自由な心証によりなされるべき後者に影響を及ぼしうるなど）[24]。

◆ **契約の解釈と法性決定**　契約の解釈に関する従来の議論は，意思表示の解釈と契約の成立，錯誤との関係を主な関心事としてきた。これに対し，近年では，成立

---

[23] 狭義の解釈のうち，当事者の真意が異なる場合に「当事者が当該事情のもとにおいて合理的に考えるならば理解したであろう意味」に従った解釈をすべきだとして，これを「規範的解釈」と呼ぶものもある（基本方針Ⅱ151頁）。

[24] 山本敬三「契約の解釈と民法改正の課題」石川正古稀『経済社会と法の役割』〔2013〕701頁，同「『契約の解釈』の意義と事実認定・法的評価の構造——債権法改正の反省を踏まえて」曹時73巻4号（2021）1頁，森田・改正68頁以下，中田「当事者の共通の意思」金判1556号（2019）1頁，沖野眞已・改正コメ963頁以下参照。

した契約の意味の決定に焦点があてられるようになっている[25]。そこでは，解釈の基準として，当事者の意思を重視すべきか，任意規定を重視すべきかという問題が提起される。さらには，その契約について当事者が合意した法的性質（売買か請負かなど）がどこまで尊重されるべきかという問題がある。まず，強行規定については，当事者の付与した契約の名称にかかわらず，その規律が及ぶことがある（裁判官が再法性決定をする場合と，法的性質いかんにかかわらずその規律を適用する場合が考えられる）。また，当事者が明示的に合意していない場合には，裁判官が必要に応じて法性決定をする。どの典型契約とするかについて当事者の合意がどこまで尊重されるべきかは，典型契約のもつ標準的類型としての意義をどこまで重視するかにもかかわる[26]。この問題は，民法（契約法）以外の領域にも広く及ぶものである（→第1章第3節1(3)2つ目の◪〔68頁〕）。

(3) 契約内容に取り込まれるべき合意の範囲

契約締結前に当事者の一方が宣伝，広告又は説明をした結果，相手方がその内容が契約に含まれると信じた場合，あるいは，一方が必要な情報を提供しなかった結果，相手方がその事実がないものと信じて契約した場合，詐欺による取消し，錯誤による取消し（改正前は無効），情報提供義務違反に基づく損害賠償請求（→第4節3〔130頁〕）などのほか，相手方の信頼した内容を契約に取り込むことが試みられる。様々な表示のなかから申込みと承諾という意思表示を摘出すること，摘出された意思表示の解釈，それと契約の解釈との関係など，基本的な問題にかかわる検討課題である。

◪ **相手方の信頼・期待と契約内容への取込み**　契約締結過程の手続的適正性を保障すべきであるとの考えから，意思表示の規範的解釈を通じて，契約締結過程において不適切な表示をし，又は適切な表示を怠ったことにより相手方の信頼を裏切った当事者に対し，信頼された内容を契約の領域に取り込み給付義務を承認するという効果を導くもの（山城・前掲注4)），情報提供義務を根底に置く契約解釈又は表示責任，あるいは保証責任により，相手方の期待した内容の契約の成立を認めようとするもの[27]，情報提供義務違反に対する救済としての相手方の信頼の実現を契約解

---

25) 山本・前掲注19) 120巻3号18頁・39頁，沖野・前掲注19) 109巻8号32頁以下，山城・前掲注4)。
26) 大村・前掲第1章注60)，石川・前掲第1章注60)，Terré (F.) (sous la direction de), Pour une réforme du droit des contrats, 2008, p. 302.
27) 小笠原奈菜「当事者が望まなかった契約の適正化と情報提供義務」山形大学法政論叢47号110頁～54＝55号1頁（2010～12)。

釈の枠組みで理論化しようとするもの[28]などがある。

◆ **完結条項**　契約内容は契約書面に記載された事項に限るという「完結条項（merger clause, integration clause）」が置かれることもある（樋口・アメリカ157頁・164頁参照）。原則として有効と解されよう。

第4節　契約成立過程に関する規律

1　契約成立過程の実態

契約の成立過程は多様であり（→第2節2(1)〔98頁〕），そこでの当事者の関係も多様かつ流動的である。申込み＝承諾モデルのもとであっても，現実には行きつ戻りつすることがあるし，申込み＝承諾モデルとは異なる成立形態においては，なおさら曖昧であり，いつ契約が成立したのかさえ判然としないことがある。契約締結前においては，当事者は契約を締結するか否かの自由を有し，その判断は自ら収集した情報に基づいて，自らの責任で行うべきことである。しかし，だからといって，いかなる法的規律も及ばないわけではなく，契約交渉に入った当事者は，信義則などによる規律の対象となる。そこで，まず，このような法的規律の内容を解明する必要がある。他方，この規律は，性質上，不明確さを伴うものであるので，とりわけ企業間においては，契約成立過程の当事者間の関係を合意によって自ら構築しようとすることも少なくない。

本節では，契約の成立に関する規律（→2）と，情報に関する規律（→3）について，それぞれ，当事者の外部からの規律（(1)）と，当事者の合意による規律（(2)）を検討する。

2　契約の成立に関する規律

(1)　当事者の外部からの規律

(a)　法律による規律

一定の種類の契約の成立に関して，法律が特別の規律を設けることがある。成立又は効力発生に付加的要件を課すもの，一応は成立を認めたうえ，一方当

---

[28]　大塚哲也「情報提供義務違反に対する救済としての相手方の信頼の実現」法学政治学論究94号（2012）65頁。

事者に任意に解消する権利を与えるものがある。いずれにあたるとみるかは，制度趣旨の理解による。

まず，契約の成立段階において，書面が問題となることがある。保証契約は，書面でしなければ，効力を生じない（446条2項）。書面によらない贈与は，各当事者が解除できる（550条）。書面でする消費貸借は諾成的に成立するが，借主は目的物受取り前は解除できる（587条の2第1項・2項）。使用貸借は諾成的に成立するが，書面によらない場合は，貸主は目的物受取り前は解除できる（593条・593条の2）。寄託も諾成的に成立するが，書面によらない場合は，無報酬の受寄者は目的物受取り前は解除できる（657条の2第1項・2項）。

次に，クーリング・オフがある。消費者等が契約をしても，一定期間内は，任意にそこから離脱することを認める法定の制度である。たとえば，訪問販売など一定の状況のもとで契約の申込み又は締結をした者は，業者から法定の書面を受領した日から8日以内は，申込みの撤回又は契約の解除をすることができる（割賦35条の3の10〜12，特定商取引9条，宅建業37条の2など）。契約の成立は認めたうえ，後戻りを可能にする制度である（→第1章第1節5⑵(a)(i)γ〔49頁〕）。

◘ **クーリング・オフと契約の成立**　クーリング・オフを「契約の成立を強行的に減速することで消費者の判断力の回復をはかることを目指し」て契約の成立時期を遅らせる制度であると解する見方もある。これによると，クーリング・オフ期間の満了まで契約は成立せず，同期間中の法律関係は信義則等により規律される[29]。

(b) 裁判所による規律

(i) **概要**　裁判所は，どのような場合に契約の成立を認めるのかという判断を通じて，契約の成立についての規範的評価をしているといえる。また，裁判所は，契約の成立を認めない場合でも，契約交渉を破棄した当事者に対し，損害賠償責任を負わせることがある。

(ii) **契約成立の認定**　契約の成立の認定にあたっては，取引慣行が重視される。特に，不動産売買については，諾成契約であるにもかかわらず，実務上

---

[29] 河上正二「『クーリング・オフ』についての一考察——『時間』という名の後見人」法学60巻6号（1997）166頁。実定法との関係及び契約当事者の意思の評価における課題につき，横山美夏「民法学のあゆみ」法時860号（1997）229頁参照。

は，契約書の作成と手付金等の金銭の授受がないと，契約の成立は認められないといわれる30)。不動産取引の慣行に照らし，そのような事実がないと合意の終局性が認められないと評価されているといえる。

(iii) 契約交渉破棄についての責任31)

α 意義　　不動産売買契約，金融機関の融資契約，業務提携契約，共同事業を目的とする契約などにおいては，締結に先立って相当期間に及ぶ交渉があるのが通常である。途中で交渉が破棄された場合，破棄された当事者は，交渉の不当破棄により損害を被ったと主張して賠償を求めることがある。これを認めた裁判例は少なくない。代表的なものとして，最判昭59・9・18（判時1137号51頁，百選Ⅱ3〔池田清治〕）がある。建築中のマンションの販売業者が，購入を検討していた歯科医の問合せを受け，設計変更等をしたのに，結局，歯科医が買取りを拒絶したという場合に，契約の成立は認められないとしつつ，歯科医に対し「契約準備段階における信義則上の注意義務違反を理由とする損害賠償責任」を認めた原審の判断を支持し，損害賠償を命じたものである（最判平19・2・27判時1964号45頁も同様）。学説も，一定の場合に，契約交渉を破棄した者が相手方に対し損害賠償責任を負うことを認める32)。責任の性質，実質的判断要素，損害賠償の範囲について議論がある。

β 責任の性質　　「信義則上の注意義務違反を理由とする損害賠償責任」の法的性質については，①不法行為責任説，②契約責任説がある。①説は，契約が未成立であることを強調する。②説は，全くの他人同士ではなく，契約締結に向けての準備段階にある当事者間での問題であることを強調する。①説が多数だが，②説も有力である。判例は，最判昭59・9・18前掲はその性質を明言していないが，①説を明示するものもある（最判平2・7・5裁集民160号187頁など）。

---

30) 福田皓一＝真鍋秀永「売買契約の成立時期」澤野順彦編『現代裁判法大系2〔不動産売買〕』(1998) 16頁，谷口知平＝小野秀誠・新版注民(13) 409頁。もっとも，太田・前掲注11) 251頁は，友人や親族間の不動産売買では必ずしもそうではないという。フランス法との比較につき，横山美夏「不動産売買契約の『成立』と所有権の移転」早法65巻2号1頁・3号85頁 (1990)。全般的には，中田・民事法Ⅲ1頁。

31) 中田・債総143頁以下を参照。

32) 池田・前掲注10)，本田純一『契約規範の成立と範囲』(1999)，円谷峻『新・契約の成立と責任』(2004)，中田・民事法Ⅲ1頁，潮見佳男・新版注民(13) 108頁。

第4節　契約成立過程に関する規律

◆ **不法行為責任説と契約責任説**　両説の具体的帰結の相違はこうである。時効期間は、①説だと3年（724条1号）、②説だと5年（166条1項1号）となる。また、補助者の過失による本人の責任は、①説だと使用者責任（715条）、②説だと履行補助者責任となる。

　両説の理論的対立は、契約準備段階にある当事者の義務のとらえ方にある。義務には、2種類ある。ⓐ相手方の信頼を裏切らない義務（自らの行為によって契約が成立するであろうという信頼を与えた者が相手方に対して負う、その信頼を裏切らない義務）、ⓑ誠実交渉義務（相手方に信頼を与えたかどうかを問わず、交渉が相当程度進展した以上、相互に負う、契約成立に向かって誠実に交渉する義務）である[33]。

　①説では、ⓐは、先行行為に対する矛盾行為の禁止という一般原則（信義則）による義務として認められるが[34]、ⓑについては、契約締結の自由及び意思自治の原則との緊張関係が生じる。判例は、契約の内容、交渉の進捗状況、当事者の出費・第三者との取引機会の喪失及びこれらについての相手方の関与の程度、当事者の属性、その取引社会の慣行等を考慮して、信義則の名のもとで、規範を形成しているものと理解すべきであろう。

　②説は、ⓐⓑとも、契約締結前の中間的な合意によって発生すると考える。中間的合意は、大規模な契約における基本合意など精錬された書面でされることもあるが（最決平16・8・30民集58巻6号1763頁参照。平井137頁以下）、黙示的な合意であって、裁判所による事後的な評価によるものも少なくないという不安定さがある。また、合意の存在を認定できる場合であっても、それは契約とは評価できないという指摘がある。そこでの当事者の意思は法的効果意思ではなく事実的意思にすぎない[35]、契約の有効要件としての給付内容の確定性に欠ける、という指摘である。これは、いかなる合意が契約として認められる資格をもつと考えるのかという問題である。

　このように、①説と②説の対立は、契約概念の問題にまで遡る。②説のなかでも、契約概念をそれほど限定的に解する必要はなく、中間的な合意も一種の契約と認めてよいという考え方と、中間的な合意は契約といえないとしても、その違反に対しては契約上の債務不履行責任に類似する信義則上の責任が生じるという考え方（平井130頁・137頁以下参照）がある。中間的な合意にも契約と認めうるものはあると考えるが、仮に契約と認められないときであっても、後者の考え方が妥当する場合はあるだろう。そこでの「合意」の存在は、信義則違反の有無の評価がさらに加わるものである以上、緩やかに認めてよいと考える。

---

33)　平井・債総54頁、潮見・新版注民（13）139頁、池田・前掲注10) 25頁以下・329頁以下参照。
34)　磯村保「矛盾行為禁止の原則について」法時744号90頁〜755号80頁（1989）参照。
35)　潮見・新版注民（13）168頁。横山美夏「民法学のあゆみ」法時805号（1993）112頁・114頁参照。

◆ 信義則と契約責任説

⑦契約法を支配する信義則は，契約締結準備段階にも及び，それに反するときは契約責任が生じるという考え方と，④契約交渉段階における中間的又は予備的な合意の成立を認め，その違反により契約責任が生じるという考え方がある。⑦は，契約責任を契約締結以前に時間的に拡張するという発想[36]をこの場面で用いるものだが，成立しなかった契約の先駆的効力という説明はやや技巧的であり（契約締結前の説明義務を成立した契約上の義務とすることは一種の背理だという最判平23・4・22〔民集65巻3号1405頁，百選Ⅱ4〔角田美穂子〕〕の立場では，なおさらそうだと評価されることになろう），むしろ契約観念自体の再考を迫るものというべきである。④は，中間的合意の違反に着目するものだが（河上・前掲注17）657号25頁以下），「組織型契約」について，交渉過程の合意の意義を重視し，信義則上の義務違反責任の性質を契約上の債務不履行責任に類似する責任とするものもある（平井130頁）。

◆ 契約締結上の過失責任説

契約交渉破棄による損害賠償責任の法的性質として，契約締結上の過失責任だという見解もある。契約準備交渉段階に入った当事者間の関係は，そうでない場合よりも緊密だから，相手方に損害を被らせないようにする信義則上の義務を負い，自らの責めに帰すべき事由によりその義務に違反して相手方に損害を生じさせた者は，不法行為が成立しない場合でも，損害賠償責任を負い，それは信頼利益の賠償であるというものだが（潮見・新版注民(13) 91頁参照），契約締結上の過失は，ドイツにおいて制限的な不法行為法を補うために発達した法理であり，不法行為の成立要件が概括的一般的である日本法（709条）のもとでは，これをとる必要がない（→4(2)〔135頁〕）。

γ **実質的判断要素** 契約交渉破棄については，種々の実質的な判断要素がある。契約を締結しない自由を保障すべき理由としては，意思自治・自己決定権の尊重，契約内容が合理化されること（自由闊達な交渉，調査検討の機会の十分な保障，交渉中に生じた事情変更や発見された問題点の契約内容への反映などによる），第三者との取引の可能性を広く残すことによる社会全体としての効率性の向上（自由競争），情報量・情報処理能力の低い当事者に十分な検討の機会を保障することなどがある。契約交渉破棄に対する責任を認めるべき理由としては，相手方の信頼・期待の保護，破棄した者の矛盾行為に対する非難，相手方に必要な情報の不提供（横山・前掲注35）115頁）などがある。これらの要素のどこを強調するかが，法的性質論にも影響を及ぼしうる。

---

36) 北川善太郎「契約締結上の過失論」同『契約責任の研究』(1963) 194頁・289頁〔初出1961〕参照。

δ　損害賠償の範囲　　義務に違反した場合に負担すべき損害賠償の範囲について，契約の成立を信頼したことによる「信頼利益」の賠償に限られるという見解がある。しかし，「信頼利益」の概念は必ずしも明確でなく，これに限定する必要はない。不法行為責任にせよ契約責任にせよ，損害賠償の範囲に関する一般法理によって決すれば足りる。

◉ **明文化の見送り**　　今回の改正で，契約締結の自由が明文化されたが（521条1項），契約交渉の不当破棄についての規定も置くことが検討された（中間試案説明336頁以下）。しかし，濫用のおそれや明文化による硬直化を懸念する消極意見があり，調整が試みられたが（部会資料75A，第2，同80B，第3），最終的に見送られた（同82-2，9頁）。中田・債総147頁，池田清治・改正コメ954頁以下参照。

(2)　当事者の合意による規律

(a)　契約成立の合意によるコントロール

契約の成立に関する裁判所の規律は，個々の事案において具体的妥当性のある解決をもたらしうるが，契約交渉をしようとする当事者にとっては予測可能性が低く不安定である。そこで，当事者が契約の成立を自らコントロールするための合意をすることがある。これは，契約締結の自由を保持しつつ，次第にコミットメントを深めていくという不安定な状態を，契約成立の前後を通じて当事者自身が合意によって規律し，予測可能性・法的安定性を高めようとするものである。その方法として用いられる予約，手付，中間的合意，契約成立の階層化を取り上げる[37]。

◉ **契約の成立に関する合意と不法行為責任**　　契約の成立を合意でコントロールすることの可否・限界を検討する際，不法行為責任との関係が問題となる。契約又は契約法が不法行為責任を規律しうるのか，その要件と限界は何かについて，現在，検討が進みつつある[38]。これは，主として契約の内容に関する議論だが，ここでは，契約の成立・構造についての合意という，もう1つの問題がある。合意を有効と認めつつ，不法行為責任にその効力が及ばないとすると，当事者の合意による精緻な

---

37)　先駆的なものとして，浜上則雄「『契約形成権授与契約』について――一つの契約類型として」ジュリ389号（1968）81頁（「契約形成権授与契約」として予約，解約手付，買戻しを検討する）。加賀山茂「手付の法的性質――申込の誘引，予約と手付との関係」石田喜久夫古稀『民法学の課題と展望』（2000）543頁も参照。

> リスク配分が無意味になることがある。契約成立前の当事者の規律に関して，不法行為責任か契約責任かという議論のあること（たとえば→⑴(b)(iii) β〔112頁〕）を考えると，そのような帰結は極めて不安定である。合意の有効性について慎重に吟味し，それが有効と認められたときは，その効力は当事者間では不法行為責任にも及ぶと解すべき場合があるだろう。

(b) 予　約

当事者は，契約に先立つ予約をすることによって，契約成立過程をコントロールすることがある。予約は，契約の成立にいたる構造により，2種類のものがある[39]。

第1は，承諾する債務を経由する。当事者の一方が予約で定めた内容の契約の成立を求めて申込みをしたときは，相手方が承諾する債務を負う，というものである。この債務を当事者の一方が負うものを片務予約，双方が負うものを双務予約という。この場合，申込みによって契約が直ちに成立するのではなく，相手方の承諾によって成立する。相手方が承諾しなければ，承諾の意思表示を求める訴えを提起し，その裁判によって承諾の意思表示がされたものとみなされることになる（民執177条)[40]。

第2は，予約完結権の行使による。予約完結権とは，当事者の一方が予約を完結する意思表示をすることにより，その契約を成立させることができる権利（形成権）である。予約完結権を当事者の一方がもつものを一方の予約，双方がもつものを双方の予約という。予約完結権が行使されれば，それを受けた相手方の承諾は必要なく，直ちに本契約が成立する。

承諾する債務を経由する予約は，契約自由の原則により有効であるが，迂遠であり，実際にはあまり役に立たない（潮見新各Ⅰ91頁は，この種の予約は，消

---

[38] 責任制限条項につき，最判平10・4・30判時1646号162頁，百選Ⅱ111［山本豊］。より広い検討として，小粥太郎「債権法改正論議と請求権競合問題」法時1027号（2010）101頁，吉政知広「被害者の意思的な関与による不法行為規範の変容」現代不法行為法研究会編『不法行為法の立法的課題』別冊NBL 155号（2015）59頁，大村・前掲注9）178頁。中田・債総115頁以下参照。
[39] 椿寿夫編『予約法の総合的研究』（2004）6頁は，第1のものを《務》型予約，第2のものを《方》型予約」と呼び，山本214頁以下は，それぞれ「義務型予約」「完結権型予約」と呼ぶ。
[40] 我妻中Ⅰ255頁，星野117頁，内田113頁など通説。山本215頁は疑問を投じるが，予約による債務の履行の強制と本契約による債務の履行の強制（潮見・債総Ⅰ554頁，同・新債総Ⅰ131頁参照）は区別して論じるべきことだろう。

費貸借においては意味をもちうるが，売買においてはこれを語る余地がないという。しかし，承諾する債務を負う当事者が売買契約の成立する前に必要な手続〔第三者の承諾，許可など〕をとる義務をも負う場合など，用途が考えられなくはない）。予約完結権の行使によるものが重要である。そこで，556条1項は，契約のなかでも代表的な売買について，その一方の予約を規定する。ここでいう「売買を完結する意思」を表示して売買の効力を生じさせる権利が予約完結権である。予約完結権の行使について期間の定めのないときは，予約者（予約完結権行使の相手方）は，相手方（予約完結権を有する者）に対し，相当の期間を定めて，その期間内に予約完結権を行使するか否か確答せよと催告することができる。相手方がその期間内に確答しないときは，売買の一方の予約の効力は失われる（同条2項）。

● 実際の取引においては，成立したのが契約か予約かが明確でないことがある。その合意により，債務が発生し，履行義務が生じていると解釈されるときは，契約が成立したと評価される（新製品の購入「予約」やホテルの宿泊「予約」など）。予約と評価される場合，どのタイプの予約かも解釈によることになるが，一方の予約のことが多いだろう。

● 双方の予約は，契約と同様にみえる。しかし，予約だと，予約完結権が行使されない限り，債務は発生しておらず，債務不履行になることもない。また，予約完結権の行使期間が定められているときは期間経過により，期間が定められていないときは催告に対する確答のないことにより，予約は効力を失い，契約が生じることはない。

● 予約完結権は，経済的価値を有することがある。ある財産を一定額で買えるという権利は，その財産が値上がりすると値上がり分（一定額との差額）の経済的価値をもつことになり，値下がりしたときは予約完結権を行使しなければよい。こうして予約完結権自体が取引の対象とされることもある。また，売買の予約は，実際には不動産担保の一方法として用いられることが少なくない（内田114頁）。

◆ **一方の予約の法律構成**　売買の一方の予約について，完結の意思表示を停止条件とする売買そのものであるという構成（我妻中Ⅰ257頁，広中48頁，川井127頁など）と，停止条件付き売買とは区別し，本契約たる売買は予約完結権の行使によって成立するという構成（大判大8・6・10民録25輯1007頁，来栖24頁，石田123頁など）がある。一方の予約が本契約を成立させるか否かにつき予約完結権を有する者の意思にかからしめる合意であることを重視し，後者の構成を支持すべきである。

◆ **予約に類似する機能をもつ制度**　契約の成立又は効力発生を当事者の一方の選択にかからしめる制度は、いくつかある。①契約の申込みは、相手方に対し、承諾をすることにより契約を成立させることを可能にする選択権を与えるものだと位置づけることもできる[41]。②試味売買（買主が試してみて気に入ったら買うという売買）は、買主の気に入ることを停止条件として成立した売買であるが、予約に似ているので556条2項が類推適用されるといわれる（我妻中I 323頁）。③コミットメント・ライン契約（融資枠契約→第9章第3節2(2)(b)2つ目の◆〔371頁〕）は、諾成的消費貸借の成立を目的とする借主が予約完結権をもつ一方の予約であるといわれることもあるが、同契約とそれに基づいて成立する個別の貸付との関係が基本的な契約と個別的な契約の関係にあるということも重要である（中田・研究272頁）。①〜③の各制度は、法的構成は異なるが、実質的には、当事者の一方に選択権能を付与する行為の効力（対価との関係）、その権能の存続期間及び消滅事由、その権能の譲渡・差押可能性などが共通する問題となる（浜上・前掲注37）参照）。

(c)　解約手付[42]

(i)　意義　当事者は、契約の成立後も、手付の授受があるときは、相手方が契約の履行に着手するまでは、手付金相当額を相手方に取得させることによって、契約を解除することができる。これも契約の成立過程をコントロールする方法の1つである。民法は、手付が多く用いられる売買契約について規定している（557条1項。559条参照）。

(ii)　手付の種類——契約締結時に交付される金銭の意味　高額の財産の売買契約に際して、買主が売主に若干の金銭を交付することがある。手付、手付金、手金、証拠金、内金など、様々な呼称がある。それらは次の意味をもつことがある。①契約が成立した証拠となる。成立するのは、ⓐ売買契約である場合のほか、ⓑその売買について優先交渉権を与える契約である場合もある。②代金の一部支払となる。③債務不履行があった場合の損害賠償額の基準となる。これは、ⓐ損害賠償額の予定（420条1項）である場合と、ⓑ違約罰である場合があるが、ⓑは少ない。④解除権の留保とその要件を表示する。買主なら支払

---

41) 曽野和明「契約関係発生プロセスの多様性と契約概念」北法38巻5＝6号下巻（1988）1頁、滝沢・前掲第1章注3）1頁以下。アメリカ法におけるオプション契約（選択権付与契約）につき、樋口・アメリカ116頁。

42) 来栖三郎「日本の手附法」法協80巻6号（1964）1頁〔同『来栖三郎著作集II』（2004）所収〕、吉田豊①「手付」講座Ⅴ153頁、同②『手付の研究』（2005）、横山美夏「民法五五七条（手附）」百年Ⅲ309頁。

った金銭を放棄することにより，売主なら受け取った金銭の倍額を買主に償還することによって，契約を解除できる。③が債務不履行をした当事者が課せられる損害賠償等にかかわるものであるのに対し，④は，それを支払えば解除できるというものであり，当事者の債務不履行の有無を問わない。

上記の金銭の交付は，多くの場合，売買契約の成立の証拠となり（①ⓐ），代金の一部支払にあてられる（②）。③④の効果をもつかどうかは場合によって異なる。交付された金銭の趣旨が，①ⓐだけであるときは証約手付，②だけであるときは内金，③ⓐであるときは違約手付，④であるときは解約手付という。①ⓑは，売買契約成立前の段階であり，手付ではなく，申込証拠金などと呼ばれる（契約不成立の場合は返還されることが多い）。

交付された手付の趣旨が明確でないときは，解約手付（④）と解釈される（557条1項本文）。解約手付と「推定される」といわれることもあるが（我妻中Ⅰ262頁など），手付契約の解釈原則を定めたものというべきである（山本222頁。最判昭29・1・21民集8巻1号64頁参照）。明治民法の起草者は，わが国の慣習（「手付損倍戻し」）を取り入れたものだと説明する（梅481頁。横山・前掲注42）314頁参照）。

(iii) 手付に関する紛争

α 紛争の種類　手付に関する主な紛争は，手付による解除の可否（→ *β*）と損害賠償額への影響（→*γ*）である。

β 手付による解除の可否　手付による解除の可否については，①それは解約手付か，②解約手付だとしても当事者が契約の履行に着手したのではないか，③手付による解除の手続が履践されているか，が問題となる。

(ア) 解約手付性　ⓐ授受された金額が僅少である場合や，ⓑ債務不履行があったときは手付の放棄又は倍戻しをするという条項がある場合などにおいて，授受された金銭は，解約手付ではなく，証約手付（ⓐ）又は違約手付（ⓑ）であると主張されることがある。判例は，一般に，解約手付を緩やかに認めてきた（最判昭24・10・4民集3巻10号437頁，百選Ⅱ〔6版〕47〔後藤巻則〕）。

これに対し，できるだけ解約手付以外のものと解釈すべきであるという学説がある。次のように考える[43]。──売買契約は，諾成契約であり，合意のみで

---

[43] 来栖42頁以下，広中50頁以下，幾代通ほか『民法の基礎知識（1）』（1964）142頁〔広中俊雄〕，吉田・前掲注42）①183頁以下。

成立する。成立した以上，当事者は相手方に対し，履行の強制や不履行に対する損害賠償請求ができる。ところで，手付を交付するのは，契約の拘束力をより強くしたいからである。しかし，それが解約手付だとすると，手付相当分を損するだけで，いつでも無理由で解除できることになり，かえって契約の拘束力は弱まる。これは矛盾である。民法557条が置かれたのは，民法制定当時，日本の契約意識は低く，契約後も自由に破棄できると考えられており，それを前提としたからだが，このような前近代的な契約意識は克服されるべきである。したがって，手付はできるだけ解約手付ではない，と解釈すべきである。

この考え方に対しては，次の批判がある。①この考え方は，手付が最もよく用いられる不動産売買については妥当しない。不動産売買契約において，口頭の合意で契約が成立するとは，現実には考えられていないし，裁判実務でも，不動産売買契約は，諾成契約であるにもかかわらず，契約書の作成と金銭の授受がないと成立が認められていない（→(1)(b)(ii)〔111 頁〕）。外国でも不動産売買契約の成立には書面を求めるなど慎重なところが多い。それが不動産売買の実態に適合するからであり，日本が特殊だからではない[44]。②この考え方は，契約成立前は当事者間には何ら拘束がなく，成立後は完全な拘束力があるという前提をとるが，それに問題があるし（→第1章第1節5(2)(a)(i)〔48 頁〕），少なくとも当事者の要請に合致しない。当事者は，交渉から契約成立の前後にかけて，交渉や検討を深めつつ，徐々に相互の拘束を強め，しかしなお離脱の可能性を残したいと考える。解約手付は，もはや後戻りできないという最終段階の前に，一定の金銭を支払うことにより離脱を認めるという段階を合意で設けるものであり，その合意を尊重してよい（横山・前掲注42）334頁，水本139頁，山本223頁）。その段階でも，契約の拘束力をより強くしたければ，手付の額を多くしたり，手付による解除権の行使期間を限定したりすればよいだけのことである。

このように考えると，解約手付は，契約成立にいたる当事者の関係を当事者が合意によって設計する一方法として積極的に評価されるべき制度である（浜上・前掲注37），横山・前掲注42），北川22頁，水本139頁。山本223頁参照）。557条の示す解釈原則を狭く適用する必要はなく，判例の態度を支持してよい。現在では，学説でもこのような評価をするものが多い。

---

44) 星野英一「〔書評〕幾代＝鈴木＝広中『民法の基礎知識』」同・前掲第1章注50）323頁・356頁〔初出 1965〕，内田118頁。

(ｲ) 履行の着手　　手付による解除は，「相手方が契約の履行に着手した後は」できなくなる (557条1項但書)。

　そこで，「履行に着手した」かどうかが問題となる。判例は，履行の着手とは「債務の内容たる給付の実現に着手すること，すなわち，客観的に外部から認識し得るような形で履行行為の一部をなし又は履行の提供をするために欠くことのできない前提行為をした場合」を指すという（最大判昭40・11・24民集19巻8号2019頁，来栖三郎『判民昭40』610頁，百選Ⅱ 48［奥冨晃］）。もっとも，その後の判例は，この基準をそのまま適用して結論を導くわけではなく，履行期の到来，弁済の準備，相手方に対する履行の催告，第三者からの目的物の調達などを考慮しつつ，具体的に判断する（横山・前掲注42）323頁以下，柚木馨＝高木多喜男・新版注民（14）183頁。履行の着手を認めて解除を否定する例が多いが，履行期前の行為について履行の着手と認めなかった例として，最判平5・3・16民集47巻4号3005頁，百選Ⅱ〔5版〕48［良永和隆］）。

> ◆ **履行の着手の主体**　　改正前民法は，「当事者の一方が契約の履行に着手するまでは」解除できると規定していた (旧557条1項)。このため，相手方がまだ着手していない場合，自ら履行に着手した当事者がなお解除できるかどうかが争われた。判例（最大判昭40・11・24前掲）は，肯定した。旧557条1項は，履行に着手した当事者の契約の履行に対する期待を保護し，同人が不測の損害を被ることを防ぐためのものだから，相手方が履行に着手していなければ，自らが履行に着手していても，解除できるという。これに対し，解除否定説もあった。当事者の一方の履行の着手行為により，相手方は「もはや解除されない」と思うようになるから，その信頼を保護する必要があるという。しかし，履行の着手行為が相手方の認識・信頼をもたらすとは限らないし，相手方は契約の拘束力を確実にしたければ，自ら履行に着手すればよい。この見解は，契約の拘束力を強調する立場と親和的であるが（内田121頁参照），その問題点は前述の通りである（→(ｱ)）。相手方が履行に着手していない以上，解除できることを原則としたうえ，信義則による例外を認めることで足りる。

　現行民法は，解除できなくなるのは，相手方が契約の履行に着手した場合であると規定する（557条1項但書）。判例法理を明文化するとともに，証明責任が相手方にあることを明確にしたものである（部会資料75A，第3，1説明1 (1)）。信義則による制約は引き続きありうる。

(ウ) 手付による解除の手続　　557条1項本文は，解除の手続を定める。買主が解除する場合，買主は手付を放棄しなければならない。売主が解除する場合，売主は受け取った手付及びそれと同額，つまり手付の倍額を現実に提供しなければならない。

◆ **買主の手付放棄の意思表示**　　買主が解除するには，論理的には，解除の意思表示とは別に，手付放棄の意思表示を要することになる（司法研修所編『増補民事訴訟における要件事実第1巻』〔1986〕149頁，同編・前掲注16）②16頁）。解除の意思表示にはその原因を明示する必要はない（大判大元・8・5民録18輯726頁，山下末人・新版注民(13) 802頁）としても，手付放棄は解除権の前提となる事実だからである。もっとも，手付放棄の意思表示は，通常，解除の意思表示に黙示的に含まれていると解することができるだろうし，それで足りるだろう（我妻中Ⅰ264頁参照）。

◆ **売主の現実の提供**　　改正前民法は，売主は「倍額を償還して」解除できると規定していた（旧557条1項）。そこで，「償還」として，①現実の交付又は供託，②現実の提供（493条本文），③口頭の提供（同条但書）のいずれが必要かが争われた。判例は，①は必要ないが（大判大3・12・8民録20輯1058頁，大判昭15・7・29大審院判決全集7輯1165頁），③では足りず②が必要である（最判平6・3・22民集48巻3号859頁，重判平6民12［森田宏樹］）とした。②を必要とする理由は，ⓐ旧557条1項の「償還して」という文言，ⓑ買主の解除との均衡（買主が手付を放棄して解除の意思表示をすれば，売主は既に受領していた手付を確定的に自己のものとできるのだから，売主が解除するときも，同様に，買主に倍額を確定的に帰属させるべきである）である。さらに，ⓒ弁済の提供（493条）は債務不履行責任を免れるための制度だが，ここは積極的に解除権を行使する場面であってこれと異なり，③では足りない（最判平6・3・22前掲の補足意見），ⓓ紛争が生じた交渉において，③はなお浮動的だが②は新たな段階に進むための明確性がある（森田・前同）などの指摘もあった。これに対し，②まで要求することは売主に酷であるし，話合いによる円満な解消を妨げるおそれもあり，③でよいという見解もあった（私見は，ⓑⓓが重要であると考え，②を支持）。改正民法は，判例法理である②を合理的だと評価し，明文化した（部会資料75A，第3，1説明1(2)・2）。

γ　損害賠償額への影響　　契約の相手方Bの債務不履行により契約を解除した当事者Aが損害賠償も請求するとき（545条4項），現実に発生した損害額が多額であっても手付額に制限されるか，という争いがある。

●　このような争いが生じるのは，①その手付が解約手付であるとともに損害賠償

額の予定としての違約手付でもあるかどうかが争われる場合（履行の着手がありBが手付解除をできないときや，Bが手付解除をする前にAがBの債務不履行による解除をしたときに問題となる），②その手付は解約手付ではないが，損害賠償額の予定としての違約手付といえるかどうかが争われる場合である。

ここでは，違約手付と解約手付とが両立すると解しうるかが問題となる。判例（最判昭24・10・4前掲，最大判昭40・11・24前掲）及び通説（我妻中Ⅰ265頁など）は，両立を認める。この立場からは，解約手付かどうかは問題ではなく，もっぱら損害賠償額の予定の合意が認められるかどうかの問題になる。「不履行の場合，買主は手付を没収され，売主は倍額を返還する」との約定は，損害賠償額の予定と認められよう（解約手付でもありうる）。これに対し，解約手付はできるだけ認めるべきでないという立場から，違約手付は契約の拘束力を強めるためのものだから，拘束力を弱める解約手付とは矛盾するとし，違約手付の約定は旧557条の適用を排除する黙示の合意を伴うとみるのが取引当事者の通常の意思に合うという見解もある（幾代ほか・前掲注43）145頁［広中］）。この立場については，前述した通りであり，そのような黙示の合意が当事者の通常の意思であるともいえないだろう。

◆ **557条2項の趣旨**　557条2項は，545条4項（旧545条3項）（解除権の行使は損害賠償請求を妨げない）を適用しないと規定する。これは，手付解除の相手方Bは，手付放棄・倍戻しにより損害が補償されているので，さらにBの損害賠償請求を認める必要はないからだと一般に説明されている（梅482頁，我妻中Ⅰ264頁，山本234頁）。545条4項は，一般的には，相手方Bの債務不履行による解除をするAが損害賠償も請求できるという規定であるが，債務不履行以外の原因による解除の場合は，相手方Bからの損害賠償請求もありうるという発想であろう（梅455頁参照。柚木＝高木・新版注民（14）184頁は異なる理解）。手付解除は，解除権の行使であり，それ自体は損害賠償責任を発生させないので，557条2項の意義に疑問を投じる意見もあった（民法速記録Ⅲ889頁［磯部四郎発言］）。同項の意義は，手付解除前に解除者Aに履行遅滞等があったとしても，手付分とは別に損害賠償責任を負うことはない，という点にあるのだろう。相手方Bに債務不履行がある場合は，Aは債務不履行による解除と損害賠償請求をすれば足りる。Aが手付解除をしつつ損害賠償を請求するのは，債務不履行による解除はできないが損害賠償は請求できるという例外的な場面である。

第 2 章　契約の成立

> ◆ **宅建業法の規制**　手付は不動産売買に伴うことが圧倒的に多い。宅地建物取引業法 39 条は，宅建業者自らが売主となる場合（例，新築マンションの分譲），受領しうる手付の額の上限を代金額の 2 割とするとともに，常に解約手付であるとしている。また，手付について貸付などをすることによる契約の誘引を禁止している（宅建業 47 条 3 号）。買主保護の規定だが，業者からの手付倍戻しによる解除を認めることには疑問が示されている（内田 119 頁）。

(ⅳ)　解約手付の合意による変容　このように，手付は契約の拘束力や契約の成立の概念にかかわる問題として，再び注目を集めている（浜上・前掲注 37）はこの観点の先駆的提示だった）。解約手付制度は，契約による拘束から離脱しうる時期を，契約の成立時から履行の着手時にまで遅らせ，手付相当分をその代償として課したものだとみることができる（横山・前掲注 42）335 頁参照）。この制度は，もともと慣習に由来するものだが，基本となるのは当事者の合意である。当事者は，合意によって解約手付の内容を決定できるので，手付金額の多寡や解除権の行使期間の長短によって，契約の事実上の拘束力の強弱をコントロールすることができる。また，損害賠償額の予定を別に合意したり，解約手付以外の手付を合意することもできる。

そうすると，557 条に定める要物契約とは異なる諾成的手付契約も可能であると考えるべきである。もっとも，解釈原則たる同条がある以上，諾成的手付契約は明確な合意であることを必要とし，要物契約たる手付契約における手付未交付の状態とは区別すべきである。また，諾成的手付契約も，強行規定の適用は受ける[45]。さらに，そもそも契約の成立について事前の合意によって取り決めることに何らかの制限はないのかが問題となるが，これは次項で検討する。

(d)　中間的合意

企業間の重要な取引において，契約交渉段階で「基本合意」などと呼ばれる中間的合意が結ばれることがある。交渉の目的，それまでに合意された事項の確認，契約成立に向けての誠実協議，秘密保持などが定められるが，目的とされる契約の成立は留保される。

---

45)　宅建業法 39 条のほか，消費者契約法 9 条 1 項 1 号の規律が及ぶ可能性もある（この点は，升田純教授から示唆をいただいた）。なお，557 条の手付契約を諾成契約ととらえる見解もある（加賀山・前掲注 37）559 頁，潮見新各Ⅰ91 頁以下）。557 条の構造からはやや離れるので，本文のように解したい（平野 165 頁参照）。

このような中間的合意の効力が問題となる。これは，契約成立過程の法律関係を当事者の合意で規律しようとするものであり，私的自治の原則が及び，原則として有効と解すべきである。企業グループ間の経営統合に関する基本合意書の条項の解釈・適用が問題となった事件（最決平 16・8・30 前掲，志田原信三『最判解民平 16（下）』528 頁）でも，合意書の効力自体は認められている。もちろん，公序良俗，信義則等の一般的規律は及ぼし，会社法上の規制にも服する。また，場合によっては，予約，さらには本契約が成立していると評価されることもありうる。これらの留保はあるが，中間的合意の効力は基本的に認められるべきものであり，その内容が確定性のあるものであれば，それ自体を１つの契約と評価できることもあるだろう。なお，中間的合意に基づく義務に違反して，契約の成立を妨げた場合には，損害賠償責任が生じうる。その内容は，最終的な契約の成立が確定していないことからその「履行利益」は認められないと即断するのではなく，中間的合意による債務の不履行について 416 条を適用して判断すべきである。

このように契約成立段階の法律関係を合意によって編成しようとすることは，企業間契約以外の分野でもみられるが，それぞれの契約の特徴と実態に即した評価がされるべきである。

> ● たとえば，労働契約における採用内定は，始期付き解約権留保付きの労働契約が成立したと解され（最判昭 54・7・20 民集 33 巻 5 号 582 頁，菅野・労働 232 頁，荒木・労働 369 頁），採用内内定については，採用内定にいたらない段階として，実態に即した評価や信義則による規律が提唱されている（菅野・労働 233 頁，荒木・労働 371 頁）。また，在学契約については，学生が入学金その他の学生納付金を含む入学手続を完了することにより在学契約が（入学金の納付が先行するときは，その納付により予約が）成立すると解されている（最判平 18・11・27 民集 60 巻 9 号 3437 頁）。

> ◆ **信義則と合意**　信義則による規律は，合意によって排除したり制限したりすることはできないと解すべきである（UP 1.7（2），PECL 1.201（2），DCFR Ⅲ. 1.103（2），CESL 2（3））。しかし，信義則の妥当する領域の規範を当事者の合意によって具体化・明確化することは，可能であろう。たとえば，契約の成立時期を合意で決めたり，申込み・承諾の効力発生時期を合意することもできる（97 条 1 項が任意規定であることにつき，川島武宜 = 平井宜雄編『新版注釈民法（3）』〔2003〕515 頁〔須永醇〕参照）。信義則が不合理な合意に優越するとしても，とりわけ企業間で慎重な検討のうえされた合意が不合理とされる可能性は多くなく，事実上の安定性がもたらされる。

(e) 契約の段階化

全体として完成に向かう1つの取引について，その段階が観念できる場合，全体についての1つの契約が締結されることもあれば，段階ごとの複数の契約が締結されることもある。その選択は，①全体としての取引の一体性，②全体としての取引の対象の明確性，③後続段階の発生の蓋然性，などを考慮した，当事者間の合意によってなされる。

たとえば，プラント建設（設計・施工・保守管理の各段階）においては，②③は高いので，①に応じて契約の単複が決められるだろう。他方，弁護士に対する訴訟委任契約（1審・控訴審・上告審の各段階）においては，②は高いが，③は高くないので，審級ごとの契約が締結されることが通常であろう（審級代理の原則とも関係する）。小学校から高等学校までを経営する学校法人との在学契約（小中高の各段階）では，①の程度は一様ではないだろう。

①②③のいずれも高いものとして，ファイナンス・リース契約（目的物の引渡しの前後の各段階）[46]，有料老人ホーム契約（専用居室に居住する段階と介護室に移行した後の段階）などがある。これらは，1つの契約として定型化され，各段階はその契約の履行段階と解されることになる。

①②③のいずれも高いとは限らないものとして，資源開発契約[47]，研究開発契約[48]，システム開発契約[49]などがある。このような取引において，当事者は，その取引の性質に照らして，将来の不確実性に伴うリスクの合理的な分配，及び，不当な行動（モラル・ハザード，機会主義的行動）の抑止と相互協力の推進のためのインセンティヴの付与により，その取引を成功させることを追求しつつ，

---

[46] 森田宏樹「ファイナンス・リース契約の法的構造」鈴木禄弥追悼『民事法学への挑戦と新たな構築』(2008) 503頁。

[47] 北山・前掲第1章注37) ①。

[48] 平野惠稔ほか「共同研究開発契約の理論と実務」NBL 966号15頁～974号92頁（2011～12），現代企業法研究会編著『企業間提携契約の理論と実務』(2012) 232頁［元芳哲郎］，オープン・イノベーション・ロー・ネットワーク編『共同研究開発契約ハンドブック――実務と和英条項例』別冊 NBL 149号 (2015)。

[49] 経済産業省は，2007年に「情報システム・モデル取引・契約書（受託開発（一部企画を含む），保守運用）」を公表した。追補版の後，2019年には，同省が委託した独立行政法人情報処理推進機構との連名で，その〈民法改正を踏まえた，見直し整理反映版〉を公表した（伊藤雅浩「民法改正を踏まえた『情報システム・モデル取引・契約書』の見直しについて」NBL 1174号 [2020] 47頁参照）。これは，システム開発を数工程に分け，前工程の完了後に次工程に進む「ウォーターフォールモデル」によるものである。現代企業法研究会編著・前掲注48) 390頁［滝澤孝臣］も参照。

「全体」と「段階」の関係,「段階」の単位,「全体」と「段階」の一方又は双方の内容を,合意によって取り決める（中田・研究 195 頁以下参照）。具体的には,「全体」を対象とする単一の契約の締結,「全体」の実現を目的とする合弁会社又は組合の設立,「段階」ごとの契約と「全体」についての合意の組み合わせなどの方法がある。最後の方法（組み合わせ）においても,「全体」について明示的な契約が締結されることもあれば,単なる基本的な合意にとどめられることもある（それを「契約」と性質決定するかどうかは,契約の定義による）。また,「全体」について契約するという積極的方法もあれば,意図的に一部の段階についてしか契約しないという消極的方法であることもある。

これらの合意を 1 つの契約の段階的成立とみるか, 1 つの取引の完成のための複数の契約の継起とみるかは,個別的に判断されるべきことであるが,いずれにせよ合意の内容を慎重に吟味する必要がある。公序良俗,信義則,強行規定（特に消費者保護のためのもの）による制限は当然あるものの,基本的には私的自治の原則により当事者の選択を尊重すべきである。

(f) 複数の契約の成立に関する合意

(i) 基本合意と個別取引　　ここまでは,1 つの契約の成立過程を当事者の合意で規律する方法を中心に検討してきた。これに対し,当事者間で取引の基本関係について合意し,それに基づく個別取引が行われることがある。特約店契約,フランチャイズ契約,メーカーと部品製造業者との下請負契約,銀行取引などで広くみられる（破 58 条 5 項参照）。この場合,基本合意では,合意の趣旨・対象,個別取引の態様,取引条件,合意の存続期間,合意の終了原因,紛争解決方法などが定められることが多い。

◆ **基本合意と個別取引の関係**　　このような取引においては,様々な問題が生じる。それを検討するためには,基本合意と個別取引がそれぞれ契約か否か（→①）,基本合意において個別取引についてどのような義務が定められているのか（→②）,基本合意にはどのような態様のものがあるのか（→③）,という観点からの分析が有用である。

①「契約」性　　基本合意と個別取引のそれぞれの「契約」性は,具体的合意により異なる。一方で,基本合意の「契約」としての性質が明瞭で,個別取引はその履行にすぎないことがある。他方,基本合意は当事者間の取引の枠組みを設定するにすぎず,個別取引こそが「契約」としての性質が明瞭であることもある。その中

間に，いずれも契約としての性質が認められやすいものもある。様々な問題は，基本合意・個別取引が「契約」であるか否かという観点から次のように整理できる。

　第1に，基本合意・個別取引のいずれも契約である場合（基本契約・個別契約）の問題がある。ⓐ一方のみに特定の条項がある場合の他方における効力，又は，双方に矛盾する条項がある場合の効力，ⓑ基本契約で定めた個別契約の取引条件の変更の方法，ⓒ不安の抗弁権により履行を拒絶できるのは個別契約か基本契約か，ⓓ契約の成立・効力について法定要件がある場合にそれを充足すべきなのはどちらの契約においてなのかなどである。

　第2に，個別取引が契約である場合の問題がある。ⓐ基本合意が個別契約の成立・解釈・内容に及ぼす影響，ⓑ個別契約の締結拒絶や不履行が基本合意に及ぼす影響，ⓒ基本合意の解消が既に成立した個別契約に及ぼす影響などである。

　第3に，基本合意が契約である場合の問題がある。具体的な給付内容が未確定であるとき，どのようにして決定するかなどである。

　最後に，基本合意も個別取引も契約であることを前提とはしない問題がある。ⓐ基本合意の解消の要件・効果，ⓑ基本合意の存続中に新たに成立した制定法との関係などである。

　これらの諸問題は，契約解釈や制定法の趣旨によってそれぞれ解決されるが，その際，基本合意・個別取引の「契約」性，及び，両者のどちらが優先するのかという前提問題があると考えることによって，各問題の性質が明確になるだろう[50]。

　②基本合意上の義務の意義　　基本合意が当事者間の関係の基本的枠組みと若干の義務（誠実努力義務，秘密保持義務等）を定めるだけで，具体的な履行請求権までは定めていない場合，義務違反に対する救済は基本合意の解消と損害賠償が中心となる。基本合意が個別契約の締結義務を定めている場合，義務違反の効果として，損害賠償や基本合意の解消のほか，個別契約の成立を認めるべき場合もあるだろう。これは基本合意の解釈の問題である。なお，基本契約が個別契約締結義務を定めるとき，基本契約を履行するには当事者の個別契約締結の合意が必要だということになり，当事者の意思が基本契約締結段階だけでなく履行段階でも働くことになるという理論的問題がある。

　③基本合意の態様　　様々のものがある。ⓐ具体的な義務の内容等を明確に定める基本契約，ⓑ取引の一般的条件を定めるにすぎない基本合意，ⓒ取引が一定の条件で長年継続していて基本合意の存在が回顧的・黙示的に認められる場合などである。さらに，ⓓ基本合意の存在は認められないが，継続に対する信頼の保護が求め

---

50) 近年では，電子的情報提供により自動的に実行される個別取引がある。ここでは，基本合意において具体的な給付内容が特定されておらず，しかし，個別取引において都度の合意もない。基本合意による抽象的な給付内容が個別取引の際に機械的に具体化されたうえ履行されるという構造である。さらに，具体化を人工知能が行う仕組みの検討が課題となる。内田貴「情報化時代の継続的取引」星野英一古稀『日本民法学の形成と課題　下』(1996) 725頁 (EDI取引)，小塚荘一郎『AI時代と法』(2019) 200頁以下参照。

られる事実上の継続的取引もある。従来，ⓑ～ⓓの場面で取引の解消が問題となることが多かったが（中田・解消444頁以下），近年，特に企業間において，ⓐが意識的に選択されることも少なくない。これは，当事者間で基本的な関係を定めつつ，個別取引の締結についての自由を保持し，将来の不確実性に対応しながら，個別取引を円滑に行うという，当事者の合意による規範の設定という性質をもつ。つまり「拘束しつつ自由にしておく」という微妙な関係を合意によって規律しようとするわけである。このような基本契約と個別契約の組み合わせによって，将来の不確実性に伴うリスクの合理的な分担と，各当事者の不当な行為を抑制し相互協力を推進するためのインセンティヴの付与がされうることになる。当事者がそのような関係を意識的に構築している場合には，それは合意による当事者間の法律関係の設定としての意味をもち，私的自治の原則が及ぶ[51]。

(ⅱ) 枠契約[52]　このような契約構造をより広い観点から分析する概念として枠契約（contrat-cadre, Rahmenvertrag）がある。枠契約とは，当事者の合意した目的の実現のために，通常，同じ当事者間で，その枠組みを適用し実施する契約（適用契約）が締結されることを予定する契約であり，多くの場合，適用契約の成立の仕方や取引条件などその内容についても定める。このように，当事者間の取引の基本となる契約を「枠契約」，枠契約に基づいて結ばれる個々の契約を「適用契約」と呼ぶ。特約店取引，下請取引，銀行取引など，様々な領域でみられる。当事者の関係を二段階構造にすることにより，「拘束しつつ自由にしておく」という双方の希望を実現しようとするものである。枠契約の概念は，そこから一義的な結論を導き出せるものではないが，当事者間に基本

---

51) 達成すべき取引の目的が抽象的にしか定まらない場合や，多様な不確実性がある場合など，契約締結時に将来のことをすべて「現在化」することが困難な取引もある。その多くは継続性のある契約であり，契約の存続中であっても，契約関係の調整をする仕組みが設けられることがある。その代表的な方法として，契約期間の定めと更新条項とを組み合わせる方法がある。取引の継続を期待しつつ，期間満了による契約解消の可能性を留保することにより，不確実性（外的要因だけでなく当事者の資質に関するものも含む）の分担がされるとともに，不当な行動の抑止と契約目的実現のインセンティヴが付与されることがある（それでもなお更新拒絶をめぐる争いは生じうる）。

52) 枠契約の概念は，フランス及びドイツで形成され発展してきた。ドイツについては以前から紹介されていた（谷口知平編『注釈民法 (13)』〔1966〕19頁〔谷口〕，谷口知平＝五十嵐清・新版注民 (13) 25頁。近年では，寺川永「Rahmenvertrag〈枠契約〉の史的変遷とその現代的意義に関する一考察」一橋法学1巻1号〔2002〕225頁）が，近年，フランス法の研究が進んでいる（中田・研究32頁以下，野澤正充「枠組契約と実施契約」日仏法学22号〔2000〕164頁，最近のフランスでの立法提案につき，中田・前掲序章注10）①）。フランス民法は，2016年改正により，枠契約の定義規定を置く（フ民〔2016年改正後〕1111条）。

合意と個別取引という二層構造の法律関係がある場合に，その法的分析に資する（(i)の◆は，この概念による分析を基礎にしたものである）。

> ◆ **環境契約**　企業が他の企業と協力してある事業をしようとする場合，様々な法的手法が用いられる。単なる契約だけでなく，合弁会社設立など組織を編成することもある。その際，互いに相手の非協力的行動を抑制するとともに，相手が自ら協力しようとする誘因を損なわないようにするため，相互の間で発生しうる不安（自らが利益分配から排除される不安，相手が協力しない不安）を除去することが求められる。その一環として，相互のモニタリングの環境を設定するための契約が結ばれることがある（合弁会社の取締役の選任権，重要事項決定についての拒否権の付与など）。これを環境契約（monitoring contract）と名づけ，これを含む諸手段による契約的組織の規律のあり方を分析する研究がある（宍戸善一「契約的組織における不安」竹内昭夫追悼『商事法の展望』〔1998〕453 頁）。取引当事者間の自由と拘束の組み合わせの発展形態について，「不安の配分」という観点から分析するものである。

3　情報に関する規律

(1)　当事者の外部からの規律

(a)　**情報提供義務（説明義務）**[53]

(i)　**意義**　契約自由の原則によれば，私人は，契約を締結するか否か，その内容をどうするかを自由に決定することができる。この自由は，締結しようとする契約について必要な情報を自ら収集し，検討のうえ，判断することを前提としている。契約締結過程において情報の収集・処理が不十分であった当事者は，詐欺・錯誤等にあたらない限り，それに伴う不利益を甘受すべきであり，

---

53)　中田・債総 147 頁以下参照。一般的なものとして，森田宏樹「『合意の瑕疵』の構造とその拡張理論」NBL 482 号 22 頁〜484 号 56 頁（1991），小粥太郎「説明義務違反による不法行為と民法理論」ジュリ 1087 号 118 頁・1088 号 91 頁（1996），横山美夏①「契約締結過程における情報提供義務」ジュリ 1094 号（1996）128 頁，馬場圭太「フランス法における情報提供義務理論の生成と展開」早法 73 巻 2 号 55 頁・74 巻 1 号 43 頁（1997〜98），山田誠一「情報提供義務」ジュリ 1126 号（1998）179 頁，後藤巻則①『消費者契約の法理論』（2002）2 頁以下〔初出 1990〕，潮見佳男『契約法理の現代化』（2004）40 頁以下〔初出 1998〜2002〕，中田ほか編『説明義務・情報提供義務をめぐる判例と理論』判タ 1178 号（2005），潮見・新版注民(13) 143 頁以下，後藤巻則②「情報提供義務」争点 217 頁，後藤 19 頁以下。消費者契約法・金融商品販売法に関するものとして，横山美夏②「消費者契約法における情報提供モデル」民商 123 巻 4＝5 号（2001）85 頁，潮見佳男編著『消費者契約法・金融商品販売法と金融取引』（2001），医療に関するものとして，手嶋豊「医療と説明義務」判タ 1178 号（2005）185 頁，情報の経済学の視点からのものとして，藤田友敬＝松村敏弘「取引前の情報開示と法的ルール」北法 52 巻 6 号（2002）218 頁。

相手方には情報を提供する義務はないのが原則である。しかし，この帰結は，当事者間に情報量・情報処理能力に大きな格差がある場合，不適当だと考えられることがある。そこで，契約締結前における情報提供義務（説明義務）の存否が問題となる。

裁判例では，金融取引，保険，不動産取引，フランチャイズ契約，医療に関する事案が多い。最高裁判例としては，財産的損害にかかわるものとして，変額保険の募集における生命保険会社の説明義務違反を認め損害賠償を命じた原判決を維持したもの（最判平 8・10・28 金法 1469 号 49 頁），建築基準法上の問題のある建築計画について建築会社及び融資銀行の説明義務違反を認めたもの（最判平 18・6・12 判時 1941 号 94 頁。最判平 15・11・7 判時 1845 号 58 頁〔土地購入資金を融資した金融機関の説明義務違反を否定〕も参照）がある。また，説明をしなかったため十分な情報のもとに意思決定をする機会を侵害したことによる慰謝料にかかわるものとして，肯定例（最判平 16・11・18 民集 58 巻 8 号 2225 頁〔分譲住宅の購入価格の適否を検討するうえでの重要な事実の説明〕），否定例（最判平 15・12・9 民集 57 巻 11 号 1887 頁〔火災保険契約の申込者が地震保険契約をするか否かについての説明〕）がある。

◆ **適合性の原則**[54]　　適合性の原則とは，狭義では，金融商品取引業者等が，顧客の知識・経験・財産状況及び同人の契約締結目的に照らして不適当と認められる場合，その顧客に対してはいかに説明を尽くしても一定の商品の販売・勧誘を行ってはならないという原則である。広義では，業者が相手方の知識・経験，財産力，投資目的に適合した形で販売・勧誘を行わなければならないという意味で用いられることもある（金融審議会第一部会『中間整理（第一次）』〔1999〕17 頁以下参照）。元来は証券会社が投資取引において顧客の状況に照らして不適当な勧誘をしてはいけないという行政法上の業者の行為規制であったが，最判平 17・7・14 民集 59 巻 6 号 1323 頁は，適合性の原則から著しく逸脱した証券会社の不法行為責任の可能性を認めた。この判決及び米英の状況に鑑み，2006 年に法改正があり，金融商品取引法における同原則が拡充され（金商 40 条 1 号），金融商品販売法にも同原則が追加された（金販 3 条 2 項）。この結果，行政法上のルールであった適合性と民事的効果が事実上結合した（松尾直彦編著『一問一答 金融商品取引法〔改訂版〕』〔2008〕480 頁以下）。金商法は，業者の行為規制を拡充するものだが，金販法では，説明義務のなかに同原則を

---

[54] 王冷然『適合性原則と私法秩序』（2010），角田美穂子『適合性原則と私法理論の交錯』（2014）。

> 取り込む形がとられている。適合性の原則は，行政法上の規律（金融庁の監督指針等が具体的に定める）と私法上の規律の両面で検討する必要がある。後者においては，顧客の自己決定権との関係で，同原則を支える私法原理の分析が必要となる（潮見・前掲注53）121頁は，「財産権保護型投資者保護公序」と「生存権保障型投資者保護公序」の視角を提示する）。なお，金融商品販売法は，2020年に，金融サービス仲介業に関する規律等も追加のうえ，金融サービス提供法と改称された（金融商品販売業者に課される適合性の原則は，金融サービス4条2項。2021年11月1日施行）。

(ii) **義務の根拠**　情報提供義務は，行政法上，課されることがあるが（金商37条の3，宅建業35条，旅行12条の4第1項等），これが直ちに私法上の根拠となるわけではない。私法上の一般的なものとしては，消費者契約法3条1項2号・3号があるが，努力義務にとどめられている。私法上の効果を伴うもの（金融サービス4条）は，対象が限定されている。

情報提供義務を一般法理によって認める場合，その理由について，大別して2つの考え方がある。①情報提供義務を契約自由の原則を実質的に確保するための義務（自己決定の前提となるべき契約環境を整える義務）ととらえる考え方と，②当事者の情報及び交渉力の格差を重視し，専門家責任又は消費者保護という観点からとらえる考え方である。①は，自己決定の原則を実質化する方向であり，②は，同原則を一定の場合に制限する方向である。契約締結前の情報提供義務については，①が基本であり，②は主として助言義務及び適合性の原則にかかわるものと考えたい。いずれにせよ，信義則を通じて実現されることになる。

(iii) **責任の性質**　契約締結前の信義則上の情報提供義務・説明義務に違反したことによる損害賠償責任の性質は，①不法行為責任か，②債務不履行責任（契約責任）か。最高裁は，契約の締結に先立ち，当事者Aが信義則上の説明義務に違反して，「当該契約を締結するか否かに関する判断に影響を及ぼすべき情報」を相手方Bに提供しなかった場合，Bが当該契約を締結したことにより被った損害につき，Aは①はともかく②は負わないとした。締結された契約は説明義務違反の結果として位置づけられるので，同義務をその契約に基づいて生じた義務ということは「一種の背理」だからだという（最判平23・4・22前掲。実質的な債務超過状態にあり経営破綻の現実的危険がある信用協同組合について，そのことを説明しないまま出資を勧誘した事例。消滅時効について旧724条を適用

した）。学説では，この判決を支持しその射程を広くとらえる見解，提供すべき情報の種類によって区別する見解（千葉勝美裁判官の補足意見を参照），なお②と解する見解がある[55]。

(iv) 効果　契約締結前の情報提供義務違反の効果は，上記の損害賠償責任の発生のほか，意思表示の取消し（95条・96条，消費契約4条）の原因ともなる。契約解除については，否定説が有力だが，なお検討の余地があろう（平井134頁）。適切な情報が提供されていたらあったであろう契約内容を実現する方向での検討も進められている[56]。

◆ **助言義務**[57]　情報提供義務を超えて，相手方が求めている目的に照らしてその行動が有利かどうかについて，専門家としての評価をし，助言する義務が問題となることがある。医師，弁護士など専門家のする契約において，契約上の義務として認められることはある。さらに，契約締結前の義務としてもこれを認める見解が有力である（平井134頁，平井・債総55頁，潮見・債総Ⅰ579頁，同・新債総Ⅰ148頁以下，内田29頁）。契約締結前にこれが認められるのは，一方当事者が専門家であり，相手方の求めている目的を知っており，相手方との間に信認関係が成立している場合になるだろうが，そのような場合はむしろ広い意味での契約が黙示的にせよ成立していると考えられるのではないか（契約概念の広狭，情報提供義務と助言義務の関係の理解にもよる）。

◆ **明文化の見送り**　今回の改正において，契約締結過程における情報提供義務の明文化が検討されたが（中間試案説明340頁，部会資料75B，第1），部会におけるコンセンサス形成が困難であるとして，見送られた（部会資料81-3，30頁。横山美夏「契約締結過程における情報提供義務」改正と民法学Ⅱ377頁，池田・改正コメ954頁以下参照）。

(b) 守秘義務

契約交渉をする当事者は，契約交渉過程で取得した秘密情報を守るべき信義則上の義務を負うことがある。

---

55) 文献を含め，中田・債総150頁以下。私見は，情報提供義務の根拠が契約自由の実質的確保にあり，同義務の存否・内容と当該契約の内容との関連性が強い（説明を要するような契約であるからこそ義務があるといえる）ことなどから，②をとる。

56) 鳥瞰的なものとして，小笠原・前掲注27，相手方の信頼の保護の観点から，山城・前掲注4），大塚・前掲注28）。契約締結前の言明を契約内容に取り込む規律として，PECL 6.101, DCFR Ⅱ. 9.102, CESL 69。

57) 後藤・前掲注53）①96頁以下〔初出1999〕。

(2) 当事者の合意による規律——情報の管理

　企業提携，研究開発，システム開発などにおいて，契約を締結するか否か，するとして内容をどうするかを判断するために相手方の情報が必要であることがある。一般的にも，契約交渉過程で相手方の情報を取得することがある。そこで，とりわけ企業間では，中間的合意（→2(2)(d)〔124頁〕）において，契約交渉過程で取得した情報に関する秘密保持義務を課することがある（個別契約との関係では，基本合意〔→2(2)(f)(i)(127頁)〕がそれにあたることもある）。他方，どのような範囲の情報を提供するかを合意することもある。これらは，契約締結過程における信義則上の義務の不明確性・不安定性を考慮し，合意によって明確化し，内容・範囲を画定しようとするものであり，基本的にその効力が認められるべきものである。

> ◆ **契約上の情報提供義務**　成立した契約の内容として，情報提供が義務づけられることもある。情報提供自体が契約の目的である場合（情報提供サービス契約，コンサルタント契約等）のほか，一定の契約類型において報告義務等が課せられることもある（645条・671条・673条）。ここでは，当該契約の性質決定が重要な問題となる（委任又は準委任の性質を認め，義務を認めた例として，最判平20・7・4判時2028号32頁〔フランチャイズ契約における運営者の報告義務〕，最判平21・1・22民集63巻1号228頁〔預金契約における銀行の取引経過開示義務〕）。また，診療契約において，療養指導としての説明（最判平7・5・30判時1553号78頁〔黄疸の認められる未熟児である新生児の退院時の説明〕，最判平14・9・24判時1803号28頁〔末期ガン患者の家族への告知の検討と説明〕），療法についての同意を得るための説明（最判平12・2・29民集54巻2号582頁〔宗教上の信念から輸血拒否をする患者に手術をする際の輸血の可能性〕，最判平13・11・27民集55巻6号1154頁〔医療水準として未確立の他の療法〕，最判平17・9・8判時1912号16頁〔骨盤位の胎児の分娩方法〕，最判平18・10・27判時1951号59頁〔予防的療法の実施〕）などの義務が認められることがある。このほか，売買契約における付随義務として説明義務を認めた例（最判平17・9・16判時1912号8頁〔マンションの売買で設備の操作方法の説明義務を売主及び売主と一体となって事務を行っていた宅建業者に認めた〕）がある。このように，情報提供義務は，明示の合意，契約法の規定，契約解釈等からも認められることがある。その内容は，単純な事実を告知すべき義務から意見の提供や助言をすべき義務まで多様であり，個々の契約によって定まる。

4 契約成立前の法律関係の統一的説明
(1) 信 義 則

契約成立前の法律関係においては，合意による規律のほか，信義則による規律がある。信義則は，条文上は，「権利の行使及び義務の履行」についての規範であるが（1条2項），判例・学説により，契約の履行段階だけでなく締結段階にも及ぶと解されている（→2(1)(b)(iii)α〔112頁〕・3(1)(a)(iii)〔132頁〕）。

◆ **契約締結過程における信義則**　信義則が契約の「締結」をも支配するという考え方は，既にフランス民法起草者にあった（沖野・前掲注19）109巻4号66頁。中田・前掲第1章注66）70頁参照）。日本でも，契約成立前にも信義則の適用があるべきことは，第2次大戦前から指摘されていた[58]。近年の国際的な契約法原則でも認められている（UP 1.7, PECL 1.201, DCFR II. 3.301 (2), CESL 2）。

(2) 契約締結上の過失責任[59]

契約締結前における信義則の適用として，契約締結上の過失（culpa in contrahendo; c.i.c.）による責任があげられることは，古くからあった。これは，契約交渉に入った者の間では，合意の有無にかかわらず，社会的な接触をもったことによって法定の債務関係が発生し，当事者の一方が過失によりこの債務関係から発生する義務に反したときは，相手方に対し損害賠償責任を負うというドイツで発展した理論に基づくものである。

◆ **ドイツにおける契約締結上の過失責任**　ドイツのローマ法学者イェリング（Jhering）が1861年に種々のローマ法源に依拠して提唱した。契約が取り消された場合又は無効である場合も，過失がある契約交渉者は，消極的利益について損害賠償義務を負うという。この考え方は，ドイツ民法（1896年）では個別的な規定（意思表示の無効・取消し〔ド民122条〕，不能な給付を目的とする契約〔旧ド民307条〕など）に現れるにとどまっていたが，その後の学説で契約準備段階の様々な問題に及ぶ一般

---

58) 鳩山・前掲第1章注41）296頁・301頁以下〔初出1924〕，石田文次郎『財産法に於ける動的理論』（1928）461頁など。中田・解消460頁参照。
59) 岡松参太郎『無過失損害賠償責任論』（1953〔学術選書版〕）314頁〔初出1916〕，鳩山・前掲第1章注41）301頁以下，我妻上38頁以下，北川善太郎「契約締結上の過失」大系Ⅰ221頁，北川・前掲注36）194頁以下，谷口編・前掲注52）54頁〔上田徹一郎〕，円谷峻「契約締結上の過失」内山尚三＝黒木三郎＝石川利夫還暦『現代民法学の基本問題（中）』（1983）183頁，同・前掲注32）35頁以下，本田純一「『契約締結上の過失』理論について」現大系Ⅰ193頁，潮見・新版注民（13）90頁以下。

> 的な理論として展開され，2001年の改正により，その受け皿となる規定が置かれた（ドイツ民法311条2項・241条2項は，契約交渉の開始等によって相手方の権利・法益・利益に対する配慮義務を伴う債務関係が発生する，と定める）。

日本では，ドイツ法の影響を受けつつ，学説が進展した。かつての通説は，原始的に不能な契約が締結された場合に着目した（我妻上38頁以下）。この場合，契約は原始的不能により無効だが，無効な契約を過失によって締結した者は，信義則上，相手方がその契約を有効と信じたことによって被った損害（履行利益を限度とする信頼利益）を賠償する責任を負うという（過失がないと責任はなく，故意があると詐欺が成立しうる。過失による欺罔が契約締結上の過失責任だということになる）。

> ● たとえば，軽井沢の別荘の売買契約を東京で締結したところ，実は，前日の山火事でその別荘は既に全焼していたが，売主はその情報を把握しておらず，そのことに過失があった場合である。

さらに，学説は，1980年頃以降，契約交渉破棄の問題の解決や，契約準備段階で適切な情報を与えられなかった消費者の保護という関心から，契約締結上の過失責任に注目し，ドイツの学説を参照しつつ，多様な適用事例の検討をし，分類を試みるようになった。分類は，①契約が原始的不能等により無効である場合や取り消された場合，②契約交渉が一方的に破棄された場合，③契約が有効に成立したが，交渉段階における一方の信義則に反する態度により，他方が期待した給付を得られず，損害を被った場合，④契約交渉過程において，一方が他方の生命・身体・財産等の利益を侵害した場合，などである。

しかし，現在，契約締結上の過失責任理論に対しては懐疑的評価が強い。第1に，同理論は，ドイツ不法行為法のもとでは意味があるとしても，日本では事情が異なる。ドイツでは，不法行為責任の成立要件が限定されており，立証の負担も大きいために，不法行為責任よりも成立要件が緩和され，立証の負担も軽い半面，効果は信頼利益の賠償に限られる，という中間的な責任を認める意味がある。しかし，日本の不法行為法では，成立要件についての制限はなく，契約責任の方が不法行為責任よりも立証の負担が軽いとは必ずしもいえないし，信頼責任の概念も明確でないことから，この意味は大きくない。第2に，同理

論のもとで取り上げられる諸問題には，性質の異なるものが含まれており，ひとまとめにして論じる意味は乏しい（円谷・前掲注59）215頁，同・前掲注32）109頁は，同理論は様々の責任問題を包み込む「風呂敷」のようなものだという）。第3に，議論の出発点の1つであった原始的不能の契約は無効であるという前提に対し批判があり，現に改正民法はこれをとっていない（412条の2第2項。中田・債総126頁以下。ドイツ民法改正との関係につき，平井129頁，潮見・債総Ⅰ40頁）。

これらの批判はもっともであり，現在の日本法において，同理論によって契約成立前の法律関係を統一的に説明する必要はない。もっとも，同理論が，契約の成立前でも社会的接触によって義務が発生しうると認めたこと，つまり，契約成立の瞬間に債権債務が発生し，それ以前には何もないという硬直的な理解を批判し，契約締結過程という問題領域を意識させ，議論の展開を促したことは，重要な意義があったと評価すべきである。

(3) プロセスとしての契約

(a) 契約の熟度論[60]

契約関係の端緒から契約締結にいたるまで交渉が積み重ねられるという社会的事実を直視し，これを法的に評価するものとして，「契約の熟度」という発想が示された。この発想は，「熟度」という印象的な言葉により，契約成立過程の実態を意識させたが，それをどのようにして法的に評価するかについては，なお明確ではない。もっとも，これを契機に，①契約の成立過程を段階に分け，段階ごとの法律関係を検討するもの，②契約の成立形態を類型化して検討するもの，③契約の成立過程を分析したうえ，成立時期を遅らせるものなどが現れた。「熟度」論は，このように契約の成立に関する議論の展開を促したという意義がある。

---

[60] 契約の熟度という発想は，鎌田薫「判批」判タ484号（1983）17頁，同「判批」ジュリ857号（1986）114頁で提示された。本文の①につき，松本恒雄「判批」判例評論317号（1985）23頁（3段階に分ける），②につき，池田・前掲注10）「申込承諾型」と「練り上げ型」），③につき，河上・前掲注17）657号24頁以下（「熟し方」は多様だと指摘したうえ，「小さな約束」が積み重ねられた後，履行の強制がふさわしい時期になって初めて契約が成立するとし，成立時期を後らせる）。これらを踏まえて，「瞬間的＝独立的＝均一的合意」という古典的モデルに対し，合意の過程化・連合化・分節化を検討するものとして，大村・前掲第1章注54）92頁以下。

(b) 契約プロセス論

 以上の検討は，意思を中核とし，契約の成立の前後で法律関係が一変するという従来の契約概念を前提として，その修正を試みるものである。これに対し，アメリカの学説が提唱した「関係的契約法」(→第1章第1節6(2)(b)〔58頁〕)に着想を得て，契約成立前から終了後までの「契約プロセス」を構想し，その一過程として，契約の成立を位置づける試みもある（内田21頁以下，内田・前掲第1章注7)89頁以下)。これは新たな契約概念を提示するものである。

 契約プロセス論の基礎にある関係的契約法の考え方は，従来の近代的契約法（古典的契約法）が超歴史的に普遍的なものではないことを指摘し，また，関係を重視する日本の取引実務が特殊なものではなくそこでの規範が普遍性をもちうるという認識を示すものとして，注目を集めた。魅力的な理論であるが，そこでいわれる「経済サブシステム」と「生活世界」の峻別，共同体的思考，裁判官の役割，関係的契約法理論と規範群の関係，日本法における機能などについて，なお課題が残る（中田・解消455頁以下，中田・研究118頁）。

> ◆ **本書の視点**　契約締結上の過失責任，「熟度」論，関係的契約及び契約プロセスの考え方は，いずれも契約成立過程の法律関係を統一的観点によって理解しようとするが，それぞれ問題を抱えている。本書は，近代的契約法を基礎とし，合意の尊重とそれに対立する諸価値との対抗関係を意識しつつ，それらを調和させ，紛争の予防と裁判の基準となる具体的結論を示すことを目指すものであり（→第1章第1節6(2)(c)◆〔60頁〕)，契約成立過程においても，信義則による責任の分析を進めるとともに，合意による規範形成の可能性とその限界を考察するものである。本節1～3はその具体化の試みである。

第5節　契約書の意義と機能

1　契約方式の自由と契約書の要請

 契約自由の原則（方式の自由）により，契約には方式は要さず，契約書面の作成は必要とされない（522条2項。諾成主義との関係につき→第1章第3節3(1)(b)3つ目の◆〔74頁〕)。国際的な契約原則でも，契約の締結や証明に書面は必要とされていない（UP 1.2, PECL 2.101 (2), DCFR II. 1.106 (1), CESL 6)。しかし，現実には，契約書が作成されることが多い。

まず，法律により，書面の作成が求められたり，書面の作成に特定の効果が結びつけられることがある。保証契約は，書面でしないと効力がない（446条2項）。贈与などにおいて書面の有無が契約の効力及び解除にかかわることがある（550条・587条の2第1項・2項・593条の2・657条の2第2項→第4節2(1)(a)〔110頁〕）。特別法では，書面によらない場合には特約の効力を認めないもの（借地借家22条・23条3項・38条1項），事業者に書面の交付を課し消費者がこれを受領するまではクーリング・オフの期間が進行しないとするもの（特定商取引5条・9条1項など）などがある。また，国のする競争による契約及び随意契約においては契約書の作成が必要とされ，その「確定」の要件も規定される（会計29条の8）。業法上の義務として，業者に書面の交付を求めるものもある（宅建業37条など）。

これらの法律上の要請がない場合であっても，取引の種類によっては，契約書が作成されるのが通常であるものがある。不動産取引がそうであり，裁判例においては，契約書が作成されるまでは終局的な合意の認定がされないことが多い（→第4節2(1)(b)(ii)〔111頁〕。ドイツ民法154条は，契約成立と書面の関係について規定する）。

> ● 契約にあたって書面が作成されること，さらにはそれが義務づけられることは，古くから，また広くみられる。紀元前2000年のバビロニアにおいて，商取引は文字にされ，当事者と証人が署名しなければならないという法律があった。契約内容を書記が粘土板に書き込んで当事者が署名し，これをさらに粘土で包んで，その表面に同じ内容をもう一度書き込んで署名する方法がとられたといわれる（エドワード・キエラ〔板倉勝正訳〕『粘土に書かれた歴史』〔1958〕64頁）。現在でも，一定の種類の契約について，書面の作成を必要とする法制は少なくない（谷口＝小野・新版注民(13) 394頁以下。英米の詐欺防止法につき，樋口・アメリカ139頁以下。フランスでは，契約の目的が1500ユーロを超える場合，証書による証明が求められる〔フ民（2016年改正後）1359条及び改訂後1980年デクレ。山口・フランス53頁以下参照〕）。

2 契約書の機能

なぜこのように，契約書の作成が求められ，また，広く行われるのだろうか。様々の機能が指摘されているが[61]，ここでは主な3種を取り上げる。

第1は，意思確認機能である。契約書作成前の機能である。軽率な意思表示を防止するという意味で，警告機能ともいう。大きな契約をする場合など，迷

いがあることも少なくないが，最後に署名押印する段階で，改めて契約書の内容を確認し，契約するかしないかを決断することができる。企業なら，その間，法務部門でチェックしたり，責任者の決裁を得たりする。これが口約束だと，軽率に返事をしてしまうこともあるし，逆に，ちょっとした言葉でも拘束されるとすると，率直な交渉がしにくくもなる。このように，契約書を作成することは，その内容の契約をするという意思を最終的に確認する機能をもつ。

第2は，合意内容を明確にする機能である。契約書を作成することにより，当事者の意思を相手方に正確に伝達しやすくなる。特に，細かい条件については，口頭では十分に伝わらないことがある。この機能により，一方で，書いておけば伝達され，契約内容になったということになりやすくなる。このため，周辺部分・付随部分について，契約内容に取り込む機能をもつことにもなる（大村（5）26頁）。他方で，書かれなかったことは，合意されていないということになりがちである。これらは，約款が用いられる原因の1つでもある。また，新種の取引の仕組みやサービスを契約で創出しようとするときも，この機能が重視される。

第3は，証明機能である。契約書作成後の機能である。契約書は，後日の証拠となる。当事者自身のほか，その後継者や後任者が契約の内容を確認したいときに，参照できる。行政庁などの第三者に対し，契約の成立及び内容を示すこともできる（公示機能といってもよい）。相手方との関係でも，契約の成立と内容を示す重要な証拠となる[62]。裁判になった場合はもちろん，それ以前の交渉の段階でも，契約書は非常に大きな役割を果たす。

◆ **合意の書面化の態様**　　まず，私人間の契約書がある。署名又は押印がされるこ

---

[61]　山主政幸「契約と方式」大系Ⅰ139頁は，証書には，権利の確認・公示・対抗（主張）の機能があり，それは書面契約の継続性・拘束性・厳粛性によるという。内田貴「電子商取引と民法」改正課題269頁は，書面には，意思伝達・証拠・警告・管理・完全性維持・記録保存・アクセス容易化の機能があるという（さらに，署名押印の機能も分析する）。谷口＝小野・新版注民（13）400頁以下は，書面には，儀式・意思表示の確認・立証・公示・法律効果意思の推測・統制・保護の機能があるという。

[62]　契約書は，処分証書（意思表示その他の法律的行為がそれによって行われたことを示す文書）として，形式的証拠力（成立の真正）があれば，当然に実質的証拠力が肯定され，その内容である意思表示等の効力が認められる（伊藤眞『民事訴訟法〔第7版〕』〔2020〕429頁，上原敏夫ほか『民事訴訟法〔第7版〕』〔2017〕169頁以下。高橋宏志『重点講義民事訴訟法（下）〔第2版補訂版〕』〔2014〕128頁以下は，やや異なる）。

とが多い（私署証書）。公証人による公正証書が作成されることもある（公証1条1号）。金銭の支払等について債務者が直ちに強制執行に服するとの陳述（強制執行認諾文言）の記載があるときは，債務名義となる（民執22条5号）。裁判所の和解や調停によることもある。和解調書・調停調書は，確定判決と同一の効力がある（民訴267条，家事268条1項など）。私文書か公文書かは，成立の真正に関する推定規定に違いがある（民訴228条4項・2項）。

◆ **契約書の訂正**　契約書の重要性が高くなると，契約書の記載と合意内容に齟齬があるとき問題が生じる。その際，契約書の訂正が求められることがある（中田・研究458頁）。

3　契約書の今後
(1)　書面の要求についての2つの方向

このように，契約書には，意思の確認，合意内容の明確化，証明という3つの大きな機能がある。しかし，これを厳密に要求すると，迅速な取引の要請に反し，かえって形式的になるという弊害もある。方式の自由は，この弊害を克服するものであった。

そこで，2つの方向への動きがみられる。すなわち，一方で，特定の領域では書面の作成が求められる。上述の通り，法律や裁判実務において，契約書の作成が求められることがある。他方で，迅速性を要求する商取引においては書面の作成を法的要件としないことがかねてからの傾向である。そこで，両者の調和を図るため，書面が必要な領域が何かを検討することが考えられる。公正証書等による高い証明機能や意思確認が求められるもの（465条の6参照），対面取引が前提となるもの，国際条約によるもの，契約をめぐる紛争が多いものなどにおいて，書面が必要とされる場合がある。

(2)　デジタル社会における契約書

もっとも，デジタル化の発達に伴い，領域の区分による2つの要請の調和という方法は，十分に機能しにくくなっている。2000年にIT書面一括法が制定された後，民法でも，書面要件について「電磁的記録」による方法でもよいとされるものが現れた（2004年改正による446条3項，2017年改正による151条4項・587条の2第4項など）。さらに，2021年にデジタル社会形成基本法及びそ

の関係法整備法が成立したことにより，デジタル化は一段と進むことになった（たとえば，借地借家22条2項・38条2項・4項・39条3項)[63]。

　ここで必要になるのは，書面を要件とする目的及び書面によって保護されるべき利益の分析である。その目的・利益保護が電子的方法によってどこまで代替されうるのか，その目的・利益保護はデジタル社会のなかでそのまま維持されるのか，変容がありうるのか，変容がありうるとしても必ず残すべきものは何かの慎重な検討が求められる。他方，電子的方法に伴う課題（本人確認，意思確認，対面なら感知されうる異常の見過ごし，個人情報保護，データの保管コスト，証拠としての価値，電子的方法に対応しにくい人への配慮，消費者等の被害防止など）の解決も要する。今後は，領域区分による書面の要否だけでなく，上記の目的・利益保護・課題のより精密な検討を前提として，書面と電子的方法を組み合わせつつ，契約締結過程の合理化・適正化を図ることが必要であろう[64]。

---

63) 2000年頃の状況につき，久米孝「書面の交付等に関する情報通信の技術の利用のための関係法律の整備に関する法律（IT書面一括法）の概要」NBL711号（2001）14頁，内田貴「IT時代の取引と民事法制」法協118巻4号（2001）1頁。2021年の状況につき，松田洋平「デジタル社会の実現に向けた検討」NBL1186号（2021）22頁，吉川崇「司法・法務行政のデジタル化の現在地（2・完）」NBL1197号（2021）10頁，笹井朋昭ほか①「デジタル社会形成整備法による押印・書面の見直し（民法〔中略〕改正関係)」NBL1204号（2021）4頁，笹井朋昭ほか②「デジタル社会形成整備法による押印・書面の見直し（借地借家法〔中略〕改正関係)」NBL1219号（2022）4頁。
64) 西内康人「契約の成立と『書面』」法教456号（2018）18頁，宍戸常寿＝大屋雄裕＝小塚荘一郎＝佐藤一郎編著『AI社会と法』（2020）81頁以下参照。

第3章　契約の効力

第1節　契約の効力の意義

1　契約の有効性・効果・効力

(1)　契約の有効性

　成立した契約の「有効性」と「効果」と「効力」の関係を，整理しておこう。まず，有効性から検討する。

　契約は当事者の意思表示の合致によって成立するが，意思表示の合致があっても，契約の効力が発生しないことがある。伝統的な学説は，契約の成立要件と効力発生要件を区別し，一般的な効力発生要件は，契約の内容が，①可能であること，②確定しうるものであること，③適法かつ社会的妥当性のあること，だという（我妻上79頁以下）。

　たしかに，契約の成立にかかわる問題と，その有効性にかかわる問題があるということは，一応はできる。当事者の合意がなければ契約は成立せず，合意があってもその内容が公序良俗に反するときは無効である（90条）。しかし，成立の問題と有効性の問題が交錯することもあり，常に明確に区別できるわけではない。

◆ **契約の成立と有効性の区別の不明確さ**[1]　　たとえば，客観的な表示の合致があれば契約は成立するが，成立した契約と真意が異なっていた当事者について，錯誤の問題が生じうる（→第2章第3節3(2)(a)〔105頁〕）。錯誤による意思表示が取り消されると，意思表示は初めから無効であったものとみなされるので（95条・121条），

---

[1]　星野英一「連載にあたって」NBL 469号（1991）6頁・11頁，能見・前掲第2章注7）。旧民法における区別につき，大村敦志『民法読解 旧民法財産編Ⅰ人権』（2020）28頁以下。

契約の構成要素が当初から欠けていたことになり，契約は成立していなかったことになりそうである。しかし，この場合も，契約は成立したが，取消しによって，その効力が否定されるといわれることが多く，それは許容されうる（四宮＝能見・総則295頁）。この不明確さは，現行民法が契約の成立要件と有効要件（効力発生要件）を峻別していないことに由来する。その背景には，契約の成立における意思主義（成立要件と有効要件を明確に区別しない）と表示主義（両者を区別し段階的に考える）の対立がある。このように原理的な不明確さがあるが，機能的に考えると，①当事者の属性・行動や約款内容を考慮することなく，契約の法的拘束力を否定するのが適切である場合と，②それらを判断要素に取り込む審査によって契約の効力発生の有無を決するのが適切な場合があり，このうち①を成立要件を欠く場合だということも可能である。この観点からは，効力発生の有無を審査することを原則としつつ，その審査を経るまでもない場合を不成立ということになる（能見・前掲第2章注7）25頁参照）。

◆ **契約の有効性の諸問題**　3種類の問題がある。第1は，伝統的学説のいう可能性・確定性・適法かつ社会的妥当性の3要件である。改正前民法のもとで，契約の内容が原始的に不可能なものであるときは，契約は無効と考えるのがかつての通説であったが，そのことだけを理由に無効とはならないと考える見解が多くなり（中田・債総29頁・126頁以下），改正民法では無効とならないことを前提とする規定が置かれた（412条の2第2項→第3節1(2)(c)◆〔165頁〕）。契約の内容が確定性のない場合については，契約の成立の問題として述べた（→第2章第2節2(2)(b)〔99頁〕）。結局，上記3要件については，契約の内容が公序良俗又は強行規定に違反するときは，その効力は認められないという部分が残ることになる。第2は，当事者の能力の問題である。意思能力がない当事者のした契約は無効である（3条の2）。制限行為能力者がした契約は，取り消すことができ（5条2項・13条4項・17条4項），取り消されると，契約は初めから無効であったものとみなされる（121条）。第3は，意思表示（申込み・承諾）の無効・取消しの問題である（前の◆を参照）。

(2)　契約の効果

契約が成立し，有効であると，契約の内容に応じた法律効果が生じる。債権の発生がその中心的なものである（→第2章第2節2(2)(c)2つ目の◆〔101頁〕）。

(3)　契約の効力

契約の有効性は，契約の効力が発生する要件の問題であり，契約の効果は，有効な契約から生じる具体的な法律効果の問題である。このほかに，もう少し抽象的なレベルで，契約は，当事者間で，また第三者との関係で，どのような

効力をもつのかという問題がある。民法第3編第2章第1節第2款「契約の効力」には，この最後の問題に関する規定がある。そこには，同時履行の抗弁（533条），危険負担（536条），第三者のためにする契約（537条〜539条）という3つの制度が置かれている。

◆ **民法の規定する「契約の効力」の内容**　上記の3つの制度が，また，それらのみが「契約の効力」の表題のもとにまとめられたことについては，旧民法以来の経緯がある。旧民法は，財産編に「合意ノ効力」の款を置いた（第2部第1章第1節第3款）。この款の第1則「当事者間及ヒ其承継人間ノ合意ノ効力」には，契約の拘束力を明示する冒頭規定（財産編327条）以下18か条の規定があり，第2則「第三者ニ対スル合意ノ効力」には，契約の相対効を明示する冒頭規定（同345条）以下11か条の規定があった。いずれにも多様な内容のものが含まれており（大村・前掲注1）53頁以下参照），明治民法起草者はこれを大幅に整理した（民法速記録Ⅲ758頁以下〔富井政章発言〕，民法修正案理由書510頁以下）。まず，それぞれの冒頭規定をはじめとして契約の基本原則を示す諸規定は，置く必要がないとして削除され，個別的な規律は，民法総則・物権総則・債権総則に送られた。その結果，第1則の規定では，危険負担に関する1か条（財産編335条）のみが残され，第2則の規定は，すべて削除された。他方，旧民法では売買の部分に関連規定のあった同時履行の抗弁（財産取得編47条3項・74条）も，ここで規定することにした。また，旧民法では，契約の成立・効力要件の部分で，原則として効力を否定していた第三者のためにする契約（財産編323条）を，認めることに改め（→第4節1(1)◆〔173頁〕），これを契約の相対効の例外のうち一般の場合に通じるものとして，ここで規定することにした。こうして，明治民法の「契約ノ効力」には，「契約ノ一般ノ効力ヲ定メタルモノ」として，「一切ノ双務契約ニ通スル規定」と「他人ノ為メニスル契約ニ関スル規定」が配置された（梅410頁）。前者は同時履行の抗弁と危険負担であり，後者は第三者のためにする契約である。このように，「契約ノ一般ノ効力」といいながら，契約の一部である双務契約に関する規定と，契約の相対効の例外に関する規定のみを配置したため，わかりにくくなった。前者は，契約の当事者間の債権債務関係のうち双務契約に関する規律であり，後者は，契約の第三者に対する効力の例外に関する規律だと考えると，その意味を理解しやすくなる。

◆ **契約違反に対する救済**　契約によって発生した債権が履行されない場合，債権者は債務者に対し，いろいろなことができる。①履行を請求できる（412条の2・414条）。②債務不履行による損害賠償を請求できる（415条）。③同時履行の抗弁を主張できる（533条）。④契約を解除できる（541条・542条）。⑤契約に適合しない履行に対する責任を追及できる（562条以下）。このうち，①②は債権総則に，③④は契約

総則に，⑤は契約各則に，それぞれ規定されている。これらを契約違反に対する救済として再編成することも可能である。たとえば，ユニドロワ国際商事契約原則の「第7章　不履行」では，これらの救済が整序されて規定されている。このような相違の背景には，ⓐ様々な原因（契約はその1つである）に基づいて発生する「債権」の法体系と，取引社会の基軸である「契約」の法体系，ⓑ大陸法と英米法，ⓒ法典編纂のあり方（民法典の存否，パンデクテン体系の採否），ⓓ「コーズ・アプローチ」と「レメディ・アプローチ」（潮見佳男「総論――契約責任論の現状と課題」ジュリ1318号〔2006〕81頁）などの存在があるが，単純な2系列に振り分けられるわけではなく，現実の規律においては多少なりとも混合がある。明治民法は，物権と債権の区別を基本とし，債権について債権総則以下の規定を置くが，不徹底なパンデクテン体系であった。改正民法は，その骨格を維持して債権総則を存置しつつ，当事者のした合意の尊重という観点も重視することによる，調和点を見出した（中田・債総6頁以下）。「債権法」の観点と「契約法」の観点をあわせてもち，問題に応じて各観点からの検討をすることが有用であろう。

2　双務契約における相互の債務の関係

双務契約では互いの債務が対価としての関係に立つので，一方の債務について生じたことが他方の債務にどのような影響をもたらすのかが問題となる。これを双務契約における各債務の牽連性又は牽連関係の問題という[2]。成立・履行・存続の各段階の問題がある。

成立上の牽連性があるということは，一方の債務が発生しないときは，他方の債務も発生しないということである。しかし，日本法においては，成立上の牽連性は問題とはならないと考えるべきである。

◆ **一方の債務の不能・不法・取消し**　①一方の債務の不能について，かつての通説は，給付が原始的に不能である場合，その給付を内容とする債務は発生しないと考えていた。そうすると，成立上の牽連性により，相手方の債務も発生しなくなり，契約は無効となる（たとえば，売買の目的物が契約締結時に既に滅失していた場合，売主の財産権移転債務は「原始的不能」により発生せず，買主の代金債務も牽連性により発生せず，売買契約は無効となる）。しかし，現行民法のもとでは，契約に基づく債務の履行が

---

[2]　岩川・前掲第1章注77）はその批判的検討である。伝統的な「対価・原因関係に基づく牽連性」に対し，「起源の共通性に基づく法的牽連性」を提示し，その概念のもとで同時履行の抗弁，法定解除，留置権，相殺を検討する（441頁以下）。視角を拡げることによる新たな分析の可能性と，新たな課題（債務発生原因である法律関係における「予定」の解明の要請）がもたらされる。本節では，同書からの教示を得つつも，伝統的な観点からの検討をする。

原始的に不能であっても，契約が当然に無効になるわけではない（412条の2第2項→1(1)2つ目の❹）。②一方の債務（妻となる債務）が不法であって成立しないとき，その対価たる他方の債務（生活費を与える債務）も成立しないといわれることがあるが（我妻上82頁），この場合は，契約が公序良俗違反として無効であり，債務が発生しないというべきである。③一方の債務が制限行為能力や詐欺・強迫を理由として取り消されたとき，他方の債務もその効力を失うといわれることもあるが（我妻上82頁），取り消されるのは債務ではなく意思表示であり，その取消しにより契約の成立ないし効力が否定され，債務が発生しないというべきである（内田48頁。三宅総49頁参照）。

履行上の牽連性があるということは，一方の債務が履行されないとき，他方の債務も履行しなくてよい，ということである。同時履行の抗弁（533条）は，これを表すものである（→第2節）。

存続上の牽連性があるということは，一方の債務が契約成立後に消滅した場合，他方の債務も消滅する，ということである。危険負担（536条）がこれに関連する制度である（→第3節）。

第2節　同時履行の抗弁

1　意　義

双務契約の当事者は，相手方が債務の履行を提供するまでは，自己の債務の履行を拒むことができる（533条本文）。双務契約の債務相互間の履行上の牽連性を表すものである。

> ● 絵の売買契約をし，約束した日時場所に売主が絵を持参しても，買主が代金を用意してこなければ，売主は絵を引き渡す必要がない。逆に，買主が代金を持参しても，売主が絵を持ってこなければ，買主は代金を支払う必要はない。

533条は，①双務契約上の双方の債務の履行の順序が同時であること（同時履行関係）を，②「履行を拒むことができる」という形で示している。そこで，同条の見出しは，①とともに②も反映し，「同時履行の抗弁」とされる。さらに，②をより強調し，また，ドイツ法などの影響のもとに，同時履行の「抗弁権」と呼ぶことが多い。ただ，「抗弁権」という「権利」を前提とする議論においては，①が軽視されるおそれがある。あくまでも①を出発点として，双務

契約の当事者間のあり方を考えるのがよい（星野42頁参照）。その具体的な問題については，後述する（→3(5)◆〔156頁〕）。

◆ **533条の沿革** フランスでは，「契約不履行の抗弁（exceptio non adimpleti contractus）」の考え方を，教会法学者の影響のもと，後期註釈学派が形成し，ドマ（Domat）とポチエ（Pothier）がそれぞれ異なる理論のもとで一般化したが，民法典は売買等について同時履行とする個別規定を置くにとどめた（フ民1612条等）。旧民法は，これを受け継ぎ，売買と交換について個別規定を置いた（財産取得編47条3項・74条・109条1項）。しかし，明治民法は，ドイツ法系の諸国にならい，双務契約に関する一般的な規定として，533条を置いた。同条は，当初は「双務契約履行ノ時ニ関スル規定」（民法速記録Ⅲ 761頁〔富井発言〕。民法修正案理由書512頁も同様），「双務契約ノ同時履行ニ関スル規定」（梅412頁）と説明されていたが，まもなく，主としてドイツ法の影響のもとに，「同時履行の抗弁」又は「同時履行の抗弁権」と呼ばれるようになった（末弘131頁，鳩山上113頁。ドイツでもドイツ民法320条の規律を「契約が履行されない旨の抗弁（Einrede des nicht erfüllten Vertrags）」と呼ぶことから，「契約不履行の抗弁」と呼ぶもの〔石坂2032頁以下〕もあったが，一般化しなかった。比較法につき，澤井裕＝清水元・新版注民（13）555頁以下，山口・フランス227頁以下，岩川・前掲第1章注77）53頁以下）。その後，2004年の民法現代語化の際，533条に「同時履行の抗弁」という見出しが付された。近年の国際的な契約法原則では，類似の規律は「履行の順序（order of performance）」と呼ばれる（UP6.1.4, PECL7.104, DCFR Ⅲ. 2.104）。なお，フランス民法（2016年改正後）1219条は，履行拒絶権を一般的に規定する（双務契約に限らないが，不履行の十分な重大性を要件とする。1612条等は改正なく存続）。

同時履行の抗弁の根拠は，同時履行とすることが当事者の意思に適するとともに，公平な結果を生じることにある（民法修正案理由書512頁）。仮に，この制度がなかったとすると，次のようになる。①相手方が履行しなくても，自らは履行しなければならない（しないと債務不履行となる）が，②相手方の履行を得るためには，訴訟を起こし，強制執行をしなければならず，③強制執行しても奏功しないことがある（特に相手方が無資力の場合）。このような結果は，公平ではなく，当事者の意思にも適さない。

機能の面から観察すると，同時履行の抗弁が認められることにより，相手方の債務の履行が確保され，双方の履行が促進される（履行してほしければ，自らも履行しないといけないから）。「同時履行の抗弁権の担保的機能」と呼ばれる。

他の制度と比較すると，相手方の不履行に対する自衛手段として，留置権（295条）及び債務不履行による解除（541条）と並び（梅413頁），相手方の無資力リスクの回避手段として，これらのほか相殺（505条）とも並ぶ（奥田＝池田編49頁［沖野眞已］参照）。留置権・解除・相殺は，双務契約以外についても認められる（解除については争いがある）。

同時履行の抗弁の根拠の1つが公平という抽象的な理念であり，共通する機能をもつ他の制度が広く適用されうることも考えると，同時履行関係は，より広い場面でも認められる可能性がある。つまり，533条は，双務契約上の債務の牽連性及び結果の公平性から，同時履行が当事者意思に適合すると定型的に認められる場面での制度であるが，他にも，それが公平である場合には，同時履行関係とすべきことがある。ただ，場面によって，同時履行とする根拠に相違がありうるので，微妙な違いが生じることもある（→4(1)）。

2 効　果

(1) 履行の拒絶

同時履行の抗弁により，双務契約の相手方がその債務の履行の提供をしない限り，自己の債務を履行しなくてよい。具体的には，相手方から訴訟を提起されても，同時履行の抗弁を主張することにより，履行を拒絶できる。

この場合，原告の請求が棄却されるのではなく，引換給付判決が下される（大判明44・12・11民録17輯772頁）。「被告は原告に対し，金〇〇円を受けるのと引換えに，その絵を引き渡せ。」という判決である。同時履行の抗弁は原告の請求を根本的に否定するものではないこと（「同時履行の抗弁権は延期的抗弁権であって永久的抗弁権ではない」といわれる），請求を棄却しても原告が履行又はその提供をして再訴すれば勝訴するのであり，そうさせるのは時間・費用の無駄であること（平井198頁），単純給付を求める原告の請求には引換給付（一部認容）でもよいという趣旨が含まれていると解されること，が理由である。

▶ **引換給付判決の執行**　引換給付判決があった場合，反対給付又はその提供をしたことは，執行開始の要件である（民執31条1項。中野＝下村・民執148頁以下）。ただし，登記手続の請求の場合は，反対給付又はその提供をして執行文の付与を受けたうえ，判決書正本を提供することにより単独申請ができる（不登63条1項，不登令

7条1項5号ロ(1)，民執177条1項但書・2項)。

相手方について倒産手続が開始すると，同時履行の抗弁を主張できる当事者は，双方未履行双務契約の規律（破53条，民再49条，会更61条）のもとで一定の保護を受ける[3]。

(2) 債務不履行責任の不発生

同時履行の抗弁を主張できる双務契約の当事者Aは，相手方Bが債務の履行の提供をしない限り，自己の債務を履行しなくても，履行遅滞とならず，債務不履行責任を負わない。具体的には，次の通りである。①損害賠償責任（415条）を負わない。すなわち，遅延損害金は発生しないし（大判大14・10・29評論14巻民812頁），違約金の合意があってもその合意による債務は発生しない（大判大6・4・19民録23輯649頁）。②契約が解除されること（541条）もない（最判昭35・10・27民集14巻12号2733頁など）。③担保を実行されることもない。以上のことを反対側からいうと，Bが損害賠償請求や解除をしようとする場合，自らの債務の履行の提供をし，Aの同時履行の抗弁を封じておく必要がある。

(3) 相殺からの保護

双務契約上の債権を有する者（B）は，その債権と，同契約とは別の発生原因に基づく債務とを相殺（505条）することはできない（大判昭13・3・1民集17巻318頁，通説）。これを認めると，その債権の債務者（A）が同時履行の抗弁を主張することによって確保できた利益が一方的に奪われることになるからである。Aの側からいうと，同時履行の抗弁を主張できる場合，Bが他の債権によって相殺することから保護されることになる。抗弁権の付着する自働債権による相殺が認められないことの代表例である（中田・債総473頁以下）。

> ● BがAに絵を売る契約をしたが，代金支払も引渡しも未了である。この場合，Bは，Aに対する代金債権と，BがAに対して別に負っている貸金債務とを相殺することはできない。これを認めると，Aは，絵の引渡しを受けられないまま，代金支払をさせられたことになり不利益を被るからである（その後，Bが絵を引き渡さない場合を考えよ）。

---

[3] 中田「契約法から見た双方未履行双務契約」野村豊弘古稀『民法の未来』(2014) 143頁。

3 要　件
(1) 概　観
　533条には，次の3つの要件が規定されている。同一の双務契約上の両債務が存在すること（→(2)），相手方の債務が弁済期にあること（→(3)），相手方がその債務の履行の提供をしないこと（→(4)）である。このほか，「抗弁権の行使」が必要かという議論がある（→(5)）。

　● 同時履行の抗弁と所有権の移転は無関係である。たとえば，売買の目的物の所有権が買主に移転しているか否かによって，売主が代金支払との同時履行の抗弁を主張しうることは左右されない（米倉・プレ11頁）。

(2) 同一の双務契約上の両債務の存在
(a) 同時履行関係が認められる債務
　同一の双務契約から発生した両債務が存在することが必要である。双務契約は，しばしば，各当事者に複数の債務を発生させる。そのうち，中心的な債務相互間で同時履行関係が認められる（星野44頁，山本80頁）。「中心的な」というのは，「対価的関係にある」（星野・前同，平井190頁），「重要な」（我妻上93頁），「主要な」（鈴木296頁）などと表現されることもある。それにあたるかどうかは，契約の趣旨と公平の原則に従って（我妻・前同），あるいは，解釈によって（平井・前同）決定されるといわれるが，具体的な判定については見解が分かれることがある。

　たとえば，動産売買において，目的物引渡債務と代金債務が同時履行関係にあることには異論がない。不動産売買において，売主の登記手続協力債務と買主の代金債務が同時履行関係にあることも判例（大判大7・8・14民録24輯1650頁など）・学説で認められている。目的不動産の引渡債務と代金債務との間でどうかは争いがある。土地売買の場合について否定した判例があるが（大判大7・8・14前掲〔売主が登記手続に協力すれば，買主は引渡しのないことを理由に代金支払を拒めない〕），家屋売買など引渡しが買主にとって債務の重要部分である場合には，代金支払との同時履行関係を認める見解が有力である（我妻上93頁，内田50頁以下）。不動産一般について，引渡しと代金支払が同時履行関係にあると解する見解も有力である（鈴木296頁，石田47頁，山野目36頁以下，山野目章夫「不動産売買における代金支払と引渡の同時履行関係」みんけん598号〔2007〕3

頁)。現在の不動産取引の慣行としては，登記及び引渡しと代金支払を同時履行関係に立たせることが多い（山野目・前掲10頁）。

◧ **同時履行関係にある債務の決定**　双務契約は，そこから生じる両当事者の債務が相互に対価的意義をもつと定型的に評価できる契約である（→第1章第3節2(1)〔69頁〕）。そこで，①ある契約を双務契約たらしめる対価的意義のある債務と，②同時履行関係にある中心的な債務との関係が問題となる。①は契約類型によって定型的に判断されるが，②はより実質的・具体的に判断するのが妥当である。もっとも，各契約ごとの個別的判断に委ねるとすると，同時履行とする特約の存否や信義則の判断に帰することになり，双務契約上の債務について一般的に同時履行関係を認めた意味がなくなる。したがって，①の債務のうち，533条の制度趣旨（公平及び当事者意思への適合）が妥当するものを，②の債務とすべきである。その結果，取引類型に応じて中心的となる債務の標準が形成され，それを個別の特約が補完することになるだろう。

双務契約の一方の債務が履行不能となった場合などに生じる，債務の履行に代わる損害賠償債務（415条2項）と相手方の反対給付債務とは，同時履行の関係に立つ（533条本文括弧書）。

◧ **履行に代わる損害賠償債務と反対給付債務の同時履行関係**　533条本文括弧書は，今回の改正で追加された部分である。明治民法の起草者は，旧533条は双務契約の履行に関する規定だから，損害賠償のように契約から生じるのでない義務には当然には適用されないと考えた（梅527頁）。大審院判決にも同旨のものがある（大判明41・4・23民録14輯477頁，大判大5・11・27民録22輯2120頁）。これに対し，本来の債務と損害賠償債務の「同一性」を理由として，同時履行の抗弁を認める見解が多数となった（末川上68頁，水本45頁，澤井＝清水・新版注民(13) 564頁，川井26頁など。石坂2051頁もおそらく同旨。本書初版150頁は533条の趣旨から同じ結論を導いた）。改正民法は，近年の多数の学説の理解を前提にしたうえ，担保責任の規律の改正に伴い旧571条・旧634条2項（それぞれ旧533条を準用する）を削除することから生じうる疑義を避けるため，上記括弧書を挿入した（部会資料84-3, 13頁以下）。

◧ **当事者双方の責めに帰することのできない事由による履行不能**　双方未履行の売買契約において，売主Aのもとにある目的物が不可抗力で滅失した場合，Aの債務は履行不能となるが，Aは損害賠償責任を負わない（415条1項但書）。他方，買主Bは代金債務の履行を拒絶できる（536条1項）。この場合，Aの債務もBの債務も消滅するわけではなく，いずれも履行を拒絶できるという状態にある（412条

の2第1項・536条1項)。そこで，両債務の同時履行関係は存続し，Bは代金債務について履行遅滞になることはなく，Aは代金債権とBに対する別の金銭債務とを相殺することもできない。もっとも，この結論は536条1項の履行拒絶権から導くことができる。改正前民法との比較も含め，森田・深める98頁以下参照。

(b) 当事者の交替

同時履行の抗弁を主張できるのは，当初の契約の当事者間には限らない。同時履行関係にある債権債務のうち一方の債権が第三者に譲渡され，又は，一方の債務を第三者が引き受けた場合も，同時履行関係は存続し，それぞれの債務者は同時履行の抗弁を主張できる。しかし，更改の場合は，従前の債務は消滅し，新たな債務が成立して，両者には同一性がないので，別段の合意がない限り，同時履行の抗弁を主張できない(中田・債総493頁参照)。

(3) **相手方の債務が弁済期にあること**

相手方の債務が弁済期にないときは，履行を拒むことができない(533条但書)。自己の債務も弁済期にないときは，そのことを理由に履行を拒むことができるから，この要件が意味をもつのは，相手方の債務は弁済期になく自己の債務が弁済期にある場合，つまり先履行の場合である。ただし，先履行義務を負う場合でも，相手方の財産状況が悪化したときは，不安の抗弁権が認められることがある(→4(2)〔160頁〕)。

◆ **先履行義務者の相手方の債務の弁済期到来** 先履行義務を負う者が履行しないまま時間が経過し，相手方の債務の弁済期が到来したとき，先履行義務者は同時履行の抗弁を主張できるか。①肯定する見解が多い(末弘141頁，鳩山上115頁以下，広中16頁など。澤井＝清水・新版注民(13)593頁以下参照)。533条は相手方の債務が弁済期にあることを求めるだけで，当初から履行期が同一であることを要件としていないこと，双方とも履行期にある以上，同時履行とする方が公平であること，先履行義務者の履行遅滞については損害賠償責任を負わせれば足りることが理由である。②これに対し否定説もある。先履行義務者が履行を遅滞すると同時履行の抗弁を主張できるようになるとするのは，公平を失するという(柚木72頁以下など。岩川・前掲第1章注77)455頁は，債務発生原因である法律関係における「予定」により，否定説を基礎づける)。近年では，③ⓐ先履行となる原因(契約，法律の規定)から判断されるその趣旨(先履行債務の履行があって初めて反対給付債務の履行が可能になるという債務の内容，先履行義務者の相手方に対する信用供与など)によって区別する見解(我妻上91頁以下な

ど。平井194頁以下参照），③ⓑこれに加えて，効果（引換給付判決，解除されないこと，損害賠償責任を負わないことなど）ごとに考える見解（星野48頁，澤井＝清水・新版注民(13) 594頁［清水］）がある。最後の見解のように，先履行とされた趣旨と，同時履行の抗弁の効果との組み合わせで判断すべきものだろう（債務の性質により引換給付も認められない場合，引換給付とはなるが損害賠償責任は免れない場合など）。

(4) 相手方がその債務の履行の提供をしないこと

相手方が履行すれば，両債務の存在という前提がなくなるので，同時履行の問題はなくなる。問題は，履行にはいたらない，履行の提供の段階である。履行の提供とは，債務者がすべきことをすべてしたうえで，債権者に対し，受領その他履行の完了に必要な行為を求めることである。弁済の提供ともいう（履行と弁済は，同じことを別の観点からみたものである）。履行されてはいないので，債務は消滅していないが，提供により，債務者は債務不履行責任を免れ（492条），双務契約の相手方は履行を拒めなくなる（533条本文）。提供は，債務の本旨に従って現実にしなければならないのが原則である（493条）。

> ◆ **一部の又は不完全な履行**　双務契約の相手方Ｂが一部のみを履行しようとしても，履行の提供の効果は生じないので，当事者Ａは全部について履行を拒むことができる。Ｂの不足分がわずかであって，履行の提供があったと評価される場合，そのように評価された以上は，Ａは全部について履行を拒むことができないと解すべきである（Ａの債務が可分であれば不足分に対応する部分についてのみ履行拒絶を認めてよいとも考えられるが，それは信義則などに委ねれば足りる）。
> 　Ｂが一部のみを履行しようとし，これをＡが受領した場合，一部履行の問題となる。その効果は，一部の履行を受領する際の当事者の合意内容によることになるが，合意内容が明確でない場合，Ａの債務の内容が可分であれば，履行された部分に対応する部分は，Ａは履行を拒めず，Ａの債務の内容が不可分であれば，履行された部分の重要性によってＡが全部の履行を拒めるか否かが決まると解するのが合理的であろう。
> 　履行されたが不完全であった場合，追完請求権と反対給付債権（多くは代金債権）との関係の問題となる。不完全さの割合に応じた分の履行拒絶は，その割合の算定が困難であるので，不完全さが重要であれば履行拒絶は全部についてできるが，そうでなければ全部についてできないと考えるべきであろう。重要かどうかは，契約の趣旨に照らし，公平の観点から決する（我妻上93頁参照）。

493条に適合する履行の提供がされると、同時履行の抗弁を主張できなくなる。提供された者は、受領しなかったとしても、もはやこれを主張できない。問題は、受領しなかった当事者は同時履行の抗弁を主張できないことが確定し、以後、相手方はもはや履行の提供をしなくてよくなるのかである。これは効果ごとに考えるべきである（中田・債総359頁）。Bが履行の提供をしたが、Aが受領を拒み、自らの債務（履行期にある）の履行もしないとする。①BがAに対し、履行の請求をする場合は、Aはなお同時履行の抗弁を主張することができ、訴訟では引換給付判決となる（大判明44・12・11前掲、我妻上95頁など通説）。提供があったとしても双方の債務が存続する以上、この場面でも同時履行関係に立たせることが公平であるし（特に、後にBの財産状態が悪化した場合）、紛争を後に残さないためである。②BがAの債務不履行を理由に契約を解除しようとする場合（541条）は、Bはいったん提供した以上、解除及びそれに先立つ催告をするにあたって、改めて提供する必要はない（大判昭3・10・30民集7巻871頁。我妻上163頁参照）。Bに提供の継続を求めることは、履行されない契約の拘束から解放されようとするBに過大な負担となるからである。③BがAの債務不履行による損害賠償を請求する場合（415条）は、Bがいったん提供すれば、それで足りる。それによってAが履行遅滞に陥るからである。Aがその状態から脱出したければ、自らの債務（遅延損害金を含む）の履行の提供をしなければならない（奥田昌道『債権総論〔増補版〕』〔1992〕529頁）。

(5) 同時履行関係の主張の要否

同時履行の抗弁の効果として、双務契約の一方当事者（A）は、①相手方（B）からの請求に対し履行を拒絶できること、②履行期が来ても、Bが履行の提供をしない限り、履行遅滞とならないこと、③Bは同時履行関係にある債権を自働債権とする相殺ができないことがある（→2）。

これらの効果を生じるために、Aが同時履行の抗弁を主張することが必要か、という問題がある。多数の考え方は次の通りである。①については、ⓐBが訴えを提起した場合、Aが同時履行の抗弁を主張すれば引換給付判決となるが、Aが主張しなければBの請求はそのまま認められ、単純な給付判決となる（大判大7・5・2民録24輯949頁）。②については、ⓑAが主張しなくても、Bが履行の提供をしない限り、Aは履行遅滞とはならない（Bの損害賠償請求や

契約解除は認められない)。③についても，ⓒ A が主張しなくても，B が履行の提供をしない限り，B の相殺の意思表示の効力は生じない。

このうちⓐには，ほぼ異論ない（A の主張の性質をどのようなものと理解するかについて議論がある）。ⓑⓒは通説的な考え方だが（末弘 151 頁以下，鳩山上 123 頁以下〔以上ⓑ〕，我妻上 96 頁以下，内田 59 頁，近江 48 頁〔以上ⓑⓒ〕)，有力な反対説がある。反対説は，A が「同時履行の抗弁権」を行使しない限り，B の損害賠償請求・解除・相殺は認められるという（末川上 76 頁〔ⓑに対し。後に A が援用すると遅滞の効果は遡及的に消滅するという〕，山本 91 頁以下，潮見・新債総 I 310 頁〔ⓑⓒに対し〕)。両説については，ⓑⓒを支持する見解は，その効果は同時履行の抗弁権の存在によって生じるという「存在効果説」であり，ⓑⓒに反対する見解は，効果は抗弁権の行使によって初めて生じるという「行使効果説」である，という形で対比されることが多い。

しかし，533 条は，双務契約上の双方の債務を公平及び当事者意思への適合という観点から同時履行とし，それを「履行を拒むことができる」という構成で表したものであり，「抗弁権」という権利を強調して抽象的な議論を展開することは，本来の制度趣旨から離れていくおそれがある（→1)。同時履行関係にある債権債務について，具体的な場面ごとに，すなわち，履行請求に対する拒絶，履行遅滞による損害賠償請求・解除，相殺の制限について，それぞれの要件の問題として検討すべきことであり，抗弁権の存在効果説又は行使効果説から演繹する必然性はない（星野 43 頁，近江 48 頁参照)。両説の対比を説明の便宜として用いることは差し支えないが，その問題設定自体が一定の方向性を伴うものであることに留意する必要がある。

◆ 「抗弁権」構成についての議論　　議論は，3 つのレベルでみられる。
　第 1 に，533 条について「抗弁権」であることを強調するかどうかである。この点については，ドイツでも両論あることが紹介されてきたが（石坂 2032 頁以下，末弘 152 頁以下参照)，そのうち①「抗弁権」であることを重視する見解をとり，その行使が必要だとするものがある。そのなかには，抗弁権（Einrede）と抗弁（Einwendung）を区別し前者には行使が必要であるというもの（倉田卓次監『要件事実の証明責任（債権総論）』〔1986〕37 頁)，権利行使の自由と権利者の自己決定・自己責任を強調するもの（山本 92 頁）がある。他方，②「同時履行関係」の規律のあり方を考えればよいという立場は，「抗弁権」という用語自体にも慎重である（星野 42 頁。大村

(5) 56頁は, フランス法ではこれを「不履行の例外（＝抗弁）」と呼ぶという。exceptionの語義に遡る指摘である〔l'exception d'inexécution＝exception du contrat inexécuté は, 前述の exceptio non adimpleti contractus の訳〕)。本書は, ②の見解に立つ (→1)。

第2に,「抗弁権」の存在効果か行使効果かを, 欠席判決の場合の処理など, 訴訟の場での具体的妥当性の観点から検討する議論がある（倉田監・前掲37頁以下, 倉田卓次監『要件事実の証明責任（契約法上巻）』〔1993〕119頁以下)。

第3に, 訴訟法学上の問題として, 弁論主義及び主張共通の原則との関係, 処分権主義との関係, 権利抗弁としての位置づけなどについて議論がある[4]。

「行使効果説」は, 本文のⓐにおけるAの主張には, 主張共通の原則が及ばず, 同時履行の抗弁は権利抗弁（権利者が権利を行使する意思を表明しない限り裁判所が斟酌できない抗弁）であるという。同説は, それゆえ, ⓑⓒでもAの行使が必要だという。本書は, ⓐⓑⓒは, 具体的な場面ごとにそれぞれの要件の問題として検討すべきであると考える（ⓐについては, Aが引換給付判決〔請求の一部棄却〕を求めるためには, その主張を必要とすべきである。これを「権利抗弁」と呼ぶかどうか, その概念をどう規定するかは訴訟法学上の問題である。ⓑについては, Aの主張は不要であるが〔中田・債総123頁, 本書第4章第2節3(2)(b)(iv)（200頁)〕, ⓒについては, 契約及び債務の種類によっても異なりうるので〔中田・債総474頁参照〕, Aの主張を要すると考えたい)。

4 類似する制度・概念
(1) 双務契約上の債務相互間以外の場合
(a) 概　観

同時履行の抗弁は, 同一の双務契約から発生した債務相互間で認められるが, それ以外にも, 債権債務を同時履行関係に立たせることが適当な場合がある。当事者の意思に適合するという理由は後退し, それぞれの場面における公平が理由となる。

(b) 民法の規定があるもの

民法の規定で533条を準用するものとして, 解除による原状回復義務相互間（546条), 終身定期金契約の解除による返還債務相互間（692条）がある。改正前民法では, 売主及び請負人の担保責任についての規定もあったが（旧571条・旧634条2項後段), 今回の改正で削除された（→3(2)(a)2つ目の◆〔152頁〕)。

弁済と受取証書（領収証など）の交付も, 同時履行の関係に立つ。すなわち,

---

[4] 高橋宏志『重点講義民事訴訟法（上）〔第2版補訂版〕』(2013) 407頁, 同・前掲第2章注62) 246頁, 坂田宏『民事訴訟における処分権主義』(2001) 1頁・9頁以下, 酒井一「判批」別冊ジュリ民事訴訟法判例百選〔第5版〕(2015) 110頁。

弁済者は,「弁済と引換えに」,弁済受領者に対して受取証書の交付を請求できる（486条1項〔2021年改正前は486条〕）。これは,債務者が二重払を強いられることのないようにするための規定であり,533条の関係とは異なる。

◆ **弁済と受取証書交付の同時履行**　これは,「弁済と引換え」ではあるが,双務契約における同時履行の抗弁とは異なる。債権者は,受取証書の交付の提供をしないと債務の履行を請求できないわけではないし,債務者は,受取証書の交付との引換えを主張できるからといって,履行期を徒過しても履行遅滞に陥らないわけではない。債務者など弁済をする者は,弁済の提供をしたうえで,受取証書の交付を請求すべきである。そこで,受取証書が交付されなければ,債務者は弁済をしなくても,弁済の提供の効果として債務不履行責任を免れ（492条）,債権者は受領拒絶に準じて受領遅滞（413条）となる。486条1項は,以上のような考えにより,手形法50条1項等を参照しつつ,規定された（中間試案説明285頁,部会資料70A,第3,6説明3(2),同80-3,第7,6説明1。中田・債総409頁以下）。なお,2021年にデジタル社会形成関係法整備法により同条2項が追加された（吉川・前掲第2章注63）15頁参照）。他方,債権証書の返還（487条）は,弁済と同時履行関係にはない。

(c)　判例・学説により認められているもの

契約が無効であるか取り消された場合,債務の履行として給付を受けた当事者は原状回復義務を負う（121条の2）。双務契約の当事者双方がこの義務を負うとき,返還義務は相互に同時履行の関係に立つという学説が有力であり（我妻上89頁,藤原正則・新注民(15)115頁など）,これを認める判例もある（最判昭28・6・16民集7巻6号629頁〔未成年者の取消し〕,最判昭47・9・7民集26巻7号1327頁〔第三者の詐欺による取消し〕,鈴木弘『最判解民昭47』669頁,星野英一「判批」法協91巻3号〔1974〕166頁,最判平21・7・17判時2056号61頁〔旧95条による錯誤無効。ただし,一部の給付については否定〕）。もっとも,解除における同時履行（546条）のような明文規定はない。無効・取消しの原因及び事情には多様なものがあるので,一律の規定とはしにくいからであろう。

◆ **詐欺・強迫による取消しの場合**　取消権者の保護（取消し全般）及び相手方の悪性（詐欺・強迫の場合。295条2項参照）を理由に,詐欺・強迫をした相手方には同時履行の抗弁を認めないという見解がある（星野46頁）。相手方は,債権の行使ができなくなるわけではなく,反訴又は別訴が可能であるので,同時履行とするかどうかは,①詐欺者・強迫者の義務を先履行とすることによって被害者を保護すべきか,

②取消権者の返還不能や無資力のリスクを相手方に負担させることが妥当か，の判断による。取消権者の保護は取消権の付与自体及び不法原因給付（708条）の規律で図られており，取消しの効果の履行段階では，解除の場合と同様，公平が重視されるべきであることから，原則としては，同時履行関係に立つとしたうえで，相手方の行為の悪性が強い場合は，信義則違反として同時履行の抗弁の主張を認めないことがありうると解したい。

債務の履行と，その債務の支払確保のために振り出された手形・小切手の返還は，同時履行の関係に立つ（最判昭35・7・8民集14巻9号1720頁〔手形〕など）[5]。もっとも，その理由は，債務者が返還を受けないまま債務を履行すると，手形・小切手が流通して二重払いを強いられるおそれがあるからであり，双務契約上の両債務の関係によるものとは異なる。したがって，履行期を経過すれば，債務者は，手形の交付を受けなくても，履行遅滞による責任を負う（最判昭40・8・24民集19巻6号1435頁）。

◆ **賃貸借契約における同時履行**　賃貸借契約では，様々な場面で同時履行関係の有無が問題となる。①目的物に修繕を要する状態を生じた場合，賃借人には同時履行の抗弁権があり，修繕されるまで支払を拒絶できるという古い判例（大判大10・9・26民録27輯1627頁）がある。しかし，賃料は賃借人が使用収益可能な状態に置かれて発生するものであること（修繕しなければ賃料を支払わないといえても，賃料を支払わない限り修繕しないとはいえない），同時履行の抗弁を認めても修繕されるまでの賃料支払義務の帰趨が不明瞭であること，という問題がある。賃借人は使用収益が妨げられた割合に応じて，その分の賃料を支払わなくてよいという見解が有力である（森田・深める107頁以下参照）。②終了時における目的物返還（明渡し）義務と敷金返還債務とは，前者が先履行であって，同時履行関係にない（622条の2第1項1号）。改正前民法のもとでの判例（最判昭49・9・2民集28巻6号1152頁）の明文化である。反対の学説も多かったが，明渡しの後でないと目的物の損傷の程度はわからないこと，同時履行としても合意による変更がされうることから，明渡しの後，直ちに敷金を返還するということでやむを得ないだろう。③建物買取請求権・造作買取請求権（借地借家13条・14条・33条，旧借地4条2項・10条，旧借家5条）が行使された場合の土地・建物の引渡義務と代金支払義務との同時履行関係の有無がかつてしばしば問題となった（→第11章第5節2(2)(b)〔475頁〕・(c)2つ目の◆〔477頁〕）。

---

5) これは手形・小切手の原因債務との関係の問題であり，手形債務・小切手債務と受戻しの関係については，規定がある（手形39条1項・77条1項3号，小切手34条1項）。

◆ **継続的供給契約における同時履行**　継続的供給契約（原材料販売業者が一定の種類の原材料を製造業者の注文に応じて毎月供給するなどの契約）においては，前期の給付にかかわる代金の未払を理由に，今期及び次期以降の給付を拒絶することが認められることがある（大判昭12・2・9民集16巻33頁〔木炭〕など。中田・解消16頁以下）。なお，分割履行契約（定められた全体量を複数回に分割して履行する契約）において，一方がある期の履行をしないとき，他方がその期の分だけでなく，次期以降の履行も拒むことができるかどうかは，一部不履行に対し全部の履行を拒みうるかという533条の本来の問題である。

(2) 不安の抗弁権[6]

双務契約においても，一方の当事者の債務を他方のそれよりも先に履行すると合意されることは，少なくない（売主が商品を先に引き渡し，買主が代金を後で支払うという信用売買など）。しかし，相手方の財産状態の悪化などにより，先履行義務を負う当事者が履行しても相手方から反対給付を受けられないおそれが生じたとき，先履行義務者に履行を強いることが公平に反すると考えられる場合もある。このような場合，先履行義務者が自らの履行を拒絶できる（履行しなくても遅滞の責任を負わない）とするのが不安の抗弁権である。民法に明文規定はないが，外国法（ド民321条等）を参照し，これを認める学説が多い。下級審裁判例でも，信義則や公平の原則を理由として，同様の結論にいたるものがある（東京地判昭58・3・3判時1087号101頁，東京地判平2・12・20判時1389号79頁など）。もっとも，不安の抗弁権を行使された相手方にとっては，営業継続や再建に対する深刻な打撃となることもあり，どのような場合に認めるべきかについては，慎重な判断を要する。

今回の民法改正にあたって，不安の抗弁権を明文化することが検討されたが（中間試案説明388頁），要件の定め方がむずかしく，部会での合意形成にいたらなかったため，見送られた（部会資料80-3, 32頁）。引き続き，解釈に委ねられることになる（松井和彦・改正コメ975頁以下）。

---

[6] 柚木馨「所謂『不安の抗弁権』（Einrede der Unsicherheit）」民商5巻3号（1937）445頁，神崎克郎「信用売買における不安の抗弁権」神戸法学雑誌16巻1＝2号（1966）439頁，清水元「不安の抗弁権」現大系Ⅱ79頁，石川明「不安の抗弁について」法学研究61巻10号（1988）115頁，須永知彦「履行期前における反対給付請求権の危殆化」民商111巻3号27頁・4＝5号161頁（1994～95），橋本恭宏『長期間契約の研究』（2000）261頁以下〔初出1983〕，澤井＝清水・新版注民（13）594頁以下，松井和彦『契約の危殆化と債務不履行』（2013）〔初出1998～2008〕（2001年改正後のドイツ民法のもとでの検討もする）。

◆ **不安の抗弁権の根拠と位置づけ**　不安の抗弁権は，当事者が合意により先履行としたことを，事後的に変更するものであるので，その根拠・要件・効果が問題となる。かつては事情変更の原則の適用例とし，あるいは同原則によって根拠づけるものが通説的地位を占めたが（我妻上84頁など），近年では，同原則との相違も指摘されている（須永・前掲注6）3号50頁，松井・前掲注6）21頁以下）。たしかに，不安の抗弁権と事情変更の原則とは，要件・効果は異なるが，契約の拘束力を限界づけるという意味では共通する問題があり，当初の合意に根拠を見出すか，何らかの外在的要素を考慮に入れるかが問題となる（→第1章第1節4(3)(b)〔44頁〕）。その要件・効果は，この抗弁権をどのように位置づけるかと関係する。①この抗弁権は，契約締結から履行期までの間に生じた「契約の危殆化」のうちの一場面に関するものであるとし，相手方の履行能力の欠如の場合と履行意思の欠如の場合（履行期前の履行拒絶）をあわせて考えるもの（松井・前掲注6）207頁以下・379頁以下），②単発の契約における先履行義務の履行の拒絶だけでなく，継続的契約における個別契約の締結の拒絶をあわせて考えるもの（中田「判批」判例評論396号〔1992〕29頁，同・解消54頁，同・研究84頁），③倒産法との関係を考えるもの（伊藤眞「継続的供給契約と倒産処理——不安の抗弁権の再構成」判時1074号〔1983〕3頁）がある。対象となる契約の内容・構造と問題の性質に応じて考える（「不安の抗弁権」を再編成する）必要がある。

(3)　留　置　権

同時履行の抗弁と留置権（295条）は，どちらも公平の観念に基づくものであり，効果の面でも，物の引渡しを拒絶できること，相手方からの目的物引渡請求訴訟において引換給付判決がされることが共通する。ただ，制度の趣旨などによる相違もある。同時履行の抗弁と留置権のいずれも認められる場合は，どちらを主張してもよい（議論状況を含め，道垣内弘人『担保物権法〔第4版〕』〔2017〕15頁以下参照）。

◆ **同時履行の抗弁と留置権の比較**[7]　①制度趣旨。同時履行の抗弁は，双務契約の当事者間において先履行の不公平を避けるためのものである。留置権（295条）は，担保物権であり債権を担保するためのものである。したがって，留置権は，代担保の提供により消滅させることができる（301条）。②対世的効力。同時履行の抗弁は，契約当事者間でのみ認められ，第三者に対しては主張できない。留置権は，物権であり，誰に対しても主張できる。目的物が第三者に譲渡された場合，同時履行の抗弁は認められず，留置権のみ主張できる。③前提となる債権。同時履行の抗

---

[7]　澤井＝清水・新版注民（13）626頁以下。

弁は，1個の双務契約から生じる債権について認められる。留置権は，物と牽連性のある債権（契約に基づくと否とを問わない）があれば発生する。④対象。同時履行の抗弁の対象は，物に限らない。留置権の対象は，債権者の占有する他人の物である。⑤効力。同時履行の抗弁は，一般的に履行の拒絶である。留置権は，目的物の引渡しの拒絶であるが，その物について，果実収取権（297条1項），使用権（298条2項），競売権（民執195条。優先弁済権はない）が認められる。⑥不法行為による開始。留置権は，占有の開始が不法行為によって始まった場合には存在しない（295条2項）。同時履行の抗弁ではその限定はない（ただし，一定の場合に同条の趣旨を及ぼす見解がある→(1)(c)〔158頁〕）。⑦破産手続開始。同時履行の抗弁のある当事者は，双方未履行双務契約の規律（破53条）による処遇を受けうる。留置権は，効力を失う（同66条3項）。

以上は，民事留置権との比較である。商事留置権の代表的なものである商人間の留置権（商521条）については，③が商人間の双方的商行為により生じた債権であること，④が債務者との商行為により債権者の占有に属した債務者所有の物であること，⑦が特別の先取特権とみなされ（破66条1項・2項），別除権（同65条）として取り扱われること（ただし，消滅につき同192条）という民事留置権との違いがある。

第3節　危険負担[8]

1　意　義

(1)　危険負担制度の位置づけ

双務契約においては，当事者は互いに債務を負担し合っているが，そのうちの一方の債務の履行が不可能になったとき，他方の債務はどうなるのかが問題となる。たとえば，建物の売買契約を締結したが，引渡し前に火災で全焼し，売主の引渡しが不可能になった場合，買主はなお代金を支払わなければならないのかである。

火災の原因が売主の火の不始末であるなど，建物引渡債務を履行できなくなったことについて売主（債務者）の責めに帰することができない事由（免責事由）がない場合，売主は債務不履行による損害賠償責任を負う（415条1項本文）。その結果，買主は代金を支払わなくてすむ。すなわち，代金の支払を請

---

[8]　現行民法につき，吉政知広「危険負担」大村＝道垣内・改正152頁，渡邉拓「危険負担」潮見ほか・改正174頁，鶴藤倫道「履行拒絶権としての危険負担と解除の関係」改正と民法学Ⅲ75頁。改正前民法につき，半田吉信①「危険負担」講座Ⅴ75頁，同②『売買契約における危険負担の研究』(1999)，小野秀誠①『危険負担の研究』(1995)，同②『反対給付論の展開』(1996)，同③『給付障害と危険の法理』(1996)，同④『危険負担の判例総合解説』(2005)。

求された買主は，損害賠償債権と代金債務との同時履行の抗弁を主張して支払を拒めるし（533条→第2節3(2)(a)2つ目の◆〔152頁〕），債権債務を相殺することもできる（505条）。買主は，契約を解除して，代金債務を消滅させることもできる（542条1項1号）。このように，債務者に免責事由のない履行不能の場合，相手方（債権者）は対価を交付しないですむ。もっとも，相手方の反対給付債務は当然に消滅するわけではなく，相殺や解除によって消滅する。

火災の原因が天災地変であるなど，債務を履行できなくなったことが売主（債務者）の責めに帰することができない事由によるものである場合，売主は損害賠償責任を負わない（415条1項但書）。この場合，買主は代金を支払わなければならないのか。ここでは，双務契約上の一方の債務が当事者双方の責めに帰することのできない事由によって履行不能になった場合，それによる損失をどちらの当事者が負担するのかという問題が，相手方の対価支払の要否という形で現れる。これを規律するのが危険負担制度である。双務契約における双方の債務の存続上の牽連性（→第1節2〔146頁〕）によると，一方の債務が履行できなくなると，他方の反対給付債務も履行しなくてよいことになる。つまり，債務者の責めに帰することのできない事由による履行不能のリスクは，相手方から対価の交付を受けられないという形で債務者が負担する（536条1項。危険負担における債務者主義）。今回の改正で，重要な変更があった制度である。

(2) 前提となる概念

危険負担制度は，双務契約上の債権債務に関するものであり，債権総則の問題とも関連するので，同制度を理解するためには，様々な問題についての知識が必要になる。この制度がわかりにくい原因の1つに，用語の問題がある。まず，これを整理しておこう。

(a) 債権者・債務者

双務契約においては各当事者はそれぞれ債権者であり債務者であるが，危険負担に関しては，「履行できなくなった債務」を基準として考える。売買の場合，履行できなくなるのは目的物引渡債務だから，売主が債務者，買主が債権者である。買主の代金債務は，それに対する反対給付債務として位置づけられる。

(b) 危険の負担

「危険」という言葉は，日常用語の「危ない」という意味ではなく，発生するかもしれないよくない出来事（risk）という意味である。具体的には，双務契約の一方の債務が当事者双方の責めに帰することのできない事由により履行不能となり，その履行を請求できなくなることである。

「負担」というのは，そのような危険が現実化したとき，それによる不利益がどちらに課せられるのかである。債務者には責めに帰することのできない事由があるので，債務不履行による損害賠償の問題とはならず（415条1項但書），相手方が対価を交付する必要があるか否かという形の問題となる。

このような意味での危険を，債務者が負担する（対価が交付されない）制度を債務者主義，債権者が負担する（対価が交付される）制度を債権者主義という。

◆ **対価危険と給付危険**　危険負担（536条）における「危険」とは，対価の交付の要否という形で現れる。これを対価危険という。これとは区別されるべき概念として，給付危険がある。給付危険とは，契約の目的物が債務者の責めに帰することのできない事由によって滅失し又は損傷した場合，債務者は，なお他から調達するなどして債権者に本来の給付をしなければならないのか，それとも給付義務を免れるのかを示すための概念である（たとえば，新車の売買の場合）。これは，給付請求権の存否という形で現れる問題である（→第7章第3節2(3)(e)〔323頁〕）。

(c) 不　　能

危険負担は，双務契約の一方の債務が当事者双方の責めに帰することのできない事由によって履行できなくなった場合に関する制度である。「履行できなくなった」というのは，債務者の財産状態の悪化などの主観的な事情によって履行できないという意味ではなく，給付内容の実現が不可能になったという意味である。このことを履行不能という。不能か否かは客観的に判断されるが，その基準は，契約内容と無関係なものではない。すなわち，「債務の履行が契約その他の債務の発生原因及び取引上の社会通念に照らして不能」であることを意味する（412条の2第1項）。この意味で履行が不能である場合，債権者はもはや履行を請求することができない（同項）。履行不能が債務者の責めに帰することのできない事由によるときは，債権者は損害賠償を請求することもできない（415条1項但書）。

第 3 節　危険負担

> ◆ **原始的不能における危険負担**　原始的不能とは，契約締結時点で履行が不能であること，後発的不能とは，契約締結後に履行が不能となったことである。危険負担制度の主な適用領域は，伝統的に後発的不能の場合である。もっとも，現行民法は，原始的不能によって契約が当然に無効となるわけではないという考え方に立つ（412 条の 2 第 2 項参照）。そこで，原始的不能の場合も，危険負担の規律を及ぼしうることがあるだろう（原始的不能にも，いくつかの場合がある。その契約によって債務者がいかなる債務を負ったのかを確定したうえ，その債務の履行が当事者双方の責めに帰することができない事由によって不能であるのかを判定し，履行不能であるとすると危険負担の規律を及ぼす。中田・債総 126 頁以下参照）。

(d)　**当事者双方の責めに帰することができない事由**

536 条 1 項が適用されるのは，履行不能が債務者の責めに帰することも，債権者の責めに帰することもできない事由による場合である。不可抗力や第三者の行為による場合である（詳しくは，中田・債総 160 頁）。債務者の責めに帰することができない事由については，損害賠償について判断基準が示されている（415 条 1 項但書。中田・債総 154 頁以下）。これと同じものと理解すべきである。債権者の責めに帰すべき事由（帰責事由）による履行不能については，536 条 2 項の規律がある（→ 2(3)〔168 頁〕）。

2　民法の危険負担制度

(1)　概観――債務者主義と履行拒絶権構成

当事者双方の責めに帰することのできない事由による履行不能があった場合，債権者は反対給付の履行を拒むことができるが（536 条 1 項），債権者の責めに帰すべき事由による履行不能があった場合，債権者は反対給付の履行を拒むことができない（同条 2 項）。改正前民法の規律を一部改めたものである。以下，具体的に説明する。

> ◆ **危険負担制度の改正**　現行民法と改正前民法には，次の相違がある。①改正前民法は，ⓐ債務者主義を原則とするが（旧 536 条 1 項），ⓑ特定物に関する物権の移転等を目的とする双務契約などについては，例外的に債権者主義をとる（旧 534 条・旧 535 条），ただし，ⓒ債権者の帰責事由による履行不能の場合には，ⓐにかかわらず債務者は反対給付を受ける権利を失わない（旧 536 条 2 項），という規律であった。このうちⓑは，例外とはいっても，その適用対象となるのは売買契約など広

汎なものであり，重要な意味をもっていた（たとえば，建物の売買契約をした後，引渡しの前に，売主の責めに帰することができない事由によって建物が滅失した場合，買主は代金を支払わなければならない）。しかし，この帰結は適切ではないという批判が強く（本書初版163頁参照），改められた（旧534条・旧535条の削除）。②改正前民法における危険負担制度の効果は，反対給付債務の消滅（旧536条1項）又は存続（旧534条・旧535条・旧536条2項）であった。すなわち，債務者の責めに帰することができない事由による履行不能の場合，その債務は消滅し，相手方（債権者）の反対給付債務が消滅するか否かが危険負担の問題であった。現行民法は，この場合に，相手方（債権者）が反対給付の履行を拒むことができるか否かという構成に改めた（債務消滅構成から履行拒絶権構成へ）。これは，解除制度の改正と関係する。改正前民法においては，債務者の責めに帰することのできない事由による履行不能の場合，契約の解除ができないとされ（旧543条），その場合は危険負担の問題となるとして，適用領域が区分されていた。しかし，現行民法において，債務者の責めに帰することのできない事由による履行不能であっても，債権者は契約の解除ができるので（542条1項1号。中間試案説明135頁参照），危険負担との適用領域の重複が生じる。そこで，危険負担制度の効果を改め，履行拒絶権構成をとることにより，両制度を併存させつつ，重複の問題を回避することとされた（部会資料79-3，第10。森田・深める103頁参照）。その結果，現行民法のもとでは，当事者双方の責めに帰することのできない履行不能の場合，反対給付債務は消滅せず，相手方（債権者）はその履行を拒絶できることになり，相手方（債権者）がこの浮動的な状態に決着をつけたければ，解除する必要がある。なお，債権者に帰責事由がある場合は，改正前と同様，債権者は反対給付債務を履行しなければならないが，536条2項はそのことを「履行を拒むことができない」という形で表現している。

(2) 当事者双方の責めに帰することができない事由がある場合

双務契約の当事者双方の責めに帰することができない事由によって債務を履行することができなくなったときは，その債務の債権者は，反対給付の履行を拒むことができる（536条1項）。債務者が反対給付の履行を求める訴訟を提起し，債権者がこの履行拒絶権を主張すると，請求棄却となる。これは，同時履行の抗弁（533条）を主張した場合に，引換給付判決がされる（→第2節2(1)〔149頁〕）のと異なる。危険負担が債務者の債務が履行不能となっている場合の規律である以上，不能な債務の履行と引換えということにはならない。

● 建物の売買契約が締結されたが，引渡し前に，その建物が売主（債務者）及び買主（債権者）の責めに帰することができない事由によって滅失したときは，買主は代金の支払を拒むことができる。

第3節　危険負担

◪ **債権者の主張すべきこと**　建物の売買契約を例として検討する。次の見解が有力である。①反対給付（代金支払）の履行の請求を受けた債権者（買主）が536条1項による履行拒絶をするためには，自らの債権（建物引渡債権）が履行不能になっていることを主張すれば足り（抗弁），それが当事者双方の責めに帰することができない事由によることは主張する必要はない。②同事由によるものでないこと，つまりいずれかの当事者の責めに帰すべき事由によるものであることは，債務者（売主）が主張すべきところ（再抗弁），ⓐ債務者が債権者の責めに帰すべき事由によることを主張すれば，同条2項の規律により，債権者は履行（代金支払）を拒むことができないが，ⓑ債務者が自らの責めに帰すべき事由によることを主張して債権者の履行拒絶を否定することは認めるべきでない（潮見・新債総Ⅰ620頁，山野目42頁，渡邉・前掲注8）181頁，鶴藤・前掲注8）86頁以下）。この見解のうち，②ⓑでは，債務者は履行に代わる損害賠償債務を負うので（415条2項1号），これと債権者による反対給付（代金支払）の履行を対向させても支障ないようにも思われる。ひるがえって，①において「当事者双方の責めに帰することができない事由」によることの主張を債権者（買主）に求めることも考えられるのではないか（415条1項但書とは区別する）。

◪ **役務提供契約の履行不能**　雇用・請負・委任などの役務提供契約では，役務の提供が報酬の支払よりも先履行となる（624条1項・633条・648条2項）。このため，原因はともかくとして役務が提供されないと，役務提供者（債務者）は報酬を請求できないので，そもそも536条1項の問題とならない（山本143頁，平井63頁）。前払の特約がある役務提供契約において当事者双方の責めに帰することができない事由により履行不能となった場合（1日に演奏契約をし，5日に報酬を支払い，6日に演奏すると合意されたが，演奏者が4日に不可抗力により重傷を負い演奏できなくなったなど）には同項の適用の可能性はあるが，前払の趣旨にもよることになろう。なお，役務受領者（債権者）の責めに帰することができない事由によって途中で役務提供ができなくなった場合の部分的報酬請求権について，個別的に規定されている（624条の2第1号・634条1号・648条3項1号）。履行不能と受領不能との関係については→(3)(a) 2つ目の◪（169頁）。

◪ **賃貸借契約の履行不能**　賃貸借契約では，賃借人（債権者）が使用収益をすることができる状態に賃貸人（債務者）が置くことによって，具体的な賃料債権が発生する（森田・深める118頁以下参照）。そこで，原因はともかくとして，その状態が生じなかったとすると，賃料債権は発生しないことになる。賃貸借の目的物の全部滅失（616条の2）と一部滅失（611条）について規定がある。

◪ **相手方が反対給付を履行していた場合**　改正前民法のもとで，債務者主義がとられている場合において，債務者Aの債務の履行不能が生じる前に相手方Bが反対給付債務を履行していたときは，Bは不当利得返還請求権を有すると解されてい

た（我妻上110頁，小野・前掲注8）③317頁以下，同④10頁以下，甲斐道太郎・新版注民(13) 682頁，山本143頁，奥田＝池田編65頁〔沖野〕。2017年改正前商576条1項参照）。反対給付をすることにより同債務が消滅し，あとはAの債務の履行のみが残った段階での履行不能であるので，もはや牽連関係の問題ではないともいえそうだが，反対給付の履行の先後により帰結が変わるのも適当ではないので，この場合も債務者主義を貫徹し，反対給付債務がなかったことになると考えるわけである。

　履行拒絶権構成をとる現行民法のもとでは，債務者Aの債務が履行不能になっても相手方Bの反対給付債務は消滅しないので，Bが先に履行していた場合の処理は，より困難な問題を提起する。返還請求否定説（吉政・前掲注8）161頁）もあるが，Bの履行の有無で帰結が異なるのは，危険負担の債務者主義の観点からは一貫しないうらみがある。Bが解除をしその原状回復による方法，Bに履行拒絶権があるのにそれを知らずに履行したことについて非債弁済と同様に扱い不当利得返還請求を認める方法が提示されている（山野目章夫「民法536条1項の改正提案の理解について」〔2014年6月10日付，法制審議会民法（債権関係）部会提出資料〕）。問題は，それらの方法で解決できない場合である（Bが代金を支払った後，目的物が当事者双方の責めに帰することができない事由で滅失したが，544条によりBが解除権を行使できない場合など）。実践的には，解除の要件を柔軟に解する方法が示されている（第91回部会議事録26頁〔内田貴発言〕）。履行拒絶権が永久的抗弁権であって請求棄却判決を導くものであり，そのような形で双務契約の双方の債務の牽連性が重視されているのだから，その判断を貫徹して，Bの反対給付が履行された後にAの債務の履行不能が生じた場合も，改正前民法のもとでと同様，不当利得返還請求を認めてよいのではないか（非債弁済の拡張的解釈）。

(3) 債権者の責めに帰すべき事由がある場合

(a) 反対給付の履行

　債権者の責めに帰すべき事由による履行不能の場合は，債権者は，反対給付の履行を拒むことができない（536条2項前段）。

　債権者に帰責事由のある履行不能の規律としては，①債務者に損害賠償請求権を与える方法と，②債務者の責めに帰することができない事由による履行不能であるので対価危険の問題として取り扱い，債権者の反対給付債務を存続させる方法がある。明治民法の起草者は，①が正しいかもしれないが，②の方が契約の履行を法律が保護するという点から良いだろうと考えて，ドイツ法系の構成である②を選んだ（民法修正案理由書515頁，民法速記録Ⅲ 777頁〔富井発言〕，小野・前掲注8）③301頁以下，平井211頁。ド民改正前324条1項・現326条2項参照）。この規定（旧536条2項）は，実質的には今回の改正後も引き継がれ，上

記の規律となった。

◆ **役務提供契約**　役務提供契約のように債務者が先に債務を履行すべき場合，原因はともかくその債務が履行されなかった以上，反対給付債権は発生しないから，そもそも536条1項の問題とはならない（→(2)2つ目の◆〔167頁〕）。しかし，同条2項の適用はあると解すべきである（潮見・新債総Ⅰ 626頁。山野目45頁は，130条1項の類推適用により成立が擬制された債権を想定する。山本144頁参照）。双務契約上の双方の債務の牽連性を表す1項に対し，2項は，損害賠償としての構成もありえたことを考えると，1項とは独立したものと理解することが可能である（旧536条2項について，反対給付債務の存続は債権者の協力義務違反に基づく損害賠償責任の性質をもつとの指摘もあった〔森田・深める132頁注53〕）。部会では，債権者に帰責事由がある場合の規律を各種の役務提供契約について個別に規定することも検討されたが（中間試案説明477頁・493頁・507頁），536条2項の規律に委ねられることになった。なお，同項本文の文言は，旧536条2項本文に比べると，債務者の反対給付請求権（特に雇用契約における労働者の債権）の発生の根拠づけとしてやや弱いとの懸念が示されたが，この点についての規律の実質は変化していないと解すべきである（潮見・前同，一問一答229頁）。

◆ **履行不能と受領不能**　債務者が履行しようとしても，債権者が履行の受領を拒み（受領拒絶）又は受領できない（受領不能）ため，履行できないことがある。この場合，「受領遅滞」により危険が移転する。すなわち，債務者が履行の提供をしたが受領拒絶又は受領不能があった後，当事者双方の責めに帰することができない事由により履行不能となったときは，その履行不能は債権者の責めに帰すべき事由によるものとみなされ（413条の2第2項），債権者は反対給付の履行を拒絶できない（536条2項）。そこで，履行不能か受領不能かによって，反対給付の請求の可否が分かれる。すなわち，履行不能であれば債権者に帰責事由がない限り，債務者は反対給付を請求できないが（同条2項・1項），受領不能であれば債権者に帰責事由なく履行不能となっても請求できる（413条の2第2項・536条2項）。この点は，改正前民法のもとにおいて，特に雇用契約について議論されてきた。たとえば，使用者の経営する工場で労働すべきところ，工場が焼失したため労働に従事することができない場合，労働者は報酬を請求できるかという問題である。有力な学説は，給付を不能とさせる原因が，債務者の支配に属する範囲内の事由に基づくときは履行不能，債権者のそれに基づくときは受領不能と区分する（領域説）。履行不能か受領不能か（履行が不能か可能か）の判断にあたっては，その債務を発生させる契約の内容を考慮する必要があり（412条の2第1項参照），「領域」は，役務提供契約における解釈基準の1つだと理解すべきである（中田・債総234頁以下。領域説の評価については，小野・前掲注8) ①180頁以下参照）。

第3章　契約の効力

(b)　利益の償還

　債権者の責めに帰すべき事由による履行不能の場合，債権者は反対給付の履行をしなければならないが，債務者は，自己の債務を免れたことによって利益を得たときは，その利益を債権者に償還しなければならない（536条2項後段）。債務者に二重の利益を得させないためである（梅431頁）。たとえば，注文者の責めに帰すべき事由により仕事の完成が不可能になった場合，請負人は請負代金全額を請求できるが，自己の債務を免れたことにより得た利益は償還すべきである（最判昭52・2・22民集31巻1号79頁，百選Ⅱ68［米倉暢大］）。

　償還すべき利益とは，①債務者が債務を履行するために負担すべき費用であって債務を免れたことにより支出しないですんだ分（履行費用相当利益）と，②債務者が債務を免れたことにより行うことが可能になった他の取引により得た利益（代替取引利益）がある。②については，償還の要否及び償還の範囲について，役務提供契約を中心に議論がある（山本145頁参照）。償還を要する場合もあるという見解が多数である（我妻上113頁など。最判昭37・7・20民集16巻8号1656頁〔労働契約〕。償還不要説は，鳩山上137頁，末川上102頁など）。二重の利益を得させないという本規定の趣旨を考えると，多数説を支持すべきである。償還の範囲の基準は，債務を免れたことと相当因果関係にあるものだという見解があり（我妻上113頁），これは損益相殺の基準とも共通する（我妻・債総128頁）。しかし，このような抽象的な表現では明確にならない。その契約及び債務の内容に応じて具体的に判断すべきである。

◆　**代替取引利益の償還の考慮要素**　　債務者が代替取引に転用したのは何か（ⓐ自己の財産〔施設，種類物，資金等〕か，ⓑ時間及び労力か），債務者が代替取引をすることがその取引社会において通常か（ⓐ）否か（ⓑ），履行不能とならなかったとすると，債務者が当該代替取引と同様の取引をすることができなかったか（ⓐ）できたか（ⓑ）などを考慮すべきである（ⓐの方が償還の必要性が大きい）。なお，立法論として，損害軽減義務を考慮すべきであるという見解もあるが（内田72頁），債権者の帰責事由により履行不能となった債務者の立場を考えると，同義務は強調されるべきものではないだろう。

◆　**労働契約における休業手当**　　労働契約については，使用者（債権者）の責めに帰すべき事由による休業の場合，使用者は，休業期間中，労働者に，その平均賃金の60％以上の手当（休業手当）を支払わなければならない（40％までしか控除できな

い。労基26条)。これは，労働者の生活保障のための制度であり，536条2項を排除するものではなく，休業手当請求権と賃金請求権とは競合しうる。労働基準法26条の使用者の責めに帰すべき事由は，旧536条2項よりも広く，使用者側に起因する経営，管理上の障害を含むというのが判例（最判昭62・7・17民集41巻5号1283頁）である（→第12章第3節2(1)(b)(ⅱ) 3つ目の◆〔497頁〕)。

(4) **当事者双方に責めに帰すべき事由がある場合**

履行不能についての帰責事由が，①債務者のみにある場合は債務不履行による損害賠償（415条1項但書不該当）及び解除（542条1項1号）の問題であり，②当事者双方にない場合は危険負担（536条1項）及び解除（542条1項1号）の問題であり，③債権者のみにある場合は危険負担（536条2項）の問題である（解除はできない。543条）。では，④両当事者に帰責事由がある場合はどうか。

損害賠償については，債務者の責めに帰することのできない事由がないので，その責任を認めたうえ，過失相殺（418条）をする。解除については，両当事者の帰責性の大きさを比較したうえ，債権者を契約の拘束から解放するのに値すると評価できるか否かにより，その可否（①②か③か）を判断すべきであろう。危険負担については，旧536条2項について損害賠償の実質があるという指摘はあるが，過失相殺の規定の適用はむずかしい。そこで，両当事者の帰責性の大きさを比較して，②か③かを決することになる。そのうえで，②では債権者の損害賠償責任と，③では債務者の損害賠償責任と組み合わせることにより，妥当な解決を導くべきである。

第4節　第三者のためにする契約[9]

1　意　義

(1) **第三者のためにする契約の許容**

AとBの契約により，Bが第三者Cに対し，ある給付をすることを約した

---

[9] 来栖三郎「第三者のためにする契約」民商39巻4＝5＝6号（1959）513頁〔同『来栖三郎著作集Ⅱ』（2004）所収〕，新堂明子①「第三者のためにする契約法理の現代的意義」法協115巻10号84頁・11号120頁（1998），同②「契約の対第三者効」争点232頁，川元主税「イギリス1999年契約（第三者の権利）法」九大法学80号（2000）380頁，春田一夫『第三者のためにする契約の法理』（2002），中馬義直＝新堂明子・新版注民（13）691頁以下，基本方針Ⅴ363頁以下，山口・フランス69頁以下，樋口・アメリカ321頁以下。

ときは，CはBに対し，直接にその給付を請求する権利を有する（537条1項）。このようなAB間の契約を第三者のためにする契約という。Aを要約者，Bを諾約者，Cを第三者又は受益者と呼ぶ。たとえば，AからBが物を買い，その代金をBがCに支払うと約束した場合である。Cを保険金受取人とするAB間の保険契約も，その一種である。

> ● 要約者・諾約者というのはわかりにくい言葉だが，既に旧民法に現れていた（財産編323条。stipulant・promettantの訳語）。明治民法では，法文上，この言葉は用いられず，受約者・約束者と呼ぶ学説もあったが（石坂2189頁），要約者・諾約者の語を引き続き用いるものが多数であり（末弘190頁注1），これが定着した。第三者に対して債務を負担する当事者（537条の「債務者」）が諾約者，諾約者に債務を負担させる当事者が要約者である。

第三者のためにする契約は，ローマ法では一般的には認められていなかった。フランス民法（1804年）も例外的にしか認めなかったが，判例・学説はこの例外を広く認めるようになった。他方，ドイツ民法（1896年）は，第三者のためにする契約を一般的に認め，詳細な規定を置いた。明治民法537条は，ドイツ民法草案等を参考にし，これよりも少し制限的ではあるが一般的なものとして，その効力を認めた。現行民法は，これをほぼ引き継いでいる。なお，イギリス及びアメリカでも，かつては認められなかったが，その後，認められるにいたった（前者は1999年法，後者は判例による）。

第三者のためにする契約がかつて認められなかったのは，契約の相対効などの契約法の一般原則に抵触すると考えられたからである。しかし，取引の発展に伴い，これを認めるべき需要が強まった。たとえば，売主Aと買主Bの売買契約において，Bの支払うべき代金をAがCに交付したいという場合，AがBから代金を受け取り，それをCに交付する方法や，ABCの3者間契約を締結する方法もあるが，AB間でBが代金をCに支払うと契約する方法が認められれば簡便である。ここでの実質的問題は，ABの契約に関与しないCの財産状態に変動が生じることであるが，Cの利益が害されず，かつ，何らかの方法でCの意思の尊重が確保されるのであれば，AB間の契約の効力を認めても支障はない。明治民法537条は，ABの契約により，CがBに対し「直接にその給付を請求する権利」を有することになるとしつつ（1項），Cの権利は，CがBに対し「契約の利益を享受する意思を表示した時に発生する」として

(2項。現3項)，現実の需要とＣの利益及び意思の尊重を両立させた。このように明治民法は，フランス民法の影響下にあった旧民法の法制を，ドイツ民法草案等を参考にしつつ改めたものである。契約法の一般原則との抵触は，各国でその現れ方に違いがあるが，それぞれにおいて克服されてきた。

◆ **第三者のためにする契約と契約法の一般原則**　第三者のためにする契約の効力については，①第三者Ｃに権利を取得させるＡＢの契約は有効かという問題と，②ＡＢの契約によってＣは当然に権利を取得しうるのかという問題が，からみ合う形で現れる。①については，ⓐ何人も他人のために義務を負わせる(要約する)ことはできない(ＡはＣのためにＢに義務を負わせることはできない)，というローマ法の考え方(これは代理の観念さえ排斥するものである)と，これに基づく，ⓑＡはＢがＣに給付することについて利益を有しないので，「利益なければ訴権なし」という原則により，ＡはＢに対する権利を取得せず，結局，そのような契約は効力がないという考え方があり，古典期ローマ法では，第三者のためにする契約は認められなかった。その後，実務の必要に応えるため，その回避策や例外が認められていくが，フランス民法(原始規定)では，なおⓐの原則が維持され，第三者のためにする契約の効力は例外的にしか認められなかった(フ民〔2016年改正前〕1119条・1121条。その後，2016年改正により広く認められるにいたった。フ民〔2016年改正後〕1205条以下。Terré (Fr.) et al., Droit Civil, Les Obligations, 12ᵉ éd., 2018, p. 776 et s.)。フランス民法(原始規定)を継受する旧民法は，ⓑの観点から，Ａ(要約者)には「金銭ニ見積ルコトヲ得ヘキ正当ノ利益」がなく，契約は「原因」を欠くので原則として無効だとした(財産編323条1項・2項)。しかし，明治民法は，「原因」を契約の要素とはせず，また，金銭に見積もることができないものも債権の目的としうるとしたことから(399条)，この制約から解放された。②については，ⓒある人たちの間で合意されたことは他人を害することも利することもない，というローマ法の考え方があり，それは近代法においては，契約自由の原則と結びつく契約の相対効の観念(当事者が自由に契約できるのは，その効力が他人には及ばないからである→第1章第1節5(2)(c)◆〔51頁〕)として，現れることになった(フ民〔2016年改正前〕1165条)。これについては，明治民法の起草者は，第三者に利益をもたらすものであり，かつ，第三者の意思が反映されるのであればよいと考えた。そこで，ドイツ民法草案等のように，ＡＢの契約によりＣは直ちに権利を取得し，後にＣが拒絶すれば取得しなかったものとするという法制(ド民現328条1項・333条参照)も検討したが，第三者が知らない間に権利を取得するのは適当ではないと考え，最終的に537条以下の制度が定められた(民法議事速記録Ⅲ 781頁以下〔富井発言〕，民法修正案理由書515頁以下，梅432頁，末川上108頁以下，星野61頁，平井183頁以下，基本方針Ⅴ 363頁以下参照)。なお，英米法では，①②を通じて，契約関係(privity of contract)の法理と約因法理が障害となっていたが，これが克服され，ＣがＢに対し，(不法行為法上のではなく)契約上の権

利を取得することが認められるにいたった。

(2) 第三者のためにする契約の構造

537条は、第三者に権利を取得させる場合に限り、第三者の了解を予め得なくとも、当事者間で第三者のためにする契約が有効に成立するとしつつ、その権利は、第三者が「契約の利益を享受する意思を表示」した時に発生するという構造をとる。この第三者の意思の表示を、受益の意思表示という。

第三者のためにする契約がされる背後には、その原因となる関係がある。要約者と諾約者との間の関係を「補償関係（Deckungsverhältnis）」、要約者と第三者との間の関係を「対価関係（Valutaverhältnis）」という。補償関係とは、諾約者が第三者に対し債務を負担することに対する補償（塡補）を要約者が諾約者にする関係をいう（AB間の売買でBがCに代金を交付するのは、BがAから目的物を取得することにより補償されるから）。補償関係は、無償でもよい（BがAに金銭を贈与する契約において、Bが直接Cに金銭を交付する場合）。要約者と諾約者の間の補償関係は、同じ当事者間の第三者のためにする契約の内容となるので、その不存在・瑕疵などは契約の効力に影響を及ぼす。これに対し、対価関係は、要約者が第三者に利益を与えることの原因である。要約者が第三者に贈与するためであったり（受贈者としての第三者）、要約者が第三者に債務を負担していてその弁済のためであったりする（債権者としての第三者）（新堂・前掲注9）①10号116頁参照）。対価関係は、第三者のためにする契約の内容とはならず、その不存在・瑕疵などは、契約の効力に影響しない（我妻上116頁）。

第三者のためにする契約は、売買契約や賃貸借契約などの契約類型とは性質が異なり、各種の契約の内容となりうる一種の特約（付款）である（星野62頁）。そのため、通則的な規定として、各種の契約に関する個別的な規定に入る前の契約総則の部分に配置されている（内田80頁）。

◆ **近接する制度との比較**　代理及び履行の引受けと比較しよう。
　代理と第三者のためにする契約とは、歴史的にも並行して承認されてきたが、次の相違がある。①代理における契約当事者は、相手方（B）と本人（C）であって、代理人（A）ではない。第三者のためにする契約における契約当事者は、諾約者（B）と要約者（A）であって、第三者（C）ではない。②代理では、代理人の行為の結果、本人には権利だけでなく義務も帰属する（99条）。第三者のためにする契約

では、第三者には権利しか帰属しない。③代理では、代理人自身に権利が帰属することはない。第三者のためにする契約では、要約者に帰属すべき権利の全部又は一部を第三者が「直接に有する」ことになる。

履行の引受けとは、債務者（A）と引受人（B）との間で、債務者の債権者（C）に対する債務を引受人が履行することを約する契約である。履行引受においては、引受人は債務者に対して履行する義務を負うだけであり、債権者に対して債務を負うわけではない。つまり、AB間の契約ではあるが、CがBに対し債権を取得することがないので、第三者のためにする契約とは異なる。このように、直接に第三者が権利を取得することなく、ただ、第三者に給付すべきことを当事者の一方が相手方に請求する権利を発生させるにとどまる契約を「不真正第三者のためにする契約」ということもある（我妻上117頁）。

2 要　件

まず、要約者と諾約者の間で契約が有効に成立する必要がある。契約は、売買、賃貸借のような有償契約に限らず、贈与のような無償契約でもよい。

その契約には、諾約者（債務者）が第三者に対してある給付をすることを約束し、第三者に、直接、その給付を請求する権利を取得させることが含まれていなければならない。「直接にその給付を請求する権利」は、債権であることが多いが、それに限られない。付随的な負担を伴うものでもよい（大判大8・2・1民録25輯246頁〔反対給付を伴う権利でもよい〕、我妻上120頁など）。

◆ **第三者に取得させる権利**　裁判例・学説は、第三者が取得する「直接にその給付を請求する権利」として、債権以外の権利・利益も認めている（新堂・前掲注9）①11号148頁以下、中馬＝新堂・新版注民（13）699頁・701頁以下）。まず、第三者は、諾約者から物権を直接取得することができる（大判明41・9・22民録14輯907頁、大判昭5・10・2民集9巻930頁〔受益の意思表示により所有権が移転する〕、我妻上120頁など）。その説明として、物権契約の概念を用いるか（大判昭5・10・2前掲）、否か（末弘嚴太郎『判民昭5』320頁）の対立があるが、物権変動に関する現在の一般的な考え方によれば後者となるべきである（基本方針V 370頁）。次に、諾約者が第三者に対して有する債権について第三者が債務免除を受けうることも含まれる（大判大5・6・26民録22輯1268頁〔諾約者の第三者に対する免除の意思表示がなくても第三者が受益の意思表示をすれば免除の効果が発生する〕）。結局、「直接にその給付を請求する権利」とは、第三者が「契約の利益」を受ける意思表示をすれば諾約者との関係で確定的に取得する権利又は法律効果だということになる。

第三者のためにする契約の成立時に第三者が現に存しない場合（胎児，設立中の法人など）又は第三者が特定していない場合（「甲競技大会における優勝者」のように一定の地位にある者など）であっても，契約は，そのために効力を妨げられることはない（537条2項）。改正前民法のもとの判例・通説（最判昭37・6・26民集16巻7号1397頁〔未設立の宗教法人〕，大判大7・11・5民録24輯2131頁〔廃家を再興すべき者〕，我妻上120頁など）を明文化したものである。

なお，法律行為の相手方の善意・悪意，過失の有無などが問題となるとき（110条・117条2項など）は，それらの事実の有無は，第三者ではなく，要約者について決する（我妻上124頁）。

3 効　果

(1) 第三者・諾約者間の関係

(a) 受益の意思表示の意義

第三者が諾約者に契約の利益を享受する意思を表示した時に，第三者の権利が発生する（537条3項。旧2項）。この受益の意思表示は，契約の相対的効力と第三者のためにする契約を認めるべき現実の必要性を調和させる機能をもつ。調和の図り方としては，このほか，第三者のためにする契約によって第三者は当然に権利を取得し，後に拒絶（放棄）すれば権利を取得しなかったものとするという法制（ド民328条1項・333条）もある。しかし，権利の取得であれ，知らない間にいったんは押しつけられることによる弊害も指摘され（梅436頁，中間試案説明380頁），受益の意思表示制度がとられている。

ただし，第三者のためにする契約を伴うと解される法定の制度において，受益の意思表示を不要とするものもある。供託（498条1項），第三者のためにする保険契約（保険8条・42条・71条）がそうである。第三者を受益者とする信託（信託88条・99条）も同様の構造である。

◆ **受益の意思表示を不要とする特約**　受益の意思表示を不要とする要約者・諾約者間の特約の効力については，無効説（大判大5・7・5民録22輯1336頁〔第三者を受取人とする旧法下の保険契約〕，我妻上122頁など）と有効説（鳩山上179頁以下，中馬＝新堂・新版注民(13)781頁など）がある。有効説は，①537条3項（旧2項）は，当事者意思を推測するものにすぎないし，第三者に単に権利を取得させることは公序良俗にも反しない，②第三者はいつでもその権利を放棄することができる，③受益の

意思表示を不要とする制定法上の諸制度が既に存在する，④現実的であり取引の需要に対応できる，などを理由とする。無効説は，①′537条3項（旧2項）は，第三者は利益といえども意思に反して強制されるべきではないという趣旨のものであり，契約当事者も第三者が欲しない権利を強いて取得させようという意思まで有しないのが普通である，②′権利の放棄には遡及効が認められず，放棄前の第三者の法的地位が不安定になる，③′制度のないところで第三者が知らない間に権利を取得させられると実際上の支障がある，④′第三者が新たな取引に巻き込まれ，そこから離脱するには自ら放棄するという負担が課せられるのは適当ではない，などを理由とする。利益といえども意思に反しては強いられないという原則は前提としたうえで，「要約者・諾約者の契約によって，第三者は，知らなくても権利を取得し，不要なら放棄できる」という取引を認めるべき要請と，第三者の保護との兼ね合いの問題である。第三者のためにする契約が新たな取引制度が構築されるまでの暫定的な法律構成として機能する場面を考えると（新堂・前掲注9）①11号185頁），有効説が有用な場合はあると思われる。しかし，第三者の負担（上記②′〜④′）及び第三者の私的自治（①′）を考えると，やはり，原則としては無効説をとるべきだろう。ただ，新たな取引形態が社会的に認知されて安定的なものとなり，第三者の負担を重視しなくてよいと認められる段階になった場合には，制定法上の諸制度の類推適用が認められる余地があるだろう。

◆ **第三者が受益の意思表示をしない場合**　①受益の意思表示はいつまですることができるのか。要約者・諾約者間の契約で，第三者が受益の意思表示をなしうる期間が定められていればその期間内である（松坂31頁）。その定めがない場合，受益の意思表示をなしうる第三者の地位は一種の形成権であり，形成権の期間制限についての議論に委ねられることになる（中馬＝新堂・新版注民（13）782頁以下）。②第三者の債権者は423条により第三者に代位して受益の意思表示をすることができるか。肯定説（大判昭16・9・30民集20巻1233頁，我妻上122頁など）と否定説（奥田・前掲第2章注14）261頁，中田・債総252頁以下など）がある。③第三者が死亡するとどうなるか。相続人は第三者の地位を承継し，受益の意思表示をすることができる（我妻・前同。末川上123頁は一身専属権と解し否定）。

(b)　受益の意思表示をした後の法律関係

受益の意思表示がされると，第三者の権利が発生する。それ以後は，要約者と諾約者は，その権利を変更し又は消滅させることができない（538条1項。それ以前であれば，変更し又は消滅させることができる）。

第三者の権利が発生すると，第三者は，諾約者に対して，直接に（要約者を介するのではなく，当然に）給付を請求することができる（537条1項）。もっ

も，諾約者の第三者に対する債務は，要約者との契約から生じているのだから，諾約者は要約者との契約に基づく抗弁を有するときは，第三者に対しても主張できる（539条）。たとえば，諾約者の要約者に対する同時履行の抗弁である（売買の場合，要約者が諾約者に目的物を引き渡さなければ，諾約者は第三者に対する代金額の支払を拒むことができる）。

第三者は善意（無過失）であっても，虚偽表示や詐欺における善意（無過失）の第三者（94条2項・96条3項）にはあたらない。第三者の取得する権利は契約から直接に生じたものであり，その第三者は契約の外形を信じて新たな利害関係に入ったものではないからである（我妻上123頁）。

第三者が受益の意思表示をしたのに諾約者が履行しない場合，第三者は諾約者に対し，自分に対し履行せよと請求することができ，損害賠償も請求できる。ただし，第三者は，要約者・諾約者間の契約を解除することはできないと解すべきである。第三者は契約の当事者ではないし（我妻上124頁，内田81頁），解除は債務不履行にあった当事者を契約の拘束から解放するための制度であると解すると（→第4章第2節2〔193頁〕），解除は要約者にのみ認めれば足りるからである。

(2) **要約者・諾約者間の関係**

(a) 履行請求

第三者が受益の意思表示をした場合，要約者は，諾約者に対し，第三者に対する債務を履行せよ，と請求する権利を有する。第三者が諾約者に対する権利を有するにいたった後も，要約者にも上記権利があるとすることが，当事者の意思にも合致する（我妻上125頁など通説。ド民335条参照。第三者の諾約者に対する権利との関係につき，中馬＝新堂・新版注民(13) 785頁以下，部会資料42, 第1, 3(1)補足説明2参照）。

(b) 損害賠償請求

第三者が受益の意思表示をしたのに諾約者が債務を履行しない場合，要約者が損害賠償を請求できるかどうかは争いがある（我妻上127頁，三宅137頁などが肯定，末川上128頁，松坂32頁などが否定）。第三者が請求できるほか，要約者にも独自の損害があればその賠償請求を認めてよいだろう（星野63頁）。

(c) 解　　除

　第三者が受益の意思表示をしたのに諾約者が債務を履行しない場合，要約者は，第三者の承諾を得なければ，契約を解除することができない（538条2項）。

> ◆ **要約者による契約の解除**　改正前民法のもとで，①要約者は第三者の承諾（同意）を得た場合に解除できるとする説（末弘214頁，末川上128頁以下など）と，②要約者は第三者の承諾を要することなく解除できるとする説（我妻上127頁，星野63頁，中馬＝新堂・新版注民（13）790頁など）があった。①は，旧538条（現538条1項）の趣旨に鑑み，第三者の有する権利の尊重を重視する見解であり，受益者の履行請求権を無断で奪うのは不当である，要約者は第三者のためにする契約を選んだ以上は制約は甘受すべきである，必要があれば要約者と諾約者の合意で受益者の承諾を不要とすることができるなどという。②は，要約者を補償関係上の義務から解放する必要があることを重視する見解であり，要約者が解除した結果，第三者の権利が消滅しても旧538条に反しないと考え，第三者の保護は対価関係に委ねるという。今回の改正にあたっては，両説が検討されたうえで（中間試案説明381頁以下），①がとられた。

　なお，意思表示について，錯誤・詐欺・強迫などの取消原因があるときは，要約者又は諾約者は，これを取り消すことができる（95条・96条）。

(3) 要約者・第三者間の関係

　要約者と第三者との間には，対価関係があるが，これは第三者のためにする契約の内容とはならない。対価関係が無効であったり取り消されたりした場合でも，第三者のためにする契約の効力には影響せず，第三者は権利を取得し，諾約者に対して履行を請求することができる。ただし，対価関係がないのに利得した第三者は，要約者に対し不当利得返還義務を負うことがある。

4　適用範囲

(1) 適　用　例

　併存的債務引受が債務者と引受人となる者との契約によってされた場合，第三者のためにする契約に関する規定に従う（470条3項・4項）。

　改正前民法のもとの裁判例で，第三者のためにする契約にあたるかどうかが争われた事案は多様である（新堂・前掲注9）① 11号148頁以下〔債権者受益者類

型と受贈受益者類型に分類する〕，中馬＝新堂・新版注民（13）701頁以下）。著名なものとして，銀行による電信送金契約が第三者のためにする契約ではないとした最判昭43・12・5（民集22巻13号2876頁，奥村長生『最判解民昭43（下）』1337頁，新堂・前掲注9）①11号152頁以下）がある。

◆ **電信送金契約**　電信送金は，かつて行われた次のような送金の仕組みである。送金依頼人Aは，仕向銀行Bに資金を提供して，Dに対する送金を依頼する。Bは，被仕向銀行Cに対し，送金受取人Dに所定金額を支払うことを電信で依頼する。他方，AもDに対し，送金したことを電報で通知する。Dは，その電報送達紙（通知書）をCに提示して，送金額の支払を受ける（中馬＝新堂・新版注民（13）722頁）。最判昭43・12・5前掲は，EがDに無断で通知書を利用してCから送金額を受領した後，DがCに支払を求めた事案であり，BC間の電信送金契約が第三者（D）のためにする契約であるかどうかが争われた。この判決は，BC間の契約において，「第三者たる送金受取人のためにする約旨」が存在することが明示的に認められないだけでなく，銀行業者間ではそのような約旨が存在しないものとして電信送金業務を運営し処理してきたという取引慣行があることに照らし，黙示的にも同約旨は存在しなかったと判断した。

◆ **類型化の試み**　社会においては，第三者に権利を取得させるだけでなく，より多様な利益を受けさせる契約がある。裁判例でも第三者のためにする契約の多様な適用例がある（中馬＝新堂・新版注民（13）701頁以下）。そこで，第三者のためにする契約の適用対象を拡張し類型化してその効力を認める立法提案があり（基本方針V 367頁以下），部会でも検討されたが（部会資料19-2，第6，2），見送られた（論点整理説明215頁参照）。

(2)　契約の解釈及び事実認定の基準

ある契約が第三者のためにする契約と認められるか否かの判定は容易ではない。結局は，第三者が直接，債務者に対する権利を取得すると解するのが妥当な場合（類型）であるか否かによって判断されるべきである，という見方さえある（星野65頁）。実際，問題となるのは，「第三者が受益の意思表示をすれば，要約者又は諾約者の意思表示等がなくても，第三者が諾約者との関係で『権利』を当然に取得し，それ以降，要約者と諾約者の合意によってはその権利を変更し又は消滅させることができず，諾約者の債務不履行による要約者の解除も第三者の承諾を要する，しかし，その『権利』は要約者と諾約者の契約に由

来するものであるので，諾約者は要約者に対する抗弁を第三者に対抗できる」という法律関係を形成するのはどのような合意かである。その判定にあたっては，①契約当事者の合意を推認させる事情，及び，②より客観的な事情，の両面から考える必要がある。

◆ **第三者のためにする契約の判定の要素と基準**　①契約当事者の意思を推認させる事情としては，ⓐ諾約者が第三者に給付する約束が要約者の出捐（対価，条件，負担，目的物自体の返還・引渡し等）に基づくものである場合は，第三者のためにする契約を認める重要な積極的要素となる（来栖・前掲注9）519頁，平井185頁）。ⓑ同種の取引において第三者が直接権利を取得する取引慣行が存在する場合には，それが積極的要素となる（最判昭43・12・5前掲）。ⓒ第三者が明確に特定された実在の権利主体でない場合には，それが消極的要素となるという評価があるが（平井186頁），現行民法が第三者の不特定・未存在を明文で許容することもあり，比重はそれほど大きなものではない。②より客観的な事情[10]としては，ⓐその取引により第三者が直接権利を取得するという慣行及び社会における一般的理解（契約当事者となる事業者間のものだけでなく，権利を受ける者を含めたもの）があることは積極的要素となり，ⓑ近接する取引で第三者に直接権利を与える制定法があることも同様である。他方，ⓒ他の代替する法制度が存在することは，消極的要素となる。

　②を①と独立した事情と考えるか，②も①に還元するのかも，第三者のためにする契約をどの程度広く認めるのかにかかわる。第三者のためにする契約が契約の相対効の例外であること，対価関係の存否にかかわらず第三者が受益の意思表示をすれば確定的に権利を取得しうるものであること，成熟した制度については制定法による規律が存在することを考えると，第三者のためにする契約を広汎に認める必要はなく，①及び②から当事者の意思を明確に認定できる場合に，これを認めるということでよいだろう。

◆ **第三者のためにする契約の判定の困難**　第三者のためにする契約にあたるか否かの判定が困難なことの背景には，次の3つのレベルの問題がある。

　第1に，第三者のためにする契約が認められうる領域の問題がある。一方で，第三者のためにする契約は契約法の一般原則に反するが現実の必要に応じて例外的に認められてきたという認識のもと，その適用範囲をできるだけ限定すべきであるという考え方がある。すなわち，①他の制度（代理，権利義務の承継など）による構成がある場合には，それによることとし，第三者のためにする契約の観念からは除外すべきである（来栖・前掲注9）514頁以下）。②制定法による制度（保険，供託，信託な

---

10) 新堂・前掲注9）①11号183頁は，契約当事者の「意図」以外の要素として，第三者の「信頼」，取引の要請，法の目的，政策的考慮，道徳的考慮，訴訟経済等をあげる。

ど）について第三者のためにする契約の観念によって説明することがあるが，それは単なる説明のためのものであるにすぎず，具体的問題は当該制度自体の固有の規律によって解決されるべきである（平井186頁参照）。③契約当事者以外の第三者に対する損害賠償責任（販売業者と契約した製造業者のエンド・ユーザーに対する責任，分娩のために入院した女性と契約した病院の出生する子に対する責任）については，不法行為法に委ねられるべきである（平井187頁）。他方で，新たな三者間取引が誕生し制度として成熟していく途上において，第三者のためにする契約が暫定的な法律構成として有効・適切であり，第三者の権利取得を契約法の枠組みでとらえることを可能にするという評価（新堂・前掲注9）①11号185頁）によれば，その適用範囲はより広がりうることになる。

第2に，第三者のためにする契約に関する規律の内容が不明確であるという問題がある。第三者の取得しうる「権利」の内容，受益の意思表示を不要とする合意の可否，要約者の損害賠償請求及び解除の可否など，第三者のためにする契約の要件・効果について，従来から議論が多く，内容が確定していないため，具体的な適用上の困難が生じていた。しかし，議論は収束しつつあり，今回の改正で明文化された規律（537条2項・538条2項）もあるので，このレベルの問題は小さくなっている。

第3に，個別の契約の解釈及び事実認定の問題がある。AB間でBがCに給付をするという契約をしたとき，①BがAに対してその義務を負うだけなのか，②Cに直接権利を与えるものであるのかは，AB間の契約の解釈の問題であるとともに，AB間に②を内容とする特約が存在したのかという事実認定の問題でもある（奥村・前掲1350頁）。ここでは，ⓐ契約解釈と事実認定との関係をどう理解するかについての一般的な議論と，ⓑ両者を通じての具体的基準の設定についての議論がある。

このように錯綜するが，第1のレベルにおける基本的評価が決め手になるだろう。なお，第2のレベルについては，論争は，第三者のためにする契約として，どのようなモデルを典型として設定すべきかをめぐるものであったと理解することができる。そのモデルが次第に明確化されてきた現在においては，537条に規定された第三者のためにする契約をいわば典型として，それに準ずる類型を考えることもできる。「不真正第三者のためにする契約」（→1⑵◨〔174頁〕）も，このような試みであったと理解することができよう。この問題は，より大きくいうと，「契約構造による契約類型」の観念につながりうるものである（中田・研究94頁）。

第4章　契約の終了

第1節　契約の終了の意義[1]

1　契約の終了のプロセス

　契約がいつ終了するのかは，一義的には定まらない。いくつかの可能性がある。

　まず，①「その契約から債権債務がもはや発生しなくなったとき」がある。たとえば，期間の定めのある賃貸借契約の期間が満了すると，賃料債務は発生しなくなる。賃料債権について，抽象的基本的な債権（契約成立時に発生する）と，具体的支分的な債権（賃借人が使用収益しうる状態のもとで時の経過に応じて発生する）を区別すると（森田・深める119頁），この意味での契約終了により，前者が消滅し，後者が発生しなくなる。もっとも，目的物返還債務や未払賃料債務は，①の後も残る。

　次に，②「その契約から発生した債権債務が当然に消滅するとき」がある。たとえば，売買契約が解除されると，代金債務は消滅する。もっとも，解除による原状回復義務や，債務不履行による損害賠償債務は，②の後も残る。

　また，③「その契約の履行が完了したとき」も考えられる。その内容は，さらに分析を要する。第1に，③ⓐ「その契約から発生した第1次的な債務がすべて履行されたとき」がある。たとえば，建物の売買契約で，引渡し・登記・代金支払が完了したときである。第2に，③ⓑ「その契約から発生した第2次的な債務もすべて履行されたとき」がある。たとえば，建物の売買契約で，引渡し・登記・代金支払が完了した後に，その建物に契約内容に適合しない損傷

---

[1]　共同研究として，「連載　契約の終了」NBL 1135号62頁～1155号59頁（2018～19。その後の分は，商事法務ポータルに掲載）がある。

のあることが判明し，それについて売主の責任が履行されたとき，あるいは，売買契約が解除され，原状回復義務や損害賠償債務が履行されたときである。第3に，③ⓒ「その契約に関連する義務がすべて消滅したとき」もある。たとえば，機械の売主が，販売後一定期間，その機械の操作に必要な部品・消耗品等を提供できるようにしておく義務を負っていたがそれが消滅したとき，あるいは，被用者が，退職後一定期間，競業をしない義務を負っていたがそれが消滅したときである。

　③のⓐ〜ⓒについては，「第1次的な債務」「第2次的な債務」「関連する義務」を区別できるのか，その基準は何かが問題となる。その背景には，次のような，より一般的な問題がある。まず，③ⓐと③ⓑについては，なされた履行が契約の内容に適合していなかった場合や，契約が解除された場合に，いわば第2ラウンドの債権債務関係が発生するが，この債権債務関係が当初の契約に基づくものか，不完全な履行や契約解除によって新たに発生するものかという問題がある。③ⓒについては，「関連する義務」は，㋐その契約から生じる付随的な債務なのか，㋑その契約とは別の契約（部品・消耗品提供契約，競業避止契約など）から生じる債務なのか，㋒信義則上の義務[2]なのかが問題となる。㋑㋒については契約「終了後」の義務として論じられることもある（→第1章第1節5(2)(a)(iii)〔49頁〕）。

　このように，契約の終了が一義的に定まらないことの背景には，いくつかの理論的問題がある。他方，実際上は，終了によるどの効果が問題となっているのかに関心が寄せられる。すなわち，当事者は，なお契約上の債務を負っているのか（賃料債務など），契約に基づく権限を有しているのか（賃借権による占有権原など），契約終了に伴って生じる債務が発生したのか（目的物返還義務など），当事者間の法律関係を規律する規範は何か（当該契約か，別の契約か，債権総則・不当利得・不法行為法の規定か，信義則か）などである。契約の終了は一連のプロセスであり，そこで生じうる個々の問題に応じて，それぞれの「契約の終了」が論じられてきたと理解することができる。

---

[2]　鳩山・前掲第1章注41) 251頁・290頁以下〔初出1924〕，我妻上36頁以下，我妻中Ⅱ594頁以下。

2 契約の終了原因

契約は，その目的を達成して本来の終了をする場合（本来の終了→(1)）のほか，様々な原因で終了する場合（特別の終了→(2)）がある。

(1) 本来の終了原因

(a) 一時的契約の場合

一時的契約（単発的契約）は，履行が完了することによって終了するといわれることもあるが（内田82頁），「契約の履行の完了」の意味は，上述のように多義的である（1の③）。一時的契約においては，終了が問題となるのは，せいぜい契約「終了後」の義務（1の③ⓒ参照）との対比においてであり，「終了」自体には特に関心がもたれないことが多い（「履行の完了」が問題となることはある。破53条1項参照）。

(b) 継続的契約の場合[3]

継続的契約においては，その契約からもはや債権債務が発生しなくなるという意味での終了（1の①）が重要である。期間満了と解約申入れは，この意味での終了をもたらす。

期間満了は，期間の定めのある契約の本来の終了原因である。期間が満了すれば，何らの意思表示がなくても，契約は当然に終了する（597条1項・622条）。当事者の定めた期間についての合意の効力である。期間満了の際，更新するかどうかも当事者の合意によるが，制定法又は判例により，更新拒絶が制限されることもある。

解約申入れは，期間の定めのない契約の本来の終了原因である。期間の定めのない契約は，一方の当事者の意思表示により将来に向かって終了する。契約によって当事者が永久に拘束されることは，当事者の合理的意思に反するし，個人の自由に対する過度の制約という観点からも適切ではないからである[4]。ただ，突然の解約申入れは，相手方に損害を及ぼすこともあるので，相当期間

---

[3] 平井・前掲第1章注53）①，新堂幸司＝内田貴編『継続的契約と商事法務』(2006)，中田・解消，同・研究，同「継続的取引における時の流れ」NBL 800号（2005）17頁，同・前掲第1章注82）①②，同・前掲序章注10）①，丸山絵美子『中途解除と契約の内容規制』(2015)。

[4] 中田「永久契約の禁止」廣瀬久和古稀『人間の尊厳と法の役割』(2018) 37頁。フ民（2016年改正後）1210条〔永久的義務負担の禁止〕参照。

の予告を要する，あるいは，解約申入れから相当期間を経過した後に契約が終了するとされる（617条・627条参照）。

解約申入れは，期間の定めのある契約においても，認められることがある。当事者が合意で解約権を留保した場合（618条）や法律が定める場合（借地借家38条7項〔2021年改正前5項〕）であるが，その法的性質は，約定又は法定の解除権であり，上述のものとは異なる。

◆ **明文化の見送り**　継続的契約に関する規律については，かねてから立法提案があり（基本方針V 400頁以下），中間試案でも契約期間の定めの有無に応じた具体案が提示されたが（中間試案説明392頁以下），最終的には見送られた（丸山絵美子・改正コメ979頁以下）。近年の外国での法改正（ド民313条3項・314条，フ民〔2016年改正後〕1210条〜1215条）や国際的な契約に関する諸原則（UP 5.1.8・7.3.7, PECL 6.109, DCFR III.1.109・1.111, CESL 77）では規定が置かれているのと対照的である（中田「継続的契約——日仏民法改正の対照」改正と民法学II 473頁）。

◆ **契約期間と終期**　期間の定めのある契約は，期間の満了により終了する。他方，契約に終期が付されたときは，その契約の効力は，期限到来時に消滅する（135条2項）。この規律と期間の定めのある契約における期間の満了との関係は，微妙である（鈴木禄弥『民法総則講義〔二訂版〕』〔2003〕214頁は，終期は，原則として，継続的な契約関係を生ぜしめる契約のみに付されるという）。旧民法は，フランス民法と同様，始期付きの債務（義務）についての規定のみを置いていたが（財産編403条），現行民法は，ドイツ法系にならい，終期についても定め，対象を法律行為一般に拡張した（岡松参太郎『註釋民法理由総則編』〔1896〕329頁以下〔年金をいつまで支払うか，地上権をいつまで認めるかの定めを例とする〕。ド民163条参照。民法修正案理由書182頁は，現行民法135条1項・2項が旧民法財産編403条1項・2項の主義によるものだと説明するが，同403条2項は，当然期限〔恩恵期限に対比される〕に関する規定なので，不正確である〔Exposé des motifs, t. 2, p.562参照〕）。フランスでは，継続的契約について終期の概念を認める学説もあることから，民法改正において，①終期に関する規定を新設する案もあったが，②終期の概念に言及しつつもその規律は契約期間に関する規定に委ねるという案や，③終期は債務の目的（内容）に関するものだから，規定するとすればその部分だが，あえて規定する必要はないという案もあり，結局，2016年改正においても，始期付き債務についてのみ規定されることになった（フ民〔2016年改正後〕1305条以下。中田・前掲第1章注79）3号13頁参照）。日本法では，終期の規定があり，かつその効果も解除条件の成就と書き分けられているが（127条2項と135条2項を対比せよ），その概念をあえて継続的契約の終了に持ち込む必要はないのではないか（概念の整理としては，③が示唆的である）。

第1節　契約の終了の意義

◆ **継続的契約の終了にかかわる諸理念**　本文に示した継続的契約の終了に関する規律の背後には、諸理念の相克がある。①第1の理念は、「合意の尊重」である。意思自治の原則に基づくものであり、これが基本となる。②第2の理念は、「長期契約の弊害防止」である。これは、ⓐ個人の自由の保護（あまりにも長期の拘束は個人の自由を害する）、ⓑ消費者等の保護（離脱の保障）、ⓒ不確実性の均衡の保持（将来の不確実性に伴うリスクの負担に不均衡があるとき、契約が長期化するほど不均衡が拡大する）、ⓓ契約締結後の状況の変化に適応する要請、ⓔ長期契約に伴うモラル・ハザードの防止（賃貸人も賃借人も目的物の改良をしなくなる、地位に安住する特約店が販売努力を怠るようになるなど）、ⓕ取引の流動性を高めることによる社会的利益の増大（競争の促進による効率化）による。③第3の理念は、「契約関係の安定性の保護」である。これは、ⓐ当事者の継続に対する信頼の保護、ⓑ機会主義的行動の抑制（相手方が解消による損失を受ける状態にあるのを利用して、不当な契約条件を押しつけることなどの抑制）、ⓒ社会的・経済的弱者の保護（社会政策的判断、又は、交渉力の不均衡の補完による契約自由の基盤確保）、ⓓ当該取引の効率性の向上（適切な投資の促進、情報・経験の蓄積及び信頼の醸成）、ⓔ取引の安定性を高めることによる社会的利益の増大（適切な投資による効率化）による。

　以上の諸理念の関係は、こうである。期間の定めのある契約については、①によると期間が満了すれば契約は当然に終了するはずだが、③により、黙示の更新、更新拒絶の制限、金銭的補償等による調整がされることがある。他方、①を貫くと、契約期間中は一方的には解消できないはずだが、②により、事情の変化への対応が求められることがある。期間の定めのない契約については、①及び②により、いつでも一方的に解消できるはずだが、③により、予告が要求されたり、解約申入れが制限されることがある。以上を通じて、債務不履行による解除はありうるし、約定解除権・解約権があれば、①により、それに基づく解除・解約も可能なはずだが、いずれについても、③により、解消の要件が加重されたり、解消が信義則で制限されることがある。

　制定法や裁判においては、継続的契約の具体的内容に応じて、これらの理念の調和が図られる。その際、解消の規律が及ぼす影響も考慮する必要がある。契約自由を事後的に制限すると、その後に契約をする者の行動に影響をもたらす可能性があるからである。

◆ **合意による継続的契約の終了のコントロール**　契約の成立を合意によってコントロールすること（→第2章第4節2(2)〔115頁〕）に比べると、契約終了に関する合意は、より一般的に行われる。特に、継続的契約では、終了に関する約定が置かれることが多い。すなわち、解除事由、解除方法のほか、契約期間、期間満了時の更新、期間の定めのない契約における解約申入れなどである。

　企業間の継続的契約（特約店契約など）では、しばしば終了について綿密な約定が置かれる。所定の手続をしないときは自動更新されるという条項、解消後の原状回

復や清算に関する条項などである。その約定に従えば，当事者は適法に解消することができるはずだが，解消された相手方がそれを争うことが少なくない。特に，更新が繰り返された後の解消について裁判例が多い。これは，継続的契約には，市場の状況，当事者の能力，履行の態様，相互の信頼関係など取引の成功・失敗にかかわる不確定要素が多いことに起因する。当初の契約では，このような不確実性によるリスクを小さくするために，契約の終了についての合意をし，離脱の機会を保障する。しかし，更新が続き，当事者にとっての不確実性が減少し，他方，取引関係の継続に伴う価値（関係価値）が増大するにいたっても，当初の合意によるリスク分配が維持される。そのため，長年継続した取引を当初の契約条項の手続に則って解消すると，相手方から異議が出されることになる。合意によるリスク分配が関係の継続により合理的でなくなっていた状態をどのように解決するかの問題である。基本的には，（更新された）契約の解釈により解決されるべき問題であり，権利濫用の法理及び信義則がそれを補完することになる（中田・解消，同・研究，同・前掲第1章注82）①参照。基本合意と個別取引の場合につき→第2章第4節2(2)(f)(i)〔127頁〕）。

(2) 特別の終了原因

(a) 当事者の合意による終了

(i) 事後の合意——合意解除　　合意解除とは，契約の効力発生後に，当事者双方の合意によりその契約を消滅させるという新たな契約である。解除契約ともいう。

合意解除は，契約であり，第三者に不利益を及ぼすことはできない（契約の相対的効力）。たとえば，土地賃貸人は，賃借人との間で土地賃貸借契約を合意解除しても，その効果を地上建物の賃借人に対抗できない（最判昭38・2・21民集17巻1号219頁）。適法な転貸借においては，原賃貸借の合意解除は，転借人に対抗できない（613条3項）。

合意解除によりなされるべき原状回復の範囲は，合意解除契約の解釈の問題だが，原則としては，不当利得法の規律による。

> ● 動産売買契約において，引き渡された物に特に不具合もないのに返品の申出がされ，相手が応じることがある。特に，継続的な取引では，当事者の円滑な関係を保つため，返品に応じることは稀ではない。それは，「信頼関係」の重視であるとともに，「力関係」の反映でもある（後者は優越的地位の濫用と評価される場合もある）。このような返品は，合意解除であることが多い。当事者の合意により留保されていた解除権や，法律によって付与された権利（クーリング・オフなど）の行使の結果であることもある。

(ii) 事前の合意——解除条件など　当事者が事前の合意により契約に解除条件（127条2項）を付していた場合，条件が成就すると，契約は効力を失う。解除は，相手方に対する意思表示が必要だが（540条1項），解除条件は，一定の事実が発生すれば自動的に契約の効力がなくなる。

一定の事実が発生すれば当事者は解除できるという事前の合意は，解除権の留保であり，合意解除でも解除条件でもない。留保された解除権に基づく解除を，約定解除という（→第2節1〔192頁〕）。

契約期間又は終期を定めていた場合，期間満了又は終期の到来により，契約は終了する（契約期間と終期の関係については→(1)(b)2つ目の◧）。

> ◧ **失権約款**　失権約款とは，一定の事実が発生すると，解除の意思表示なしに当然に契約が終了するという内容の契約条項である。たとえば，アパートの賃貸借契約で，家賃を3か月分以上滞納すると，何らの意思表示なく自動的に契約が終了する，という条項である。履行遅滞による解除の場合，催告（541条）と解除の意思表示（540条1項）という2段階の通知が必要だが，失権約款ではいずれも不要となる。失権約款は，契約書中の条項でそのような効力をもつものを形態面・機能面からとらえた実際的な概念である。その法的性質は，解除条件である。有効性が問題となることがある。

> ◧ **使用貸借の終了**　期間の定めのない使用貸借において，当事者が使用収益の目的を定めていたときは，使用貸借は，借主がその目的に従い使用収益を終えることによって終了する（597条2項）。

(b)　一方当事者の意思表示による終了

(i)　解除　契約の解除（540条）とは，契約の効力発生後に，一方当事者の意思表示により，契約を一方的に解消することである。契約の拘束力にもかかわらず，一方的に解消するためには，何らかの根拠が必要である。効果も問題となる。次節で詳しく検討する。

> ◧ **告知**　継続的契約の解消の効力は，将来に向かってのみ生じ，既に履行された部分は維持されるのが原則である。履行された部分を元の状態に戻すことは不可能であることが多いからである（雇用において既にされた労働，賃貸借において既にされた使用収益を消去することはできない）。このように，継続的契約の一方当事者の意思表示による一方的解消であって，将来に向かってのみ効力が生じるものを告知（résilia-

tion, Kündigung）と呼ぶことがある（解約告知ともいう）5)。解除（résolution, Rücktritt）は遡及効があるので，これと区別される。日本民法は，この意味での解除と告知のどちらも解除と呼んでいる（620条・630条・652条）。告知又は解約告知という言葉は，①継続的契約の解消，②期間の定めのない契約の解消，③解除原因のない無理由の解消，④効果が遡及しない解消，という様々な用法があって混乱が生じがちであるし，日常用語としての「告知」の意味とも乖離している（基本方針Ⅴ 407頁参照）。このため，本書では，この言葉を用いないことにする。

（ⅱ）撤回　撤回とは，法律行為又は意思表示をした者が，取消原因に基づかず，その一方的な意思表示により，法律行為又は意思表示をなかったものとすることである（523条1項・529条の2第1項・540条2項・1022条参照）。改正前民法は，書面によらない贈与契約は，各当事者が撤回できるとしていたが（旧550条），現行民法は，これを各当事者が解除できると改めた（550条）。意思表示に瑕疵があることを理由としないで契約の効力を消滅させる行為を意味する語を「解除」に統一するための改正である。これは契約の終了というより，その成立の段階を規律するための制度である（→第6章第4節1(2)(d)◆〔277頁〕）。

(c)　当事者の意思に基づかない終了

（ⅰ）当事者の死亡　契約当事者が死亡すると，契約上の地位が相続人に相続されるのではなく，契約が当然に終了する場合がある。使用貸借における借主の死亡（597条3項），委任における委任者又は受任者の死亡（653条1号），雇用における労働者の死亡及び労務内容が使用者の一身専属的なものである場合などの使用者の死亡により，契約は終了する（我妻中Ⅱ593頁など通説）。組合においては，組合員が死亡すると，組合契約は終了しないが，その組合員は脱退したことになる（679条1号）。これらの契約は，その人だから契約したという，当事者間の人的関係又は給付内容の非代替性が重視されるものだからである6)。

（ⅱ）当事者の破産　契約当事者が破産手続開始決定を受けると，契約が当

---

5) フランスにおける概念につき，中田・解消115頁以下，齋藤哲志「フランスにおける契約の解除」法協123巻7号113頁・8号179頁（2006）（特に8号208頁以下），ドイツにおける概念につき，飯島紀昭「継続的供給契約の『解除』の性質」都法15巻1号（1974）101頁，同「継続的債権関係と告知について」成蹊法学15号1頁〜18号25頁（1980〜81）。
6) 使用貸借につき，山中康雄・新版注民(15)126頁，委任につき，中田・研究342頁，雇用につき，我妻中Ⅱ593頁。相続の効力の側からいえば，契約上の地位が被相続人の一身専属的なものである（896条）ということになる（星野253頁参照）。

然に終了する場合がある。委任契約は，委任者又は受任者の破産により終了する（653条2号）。書面でする消費貸借契約は，借主が貸主から金銭その他の物を受け取る前に当事者の一方が破産すると，効力を失う（587条の2第3項）。契約当事者の一方について倒産手続が開始した場合の契約の帰趨は，民法等の規律と倒産法の規律の双方から検討すべき問題である[7]。

　(iii)　当事者の後見開始　　委任契約は，受任者が後見開始の審判を受けると終了する（653条3号）。組合員の後見開始はその脱退事由である（679条3号）。

　(iv)　目的物の滅失　　賃貸借契約は，目的物の全部が滅失その他の事由により使用収益できなくなると終了する（616条の2）。改正前民法のもとの判例・学説を明文化したものであり，使用収益できなくなった原因についての責任の所在を問わない（最判昭32・12・3民集11巻13号2018頁〔建物の朽廃〕，最判昭42・6・22民集21巻6号1468頁〔建物の火災による滅失〕，我妻中Ⅰ481頁など通説）。

◆ **目的物の滅失による契約の終了の構造**　　改正前民法のもとで，契約法の一般的な規律によれば，賃借物が滅失し使用収益が不能となった場合，各当事者の帰責事由の有無により，履行不能による損害賠償，危険負担，契約の解除が問題となるが，賃貸借においては，帰責事由の所在がどうであれ，賃貸借は解除を待たずに当然終了するという結論を支持する見解が一般的だった。①契約が解除されるまで債務不履行による損害賠償と危険負担の法理で規律される段階を置く必要があるか，②解除されなくても契約は当然に終了し，あとは損害賠償の問題とすれば足りると考えるべきかについて，少なくとも賃貸借においては，①の必要はないという指摘もあった（森田・深める124頁以下。品川上373頁参照）。寄託（我妻中Ⅱ723頁），使用貸借においても，当然に終了すると考えてよいだろう。

◆ **横断的観察――特別法による解消**　　特別法では，(1)及び(2)の終了原因が場面に応じて使い分けられている。2つの例を見よう。

　第1は，特定商取引法である。これは訪問販売をはじめとする「特定商取引」を規律するものであり，その方法の1つとして，商品・権利・役務の売買契約や役務提供契約について，業者の相手方に契約から離脱する権利を与える。その法律構成は，次の通りである。まず，いわゆるクーリング・オフであり，相手方は，一定期間内であれば，理由なく「契約の申込みの撤回」又は「契約の解除」ができる（特定商取引9条1項）。次に，業者が勧誘に際して不実告知等をしたために，相手方が

---

[7]　中田「契約当事者の倒産」『倒産手続と民事実体法』別冊NBL60号（2000）4頁，同・前掲第3章注3），同・前掲第1章注79）。

誤認し，契約の申込み又は承諾をした場合は，相手方は「契約の申込み又はその承諾の意思表示」を「取り消す」ことができる（同9条の3第1項。消費契約4条参照）。また，英会話教室やエステティック・サロンなどの「特定継続的役務提供契約」については，クーリング・オフ期間経過後であっても，相手方は「将来に向かつて」「契約の解除」ができる（特定商取引49条1項）。

第2は，借地借家法である。これは借地契約や借家契約を規律するものであり，その方法の1つとして，契約の存続についての借地人や借家人の利益を保護する。建物賃貸借契約を例に説明しよう。期間の定めがある場合は，「期間の満了」によって終了すべきところ，当事者が更新拒絶の通知をせず，又は，賃貸人が賃借人の使用継続に対する異議を述べないときは，「契約を更新」したものとみなされる（借地借家26条）。期間の定めがない場合は，「解約の申入れ」によって終了すべきところ，賃貸人が使用継続に対する異議を述べないときは，「契約を更新」したものとみなされる（同27条）。賃貸人が更新拒絶又は解約申入れをするためには，正当の事由が必要である（同28条）。なお，「定期建物賃貸借」においては，「期間の満了」によって契約が終了することを原則とし，賃貸人は正当の事由がなくても契約の更新を拒絶でき，賃借人も契約期間に拘束されるが，賃借人はこの場合であっても一定の要件のもとに「解約の申入れ」をすることができる（同38条6項・7項）。

第2節　契約の解除

1　意　義

契約をその拘束力にもかかわらず一方的に解消するためには，根拠が必要である。その根拠となる解除権は「契約又は法律の規定」により発生する（540条1項）。契約による解除権を約定解除権，法律の規定による解除権を法定解除権という。

約定解除権には2種類ある。第1は，当事者が契約において一定の事由のある場合に解除できると定める場合である。解除についての合意は，法定解除ができない場合であっても解除を可能にする合意と，法定解除ができる場合にその要件・効果を具体化し又は修正する合意がある（厳密な意味での約定解除権は前者である）。いずれについても，契約の解釈及び解除条項の有効性が問題になることがある。第2は，解除権を定める契約条項がなくても，一定の種類の合意をするとそれに解除権が伴うとされる場合である。手付契約（557条1項），不動産売買における買戻しの特約（579条前段）がその例である。当事者がそれと異なる合意をすることは可能である（前者では，手付ではあるが，解約手付では

なく違約手付などになり，後者では，買戻しではなく，再売買の予約などになる)。

法定解除権には3種類ある。第1は，債務不履行による解除である。契約一般について，当事者が債務を履行しない場合，相手方は解除できる（541条・542条。これが540条にいう「法律の規定」にあたる）。第2は，各種の契約又は特定の場面において個別的に法律で解除権が認められている場合である（550条・612条2項・641条・651条1項，特定商取引9条1項，破53条1項など）。債務不履行の有無にかかわらず個別規定に基づく解除ができる。第3は，法律の明文規定はないが，判例・学説上，認められるものである。事情変更による解除（→第1章第1節4(3)(b)〔44頁〕）がその例である。

民法の「契約の解除」の款には9か条の規定がある（今回の改正により内容の改正はあるが条数は変わらない）。このうち540条・544条〜548条は解除一般についての通則である（ただし，適用されない契約もある）。これに対し，541条〜543条は，法定解除のうち債務不履行による解除に関する規定である。

2 債務不履行による解除の意義

契約の一方当事者がその債務を履行しない場合，相手方（債権者）のとりうる主な手段としては，履行請求，損害賠償請求，解除がある。履行請求は，債権者が契約から得られるべき利益（契約利益）を実現する機能をもつ。損害賠償請求も，債務の履行に代わるものは，債権者の契約利益を実現する機能をもつ。これに対し，解除は，契約関係を解消し，既履行の部分については原状に回復するという，逆方向の機能をもつ。

● 債務不履行による解除の機能を2つの例で示そう。
（例1）Aは，マイホームを取得したいと考え，売主Bとの間で不動産売買契約（甲契約）を締結し，履行期に代金の支払の提供をしたが，Bが引渡しも登記もしない。AはBに対し，訴えを提起して甲契約の履行を求めることができるが，時間と費用がかかる。そこで，AがBからの取得を断念し，第三者から別の住宅を購入しようとする場合，甲契約をそのままにしておくと，後日，Bから，甲契約に基づいて目的物件を引き取り，代金を支払えと求められる可能性が残る。そこで，Aは，甲契約を解消し，後でBから請求を受けることのないようにしておく必要がある。つまり，解除は，甲契約による代金支払等の債務からAを解放する機能をもつ。他方，Bは，目的物件の売却による利益を得られない結果となる。
（例2）Cは，その所有する絵画をDに売り渡す売買契約（乙契約）を締結し，代金は6回の分割払とする合意で引渡しがされた。Dは，1回目の支払をした後，事

> 実上の倒産をし，2回目以降の支払をしない。このまま放置しておくと，その絵画が処分されてしまうおそれがある。CはDから絵画の返還を受けたいが，そのためにはその引渡しを根拠づけていた乙契約を解消する必要がある。この場合，解除は，引渡債務が履行された状態からCを解放し，元の状態を回復する機能をもつ。他方，Dは，絵画を入手できない結果となる。

　債務不履行を理由として契約関係を一方的に解消できる場合のあることは，古くから認められている。それがどのような場合なのかについては，次の諸点が考慮される。①契約の拘束力が出発点になる（一方的解消は，本来はできない）。②しかし，債権者については，履行を得られないまま契約に拘束し続けるのは適当ではなく，契約から解放する必要がある（債権者は，安心して代替取引ができ，また，原状回復により相手方に引き渡した物や金銭の返還を受けることができるようになる）。③債務者については，不履行をしている以上，不利益を負わされてもやむを得ないが，なおその契約利益を考慮する必要もある。④債務不履行制度全体としては，不履行をされている債権者の救済方法として，「履行請求及び損害賠償による救済」と「解除による救済」のどちらを優先すべきかが問題となる（④については，履行請求権を第一義的なものと考えるべきか否かという体系的観点と，どちらの救済方法が事後のコストが全体として小さくなるかという実際的観点がある）。

　以上のどれを重視するかによって，解除制度の設計が異なりうる。どのような要件とするのか（催告の位置づけ，債務者の帰責事由の要否，どの程度の不履行について解除が認められるのか，商事と民事とで区別するか，当事者の属性を考慮するかなど），解除を基礎づけるのは，当事者の意思か，当事者間の公平か，などに影響する。

　改正前民法のもとでは，かつては①と③を重視し，解除には債務者の帰責事由が必要であると解するのが通説的見解だったが，次第に②を重視する見解が有力になった。不履行の理由がどうであれ，落ち度のない債権者を契約による拘束から解放するのが公平であるし，債権者に代替取引の機会を与えることは，全体としての損害を少なくすることにもなる。このような観点から，不履行をされている債権者を契約による拘束から解放する機能が解除制度の主な目的であるとし，債務者に対する制裁は損害賠償に委ねることとしたうえで，債務者

がその契約利益を奪われることも考慮して，債務者に対する一定の配慮を図るというものである[8]。現行民法もこの考え方を基本とする。

◆ **解除制度の設計**　債務不履行による解除は，契約の拘束力の例外を設けるものであり，種々の考慮要素があるので，解除制度も一様ではない。

フランスの解除制度[9]は，旧民法財産編421条以下に影響を与えた。フランス民法（2016年改正前）1184条は，双務契約には一方当事者が義務を果たさない場合についての解除条件が常に黙示に含まれているとしつつ，不履行の場合には，契約は当然に解除されるのでなく，相手方が解除を裁判上請求できると規定していた。「黙示の解除条件」構成及び「裁判上の解除」の原則は，フランス解除制度の特質であり，解除制度の1つのあり方を示すものであった。フランスでは，民法典制定後の進展（明示の解除条項に基づく裁判外の解除の容認，立法・判例による裁判外の一方的解除の容認）を経て，2016年改正により，通知による解除制度が導入された（フ民現1224条・1226条）。

ドイツの解除制度[10]は，日本民法の解除制度及びその後の日本の学説に影響を与えた。ドイツ民法（2001年改正前）325条・326条は，双務契約の一方当事者の債務が履行されない場合，債権者は一定の要件のもとに解除できるとした。その要件は，不能については債務者の帰責事由，遅滞については債権者による相当期間の設定とその経過が中心であり，解除と損害賠償とは選択的であった。2001年改正（02年施行）でも，双務契約における債務不履行に対し，債権者が解除できるという構造は維持された（要件の改正はCISGの影響を受けている[11]）。しかし，債務者の帰責事由は要件とされず，義務違反が軽微なときは解除できないとする。また，解除と損害賠償は両立しうることになった（以上，ド民現323条～326条）。このように，ドイツでは，意思表示による解除という制度をとり，債務不履行の種類により要件を規定する。

◆ **片務契約の解除**　旧民法の解除制度は，フランス民法と同様，債務不履行による解除の対象を双務契約のみとしていた（財産編421条）。明治民法は，これを改め，

---

8)　星野69頁以下，能見善久「履行障害」改正課題103頁・107頁など。杉本好央『独仏法における法定解除の歴史と論理』(2018) は，契約の拘束力の原理を重視する論理と，債権者の契約からの簡易確実な離脱を認める論理の関係の歴史的展開を示す。

9)　福本忍「フランス債務法における法定解除の法的基礎（fondement juridique）と要件論」立命館法学299号321頁・302号181頁（2005～06），齋藤・前掲注5），杉本・前掲注8）第2部〔初出2007～17〕。

10)　杉本・前掲注8) 第1部〔初出2001～03〕，潮見・前掲第2章注53) 380頁以下，松井和彦「法定解除権の正当化根拠と催告解除」阪法61巻1号55頁・2号113頁 (2011)。

11)　山田到史子「契約解除における『重大な契約違反』と帰責事由」民商110巻2号77頁・3号64頁（1994），潮見佳男ほか編『概説国際物品売買条約』(2010) 137頁以下［山田到史子］。

片務契約も対象とすることにし，限定を付さない「契約」について541条～543条の規定を置いた（民法修正案理由書519頁）。その後の判例（大判昭8・4・8民集12巻561頁，川島武宜『判民昭8』161頁。預金契約の解除を認めた例だが，この件については学説の批判が多い）及び通説（末弘226頁，鳩山上208頁）も，片務契約が対象となることを認めてきた。これに対し，債務不履行による解除の制度趣旨は，不履行をされている債権者を契約による拘束から解放することにあるのだから，債権者も債務を負う双務契約のみが対象となるという見解も有力である（星野70頁，平井226頁。我妻上148頁も疑問を示していた。日本民法の解除制度は比較法的にみて特殊である〔三宅総137頁・155頁〕，無償片務契約は法的拘束力が弱く有償双務契約のような解除を必要としない〔山下末人・新版注民(13) 813頁〕との指摘もある）。他方，片務契約の解除も認めるが，それは双務契約の解除とは異質のものであり，たとえば贈与において受贈者が受贈を拒絶し，信頼利益の賠償を請求する制度として考えられるべきだという見解もある（広中349頁，平野(5) 168頁〔ただし平野95頁参照〕）。片務契約の解除の可否は，贈与（上記のほか，内田86頁），使用貸借（藤岡ほか45頁〔磯村保〕），無償委任（民法速記録Ⅲ 806頁〔穂積陳重発言〕，岡松503頁），無償寄託（大判昭8・4・8前掲参照）について論じられてきた。消極説は，片務契約にまで解除を認める実益がない（債権者の受領義務は債務免除〔519条〕で免れうる，解除せずに塡補賠償の請求を認めうる場合がある，各種の片務契約についての終了に関する規定〔591条・594条3項・651条1項等〕で足りる），対象を広げることにより解除の概念が拡散する，と指摘する。しかし，片務契約においても，債務が履行されない場合，債権者の意思表示によって，債務者がもはや履行できなくなり，債権者が損害賠償（「信頼利益」に限らない）を請求できるようになるという法律関係（そこでは債権者は安心して代替取引ができる）を形成する必要がある。つまり，不履行をされている債権者の契約による拘束として，相手方に対する債務という法的拘束だけでなく，他の者との契約が抑制されるという事実上の拘束も含めて考慮すべきである。また，使用貸借など継続的契約についても解除の概念を認めることができる。したがって，片務契約についても債務不履行による解除を認めてよいと考える（内田86頁，藤岡ほか45頁〔磯村〕，川井67頁，奥田＝池田編80頁〔渡辺達徳〕など）。

3　債務不履行による解除の要件

(1)　概　観

(a)　要件の概観

債務不履行による解除の効果が生じるための基本的な要件は，①債務不履行があることと，②それは債権者の帰責事由によるものでないこと，③解除の意思表示がされたことである。①は，解除権発生のプロセスという観点から振り分けられた各種の債務不履行について，具体的に定められている（→(2)・(3)）。

②は，①の区別を問わない（→(4)）。③は，債務不履行があっても当然に解除の効果が生じるわけではなく，そのためには解除の意思表示が必要だということだが（540条1項），これは解除一般について共通することなので，項を改めて検討する（→4(1)）。

なお，債務者の帰責事由は要件ではない（→(5)）。また，損害の発生も要件ではない。

> ● 債務不履行による解除においては，損害の発生は要件ではない。債務不履行に基づく損害賠償（415条）において損害の発生が要件であるのとは異なる。なお，解除権の行使は，損害賠償の請求を妨げない（545条4項）。

(b) 規定の構成——分類の観点

現行民法は，債務不履行による解除権について，催告による解除（541条。以下「催告解除」という）と催告によらない解除（542条。以下「無催告解除」という）に分けて規定する。これは解除権が発生するためのプロセスという観点からの分類である。債務不履行には，種々の態様のものがあるが，それは催告の要否という大きな区分のもとに振り分けられる。

種々の態様の不履行とは，履行遅滞（債務の履行が可能であるのに履行期が到来しても履行しないこと。541条・542条1項4号・5号），履行不能（債務の履行が不可能であること。542条1項1号・3号），履行拒絶（債務者が債務の履行を拒絶する意思を明確に表示したこと。542条1項2号・3号），その他の債務不履行（一応履行らしいものがされたが，債務の本旨に従った履行とはいえないこと。541条・542条1項5号。564条参照）である。

> ● 住宅の売買における売主の債務不履行を例にとると，約束の期日が来たのに引き渡さない場合（履行遅滞），引渡しの前に焼失した場合（履行不能），売主が絶対に引き渡さないと通告した場合（履行拒絶），引き渡された建物の土台が白蟻に侵食されていた場合（その他）である。

◆ **改正前民法のもとでの債務不履行の類型に関する議論**　改正前民法は，債務不履行による解除について，履行遅滞等（旧541条），定期行為の履行遅滞（旧542条），履行不能（旧543条）に分けて規定していた（催告の要否は，各条で定める）。債務不履行による損害賠償についても，2種類の規定があった（旧415条前段・後段）。

かつての通説は，損害賠償と解除とを通じて，債務不履行を3類型に分類し，次

第4章 契約の終了

のように説明した（三分説）。債務不履行には，履行遅滞，履行不能，不完全履行がある。旧415条前段・旧541条は履行遅滞を規定し，旧415条後段・旧543条は履行不能を規定する。不完全履行については明文規定はないが，追完が可能であれば履行遅滞に準じ，追完が不可能であれば履行不能に準じる（鳩山秀夫『増訂改版日本債権法（総論）』〔1925〕129頁，鳩山上224頁以下，我妻・債総99頁・153頁以下，我妻上152頁・174頁以下）。

これに対し，次の批判が投じられた。①三分説は，条文の文言と異なる。旧415条前段は「債務の本旨に従った履行をしないとき」，旧541条は「その債務を履行しない場合」と規定しているのであり，履行遅滞に限定していない。②三分説は，ドイツの学説を受け継いだものだが，ドイツと日本とでは前提となる民法の規定が異なっている。ドイツ民法（1896年公布，1900年施行）は，債務不履行として履行遅滞と履行不能の2種のみを規定していたので，学説が第3の類型を提唱し，通説となったが，日本民法の規定は，①の通り，もともと履行遅滞以外の不履行も含んでいる。しかも，ドイツ民法は改正され（2001年改正，02年施行），現在では，2種に限定していない。③日本の三分説は，ドイツの学説の一部のみを取り入れ，第3類型たる不完全履行を，物を引き渡す債務を主に想定する制限的な概念とした。このため，3つのどの類型にも入らないものが残された。

この批判を経て，学説では，債務不履行を一元的に理解するもの，新たな類型化を試みるものも現れたが，条文との関係では，履行遅滞（旧415条前段・旧541条），履行不能（旧415条後段・旧543条），その他の債務不履行（旧415条前段・旧541条）と整理するものが多かった。このほか，近年，履行期前の履行拒絶という，一度は忘れられていた類型も注目されるようになっていた（以上につき，中田・債総113頁以下参照）。

改正前民法のもとでは，履行不能は，債務消滅原因とされるとともに，債務者の帰責事由が損害賠償請求・解除の要件とされていたが（旧415条後段・旧543条），改正民法では，履行不能は債務消滅原因ではなく（412条の2第1項），債務者の帰責事由は損害賠償請求・解除の要件とはされていない（415条1項但書は，帰責不可事由によるものであることを免責事由とするにすぎない）。その結果，債務不履行の類型のもつ意味が一層小さくなる。そこで，改正民法は，債務不履行の態様という分類について議論のある観点ではなく，解除権発生のプロセスという観点から分けて規定したものと考えられる。

(2) **催告解除の要件**

(a) **概　　観**

履行遅滞及びその他の債務不履行（履行遅滞，履行不能，履行拒絶以外のもの）においては，催告をし，なお履行されない場合に解除することができる。しか

し，不履行の程度が軽微であるときは，解除できない（541条）。以下では，履行遅滞（(b)），その他の債務不履行（(c)），催告（(d)），軽微な不履行（(e)）について，順に検討する。なお，履行遅滞やその他の債務不履行であっても，催告を経ることなく解除できる場合があるが，これは(3)で検討する。

(b) 履行遅滞

(i) 概観　履行遅滞による契約の解除（541条）の要件は，契約の一方当事者（債務者）が，①履行期が到来し，②履行が可能であり，③履行を拒みうる理由もないのに，④履行の提供をしない場合に，⑤相手方（債権者）が相当の期間を定めて履行の催告をしたが期間内に履行がないこと，である。ここでは，①から④を説明する（⑤については→(d)）。

(ii) 履行期の到来　債務が履行期になければ，遅滞は生じない。履行期とは「債務者が履行すべき時」のことだが，厳密にいうと，ここでの履行期は，「債務者が履行しなければ，それ以降，遅滞の責任を負うことになる時」である（中田・債総119頁）。

● 履行期は，「債権者が履行を請求できる時（履行請求可能時）」という意味で用いられることもある（米倉・プレ105頁以下参照）。この意味での履行期が到来すると，債権者は債務者に履行を請求することができ（その強制をすることもでき），履行期到来時から消滅時効期間が進行する（166条1項2号）。しかし，債務者がその時点で履行遅滞になるとは限らない。なお，「履行時」は，現に履行した時という意味であり，履行期（履行すべき時）とは区別される。

履行期（履行遅滞となる時）がいつであるかは，412条が規定する。

確定期限があるときは，その期限の到来した時である（412条1項）。改めて催告するなどの手続をとらなくても，期限が到来すると自動的に遅滞になる（「付遅滞」を必要としない[12]）。これは，履行請求可能時と一致する。

● 7月1日までに引き渡すという債務の場合，その日を過ぎれば当然に遅滞になる。

---

12) 立法例は分かれる。日本民法はドイツ民法等と同様である。改正前のフランス民法のもとでは，論理的には付遅滞が解除の前提とされていた（齋藤・前掲注5）8号185頁，北居功『契約履行の動態理論Ⅰ弁済提供論』〔2013〕271頁以下・453頁以下）。2016年改正で新設された通知による解除においては，原則として債務者を遅滞に付することが求められる（フ民〔2016年改正後〕1226条1項）。

不確定期限があるときは，①期限到来後に，債権者が債務者に履行の請求をし，債務者がその請求を受けた時，又は，②債務者が期限の到来したことを知った時，のいずれか早い時である（412条2項）。債権者が履行を請求することができるようになると，その請求を債務者が受けた時から履行遅滞になるが（①），その請求を受けなかったとしても，債務者が期限が到来したことを知っていたときは，履行遅滞となる（②）という趣旨である。①は，従来の通説（我妻・債総104頁など）を改正民法が明文化したものである。

● 第三者Aが死亡したら建物を引き渡すという債務の場合，期限が到来するのはAの死亡した時だが，履行遅滞になるのは，Aの死亡後に，債権者が債務者に履行の請求をし，債務者がこれを受けた時，又は，債務者がAの死亡を知った時のいずれか早い時である。

期限の定めがないときは，債務者が履行の請求を受けた時である（412条3項）。債務がある以上，債権者は直ちに履行を請求できるが，債務者が遅滞に陥るのは，請求を受けた時からである。このように，412条2項・3項の場合，履行請求可能時と履行遅滞時とがずれることになる。

具体的な履行期がいつであるのかは，契約の解釈によって定まる。また，各種の契約の性質に即した履行期に関する規定がある（売買につき573条，消費貸借につき591条1項，使用貸借につき597条1項・2項，寄託につき662条1項など）。現実には，契約書に規定されている期限の利益喪失条項によって履行期が到来することが多い。

　(iii)　履行の可能性　　債務の履行が不可能である場合は，履行遅滞ではなく，履行不能による解除や危険負担など別の問題になる。

　(iv)　履行しないことの正当化事由の不存在　　債務者が同時履行の抗弁（533条）や留置権（295条）を主張することができるときは，履行期に履行しなくても履行遅滞とならず，債権者は解除できない。双務契約の当事者が解除しようとする場合は，相手方の同時履行の抗弁を封じておく必要があり，そのためには，自らの債務の履行の提供をしなければならない（→第3章第2節3(5)〔155頁〕）。たとえば，売主の目的物引渡債務の不履行を理由に，買主が売買契約を解除するためには，代金債務の履行の提供をする必要がある。解除しようとする者がすべき履行の提供の時期は，①催告の前（大判昭3・10・30前掲→第

3章第2節3(4)〔154頁〕),②催告と同時(大判大10・6・30民録27輯1287頁),③催告で指定された債務者が履行すべき時(最判昭36・6・22民集15巻6号1651頁)のいずれでもよい。

 (v) 履行の提供をしないこと　債務者は,履行の完了にはいたらなくても,履行の提供をすれば,債務不履行責任を負わず(492条),解除されることはなくなる。債権者が解除の意思表示をしたのに対し,債務者が履行の提供をしていたから解除の効力は生じないと主張し,履行の提供の有無が争われるという形での紛争がみられる。

> **受領遅滞後の解除**　双務契約の一方当事者Bが自己の債務について履行の提供をしたのに,相手方Aが受領しないときは,Aの受領遅滞となる。Aは,また,自己の債務を履行していなければ,その債務について履行遅滞となる。ここで,Aが解除の前提としての催告をするには,Bに対し,Bの債務(Aの債権)について受領拒絶の態度を改め,確実に受領するという意思を表示するなど,自己の受領遅滞を解消させるための措置を講じ(最判昭35・10・27前掲,最判昭45・8・20民集24巻9号1243頁),かつ,Aの債務について遅延賠償を含む完全な履行の提供をする必要がある(我妻上166頁)。Bが履行の提供にとどまらず,供託(494条)までしていれば,Aはもはや解除することはできない。

 (c) その他の債務不履行(履行遅滞,履行不能,履行拒絶以外のもの)
 (i) 概観　履行期に一応は履行されたが,それが債務の本旨に従ったものとはいえない場合も,「その債務を履行しない場合」(541条)に含まれ,履行遅滞におけるのと同様に,債権者は契約を解除することができる。要件は,①履行期に一応は履行されたが,それが債務の本旨に従ったものとはいえないものであること,②履行が可能であることである(催告の要件は,履行遅滞と同様である→(b)(i)⑤)。
 (ii) 債務の本旨に従ったものとはいえない履行　「債務の本旨に従った履行」があったかどうかは,契約の解釈によって確定された債務の内容と債務者が実際にしたこと又はしなかったこととを比較して,債務者がすべきことをしたといえるかどうかによって判定する(415条1項につき中田・債総131頁以下参照)。

 各種の契約において,関連する規定があるときは,その適用を受ける。売主

の担保責任については,「引き渡された目的物が種類,品質又は数量に関して契約の内容に適合しない」ときは,買主に追完請求権及び代金減額請求権があるが(562条・563条),その規定は,541条・542条による解除権の行使を妨げない(564条。代金減額請求権を行使しつつ解除することを認めるわけではない)。「売主が買主に移転した権利が契約の内容に適合しないものである」場合も同様である(565条)。請負人の担保責任については,解除に関する制限がある(636条)。

債務不履行が軽微なものである場合については,後述する(→(e))。

(iii) 履行の可能性　催告解除の対象となるのは,催告を受けた債務者がこれに応じて債務を履行(追完)できる場合に限られる。債務者がそもそも履行(追完)できない場合は,催告解除の対象とならない(債務の一部が履行不能であるときは無催告解除の対象となることがある。542条1項3号)。

(d) 催　告

(i) 意義　履行遅滞((b))又はその他の債務不履行((c))があったからといって,債権者は,直ちに解除できるわけではない。債権者が相当の期間を定めて履行の催告をすることが必要である(541条)。催告が求められるのは,債務者が履行して解除を阻止する最後の機会を債務者に与えるのが適切だからである。債務不履行による解除制度は不履行をされている債権者を契約による拘束から解放するためのものではあるが,解除が契約の拘束力を一方的に失わせ,債務者の契約利益を奪う重大な行為であることを考慮し,調整を図ったものである。この催告は,一定期間内に履行せよと求めることであり,履行がなければ契約を解除すると付言する必要はない(最判昭48・4・19裁集民109号157頁参照)。

定められた期間を経過しても,なお履行されない(履行の提供がない)場合に,債権者は解除することができる。したがって,催告と解除の意思表示とをそれぞれする必要があるが,実際には,催告期間内に履行のないことを停止条件とする解除の意思表示がされることが多く,それは有効だと解されている(大判明43・12・9民録16輯910頁,我妻上185頁)。たとえば,「1週間以内に履行せよ。もしこの期間内に履行がなければ解除する。」という1通の通知で足りる。

● 期限の定めのない債務については,①債務者を遅滞に陥らせるための履行の請求をし(412条3項),②解除の前提としての履行の催告をし(541条),③解除の意

思表示をする（540条1項）という3段階になる。しかし，判例は，①と②は兼ねることができるという（大判大6・6・27民録23輯1153頁）。541条は，「その債務を履行しない場合において……催告をし」と規定するので，①の後に②をすべきようでもあるが，①と②を区別して二重にする必要はなく，①の請求に②の催告も含まれていると解しうるからである。学説もこれを支持する（我妻上155頁。「債務者が履行遅滞にあることは，解除権発生の要件たるに止まり，債権者が催告をするための要件ではない」という）。また，上記の通り，②と③をあわせてすることができるので，結局，①②③を1通の通知でできることになる。

(ii) 催告の適格性　催告は，「相当の期間」を定めた，「その履行の催告」でなければならない（541条）。

α　相当の期間　相当の期間の算定は，債務者が履行の大体の準備を終えていることを前提としてすべきだというのが判例（大判大13・7・15民集3巻362頁，舟橋諄一『判民大13』325頁）・学説（我妻上160頁，平井232頁）である。次のように分析して考えたい。これは，債務者が催告を受けてから履行の準備に着手して履行を完了するために必要な期間ではなく，契約の趣旨に応じた履行の準備をしていることを前提として，履行をするために必要な期間と解すべきである。履行期が既に到来しているのだから，催告を受けてから履行の準備をするのでは遅すぎるからである。契約の趣旨については，債務の内容（特に金銭債務か否か），履行期が確定期限であるか否かなどを考慮すべきである。

期間を定めなかった場合や，定めた期間が不相当に短かった場合も，催告が無効になるわけではなく，催告の時から客観的にみて相当な期間が経過した後に解除すればよい（大判昭2・2・2民集6巻133頁，最判昭31・12・6民集10巻12号1527頁）。かつては催告が無効だと解する見解もあったが，債務を履行しない債務者をそこまで保護する必要はなく，学説もこの結論を支持している（我妻上160頁など通説）。

β　その履行の催告　催告は，「その履行の催告」だから，債務の同一性が認められるものでなければならない。問題となるのは，債務者のすべき給付の金額又は数量よりも過大又は過小の額・量を示してした催告である。

過大催告については，債務の同一性が認められるものであれば，催告として有効であり，本来給付すべき額・量の範囲内で効力が生じるのが原則である。例外的に催告が無効となるのは，過大の程度がはなはだしいため，催告された

額・量全部の提供ではなく，本来給付すべき額・量の提供があったとしても，債権者はその受領を拒絶する意思を有していたと推認されるとき，というのが判例である（最判昭37・3・9民集16巻3号514頁など）。そこまでいたらない場合はどうか。催告制度が債務者に最後の履行の機会を与えるものであることを考えると，債務者に本来の額・量の履行の提供をすることさえ断念させるほど過大な催告をした債権者が，債務者の履行の提供のないことを主張することが信義則に反する場合はありえよう。そこで，著しく過大なものであるとき，という程度でも無効となる余地があるのではないか（星野79頁参照）。

過小催告についても，債務の同一性が認められるものであれば，催告として有効だが，催告で示された額・量の範囲内でのみ効力が生じるのが原則である。ただし，額・量の差がわずかであって，債権者が債務の全部について催告する意思であることが明らかな場合は，全部について催告の効力が生じると解すべきである（我妻上159頁，平井233頁）。

(e) 軽微な不履行――消極的要件

債務不履行があったとしても，その程度や態様によっては，解除が認められないことがある。現行民法は，催告解除について，債務不履行があれば催告のうえ解除できるという規律に続けて，「ただし，その期間を経過した時における債務の不履行がその契約及び取引上の社会通念に照らして軽微であるときは，この限りでない」と規定する（541条但書）。この規定には，次の意味がある。

①意義　ⓐ債務不履行による解除は，不履行を受けている債権者を契約の拘束から解放するための制度ではあるが，ⓑ契約の拘束力の尊重及び債務者の契約利益への配慮も求められる。債務者の帰責事由を解除の要件としないとすると，他の何らかの方法で解除を制限することが考えられる。上記の規定は，催告解除において，催告期間経過時の不履行が軽微であることを解除権発生の障害事由とすることにより，ⓐとⓑの調和を図るものである。

②不履行の軽微性の基準の採用　解除の制限の基準としていくつかの概念がありうるが，現行民法は，催告解除については不履行の軽微性を解除の消極的要件とし，無催告解除においては，「契約をした目的を達する」ことの可否を基準として導入した（542条1項3号～5号）。結果として，催告解除の要件が若干緩和されていることになる。これは取引社会における催告解除の機能を重視したものと考えられる。

なお，不完全な履行において，不履行が軽微ではないが契約目的達成不能とはいえない場合，追完可能なら541条による解除ができるのに対し，追完不能なら542条による解除ができないことに伴う問題が指摘されることがある。しかし，軽微性は催告後の不履行の評価基準であり（→③），契約目的達成の可否は催告を要しない不履行の評価基準であるので，厳密には同列にはないものといえる（吉政知広「解除」大村＝道垣内・改正135頁・148頁以下，一問一答239頁参照）。

③軽微性の判定時期　不履行が軽微であるか否かは，催告期間経過時において判定されることであり，催告自体の要件とはなっていないと解すべきである。債務不履行があり，履行又は追完が可能である場合，不履行の程度や態様のいかんにかかわらず，債権者は履行請求又は追完請求（412条の2第1項・562条）をすることができる。問題は，その請求を催告解除における催告として評価することができるかどうかだが，催告が債務者に履行又は追完の機会を与えることにより，契約の拘束力の尊重と債務者の契約利益の保護を図るものであるとすると，相当の期間を定めてする請求であれば，これを肯定してよい（→(d)(i)〔202頁〕。山下末人・新版注民（13）821頁以下参照）。催告時において不履行が軽微であったか否かで区別する必要はなく，解除権発生の障害となるかどうかという観点から，催告期間経過時における不履行が軽微であるか否かを判断すれば足りる。したがって，催告期間の経過によって，軽微な債務不履行が軽微でない債務不履行に「格上げ」されるかどうかという問題（曽野裕夫・民事法Ⅲ81頁参照）は生じない。

④軽微性の判定の基準　催告期間経過時における債務不履行が軽微か否かは，「その契約及び取引上の社会通念に照らして」判断される。たとえば，数量的にわずかな部分の不履行であっても，その不履行がその契約にとって極めて重大な意味をもつときには，軽微でないと判断されることがある（部会資料79-3，第9）。催告をしてもなお履行しないという事実は，催告解除の要件であるとともに，軽微性の評価要素とすることも許容されよう（軽微な不履行が催告期間経過によって当然に非軽微な不履行になるという意味ではない）。一応の追完はされたがなお契約の内容に適合していない場合，追完の態様も不履行の軽微性の判断に際して考慮されうると考える（部会資料75A，第3，5，2（3）参照）。④の基準は，①に記載した調和を具体化するものとして，適用すべきである。

第 4 章　契約の終了

◆ **改正前民法のもとの議論と改正の経緯**　改正前民法のもとの判例[13]・学説[14]は，債務不履行による解除ができるのは契約の要素をなす債務の不履行の場合であり，付随的義務の不履行の場合には解除できないとしていた。

　また，個別規定で，「契約をした目的を達することができない」ことを解除の要件とするものがあった（旧542条〔定期行為の履行遅滞〕，旧566条1項〔売主の担保責任〕，旧635条〔請負人の担保責任〕）。判例でも，解除の可否について，債務不履行が契約を締結した目的の達成に与える影響を考慮するものがあった[15]。

　条約や国際的な契約原則においては，「重大な契約違反（fundamental breach of contract）」（国際売買約25条）や「重大な不履行（fundamental non-performance）」（UP 7.3.1, PECL 9.301, DCFR III. 3.502, CESL114・134）を解除の要件とするものが多く，その日本法への導入を試みる学説もあった[16]。

　このように解除が制限される場合のあることは広く認められていたが，その基準として「要素たる債務・付随的義務」，「契約目的の達成不能」，「重大な契約違反」のどれをとるか，あるいはそれらの相互関係をどう理解するかについて，様々な見解があり，催告解除との関係についても議論があった[17]。

　部会審議では，催告解除についても，契約をした目的の達成の可否を基準とすることが検討されたが（中間試案説明132頁以下，部会資料68A，第3），催告解除と無催告解除を通じて契約目的達成という概念を用いつつ明確な基準を設定することが困

---

13) 大判昭13・9・30民集17巻1775頁（土地売買における買主の公租公課及び残代金の利息支払義務を付随的義務とし，解除を否定。内田力蔵『判民昭13』427頁），最判昭36・11・21民集15巻10号2507頁（土地売買における買主の公租公課負担義務の不履行は，「当事者が契約をなした主たる目的の達成に必須的でない附随的義務の履行を怠ったに過ぎない」とし，解除を否定。百選II 42〔渡辺達徳〕，森田宏樹「判批」別冊ジュリ不動産取引判例百選〔第3版〕〔2008〕56頁），最判昭43・2・23民集22巻2号281頁（土地売買契約において，代金完済まで建物を建てないという約款は，契約締結の目的にとっては必要不可欠でないが，代金支払確保のために重要な意義をもつものとして合意されているので，この約款の債務は要素たる債務であるとし，解除を肯定。百選II 43〔福本忍〕），最判平8・11・12民集50巻10号2673頁（スポーツクラブ会員権契約において主要施設である屋内プールを完成し利用させることは，「単なる付随的義務ではなく，要素たる債務の一部」だとし，解除を肯定。百選II〔6版〕45〔久保宏之〕，百選II 44〔鹿野菜穂子〕）。
14) 浜田稔「付随的債務の不履行と解除」大系I 307頁，星野76頁，内田107頁など。
15) 最判昭36・11・21前掲，最判昭43・2・23前掲，最判平11・11・30判時1701号69頁（ゴルフ場入会契約。都筑満雄「判批」別冊ジュリ消費者法判例百選〔2010〕70頁）。
16) 潮見・債総I 431頁以下，潮見2版40頁，山田・前掲注11）3号88頁以下参照。
17) 曽野・民事法III 78頁以下。契約目的達成を重視するものとして，平井228頁，契約の重大な不履行を解除権の発生要件とする立法提案として，基本方針II 293頁。催告解除と重大な契約違反との関係については，①解除の一般的な要件を「重大な契約違反」に一元化し，催告解除はその1類型と考えるのか（潮見2版43頁），催告解除・無催告解除の2類型論を維持するのか（森田・前掲第1章注39）443頁）という体系的な問題と，②催告期間を経過しても履行がないという事実をどのように評価すべきかという，①にも関係するがより具体的な問題がある（曽野・民事法III 81頁は催告期間経過による「格上げ」の可否を検討し，山本183頁は契約の拘束力との関係で催告解除が認められる場合の限定を検討する）。

難であったという事情があり（第78回部会議事録34頁以下・第91回部会議事録3頁以下を参照），区別されることとなった。不履行の程度及び態様によって解除を制限するという統一的な考え方に立ちつつも，制定法における具体的基準としては，催告解除と無催告解除の各類型で2つの概念を使い分けたものである（渡辺達徳・改正コメ649頁以下参照）。この区別により，不履行があったが，契約をした目的を達することができないとはいえず，したがって無催告解除はできないが，催告解除はできる場合がありうることになる（部会資料79-3, 第9参照。ただし，そこで引用されている最判昭43・2・23前掲は催告解除の事案ではない）。

◆ **借地・借家契約の解除**　借地・借家契約においては，賃借人がささいな不履行により解除され，生活や営業の基盤を失うことになる事態を限定しようとする解釈が発達した。不動産賃貸借には旧541条は適用されないとする説もあったが，その後，同条の適用は認めつつ，解釈によって解決する方向に進んだ。判例は，信頼関係破壊理論をとり，借地・借家契約を解除するためには，信義則上，単なる不履行ではなく当事者間の信頼関係が破壊される程度にいたることが必要とする（最判昭39・7・28民集18巻6号1220頁〔借家人の賃料不払〕）。この理論は，他面で，信頼関係が破壊されていれば，賃貸人が催告なく解除することも認めるものである（最判昭27・4・25民集6巻4号451頁〔借家人による借家の建具類の破壊等〕，最判昭50・2・20民集29巻2号99頁〔ショッピングセンター内の店舗賃借人の粗暴な言動〕）。なお，借地・借家契約では，賃借人について一定の行為を禁止する条項とそれに違反した場合の無催告解除特約が置かれることが多い（増改築禁止，動物の飼育禁止など）。特約による解除の効力については，①特約についての合意があるか，②禁止条項が有効か，③有効だとしてそれに違反したと評価できるか，④違反しているとして信頼関係破壊にいたるものか，という4段階の問題がある（→第11章第2節3(3)(b)(iii)2つ目の◆〔428頁〕）。

◆ **分割履行契約の解除**　一部の不履行といっても，分割履行契約（総量の定まった給付を当事者の合意により分割して履行する契約）の場合は，特有の問題がある。分割履行契約において一部の不履行があるときは，相手方は，当該部分について契約を解除できるほか，まだ履行されていない将来の部分についても解除することができることがあり，さらに，既履行の部分だけを受け取っても契約の目的が達成できないなど特別の事情がある場合には，契約全体を解除することができる（基本方針Ⅴ 414頁，国際売買約73条参照）。

(3) 無催告解除の要件

(a) 概　観

催告をしても無意味な場合，無催告解除が認められることがある。542条は，

4種類の不履行について規定する。履行不能((b))，履行拒絶((c))，定期行為の履行遅滞((d))，催告をしても履行の見込みがないこと((e))である。以下，順に説明する。なお，一部の履行不能と一部の履行拒絶についても規定があるが，これは(b)と(c)のなかで説明する。

> ◆ **無催告解除特約**　契約の解除について催告を不要とする特約は，借地・借家契約においてしばしばみられる。争いがあるが，原則として有効とされる（最判昭37・4・5民集16巻4号679頁〔借家契約〕，最判昭40・7・2民集19巻5号1153頁〔借地契約〕，最判昭43・11・21民集22巻12号2741頁〔家屋賃貸借契約〕）。この種の特約は物品売買契約でも多く用いられるが，そこではあまり問題なく有効とされるだろう（星野80頁）。ただし，消費者契約においては，無効となることもありうる（消費契約10条。山本162頁）。

(b) 履行不能

(i) 概観　履行不能による契約の解除の要件は，全部解除については，債務の履行の全部が不能であること，又は，債務の一部の履行が不能であって，残存する部分のみでは契約をした目的を達することができないことであり（542条1項1号・3号），一部解除については，債務の一部の履行が不能であることである（同条2項1号）。債務者の帰責事由は要件ではない（→(5)）。以下では，まず不能一般について，次に一部不能について，説明する。

(ii) 履行の不能　履行の不能とは「債務の履行が契約その他の債務の発生原因及び取引上の社会通念に照らして不能である」ことである（412条の2第1項）。物理的に不能である場合（例，目的物が滅失したこと）だけでなく，法律的に不能である場合（例，目的物の引渡しが法律で禁止されたこと，不動産の売主が二重に譲渡し第二譲受人が登記をしたこと）も含む。履行不能は，財産権及びその目的物の占有を移転する債務について問題となることが多いが，なす債務においても生じうる（例，ピアノを演奏する債務を負うピアニストが指を骨折した場合，訴訟を委任されていた弁護士が資格を失った場合）。

412条の2第1項は，債務の発生原因である契約と取引通念の双方を考慮することを表している。契約締結時のリスク分配のみに固定するのではなく，履行の障害が発生した時点の客観的状況のみによるわけでもない。たとえば，契約の目的物である指輪が湖に水没し，物理的には引き揚げることができるが多

額の費用を要する場合，売買契約であれば不能と評価されるとしても，水没品の引揚げの専門業者との間のサルベージ契約であれば不能と評価されないことがある。しかし，サルベージ契約であったとしても，契約締結後の大地震により湖の状態が変化した場合には，不能となることもありうる。このことを，契約締結時のリスク分配に還元して説明することも，取引通念に還元して説明することも可能だが，現行民法はあえて両者を並置するという規定としたものである。

　債務の全部の履行が不能であるとき，債権者は，催告をすることなく，直ちに契約の解除をすることができる（542条1項1号）。

◆ **改正前民法のもとの議論と改正の経緯**　改正前民法のもとで，次の議論があった。伝統的な学説は，履行不能か否かは，社会の取引観念に従って判断されると考えた（我妻・債総143頁）。これに対し，履行不能となるかどうかは契約の解釈によるという見解（平井・債総61頁）や，債権者に保障されている履行請求権の限界という観点から問題をとらえる見解（潮見・債総Ⅰ166頁）が示された。また，解除権の発生要件としての履行不能は「契約の重大な不履行」に包摂され，そこでは契約により当事者が引き受けていたリスクは何かという観点が重視されるという考えに基づく立法提案もあった（基本方針Ⅱ293頁以下）。このように，履行不能の判定基準を契約締結時のリスク分配に見出す考え方が台頭していたが，履行の障害が発生した時点までの諸事情も考慮に入れるべきだという見解も根強くあった。

　部会では，履行の不能を「履行請求権の限界事由」と位置づけ，契約によって生じた債務の不能とは「当該契約の趣旨に照らして不能であること」とする案（「契約の趣旨」については「契約をめぐる一切の事情」を考慮し「取引通念をも勘案」して，評価・認定される）も検討されたが（部会資料68A，第1），最終的には，412条の2第1項の表現で収束した（部会資料79-3，第7，1）。

◆ **履行不能による解除の機能**　売買契約において目的物（特定物）が引き渡されていない段階で滅失し，履行不能となった場合，売主（債務者）に帰責事由があるか否かを問わず，買主（債権者）は契約を解除することができる（542条1項1号）。他の制度との関係は，次のようになる。

　①売主に帰責事由がある場合，ⓐ買主は，解除しなければ，代金を支払わなければならないが，売主から履行に代わる損害賠償を受けることができる（415条2項3号の「解除権が発生したとき」）。買主は，履行の請求をすることはできない（412条の2第1項）。ⓑ買主が解除すると，代金支払義務を免れ，売主から損害賠償（履行に代わる損害賠償額から代金相当額を控除した額）を受ける（415条2項3号の「解除され」たと

き)。買主の履行請求権は消滅する。
　②当事者双方に帰責事由がない場合，ⓐ買主は，解除しなければ，代金債務を負い続けるが，その履行を拒むことができ（536条1項），売主からは何も受け取れない（415条1項但書）。履行の請求をすることもできない。ⓑ買主が解除すると，代金債務を免れ，売主からは何も受け取れない。買主の履行請求権は消滅する。
　③買主に帰責事由がある場合は，買主は解除できず（543条），代金を支払わなければならない（536条2項。なお，同項但書参照）が，売主からは何も受け取れない。履行の請求をすることもできない。
　以上を通じて，買主が代償請求権をもつことがある（422条の2）。
　売買の場合，①のⓐとⓑで大きな違いはないが，交換の場合は，違いが大きい。Aの所有する甲とBの所有する乙の交換契約において，目的物がいずれも引き渡されていない段階で，Aの帰責事由により甲が滅失した場合，Bは契約を解除することができる。Bは，ⓐ解除しないと，乙を引き渡し，Aから甲の履行に代わる損害賠償を受け，ⓑ解除すると，乙の引渡義務を免れ，Aから損害賠償（甲の履行に代わる損害賠償額から乙に相当する額を控除した額）を受ける。ⓐとⓑは，Bが乙を手放すか否かの違いがある。

(iii)　一部の不能　　契約による債務の一部の履行が不能である場合，債権者は，契約の一部を解除することができる（542条2項1号）。残存する部分のみでは契約をした目的を達することができないときは，債権者は，契約の全部を解除することができる（同条1項3号）。契約をした目的の達成の可否が基準となる[18]。催告は不要である。

　●4枚の絵の売買契約で1枚が滅失した場合，4枚一組の作品として揃っていることが契約をした目的であった場合，買主は，契約の全部を解除できるが，そうでない場合は1枚分のみを解除できる。土地と地上建物の売買契約で建物が滅失した場合も同様である。

◆　**改正前民法のもとの状況**　　改正前民法のもとで，学説は，一部の履行不能の場合，債務の内容が可分であれば原則として不能となった部分についてのみ解除でき，不可分であるときは原則として全部の解除ができるが，不能な部分が軽小であり全部解除が信義則に反するときは解除できない（不能な部分の重要性によって決する）と解していた（我妻上173頁・157頁。小野・前掲第3章注8）①113頁参照）。

---

18)　契約目的の概念については，森田修「『契約目的』概念と解除の要件論」下森定傘寿『債権法の近未来像』(2010) 231頁，山本179頁以下（定型的な契約目的と個別的な契約目的をあげる），曾野・民事法Ⅲ 82頁以下（契約の性質に基づく契約目的と合意化された契約目的をあげる）。

(c) 履行拒絶

債務者がその債務の履行を拒絶する意思を明確に表示した場合，債権者は次のように解除することができる。すなわち，①全部の履行拒絶の場合，契約の全部を解除できる（542条1項2号）。②一部の履行拒絶の場合，契約の一部を解除できる（同条2項2号），③一部の履行拒絶の場合であって，残存部分のみでは契約目的を達成できないときは，契約の全部を解除できる（同条1項3号）。

解除には，催告を要しない。履行拒絶の意思が表示された時期が履行期の前か後かを問わない。「明確に表示」というのは，単に債務者の拒絶の意思が表明されているというのではなく，拒絶の意思が明確なものであって，そのことが表示されていることをいうと解すべきである（部会資料82-2, 第12は，「履行不能の場合と同様に扱ってよい程度の状況が必要」であるという）。

◆ **改正前民法のもとの状況と改正の経緯**　債務者が債務の履行を拒絶する場合，債権者が損害賠償請求や解除をすることができるかどうかについては，かつては散発的にしか議論されなかったが，近年，議論が活発化していた。

旧民法は，損害賠償との関係で履行拒絶に言及していたが（財産編383条1項），明治民法は履行拒絶に関する規定を置かなかった。債務不履行についての三分法をとる学説は，履行拒絶を債務不履行の一類型としては認めず，関心も低下していった。もっとも，債務者が予め履行を拒絶している場合にも，解除には催告が必要かという議論はあった。判例は，旧541条（履行遅滞等）による解除について，原則としては催告を必要としつつ（大判大11・11・25民集1巻684頁〔不動産賃貸借〕），商人間の売買契約においては不要とした（大判昭3・12・12民集7巻1085頁〔夏みかん売買〕，大判昭6・11・14新聞3344号13頁〔木炭売買〕）。学説は，抽象的には催告は必要だがあまり問題とならない（我妻上161頁）などと述べていた。また，履行期に履行することが不能であることが確実な場合には，履行期前でも旧543条（履行不能）による解除ができるとした判例もある（大判大15・11・25民集5巻763頁〔工事請負〕）。これに対し，近年，英米法及びその影響を受けた国際的諸ルール（ハーグ国際物品売買統一法〔1964年〕76条・77条，国際売買法72条，UP 7.3.3・7.3.4，PECL 9.304・8.105(2)，DCFR III. 3.504・505, CESL 116・136）やドイツ法（判例・学説）の展開を受け，履行期前の履行拒絶に関する関心が高まった[19]。そこでは，具体的問題として，解除権が

---

19) 吉川吉樹『履行請求権と損害軽減義務──履行期前の履行拒絶に関する考察〔増補新装版〕』(2020)（履行期前の履行拒絶法理と損害軽減義務法理の交錯につき比較法的検討をする）〔一部初出2007〜08〕，松井・前掲第3章注6)（履行意思又は履行能力の欠如によって生じる「契約の危殆化」を3段階に分け，債権者に第2段階で履行停止権，第3段階で契約解除権を認める）。学説・判例の鳥瞰として北川善太郎＝潮見佳男・新版注民（10）Ⅱ 59頁以下。

認められるべき場合の明確化，履行保証の要求の可否などが，理論的問題として，解除権の性質及び根拠，履行期前の契約当事者の法律関係などが論じられ，さらには履行請求・損害賠償請求・契約解除の関係のあり方という大きな問題のあることが指摘されていた。今回の改正は，履行期の前後を問わず，債務者の履行拒絶に焦点をあて，履行不能の規律に準じることとするものである（中田・債総130頁以下）。

(d) 定期行為の履行遅滞

「契約の性質又は当事者の意思表示により，特定の日時又は一定の期間内に履行をしなければ契約をした目的を達することができない場合」，債務者が履行をしないでその時期を経過したときは，債務者は，催告をせずに直ちに解除することができる（542条1項4号，旧542条）。このような場合を定期行為といい，「契約の性質」によるものを絶対的定期行為，「当事者の意思表示」によるものを相対的定期行為という。

> ● 花嫁がウェディングドレスの製作を注文したとすると，契約の性質上，結婚式の前に引き渡されないと，契約の目的を達成できない（絶対的定期行為）。花嫁の父親が結婚式で着用するためにモーニングの製作を注文し，その目的を示したうえ，相手方も了解して結婚式の前に引き渡すことが合意された場合も同様である（相対的定期行為）。特定の日に引き渡されなければ催告なくして解除できる，とまで合意されていれば，それは無催告解除特約（→(a)❷〔208頁〕）となる（我妻上169頁）。

定期行為が商人間の売買である場合（定期売買。確定期売買ともいう）については，商法に特則があり，当事者の一方が履行せずにその時期を経過したときは，「相手方は，直ちにその履行の請求をした場合を除き，契約の解除をしたもの」とみなされる（商525条）。催告だけでなく，解除の意思表示も不要であり，当然に解除の効力が発生する。相手方が履行の請求をするか解除するかの選択の幅を狭め，法律関係のより早期の安定を図るためのものである（落合誠一ほか『商法Ⅰ総則・商行為〔第6版〕』〔2019〕178頁［山下友信］）。そうしないと，不履行者の相手方は不履行者の危険において不当な投機をする（価格の変動に応じて解除か履行請求かを選択する）可能性があり，また，不履行をしたのが売主である場合，売主は買主の選択に備えて履行と解除の両様の準備をすべき不安定な状態に置かれ続けることになるからである（江頭・商取引25頁以下）。履行時期が重要な取引には商人間の売買が多いことから，旧542条より商法525条をめぐる紛争が多くみられる。

第 2 節　契約の解除

> ◆ **定期売買の例**　売買の性質による定期売買として，顧客への中元進物用のうちわの売買（大判大 9・11・15 民録 26 輯 1779 頁〔売主の遅滞〕），クリスマス用品として販売予定の物の売買（大判昭 17・4・4 法学 11 巻 1289 頁〔売主の遅滞〕）の例があり，意思表示による定期売買として，代金支払時期を重視して価格を安くした土地の売買（最判昭 44・8・29 判時 570 号 49 頁〔買主の遅滞〕）の例がある。

> ◆ **商法 525 条の適用範囲**　契約の性質による定期売買では売主の遅滞が問題となることが多いが，その場合，商法 525 条は，買主の選択を制限し，売主を保護する機能をもつ。この帰結は，買主が消費者であるときなどには妥当性が問題となりうるが，商人同士であれば立場の互換性があるので差し支えない。そこで，同条は，適用対象を商人間の売買に限定している（2005 年改正による明確化）。なお，今回の改正においては，商法 525 条は，変更なく維持されている。

(e)　催告しても履行を受ける見込みがないことが明らかであるとき

催告解除における催告の意義は，債務者に履行をする機会を与えてその契約利益を保護する点にあるから，催告をしても履行を受ける見込みがないことが明らかであるときは，債権者に解除に先立つ催告を要求するのは無意味である。履行不能と履行拒絶がその代表例であるが，それ以外でも催告が無意味であるときは，同様に解することができる（我妻上 161 頁参照）。

現行民法は，履行不能と履行拒絶以外でも，債務者が債務を履行せず，債権者が催告をしても契約をした目的を達するのに足りる履行がされる見込みがないことが明らかであるときは，無催告解除ができるとした（542 条 1 項 5 号）。たとえば，売買契約で引き渡された目的物の品質が契約の内容に適合しておらず，履行の一部不能とはいえないが，売主の追完が期待できないために，買主が契約をした目的を達するのに足りる履行がされる見込みがないことが明らかである場合，継続的な役務提供契約において役務提供者が当該役務について違法行為をしたために信頼関係が破壊された場合である（中間試案説明 134 頁，部会資料 68A，第 3，1 説明 3 (2)，潮見・新債総 I 574 頁参照）。この場合，「催告をしても契約をした目的を達するのに足りる履行がされる見込みがないことが明らか」である以上，催告解除における消極的要件（不履行の軽微性。541 条但書）に触れることはないだろうから，仮に催告をした場合との不均衡は生じないだろう。

(4) 債権者の帰責事由による不履行

債務の不履行が債権者の責めに帰すべき事由によるものであるときは、債権者は解除することができない（543条）。債権者の帰責事由によって債務が履行されない場合にまで解除を認めて、債権者を契約の拘束から解放し、債務者の契約利益を剥奪することは、公平に反するし、債権者の不当な行動を誘発することになるからである。

受領遅滞中の履行不能の場合もこれにあたる（413条の2第2項）。

> ◆ **改正の経緯**　改正前民法のもとでは、債務者の帰責事由が解除の要件であると解されていたこと（履行不能については旧543条、それ以外については旧通説）から、「債権者の帰責事由による不履行」は、「債務者の帰責事由によらない不履行」に含まれ、別途規定するまでもなかった。債務者の帰責事由を解除の要件としない見解においても、債権者の帰責事由による不履行の場合は解除できないことについては、異論がなかったと考えられる。改正民法は、債務者の帰責事由を解除の要件としないので、規律を明確にする必要があった。これが新543条である。

(5) 債務者の帰責事由の不要

現行民法は、債務者の帰責事由を解除の要件としない。債務不履行による解除は債権者を契約による拘束から解放する制度だという理解に立つものである。解除における債務者の契約利益の保護は、催告解除においては不履行の軽微性を消極的要件とし（541条但書）、無催告解除においては契約目的達成不能に係る要件を一部履行不能等について課す（542条1項3号～5号）ことで図られている（→(2)(e)〔204頁〕・(3)(b)(iii)〔210頁〕など）。危険負担制度との関係は、同制度を改めることにより解除との機能分担がされることになる（→第3章第3節2(1)◆〔165頁〕）。

なお、債務不履行による損害賠償については、「契約その他の債務の発生原因及び取引上の社会通念に照らして債務者の責めに帰することができない事由」が免責事由とされている（415条1項但書）。これは、債務者の帰責事由を損害賠償請求の要件とするものではなく、債務者の責めに帰することができない事由（帰責不可事由）を免責事由とするものである。その内容は当該契約の具体的事情を離れた抽象的な故意過失などではなく、当該契約におけるリスク分担及び取引上の社会通念を考慮して判断されるものであり、改正前民法のも

とでの旧通説を踏襲するものではない（中間試案説明113頁，部会資料79-3，第7，1・第8，1。中田・債総157頁以下，中田「損害賠償における『債務者の責めに帰することができない事由』」瀬川信久ほか編『民事責任法のフロンティア』〔2019〕245頁参照）。

◆ **改正前民法のもとの議論と改正の経緯**　明治民法は，履行不能による解除（旧543条）と損害賠償請求（旧415条後段）について，債務者の責めに帰すべき事由を要件とした。かつての通説は，債務者の帰責事由とは「債務者の故意・過失または信義則上これと同視すべき事由」であり，履行遅滞による解除（旧541条）及び損害賠償請求（旧415条前段）についても，明文規定はないが，これが要件であると解した。そのうえで，債務不履行全体を通じて，帰責事由の不存在の証明責任を債務者が負うとした（我妻・債総105頁，我妻上156頁）。これに対し，批判が投じられ，少なくとも解除については債務者の帰責事由を要件としない，という見解が有力になった。かつての通説と異なる見解は，いくつかある。

①損害賠償に関する旧415条を中心として，帰責事由の概念の再構成に取り組む学説。債務者は，債務を履行しないときは，それが不可抗力によるのでない限り（419条3項参照），責任を負うとし，債務不履行と帰責事由を一体的に考える。そのうえで，債務不履行又は帰責事由の存否の判断にあたって，フランスの学説を参照し，「結果債務」と「手段債務」の区別を取り入れる[20]。

②債務不履行による解除については，債務者の帰責事由を要件としないという学説。これには，2つの系統がある。

ⓐ履行遅滞その他旧541条による解除については帰責事由を不要とするもの。古くは，旧541条と旧543条の文言の違いから履行遅滞による解除には債務者の過失は不要とする学説があったが（石坂2279頁，末弘248頁），その後，より実質的な根拠をあげる不要説が有力になった。すなわち，㋐解除制度の趣旨（解除は不履行者に対する制裁というより相手方を契約から解放する制度だから，債務者の帰責事由は必要ない[21]。解除は価値中立的な契約の清算制度であり，どちらが有責かとは無関係である[22]），㋑危険負担制度とのバランス（債務者に帰責事由のない履行不能〔旧536条1項により債務者が危険を負担する〕と債務者に帰責事由のない履行遅滞とのバランス[23]），㋒帰責事由を

20）吉田邦彦『契約法・医事法の関係的展開』（2003）2頁〔初出1990〕は，帰責事由の概念を廃棄して債務不履行に一元化する構想を示し，森田宏樹『契約責任の帰責構造』（2002）1頁・55頁〔初出1993〕は，帰責事由が「契約において約束したことを（不可抗力によらず）履行しないこと」に含まれるとする。平井235頁も参照。
21）星野77頁の示唆。内田90頁。
22）好美清光「契約の解除の効力」現大系Ⅱ175頁・180頁。
23）後藤巻則「契約解除の存在意義に関する覚書」比較法学28巻1号（1994）1頁，藤岡ほか42頁〔磯村〕。小野・前掲第3章注8）①112頁以下参照。

不要としても、催告制度により債務者の保護は図られうること、㊄判例も実際には帰責事由の有無のみで処理しているわけではないこと[24]である。

　ⓑ債務不履行による解除には、「重大な契約違反（fundamental breach of contract）」のあることが必要だが、債務者の帰責事由は、履行遅滞と履行不能を通じて必要ないとするもの（潮見・債総Ⅰ431頁以下、潮見２版40頁、山田・前掲注11) ３号88頁以下）。これは、解除は、債務が履行されない場合に、拘束力ある契約からの債権者の離脱を認める制度であり、そのためには契約違反が重大であることが必要だが、債務者の帰責事由は不要だという（債務者の事情は、重大性の判断の一要素として考慮されるので、その不利益を考慮しないわけではない）。この見解は、国際的な契約原則の潮流及び日本の判例（解除が認められるのは要素たる債務の不履行の場合であり、付随的義務の不履行では足りないとする）にも沿うものだが（→(2)(e) １つ目の◆〔206頁〕）。履行不能による解除について債務者の帰責事由を要件とし、債務者に帰責事由のない履行不能は危険負担の問題であるとする改正前民法の構造（旧543条・旧534条〜旧536条）との緊張関係をはらんでおり、解除制度及び危険負担制度の立法論的見直しを促すことになった（山本176頁以下）。なお、解除の要件として、債務の不履行だけでなく、契約の目的を達成できないという要件を付加すべきだという見解（平井228頁・235頁）もあった。

　③債務不履行に基づく損害賠償と解除のいずれも、債務者の帰責事由を要件としない、という立法提案。損害賠償の根拠を「過失責任の原則」ではなく「契約の拘束力」に求め、解除については②ⓑの見解をとるものである（基本方針Ⅱ246頁以下・296頁）。

　④以上のほか、債務者の帰責事由を解除の要件とすると、実務上も適時かつ迅速な代替取引ができないことがあるという支障も指摘された（一問一答234頁）。

　部会では、これらの見解や指摘を考慮し、帰責事由を解除の要件としないこととされた（中間試案説明135頁以下、部会資料68A、第3、1説明4）。

4　解除の方式

(1) 相手方に対する意思表示

　解除は、相手方に対する意思表示によってする（540条１項）。その効力は、相手方に到達した時に生じる（97条１項）。これは、債務不履行による解除に限らず、解除一般についての規律である。意思表示は、書面による必要はなく、口頭でもよい。実際には、後日の証拠とするため、内容証明郵便でされること

---

[24]　渡辺達徳「民法541条による契約解除と『帰責事由』」商学討究44巻１＝２号239頁・３号81頁（1993〜94）、同「履行遅滞解除の要件再構成に関する一考察」新報105巻８＝９号（1999）１頁。

も少なくない。

> ◧ **意思表示方式の意義** 　旧民法は，当時のフランス民法式に，解除条件構成と裁判上の解除の原則をとったが，明治民法は，ドイツ民法式に，意思表示によることにした（→2，1つ目の◧〔195頁〕）。明治民法の起草者は次のように説明する。解除の方法に関する立法例は，これらのほか，「当然解除ノ主義」があるが，これは簡易にすぎ，当事者が知らない間に権利を失うという意外の不利益を被る弊害がある。他方，裁判上の解除の方法は，干渉的にすぎ，取引の便宜を損なう。意思表示による方法は，「実際ノ便宜」に適するとともに「取引ノ確実」を失わせないものである（民法修正案理由書518頁）。
>
> 　意思表示方式の利点を，債務不履行による解除について，当事者の利益状況の観点から説明するものもある。すなわち，意思表示がなくても解除されうるとすると，債務者は債権者が履行を受領するか否かが不確定であることによる損害を被ることがあり，債権者は債務者の損失において履行価値の騰落による投機ができるという利益を得ることになるが，これは適当ではない。債権者の意思表示によって法律関係を明確にさせることで，この弊害を防止できるという（UP 7.3.2, cmt. 1 参照）。

　解除の意思表示において，その理由を示す必要はないというのが判例である（大判大元・8・5前掲〔船舶運送業者との乗客取扱店契約〕，最判昭58・9・20判時1100号55頁〔税理士顧問契約〕）。条文に規定のないこと及び解除の効力の明確性という観点から，これを支持することができる。ただし，契約の内容又は性質によって，解除時に又はその後の段階で，理由を提示すべき義務を負うことはありうる（労基22条1項参照）[25]。

　解除の意思表示を不要とする特約（失権約款）については，前述した（→第1節2(2)(a)(ⅱ)1つ目の◧〔189頁〕）。

(2) 撤回の禁止

　解除の意思表示は，撤回することができない（540条2項）。これを認めると法律関係が複雑になるし，相手方の地位を不安定にするからである（民法修正案理由書518頁）。相手方の同意があれば，撤回できる（最判昭51・6・15裁集民118号87頁。最判昭36・8・8裁集民53号397頁〔相手方との合意による解除の効力の

---

[25] 小林和子「契約法における理由提示義務」一橋法学4巻2号163頁〜5巻1号237頁（2005〜06）参照。

消滅を認める〕参照)。ただし，撤回の効果は，第三者には対抗できない(我妻上184頁)。

条件・期限についても同様の問題がある。解除に条件を付することは，債務者を不安定な地位に置くことになるので原則として認められないが，条件を付してもそうならない場合は認められる(我妻上185頁，平井237頁，山本185頁など通説)。解除に期限を付することは，遡及効のある解除については無意味であり，認められないが(我妻上184頁以下)，遡及効のない解除(620条など)においては認めてよいだろう。

(3) 解除権者

解除権を有するのは契約の当事者である。契約上の地位が譲渡された場合や相続，合併等により包括承継された場合は，譲受人・承継人が当事者として解除権を有する。

> ◆ **契約上の債権の譲渡と解除権**[26]　契約上の地位は譲渡されず，契約から発生した債権のみが譲渡された場合について議論がある。AB間の双務契約から発生したAの債権をAがCに譲渡したが，Bが履行しないという例で検討する。まず，Aは，契約当事者であるし，自己の債務を免れる利益もあるので解除できる(大判昭3・2・28民集7巻107頁。我妻上184頁など通説も同じ結論をとる。反対，平野110頁)。このとき，①Cの同意を要するという見解(大判昭3・2・28前掲〔Cの譲受債権が消滅するから〕)と，②要しないという見解(宮崎孝治郎『判民昭3』48頁，我妻・前同など多数説)が対立する(ほかに，石田93頁など)。①は，Cが履行の強制をもできる地位にあることを重視する。また，第三者のためにする契約において，要約者が解除するためには受益者の承諾が必要であること(538条2項)とも均衡がとれる(AC間が契約関係か対価関係かという違いはある)。②は，Aが契約当事者であって解除により契約の拘束から解放される利益のあることを重視し，Cの保護はAの担保責任で足りると考える。また，継続的契約で債権の一部のみを譲渡した場合や，転付命令によって債権が移転した場合をも考え，統一的に理解するのであれば，より妥当性がある。現行民法が第三者のためにする契約の規律において受益者の承諾を要するとする選択をしたこと(改正前民法のもとで対立があった→第3章第4節3(2)(c)◆〔179頁〕)を考えると，①を原則とすべきだが，AC間の債権譲渡契約の内容によっては，②

---

[26] 山岡航「契約上の地位の移転と解除権」名古屋学院大学論集(社会科学篇)56巻4号17頁・57巻1号123頁(2020)(解除権の正当化根拠・性質の検討と実質的観点からの考察をする)。

となることもあるだろう（山岡・前掲注26）57巻1号167頁以下参照）。次に，Cは，解除できるか。③Cは契約当事者でなく解除はできないとする見解（大判大14・12・15民集4巻710頁，我妻・同前など多数説）と，④Aの追認を条件としてCの解除も認められるとする見解（星野86頁〔無権代理行為の追認の一種とみる〕）がある（ほかに，三宅総216頁など）。④はBの地位を不安定にする（解除の意思表示に条件を付することにつき→(2)）ので，③をとるべきである。

(4) 解除権の不可分性

(a) 意　義

契約の当事者の一方が数人いる場合，数人により解除するときはその全員から，数人に対して解除するときはその全員に対して，解除しなければならない（544条1項）。これを解除権の不可分性，又は，解除権不可分の原則という。

> ◆ 2つの問題　解除権の不可分性は，①数人の者の各人が，又は，数人の者の各人に対し，解除権を分割して個別的に行使することができないこと（各人の分についてのみの一部解除の不可），及び，②数人のうちの一部の者が，又は，数人のうちの一部の者に対し，契約全体を解除することができないこと（一部の者のみの関与による全部解除の不可），を意味する。起草者は，主として①を想定していたが（梅450頁），②に関する議論もあった（民法速記録Ⅲ814頁以下）。学説も，主として①を念頭に置いて解除権の不可分性の理由づけを検討し，ⓐ当事者の意思に反することが多いこと，ⓑ法律関係を複雑化することが多いこと，をあげてきた（ⓐにつき梅451頁，平井249頁，ⓑにつき星野86頁，ⓐⓑにつき我妻上186頁〔ⓑとして請負人が複数いる請負契約の例をあげる〕）。
> 　ところが，判例（最判昭39・2・25民集18巻2号329頁）において②の問題が提起されたことから，複雑になった。①と②では，次の違いがある。まず，解除権の不可分性の理由は，①についてはⓐとⓑが考えられるが，②ではⓐが中心となる。考慮すべき利益は，①では主として契約の相手方の利益だが，②では主として数人のうちの残余の者の利益である。解除権を不可分とする規定は任意規定であるところ（我妻・前同，平井・前同など通説），解除権の不可分性を除去するためには，①においては，②におけるよりも，相手方の同意の重要性が高いのが通常であろう。

(b) 解除する側が数人いる場合

解除者側が数人いる場合について，共有物の賃貸借契約の解除に関する判例（最判昭39・2・25前掲）は，共有者（賃貸人）が共有物を目的とする賃貸借契約を解除することについては，544条1項の規定は排除され，252条本文が適用

される(「共有物ノ管理ニ関スル事項」にあたる)と述べた。これに対し、解除の意思決定の問題と解除の意思表示の問題とを分けて考えるべきであるという指摘がある(星野英一「判批」法協84巻5号〔1967〕172頁、星野86頁以下、潮見・新債総Ⅰ553頁以下)。この指摘に基づき分析しよう。

解除者側が数人いる場合、手続は2段階に分かれる。第1段階は、解除することについての内部的意思決定の段階である。その方法は、内部的な法律関係によって定まる。たとえば、ABCが共有する不動産を賃貸している場合、共有者が賃貸借契約を解除することは管理行為にあたるので、持分の過半数で決する(252条1項。2021年改正前民252条本文)。第2段階は、相手方に対する解除の意思表示の段階である。これは、ABC全員の名前で、又は、一部の者(A)が残りの者(BC)を代理して「A及びBC代理人A」として、解除する(544条1項)。ただし、解除の意思表示は全員で同時にされるまでの必要はなく、最後の意思表示がされた時に効力が生じる(大判大12・6・1民集2巻417頁、我妻上187頁)。

◆ **少数者の意思表示** 問題は、第1段階で解除することに決まったが、これに反対していた者が第2段階で意思表示及び代理権授与に応じない場合である。上記の例でABが解除に賛成し、Cが反対したが、ABが持分の過半数を有しており、解除する決定がされたとする。次の4つの方法が考えられる。第1に、第1段階の決定によりCも解除の意思表示をする義務を負ったとして、ABがCに対し意思表示を求める訴訟を提起する方法(民執177条参照)。理論的難点は少ないが、現実的ではないだろう。第2に、第1段階の決定に伴い、Cは第2段階における代理権をABに授与したと評価し、代理方式の意思表示をする方法。これは、ABCの内部関係において組合等の成立が認められるときは有効だが、そうではない共有の場合は、個別事情に基づく代理権授与の認定又はその擬制を要することになろう。第3に、544条1項は、(a)◆の①に関する規律であり、同②については少数者Cの利益が保障されていればよいと理解し、その保障は第1段階の決定の段階でされていると考え、ABのみの名前での意思表示をする方法。上記判例と同様の帰結を導きうるが、同項をそこまで限定解釈してよいかという問題がある。第4に、(a)◆の②の場合には、相手方の利益より少数者の利益の方が大きな問題であるが、少数者Cの利益の保障が内部的にされている場合には、ABのみの名前での解除であっても、それによる実質的不利益を受けない相手方が544条1項に基づき解除の無効を主張することは、信義則に反すると解する方法。有効な解除かどうかを判断するという相手方の負担は抽象的には考えられるものの、特に債務不履行による解除の場合に

は，その負担をさほど重視するまでもない。第1，第2の方法のほか，第4の方法もありうると考える。

(c) 解除の相手方が数人いる場合

解除の相手方が数人いる場合，全員に対し，解除の意思表示をする必要がある（最判昭36・12・22民集15巻12号2893頁参照）。全員に到達した時に，解除の効力を生じる（我妻上187頁）。債務不履行による解除において，催告及び解除の意思表示を受けることについての相手方間の代理権（受働代理権）の認定は，その効果の重要さに鑑み，慎重にされるべきである（星野87頁）。

(d) 数人の者の1人についての解除権の消滅

当事者の一方が数人ある場合，解除権がそのうちの1人について消滅したときは，他の者についても消滅する（544条2項）。数人の解除権者のうちの1人が解除権を放棄した場合や，解除権者が数人の相手方のうちの1人に対して解除権を放棄した場合などである（梅451頁以下）。法律関係の複雑化を避ける趣旨である（星野87頁，潮見・新債総Ⅰ594頁，山本192頁）。

5 解除の効果[27]

(1) 効果の概要と法律構成

(a) 効果の概要

契約が解除されると，各当事者は，相手方を原状に復させる義務（原状回復義務）を負う（545条1項本文）。ただし，第三者の権利を害することはできない（同項但書）。原状回復として，金銭を返還するときは，受領の時からの利息を付さなければならず（同条2項），金銭以外の物を返還する時は，受領の時以後に生じた果実も返還しなければならない（同条3項。改正前民法のもとでは通説→(2)(b)(ii)β〔228頁〕）。解除権の行使によって，損害賠償請求が妨げられることはない（同条4項，旧3項）。

---

[27] 竹田省「契約解除ノ性質ニ就キテ」京都法学会雑誌3巻2号（1908）89頁，山中康雄『総合判例研究叢書民法（10）』（1958）137頁以下，高森八四郎「契約の解除と第三者（1）（2）」関法26巻1号80頁・2号65頁（1976，未完），平井一雄「解除の効果についての覚書」独協法学9号（1977）47頁，好美・前掲注22），四宮和夫『請求権競合論』（1978）201頁以下，北川実「解除の効果」講座Ⅴ113頁，武川幸嗣「解除の対第三者効力論」法学研究78巻12号1頁・79巻1号61頁（2005～06），山下・新版注民（13）871頁以下。

(b) 効果の法律構成

　解除の諸効果を統一的に説明するための種々の法律構成が古くから示されてきた。大別すると，解除によって契約は遡及的に消滅するという構成（遡及的構成）と，遡及的に消滅するものではないという構成（非遡及的構成）がある。

　遡及的構成の代表的なものとして，直接効果説がある。同説の内部でもいくつかの見解があるが，我妻博士の見解が通説的地位を占めた。その概要はこうである（我妻上188頁以下）。①解除の効果は，契約の遡及的消滅である。②未履行の債務は，当然に消滅する。③既履行の債務も遡及的に消滅するので，その債務の履行として受領したものは不当利得として返還しなければならない（これが原状回復義務であり，同義務は不当利得返還義務の性質をもつ）。④処分的効果（契約によって生じた物権又は債権の移転などの処分的な法律効果）も遡及的に失効するが，第三者保護のため，民法は解除の遡及効に制限を加え，第三者の権利に影響を及ぼさないものとした。⑤契約による債務の遡及的消滅を貫徹すると，その不履行による損害賠償請求権も消滅することになるが，債権者保護のため，民法は解除の遡及効の範囲を制限することにした。したがって，旧545条3項で解除者に認められている損害賠償請求の性質は，債務不履行による損害賠償請求権である。

　直接効果説は，明治民法の起草者の見解ではなかったが，1910年代からドイツの学説の強い影響のもとに主張されて有力になっていた（石坂2254頁以下，末弘257頁以下，鳩山上229頁以下）。我妻説は，この説に処分的効果の遡及的失効（上記④）を新たに組み込むものであるが，日本の判例と整合的でもあったことから，通説的地位を占めるようになった。直接効果説に対しては，ドイツでの論争（直接効果説に対し，間接効果説，折衷説がある）を反映する形での批判もあったが，日本とドイツとでは前提となる法制度の違いがあるとの指摘が広く受容されるにつれ，批判は日本の法制度と民法起草過程を考慮したものへと進化した。批判説にもいくつかあるが，非遡及的構成のうち，解除によって原状回復を中心とする新たな法律関係が発生するという変容説が有力になっている。

　もっとも，学説は，どのような法律構成をとるにせよ，解除の具体的効果を演繹的に論じるわけではなく，各効果についての問題点を個別的に検討する。その結果，同じ法律構成をとる論者の間でも具体的帰結が分かれることがある

し，法律構成が異なっていても同じ帰結になることが少なくない。法律構成と具体的帰結とは直結しておらず，法律構成の意義は，解除の効果を理論的にどう説明するかにある，ということになる（基本方針Ⅱ 327 頁）。そうすると，そもそも「解除の効果」という統一的な問題を設定することの意義や，その理論的説明自体の意義について，評価が分かれることになる（星野 94 頁及び内田 103 頁の消極論と平井 238 頁の積極論を対比せよ）。

本書は，「解除の効果の法律構成」の意義を否定するものではないが，問題の本質は，契約によって設定された当事者間の規律を，その契約が解除された後に，どこまで残存させるかにあるのであり，それは個別の問題点ごとに他の法制度との関係を考慮しつつ決定するほかない，と考える。法律構成は，問題点ごとの検討をする際に複数の議論の仕方がある，という程度の意味をもつにとどまるだろう。以下では，個別の問題点について検討を進める。遡及的構成と非遡及的構成には，必要に応じて言及する。遡及的構成は，直接効果説（我妻説）及び判例で代表させ，非遡及的構成は，変容説で代表させる。各構成の中の相違について触れることもある。

◆ **明治民法起草者の理解**　民法起草者は，非遡及的構成をとっていた。すなわち，解除によって前の法律行為が根本から排斥されるのではなく新たに法律上の債務が生じること，解除の効果については取引安全と当事者間の簡便性を考慮し物権上ではなく債権上のものとしたこと，解除と損害賠償を択一的とするのは不都合なので損害賠償についての規定をことさらに置いたことを述べている（民法速記録Ⅲ 821 頁〔穂積発言〕。民法修正案理由書 521 頁も参照）。

◆ **直接効果説・間接効果説・折衷説と日独の前提の相違**　直接効果説は，①解除の効果は契約の遡及的消滅である，②未履行の債務は当然に消滅する，③既履行の給付の原状回復は，既履行の債務の遡及的消滅に伴う不当利得の返還である，と考える。間接効果説は，①解除は債権関係を消滅させるのではなく，その作用を阻止するにすぎない，②未履行の債務は消滅せず，債務者に履行拒絶権が発生する，③既履行の給付の原状回復は，解除により発生する新たな返還請求権によるものである，と考える。折衷説は，①解除の効力は将来に向かって生じる，②未履行債務は当然に消滅する，③既履行の給付の原状回復は，解除により発生する新たな返還請求権によるものである，と考える。

間接効果説は，その②について，未履行債務が時効消滅まで存続することになる実際上の不都合（担保や保証も存続すること，他の債権と相殺される可能性があること，履

行拒絶権は放棄しうることなど），③の不均衡（既履行債務については弁済によって消滅し，既履行給付を返還すれば返還義務も消滅して何も残らない）などの問題があり，現在ではほとんど支持を得ていない。そこで，直接効果説と折衷説の間の論争となるが，日本とドイツとでは前提となる法制度に相違があることから，ドイツでの議論をそのまま持ち込むのではなく，我妻説を批判しつつ折衷説そのものでもない学説が発達した（日独の相違とは，ドイツでは，ⓐ物権行為の独自性・無因性が認められており，債権契約の解除の効果は物権契約には当然には及ばないこと，ⓑ原状回復に関する詳細な規定が民法にあること，ⓒ解除と損害賠償が択一であるのに対し，日本ではいずれもそうではないことである。ただし，ⓒは，後にドイツ民法の2001年改正で択一から併存に変わったので解消した）。

◆ **直接効果説（我妻説）に対する批判**　上記の我妻説に対し，次の批判が投じられた（北村・前掲注27）144頁以下参照）。我妻説の③（原状回復義務は不当利得返還義務の性質をもつ）は，545条2項の規定と不当利得における利得返還の範囲の規定（703条・704条）とが異なることを説明できない。同④（解除による処分的効果の遡及的失効は第三者にも及ぶが545条1項但書がそれを制限する）は，一方で解除前の第三者の保護のためには対抗要件具備が必要だというのは不徹底であるし，他方で解除後の第三者については遡及的失効にもかかわらず対抗問題として取り扱うのは一貫していない。545条1項但書は，直接効果説をとりつつ物権行為無因性論をとる（解除は債権契約を当初から存在しなかったものとするが物権契約には影響しないとする）見解の方が理論的に説明しやすいが，無因性論は日本法ではとられていない（鳩山上232頁と我妻上198頁を比較参照）。同⑤（債務不履行による損害賠償請求権を認める）は，解除による債務の遡及的消滅と矛盾している。

◆ **変容説**　直接効果説（我妻説）に対する批判説としては，折衷説（広中352頁）や解除の遡及効を当事者間に限定する相対的遡及効説（岡松510頁，高森・前掲注27）2号78頁，石田96頁〔石田旧説〕）もあるが，近年，変容説が有力になっている（呼称及び細部の相違を捨象すると，竹田・前掲注27）103頁以下，山中・前掲注27）152頁以下，四宮・前掲注27）209頁，三宅総229頁，近江95頁〔折衷説というがここでの変容説に含みうる〕，潮見・新債総Ⅰ597頁以下，潮見61頁以下，平井240頁以下，奥田＝池田編100頁〔渡辺〕〔CISGなどもそうだという〕など）。この見解は，①解除により，契約は消滅するのではなく，原状回復に向けた債権関係に変容する，②未履行債務は消滅する（既に原状回復がされているとみる），③既履行給付については，変容した契約のもとで，原状回復のための新たな返還請求権が発生する，という（「変容」の具体的内容は，論者により，一様ではない）。折衷説と変容説の違いは，ドイツでの論争との連続性の程度のほか，契約が将来に向かって消滅するのか，清算されるまで存続するのかにあるが，実際上の違いは大きくない。

(2) 原状回復

(a) 意 義

(i) 原状回復義務　解除権が行使されると，各当事者は，「相手方を原状に復させる義務」を負う（545条1項本文）。つまり，相手方を元の状態に戻す義務がある。

> ◆ **原状回復義務の性質**　直接効果説（我妻説）は，①「原状」とは契約締結前の状態である，②原状回復義務は不当利得返還義務の性質をもつものであり，本来の給付をすべき契約上の債務とは別個のものだが，両者の関係は個別的に決しなければならない，という（我妻上194頁）。非遡及的構成をとる説の1つは，①「原状」とは契約締結前の状態ではなく，契約による所有権移転等の効果の発生する前及び履行がされる前の状態である，②原状回復請求権は不当利得返還請求権ではなく，解除後も存続する契約上の債権の変形したものであるという（山中・前掲注27）152頁以下）。もっとも，①は，「契約締結前」と「契約履行前」との区別の意味は小さく（非遡及的構成をとる近江96頁は，「原契約締結の最初の状態」と「契約が成立する以前の状態」を同様に用いる），②は，給付不当利得類型については利得の原因（契約）を効果に反映させる方向で考えられているので，具体的帰結は接近する（基本方針Ⅱ328頁。理論的相違を強調するものとして近江96頁）。

(ii) 権利の移転及び債務の履行についての原状回復　契約によって移転した権利は，解除によって当然に「復帰」する。直接効果説（我妻説）では，遡及的消滅の結果，物権変動はなかった（その権利は移転していなかった）ことになる。判例もこの立場である（大判大10・5・17民録27輯929頁〔特定物たる木材の売買契約〕）。非遡及的構成では，解除により，新たな復帰的物権変動が生じることになる。いずれにせよ，「復帰」のための物権行為は必要ない（遡及的構成で物権行為の独自性・無因性を認める説や，非遡及的構成で物権行為の独自性を認める説では，異なる結論になる）。

契約上の債務の履行がされていたときは，解除により原状回復義務が生じる。交付した物や金銭は返還し，対抗要件（177条・467条など）を備えたのであればそれを除去する。物や金銭の返還については細かい問題が多いので，項を改めて述べる（→(b)）。

> ◆ **不動産登記**　不動産の売買契約によりAからBに所有権移転登記がされた後，

解除されると，その移転登記が抹消される（大判明43・11・28民録16輯847頁，最判昭36・11・24民集15巻10号2573頁〔名義人たる買主からの請求〕）。遡及的消滅構成をとる立場は，この帰結を支持する（我妻上197頁は，登記の抹消によるべきであり，移転登記の請求権はないという）。もっとも，登記実務では，契約解除を登記原因とするBからAへの所有権移転登記も認められているようである（特に，登記上の利害関係を有する第三者〔Bから抵当権の設定を受けて登記した者など〕の承諾が得られないと，登記の抹消の申請ができないので〔不登68条〕，移転登記が用いられるといわれる)[28]。

◆ **役務等の原状回復**　なされた給付が役務（雇用など）や物を使用させること（賃貸借など）など無形のものである場合は，原状回復は，その価額を返還することによる。その算定基準は，給付時における客観的価格（石坂2312頁，末弘261頁，鳩山上233頁）か，解除時における客観的価格（我妻上195頁，平井244頁）かが問題となる。これらの給付がある程度の時間の経過を伴うものであることが多いことを考えると，給付時で評価する方がよいと考える。もっとも，賃貸借や雇用のような継続的契約については，解除の効力は将来に向かってのみ生じるので（620条・630条），既履行分の原状回復が問題とならないことが多い。他の役務提供契約についても同様である（委任について652条，請負について最判昭56・2・17判時966号61頁〔工事未完成の間の工事請負契約の解除は，工事内容が可分であり，当事者が既施工部分の給付に関して利益を有するときは，未施工部分についてのみ解除ができるとする〕）。しかし，継続的契約や役務提供契約の解除においても，その効果を遡及させ，既履行分について原状回復を目指す方が妥当な場合はある（賃貸借において一定期間の継続を前提として賃料を低く定めたが，短期で解除された場合など〔中田・解消143頁以下・153頁以下，基本方針V412頁以下〕，請負契約で工事内容が不可分である場合など）。法律構成については，非遡及的構成をとって合理的な清算方法を措定することも可能であるが，契約の無効の場合（121条の2）との関係を考慮しつつ，不当利得法理（加藤雅信・新版注民（18）366頁参照）で処理する方が明確性において勝るのではないか。

原状回復義務に関し，若干の具体的問題がある。①当事者双方が原状回復義務を負う場合，両当事者の義務は同時履行の関係にある（546条）。②売買契約が解除された場合，売主の債務の保証は，原状回復義務にも及ぶ（最大判昭40・6・30民集19巻4号1143頁）。これらについて，契約上の債務と解除により生じた原状回復義務の同一性の問題として，遡及的構成と非遡及的構成のそれぞれから説明されることがある。しかし，①は法律の規定があるし，②は保証

---

[28] 法務省民事局第三課職員編『不動産登記実務総覧〔全訂版〕（上）』(1987) 282頁，今上益雄『不動産登記法〔第2版〕』(2008) 171頁。

契約の解釈の問題（中田・債総577頁以下）として位置づけられるべきであり，「同一性」の有無から演繹すべきものではないだろう。

◆「同一性」の問題　改正前民法のもとでは，①②のほか，③契約上の債務が商行為によって生じたものである場合の原状回復義務の性質（商事法定利率・商事消滅時効期間〔2017年改正前商514条・522条〕の適用の有無）について，やはり「同一性」の問題として議論されることがあった（本書初版227頁参照）。今回の改正により，上記両条とも削除されたので，論じる必要がなくなった。①②を「同一性」の問題とする意味も，さらに乏しくなった。

(iii) 未履行債務　契約によって発生した債務で未履行のものは，解除によって「消滅」し，契約によって消滅した債権は，解除によって「復活」する。「消滅」・「復活」の説明の仕方が遡及的構成と非遡及的構成とで異なることは，(ii)と同様である。

◆相殺との関係　①相殺後の解除。AがBに対し貸金債権を有し，BがAに対し売買代金債権を有していて，Bが相殺した後，Aが売買契約を解除した場合，代金債権（自働債権）が消滅するので，相殺は無効となり，貸金債権（受働債権）が復活するという判例がある（大判大9・4・7民録26輯458頁〔旧567条による解除の事案〕）。相殺適状になかったと考えるものであり，直接効果説による説明がしやすい（我妻上193頁，星野89頁。平井239頁参照）。②解除後の相殺。賃料不払のため賃貸人が賃貸借契約を解除した後，賃借人が自働債権の存在を知って未払賃料債務と相殺したとしても，解除の効力には影響しない（最判昭32・3・8民集11巻3号513頁）。相殺の遡及効が及ぶのは，対象となる債権債務それ自体に対してであり，相殺の意思表示以前に有効にされた契約解除の効力には影響を与えないという理由である。実質的には，相殺の遡及効により解除を無効とすることは，解除後の法律関係を長期にわたって不確定な状態にすること（大判大10・1・18民録27輯79頁），賃貸人・賃借人の双方の利益状況（森田宏樹「判批」法協109巻6号〔1992〕213頁・221頁）から説明される。なお，借地・借家契約においては，賃借人に反対債権がある場合の賃料不払による解除については，信頼関係破壊理論（→3(2)(e) 2つ目の◆〔207頁〕）による制約が問題となりうる（森田・前掲222頁）。

(b) 引き渡された物・金銭の返還

(i) 目的物　契約上の債務の履行として物や金銭が引き渡された場合，解除されると返還しなければならない。現物が存在するときは，それを返還する。

受領者のもとで，その物や金銭について変化が生じたとき，その取扱いが問題となる。

> ●「現物」とは，契約によって引き渡されたその物自体という意味である。その物が滅失するなどしたため，その価値に代替する物や相当する金銭を返還すべき場合（→(iii) α），代替物又は価値相当金のもとになる物という意味で，「原物」の語が用いられることもある。

(ii) プラスの変化　契約によって物や金銭が交付された後，契約が解除されたところ，その物や金銭が受領者のもとで増加し，又は受領者に利益をもたらした場合，その分をどうするかが問題となる。

α　利息　金銭については，受領の時からの利息を付して返還する（545条2項）。この利息は，法定利率（404条）による。金銭は，自ら使用するか，他人に貸して利息を得るかにかかわらず，当然に利益をもたらすものであり，それを法定利息に等しいものとみなすという趣旨である（梅454頁〔419条を参照する〕）。

β　果実　金銭以外の物を返還する場合，受領の時以後にその物から果実が生じたときは，その果実も返還しなければならない。明治民法の起草者は，受領した物とともに果実も返還すべきことは当然のことと考え，疑義の生じうる金銭についてのみ規定を置くことにしたが（民法修正案理由書522頁，梅454頁），その結果，逆に，金銭以外の物についてわかりにくくなってしまった。そこで，今回の改正で，果実についても明文化された（545条3項）。

> ● 羊100頭を買ったところ5頭の子羊が生まれた場合，売買契約が解除されれば，買主は，5頭の子羊もあわせて返還しなければならない。賃貸マンションを借家人のいるまま買い受け，以後，賃料を受け取っていた場合，売買契約が解除されれば，買主は，受け取った賃料も売主に返還しなければならない。

γ　使用利益　金銭以外の物を返還する場合，受領者がその物を使用して利益を得たときは，使用利益を返還すべきであるというのが，古くからの判例（大判昭11・5・11民集15巻808頁〔家屋の売買〕，山中康雄『判民昭11』201頁，最判昭34・9・22民集13巻11号1451頁〔家屋の売買〕，最判昭51・2・13民集30巻1号1頁〔他人の自動車の売買〕，百選Ⅱ45［田中教雄］・通説（末弘262頁，鳩山上235頁，我妻上195頁など。反対，梅454頁）である。売買契約が解除された場合，

売主は受領した代金に受領の時からの利息を付して返還すべきだから，買主も目的物の使用利益を返還すべきだといわれる（大判昭11・5・11前掲）。

もっとも，物によっては使用利益をもたらすことが通常であるもの（土地，家屋，自動車など）と，そうではないもの（製品の原材料，食料品など）がある。同じ物でも，受領者が単に使用した場合，使用して異例の高い利益を得た場合，使用しなかった場合がある。果実をもたらす物については，利息に対応するのは果実であって，それに加えて使用利益まで返還する必要はないともいえそうである。原状回復が相手方を元の状態に戻すものであること，金銭を返還する際に付すべき利息は法定利率によることを考えると，相手方が受領者に引き渡していなければその物から得られたであろう通常の使用利益を返還させるのが妥当であろう。なお，売買契約で双方が履行済みである場合には，575条を類推適用して，代金の利息と果実・使用利益とが清算されていると考え，相互に交付を要しないという見解もある（加藤85頁，内田97頁・605頁，近江99頁）。簡明ではあるが，果実・通常の使用利益が証明されている場合は，相互に請求できるとする方が当事者の公平に資するだろう。使用による減価によって使用利益を考える見解（内田96頁）もあるが，使用利益と使用による減価は当然に同視することはできず（土地，絵画などを考えよ），両者の関係は，目的物の性質，減価の原因，対価の意義などを考慮しつつ，個別的に検討すべきである[29]。

今回の改正で使用利益の返還の規定を置くことが検討されたが，このように様々な問題があることから，引き続き解釈に委ねられることとなった（中間試案説明140頁）。

◆ **善意占有者の果実収取権との関係**　善意の占有者は，占有物から生ずる果実を取得する（189条1項）。契約によって物を受領した者は善意だから，果実や使用利益を返還しなくてもよいのではないかが問題となる。遡及的構成では，原状回復義務が不当利得返還義務の性質をもつとしても，給付不当利得については表見的法律関係の規範に従うと考えると，契約法の規律である545条2項との均衡から，返還すべきことになる。非遡及的構成では，使用利益の返還は原状回復の内容として当然のことであり（近江99頁），侵害利得に関する189条の類推適用もされない（潮

---

[29] 油納健一「不当利得法における『使用利益』の範囲」広島法学37巻2号288頁〜41巻2号102頁（2013〜17），同「不当利得法における『使用利益』の意義」加藤雅信古稀『21世紀民事法学の挑戦下巻』（2018）425頁参照。平野118頁も参照。

見・新債総Ⅰ606頁注124）と考えられる。

◆ **果実の消費・処分・不収取**　果実が現に残存している場合はそれを返還すべきだが，消費したり，他に譲渡したりして返還できない場合は，その客観的価値に相当する金銭で返還すべきである。目的物の滅失の場合（→(iii)α）と同様だが，果実を消費したからといって解除権が消滅すること（548条本文）はないと考えるべきである。果実を適時に収取しなかったために消滅した場合については，適時に収取することが通常であるときについてのみ，価値返還義務が発生すると考える。

(iii)　**マイナスの変化**　契約の目的物が引き渡された後，その契約が解除された場合，目的物に関して生じたマイナスの変化を誰が負担するかが問題となる。マイナスとしては，引き渡された物が受領者のもとで滅失・損傷した場合と，受領者がその物について費用を支出した場合がある。

　α　**滅失・損傷**　解除権を有する者の故意又は過失によって，目的物の著しい損傷，返還不能（滅失・第三者への譲渡等），又は加工・改造による改変があった場合，解除権は消滅する（548条本文）。ただし，解除権者が解除権を有することを知らなかったときは，解除権は消滅しない（同条但書）。したがって，目的物が滅失・損傷した場合については，まず解除の可否が問題となり，次に解除できる場合において滅失・損傷によるマイナスをどちらが負担するかが問題となる。この規律は，旧548条を改正したものだが，大きく変わるものではない。この点は後に説明することにし（→6(1)(b)），ここでは，解除ができる場合の帰結を検討する。

　この問題については，議論が錯綜する。売買契約の目的物が引き渡された後，解除及び滅失があったという例で考える。①滅失したのが ⓐ解除前である場合と ⓑ解除後である場合がある。②滅失の原因（帰責事由）が ⓐ買主にある場合，ⓑ売主にある場合，ⓒ当事者双方にない場合がある。③引き渡された目的物の客観的価値が ⓐ代金額と同じである場合，ⓑそれより高い場合，ⓒそれより低い場合がある。これらの諸場合を規律するための法律構成として，④ⓐ双務契約の牽連性を考慮する見解，ⓑ各当事者のそれぞれ独立した原状回復義務の規律を考える見解がある。

　次の具体例で検討しよう。動産甲の売買契約において，買主が売主に代金全額を支払い，売主が買主に甲を引き渡したが，甲の品質は契約の内容に適合し

ないものであった（562条）。買主のもとで甲が滅失したが，その原因は甲の契約不適合とは無関係であり，買主にも帰責事由のない，不可抗力によるものだった。その後，買主が契約不適合を理由に解除した（564条・541条。567条１項の場合とは異なる）。売買金額は200万円であったが，そのような不適合のある甲の客観的価値は150万円である。つまり，①ⓐ・②ⓒ・③ⓒのケースである。この場合，買主のした解除の効果をどう考えるべきか。

　ここで，④ⓐのうち，解除による原状回復における目的物の滅失を逆方向の危険負担ととらえ，536条を類推適用する立場（④ⓐ㋐）[30]をとると，危険は買主（不能となった返還債務の債務者）が負担し，売主は代金の返還を拒絶できることになる。そうすると，売主は受け取った売買代金200万円を保持し，買主は甲（150万円相当）の滅失した状態を引き受けることになるが，これだと甲の契約不適合に相当する分（50万円）を買主が負担する結果となる。しかし，売主の「原状」は甲の客観的価値である150万円を有する状態だから，これでは解除による原状回復は実現されていない。そこで，契約不適合相当分の50万円を売主が負担するようにする必要がある。そのために，売主は買主に代金200万円を返還し，買主は売主に甲の客観的価値150万円を返還する（そのうえで相殺を認める）ことが妥当であろう。この帰結を導くため，④ⓐに立ちつつも，対価危険負担の法理により代金返還債務を消滅させるのでなく，代金返還債務と目的物返還債務を牽連性のあるものとして並立させることによって「原状」への復帰を目指す考え方（④ⓐ㋑）[31]もある。他方，④ⓑは，履行過程と清算過程の異質性を指摘し，清算関係では代金返還債務と目的物返還債務がそれぞれ独立したものとして存在し，後者については現物の返還が不能であるときは，その客観的価値を基準とする価額返還義務を目的物受領者（買主）が負うという原則をとるべきだという[32]。

---

30) 改正前民法のもとの見解として，石田98頁，本田純一「民法548条の系譜的考察」判タ556号16頁・557号34頁（1985）（旧548条２項を旧536条の手段的規定とする）。
31) 改正前民法のもとでこの方向を示すものとして，好美・前掲注22）182頁以下，小野秀誠・民事法Ⅲ68頁。平井244頁も参照。内田99頁は，債務者主義に内在する自己支配領域内のリスク負担の原則を，反対給付の消滅という形ではなく，目的物の時価相当額の返還と代金の返還という形で表すという。
32) 改正前民法のもとでこの方向を示すものとして，末川・上167頁，潮見・債総Ⅰ455頁以下など。現行民法のもとでは，潮見62頁以下，潮見・新債総Ⅰ601頁以下。債務独立説と呼ばれることもある（基本方針Ⅱ331頁）。

④ⓑの見解は，履行過程は契約時の当事者間の主観的等価性（対価的均衡）を実現するものだが，清算過程は清算時の客観的価値の等価性が問題となるので，前者の規律を後者に及ぼすことには問題があるという。しかし，履行過程と清算過程の異質性を強調しすぎることは，履行過程における契約規範との断絶を生じさせる可能性がある。客観的価値の償還というのも，主観的等価性の実現がされる前の「原状」を回復するための手段として理解すべきものであろう。回復されるべき「原状」を考えるためには，解除された契約に関する規範を反映する方向がよいのではないか（④ⓐⓘ）。

> ◆ **契約規範の反映**　今回の改正にあたって，無効・取消し及び解除の効果として，「給付を受けた物の返還が可能である場合はそのものの返還義務を負い，不可能である場合は価額償還義務を負う」という趣旨の規律を明文化することが検討されたが（中間試案第5，2(1)・第11，3(4)），これは原状回復義務の規定の解釈に委ねられることとされ，見送られた（部会資料66A，第3,1 説明2(1)・同68A，第3，3説明2)。
> 　④ⓐの見解に対する批判としては，危険負担制度は，双方の義務が対価的に均衡していることを前提とするが，解除の場合は，双方の原状回復義務が対価的に均衡しているとは限らない（山本201頁），現行民法のもとでは，履行不能は債務の消滅をもたらすものでなく，危険負担の効果も反対給付の履行拒絶にすぎないのだから，解除の効果の規律の基礎に置くことはできない（潮見・新債総Ⅰ602頁以下），買主が代金債務を履行していない場合に，十分に対応できない（磯村保「法律行為の無効・取消しと原状回復義務」Law & Practice 12号〔2018〕1頁・7頁参照）などがある。第1と第2の批判は，④ⓐⓘには妥当しない。第3の批判については，契約の履行過程で相手方が反対債務を履行していた場合の危険負担と同様の問題である（→第3章第3節2(2) 4つ目の◆〔167頁〕）。
> 　④ⓐⓘと④ⓑは，具体的帰結が大きく異なるわけではないが，説明の仕方が違うことがある。（例1）売主の帰責事由により甲の滅失が生じた場合，売主が価値返還請求権を有しないこと（最判昭51・2・13前掲〔返還不能の例〕）については，④ⓐⓘは536条2項の類推から導き，④ⓑは548条1項の趣旨から導く。契約解除の場面で同時履行の抗弁の規定が準用されていること（546条・533条）も考えると，④ⓐⓘの方が一貫している。（例2）甲の客観的価値が代金額より高い場合には（③ⓑ），買主の返還すべき額は代金額を上限とするという結論をとるとすると，④ⓑからの説明（潮見・新債総Ⅰ605頁）よりも，契約規範を反映する④ⓐⓘの方が簡明であり，また，代金額より低い場合（③ⓒ）の説明と整合させることも容易であろう。
> 　現物返還とそれが不能な場合の客観的価値による価額返還を内容とする④ⓑの見解は明快だが，解除された契約に関する規範と切り離すことは，安定性を低くするのではないか。この問題は，従来，「危険負担法理の類推適用」の当否として議論

されることが多かったが，その本質は双務契約における牽連性を考慮するかどうかであろう。様々な契約の解除において，元の状態の物理的回復が困難な場合，その契約の内容及びその契約に関する規範を考慮し，あるべき「原状」を探求することが望ましいと考える。すなわち，双務契約なら牽連性，無償契約なら無償性（121条の2第2項参照），役務提供契約や継続的契約なら給付の性質や契約の内容（→(a)(ii) 2つ目の◆〔226頁〕）である。

◆ **相手方の価値返還請求権の性質**　④ⓑの見解は，解除による清算過程において，売主の代金返還債務は買主の甲返還義務の消長にかかわらず独立して存続し，あとは買主が甲又は甲の価値を返還するだけだと考える。④ⓐⓘの見解も，両債務の並立を認める。問題は，甲が滅失した場合に売主のもつ価値返還請求権の根拠である（森田修「解除」争点228頁）。解除後の滅失（①ⓑ）の場合，解除後は買主は善管注意保存義務（400条）を負っているので，その義務違反に基づく責任が認められやすいが，買主に義務違反がないこともある。また，滅失後の解除（①ⓐ）の場合には，そもそも買主の義務違反は認めにくいだろう。それらの場合にも，なお売主の価値返還請求権を認めるとすれば，それは545条1項に基づくものというべきである。同項は可能な限り「原状」の回復を実現すべきことを求めており，その不可能な場合についてのリスク負担は解釈に委ねていると解されるところ，そのリスクは目的物の交付を受け，その支配領域内に置いた者が負担することが公平であると考えられるからである。

　β　費用　受領した目的物について受領者が費用を支出した場合，相手方の償還が問題となる。明治民法の起草者は，費用については196条によると考えていた（民法速記録Ⅲ823頁〔穂積発言〕）。同条の類推適用を基本としつつ，解除による原状回復の局面に応じた規律を考えるべきである（好美・前掲注22）194頁以下）。すなわち，必要費は全額を償還する（代金の利息と果実を相互に返還するので同条1項但書によらない）。有益費は，相手方の選択により，その額又は相手方にとって有用と評価される範囲での増価額を償還する。有益費償還における期限の許与については，受領者の善意・悪意を問題としない（196条2項但書でなく，583条2項但書又は299条2項但書と同様にする）。

(3)　**第三者との関係**

(a)　第三者の意義

契約が解除されると各当事者は相手方を原状に復させる義務を負うが，第三

者の権利を害することはできない（545条1項但書）。たとえば，AからB，BからCへと甲土地が売られた後，AがBとの売買契約を解除しても，Cは甲の所有権を失わない。

　ここでいう第三者とは，解除された契約から生じた法律効果を基礎として，解除までに新たな権利を取得した者である（我妻上198頁）。契約の目的物の譲受人，目的物を差し押さえた者，目的物の上に抵当権を取得した者などである。解除の対象となる契約に基づく債権の譲受人は，第三者にはあたらない（判例・通説→下記3つ目の◆）。

　以下では，便宜上，解除後の第三者（545条1項但書の第三者にはあたらない）を先に検討し（(b)），その後，解除前の第三者について検討する（(c)）。

◆ **545条1項但書の意義**　　直接効果説（我妻説）によると，この規定の意義は次の通りである。解除により契約は遡及的に消滅し，契約による物権の移転などの処分的効果も遡及的に失効する（Bは甲の所有権を取得していなかったことになり，Cは無権利者から買ったことになる）が，そうすると第三者が不測の損害を被る。そこで，545条1項但書は，それを避けて第三者を保護するため，解除の遡及効に特に制限を加えた規定である（我妻上197頁）。

　もっとも，明治民法の起草者は，解除は非遡及的かつ債権上の効果のみを生じると考えていた。すなわち，旧民法のような解除条件構成や，解除により契約を「根本ヨリ消滅セシメ従テ物権上ノ効果ヲ生スルコト」を認める法制だと，取引の安全が妨げられるし，一般経済上の利益も害される（第三者が取得した物の保護改良を躊躇するため）ので，現545条1項において，解除は「人権上ノ効果ノミ」を生じる（当事者間で原状回復義務が生じるだけで第三者の権利が害されることはない）ものとしたという（民法修正案理由書521頁）。ただ，その際，この規定はドイツ民法草案にならったとも説明したため，物権行為の独自性・無因性をとるドイツの法制との関係で，後の議論が複雑になった（鳩山上238頁は起草者と同様の説明をするが，同232頁は物権行為独自性・無因性論による説明をし，我妻上198頁はこれを批判する）。その後，非遡及的構成（変容説）は，物権行為の独自性・無因性論とは切り離し，起草者と同様の理解に立って，545条1項但書は当然の規定だというにいたった（山中・前掲注27）155頁）。解除の効果を相対的なものと理解し，Cとの関係ではAB間の契約がなお存続していることになるという見解もある（潮見・債総I 459頁〔潮見旧説〕，武川・前掲注27）79巻1号62頁以下〔解除の効果をCに対抗不能という〕）。

◆ **解除前の第三者と解除後の第三者**　　直接効果説（我妻説）によると，545条1項但書は解除による契約の遡及的消滅にもかかわらず第三者を保護するための規定だ

から，その第三者は，解除前に契約から生じた法律効果について権利を取得した者（解除前の第三者）に限られる。これに対し，解除の効力は，第三者には及ばず，遡及しないと考えると，解除前の第三者が害されないのは当然のことであり，545条1項但書は注意規定だということになる（近江102頁）。この考え方を徹底すると，第三者が登場したのが解除の前か後かで区別する必要はないことになる（学説の整理につき山本204頁以下。平井247頁も参照）。しかし，545条1項但書は，「解除権の行使」によって第三者の権利が「害されない」ことを認めたものであり，解除前の第三者を想定していることは明らかである（民法修正案理由書521頁以下）。解除前の第三者も解除後の第三者も同様に処遇されるか否かという問題と，545条1項但書が対象とする第三者の範囲の問題とは，区別して論じられるべきである（潮見・新債総Ⅰ612頁参照）。

◆ **契約に基づく債権の譲渡と契約の解除**　契約に基づく債権が譲渡された後，債権の発生原因たる契約が解除された場合，譲受人は545条1項但書の第三者にはあたらないというのが，判例（大判明42・5・14民録15輯490頁，大判大7・9・25民録24輯1811頁）・通説（末弘264頁，鳩山上238頁，我妻上198頁，平井245頁，近江104頁など）である。仮に，第三者にあたるとすると，譲受人は債務者から弁済を受けることができ，解除しても意味がなく，解除権を認めた趣旨が失われるからである（大判明42・5・14前掲）。これに対し，債権の取引の安全を重視し，第三者にあたるという少数説もある（梅謙次郎「判批」志林12巻3号〔1910〕1頁〔同『最近判例批評〔復刻版〕』（1955）728頁〕，山中・前掲注27）213頁，石田99頁，潮見・新債総Ⅰ610頁）。無効又は取消事由のある契約から発生した債権の譲受人の処遇とも関係する難問だが，債権譲渡の自由と債務者保護の調和を考え，判例・通説を支持したい（中田・債総654頁以下）。

(b)　解除後の第三者

契約が解除された後，解除前にその契約から生じていた法律効果を基礎として法律関係に入った者（解除後の第三者）は，解除権の行使によって権利を害される立場にはなく，545条1項但書の第三者にはあたらない。この場合，解除者と解除後の第三者とは，対抗関係に立ち，目的物が不動産である場合には登記の具備により優劣が決まる（大判昭14・7・7民集18巻748頁〔不動産売買〕，最判昭35・11・29民集14巻13号2869頁〔同〕。我妻上199頁など通説）。第三者が悪意（解除されたことを知っていたこと）であっても，登記を備えれば，優先する（二重譲渡における背信的悪意排除説をとる判例を前提とする場合）。

● たとえば，AがBに甲土地を売りBに登記を移転したが，Bが残代金を支払わ

ないのでAが売買契約を解除した，しかし，その後，BがCに甲土地を売ったという場合，AとCでは，先に登記を具えた方が優先する。

◆ **解除の効果と解除後の第三者**　非遡及的構成では，一方で解除によりBからAへの復帰的物権変動が生じ，他方でBからCへの売買による物権変動が生じるので，Bを起点とするAとCへの二重譲渡があったといえ，対抗関係にあるといえる。これに対し，直接効果説（我妻説）では，解除により処分的効果も遡及的に失効するので，もともとAからBへの物権変動がなかったことになり，BからAへの復帰的物権変動を観念できない。しかし，対抗関係を，両立しえない物権相互間の優先的効力の争いにおいて優劣を対抗要件の具備によって決定すべき関係だと理解すると，直接効果説（我妻説）に立ちつつ，これを対抗関係と呼ぶことも可能である[33]。実質的に考えても，AもCも，Bに対して登記をせよと請求できる地位にあるのだから，そのように解することは不合理ではない（取消し後の第三者についても同様の問題がある）。

◆ **94条2項類推適用説**　詐欺・強迫（現行民法では錯誤も同様）によって意思表示が取り消され，契約が初めから無効であったとみなされた後に登場した第三者（取消し後の第三者）について，対抗問題として取り扱うのではなく，無権利者の外観を信頼した者の保護という観点から，94条2項を類推適用する説が有力である。解除後の第三者についても同様に考える見解がある（内田・民Ⅰ450頁，川井健『民法概論2物権〔第2版〕』〔2005〕44頁）。この見解によれば，第三者が悪意（又は善意有過失）である場合は，登記を備えたとしても解除者に劣後することになる。取消しにおいては表意者保護の要請があるのに対し，解除者についてはそのような要請はないこと，また，取消しにおいては意思表示に瑕疵があるが，解除においては契約は完全に有効に行われたことを考えると，詐欺・強迫により意思表示をした者よりも解除者を手厚く保護する必要はない（内田・民Ⅰ449頁以下，奥田＝池田編105頁［渡辺］参照）。そうすると，解除者の保護は，二重譲渡の第一譲受人と同程度のもので足り，177条の第三者とそろえることでよいのではないか（判例の立場を前提とすると，背信的悪意でなければ悪意であってもよい）。94条2項類推適用説については，第三者を保護する要件として，①第三者の善意無過失を要求するとすれば，解除前の第三者（悪意でもよい）との均衡がとれるか（認識の対象が解除前の第三者では解除原因の存

---

33)　「対抗問題」を，物権変動の意思主義（176条）のもとで不可避的に生ずる二重譲渡及びこれに類する関係について177条・178条によって解決される問題である，と狭く理解すると，対抗関係は同一物について相容れない物権変動が対立併存する場合だということになるが，これは対抗問題限定説と密接に結びついた理解であり，このように限定的に解する必然性はない。鎌田薫「対抗問題と第三者」『民法講座2物権（1）』（1984）67頁参照。他方，「当初の物権変動の遡及的消滅という物権変動」の観念で説明するものとして，佐久間毅『民法の基礎2物権〔第2版〕』（2019）90頁・87頁。

であり，解除後の第三者では解除権の行使であって異なるということで正当化できるか），②第三者の登記を要求しないのであれば，解除前の第三者についての登記の要否との均衡がとれるかを，なお検討する必要がある。

(c) 解除前の第三者

契約から生じた法律効果を基礎として新たな権利を取得した者は，後に契約が解除されても，その権利を害されることはない。これが545条1項但書の適用される場面である（解除前の第三者）。取引安全のための規定であるが，第三者は善意であることを要しない（94条2項・95条4項・96条3項と異なる）。①解除原因があっても解除されるとは限らない（解除権者は履行請求を選ぶかもしれないし，後に解除原因が解消されるかもしれない）から，第三者が解除原因の存在を知っていてもその帰責性は大きくないこと（星野91頁参照），②意思表示に問題のない有効な契約を前提とする後続の取引の安全を一般に保護する要請があること（潮見・新債総Ⅰ610頁参照），が理由である。

● Aが所有する甲土地をBに売り，BからCに転売された後，AがBとの売買契約を解除しても，Cは甲土地の所有権を失わない。CがBとの契約を締結する時点で，BがAに代金支払を完了していないと知っていたとしても，かまわない（Aは解除せず代金支払請求を選ぶかもしれないし，Bが後にAに代金を支払うかもしれない）。

契約の目的物が不動産である場合，第三者は，545条1項但書による保護を受けるためには，登記を備えていることを要する。これが判例（最判昭33・6・14民集12巻9号1449頁〔合意解除，傍論〕，最判昭45・3・26判時591号57頁〔第三者の登記欠缺を解除者が主張することを信義則で制限〕，最判昭58・7・5裁集民139号259頁〔合意解除，傍論〕。大判大10・5・17前掲〔動産の転得者が引渡しを得ていることを要するとした〕参照）であり，学説も，解除の効果に関する見解のいかんを問わず，第三者は登記を要するというものが多い。もっとも，これは対抗要件としての登記ではなく，権利保護要件（第三者としての資格が認められる要件）としての登記であると解すべきである。

◆ **非遡及的構成からの帰結** 非遡及的構成では，解除によりBからAへの復帰的物権変動が生じ，他方，BからCへの売買による物権変動があり，Bを起点とするAとCへの二重譲渡があったといえるので，登記の先後による（177条）ことに

なると考えるのが自然である（石田穣『物権法』〔2008〕222頁〔間接効果説〕，潮見・新債総Ⅰ612頁〔変容説〕）。もっとも，非遡及的構成をとりつつ，第三者の登記を不要とする見解もある。545条1項但書は取引安全のため第三者に解除の効果を及ぼさないという趣旨であること，94条2項及び96条3項の第三者については保護要件として登記を要求しないのが通説であることとの均衡が理由である（潮見・債総Ⅰ461頁〔潮見旧説〕）。しかし，同じ問題意識をもちつつ，第三者として取り扱われるべき「利害関係の大きさの程度」の判定基準としての登記を要求するという見解もある（平井246頁〔変容説〕）。

◆ **遡及的構成からの帰結**　直接効果説（我妻説）では，解除により処分的効果も遡及的に失効するが，545条1項但書は，第三者保護のため解除の遡及効に制限を加え，第三者の権利に影響を及ぼさないものとしたと理解される。このため，BからAへの復帰的物権変動は観念されず，二重譲渡とは異なるというだけでなく，第三者に登記を求める必然性もないともいえそうである。そこで，登記不要説もある（石田100頁〔石田旧説〕）。しかし，遡及的構成をとる立場でも，第三者の登記を要求するものが一般的であり（我妻上198頁など），近年では，これを権利保護要件としての登記だと説明することが多い（米倉・プレ138頁，内田101頁など。好美・前掲注22）193頁参照）。その理由は次の通りである。

　遡及的構成をとりつつ，第三者に登記を求めるのは，解除後の第三者についてのように「対抗関係」を広く解するからではない。対抗関係にあるというためには，当事者双方とも，対抗要件を備えることが法律上可能であることが前提となる。しかし，解除前のAはBに対し登記せよと求めることはできず（解除していないから），CがBにこれを求めることができる（売買契約をしたから）のと立場が異なる。AとCは，広義にせよ対抗関係にあるとはいえない。しかし，解除の遡及効を制限して第三者を保護するとしても，政策的判断として第三者に登記を要求することはありうる。特に，不動産については，民法がその静的安全を尊重している（192条は動産のみを対象とする）ことを考えると，第三者に登記を求めることは妥当である。この登記は，対抗要件としての登記ではなく，第三者が自己の権利の保護を受けるための資格要件であり，権利保護要件としての登記である。ACともに未登記の場合，対抗要件としての登記だと，AC間では互いに自己の権利を主張できず，提訴した方が敗訴するが，権利保護要件としての登記だと，Aが勝訴することになる。

　これに対し，解除前の第三者に求められる登記は，本来の意味での対抗要件としての登記であるという見解もある。権利保護要件説に対し，解除前の第三者が解除後に登記を取得しても保護されないのだとすると，解除後の第三者が登記をしていれば勝つことと均衡を失することになると批判する（司法研修所編『改訂紛争類型別の要件事実』〔2006〕120頁）。

　しかし，権利保護要件説は，解除前の第三者が解除後に権利保護要件としての登記を備えることを排除するものではないだろう。すなわち，解除後，ACともに未

登記である場合，AはCに対して提訴すれば勝訴するが，Cが口頭弁論終結時までに登記を備えると，Cが勝訴する（内田101頁は，第三者が返還請求を受けるまでに登記すればよいというが，返還請求の前後で区別する理由は明らかでない）。前掲の諸判例は，第三者は登記（動産については引渡し）が必要だというが，その登記は権利保護要件としての登記ではないと明言したわけではない。

(4) 損害賠償請求権

解除権の行使は，損害賠償の請求を妨げない（545条4項）。債務不履行によって発生した損害賠償請求権は，解除権が行使されたからといって消滅するわけではないことを注意的に規定したものである。したがって，損害賠償請求の要件は415条に従い，賠償の範囲は416条により定まる。損害賠償額算定の基準時については，履行遅滞の場合は解除時だとする判例（最判昭28・12・18民集7巻12号1446頁）があるが，より実質的に検討すべきである（中田・債総203頁以下）。解除者は，債務不履行により被った損害から解除により自己の債務を免れたことなどの利益を控除した分（損益相殺）を請求することができる。

> ◆ **解除と損害賠償請求の関係** 545条4項（旧3項）は，解除と損害賠償請求とは二者択一であるという立法例[34]を採用しないことを明らかにしたものであり（民法修正案理由書522頁），また，解除により，損害賠償の基本となる権利が当初から存在しなかったものとなるため損害賠償請求ができないのではないかという疑いを封じるためのものである（岡松511頁）。ここから，同項の損害賠償は債務不履行によるものを意味すると理解することができる[35]。これに対し，解除によって契約は遡及的に消滅するから，契約の存在を前提とする債務不履行による損害賠償請求を認めることは矛盾であり，同項の損害賠償は，契約が存続し履行されると信じていたのにそれが裏切られたことによって被った損害，すなわち信頼利益（消極的契約利益）の賠償に限るという少数説（石坂2337頁，松坂71頁。スイス債務法参照）もあった。しかし，遡及的構成をとる見解からは，同項は解除による契約の遡及的失効の範囲を法律で制限したものだと説明され（我妻上200頁），非遡及的構成をとる見解からは，たとえば，解除権者が契約によって保障されている利益の保持という観点から

---

[34] 石坂2326頁以下参照。日本民法と同時期に制定され，解除と損害賠償の二者択一としていたドイツ民法（改正前325条・326条）につき，北村実「ドイツにおける契約解除効果論の展開」龍谷法学9巻1号（1976）57頁，鶴藤倫道「契約の解除と損害賠償」民商110巻3号31頁・4＝5号269頁（1994）。なお，ドイツ民法は，2001年改正により，併存を認めるにいたっている（現325条）。

[35] 梅454頁ほかも同様。旧民法典当時からの変化につき，鶴藤倫道「旧民法典における解除と損害賠償との関係について」関東学園大学法学紀要10巻1号69頁・2号227頁（2000）。

説明される（潮見・新債総Ⅰ608頁）。実質的に考えても，解除の遡及効がどうであれ，事実として債務の不履行はあり，それによって損害が現実に生じている以上，解除してもなお残存する損害については賠償させるのが妥当である（好美・前掲注22）190頁，米倉・プレ131頁）。なお，両構成を通じて，履行利益の賠償といわれることがあるが，ここで信頼利益と対置される履行利益の概念を用いる必要はなく，単に416条の範囲の損害といえばよい（星野93頁，平井248頁）。

(5) **他の契約への波及**[36]

契約の相対効によれば，ある契約が解除されても他の契約に影響を及ぼすことはないのが原則である（→第1章第1節5(2)(b)〔50頁〕）。しかし，複数の契約の間に一定の関係がある場合に，1つの契約の解除が他の契約を終了させる方向に作用することがある。

次のように述べた判例がある。「同一当事者間の債権債務関係がその形式は甲契約及び乙契約といった二個以上の契約から成る場合であっても，それらの目的とするところが相互に密接に関連付けられていて，社会通念上，甲契約又は乙契約のいずれかが履行されるだけでは契約を締結した目的が全体としては達成されないと認められる場合には，甲契約上の債務の不履行を理由に，その債権者が法定解除権の行使として甲契約と併せて乙契約をも解除することができる」（最判平8・11・12前掲〔甲契約はスポーツ施設の会員権契約，乙契約はリゾートマンションの1室の売買契約〕）。この判決は，複数の契約の「目的」に着目しており，上記引用部分以外でも「目的」という概念が用いられているが，一義的ではなく，その分析が試みられている[37]。

今回の民法改正において，中間試案では「複数契約の解除」に関する規定案が提示されたが，最終的には，立法化は見送られ，引き続き解釈に委ねられることになった（中間試案説明136頁）。

◆ **複数契約の解除と契約の一部解除**　1つの契約の解除の他の契約への波及効の

---

[36] 都筑満雄『複合取引の法的構造』(2007)，小林和子「複数の契約と相互依存関係の再構成」一橋法学8巻1号 (2009) 135頁，渡邊貴「複数契約の密接関連性の考慮要素に関する考察」法学政治学論究122号 (2019) 213頁，同「フランスにおける相互依存的契約論の新たな展開」法学政治学論究124号 (2020) 315頁。

[37] 森田・前掲注18）。本判決については，注13）に示したもののほか多数の評釈・関連研究がある。近藤崇晴『最判解民平8（下）』950頁参照。

問題は，1つの契約の一部解除の問題（542条2項→3(3)(b)(iii)〔210頁〕。催告による一部解除もありうる）と関連する。第1の問題は，複数の契約を包摂する1つの取引を想定すると，その一部の解消の問題ととらえることもできるので，第2の問題との間に構造の類似性がみられるからである。これらの問題は，1つの契約の無効・取消し・追認が他の契約に及ぼす効果，及び，契約の一部の無効・取消し・追認の問題[38]とも関係する。複数契約には，同一当事者間のものと当事者が3人以上いるものとがあるが，ここでは，前者を対象とする（後者については，次の◆を参照）。

　甲契約の解除が乙契約に波及するかという問題（複数契約の問題）は，①甲契約が解除された場合，どのような要件のもとで乙契約に波及するのか，②乙契約に波及する場合，その効果は何か，に分析することができる。一部解除の問題は，①どのような要件のもとで契約の一部を解除することができるのか，②一部が解除された場合に残部はどうなるのか，に分析することができる。類似した構造だが，次の違いがある。複数契約の場合，甲契約について解除原因があれば当事者がこれを解除することは自由であり，また，契約の相対効が原則なので，甲契約の解除が乙契約にも波及すると主張する者が，契約の相対効の例外となる事情を示さなければならない。これに対し，一部解除については，契約は解除によって全部が終了するのが原則だから，契約の一部のみの解除を主張する者が一部解除が可能である事情を示さなければならない。このため，契約が複数である場合にすべての契約が解除される可能性は，契約が1個である場合に全体として解除される可能性よりも低くなる。この相違をどう評価するかは，当事者が契約の個数を決定する自由をどの程度まで尊重するのかによる。

　こうして，⓪当該契約は1個か複数かという個数問題が前提としてあり，そのうえで，1個とされる場合，複数とされる場合のそれぞれについて，上記の①の要件問題と②の効果問題があることになる。まず，個数問題（⓪）は，当事者が決定した契約の単位と異なる単位を裁判所が事後的に決定できるのかという問題である。当事者の決定した単位を尊重することを基本としつつ，単位を決定した当事者の意図，その合理性，契約締結の経緯・態様，当事者の属性，同種の取引における契約の単位，関連する法による規律などを考慮し，例外的に当事者の決定と異なる単位の契約の存在が認められる場合があると考える。次に，要件問題（①）は，1個の契約の一部解除においては，契約の目的（内容）の可分性（大判大8・7・8民録25輯1270頁，大判大10・2・10民録27輯255頁），当事者の意思などが考慮要素になろう。複数契約における波及効については，契約相互間の密接関連性，依存関係，不可分性などの表現が用いられるが，その実体としては，当事者の取引の目的，契約を複数とする意図，これら両者の関係とその合理性，当事者の属性，同種の取引における契約の単位，関連する法による規律などが考慮要素となろう。ここでは個数問題

---

[38]　道垣内弘人「一部の追認・一部の取消」星野古稀上293頁，酒巻修也『一部無効論の多層的構造』(2020)。

とも重なるが，当事者の決定した契約の単位を維持しつつ，波及効の有無を検討する方が，裁判所による介入の程度がやや小さく，適切な場合が多いだろう。最後に，効果問題（②）はこうである。契約の一部が解除された場合，残部は，ⓐ維持される，ⓑ自動的に失効する，ⓒ解除されうる，のいずれかになる。解除権者が一部解除を選択する以上，原則としてⓐとなるだろう。残存部分のみでは契約をした目的が達成できない場合，解除権者が重ねてⓒを主張しうるか，また，相手方からⓑ又はⓒを主張しうるかという問題となる。これは解除権行使の自由の範囲及び契約をした目的の当事者双方にとっての意味の評価の問題である。甲契約の解除が乙契約に波及する場合，乙契約について，やはりⓐⓑⓒが問題となるが，波及すると認める以上，ⓐとはならず，ⓑかⓒかになるだろう。その判定基準は，甲契約が解除された段階で乙契約を存続させるか否かを一方当事者の意思にかからしめることを，当事者が予定していたかどうかである。

　以上の分析の枠組みは，無効・取消しの場合にも応用可能だと考えるが，無効原因・取消原因という生来的な瑕疵のある契約については，契約を無効とし又は取り消しうるものとする根拠（公序良俗違反，行為能力の制限，詐欺，錯誤など）の種類が，各問題の帰結において重要な考慮要素となるだろう。

◆ **当事者の異なる複数の契約の解除**　AB 間の契約の解除が AC 間の契約に波及するのかについては，連結点にある当事者（A）と両端にある当事者（B・C）の利害が対立することがある。両契約の一体性，両端にある当事者の一体性又は両者間の合意，3 当事者間の契約となっていることの合理性などを考慮して判断すべきである。AB 間の契約の無効・取消しについても同様である[39]。

6　解除権の消滅

(1)　民法の規定する特殊な消滅原因

(a)　相手方の催告

　契約の一方当事者が解除権（法定解除権又は約定解除権）を行使できるとき，相手方は不安定な状態に置かれる。解除権の行使期間が定められていない場合，その状態が長く続くことになるが，解除原因があるとはいえ，これでは相手方の保護に欠ける。そこで，この場合，相手方は，解除権者に対し，相当の期間

---

[39]　一部の契約の合意解除につき，最判平 2・2・20 判時 1354 号 76 頁（個品割賦購入あっせん），一部の契約の無効につき，最判昭 30・10・7 民集 9 巻 11 号 1616 頁（芸娼妓契約），最判平 23・10・25 民集 65 巻 7 号 3114 頁（個品割賦購入あっせん）。前掲注 36）の各文献及び中舎寛樹『多数当事者間契約の研究』（2019）238 頁以下も参照。なお，特別法において，抗弁の対抗が認められている（割賦 30 条の 4・35 条の 3 の 19）。抗弁の接続に関する立法提案として，基本方針Ⅳ 400 頁以下。

を定めて，その期間内に解除するかどうかを確答せよと催告することができ，その期間内に解除の通知を受けないときは，解除権は消滅するとされる（547条）。

解除権の行使期間が定められている場合（合意による期間制限がある場合のほか，641条，特定商取引9条1項など）は，547条の対象とならず，相手方の催告による解除権の消滅はない。その期間内は，解除権を行使する可能性が保障されていると解すべきであるし（山本187頁），相手方の不安定な状態の継続も限定されているので，その間はこれを甘受することを求めても不当ではないからである。解除権は，その期間の経過によって消滅する。

◆ **目的物受取り前の解除権との関係**　　現行民法は，書面によらない贈与の「撤回」を「解除」に改め，未履行分についての贈与者の解除を認める（550条）。また，書面によらない使用貸借（593条の2）・無償寄託（657条の2第2項）において，目的物受取り前の貸主・受寄者の解除を認める。これらの「解除」は，契約の終了というより，その成立段階を適切に規律しようとするものである。つまり，書面によらない無償契約について，契約は成立したが，その拘束力がなお完全に発生するまでの段階を設定し，一定の制約のもとに当事者に後戻りの機会を与えるものであり，クーリング・オフ，手付などとともに，契約成立過程の実態に鑑み，これを適切に規律しようとする制度であると考えることができる（→第2章第4節2(1)(a)〔110頁〕）。これらの解除権については，無償性ゆえに契約からの離脱を認める趣旨を尊重すべきであり，547条の適用はないと解すべきである（贈与につき，一問一答264頁，森山浩江・改正コメ697頁）。また，寄託者の解除権（657条の2第1項）については，同条3項の規律によるべきであり，やはり547条の適用はないと解すべきである。

(b)　解除権者による目的物の損傷等

契約の目的物の全部又は一部が引き渡されたが，受領者がなお解除権を有する場合がある。たとえば，引き渡された売買の目的物の品質が契約に適合しないものであった場合，目的物は引き渡されたがその他の債務が履行されない場合（移転登記をしないなど），目的物の一部のみが引き渡され残部が引き渡されない場合である。このような場合，解除権者（受領者）が自らの故意又は過失により契約の目的物を壊すなどすると，解除権が消滅する（548条本文）。ここでは，受領者の解除を認めたうえ，受領者に損害賠償義務（709条）を課すことも考えられるが，損害額の算定は不確実であるので，むしろ受領者が解除権

を放棄したものとみなすのがよいと考えられた（梅460頁）。受領者に価額返還による原状回復義務を課したとしても，やはり相手方の利益を十分に保護できないので，解除権の消滅が公平であるともいわれる（我妻上205頁以下。なお平井250頁参照）。なお，目的物の滅失・損傷があったが解除権が消滅しない場合については前述した（→5(2)(b)(iii) α〔230頁〕）。

対象となる事由は，解除権者が契約の目的物を，①著しく損傷したこと，②返還できなくしたこと，③加工又は改造によって他の種類の物に変えたことである。②には，解除権者が目的物を滅失させた場合とともに第三者に譲渡した場合も含まれる（梅461頁以来の通説）。③については，加工による改変が目的物の僅少な部分について生じたときは，全部についての解除権が失われないと解されている（大判明45・2・9民録18輯83頁〔山林の買主がわずかな部分を伐採し木材・薪炭に加工した例。旧548条1項は，当事者の解除権行使により，相手方を原状に復させるにつき不確実な損害賠償の方法によるほか，適当にその目的を達することができないような場合を予想したものだからだという〕，我妻上207頁）。

これらの事由は，解除権者の故意又は過失によって生じたことが必要である（故意又は過失がなければ，解除権は消滅しない）。

もっとも，解除権者の故意又は過失による場合であっても，解除権者がその解除権を有することを知らなかったときは，解除権は消滅しない（548条但書）。売買契約の目的物に契約不適合があった場合に，買主がそれを知らないまま費消や加工等したときにまで，解除権が消滅するのは妥当ではない（中間試案説明141頁）。また，上記の事由があるときは，解除権の放棄があったとみなしうるとも考えられるが，それも解除権者が解除権の存在を知っていることが前提となるからである。このように考えると，解除権が消滅するのは，解除権者が解除権の存在を具体的に知っていた場合であると解すべきであり，この但書は限定的に解すべきではない。したがって，個別的な解除原因が法律で規定されている場合（641条・651条など民法上の諸規定のほか，消費者法において消費者の解除権を認める諸規定などもある）であっても，そのことだけで，解除権を有することを知っていた（「法の不知は害する」）と解すべきではないだろう。

契約の目的物とは，「解除の対象となる契約に基づく債務の履行として給付された物であつて，解除により解除者が相手方に返還しなければならないもの」である（最判昭50・7・17金法768号28頁〔旧建物に関する契約がその取壊しを

前提として新建物に関する契約に変更された場合, 旧建物は「契約の目的物」にあたらないとした])。

◆ **目的物受取り前の解除権との関係**　贈与・使用貸借・寄託において目的物受取り前に認められた解除権 (550条・593条の2・657条の2第1項) は, 548条との関係でも特殊性を有する。贈与者・使用貸主・寄託者が相手方に目的物を引き渡す前に, 過失でそれを損傷などしたとしても, 贈与者らの解除権は失われない。548条の規律の趣旨に照らすと, 同条にいう「契約の目的物」は, 解除の対象となる契約上の債務の履行として給付され, 解除によって解除者が相手方に返還すべき物と解すべきだからである (部会資料88-2, 7頁参照。一問一答265頁, 森山・改正コメ697頁)。

◆ **改正の経緯**　今回の改正において, 解除に債務者の帰責事由を要件としないことから, 解除制度と危険負担制度の関係が問題となった (→第3章第3節2(1)◆ 〔165頁〕)。危険負担制度を廃止し解除に一元化するとすれば, 解除権の消滅が当事者に及ぼす影響は大きいので, 解除権の消滅を制限することが検討される。そこで, 解除一元化を提示した中間試案においては, 547条の適用除外を設け, 旧548条の削除が提案された (中間試案説明140頁以下参照)。しかし, その後, 危険負担制度を改正して存置することとされたので, 解除権の消滅に関する問題の深刻さは軽減され, 結局, 547条は維持され, 旧548条は比較的軽微な改正となった。
　　すなわち, 旧548条は, 解除権者の「行為若しくは過失」による目的物の損傷, 返還不能等の場合に解除権が消滅すると規定していたが, 「行為」を「故意」と解する通説 (我妻上206頁, 星野95頁, 内田97頁など。「行為」の概念を維持する見解としては, 好美・前掲注22) 179頁, 平井250頁など) を明文化した。また, 解除権が消滅しない場合の規律を合理化した (確認的規定である旧548条2項を削除し, 548条但書を設けた。一問一答233頁参照)。

(c)　数人の解除権者のうちの1人についての消滅

当事者の一方が数人いる場合に, そのうちの1人について解除権が消滅したときは, 他の者についても消滅する (544条2項→4(4)(d)〔221頁〕)。

(2)　**一般的な消滅原因**

(a)　債務不履行の解消

履行遅滞になったとしても, 解除される前に, 本来の給付及び遅延賠償の弁済の提供をすれば, 解除権は消滅する。契約の内容に適合しない履行をした場合, 解除される前に, 追完 (目的物の修補, 代替物の引渡し又は不足分の引渡しな

ど）及び不適合な履行に伴う損害賠償の弁済の提供をしたときも，同様である。

　(b)　解除権の放棄

　解除権（法定解除権又は約定解除権）は，放棄することができる。予め放棄することも可能である（大判明37・9・15民録10輯1115頁，我妻上207頁・213頁など通説）。ただし，消費者の解除権を放棄させる条項は，無効とされる（消費契約8条の2）。

　(c)　解除権の消滅時効

　解除権は，一方的な意思表示によって新たな法律関係を形成することができる権利だから，形成権であって債権ではない。また，解除権は，契約上の債権が履行されないことによって生じたものであるとともに，その行使により原状回復請求権を生じさせる。解除権の消滅時効については，本来の債権，解除権（形成権），原状回復請求権（債権）の関係をどう理解するかが問題となり，種々の見解がある。

　現行民法のもとでは，解除権は，これを行使できることを知った時から5年間で時効消滅し，その期間内に解除されると，原状回復請求権及び損害賠償請求権（原状回復義務の履行不能による）は，解除時から5年間で時効消滅する（166条1項1号）と解するのが妥当であろう。債務不履行による催告解除（541条）において，解除権を行使できることを知った時とは，厳密には，催告期間経過時（不履行が軽微である場合を除く）であるが，債務不履行に対し催告することができると知った時，つまり，債務不履行のあったことを知った時を起算点としてよいのではないか（潮見・新債総Ⅰ622頁参照）。

> ◆ **改正前民法のもとでの判例・学説**　　判例の考え方は，次の通りである。
> ①解除権は，形成権だが，消滅時効については債権に準じて取り扱うことができる（大判大5・5・10民録22輯936頁〔商行為たる売買契約の約定解除権による解除。特定の人に対する権利であり，行使の結果は相手方に原状回復義務を負わせるものだから〕，最判昭56・6・16民集35巻4号763頁〔土地賃貸借契約の賃料不払による解除。行使により当事者間の契約関係の解消という法律効果を発生させるから〕）。
> ②時効期間は，原則としては10年間（旧167条1項）であり（最判昭56・6・16前掲，最判昭62・10・8民集41巻7号1445頁〔土地賃貸借契約の無断転貸による解除〕），商行為の解除権については5年間（2017年改正前商522条）である（大判大5・5・10前掲，大判大6・11・14民録23輯1965頁〔株式定期売買委託契約の債務不履行による解除〕）。
> ③時効の起算点は，解除権を行使できる時である（大判大6・11・14前掲〔債務不履

行時。債権者がその事実を知らなくてもよい〕，最判昭62・10・8前掲〔無断転借人の使用収益開始時〕。ただし，最判昭56・6・16前掲〔継続的な地代不払において最終支払期日経過時〕）。

④契約の解除による原状回復請求権は，解除によって新たに発生する請求権だから，時効は解除時から進行する（大判大7・4・13民録24輯669頁）。原状回復請求権が履行不能により損害賠償請求権に変じたとしても，時効の起算点は本来の請求権の履行を請求しえた解除時である（最判昭35・11・1民集14巻13号2781頁）。

学説は多様である。①については，古くは，形成権である解除権には，債権以外の財産権として，旧167条2項（166条2項参照）が適用されるという見解（末弘274頁，鳩山上248頁）があった。他方，近年では，債務不履行による法定解除権は，本来の債務が時効消滅した後はもはや行使できないものだから，本来の債務の消滅時効のほかに解除権自体の消滅時効を考える余地はないという見解（我妻上208頁以下〔約定解除権については独立の消滅時効を認める〕，星野96頁）が有力になった（この見解は，④について，解除権は原状回復請求の手段にすぎないから，解除権とその行使の結果である原状回復請求権を一体とみて，解除権の存続中に両者を主張すべきだという）。この有力説に対し，短期間の除斥期間に服する解除権もあることから，その期間内に解除権と原状回復請求権を行使せよとするのは妥当ではなく，やはり解除権自体の期間制限を観念する必要があるとして反対し，判例を支持する見解（内田104頁），救済手段の相対性及び債務の同一性についての理論的立場から有力説を批判する見解（潮見・債総Ⅰ447頁）があった。

◆ **権利失効の原則**　解除権者が長期間にわたって解除権を行使せず，相手方がもはや行使されないものと正当に信頼し，その行使が信義則に反すると認められる場合には，解除権の行使は許されない，という理論である（最判昭30・11・22民集9巻12号1781頁は，このような考え方を一般論として認めたが，事案における適用を否定した。我妻上207頁・168頁は，信義則による解除権の消滅を認める）。信義則による解除権の行使の制限の一例であると位置づければ足りるだろう。

第5章　契約の変更

第1節　意　義

　契約が成立すると，債権が発生する。当事者の一方はその履行を求め，他方はその履行をするという債権債務の関係に入る。しかし，それによって契約が無意味な抜け殻となるわけではない。契約においては，債権を発生させる合意だけではなく，関連する様々の事項について合意されることがある。たとえば，紛争が生じた場合の解決方法に関する合意である。また，契約自体が解除されたり取り消されたりすることがあるが，これも契約の存在を前提としている。契約は，その終了にいたるまで，なお存続する。このように存続する契約は，その終了前に変更されることがある。たとえば，賃貸借や雇用などの継続的契約においては，契約締結からの時間の経過に伴い，給付内容，契約期間，その他の契約条件が変更されることがある。履行期が先である一時的契約においても，履行期までに事情の変化があった場合に，給付内容や契約条件が変更されることがある。このような契約の内容の変更のほか，契約の主体が変更されることもある。たとえば，契約上の地位が移転される場合である。

　本章では，契約の成立後，終了までの間に，契約の内容（→第2節），又は，契約の主体（→第3節）が変更される場合について検討する。

第2節　契約の内容の変更

1　対象の限定と分類

(1)　限　定

　契約の内容の変更という概念は，多義的である。隣接する問題も多い。本節

で対象とする契約の内容の変更は，以下のものと区別される。

　まず，契約の内容の確定とは区別される。契約の解釈により，契約上の文言とは異なる内容が確定されたとしても，あるいは，契約書の誤記が訂正されたとしても（中田・研究458頁），それは契約の内容の変更ではない。

　次に，給付内容の具体化とも区別される。契約の性質上，又は，当事者の合意により，契約締結段階では抽象的にしか定まっていない給付内容が，その後に具体化されることがある。労働契約において，労働者の提供すべき労務の具体的内容は，使用者の指揮命令権の行使によって定まる（菅野・労働155頁，荒木・労働302頁）。委任契約において，受任者のなすべき具体的な事務は，委任の本旨に従い善良な管理者の注意をもって処理するという義務（644条）のもとで，受任者の裁量に委ねられるところがある。原料の供給業者と購入者との継続的供給契約において，供給価格が供給業者の定める標準価格表によると合意されることもある。これらの場合，具体化の仕方が不当であった場合の効力及び責任の問題は生じうるが，これは契約の内容の変更の問題ではない。

　第3に，契約自体の変更とも区別される。当事者間で共通の経済的目的その他の目的を実現するために甲契約を締結したが，その目的の実現に，より適合的な乙契約に変更するという場合である。甲契約と乙契約は，法的性質が異なるものでもよい（たとえば，委託販売〔委任〕と仕切販売〔売買〕）。この場合，法的には，甲契約が合意解除され，乙契約が新たに締結されたことになるが，当事者間では，契約が変更されたと認識されることが少なくない。このように，一定の目的のもとで，旧契約を解消し，新契約を締結する場合，①甲・乙両契約を包摂する1つの基本契約を想定し，その具体化のレベルでの変更ととらえる見方や，②当事者が既に存在する甲契約に拘束された状態のもとで，共通の目的を有する乙契約が締結される以上，別々の2契約とはいえないという観点から，甲契約の乙契約への変更ととらえる見方も可能である。しかし，問題がやや広がるので，ここでは取り上げない[1]。

　最後に，契約上の債務が履行されない場合に，債権者が債務の履行に代わる損害賠償請求権や追完請求権を取得し，債権者の請求できる内容が当初のものとは変わることがある。しかし，これは履行請求権とこれらの権利の関係や債務不履行の効果の問題として検討すべきことであるので（中田・債総186頁以下・93頁以下），契約の内容の変更としては取り上げない。

以上の近接概念と区別するとすれば，ここで検討対象とすべき「契約の内容の変更」は，契約の成立時点で定められた給付内容，契約期間，その他の契約条件について，その契約を維持しつつ行われる事後的変更である。

(2) 分　類

上記の契約の変更のうち，契約期間については，有期と無期との変更，期間の定めのある契約における終期（又は期間の長さ）の変更のほか，契約の更新をどのように評価すべきかという特有の問題があるので，ここでは立ち入らない[2]。以下で取り上げるのは，給付内容及び契約条件（以下「給付内容等」という）に関する変更である。契約の目的である物又は役務の内容，その対価の額，履行の方法，付随的な諸義務，紛争解決に関する条項など，様々なものが対象となりうる。

契約の内容の変更は，当事者の合意によってされるのが原則であるが（→2），当事者の合意がなくても法定の効果として生じることもある（→3）。前者は，契約締結後の合意によるもの（→2(1)）と，事前に合意された変更条項に基づくもの（→2(2)）がある。後者は，法律に具体的に規定されたもの（→3(1)）と，裁判所が一般条項に基づいて認めるもの（→3(2)）がある。

◆ 背後にある問題　　①契約の内容の変更が当事者の合意によってされる場合，契約の履行過程における当事者の意思の位置づけが問題となる。当事者の意思は契約の成立段階においてのみ意味をもつと考える場合，契約の内容の変更は，新たな合意がされたということにすぎない。しかし，契約当事者の意思は，履行段階においても機能することがあると考える場合，そのようにして機能する当事者の意思と，契約を変更する際の合意との関係を検討する必要がある。②契約の内容の変更が他律的にされる場合は，私的自治の原則との関係が問題となる（「契約改訂規範」につき，

---

1)　森田修「合意による契約の修正」法協 128 巻 12 号 1 頁～130 巻 9 号 1 頁（2011～13）は，本節で対象とする契約の内容の変更にも関する基礎的研究であり，更改契約，「契約紛争和解」契約，代物弁済契約を取り上げ，「合意による契約の修正」の構造を分析し，「契約の同一性」の意義を考察する。このほか，本文①につき，第 2 章第 4 節 2(2)(f)（127 頁），合意解除につき，第 4 章第 1 節 2(2)(a)(i)（188 頁）参照。ドイツ民法（2001 年改正前）305 条（現 311 条 1 項）の債務関係の内容の変更と更改との相違につき，椿寿夫＝右近健男編『ドイツ債権法総論』(1988) 181 頁［今西康人］参照。債権内容を変更する更改を「債権の実現のための債務内容の変更」とする大村 (4) 201 頁も参照。
2)　中田・前掲第 1 章注 82）① 311 頁は，更新の性質，契約自由とその制約，当初契約締結時の合意と期間満了時の合意の関係について検討する。

第 5 章 契約の変更

吉政・前掲第 1 章注 37) 151 頁以下参照)。

2 合意による変更
(1) 契約締結後の合意

契約が締結された後も，当事者が合意によって給付内容等を変更することは，契約自由の原則により，可能である。変更の合意は，当事者間では，その効果を生じる。もっとも，変更の合意をするにあたっての当事者間の交渉力が問題となることがある。また，制定法の規制を受けることがある（たとえば，許可を要する売買の目的物を変更する場合）。書面等の方式が求められる契約において，変更の合意にも要式性が及ぶか否かは，要式性を定める制度又は当事者の合意の趣旨と変更の内容とを考慮して判断すべきである。

変更の合意は，契約の相対効により，原則として第三者には及ばない。第三者に及ぶためには根拠が必要であり，根拠となる制度の適用や契約の解釈の問題となる（たとえば，AB 間の契約の変更が B の債務の保証人 C に及ぶかどうかは，保証債務の内容における付従性〔448 条〕及び AC 間の保証契約の解釈の問題となる）。

◆ **変更の合意と当事者の交渉力** 当事者の交渉力の大小が変更の合意にもたらす影響は，契約の成立一般に関する問題ではあるが，既に契約が存在し効力を有するという状況下での交渉であるという特殊性がある。一方で，優越的地位にある当事者が，契約が存在するにもかかわらず，その変更を求める場合の問題がある。他方で，著しい事情の変化があった場合に一方当事者が契約の変更を申し出ても，相手方は契約の存在を理由にそれを拒絶することが多く，それゆえ合意によらない変更が問題となりやすい。このほか，変更の要請が契約の終了（期間満了・解約申入れ）と結びつけてされるとき，契約の存続を求める当事者が交渉において劣位に立ち，不利益変更を伴う契約の存続を甘受することもある。このように，先行する契約関係のもとでの変更の交渉は，無関係の当事者の交渉に比べ，枠づけがされ，当事者の交渉力もその影響を受けているので，そこでの当事者の機会主義的行動が問題となる。その評価及び統御の要否は，民法上の一般的規律のほか，経済法，労働法[3]など各領域の規律による。

---

3) 労働契約における変更解約告知につき，菅野・労働 810 頁，荒木・労働 433 頁。「集団的労働条件」の概念のもとでの検討として，大内伸哉『労働条件変更法理の再構成』(1999)。異なる雇用システムのもとでの変更法理の検討として，荒木尚志『雇用システムと労働条件変更法理』(2001)。

(2) 変更条項

当初の契約において，給付内容等の変更に関する合意がされることがある。継続的供給契約等において当初の価格が一定の指数の変化に応じて変更されるというスライド条項，事情の変化があった場合に再協議をするという再交渉条項などである。これらの変更条項は，当初の合意の効力として認められる。ただし，制定法による制約が課されることがある（最判平15・10・21前掲〔サブリース契約において賃料自動増額特約があっても借地借家法32条1項の適用は妨げられない〕）。

当事者の一方に給付内容等を変更する権限を付与する合意もある。労働条件の変更権を使用者に付与すること（変更権留保）の合意がその例である（荒木・労働413頁）。このような合意は，当然に無効であるわけではなく，個別的に，公序良俗違反性の有無，有効と認められる場合の変更権の範囲，範囲内の変更権の行使の権利濫用該当性の有無などが審査され，その効力が判断される。

約款において当事者の一方に変更権を付与する条項が置かれることがある。①単発の契約における約束された給付内容の変更（旅行契約において天災地変等の場合に旅行業者に旅行日程等の契約内容を変更する権限を与えるなど。標準旅行業約款〔国土交通省告示1593号，観光庁・消費者庁告示1号〕13条以下参照），②継続的契約における約束された給付内容の変更（クレジットカード契約におけるサービス内容の変更など），③基本契約における個別取引の条件の変更（銀行預金契約における振替手数料の変更など）がある。そのような変更条項の効力が公序良俗（90条，消費契約10条）や信義則（1条2項）に反しないかが問題となる。その際，変更条項を置くことについての約款使用者の必要性と相手方にとっての受容可能性，具体的な変更内容の合理性（特に相手方が受ける利益又は不利益），変更方法の妥当性が吟味されるべきである[4]。

定型約款の変更において，変更条項の有無及びその内容は，変更の合理性の評価要素の1つとなる（548条の4第1項2号→第1章第1節4(2)(e)(iii)〔41頁〕）。

---

[4] ドイツ民法308条4号（普通取引約款における変更権の留保の合意を評価の余地を伴う禁止条項とする）として民法典に組み入れられた旧約款規制法10条4号につき，石田喜久夫編『注釈ドイツ約款規制法』(1998) 163頁以下〔谷本圭子〕。

3　法定の効果としての変更

(1)　法律の規定[5]

(a)　継続性のある契約

継続性のある契約において，社会経済状況の変化や給付内容の価値の変化により，当初合意された対価と給付内容とが不均衡になることがある。そのような場合に，法律によって，一方当事者に対価の増額又は減額の請求権が認められることがある（賃貸借契約における賃料の増減額請求につき借地借家11条・32条。609条参照。保険契約における危険の減少に伴う保険料の減額請求につき保険11条・48条・77条。自賠22条参照）。そのほか，事情の変化があった場合における変更に関する規律がある（信託150条）。ここでは，当事者間の給付の均衡を回復し，あるいは，契約をした目的との乖離を解消したうえで，契約を維持することが望ましいという判断がある。

(b)　団体性のある契約

団体性のある契約において，合意された給付内容の実現が困難になるなど事情の変化が生じた場合に，当事者全員の同意を得ることが困難であっても，全当事者の公平を図りつつ，給付内容等を柔軟な方法で変更したうえ，契約を維持することが求められることがある。

まず，保険契約や共済契約において保険会社や組合の事業継続が困難となる蓋然性がある場合などにおける契約条件の変更に関する規律がある（継続困難につき保険業240条の2以下，農協11条の52以下。保険会社の合併等につき保険業250条以下）。

また，団体性のある契約の給付内容等の変更に関する規定がある。就業規則による労働条件の変更（労契10条），有限責任事業組合契約における一定の事項に関する組合契約の変更（有限組合5条2項）がその例である。

(2)　裁判所の判断

法律に具体的な規定がない場合でも，一般条項によって，裁判所が給付内容等の変更を命じることがありうる。

---

[5]　一般的なものとして，戦時立法である銀行法等特例法（昭和20年2月16日法律第21号。昭和56年法律第61号で廃止）で約款の変更について規定された例がある（2条。政府の認可を受けたうえ，1月以上の公告をし，異議がなければ，相手方が変更を承諾したものとみなす）。

その代表的なものは，信義則を根拠とする事情変更の原則による契約の改定である（→第1章第1節4(3)〔43頁〕）。もっとも，裁判所自身が契約内容を変更することには，理論上及び実際上の問題がある。そこで，当事者に対する再交渉の義務づけと解除権の付与との組み合わせによる解決が，立法論として（基本方針Ⅱ 391頁，部会資料48，第4，3→第1章第1節4(3)(b)1つ目の◆〔45頁〕），また，信義則を通じての解釈論として，考えられる。

損害賠償額の予定（420条1項）が過大又は過小であるときは，裁判所が公序良俗違反としてその条項の全部又は一部を無効と判断することがあり，この場合，結果として減額又は増額がされることになる（中田・債総222頁）。

このほか，裁判所の修正的解釈によって，隠れた形での給付内容等の変更がされることがある。

第3節　契約の主体の変更

1　合意による変更

(1)　契約上の地位の移転[6]

(a)　意　義

契約当事者としての地位が合意によって移転されることを，契約上の地位の移転という。契約上の地位の譲渡，契約譲渡，契約引受ということもある。相続や合併など法定の効果による地位の移転は含まない。

契約上の地位の移転が問題となるのは，賃貸人たる地位，使用者たる地位，フランチャイジーたる地位，特許権のライセンサーたる地位，ゴルフ会員契約上の地位，保険契約上の地位など，継続的契約においてであることが多いが，売主の地位のように一時的契約における地位のこともある。

判例・学説は，かねてから契約上の地位の移転を認めてきたが，現行民法は

---

6) 椿寿夫・注民(11) 474頁以下，同「契約譲渡（契約引受・契約上の地位の譲渡）の制度について」論究ジュリ12号（2015）196頁，池田真朗①「契約当事者論」改正課題147頁，同②「債権譲渡から債務引受・契約譲渡へ」内池慶四郎追悼『私権の創設とその展開』(2013) 127頁，同③「債務引受と契約譲渡」金法1999号（2014）34頁，野澤正充①『債務引受・契約上の地位の移転』(2001)，同②『契約譲渡の研究』(2002)，同③「当事者の交代」争点170頁，同④「企業の再編と契約譲渡」金法1999号（2014）75頁，中田・債総719頁以下，UP, Ch. 9, Sec. 3, PECL, Ch. 12, Sec. 2, DCFR III. Ch. 5, Sec. 3.

これを明文化した（539条の2）。もっとも，基本的な原則が示されているのみであり，具体的内容は，依然として各種の契約に関する規定及び判例・学説に委ねられている。

◆ **契約上の地位の移転の受容**　契約上の地位の移転は，債権譲渡と債務引受を含むことになるが，ローマ法においては，古くはいずれも認められていなかった。しかし，現実社会における要請があり，代替的手法（更改，委任等）が用いられたほか，死亡を原因とする債権及び債務の移転が認められるようになった。その後，ヨーロッパ各国では代替的手法のほか，生存者間の移転も認めるようになり，やがて債権譲渡を（フ民1689条以下〔1804年〕），次いで債務引受を（ド民414条以下〔1896年〕），民法で明示的に認めるにいたり，それらを含む契約上の地位の移転を認める民法も現れた（イタリア民法1406条以下〔1942年〕など）[7]。わが国では，明治民法（1896年）は，債権譲渡のみを規定したが，その後の判例・学説の展開を受け，今回の改正で，債務引受（470条以下）とともに，契約上の地位の移転について規定が置かれた。

(b)　要　件

契約上の地位の移転は，契約の当事者の一方（A）が第三者（C）との間で契約上の地位を譲渡する合意をし，契約の相手方（B）がその譲渡を承諾することによって行われる（539条の2）。

AB間の契約の目的物がAからCに譲渡される場合には，契約上の地位もあわせて譲渡されることが多いだろうが，これはACの合意の内容いかんによる[8]。

Bの承諾が必要なのは，契約上の地位の移転においては，Aは契約関係から

---

[7]　金安妮「債務引受および契約譲渡における立法の国際的比較」法学政治学論究101号（2014）291頁（イタリアのほか，ポルトガル，オランダ，中国の立法例を紹介する），アンドレア・オルトラーニ『イタリアと日本における契約譲渡——比較法的検討』（2016年提出東京大学博士論文，未公刊）。その後，フランスでも規定が置かれた（フ民〔2016年改正後〕1216条以下）。他方，アメリカにおける制限的態度につき，青木則幸「アメリカ法における契約譲渡の自由の制約について」村田彰還暦『現代法と法システム』（2014）289頁。

[8]　野澤・前掲注6）②358頁以下は，「特定の財産の譲渡に伴う契約上の地位の移転」の場合には，地位が移転するという当事者の合理的意思が推定され，相手方の承諾は不要だが，「合意に基づく契約上の地位の移転」の場合は，相手方の承諾が必要だという。なお，2008年改正前商法では，損害保険の被保険者が目的物を譲渡したときは同時に保険契約によって生じた権利を譲渡したものと推定すると規定されていたが（同650条1項），それと異なる約款の例が多いことなどから，保険法は，それに相当する規定を置かなかった（萩本修編著『一問一答保険法』〔2009〕150頁。山下友信ほか『保険法〔第4版〕』〔2019〕158頁以下各参照）。

第 3 節　契約の主体の変更

離脱して契約上の債務を免れ，Cがこれを引き受けることになること（免責的債務引受。Cが無資力の場合などBが不利益を受けることがある）をはじめとして，契約の相手方が誰であるかは，契約による法律関係の実質的内容にかかわるからである[9]。現行民法は，判例（最判昭 30・9・29 民集 9 巻 10 号 1472 頁）・学説の考え方を明文化するものである。

　もっとも，契約によっては，一部の当事者の意思にかかわらず，契約上の地位の移転が生じることもある。不動産賃貸借でその例が多い。今回の改正で，不動産賃貸人たる地位の移転に関する規律が置かれた（605 条の 2・605 条の 3）。

◆ **不動産賃貸借契約上の地位の移転**　賃貸人たる地位の譲渡について，賃貸人をA，賃借人をB，賃貸借の目的不動産を甲，Aから甲を譲り受けた者をCとして説明する（→第 11 章第 4 節 2(2)〔449 頁〕）。①AがCに甲を譲渡するとき，AとCは，合意によって，賃貸人たる地位をCに移転させることができる。その際，Bの承諾を要しない（605 条の 3）。②BがCに賃貸借を対抗することができる場合（605 条，借地借家 10 条・31 条など），AからCに甲が譲渡されたときは，AC間で賃貸人たる地位を移転する合意がなくても，賃貸人たる地位はAからCに移転する（605 条の 2 第 1 項）。③①と②のいずれの場合も，賃貸人たる地位の移転は，甲について所有権移転の登記をしなければ，賃借人Bに対抗することができない（605 条の 3・605 条の 2 第 3 項）。④①と②のいずれの場合も，賃貸人たる地位がAからCに移転したときは，費用償還債務（608 条）及び敷金返還債務（622 条の 2 第 1 項）は，Cに移転する（605 条の 3・605 条の 2 第 4 項。森田・深める 143 頁参照）。⑤②において，AとCが賃貸人たる地位をAに留保し，CがAに甲を賃貸する（Bは転借人となる）という合意をしたときは，賃貸人たる地位は，Cに移転しない（605 条の 2 第 2 項）。改正前民法のもとでは消極的に解されていたが，そのような取引形態が存在することから，今回の改正で規定された。この場合において，賃借人の利益保護などについての詳しい規定がある（同項後段）。

　次に，賃借人の地位の譲渡について，賃貸人をA，賃借人をB，Bから賃借権を譲り受けた者をDとして説明する（→第 11 章第 3 節 1〔430 頁〕）。BがAの承諾なく賃借人の地位をDに譲渡した場合，Aは賃貸借契約を解除できる（612 条 2 項）ので，賃借人たる地位の移転においてAの承諾が改めて問題となることは少ない。ただ，Bが賃借権を無断でDに譲渡したが，背信行為と認めるに足りない特段の

---

9) 潮見佳男『債権総論Ⅱ〔第 3 版〕』（2005）693 頁以下（契約の規範的拘束の実効性と契約からの離脱可能性への影響を指摘する。もっとも，同『新債権総論Ⅱ』〔2017〕530 頁は，現行民法の規律を債務引受の延長線上のものとする理解を示す），佐藤秀勝「契約上の地位の移転」円谷峻編著『民法改正案の検討第 2 巻』（2013）36 頁・46 頁（Bの意思的関与を必要とする根拠として，Bの相手方選択の自由に言及する）。

> 事情があるときは，Aは解除できない。この場合は，Aの意思いかんを問わず，賃借人たる地位がBからDに移転すると考えるべきである（最判昭45・12・11民集24巻13号2015頁。原田純孝「賃借権の譲渡・転貸」講座Ⅴ295頁・351頁以下）。

　契約上の地位の移転は，債権債務の移転を伴うから，債権譲渡・債務引受が認められない場合にはできない。契約上の地位の移転自体が合意又は法律により禁止されている場合も同様である。

　なお，契約上の地位の移転について，第三者に対する対抗要件を備えるべき場合がある[10]。最判平8・7・12（民集50巻7号1918頁）は，預託金会員制ゴルフクラブ会員権の譲渡の対抗要件につき，債権譲渡の場合に準ずるとした。

(c) 効　果

　契約上の地位の移転を受けた者が新しい当事者となり，移転した者は契約関係から離脱する。これに伴い，契約から発生する債権債務（主たる債権債務及び付随的な債権債務）が移転する。契約の取消権や解除権も移転する。将来発生する債権債務は，当然，移転する。既に発生した債権債務の移転の有無については，地位移転契約の解釈によるが，当事者の意思が明確でないとき（契約上の地位の移転自体が合意の直接の目的とされたのではないときを含む）は，移転される契約の類型に応じた当事者の合理的意思によって判断すべきである（売主の地位の移転の場合，既発生の代金債権も移転するのが通常だが，賃貸人の地位の移転の場合，既発生の賃料債権は移転しないのが通常であるなど。中田・債総722頁以下参照）。

◆ **契約上の地位の移転によって移転されるもの**[11]　　AB間の契約上の地位をAがCに移転する場合，債権及び債務以外に移転されるものは何か。たとえば，解除権，取消権のほか，AB間で確立された契約条項の解釈，契約の履行に関するAB間の

---

10)　池田・前掲注6）①177頁は，契約譲渡等の第三者対抗要件の立法提言をする。契約相互間の優先関係も視野に入れて検討すべき課題である。横山美夏「競合する契約相互の優先関係」法雑42巻4号294頁～49巻4号173頁（1996～2003）。

11)　オルトラーニ・前掲注7）第6章第3節（「契約譲渡の客体」として，原契約当事者間で一致していた契約解釈や両者の間で形成された信頼の帰趨を検討），山下純司「契約上の地位の移転に関するアレンジメント」改正と民法学Ⅲ113頁（契約上の地位と権利義務の分離可能性と一体化を検討），山岡・前掲第4章注26）（処分行為の制限及び解除権の性質〔譲渡不可〕を検討）。さらに，契約の目的物の譲渡と契約上の地位の移転の関係（605条の2参照。野澤・前掲注6）②301頁以下参照），複数の契約の結合（622条の2参照。大村(4)208頁以下参照），債権の譲渡と債権に関する特約の関係（中田・債総724頁）など，関連するテーマがある。

慣行，AB 間の別の契約，A の取得した B に関する情報，A が B との取引を基礎として形成した顧客圏はどうか。ここには，①それ自体，法律上又は事実上，移転可能かどうか，②移転できるとして，それは AC 間で移転される「契約上の地位」に含まれるのか，③AC 間の合意により，契約上の地位の一部を移転対象から除外することができるか，という問題がある。①は，権利・利益・関係の移転可能性の問題である。②と③は，AC 間の地位移転契約の解釈の問題であるとともに，契約上の地位として一体化されるものは何か（②），また，契約から生じる法律関係をどの程度まで分化できるのか（③），より一般的には権利義務の一体化と分化に関する私的自治とその法的制約の範囲という問題である。その地位の定型性に関する法制度，その地位の流通に関する取引慣行，譲受人（C）の期待の保護，契約の相手方（B）の保護，一体化又は分化の目的の相当性などを考慮する必要がある。

(2) 組合契約における脱退・加入

組合契約においては，組合員の脱退（678条）・加入（677条の2）という形で契約の主体の変更があった場合も，契約は維持される（→第16章第4節〔588頁〕）。

2 法定の効果としての変更

一定の事実の発生により，契約の主体の変更が当然に生じることがある。相続（896条）又は会社の合併（会社750条1項・752条1項・754条1項・756条1項）による包括承継の場合がそうである。会社分割（同757条・764条1項・766条1項）については，存続会社と承継会社（又は新設会社）が併存することになるので，契約の相手方の保護を考慮する必要がある（労働契約承継法参照）。

● 契約上の地位は，相続の対象となる（最判平21・1・22前掲〔預金契約上の地位〕）。ただし，それが一身専属的なものであるときは，承継されない（896条但書）。当事者の死亡により契約が終了するなどの明文規定があるもの（597条3項〔使用借主〕・653条1号〔委任者・受任者〕・679条1号〔組合員〕）のほか，契約の内容・性質により，承継されないと解すべきものもある（雇用契約における労働者の死亡，介護契約における被介護者の死亡など）。これらについては，896条但書の一身専属性という観点からも，契約法の規定ないし契約の解釈からも，不承継が導かれうる。

第2部

各種の契約

第6章 贈　　与

第1節　意　　義

　贈与とは，当事者の一方がある財産を無償で相手方に与える契約である（549条）。与える人を贈与者，与えられる人を受贈者という。諾成・片務・無償契約である。

　日常的には，贈与というと，誕生日にお祝の品をプレゼントするといった場面が思い浮かぶ。このような手渡しの贈与を現実贈与といい，それも民法上の贈与の一種ではあるが，紛争はあまり生じない。民法が主に想定するのは，無償で与えるという契約をし，後に，その履行として実際に財産を与えるという状況である。

◆**現実贈与**　現実贈与とは，先行する贈与契約の履行としてではなく，その場で物が引き渡されることによってされる贈与である。現実贈与が贈与契約かどうかは争いがある。①贈与が要式契約である法制度のもとでは，現実贈与によって契約が成立するか否かが問題となるが（旧民法財産取得編358条2項参照），贈与が諾成契約である明治民法以来の日本民法のもとではその問題は生じない。②かつては，現実贈与は一般の贈与契約と同様に債権契約であるのか（末弘301頁），物権契約か（鳩山上259頁以下），という論争があったが，物権行為の独自性を否定する見解が一般的になり，1個の契約から債権的効果と物権的効果の両方が生じるという見解（我妻中Ⅰ225頁参照）が有力になったことから，この論争は下火になった。③改正前民法のもとで，ⓐ現実贈与の目的物に不完全な点があった場合に，贈与者は担保責任（旧551条1項但書）をそのまま負うのか（我妻・前同，柚木馨＝松川正毅・新版注民（14）29頁），それより軽減されるべきか（大村・前掲第1章注81）38頁以下）の対立や，ⓑ不特定物の現実贈与の場合には贈与者は担保責任ではなく債務不履行責任を負うという説の内部で，贈与者は完全な物を給付する義務を負うか（我妻中Ⅰ231頁），否

263

> か（柚木＝松川・前同）の対立があり，それぞれの立場で，現実贈与を民法上の贈与と解するかどうかが分かれていた。現行民法は，贈与者の担保責任ではなく，その引渡義務の内容の推定規定を置くが（551条1項），これを現実贈与に適用することに支障はない。現実贈与は，成立し直ちに履行される贈与契約といってよいだろう。

　広く眺めてみると，他人に何かを無償で与えるという約束には，様々なものがある。「何か」には，物の所有権に限らず，所有権以外の物権や債権などの権利，情報，信用，役務，人体の構成物や産出物（血液・臓器・生殖子など）もありうる。「無償」といっても，純粋に無償であるもののほか，相手方から既に受けた利益に対するお返しである場合や，相手方からの何らかのお返しを期待する場合もある。「約束」といっても，友人間の場合など，契約としての法的効果を認めるべきかどうか微妙なものもあるし，先行する約束などが意識されることもなく，その場でされる事実としての無償の供与もある。そして，「他人に与える」ことの基礎には，好意，愛情，感謝，支援，打算などの心情や，社会的慣習など，法的規律以前の何らかの関係があることが多い。民法は，このような様々な約束や行為のうちの一部のものを贈与契約として切り出し，法的に規律する。

　そこで，贈与においては，多様な無償の約束・行為のうち，いかなるものを民法が対象とするのかという，選択の問題がまずある。また，民法の世界に取り込まれることになった贈与契約の規律にあたっても，その基礎にある関係をどのように評価すべきかという，内容の問題がある。選択の問題は，贈与契約の成立に，内容の問題は，その効力と解消に，影響する。このように，贈与には，「非法」的な関係の一部を切り取って法的に処理することに伴う緊張関係がある（→第1章第3節2(2)〔71頁〕）。

> ◆ **法的規律の対象となる無償の行為**　多様な無償の行為を法的に規律する際には，その規律の内容に応じて対象が定められる。贈与税の課税の対象（相税5条〜9条），破産法における無償否認の対象（破160条3項），公職の候補者等の寄付の禁止の対象（公選199条の2）など，一様ではない。民法の対象とする贈与の概念も，その内容に応じて定まるものではあるが，基本法としての性質上，一方で使用貸借，無償委任など民法上の他の無償契約との区別を示す必要があり，他方で他の諸法令の規律の前提となる贈与の概念を提示する機能をもつという特徴がある。

第1節　意　義

◆ **贈与の紛争類型**　大別すると2種類の紛争がある。①まず，贈与者と受贈者の間の紛争がある。さらに2つの場合がある。ⓐ贈与者が贈与するのではなかったと後悔する場合。贈与の成立やその解消が争われる。ⓑ贈与された物に欠陥等があって受贈者が損害を被った場合。損害賠償の問題となる。②次に，贈与者以外の者と受贈者との間の紛争がある。さらに2つの場合がある。ⓐ贈与者の家族や相続人が贈与の成否・解消を争う場合。ⓑ贈与者の債権者や破産管財人が贈与の効力を争う場合（詐害行為取消し，否認など）。以上のほか，寄付については特有の問題がある（→次の◆の⑤）。

◆ **贈与の多様性**[1)]　贈与とされるものも，その態様は多様であり，紛争の態様も異なる。

①家族間の贈与。家族間で，まとまった財産が贈与されることがある。婚姻や養子縁組のための贈与，生計の資本としての贈与などである（903条1項参照）。かつての家督相続制度のもとでは，次男，三男に財産分けをすることがあり，均分相続制度となった現在でも，農家や中小企業において1人の子に家業を承継させることを前提に，他の子に財産分けをすることがある。相続税の節税目的でする生前贈与や，老後の扶養を前提として同居する子に対してする贈与もある。ここでは，相続に際しての紛争（特別受益，遺留分侵害，贈与の成否など），受贈者が扶養をしない場合の紛争などがある。

②家族関係の変動に伴う贈与。婚約時の結納，養子になるにあたっての財産の分与などである。他方，離婚時の配偶者に対する贈与は，財産分与（768条）の規律に服する（最判昭27・5・6民集6巻5号506頁〔550条は適用されない〕）。贈与後に状況が変わった場合の取戻しなど，当事者間の紛争がある。

③法律上の夫婦や親子ではないが親密な関係にある人に対する贈与。内縁配偶者，事実上の養子のほか，愛人に対する贈与もある。当事者間の紛争のほか，贈与者の家族又は相続人と受贈者との間の紛争がある。

④社交的な贈与。入学・卒業・婚姻・出産・新築・開業・葬儀など慶弔に際してのもの，訪問・見舞い・土産など日常的な交流におけるもの，中元・歳暮など年中行事的な贈答，心づけ（チップ）など社会慣習によるものなど，様々な機会に行われる。義務とはいえないにせよ，本人の属する社会集団や相手との関係において「常識」や「相場」に従うことが求められることがある。多くは現実贈与であり，法的紛争は少ないが，目的物に欠陥等があり受贈者が損害を受けた場合の問題はあ

---

1) 贈与及びその周辺の取引の類型的検討をするものとして，来栖三郎「日本の贈与法」同『来栖三郎著作集Ⅱ契約法』（2004）89頁以下〔初出1958〕，吉田・前掲第1章注81) 235頁以下，潮見各Ⅰ34頁以下など。小島奈津子『贈与契約の類型化』(2004)は，ドイツ法を参考に，「道徳上の義務の履行」約束の類型と，好意に基づく「本則的な贈与」を区別する構想を提示する。能見善久「民法における比較法」法時1149号（2020）14頁は，ドイツ・中国・日本の贈与の諸類型を時代の変化のなかで比較する。

る。

⑤寄付。公共的団体（国・市町村等），公益的組織（公益法人・NPO 法人・公益信託等），教育・医療・福祉等を行う機関，自らが帰属し又は支持する団体（地域団体・宗教団体・政治団体等）などに対してされる。公共心，謝意，愛着，支援，名誉心などによる。任意のものだが，事実上の強制に及ぶこともあり，それが争われることもある。また，寄付をした目的が実現されない場合の問題がある。すなわち，寄付には，ⓐその相手方のためのものと，ⓑ特定又は不特定の第三者（受益者）のためにするものがある。寄付の目的は，ⓐよりもⓑの方が具体的であることが多いが，ⓐでも抽象的には定まっていることが通常である（「母校の発展のため」にする母校への寄付など）。寄付を受けた者は，その目的の実現のために寄付金等を使用すべきだが，目的外に流用したときなどに債務不履行となるか否かは，その契約の内容による。ⓑについては，寄付を受けた者（発起人等）に対する贈与ではなく，信託的譲渡（我妻中Ⅰ238頁，加藤永一「寄付——一つの覚書」大系Ⅱ1頁，星野109頁）ないし信託（鈴木326頁）であり，特定の受益者に対する寄付であることが明確である場合には，寄付者と寄付を受けた者との関係は寄託（星野109頁。来栖224頁参照）ないし委任（潮見各Ⅰ39頁）であるといわれることがある。寄付を受けた者に目的に従って寄付金等を使用する義務を負わせ，それに反した場合には解除を認めるということだけであれば，あえて信託とまでいう必要はない。重要なのは，寄付を受けた者が差押えを受け，あるいは倒産した場合における寄付金等の処遇である。物品であれば，受益者に帰属し，寄付を受けた者は保管しているにすぎないと解しうる場合があるだろう。むずかしいのは金銭である。金銭の所有権は占有者にあるという考え方との関係で，信託法上の信託の成否や，保管する金銭の帰属の問題（中田・研究393頁以下）となる。なお，受益者が寄付を受けた者に対し，直接の請求権を有するかどうかは，第三者のためにする契約又は信託の成否による。

⑥商取引の一環としての贈与。販売促進のための試供品や景品の提供は，その部分だけを切り離して贈与として民法の規律に服させるよりも，商取引の一環として売買の規律を及ぼすのが適当なことがある（品物に欠陥があり受贈者が損害を受けた場合など）。また，公正取引の観点からの規律が求められることがある。

◆ **贈与の互酬的性質**　友人から結婚祝をもらえば何らかのお返しをするし，その友人が結婚するときには逆にお祝を送るだろう。贈与がこのように相互的なものであること（互酬）は，広くみられる。久保正幡「ゲルマン古法に於ける贈与行為の有償性」石井良助編『中田先生還暦祝賀法制史論集』(1937) 629頁は，受贈者の報償義務とそれに反した場合の贈与者の贈与物取戻権に関する変遷を描く。ポリネシアなどの社会における贈与・お返しや交換の意味を論じたフランスの社会学者・民族学者マルセル・モース（Marcel Mauss）『贈与論』(1923～24) は，わが国でも広く知られる（有地亨・訳などいくつかの翻訳がある。最近のものとして森山工・訳）。取引社会における贈与の意義について，様々な観点から検討されている[2]。贈与は，人

的・社会的文脈のなかにある。民法は，1つの贈与を切り出して1つの契約として規律するが，規範の設定及び解釈にあたって，その文脈が影響を及ぼすことがある。

◆ **冒頭の条文のスタイル**　民法の契約の章は，第2節から第14節まで，各節の冒頭には，その節の契約がどのようなものかを示す条文がある。549条はその1つだが，あまり明瞭ではなく，贈与の定義のようでもあり，贈与契約の成立要件や効力を示すようでもある。旧民法では，より明確な定義規定であった。すなわち，「贈与トハ当事者ノ一方カ無償ニテ他ノ一方ニ自己ノ財産ヲ移転スル要式ノ合意ヲ謂フ」である（財産取得編349条）。民法典論争を経て，明治民法が起草される際，定義規定は置かないという方針がとられたが（→序章第1節3(1)◆〔5頁〕），冒頭でどのような契約であるかを示すのがやはり自然である。その結果，やや曖昧な規定となった。冒頭の条文は，それぞれの契約の基本的な内容を示すものだが，二重の意味がある。第1に，効力の面から，その典型契約であればそこからは最低限このような義務が生じるということを示している。第2に，同時に，当事者間にこれだけの義務が認められるような契約であればそれはその典型契約であるといえるということを示している（中田・研究487頁）。要件事実との関係では，「冒頭規定」を重視する見解が有力である（→第2章第2節2(2)(b)◆〔100頁〕）。

第2節　贈与の成立

1　諾成契約

贈与は，合意のみで成立する（549条）。諾成契約である。

◆ **諾成契約としての贈与**　贈与契約の成立について，原則として公証人の関与する書面を求めるなど要式契約とする法制が少なくない（フ民931条，ド民518条，旧民法財産取得編358条1項）。明治民法起草者は，人々が公証制度に慣れておらず，そのような手数を求めることは従来の慣習に反することから（民法修正案理由書528頁），また，「自由契約」を尊重し（梅463頁），諾成契約としたうえ，書面によらない贈与の解消を認める制度とした（550条→第4節1〔275頁〕）。学説では，①「自由契約」の尊重の思想と，②義理や恩の観念と結びつく伝統的な義務感とが日本では結合し，諾成主義がとられた，これが日本贈与法の特徴である，と指摘するものもある（来栖246頁以下，広中29頁参照）。もっとも，①はもとより，②も義務的な贈与の存在という意味では日本特有のことではない。結局，③公証を伴う方式を求めるのは日

---

2)　広中俊雄『契約とその法的保護〔増補版〕』（1987）41頁以下〔初出1953〕，広中・前掲第1章注76) 30頁以下及び広中27頁以下，大村・前掲第1章注81) 50頁以下，桜井英治『贈与の歴史学』(2011)。

> 本の実情に適していないので上記制度とした，というのが直接の経緯であって，日本贈与法もそれほど特異なものとはいえないだろう。

　合意は，契約と評価されるものでなければならない。それが徳義上の約束（→第1章第1節1(2)(b)〔20頁〕）であるにすぎない場合には，現に手渡しされた時点で現実贈与があったと解すべきである。そのような合意には，効果意思がないといってもよい（→同(c)〔20頁〕）。

> ● 学生Aが夏休みに帰省する際，友人Bに郷里の銘菓を土産に買ってくると約束し，それを果たしたとする。この場合，帰省前に贈与契約が成立し，そこから生じた債務が履行されたというのではなく，帰省前には徳義上の約束しかなく，現に手渡された時点で現実贈与が行われたとみるべきことが多いだろう[3]。Aが約束を果たさなかったとしても，Bはその履行や損害賠償を請求することはできないが，現に手渡されれば，その菓子の所有権はAからBに移転する（550条が気になるのであれば，AがBに郷里から絵葉書を送り，そこに土産の件を書き記していたとせよ）。

　当事者の合意が単なる徳義上の約束とはいえず，契約と評価されうる場合であっても，相手方の請求が認められないことがある。その説明として，①その契約は自然債務を生じさせるものであるにすぎず，相手方は履行を訴求できないという構成と，②その意思表示は心裡留保によるものであり，相手方が悪意又は有過失であるときは無効であって（93条1項但書），契約は無効（不成立）であるという構成が考えられる。①の自然債務という概念については理解が分かれる（中田・債総81頁）のに対し，②は，一般的な枠組みであって安定的であるうえ，相手方の主観的態様も考慮できるという利点がある。

> ◆ **カフェー丸玉女給事件**　「カフェー」における客が一時の興に乗じ，女給Xの歓心を買おうとして，将来の独立資金として「相当多額なる金員」である400円を与えると約束し，証書も作成したが，履行しないので，Xが提訴した。原審はXの請求を認めたが，大審院は，このような事情のもとでの「諾約」は「諾約者が自ら進んで之を履行するときは債務の弁済たることを失わざらむも要約者に於て之が履行を強要することを得ざる特殊の債務関係」を生じさせるとし，破棄した（大判昭10・4・25新聞3835号5頁）。①の構成をとったものである。これに対し，②の構

---

[3]　広中俊雄「徳義上の契約」同『契約法の理論と解釈』(1992) 66頁〔初出1969〕，米倉・プレ89頁以下参照。

成を唱えるものがある（内田・民Ⅰ50頁。東京高判昭53・7・19判時904号70頁参照）。②には上記のメリットがあるが，表意者の「意思表示が表意者の真意ではないこと」を相手方が知り又は知りえたという要件の充足が問題となる。「真意」とは何か，あるいは「真意ではない」といえるかどうか，微妙なこともある（相手方から迫られてその場を切り抜けようとして書面を作成した場合，常に「真意ではない」といえるか）。そうすると，②のような主観的構成のほか，「徳義上の約束」を柔軟に解し，あるいは，効果意思の不存在を客観的に解するという，より客観的な構成による解決の意義もなお残るだろう。

2 財産を与えること

(1) 意 義

贈与は「財産を与える」契約である（549条）。売買における「財産権を移転する」こと（555条）よりも広い。所有権，債権，無体財産権などの財産権を移転することだけでなく，相手方のために地上権などの用益物権を設定すること，財産権といえるかどうか議論のある価値（顧客関係，営業秘密，電気など）を与えることも含む。他方，人体の構成物や産出物（血液・臓器・生殖子など）は，財産とはいえないから，含まれない（カットした髪の毛などの例外はある）。物の使用収益や役務は，財産的価値はあるが，無償で物を使用収益させる契約は使用貸借であり，無償で役務を提供する契約は準委任又は無名契約であって，いずれも贈与ではない。「財産を（無償で）与える」という基準には，使用貸借・無利息消費貸借・無償準委任・無償寄託に関する規定ではなく，贈与に関する規定が適用されるべき契約の範囲を画する意味もある。

◆ **改正の経緯** 今回の改正に際して，贈与の対象を売買の対象とそろえ，旧549条を「財産権を無償で相手方に移転する」と改めることが検討された（中間試案説明432頁）。しかし，そのように限定すると，贈与の概念から除外される契約に関する規律の内容が不明確になること，財産権とはいえない価値を目的とする契約を贈与の規律の対象から除外する積極的必要がないこと，上記の表現だと贈与と無償の消費貸借との区別ができないことから，見送られた（部会資料75A，第4，1）。これは，無償契約に属する各典型契約の守備範囲と相互関係，非典型無償契約の規律のあり方にかかわる問題である。

◆ **債務免除** 債務免除は贈与契約の内容となりうるか（債務免除自体は単独行為なので〔519条〕，それをするという合意が問題となる）。民法制定当時から見解が分かれる

> （民法速記録Ⅲ 837 頁〔穂積陳重発言〕）は肯定，民法修正案理由書 528 頁，岡松 527 頁は否定。梅 464 頁は債権放棄につき否定）。学説では，「財産を与える」を比較的広く理解して肯定する見解（我妻中Ⅰ 223 頁，北川 37 頁，柚木＝松川・新版注民 (14) 20 頁など）が有力だが，贈与とは区別するもの（鈴木 324 頁）もあるほか，贈与の例として債務免除に言及しないものも少なくない。贈与に含めると，無償で債務を免除することの合意をし，後にその履行として免除の意思表示（519 条）をすべき場合，書面によらない贈与に関する規定（550 条）を適用しうる利点がある。しかし，「財産を与える」という要件のもつ，贈与と他の契約類型を区別する機能を重視するならば，無償の債務免除は贈与には含めず，550 条は類推適用することで足りるのではないか（加藤 170 頁参照。なお，相税 8 条参照）。

(2) 他人の財産の贈与

他人に属する財産の贈与契約も有効である（549 条）。改正前民法は，「自己の財産を無償で相手方に与える」と規定していたが（旧 549 条），判例（最判昭 44・1・31 判時 552 号 50 頁）・通説（柚木＝松川・新版注民 (14) 20 頁参照）は，他人の財産の贈与契約も有効と解しており，これが明文化された（「自己の財産」が「ある財産」に改められた）。

この場合，贈与者がどのような義務を負担するのかは，その契約で合意された内容による（部会資料 81B，第 4 説明 2 参照）。贈与が無償契約であることを考えると，原則としては「贈与者がその財産を取得した場合には，それを受贈者に移転する義務」（中間試案説明 433 頁，基本方針Ⅳ 194 頁参照）であるにとどまり，他人の権利の売主のように「その権利を取得して買主に移転する義務」（561 条，旧 560 条）まで負担すること（最判昭 44・1・31 前掲参照）は例外的であろう（森山浩江・改正コメ 703 頁以下参照）。なお，他人の財産の贈与と種類物贈与は区別する必要がある（後者では種類債務を負う）。

3 無　償

贈与は，無償契約である。贈与者が過去に受贈者から受けた利益に対する「お返し」であることもあるが，贈与者が債務を負っていてその履行としてするのでなければ，なお贈与である。受贈者にも負担のある贈与（負担付贈与。553 条）については議論がある（→第 5 節 1，3 つ目の◆〔283 頁〕）。

> **負担を超える反対給付を伴う場合**　相手方に利益を与える意図で100万円の物を与え70万円の対価を受け取る場合，①売買と贈与の2個の契約があるのか（100万円の売買と30万円の贈与），それとも，1個の契約なのか。後者だとすると，それは，②1個の有償契約（廉価売買）なのか，③1個の無償契約（混合贈与と呼ばれる。来栖245頁，広中39頁）なのか。契約の法性決定の問題である（→第1章第3節1(3)〔67頁〕）。①は，契約の個数の問題でもある（→第4章第2節5(5)〔240頁〕）。②か③かは，当事者の意思（当事者の主観において対価的均衡を欠いているなら③）が基本となり，客観的不均衡はその判定要素となろう（我妻中Ⅰ224頁参照）。②だと売買の規定が準用され（559条），③だと負担付贈与の規定を類推適用しうるという，効果との関係も考慮すべきである。なお，たとえば詐害行為取消権や否認権の対象となるか否かは，その規律によって別途判断される。

第3節　贈与の効力

1　贈与者の義務──概観

贈与は，片務契約であり，贈与者の義務だけが発生する。

贈与者は，約束した財産を相手方に与える義務を負う（549条）。財産権を移転する義務，用益物権を設定する義務などである。以下，物の贈与を例として，財産権移転義務について述べる。

物の贈与における財産権移転義務の具体的内容は，①目的物を引き渡すこと，②対抗要件を備えさせること（不動産なら登記。177条），③権利の完全な移転に必要な行為をすること（農地なら必要な許可の申請への協力。農地3条・5条）である。これらは売買の場合と変わらない。他人物贈与については，前述した（→第2節2(2)〔270頁〕）。引き渡した物に不具合がある場合については，項を改めて検討する。

2　贈与の目的である物又は権利の状態

(1)　契約内容としての状態

贈与契約の履行として引き渡された物や移転された権利の状態に不具合がある場合，贈与者の責任の有無が問題となる。改正前民法は，「贈与者の担保責任」という見出しのもと，贈与者の責任を売主の責任より軽くする規定を置いていた（旧551条1項）。これは，無償契約である贈与の当事者の通常の意思を考慮したものである（民法修正案理由書529頁）。この規定については，売主の

第6章 贈　与

瑕疵担保責任（旧570条）に関する論争（法定責任か，債務不履行責任か）を背景にした学説の対立があった。

現行民法においては，売主の担保責任が債務不履行責任であることが明確にされ（→第7章第3節2(3)(a)(ii)〔299頁〕），この対立の背景がなくなった。もっとも，現行民法も，改正前民法と同様，贈与の無償性を考慮し，贈与者の責任を売主の責任よりも軽減する方針をとる。しかし，それを特殊な担保責任を定める方法によるのではなく，贈与者がどのような義務を負うのかを推定するという方法で表している。すなわち，贈与者が贈与契約の内容に適合した物又は権利を引き渡す債務を負うことを前提として，どのような状態の物又は権利を引き渡すべきかについて，「贈与者は，贈与の目的である物又は権利を，贈与の目的として特定した時の状態で引き渡し，又は移転することを約したものと推定する」（551条1項。一問一答266頁）。これは，当事者の通常の意思を推定するものであり（部会資料81B，第4説明1(2)参照），旧551条1項本文の立法時に示されていた根拠と同様である。

「贈与の目的として特定した時」とは，特定物の贈与においては贈与契約の時であり，不特定物の贈与においては目的物が特定した時（401条2項）である。その時点での，そのままの状態で引渡し等をすればよい。その時点から引渡しまで，贈与者は善管注意保存義務（400条）を負う（部会資料76B，第2説明1，同81B，第4説明1(2)参照）。贈与者がこれらの義務に反したときは，債務不履行に関する規律に従って，その責任を負う。

▶ **特定物の贈与の場合**　贈与者が所有する1台の中古自転車（特定物）の贈与契約において，契約締結の時点でタイヤがパンクしていた場合，その状態で引き渡すことを約したものと推定される。贈与者においてパンクを修理したうえで引き渡すという特約があったというためには，受贈者がそれを証明する必要がある。

これに対し，贈与契約締結後，引渡し前にパンクが生じた場合，受贈者は贈与者に対し，パンクを修理して引き渡すよう求めることができる。パンクした状態で引き渡されたとすると，贈与者の債務不履行になり，受贈者は，損害賠償を請求できる（415条1項本文）。贈与者が善管注意保存義務を尽くしていたことや，パンクの存在を知らなかったことは，免責事由（同項但書）の存否の判断の評価要素となりうる（中田・債総44頁以下参照）。パンクのために受贈者に生じた損害のどこまでを賠償すべきかについて，贈与の無償性は，「予見すべき」事情（416条2項）の評価に際して考慮されうるだろう（森山・改正コメ703頁）。受贈者は，解除（541条）も

できるが、実際にはあまり意味はない。引き渡された自転車の修理（追完請求）を求めることもできると考えるべきだろう（562条参照。一問一答267頁）。もっとも、贈与者がそのパンクは契約時に存在していたことを証明すれば、贈与者はこれらの責任を負わない。その場合、受贈者が責任を追及するためには、551条1項の推定とは異なる内容の合意があったことを証明しなければならない。

◆ **不特定物の贈与の場合**　551条1項は、不特定物の贈与にも適用される（旧551条1項については議論があった。本書初版270頁参照）。不特定物の贈与においては、贈与者は、贈与契約で定められた種類・品質・数量のものを引き渡さなければならない。品質の指定がないときは、401条1項の規律に従って品質が定められるが、その際、贈与の無償性が考慮されうるだろう。当事者の合意により、又は、同条2項の規律により、そのなかから引き渡すべき物が特定されたときは、以後、その物が目的物となり、特定が生じた時点の状態で引き渡すことを約したものと推定される。

　対象とされた物が契約内容に適合していなかった場合は、そもそも特定が生じるかどうかが問題となる。特定が生じないとすれば、贈与者は契約内容に適合する物を引き渡す義務を引き続き負うことになる（一問一答266頁。潮見120頁参照）。対象物が契約内容に適合していなかったとしても、問題となっている効果との関係では特定が生じる可能性はあると考えるが（中田・債総53頁。567条との関係につき→第7章第3節2(3)(e)2つ目の◆〔325頁〕）、551条1項との関係では、契約内容に適合していない状態で引き渡すことを約したものと推定することは、同項が当事者の通常の意思を推定するものであることに反する。そこで、契約内容に適合しない物であっても特定は生じうるが（特定した後、引渡し前に、対象物が不可抗力により滅失して履行不能となった場合、受贈者は履行を請求できない）、551条1項の「状態」については、当事者の通常の意思の推定により、特定時において当該贈与契約の内容に適合する物であればあったであろう状態であると考えたい（契約不適合の箇所以外の部分については対象物の特定時の状態が推定の対象となる）。

◆ **改正の経緯**　旧551条1項は、「贈与者の担保責任」という見出しのもと、「贈与者は、贈与の目的である物又は権利の瑕疵又は不存在について、その責任を負わない」とし、ただ、贈与者が瑕疵又は不存在を知りながら受贈者に告げなかったときに限り、責任を負うと定めた。このように贈与者の担保責任は、売主の瑕疵担保責任（旧570条）より軽いものとされていた。

　贈与者の責任としては、損害賠償責任があげられ、賠償の範囲が議論された。①賠償されるのは、信頼利益であって、履行利益までは含まないという通説的見解（我妻中I232頁など）に対し、②損害賠償の範囲は、贈与契約当事者の合理的意思に応じて決せられるべきであり、常に信頼利益に限定されるわけではないという見解（内田168頁）や、③旧551条1項但書は、拡大損害（贈与された物の瑕疵によって受贈者の人身や財産に生じた損害）を想定し、贈与者が悪意である場合に限り責任を負

うという趣旨だと理解する見解があった[4]。

他方,売主の瑕疵担保責任について,法定責任説（特定物のドグマを前提とする）と契約責任説（契約上の債務の不履行責任とする）の間で激しい議論があり（→第7章第3節2(3)(f)〔328頁〕),贈与における学説の対立も,この議論を背景としていた。ⓐ法定責任説では,旧551条1項本文は特定物については瑕疵のある物を給付すればそれで履行したことになるという考え方（特定物ドグマ）を表したものであるにすぎず,同項但書は悪意の贈与者に対し特別の法定責任を課したものだ,ということになる（上記①はこれと親和的）。ⓑ契約責任説では,特定物・不特定物を問わず,旧551条1項本文は,無償契約たる贈与者の通常の意思に基づく債務の内容（瑕疵等があってもそのままで渡せばよい）を表したものであり,同項但書は贈与者が悪意である場合の例外的な債務の内容（瑕疵等のないものを引き渡すべきである）を表したものである,ということになる（上記②・③はこれと親和的）。もっとも,有償契約である売買における議論の対立を無償契約である贈与にそのまま持ち込めるわけではない（法定責任説は,売主の瑕疵担保責任の根拠を有償契約の当事者間の対価的均衡に求める）。そこで,贈与者の担保責任の根拠は他に求めざるをえない。もともと,旧551条の規律は,当事者の通常の意思の考慮に基づくものだから,売主の担保責任に関する議論にかかわらず,ⓑの結論をとるべきものであったと考えられる（本書初版271頁）。

今回の改正では,売主の担保責任につき,契約責任説の考え方がとられた。贈与においても同様であり,贈与者の担保責任といわれていたものも,債務不履行責任の一種として位置づけるべきことになる。もっとも,部会において,贈与の無償性を考慮すると,贈与者の責任を軽減するという改正前民法の方針は維持すべきであると考えられた。そこで,債務不履行責任であることを前提に,どのような債務を負う合意がされたのかについて,無償契約である贈与契約をする当事者の意思を推定するという方法がとられた（部会資料81B,第4説明1）。翻って考えると,贈与者の担保責任の規律は,明治民法の立法当時から,贈与の当事者の通常の意思によって説明されてきたものであり,現行民法はそれを受け継ぐものである。現行民法において,売主の担保責任が契約責任であることが明確にされたので,それとも整合的になっているということになる。

(2) 負担付贈与

負担付贈与における贈与者の責任（551条2項）については,後に,負担付贈与の項（第5節1）で説明する。

---

4) 来栖240頁,三宅各上35頁。鈴木恵「贈与契約における物の瑕疵をめぐる責任」好美清光古稀『現代契約法の展開』(2000) 245頁参照。

第4節　贈与の解消

1　書面によらない贈与の解除[5]
(1)　意　　義

　贈与も契約である以上，拘束力がある。任意に履行しなければ，裁判を通じて履行を強制することができる。もっとも，贈与は無償契約であり，好意や愛情などの心情や，社会的慣習など，当事者間の何らかの関係に基礎づけられていることが多い。その履行を裁判を通じて強制するとすれば，贈与の基礎にある心情等の関係が既に消滅している状況において，給付だけをさせることになる。他方，贈与が要式契約である法制のもとでは，一定の方式をとったこと自体から，履行の強制を説明できる。日本民法は，贈与を諾成契約としたうえで，書面によらないときは，いわば後戻りの機会を与えることによって，契約の拘束力を緩和した。これが書面によらない贈与の解除（550条）の制度である。

　550条は，贈与契約を書面でしたとき，又は，書面がない場合であっても，贈与が履行されたときは，もはや一方的解消はできないという制度である（逆にいうと，書面によらない未履行の贈与は，一方的解消ができる）。その具体的な目的（趣旨）は，①贈与者が軽率に贈与することを予防するため，及び，②贈与の意思を明確にし後日の紛争を防止するため，である（我妻中Ⅰ 228頁，最判昭60・11・29民集39巻7号1719頁，百選Ⅱ 47［森山浩江］，塚原朋一『最判解民昭60』422頁）。①については，最も軽率といえる現実贈与は撤回できないことから，目的として掲げることはできないという指摘（内田勝4頁。明治民法550条のもとでのもの）もあるが，現実贈与の対象となる財産はそれほどたいしたものでないことが多く，重要な財産（たとえば，不動産）の贈与の場合を考えると，①も含めてよい。以上のことは，書面によらない未履行の贈与については，受贈者が契約による利益を失うことになってもやむを得ない（妥当である）という評価を伴うものでもある[6]。

---

5)　池田清治「民法550条（贈与の取消）」百年Ⅲ 255頁。
6)　竹中悟人「無償契約と方式について」改正と民法学Ⅲ 173頁は，550条の趣旨についての伝統的理解を批判し，契約の拘束力の否定という例外を受贈者に甘受させる，受贈者側の事情に着目すべきだという（平野133頁も参照）。550条を契約の成立過程に関する規律の1つと位置づける本書の観点（→第2章第4節2(1)(a)〔110頁〕）からは，贈与者側からみるか受贈者側からみるかの相違だということになる。

(2) 要件と方法

(a) 「書面によらない」贈与であること

「書面」については多くの裁判例があるが，現在では非常に緩やかに解されている（柚木＝松川・新版注民 (14) 42頁，池田・前掲注5) 261頁）。契約書でなくてもよい。当事者の一方が他方に宛てた書面に贈与者の意思表示が認められれば，受贈者の承諾の意思表示の書面がなくてもよい（大判明 40・5・6 民録 13 輯 503頁）。贈与の両当事者が連名で第三者に提出した書面でも認められた例がある（最判昭 37・4・26 民集 16巻4号 1002頁〔県知事に対する農地所有権移転許可申請書〕）。さらに，当事者の一方が第三者に宛てた文書についても認められた例がある（最判昭 60・11・29 前掲）。この判決は，書面による贈与といえるためには，「贈与の意思表示自体が書面によつていることを必要としないことはもちろん，書面が贈与の当事者間で作成されたこと，又は書面に無償の趣旨の文言が記載されていることも必要とせず，書面に贈与がされたことを確実に看取しうる程度の記載があれば足りる」という。土地の買主Bが売主Aに宛てた，AからCに直接所有権移転登記をするよう求める内容証明郵便をBC間の贈与の「書面」と認めたものだが，限界事例であろう（塚原・前掲432頁。柚木＝松川・前掲43頁は書面と認めない）。

「書面」にあたるかどうかは，その記載内容とともに，作成過程・作成目的・作成後の取扱いを検討し，550条の趣旨（軽率な贈与の予防，贈与意思の明確化と紛争防止，受贈者の利益喪失の妥当性）に照らして判断すべきである。たとえば，贈与者が自分の日記に書いたとしても，それでは足りない（来栖232頁）。

(b) 「履行の終わった部分」でないこと

履行を終わるとは，贈与者が負担した債務の主要な部分を履行することである（我妻中Ⅰ229頁）。これも広く解されている。不動産については，引渡し（最判昭 31・1・27 民集 10巻1号1頁）又は登記（最判昭 40・3・26 民集 19巻2号 526頁）のいずれかがあれば，履行が終わったことになる。動産については，引渡しがあれば履行が終わったことになる（我妻・前同など通説）。

(c) 解除の意思表示

解除は，その意思表示が必要である（540条1項）。解除できるのは「各当事者」である。受贈者もできるのは，「受贈者においても無理に供与されるということもないから」だと説明される（民法速記録Ⅲ842頁〔穂積発言〕）。年金方

式の贈与において途中で未履行分について受取りを辞退する場合（梅465頁），保有のために手間や費用を要する物の贈与を受ける合意をしたが考え直した場合（笠井＝片山128頁［笠井］〔熊の子の贈与を例示〕）など，受贈者側からの解除もありうる。

(d) 解除に関する総則的規定の適用の有無

550条は，原始規定では「取消スコトヲ得」と規定されていたが，現代語化の際に「撤回することができる」と改められ，今回の改正で「解除をすることができる」と改められた。もっとも，同条は，無償契約における契約の拘束力を緩和するものであり，かつ，それは履行の終わっていない部分のみを対象とする。このため，解除に関する総則的規定の適用も限定される。まず，贈与者が故意過失により目的物を著しく損傷するなどした場合，548条が適用されることはない。目的物はまだ引き渡されておらず，同条の予定する状況とは異なるからである（→第4章第2節6(1)(b)1つ目の◆〔245頁〕）。催告による解除権の消滅（547条）についても，550条の上記の趣旨に鑑み，適用はないと解すべきである。履行済みの部分の原状回復を前提とする545条・546条も適用されることはない。そこで，解除に関する総則的規定で適用されるのは，540条と544条だけだということになる（一問一答264頁以下，森山・改正コメ697頁）。

◆ **書面によらない贈与の解消** 贈与には無償性，情義性，軽率性などの特徴があることから，その成立に慎重を期す立法が多い。フランス民法931条は，生存者間の贈与証書が公証人の面前で作成されることを求め，旧民法財産取得編358条も，原則として公正証書によることを求めた。明治民法では，いちいち公証を求めることは煩わしい，しかし，「当事者ノ反省ヲ促ス」ことや「双方ノ間ノ権利関係ヲ明ニスル」ことの必要があることから（民法速記録Ⅲ841頁〔穂積発言〕），書面によらない贈与は，各当事者が「取消ス」ことができると定められた（明治民法550条）。贈与の上記特徴を考慮し，また，書面により権利関係を明らかにして後日の紛争を防止するため，認められたものである。学説は，この「取消」は，民法総則の取消しとは異なり，「撤回」の意味であると指摘し（柚木＝松川・新版注民(14)44頁，星野102頁など），判例も取消しに関する旧124条・126条は適用されないと判断した（大判大8・6・3民録25輯955頁）。そこで，2004年の現代語化の際，他の規定（407条2項・旧521条1項など）とともに，講学上の「撤回」の意味で用いられている「取消」の語を「撤回」と改め，旧550条も「撤回」とされた（吉田＝筒井・現代語化97頁以下）。ところで，取消しと撤回の違いは，2つの面から説明される[7]。①1つは，取

りやめることについての理由や原因が必要か否かである。取消しは、契約締結時点で未成年や詐欺などの取消原因が存在していたことが必要だが、撤回は、何らの理由も要しないといわれる。②もう1つは、場面及び効果の違いである。取消しは、既に効力を生じている行為を遡及的に消滅させることであり（121条）、撤回は、行為の効力が最終的に確定する前の段階で取りやめて、効力の発生を阻止することであるといわれる。もっとも、贈与の撤回は、有効に成立している契約を失効させるという意味では②と異なっており、「特殊な撤回」であるとの指摘もあった（柚木＝松川・前掲45頁）。しかし、現代語化の際は、書面によらない贈与は、「法律行為の効力がいまだ発生していないもの、あるいは、未確定であるもの」の1つだと考えられたわけである（吉田＝筒井・現代語化98頁）。

　今回の改正では、「撤回」と「解除」との関係が問題となった。上記②との関係で、旧550条を「解除」とすべきだという立法提案（基本方針Ⅳ164頁）もあったが、部会資料は、①に関する分析を進めた。すなわち、民法において、意思表示に瑕疵があることを理由としないで契約の効力を消滅させる行為を意味する語は、旧550条以外では、すべて「解除」の語が用いられていること、また、「撤回」の語は、同条以外では、すべて意思表示の効力を消滅させる意味で用いられていることを指摘し、同条の「撤回」を「解除」とすべきだと述べた（部会資料84-3, 15頁）。その背景には、改正前民法の要物契約が諾成化されたことに伴い新設された目的物受取り前の解除権（587条の2第2項・593条の2・657条の2第1項・2項）と平仄を合わせることもあったと考えられる。

2　債務不履行による解除

　贈与者が履行遅滞にある場合、受贈者は催告のうえ解除できるか（541条）。贈与が片務契約であることから否定する見解も有力だが、受贈者が解除して、代替取引をすることや（特に受贈者が1つしか保有できない状況で、同種の物を他から取得する場合）、金銭による損害賠償を求めることを認めるべきだという肯定説も少なくない。受贈者からの解消の利益がありうることは、550条も前提としている。受贈者の解除を認めてよいだろう（→第4章第2節2, 2つ目の◆〔195頁〕）。

---

7)　平野（5）57頁以下、大村（5）30頁以下、山本36頁、奥田＝池田編31頁［沖野眞已］、林大＝山田卓生編『法律類語難語辞典』（1984）137頁参照。

3 事情の変化のある場合の贈与の解消[8]

(1) 意　義

　書面があり，又は，既に履行されているため，550条によっては解除できない贈与についても，事情が変わったことを理由に解消できないのかが問題となることがある（この項では，取消し・撤回・解除・返還請求を総称して「解消」という）。外国では，受贈者の忘恩行為（フ民955条，ド民530条，DCFR Ⅳ. H. 4.201），贈与後の贈与者の困窮化（ド民528条，DCFR Ⅳ. H. 4.202），贈与時に子供のいなかった贈与者にその後子供が生まれたこと（フ民960条）を理由とする贈与の解消を認める法律・契約原則の例がある。忘恩行為（ingratitude, Undank）とは，受贈者による贈与者に対する生命侵害，虐待，重大な侮辱などであり，日本ではこれに関する議論が多い。明治民法起草者は，忘恩行為による解消を認めることは，贈与が他人に恩を売るためのものであるとみなすことになり不当であるとし，規定を置かなかった（民法速記録Ⅲ 836頁〔穂積発言〕）。また，「忘恩行為」という概念の広汎性に対する批判もある（鈴木332頁。山野目91頁参照）。しかし，「忘恩」という言葉を用いないとしても，受贈者の背信的で重大な非行があるなど，贈与の解消を認めるのが相当と考えられる場合はありうる。どのような場合に，どのような法律構成で解消できるのかが問題となる（夫婦間であれば754条の取消権で対応できるので，それ以外の場合が問題となる）。

(2) 履行前の履行拒絶

　贈与の履行前であれば，履行を拒絶し，あるいは，贈与を解消できるとする見解は多い。①信義則，②事情変更の原則，③権利濫用によって説明される（我妻中Ⅰ 232頁〔②〕，柚木＝松川・新版注民(14) 35頁〔①②〕，奥田＝池田編120頁〔良永和隆〕〔①③〕。来栖241頁参照）。②による解除は，実際上，要件（→第1章第1節4(3)(b)〔44頁〕）の充足はむずかしいだろうが，①又は③により履行拒絶が認められるべき場合はあるだろう。

---

[8]　柚木＝松川・新版注民(14) 34頁以下，基本方針Ⅳ 180頁以下。ドイツにつき，後藤泰一「忘恩行為にもとづく贈与の撤回」民商91巻6号（1985）1頁，小島・前掲注1) 98頁以下，フランスにつき，加藤佳子「忘恩行為による贈与の撤回」名法113号93頁〜122号321頁（1986〜88）。

(3) 履行後の解消

履行後の解消については，次の方法が考えられる。

①契約解釈によって負担又は解除条件の存在を認める方法。その贈与契約は，受贈者が贈与者の世話をするという負担付贈与（553条）だった，あるいは，受贈者に重大な非行があった場合は贈与の効力を失うという解除条件付贈与だったなどと解釈し，負担の不履行による解除又は解除条件の成就による失効を認める方法である（最判昭53・2・17判タ360号143頁〔贈与者である養母を「扶養して，平穏な老後を保障し，円満な養親子関係を維持して，同人から受けた恩愛に背かない義務」という負担の不履行による解除を認めた原判決を支持〕）。

②受遺欠格の規定の類推適用。たとえば受贈者が故意に贈与者を死亡するにいたらせようとし，刑に処せられた場合，965条・891条1号を類推適用して贈与の解消を認める方法である（広中32頁，来栖243頁，鈴木332頁，内田169頁）。さらに，受贈者の有責事由による離婚又は離縁の場合にも，解消を認める見解もある（来栖243頁）。欠格事由の類推適用は可能だが，それにあてはまる場合は限られている。もっとも，類推の範囲を安易に広げることは，贈与契約の効力を弱め，不安定な結果をもたらすおそれがある。

③事情変更の原則による解除などの一般法理の適用。事情変更の原則による解除は，一般論としては可能だが，要件が充足されることは稀だろう（石田110頁は，その弾力的運用を主張する）。また，特殊な事案だが，「出えん行為の目的又はその前提が消滅」したとして不当利得返還請求を認めた例がある（最判平16・11・5民集58巻8号1997頁。目的不到達の法理による返還請求につき，平野142頁以下。前提〔行為基礎〕消滅の理論による解決につき，三宅各上36頁）。なお，信義則による贈与の撤回を認める見解[9]もあるが，事情変更の原則のほかに信義則をここまで広げることには疑義があり，要件も不明確であり，支持しにくい。贈与者に錯誤や詐欺があった場合には，もちろん，それによる解決は可能である。

このように，「忘恩行為」論による一般的規律を設けるのではなく，既存の方法によって解決できるものは解決するという対応が試みられてきたのであり，それが妥当であろう[10]。

---

[9] 加藤永一「履行済みの贈与が撤回される場合があるか」ジュリ増刊・民法の争点Ⅱ（1985）106頁。

◆ **規定の見送り**　今回の改正で，①贈与者の困窮による贈与契約の解除，②受贈者に著しい非行があった場合の贈与契約の解除，の規定を置くことが検討された（中間試案説明 437 頁以下）。しかし，実質的妥当性についての疑義（①），基本的性格についての見解の不一致（②），要件設定の困難さ（①②）により，見送られた（①につき部会資料 75A，35 頁，②につき同 81-3，11 頁）。

第 5 節　各種の贈与

1　負担付贈与

　負担付贈与とは，受贈者も一定の給付をする債務を負担する贈与契約である（553 条・551 条 2 項）。給付は，贈与者に対するものでも，第三者に対するものでもよい。贈与者は受贈者に対し，約束した給付をせよと請求することができる。第三者も請求できるかどうかは，その贈与契約が第三者のためにする契約を含むかどうかによる。

> ● 贈与者が郷里に所有する 5000 万円の建物を受贈者に贈与し，受贈者が次のいずれかの負担をすることを合意した場合，それぞれ負担付贈与である。①贈与者が帰郷するときはその建物の 1 室に無償で宿泊させること。②その建物の 1 室を地元の人々に集会所として利用させること。③地元の小学校に 1000 万円を寄付すること。

　受贈者の負担する債務は，贈与者の債務と対価的意義をもつものではない（対価的意義をもつものであれば，売買又は交換となる）。したがって，負担付贈与は，双務契約ではない。しかし，負担の限度では，贈与者の給付との対価的関係を認めるのが妥当である。そこで，贈与者は，その負担の限度で，売主と同じく担保責任を負う（551 条 2 項）。すなわち，売主の担保責任（562 条〜570 条・572 条）と同様に，受贈者は贈与者に対し，負担の限度で，追完請求権・負担減額請求権・契約解除権・損害賠償請求権を有する。その際，負担の限度

---

10) 潮見 121 頁参照。なお，大村 (5) 193 頁は，ここでの理論構成として，贈与の「目的」（内容としては重要な動機）を措定し，それが失われた場合には贈与はその基礎を失うと考える方向を示す。その基礎づけとして，フランス法の「原因」（cause）の概念を参照する（大村・前掲第 1 章注 60) 92 頁以下参照）。魅力的な方向であるが，2016 年の改正でフランス民法典が少なくとも用語としては放棄したコーズの概念を，旧民法から明治民法に移る段階でこれを放棄した日本民法に，現時点で再び持ち込んでも，必ずしも安定的な紛争解決をもたらすことにはならないおそれがある。この提言は，無償契約の構造の理解に資する 1 つの視点として位置づけることができるだろう。

では，551条1項の推定はされない。

◆ **受贈者の負担減額請求権**　贈与者が負担の限度で責任を負うとは，受贈者が負担の履行によって損失を被ることのないようにする，という意味である。そこで，減額請求の場合，負担限度額が減額される。AがBに5000万円の建物を与え，BがCに1000万円を与えるというAB間の負担付贈与で，建物に瑕疵があり，800万円の価値しかないと判明した場合，Bの負担は800万円に減額される（既にCに1000万円払っていれば，Aに対し200万円の返還を請求できる）。しかし，建物の価値が2000万円と判明した場合は，Bの負担は減額されない（563条とは異なり，割合的に減額されるわけではない。我妻中Ⅰ234頁，潮見122頁，潮見新各Ⅰ70頁，一問一答267頁。梅469頁参照）。

　負担付贈与には，贈与の節の規定が準用される。書面によらない贈与の解除（550条）も可能である。ただし，受贈者が負担を履行した後は，その期待は保護に値するので，もはや贈与者は解除できなくなると解すべきである（広中38頁，星野108頁など。潮見新各Ⅰ72頁以下参照）。贈与者の引渡義務（551条1項）も準用される（潮見123頁）。

　負担付贈与については，贈与の節の規定のほか，「その性質に反しない限り，双務契約に関する規定を準用する」（553条）。同時履行の抗弁と危険負担がその主なものである。

◆ **負担付贈与と双務契約に関する規定**　同時履行の抗弁（533条）の準用については，肯定説が多いが，否定説（我妻中Ⅰ235頁）もある。「準用」か，それとも，双務契約上の債務相互間ではないが公平の観点から同時履行関係を認めるか（→第3章第2節4⑴〔157頁〕）という問題であるにすぎない。同時履行関係か先履行関係かは，多くの場合，合意の解釈によって定まる（潮見新各Ⅰ69頁参照）。
　危険負担については，①贈与者の債務の履行の不能（たとえば建物の贈与と受贈者が金銭を第三者に支払う負担の場合）と，②受贈者の負担の履行の不能（たとえば金銭の贈与と受贈者が動産を第三者に与える負担の場合）が問題となる（改正前民法のもとの議論については，本書初版278頁参照）。①では受贈者に，②では贈与者に，それぞれ履行拒絶権が認められるという536条1項の帰結に不都合はなく，これを準用しても差し支えない。②については，契約解釈により，受贈者が他の負担を負うことにより贈与者が債務を履行すべき場合はありえよう（他の構成につき，潮見新各Ⅰ70頁参照）。
　債務不履行による解除は，双務契約についてしか認められないという立場では，553条による541条以下の準用により，認められることになる（星野70頁・107頁）。

受贈者の負担は「債務」ではないという立場でも，同様である。受贈者の負担は債務であり，片務契約でも解除は認められると考える立場（本書）では，本条を待つまでもないことになる。いずれにせよ，受贈者の負担不履行による贈与者の解除は，認められる（最判昭53・2・17前掲参照）。

◆ **負担付贈与の性質**　553条の原始規定では，双務契約に関する規定を「適用ス」となっており，明治民法の起草者の1人は，ここからも負担付贈与が双務・有償契約であることは明らかであると述べた（梅470頁以下）。しかし，後の学説は，贈与者の債務と受贈者の負担が対価的関係にないことから，これは片務契約であり，同条の末尾は「準用」の意味に解すべきだと指摘した（末弘330頁・336頁，鳩山上553頁，我妻中Ⅰ235頁，柚木＝松川・新版注民（14）66頁など）。そこで，現代語化の際，「準用する」と改められた。他方，有償契約か無償契約かは，無償契約というものが多いが（末弘331頁，鳩山上270頁。柚木＝松川・前掲62頁は通説だという），なお有償的性質も考慮すべきだというものも少なくない（柚木＝松川・前掲63頁，来栖245頁，星野107頁）。形式的には，現代語化された553条が贈与の節の規定も「準用する」ので，純然たる無償ではないことは，その際に考慮することができるだろう。

2　定期贈与

「定期の給付を目的とする贈与」を定期贈与という。たとえば，毎月末に一定額の金銭を与えるという贈与である。定期贈与は，贈与者又は受贈者が死亡すれば，効力を失う（552条）。これは当事者の通常の意思を推測したものである。

◆ **定期贈与と期間の定め**　上記の推測は，特に終期の定めのない定期贈与において妥当する（民法修正案理由書531頁）。当事者双方が生存中は給付するが，一方が死亡した場合，相続人にまで承継させるつもりはないのが通常だからである。もっとも，期間の定めのある場合に，552条が適用されないわけではない（大判大6・11・5民録23輯1737頁〔10年間，毎年200円を8月と12月に贈与する契約で，4年目に贈与者が死亡した場合に，同条の適用を認めた〕）。この場合，同条の適用を認めたうえで，贈与の目的，期間を定めた趣旨，贈与の全体量の定めの存在（分割給付）などの事情により，反対の特約の存在を認定できる場合があるだろう（民法速記録Ⅲ852頁～853頁〔横田國臣・穂積陳重発言〕，我妻中Ⅰ236頁，広中40頁，山本351頁参照）。

3　死因贈与

「贈与者の死亡によって効力を生ずる贈与」を死因贈与という。死因贈与に

は，その性質に反しない限り，遺贈に関する規定が準用される（554条）。死因贈与は，一般の贈与と同様，贈与者と受贈者との契約である。他方，遺贈は，遺言者の遺言という単独行為によってされる処分である（964条）。このように死因贈与と遺贈は法的性質が異なるが，贈与者の死亡によって効力が生じること（554条・985条1項），法定相続人が相続することが期待された財産を被相続人の意思によって減少させる実質があること（生前贈与なら贈与者自身の財産を減少させる。来栖226頁参照）が共通する。そこで，遺贈の規定がどこまで準用されるかが問題となる。

まず，遺言は一定の方式に従ってされなければ無効だが（960条），贈与にはそのような制限はない（契約の方式の自由。522条2項参照）。ここでは死因贈与の契約としての性質が優先し，遺言の方式に関する規定は準用されない（最判昭32・5・21民集11巻5号732頁，我妻中Ⅰ237頁など通説。反対，来栖228頁）。

最も問題となるのは遺言の撤回に関する規定（1022条～1026条）である。死因贈与は，通常，書面でされるので（そうでないと証明が困難である），550条による解除はできない。他方，遺言は，遺言の方式に従ってする限り，いつでも撤回できる（1022条）。これは，できるだけ死に近い時点での遺言者の最終意思を尊重しようという考え方によるものである。判例は，「遺贈と同様，贈与者の最終意思を尊重し」，1022条が遺言の方式に関する部分を除いて準用されるとした（最判昭47・5・25民集26巻4号805頁）。契約の相手方である受贈者の条件付権利を尊重すべきだという準用否定説に対し，死因贈与がされる実態をも考慮したものである（柴田保幸『最判解民昭47』94頁）。ただし，負担付きの死因贈与契約が締結され，受贈者が贈与者の生前に負担を履行した場合にまで，撤回を認めるのは適当でないことが多い。判例は，そのような場合は，撤回がやむを得ないと認められる特段の事情のない限り，1022条・1023条は準用されず，死因贈与の撤回はできないとする（最判昭57・4・30民集36巻4号763頁，百選Ⅲ86［鹿野菜穂子］。当時は「取消」と表現された）。

◇ **遺贈のその他の規定の準用** 　遺言能力に関する規定（961条・962条）は，契約である死因贈与には準用されない。遺贈の放棄及び承認に関する規定（986条～989条）は，既に成立した契約である死因贈与には準用の余地がない（以上，我妻中Ⅰ237頁，柚木＝松川・新版注民（14）71頁以下など通説。ただし，遺言能力につき，伊藤昌司『相続法』〔2002〕128頁以下参照）。

これに対し、遺言の効力に関する規定は準用されるといわれるが（我妻中Ⅰ236頁）、個別的に検討する必要がある（柚木＝松川・前同、山本359頁）。たとえば、贈与者の死亡前に受遺者が死亡した場合、遺贈の失効に関する規定（994条）が準用されるか（我妻中Ⅰ237頁）、否か（柚木＝松川・前掲70頁）が問題となる。これは、死因贈与契約の趣旨によると解すべきである。

◆ **遺留分侵害額の負担の順序における位置づけ**　死因贈与を生前贈与と遺贈のどちらに近づけて考えるかは、遺留分侵害額の負担の順序（1047条1項）においても問題となる。2018年相続法改正の際、死因贈与の位置づけの明文化も検討されたが、見送られた（堂薗幹一郎＝野口宣大『一問一答　新しい相続法〔第2版〕』〔2020〕152頁）。同改正前の遺留分減殺の順序（旧1033条・旧1035条）に関する裁判例（東京高判平12・3・8判時1753号57頁、百選Ⅲ98［足立公志朗］）の示した、死因贈与を贈与のなかで最も新しいものとする位置づけ（最終贈与説）は、現行民法のもとでも適切なものであると考える（百選Ⅲ〔初版〕97［中田］参照）。

第7章 売　　買

第1節　意　義

1　売買の普遍性と多様性

売買とは，当事者の一方がある財産権を相手方に移転することを約束し，相手方がその代金を支払うことを約束する契約である（555条）。諾成・双務・有償契約である。

売買は，典型契約のなかでも最も重要な契約の1つである。歴史的にも，世界的にも，広く存在する[1]。売買は普遍的な取引であり，売買に関する法も古くから各国に存在する。

売買の社会的実態は極めて多様である。まず，目的物の種類や価値が多様である。たとえば，動産の売買と不動産の売買とでは，取引の仕方も紛争の種類もかなり異なる。次に，当事者の属性や立場も多様である。企業間の売買と企業・消費者間の売買とでは，現れる問題の性質はかなり異なる。第3に，取引形態も多様である。日常生活では現実売買が多いが，法的により重要なのは，合意とその履行との間に時間的間隔のある売買である。そのなかでも，目的物の引渡しが先行するもの，代金の支払が先行するもの，両者が同時に履行されるものがある。単発の売買と継続的売買とでも，紛争の実質やその解決方法が異なりうる。電子取引による売買，国際的売買においては，それぞれ特有の問題がある。

1）　売買の起源につき，我妻中 I 239頁以下，来栖13頁以下，諾成契約としての売買の起源につき，原田・ローマ法182頁，広中俊雄『契約とその法的保護〔増補版〕』(1987) 161頁〔初出1953〕。売買の社会学的考察（特に物々交換起源仮説と互酬的贈与起源仮説の対比）として，Carbonnier (J.), *Flexible droit*, 8e éd., 1995, p. 317-330.

第7章 売　買

●　目的物の引渡しが先行する売買は，企業間取引では通常である。まず納品がされ，その翌月末日に前月納品分の代金をまとめて支払うなどである。個人がする「つけ」での売買もそうである。代金支払が先行する売買は，たとえば，家電量販店で大型家電を買い，店頭で代金を支払って，後日配達してもらう場合である。合意の後に双方同時に履行されるのは，たとえば，書店で在庫がない書籍を注文し，書籍が届いたところで店頭で引渡しと支払がされる場合である（この場合も売買契約は注文の段階で成立している）。不動産売買では，合意の後に，登記・引渡しと代金支払とが引換えにされることが少なくない。

◆　**現実売買**　　現実売買とは，先行する売買契約の履行としてではなく，その場で物が引き渡され，現金が支払われることによってされる売買である。店で品物を現金で買うなど日常的に行われる。他方，少し重要な取引においては，合意と履行の間に時間的間隔があるのが通常である。そこでは紛争が発生しがちであり，それに関する規律が発達する。このため，法律上は，合意と履行の間に時間的間隔のある諾成契約たる売買がモデルとなり，現実売買は周辺的なものとなる。

　そこで，現実売買は民法上の売買なのかという議論が生じる（契約概念との関係もある→第1章第1節1(2)(b)〔20頁〕・(3)◆〔21頁〕）。①現実売買は，歴史的には諾成契約たる売買が発達する前の段階のものだから，民法上の売買とは異なるという見方があるが，これに対しては，民法の売買の制度を前提にしつつ，現実売買も同様に取り扱ってよいといわれる（我妻中Ⅰ240頁）。②現実売買は債権契約か（末弘349頁以下），否か（鳩山上287頁）という議論があるが，物権行為の独自性を否定する見解が一般的になり，1個の契約から債権的効果と物権的効果の両方が生じるという見解（我妻中Ⅰ246頁以下参照）が有力となっているうえ，非債権契約説も売主の担保責任は有償契約たる現物売買にも準用されるというので違いは少なく，議論は下火になっている。③こうして，ⓐ現実売買にも民法の売買の節の規定の多くが適用されるから売買と解してよいというか（星野112頁），ⓑ適用の余地のない規定（573条など）もあるので，民法の想定する売買そのものではないというのか（内田113頁）という程度の違いになっている。現実売買においても，契約上の債務が発生し，不完全な給付をした売主は，売主としての責任を負うと考えるのが多数であり，妥当である。あとは説明の仕方だが，①②も考えると③ⓐでよいのではないか。つまり，現実売買は，成立し直ちに双方の債務が履行される売買契約である，ということができる。

　このように売買は普遍的であると同時に多様である。そこで，一方で，多様な売買に共通し，その核心となる売買の本質は何かを探求しなければならない。他方で，多様な売買に応じた個別ルールが必要になる。売買をめぐる現実の問

題を解決するためには，民法の売買の節の規定だけでは足りない。各種の制定法及び判例とともに（→2⑴），わが国の「生きた法」を知る必要がある（→2⑵）。

2 売買を規律する法
⑴ 制定法と判例

パンデクテン体系をとる日本民法においては，売買契約については，売買の節だけでなく，契約に関する契約総則，債権に関する債権総則，法律行為に関する民法総則の適用を受けることはいうまでもない。また，たとえば契約の主体については民法総則の人の規定，財産権の移転については物権編の物権変動の規定も参照する必要がある。実際に売買契約を締結し，履行する過程では，様々な法律がかかわることになる（不動産登記，租税，代金支払方法などに関する諸法）。

さらに，各領域における売買について規律する法律がある。広い領域のものでは，消費者取引に関する消費者契約法をはじめとする諸法（特定商取引法，割賦販売法など），商事売買に関する商法（商524条～528条），国際取引につき日本でも効力のある国際物品売買契約に関する国際連合条約（→第1章第2節3⑴〔60頁〕）がある。個別的なものでは，一定の事業者（水道事業者〔水道15条〕，宅地建物取引業者〔宅建業38条～40条など〕，金融商品販売業者〔金融サービス4条～10条。2021年11月1日施行。以下同じ〕など），又は，一定の目的物（農地〔農地3条・5条〕，新築住宅〔住宅品質95条〕，食品〔食品衛生5条～14条〕，医薬品〔医薬24条〕，酒類〔酒税9条〕，麻薬〔麻薬24条〕など）を対象とするものがある。

判例も，たとえば売主の担保責任について，多くの判断を示してきた。

⑵ 日本の「生きた法」

社会では様々な業種があり，それぞれの業界において特有の取引慣行や取引上の社会通念がある。そこで問題が生じても，法律はもとより，当事者間の契約書さえも参照せずに，業界内の不文のルールに従って柔軟に解決されることがある。特に，同じ当事者間で売買が継続的にされる場合はそうである。このような契約の実態と契約観が「生きた法」として注目される。それは，裁判例では，信義則などを介して取り入れられることもある。その法的位置づけにつ

いては議論があるが，契約上の紛争とその解決の現実を知るためには，これらを無視することはできない（→第1章第1節6(1)(c)〔55頁〕）。売買は，このような契約の代表的なものとして，しばしば検討対象とされてきた[2]。

(3) 民法の売買の節の規定

これらの諸法のなかで，民法の売買の節（555条以下）は，売買に関する問題の一部分を規律しているにすぎない。しかも，そこで想定される売買は，目的物や当事者の性質はおおむね捨象された，合意と履行との間に時間的間隔がある，単発的売買である。しかし，このようにモデル化されたものであるだけに，そこでは売買という契約の本質が示され，置かれる規律は基本的なものとなる。そして，基本的であるがゆえに，有償契約一般に通じるものが多く，他の有償契約に準用されることになる（559条）。こうして，売買の節は売買法の一部を規律するにすぎないが，その規律は基本的で重要なものであり，有償契約の代表的なものでもあることになる。

第2節　売買の成立

1　諾成契約

売買は，「ある財産権を相手方に移転すること」と「その代金を支払うこと」の合意のみで成立する（555条）。目的物が何であるかを問わない。もっとも，不動産売買においては，裁判実務上，契約書の作成と手付金等の金銭の授受がないと，契約の成立が認められないと指摘されている（→第2章第4節2(1)(b)(ii)〔111頁〕）。

2　財産権の移転

「財産権」とは，財産上の権利である。動産や不動産の所有権，地上権などの物権，債権（569条参照），特許権や著作権などの無体財産権などを含む広い

---

[2]　売買などの契約の実態を調査し検討するものとして，北川・前掲第1章注49)①②，来栖13頁以下，星野英一ほか「座談会・代理店・特約店取引の研究」NBL138号6頁～163号20頁（1977～78）〔中田「書評」NBL1000号（2013）29頁〕，星野・前掲第1章注4)②・注50)②，江頭・商取引1頁以下，内田・前掲第1章注7)43頁以下。継続的売買については，中田・解消。

概念である。特定物でも不特定物でもよい。他人の権利でもよい（561条参照）。将来取得し又は将来発生する財産権でもよい。物（有体物）又は権利といえない財産的価値の有償譲渡については，その有償契約の性質が許さない場合を除き，売買の規定が準用される（559条）。金銭は，物質としての通貨（記念硬貨，珍しい番号の紙幣など）は別として，除外すべきであろう（→第8章1つ目の◆〔347頁〕）。人間は，もちろん財産権ではない（かつては奴隷は物として取り扱われた。能見善久「人の権利能力」平井宜雄古稀『民法学における法と政策』〔2007〕69頁）。譲渡が禁じられている物や権利を目的とする契約は，強行規定違反又は公序良俗違反として無効になることがある（偽造通貨〔通貨模造1条〕，臓器〔臓器移植11条〕など）。

「移転」には，自分の土地に設定する地上権を売るなどの設定的移転も含まれる（我妻中Ⅰ246頁）。

> ◆「財産権」　法典調査会では，贈与の対象は「自己ノ財産」であるが，売買では他人物や不特定物も対象となりうるのでこれを「或権利」と表したと説明され（民法速記録Ⅲ870頁〔梅謙次郎発言〕），政府が第9回帝国議会に提出した民法中修正案でも「或権利」を相手方に移転することとされていた。しかし，衆議院において，「選挙権でも何んでも売れる」ことになってはいけない，すべての権利ではなく財産権でなければならないという理由で，「或財産権」と修正された（大日本帝国議会誌刊行会編『大日本帝国議会誌第3巻』〔1927〕1843頁〔明治29年3月16日衆議院議事録，星亨発言〕）。その後の学説は，「財産権」の要件により，財産上の権利ではない身分権を除くとともに，財産的価値があっても権利ではない業務上の秘密や営業上の顧客を除くとし（末弘352頁・355頁，鳩山上281頁・283頁），これが今日にいたっている（柚木馨＝高木多喜男・新版注民（14）146頁）。

3　代金の支払

「代金」は，反対給付たる金銭である。対価が金銭以外の物である場合は，売買ではなく交換（586条）となる。合意により，代金額が確定し，又は，確定しうるものであることが必要である（→第2章第3節2(1)〔102頁〕，第3節3(1)(a)〔336頁〕）[3]。

---

[3] フランスでは，売買においては代金額決定の要件が厳格であり（フ民1591条），緩和されつつはあるが，なお根強い（フ民〔2016年改正後〕1163条～1165条参照）。中田「売買契約——売買の多様性とその本質」北村編・前掲第1章注10）376頁参照。

4 契約成立過程

売買契約の成立過程については、売買の一方の予約（556条）及び手付（557条）に関する規定がある。これらについては、契約成立過程に関する規律として既に説明した（→第2章第4節2(2)(b)〔116頁〕・(c)〔118頁〕）。

5 売買の費用

売買の節の総則には、売買契約に関する費用についての規定がある（558条）。売買の成立だけにかかわるものではないが、ここで取り上げておく。

売買契約を締結し、履行するために費用を要することがある。たとえば、土地の売買においては、土地の実測・境界確定費用、契約書に貼付する印紙代、所有権移転登記手続費用、司法書士報酬、仲介業者報酬などがある。関連する規定は2つある。485条は「弁済の費用」は「債務者の負担とする」と定め、558条は「売買契約に関する費用」は「当事者双方が等しい割合で負担する」と定める。両条は、一般規定と特別規定の関係にあるのではなく、対象が異なるものであり、具体的な費用がどちらに入るのか問題となる。

> ◆ **費用の例**　不動産売買における所有権移転登記手続費用について議論がある。古い判例で、登記費用は旧579条の「契約の費用」に入るとするものがある（大判大7・11・1民録24輯2103頁）。登記は権利移転の第三者対抗要件を完備させ、契約を確実にするのに欠かせない手続だからという理由である。学説では、折半説（558条説）、売主負担説（485条説。契約の履行行為だから、債務者である売主が負担）、買主負担説（買主が自己の権利を確保するためのものであり、慣習も多いから）がある（各説につき、柚木＝高木・新版注民(14)186頁）。実際には、この費用は買主が負担することが一般的である（売主負担とすると、売主はその分を売買代金額に上乗せすることになり、そうすると売買代金額が増加し、その結果、代金額に応じて支払うべき仲介業者に対する報酬額なども増えることになる。そこで、最初から買主負担とする）。なお、契約書に貼付する印紙代はその契約書を保管する人が負担し、仲介業者への報酬は各自が支払うことが多い。

第3節　売買の効力

1 概　観

売買契約が成立すると、売主には財産権を移転する債務が、買主には代金を

支払う債務が発生する（555条）。民法の売買の節の「第2款　売買の効力」は，それらに関する規律を定める。560条から572条までは，売主の義務や責任に関する規律であり，573条から578条までは，代金に関連する規律である。

2　売主の義務
(1)　概　　観

売主は，財産権を移転する債務を負う。財産権移転義務である。売主がこの義務を果たさないときは，買主は売主に対し，履行を請求したり，債務不履行による損害賠償請求や解除をすることができる。債務不履行については，一般的な規定（412条～422条の2・541条～543条）が適用される。

売主が買主に，売買の目的物を引き渡せば，あるいは，売買の目的である権利を移転すれば，債務を履行したことになるはずだが，引き渡された物や移転された権利が契約の内容に適合していなかった場合は，売主は，なお債務不履行責任を負う（契約不適合責任）。売買においては，このようなトラブルが少なくない。民法は，この場合について，詳しい規定を置く（562条～572条）。民法は，この責任を担保責任と呼んでいるが（565条・566条・568条・569条・572条の各条見出し。572条の「担保の責任」も同じ），特殊な責任というわけではなく，債務不履行責任の一種である。

改正前民法のもとでは，担保責任の性質について，見解の対立があった。それは売主の契約上の債務とは別に法律が特に定めた責任（法定責任）なのか，売主の債務の不履行による責任（債務不履行責任，契約責任）なのかという対立である。特に目的物にキズがある場合の売主の瑕疵担保責任（旧570条）の性質をめぐって，長年にわたる議論があった。現行民法は，売主の担保責任全体を通じて債務不履行責任であることを前提にして，規定を構成している。

このように，財産権移転義務も担保責任も，売主の契約上の債務に関するものであるが，前者が本来の履行請求権に対応する義務であるのに対し，後者は不完全な履行がされた場合についての規律である（履行請求権と追完請求権の関係については，中田・債総93頁参照）。

以下では，まず，財産権移転義務の具体的内容を説明し（→(2)），次に，担保責任の規律を説明する（→(3)）。

(2) 財産権移転義務

(a) 具体的内容

(i) 概観　　財産権移転義務とは,「ある財産権を相手方に移転する」義務(555条)である。売主は,買主がその財産権の新たな完全な権利者になるようにする義務を負う。これを,権利を移転する義務((ii)),権利の移転に必要な行為をする義務((iii)),対抗要件を具備させる義務((iv)),引渡しをする義務((v)),に分けて検討する。なお,売主の2大義務として財産権移転義務と引渡義務を並立させる法制もあるが,555条は,財産権移転義務のみを規定し,引渡義務はこれに含まれるという構成をとっている(柚木=高木・新版注民 (14) 189頁)。

(ii) 権利を移転する義務

　α　売主に属する権利の売買　　売主に属する権利の売買の代表的なものは,売主の所有する特定物の売買である。この場合,売買契約があれば,それとは別の行為がなくても,その所有権が移転する(176条)というのが一般的な考え方である(物権行為独自性否定説)。売買契約時に所有権が移転するのであれば,改めて権利移転義務を考える必要はなさそうでもある。しかし,所有権移転時期については契約時よりも後(たとえば代金支払時)になるという考え方も有力であるし,特約があれば契約時よりも後になることは当然である。そうすると,少なくともそれまでの間は権利移転義務を観念することができる。また,(iii)・(iv)の義務の基礎には,権利移転義務があると考えられる。担保責任の前提としても,同義務があると考えるべきである(565条は,移転した権利の一部が他人に属する場合について,このことを示している)。

　売買の目的となる権利に従たる権利があるときは,その権利も移転しなければならない。たとえば,借地上の建物の売買の場合,売主は原則として敷地の借地権も譲渡したものと解され,それを移転する義務を負う(最判昭47・3・9民集26巻2号213頁。したがって,売主は地主の承諾を得る義務を負う→(iii))。

　以上は,売主に属するその他の権利(所有権以外の物権,債権,無体財産権など)の売買についても同様である。

　β　不特定物の売買　　売買の対象が不特定物である場合は,売主は特定のために必要なことをして(401条2項),権利を移転しなければならない。その前提として,売主の手元にない物である場合には,それを調達する義務を負う。

γ　他人に属する権利の売買　　売買の目的が他人の権利である場合，売主はその権利を取得して，買主に移転する義務を負う（561条。「権利」が所有権であるとき，他人物売買ともいう）。売主がその権利を取得した場合，その権利は買主に移転することになる。売主がその権利を取得して，買主に移転することができない場合，売主は買主に対し，債務不履行責任を負う（415条・541条・542条）。

このことは売買の目的である権利の一部が他人に属する場合についても同様である（561条括弧書）。売主は，当該一部を取得して，買主に移転する義務を負い，これができない場合，債務不履行責任を負う。売主が買主に売買の目的である権利を移転したが，その一部が他人に属していた場合，売主が当該一部を移転しないときは，売主は担保責任を負う（565条→(3)(c)(ⅰ)〔313頁〕）。

以上は，他人に属するその他の権利の売買についても同様である。

◆ **他人物売買の有効性**　　フランス民法は，他人の物の売買は無効であると規定する（フ民1599条）。売買は，目的物の所有権を即時に移転するものでなければいけないが，他人物売買だと，それができないからだという（中田・前掲注3）387頁以下）。その影響のもと，旧民法も，他人物売買は原則として無効であるとしていた（財産取得編42条1項）。明治民法の起草者は，これを改め，ベルギー民法草案と同様に，また，ドイツ民法草案などを参照して，他人物売買が有効であることを前提とする規律を設けた（民法速記録Ⅲ 899頁以下〔梅発言〕，民法修正案理由書541頁以下）。もちろん，有効といっても，売買によって他人の物の所有権が移転するわけではないし，真の所有者が何らかの義務を負うわけでもない。売主が561条の義務を負うだけである。

◆ **改正の経緯**　　旧560条は，他人の権利の売主は，その権利を取得して買主に移転する義務を負うと定めていた。また，売主が売却した権利を取得して買主に移転することができない場合について，旧561条は，買主の契約の解除及び損害賠償請求を認めつつ，買主が悪意であったときは損害賠償請求はできないと定め，旧562条は，善意の売主の解除権を規定していた。さらに，権利の一部が他人に属する場合について，旧563条が買主の代金減額請求権・解除権・損害賠償請求権を規定し，旧564条はその期間制限を定めていた。改正前民法は，旧560条〜旧564条を売主の担保責任を構成するものとしていた（旧572条）。このうち，旧561条による担保責任と債務不履行責任の関係（特に，悪意の買主の損害賠償請求の可否〔最判昭41・9・8民集20巻7号1325頁は，売主に帰責事由があれば，買主は悪意でも損害賠償を請求できるとした〕），及び，売主の担保責任の法的性質について議論があった。なお，旧562条

は，売主の担保責任ではないと理解されていた（本書初版 293 頁以下参照）。

部会では，権利の全部が他人に属する場合に売主がこれを取得して買主に移転しないことも担保責任に含める方向で検討されていたが，担保責任は不完全な履行がされた場合についての規律であり，全く履行されていない場合（目的物の引渡しのないこと，権利の移転のないこと）は単純な不履行として債務不履行の一般則が適用されるべきであるとされ，最終段階で除外された（部会資料 84-3，第 30，6）。こうして，権利の全部が他人に属する場合にこれを移転しないことは，担保責任から除外すること（565 条括弧書参照），権利の一部が他人に属する場合にこれを移転しないことは，権利の契約不適合の一態様とすること（565 条括弧書）とされた。

◆ **他人物売買と相続** 他人物売買が生じる例として，家族の所有する物の無断売却がある。ここで相続が生じることがある。たとえば，父 A が子 B の所有する甲土地を B に無断で C に売った後，A が死亡し，B が A を相続した場合である。B は，他人物の売主である A の負担していた履行義務（561 条。旧 560 条）を相続するので，甲土地の所有権を C に移転しなければならなくなるのか。判例は，次のように述べ，B が拒否できるとした。「権利者は，相続によって売主の義務ないし地位を承継しても，相続前と同様その権利の移転につき諾否の自由を保有し，信義則に反すると認められるような特別の事情のないかぎり，右売買契約上の売主としての履行義務を拒否することができる」（最大判昭 49・9・4 民集 28 巻 6 号 1169 頁〔妻が夫の不動産についてした代物弁済予約が実行された後に死亡し，夫が相続した例〕，星野英一「判批」法協 93 巻 3 号〔1976〕115 頁）。B は，甲土地の所有権移転の諾否の自由を A の履行義務を相続したからといって失うものではなく，そう解しても，C はもともと B が拒否すれば所有権を取得できなかったのだから不測の不利益を受けるわけでもないからである。もっとも，C は B に対し損害賠償は請求できる（415 条）。目的物の所有権は動かさず，損害賠償で調整することになる。本人が無権代理人を相続した場合にも共通する問題がある（最判昭 37・4・20 民集 16 巻 4 号 955 頁，百選 I 35〔前田陽一〕参照）。

(iii) **権利の移転に必要な行為をする義務** (ii)の義務の系（コロラリー）であるが，権利の移転のために何らかの行為が必要である場合には，売主は，その行為をしなければならない。①そもそも，売主の行為が権利移転の要件である場合がある。指図証券の売買における裏書と交付（520 条の 2），株券発行会社の株式の売買における株券の交付（会社 128 条 1 項本文），電子記録債権の売買における譲渡記録（電子債権 17 条）などである。②第三者の行為が必要な場合は，売主はその行為が得られるようにしなければならない。たとえば，農地の売買は農業委員会の許可がなければ効力を生じないので（農地 3 条 1 項・7

項),売主は,許可申請手続に協力する義務を負う。また,賃借権の売買においては,賃貸人の承諾なく賃借権が譲渡されると,賃貸人は賃貸借契約を解除することができるので(612条),売主は,賃貸人の承諾を得る義務を負う(最判昭 34・9・17 民集 13 巻 11 号 1412 頁)。

(iv) 対抗要件を具備させる義務　売主は,買主に対し,権利の移転についての対抗要件を備えさせる義務を負う(560条)。不動産の売買なら登記である(177条。大判大 9・11・22 民録 26 輯 1856 頁)。動産の売買なら引渡しだが(178条。動産債権譲渡特 3 条 1 項参照),自動車のように登録が対抗要件であるもの(車両 5 条 1 項)もある。債権の売買なら確定日付のある証書による譲渡通知である(467条。動産債権譲渡特 4 条 1 項参照)。

(v) 引渡しをする義務　売主は,買主に目的物を引き渡す義務を負う。動産については,引渡しは(iv)の義務でもある。従物(87条2項)がある場合には,これも引き渡さなければならない。その財産権の存在・価値等を証明する書類(絵画の鑑定書,犬の血統書など)は,売買契約の解釈により,又は,従物として,引き渡さなければならないことが多いだろう(我妻中 I 268 頁参照)。

(b) 果　　実

売買の目的物が引渡し前に果実を生じたときは,その果実は売主に帰属する(575条1項)。果実収取権については89条が原則を定めるが,売買の目的物については,この特則により,目的物の引渡し時に果実収取権が移転することになる。

> ● 鶏の売買契約をした後,引渡し前に,その鶏が卵を産んだ場合,その卵は売主に帰属する(天然果実)。賃借人が入居している状態の貸ビルの売買契約においては,賃料はビルの引渡し前の分は売主に帰属し,引渡し後の分は買主に帰属する(法定果実)。

この規律は,代金の利息に関する規律と対応している。すなわち,買主は,引渡しの日から代金の利息を支払う義務を負う(575条2項本文)。こうして,売買契約成立時から引渡しまでの間は,売主は果実を取得できるが,買主は利息を支払う必要はなく,引渡し後は,売主は果実を取得できないが,買主は利息を支払わなければならない。このように引渡しの前後で果実の帰属と利息の支払との組み合わせを転換することにより,簡潔かつ公平な解決を図っている。

● 仮に果実と利息を厳密に清算するとすれば複雑になる。引渡し前についていうと，売主は，それまでに取得した果実の価値に目的物を使用したことによる利益を加算し，そこから目的物の管理・保存に要した費用を控除した額を計算し，買主はそれまでに支払うべき利息を計算して，両者の間で清算すべきことになる。

判例は，これらの規律から次の結論を導く。①引渡しがあるまでは相互に決済されているのだから，売主は引渡しを遅滞している場合であっても，現実に引渡しをするまでは，果実を取得できる（大連判大13・9・24民集3巻440頁，鳩山秀夫『判民大13』396頁，百選Ⅱ〔5版〕55［池田恒男］）。②しかし，買主が既に代金を支払ったのに，売主が目的物を引き渡さない場合は，売主は果実を取得できない。さもないと，売主は受け取った代金の利用と果実の取得との二重の利益を得ることになり公平に反するからである（大判昭7・3・3民集11巻274頁，末弘嚴太郎『判民昭7』85頁）。

◆ **果実と利息**　判例は，①に加えて，①' 売主が目的物の引渡しを提供したのに買主が代金を支払わず遅滞に陥った場合であっても，現実に引渡しがあるまでは，買主は利息を支払わないでよいという（大判大4・12・21民録21輯2135頁）。これらに対しては，公平に反することがあるという批判がある。すなわち，①によれば，果実が価値の高いものである場合，売主は引渡しを遅滞することによってその間の果実を取得できることになるし，①' によれば，目的物から果実が生じないような場合，買主は代金の支払を遅滞した方が得をする。たしかに，引渡し時を基準として，果実，使用利益，管理保存費用，利息を一括解決する規律は，簡潔だが，公平が後退する場面もある。

そこで，次の調整が考えられる。第1に，民法自体，代金支払期限が引渡し後に定められているときは，引渡しがあっても，期限到来までは利息を支払う必要がないと規定する（575条2項但書）。第2に，575条は任意規定であり，果実と利息の規律に関する合意があれば，それによることになるので，契約の解釈によって適切な規律を導くことができる。不動産売買においては，引渡し前に移転登記がされる場合には，登記時に果実収取権が移転するというのが当事者の通常の意思であろう（星野125頁参照）。また，受胎した馬の売買で引渡し前に仔が生まれたとしても，その仔は買主に帰属するという合意を認めることがあるだろう（内田123頁）。第3に，履行の提供をして相手方の同時履行の抗弁をなくしたうえ，履行遅滞による損害賠償を請求することによる解決が考えられる。買主の代金支払義務の遅滞については，575条2項にいう「利息」の性質（山本319頁以下参照）いかんにかかわらず，それとは別の売主の損害（419条1項）を認めることは困難であろう。これに対し，

第3節　売買の効力

売主の目的物引渡義務の遅滞については，買主に果実以外の損害が発生することはありうる。その賠償請求を認めるべきか（鳩山・前掲401頁以下），否か（柚木＝高木・新版注民（14）420頁）は，575条の効力をどう考えるかにもよる。難問だが，一般原則による損害賠償請求を認める余地はあるのではないか。第4に，買主は，代金を支払えば果実収取権を得ることになる（上記②。売主が引渡しをすれば代金の利息を得るのは，575条2項自体による）。

(3)　担保責任

(a)　概　　観

(ⅰ)　担保責任の内容　　売主が買主に目的物を引き渡し，又は，権利を移転したが，それが契約の内容に適合しない場合，売主は担保責任を負う。民法は，まず，目的物の契約不適合について規定し（562条〜564条），これを権利の契約不適合に準用する（565条）。物の契約不適合とは「引き渡された目的物が種類，品質又は数量に関して契約の内容に適合しないものであるとき」である（562条1項）。たとえば，家を買ったら雨漏りがするという場合である。権利の契約不適合とは「売主が買主に移転した権利が契約の内容に適合しないものである場合（権利の一部が他人に属する場合においてその権利の一部を移転しないときを含む。）」である（565条）。たとえば，土地を買ったら，その土地には隣人が自由に通行できる地役権が存在していたという場合である。

このような契約不適合がある場合，買主は，追完請求（目的物の修補，代替物の引渡し又は不足分の引渡しによる履行の追完の請求），代金減額請求，損害賠償請求及び解除をすることができる。

(ⅱ)　担保責任の法的性質　　売主の担保責任に関する規律は，売主に次の義務があることが前提となっている。すなわち，①「契約の内容に適合した権利を買主に移転する義務」，②「売買の目的が物であるときは」「種類，品質及び数量に関して，契約の内容に適合するものを買主に引き渡す義務」，③「他人の権利（権利の一部が他人に属する場合における当該権利の一部を含む。）を売買の目的としたときは」「その権利を取得して買主に移転する義務」である。①の「契約の内容」には，「他人の地上権，抵当権その他の権利の設定の有無」が含まれる（以上，部会資料82-1，第30，2）。売主が買主に物の引渡し又は権利の移転をしたが，その物又は権利が契約の内容に適合していなかったとすると，これらの義務が履行されておらず，不完全な履行がされたことになる。そのよ

うな場合について規律するのが売主の担保責任に関する規定である。つまり，売主の担保責任の法的性質は，債務不履行責任である。改正前民法のもとでいうところの契約責任説がとられている。

◆ **改正の経緯**　部会では，①～③の義務を規定したうえで，担保責任の規定を置く方向で検討されていたが，最終段階で，重複を避けるという理由で，①②は削除された（部会資料83-2, 第30, 2）。①②は562条1項等から導くことができるからである（「履行の追完」を請求できるとされ，また，特定物であっても修補請求の対象となることが明示されているから）。③は，561条と565条で重複しているが，権利の全部が他人に属する場合に関する規律（561条には含まれるが565条には含まれない）の規定の仕方との関係があり，残された。①②も残した方がわかりやすかったと考えるが，法制的観点からの判断が優先された。

◆ **「担保責任」の語の使用**　現行民法は，改正前民法に引き続いて，「担保責任」の語を用いている。売主の担保責任（garantie）とは，もともとは，売買の目的物を買主が他から追奪されることや，目的物に隠れた欠陥があることについて，売主が担保する責任である（フ民1625条以下参照。ポワソナードの理解との関係につき，森田宏樹「瑕疵担保責任に関する基礎的考察（1）」法協107巻2号〔1990〕1頁・8頁以下）。これに対し，現行民法では，担保責任は解体され，債務不履行責任に一元化されているので，「担保責任」というカテゴリーは特別の意味をもたなくなったという評価もある（潮見85頁，潮見新各Ⅰ115頁以下）。他方，一般的にいえば，担保責任の規定には，各種の典型契約の特質に応じて，紛争が生じやすい類型の債務不履行について，その時代・社会の取引状況に適合したデフォルト・ルールを設定するという意味がある[4]。その観点から，この言葉を存置する選択を説明することができるだろう。

◆ **「瑕疵」の語の不使用**　改正前民法のもとの学説は，売主の担保責任の内容として「権利の瑕疵」[5]と「物の瑕疵」があると述べ（我妻中Ⅰ273頁以下など），条文上も，「売買の目的物に隠れた瑕疵があったとき」について「売主の瑕疵担保責任」が定められていた（旧570条）。現行民法は，担保責任に関して，「瑕疵」の語を用いない。これは，「瑕疵」という言葉が難解であること，この語は契約と切り離さ

---

[4]　内田貴「売買」争点222頁，小粥太郎「担保責任論の争点」東北ローレビュー1号（2014）67頁。森田宏樹「売買における契約責任」瀬川信久ほか編『民事責任法のフロンティア』（2019）273頁・276頁以下参照（契約責任についての「現在化論」と「プロセス論」の対立という観点からの分析）。

[5]　権利の瑕疵についての売主の担保責任のうち，買主が目的物を真の権利者から取り戻された（追奪された）場合の責任は，追奪担保責任と呼ばれる（権利の瑕疵の担保責任は，買主が追奪を受けることを要件としない，より広い概念である）。

> れた客観的な基準によるものとして理解される可能性があること，この語からは物理的な欠陥のみが想起され，心理的・環境的瑕疵も含まれうることがわかりにくいこと，むしろ規律の内容を具体的に明らかにして示す方が望ましいと考えられることによる（中間試案説明 399 頁以下，部会資料 75A，第 3，2 説明 2 (1) ウ，一問一答 275 頁）。改正前民法の瑕疵担保責任（旧 570 条）は，現行民法の，種類又は品質に関する目的物の契約不適合責任（562 条 1 項）に近いが，後者には「隠れた」の要件がないので，同一ではない。今回の改正に伴う整備としては，「瑕疵」を「種類又は品質に関して契約の内容に適合しないこと」と改める例（2017 年改正後商 526 条 2 項）や，「瑕疵」の定義を置いたうえ，「瑕疵担保責任」の語を存置する例がある（2017 年改正後住宅品質 2 条 5 項・同法第 7 章。潮見・改正 233 頁参照）。

(iii) 説明の順序　前述のとおり，民法は，担保責任を物の契約不適合と権利の契約不適合に大別しつつ基本的に同じ規律に服させる。ただし，担保責任の期間制限（566 条）と競売における担保責任等（568 条）については，物の契約不適合のうち，目的物の種類・品質に関する不適合と数量に関する不適合とを区別し，後者は権利の契約不適合と共通の規律に服させる。このほか，いくつかの個別の規律がある。以下，次の順序で説明する。

　まず，引き渡された物の契約不適合に関する基本的規律（562 条〜564 条）を説明する（→(b)）。次に，移転された権利の契約不適合に関する基本的規律（565 条）及び関連する規律（569 条・570 条）を説明する（→(c)）。続いて，以上とは異なる区分による規律である期間制限（566 条）と競売の場合（568 条）の説明，及び，担保責任一般に関する規律である免責特約（572 条）の説明をする（→(d)）。その後，他の分野とも関連する問題である，目的物の滅失等の場合の規律（567 条）を検討する（→(e)）。最後に，改正前民法における瑕疵担保責任をめぐる議論を紹介する（→(f)）。

(b) 目的物の契約不適合
(i) 不適合の意義

　a　概観　562 条〜564 条が対象とするのは，「引き渡された目的物が種類，品質又は数量に関して契約の内容に適合しないものであるとき」である。「目的物」については，売買の目的が物すなわち有体物（85 条）であるというだけのことであり，限定はない。特定物か不特定物か，代替物か不代替物かを問わない。しかし，「引き渡された」ことが必要である。履行遅滞や履行不

能は対象外であり，債務不履行の一般的規律によることになる。

「種類，品質又は数量に関して契約の内容に適合しない」というのは，旧570条（瑕疵担保）と旧565条（数量不足・原始的一部滅失）の適用場面をカバーしようとするものである（中間試案説明399頁）。不適合は，隠れたものであることを要しない。

> ◆ **「隠れた」不適合に限らないこと**　旧570条は，瑕疵が「隠れた」ものであることを要件とし，それは買主の善意無過失（買主が取引上一般に要求される程度の注意をしても発見できないようなものであること，つまり，買主が瑕疵の存在を知らずそのことに過失がなかったこと）を意味すると解されていた。しかし，これを要件とすることについては，次の問題点が指摘された。①買主に過失がある場合に買主の救済をすべて否定するのは妥当でなく，売主の担保責任を認めたうえ過失相殺（旧418条）で調整する方がよい。②契約締結時点での買主の善意無過失を要求するとすると，ⓐ当事者が瑕疵の存在を前提としつつ売主が修補したうえ引き渡すことを予定していた場合，ⓑ不特定物売買の場合，ⓒ契約締結時点で未存在の特定物の売買の場合などにおいて，適切な規律をしにくい。③引渡し時点での買主の善意無過失を要求するとすると，買主に受領段階での検査義務を一律に課すことになり，適当でない。④明白な瑕疵であれば，代金決定にあたって織り込まれるはずだといわれることがあるが，それは瑕疵の存在が契約の前提となっているか否かの問題に帰着する（中間試案説明407頁，部会資料75A，第3，5説明2 (4) 参照）。これらの理由により，物の不適合についての売主の担保責任において，隠れた不適合であることは要件とされていない（562条）。

　β　種類・品質の不適合　　種類と品質の概念は，他の場面でも現れる（401条1項・587条・587条の2第1項）。共通の特徴をもつものの分類である「種類」のなかで，さらに「品質」の良否があるという関係に立つ。

種類の不適合については，種類が異なる物（異種物）が引き渡された場合，そもそも目的物の引渡しがあったかどうかが問題となる。これは，契約の内容によって判断すべきことである。また，種類と品質の区別も問題となりうる。これも，契約の内容に応じて決まることだが，効果に違いはなく，拘泥する必要はない（部会では，「種類，品質」をあわせて「性状」の語で表現することが検討されたこともある。部会資料75A，第3，2 (2)・3 (1)）。

> ● Aという柑橘類の果物のうち，公式には，産地甲の糖度13以上のものだけをBと呼ぶことが認められている状況で，「B」の売買が行われたとする。買主である

青果店にCという野菜が送付されたとしても、Bの引渡しがあったとはいえないだろう。これに対し、①産地乙で糖度14のA、あるいは、②産地甲で糖度11のAが送付された場合、種類の不適合となりうる。もっとも、その契約においてBという指定のもつ意味が小さい場合、①では不適合がなく、②では品質の不適合であると評価される可能性がある。また、その前提として、「B」の表示のもつ意味を契約の解釈によって確定する必要がある（一般には、A全体をBと呼ぶことが多い場合、「B」はAを意味する可能性がある）。

◆ **種類の不適合**　改正前民法のもとで、異種物の給付が瑕疵担保責任（旧570条）の対象になるか否かについて議論があった（柚木＝高木・新版注民(14) 357頁以下）。種類の不適合も、一応の引渡しがあったが不完全な履行であったという意味では、品質・数量の不適合と同様であるし、適用されるべき規律の内容も同様とすることができるので、562条1項の規律となっている（基本方針Ⅱ 22頁参照）。全くの品違いについて買主に落ち度があった場合などで、追完請求を認めないこと（562条2項参照）が妥当でない状況も考えられるが、それはその売買の目的物が「引き渡された」といえるか、買主に帰責事由があるといえるかの評価によって解決すべきことである。

品質の不適合とは、引き渡された物が、「その契約において当事者が予定していた、備えるべき品質・性能を欠いていること」である（562条1項の「品質」には、性能も含まれる。第93回部会議事録51頁〔住友関係官発言〕参照）。「その契約において当事者が予定していた」ものが何かは、契約の解釈の問題である。「欠いている」かどうかの判定時期は、引渡し時と解すべきである（562条1項参照）。

● 売買の目的物がある種類の物の上級品であったのに、中級品が引き渡された場合、品質の不適合になる。売買の目的物が零下20度の冷却能力をもつ冷凍庫であったのに、引き渡された冷凍庫では零下10度までしか冷えない場合、品質（性能）の不適合になる。

目的物の一部が契約時に滅失していた場合、滅失の態様・状態により、品質の不適合又は数量の不適合となる（契約が一部無効になるわけではない。412条の2第2項参照）。

目的物について法律上の制限のある場合、品質の不適合か権利の不適合かは、議論がある（→(c)(i)◆〔314頁〕）。

第7章 売　買

◪ 「その契約において当事者が予定していた」もの　　改正前民法のもとで，瑕疵担保責任（旧570条）の「瑕疵」とは，「その物が備えるべき品質・性能を欠いていること」と理解されていたが，「その物が備えるべき」ものとは何かが問題となった[6]。①「その種類の物として通常有すべき」ものなのか（客観的瑕疵概念），②「その契約において当事者が予定していた」ものなのか（主観的瑕疵概念）である。かつては，①を基準としつつ，売主が特別の品質・性能を保証した場合にはそれも基準となるとする見解（我妻中I 288頁，星野132頁）が有力だったが，その後，②を基準とするのが判例・通説となった[7]。

　　契約不適合責任においては，当然，②が基準となる。②が何かは契約の解釈の問題だが，その具体的方法は，主観的瑕疵概念に関する議論を参考にすると，次のようになるだろう。ⓐまず，契約の目的が重要な意味をもつ（中古住宅の売買において，居住する目的か，古民家として展示する目的か，敷地の取得が目的であり建物は取り壊す予定か）。契約の本来的解釈である。ⓑ具体的な目的が明示されていないときは，「その種類の物として通常有すべき品質・性能」という客観的基準が意味をもつ。これは当該契約から切り離された外在的基準を取り入れるわけではなく，あくまでもその契約と結びついたものである。すなわち，「その種類の物」というカテゴリーを設定する段階で，当該契約の抽象的な目的が重要な意味をもつ（不動産か，建物か，住宅か，中古住宅か）。また，「通常有すべき」という判断において，当事者の行う取引上の社会通念が考慮される。契約の本来的解釈及び補充的解釈がされる。ⓒ実際の判定のためには，類型化及び各類型ごとの基準・評価要素の検討が進められる。目的物の種類（動産か，不動産か），不適合の種類（その物自体の物質的な不完全か〔雨漏りのする建物など〕，その物に付着する心理的な負担か〔心理的瑕疵と呼ばれることがある。自殺来歴のある建物など〕，その物を取り巻く外部状況の問題か〔環境的瑕疵と呼ばれることがある。近くに暴力団事務所のある建物など〕）などである。

◪ 原始的一部滅失　　旧565条は，数量不足と物の原始的一部滅失を同じ規律に服させていた。物の一部滅失は，物の一部不足（旧563条）と異ならないというのが明治民法起草者の説明である（民法修正案理由書548頁）。しかし，その後，物の一部滅失の担保責任と物の瑕疵の担保責任（旧570条）との同質性が指摘されるように

---

6) 潮見・前掲序章注8）305頁以下，潮見各I 215頁以下，田中洋「判批」神戸法学雑誌60巻3＝4号（2011）163頁，瀬川信久「『瑕疵』の判断基準について」星野英一追悼『日本民法学の新たな時代』（2015）645頁。

7) 最判平22・6・1民集64巻4号953頁（土壌にふっ素が含まれていた土地の売買），百選II 50［桑岡和久］，来栖83頁，柚木＝高木・新版注民（14）355頁［柚木］，磯村保「目的物の瑕疵をめぐる法律関係」磯村保ほか『民法トライアル教室』（1999）303頁・305頁以下［初出1994］，森田・前掲注4）300頁，潮見2版82頁，内田135頁など。なお，①を基準としつつ売主の保証も基準とするという見解は，「保証」という範囲で②を考慮するので，②を基準としつつ客観的基準を取り込む見解と，結果的には大きく異ならない。2つの見解の対立は，法定責任説と契約責任説の対立に対応するわけでもない。

なった（松岡久和・新版注民（14）223頁参照）。現行民法では，いずれも562条の対象となる。一部滅失が品質の不適合か数量の不適合かは，滅失の態様・状態によって，個別的に判定すべきものである（期間制限〔566条〕及び競売における担保責任等〔568条〕における相違がある）。

◆ **物の契約不適合と錯誤**　売買の目的物に契約不適合がある場合，そのような不適合がないと信じて買った買主には，目的物の性質に関する錯誤があるともいえる。これは，動機の錯誤の1つである性状の錯誤とされることが多い。そこで，錯誤の規定（95条1項2号・2項）と契約不適合の規定の適用関係が問題となる。

改正前民法のもとでは，売買の目的物に隠れた瑕疵があった場合について，「瑕疵担保責任と錯誤」というテーマで議論された。錯誤の効果が無効であったのに対し（旧95条），瑕疵担保責任の効果は損害賠償と解除であり，期間制限もあったことから（旧570条・旧566条），どちらの規律によるべきかが大きな問題となった。両規律の適用領域は異なるので競合は生じないという見解もあったが，競合が生じうると考える見解が一般的だった。後者では，①錯誤優先説（錯誤により契約が無効であれば，契約の有効を前提とする瑕疵担保が問題となることはないから，錯誤の規定が優先する），②瑕疵担保優先説（瑕疵担保責任については当事者間の利害を調整する具体的規律が定められていて錯誤の特則と位置づけられるから，瑕疵担保責任の要件が満たされるときは錯誤の主張はできない），③選択可能説（旧95条によるか旧570条によるかを原告が選択できる）が唱えられた。①が判例（大判大10・12・15民録27輯2160頁，百選Ⅱ〔5版〕52〔山本豊〕，最判昭33・6・14民集12巻9号1492頁，百選Ⅱ76〔曽野裕夫〕〔和解契約〕），②が通説といわれることもあったが，③も有力となり，判例を③だとみる評価もあった（本書初版323頁以下参照）。

現行民法は，契約不適合について，要件を整理するとともに，効果（追完請求・代金減額請求・損害賠償請求・解除）を定めたうえ（562条～565条），種類・品質に関する物の不適合について期間制限を付している（566条）。一方，錯誤については，要件を明確化するとともに，効果を取消しとした（95条）。これに伴い，錯誤の主張権者の制限（120条2項），取消しの効果（121条・121条の2），追認の可能性（124条・125条），期間制限（126条）の各規律が及ぶことになる。現行民法のもとでは，それぞれの要件の明確化と効果の接近により，問題が生じることはより少なくなるだろう。契約不適合責任は契約の履行段階で，錯誤は契約の成立段階で，それぞれの要件と効果の規律により，当事者間の利益調整を図っている。各規定の要件を満たせばその効果を認めてよく，選択可能説の妥当性が一層高まっていると考える[8]。なお，買主が錯誤により契約を取り消すと，契約は初めから無効であったものとみなされるので（121条），担保責任の追及ができなくなり，他方，担保責任を追及して追完請求や催告をすると法定追認（125条2号）が生じて取消しができなくなるという可能性はある。

第7章 売　買

　γ　**数量の不適合**　　引き渡された目的物の数量が契約の内容に適合しない場合も，売主は担保責任を負う（562条1項）。契約の内容となる数量が何かを確定し，引き渡された物の数量と比較して，不適合の有無を判断する。

> ●　数量不足がしばしば問題となるのは，土地の売買においてである。不動産登記簿には，土地の面積が記載されている（「公簿面積」という）。公簿面積は，測量技術の未発達だった頃の数値を引き継いでいる場合もあり，実測面積と相違することがある。そこで，土地売買では，①実測をした後に，実測面積を表示して契約する方法，②公簿面積で契約し，後に実測をして清算すると合意する方法，③公簿面積で契約し，仮に実測の結果増減が判明しても互いに請求しないと合意する方法などがとられる。①で実測に誤りがあった場合，通常は，実測面積が契約の内容となっていると解すべきであろう。公簿面積で契約したが②③の明確な合意がなかった場合，契約の内容となる数量が何かが問題となりうる。契約書に，売買の目的である土地の表示として，登記簿の通り「○○市△△町7丁目3番　宅地122.58 m^2」と記載されていたとしても，そこでの面積の表示は，単に土地を特定するためだけのものであることもある。表示された面積が契約の内容になっているかどうかを，契約の解釈によって確定する必要がある。たとえば，宅地と山林とでは，解釈の方向が異なることがありえよう。

　数量の不適合として問題となるのは，通常，数量不足である。数量超過の場合も，買主に保管費用が余分にかかることなどによる損害の賠償請求は考えられなくはない（商528条参照）。他方，超過分についての売主の増額請求は，当事者の別段の合意がない限り，否定すべきである。

> ◆　**数量超過**　　旧民法は，不動産売買について面積超過の場合の代価補足の要求を認めていたが（財産取得編48条・49条2項など），明治民法は，数量不足の場合についてのみ規定した。そこで，数量指示売買（旧565条）において数量が超過する場合，売主が代金の増額を請求できるかどうかが議論された。「超過の場合は追加し

---

8) 選択可能説として，潮見113頁，潮見新各Ⅰ201頁，中舎187頁，松井ほか97頁［松井］，曽野・前掲百選がある。契約不適合責任優先説として，古谷貴之『民法改正と売買における契約不適合給付』（2020）48頁以下・193頁以下・337頁以下，田中宏治『ドイツ売買論集』（2021）35頁以下・446頁以下があり，ドイツ法を参照しつつ，①売主の追完利益の保障，②566条の期間制限の尊重などを指摘する。②は，山本ほか156頁以下［北居功］，平野191頁も重視し，錯誤取消しに566条の規律を及ぼすべきだという。①は保障の射程とその正当化根拠が，②は期間制限の趣旨の評価が，問われよう。競合が生じる場面を精密に特定したうえで（北居功・改正コメ738頁以下は，競合が認められない可能性を指摘する），その場面において効果の整序を重視するか，各制度の趣旨を重視するかの議論となろう。

て支払う」という当事者の合意が認められない場合，売主の増額請求は許されないという否定説が明治民法起草者の見解であり（民法速記録Ⅳ 26 頁以下・48 頁以下〔梅発言〕），伝統的通説（我妻中Ⅰ 282 頁など），判例（最判平 13・11・27 民集 55 巻 6 号 1380 頁，小野憲一『最判解民平 13（下）』780 頁）であった。否定説の根拠は，①売主は，目的物について，引渡し前に調査することができ，かつそうすべきものであり，不明な場合は買主と特別の合意をしておくべきである，②公簿面積よりも実測面積が多い「縄延び」が少なくないわが国の状況のもと，増額請求をしないのが取引慣行である，③錯誤（旧 95 条）により処理できることもある，④旧 565 条は数量不足の場合の売主の担保責任を特に法定したものである（④は法定責任説の立場からの論拠）である。これに対し，増額請求を認めるべきであるという肯定説（三宅各上 305 頁以下，松岡・新版注民（14）240 頁，潮見各Ⅰ 142 頁以下，潮見 2 版 75 頁以下）も有力だった。肯定説は，数量指示売買における契約の趣旨ないし当事者の意思，行為基礎の脱落などを理由とする。私見は，①に加え，数量指示売買は「目的物の数量の確保」をしようとする契約類型であり当然に「代金額の確保」のためのものとはいえないことを重視し，また②③も考慮して，否定説をとる（本書初版 300 頁）。

　部会では，数量超過の場合について規定を置くかどうかが検討され，置かないこととされた（部会資料 43，第 2，4（2），同 59，32 頁）。改正前民法のもとの否定説の①②③は現行民法のもとでも妥当するうえ，売主の担保責任を債務不履行責任とする現行民法では，なおさら当事者の合意を基準とすべきである。当事者の別段の合意が認められない場合，増額請求（563 条の類推適用）は否定すべきである（潮見 98 頁。そのうえで，潮見新各Ⅰ 153 頁は，売主の錯誤を理由とする契約改訂の方向での解決を提唱する）。なお，合意の解釈にあたって，又は，これを補充するものとして，慣習が重要な機能をもつことがあるだろう。

　数量の不適合は，追完請求，代金減額請求，損害賠償請求及び解除などについて，種類・品質の不適合と同様の規律に服するが（562 条〜564 条，商 526 条），期間制限（566 条）及び競売の場合（568 条）については，これと区別され，権利の契約不適合（565 条）と同様に扱われる（→(d)〔316 頁〕）。これは，数量の不適合の中間的性質を表している。

◆ **数量の不適合の法的性質**　明治民法の起草段階で，数量不足を権利の瑕疵とするか物の瑕疵とするかが検討された。買った土地の面積が足りなかった場合，隣地との境界線がずれていたのが原因だとすると，権利の一部が他人に属しているようでもあるし，物の一部が欠けている欠陥のようでもある。起草者は，これらの性質論はともかく，「実際の便否を考えて」，効果としての代金減額請求権に着目し，瑕疵担保責任（旧 570 条）ではなく，権利の一部が他人に属している場合の売主の担

保責任（旧563条・旧564条）にそろえた（民法修正案理由書548頁以下，梅504頁以下）。すなわち，数量不足の場合は，不足部分の割合に応じて代金を減額することは容易だが，物の瑕疵の場合は，それによる減価の評価が困難であるので代金減額請求ではなく損害賠償請求で処理するのがよい，このため両者を区別しうるという（民法速記録Ⅳ24頁以下・76頁以下〔梅発言〕）。現行民法は，数量の不適合を種類・品質の不適合と同じく物の不適合としつつ，権利の不適合の規律に服する場合があることとする。これも，効果との関係を考慮するものである。

数量の不適合により売主が責任を負うのは，改正前民法565条の規定する「数量指示売買」の場合に限定されない。

◆ **改正の経緯** 旧565条は「数量を指示して売買をした物に不足がある場合」において，買主がその不足を知らなかったときは，売主は，買主に対し，売買の目的である権利の一部が他人に属する場合と同様の担保責任を負うと定めていた。すなわち，買主は，常に代金減額請求権と損害賠償請求権を有し，残りの分だけなら買わなかったという場合は，契約解除権も有する（旧565条・旧563条）。これらの権利は，買主が事実を知った時から1年以内に行使しなければならない（旧565条・旧564条）。

そこで，①「数量を指示して」された売買（数量指示売買）とは何か，②ある売買が数量指示売買かどうかの具体的判定はどのようにするのかなどが議論された（本書初版297頁以下）。①について，判例は，「当事者において目的物の実際に有する数量を確保するため，その一定の面積，容積，重量，員数または尺度あることを売主が契約において表示し，かつ，この数量を基礎として代金額が定められた売買」とした（最判昭43・8・20民集22巻8号1692頁）。②について，数量不足の担保責任は，売主の履行義務が原始的に一部不能である場合について，買主の信頼を保護するために課された法定責任であると解する立場（法定責任説）では，数量指示売買であると決定するための画一的基準の定立が志向されたが，この責任は，売主の債務不履行の一態様を定めるものであると解する立場（契約責任説）では，売主がその契約でいかなる債務を負っていたのか，つまり売主が買主に対して「目的物の実際に有する数量を確保」する義務を負っていたのかが決め手であり，それは契約の解釈によって定まると指摘した。

現行民法は，契約責任説の考え方を進め，「数量指示売買」という中間概念を経由せず，直接，契約の内容によって判断することとした（潮見新各Ⅰ127頁以下は，「数量指示売買」との連続性を強調するが，効果の相違〔旧563条・旧564条参照〕も考えると，その必要はないのではないか）。

(ⅱ) 効果

　α　追完請求権[9]　　物の契約不適合がある場合，買主は，売主に対し，目的物の修補，代替物の引渡し又は不足分の引渡しによる履行の追完を請求することができる（562条1項本文）。その制約が3つある。

　第1は，追完の方法の制約である（中間試案説明406頁，部会資料75A，第3，3説明2，同81-3，第5，3（2）参照）。買主がいずれかの方法を選んで請求したとしても，売主は，「買主に不相当な負担を課するものでないとき」には，それと異なる方法により履行の追完をすることができる（562条1項但書）。追完の方法は，不完全な履行をされた買主に選択させるのが相当だが，不適合の態様・程度，売主の非難可能性，買主の選択の合理性は様々であり，買主の選択に売主を従わせるのが公平とはいえない場合もある。信義則や権利濫用等の一般条項に委ねることも考えられるが，それでは不安定であり，基準を明確に示す方が紛争防止に資する。そこで，買主に与えられる第一次的な選択の利益を尊重しつつ，例外として，売主の選択する追完方法を優先させるための要件を示したのがこの規定である。たとえば，買主の修補請求に対し，売主は，買主に不相当な負担を課するものでなければ，代替物を引き渡すことで追完をすることができる。

　第2は，契約不適合が買主の責めに帰すべき事由によるものではないことである（562条2項）。これは，買主がとりうる他の救済手段である代金減額請求（563条3項），契約の解除（564条・541条〜543条）とそろえるものである（損害賠償請求に関する564条・415条1項但書も参照。部会資料81-3，第5，3（1）説明参照）。

◆ **買主の帰責事由による追完請求否定の意味**　　債権者に帰責事由があることは履行請求権を否定するものではないから（412条の2第1項参照），追完請求権が履行請求権と本質を同じくするものだと考えるのであれば，ここでも同様にする（562条2項を規定しない）ことが整合的になる（第84回部会議事録9頁以下・第93回部会議事録

9）田中洋『売買における買主の追完請求権の基礎づけと内容確定』（2019）（追完請求権と本来的履行請求権の同質性と異質性を示したうえ，追完請求権に特有の規律内容を方向付ける要因を抽出し検討する），古谷・前掲注8）340頁以下（本来的請求権とは異質だという），田中・前掲注8）395頁以下（履行請求権との関係は個別的に解明すべきだという）。潮見新各Ⅰ129頁以下も参照。

> 55頁以下〔各潮見佳男発言〕参照)。これは履行請求権と追完請求権の関係をどのように理解するかにかかわる問題である(中田・債総93頁以下)。不完全ながら一応は履行がされた後の適切な是正方法を売買という契約類型に即して用意する,という観点からは,履行請求権と追完請求権の各消極的要件が異なることはありうることであり,562条2項はそのような選択をしたものとして理解することができる[10]。

第3は,追完が不能ではないことである(412条の2第1項,部会資料75A,第3,3説明1(2)。563条2項1号参照)。物理的に不能である場合に限らない。追完に要する費用が買主が追完によって得る利益と比べて著しく過大なものである場合も,含まれる(北居・改正コメ732頁,山野目140頁,潮見新各Ⅰ140頁〔「不文のルール」が根拠〕。中田・債総99頁参照→第13章第3節1(2)(b)(i)1つ目の◆〔511頁〕)。

　β　代金減額請求権　　物の契約不適合がある場合,買主が相当の期間を定めて履行の追完の催告をし,その期間内に履行の追完がないときは,買主は,不適合の程度に応じて代金の減額を請求することができる(563条1項)。この例外として,次の場合には,買主は催告をすることなく,直ちに代金減額請求ができる。①履行の追完の不能,②売主による履行の追完を拒絶する意思の明確な表示,③定期行為における時期の経過,④催告しても履行の追完を受ける見込みがないことが明らかであるとき(同条2項)。解除について催告によるものとよらないものを区別して規定するのと同様である(541条・542条)。不適合が買主の帰責事由によるときは,買主は代金減額請求権を有しない(563条3項)。代金減額請求は,契約の一部解除の性質を有するので(我妻中Ⅰ278頁,高橋眞・新版注民(14)211頁など通説。他方,潮見新各Ⅰ143頁参照),解除の規律(543条)とそろえられている。追完請求権(562条2項)の規律とも平仄があう。

　γ　損害賠償請求　　物の契約不適合がある場合,買主には,追完請求権及び代金減額請求権が与えられるが,それによって債務不履行による損害賠償請求(415条)は妨げられない(564条)。売主の損害賠償債務と買主の代金債務

---

[10]　562条2項については,不完全な履行がされた場合の特有の規律であるという評価(森田・前掲注4)283頁以下,田中・前掲注9)276頁以下)のほか,同項に対する立法論的批判を前提とする説明(潮見・新債総Ⅰ337頁以下。潮見新各Ⅰ131頁以下参照),本来の履行請求権についても買主側の原因に基づく制約があるという見解(北居・改正コメ733頁以下)などがある。

は，同時履行の関係にある（533条）。

◆ **損害賠償債務と代金債務の関係**　売主の担保責任により売主の負う損害賠償（塡補賠償）債務と買主の負う代金債務とは，同時履行の関係に立たせることが適切であることから，改正前民法では，旧571条が，旧563条〜旧566条・旧570条の各場合について，旧533条を準用していた（民法修正案理由書554頁）。これは，旧533条は双務契約の履行に関する規定であり，損害賠償のように契約から生じるのではない義務については適用がないという理解を前提とするものだった（梅527頁）。しかし，その後，塡補賠償債務と反対給付債務とは同時履行関係にあると解されるようになった。また，現行民法は，売主の担保責任を債務不履行責任とする。そうすると，旧571条は，もはや不要の規定だということになる。しかし，同条を単純に削除すると，改正によって規律の内容が変わったと誤解されるおそれがある。そこで，533条に「（債務の履行に代わる損害賠償の債務の履行を含む。）」と明記することにより，疑義を避けることとされた（部会資料84-3，第30，9説明）。

◆ **数量不足における損害賠償**　数量不足がある場合，売主の賠償すべき損害の内容が問題となる。土地売買で契約後に数量不足が判明したところ，地価が値上がりしていたとする。不足分が $10\,m^2$ であり，$1\,m^2$ あたりの価格が契約価格では10万円，請求時の時価では50万円だった場合，売主の支払うべき損害賠償額は，①100万円（買主が不足を知っていれば支払わなかったであろう代金額）か，②500万円（表示された数量通りの売買が履行されたとすれば買主が得られたであろう利益）か。改正前民法のもとで，数量指示売買（旧565条）であっても，土地の面積の「表示が代金額決定の基礎としてされたにとどまり売買契約の目的を達成するうえで特段の意味を有するものでないとき」は，②は認められないとし，①のみを認めた判例がある（結果的に $10\,m^2$ 分の代金を減額したのと同様になる。最判昭57・1・21民集36巻1号71頁，淺生重機『最判解民昭57』59頁，好美清光「判批」金判650号〔1982〕45頁，百選Ⅱ52［森田宏樹］）。法定責任説からは，信頼利益の賠償として①になると説明される（「特段の意味を有する」ときとは，たとえば，別に保証約束がされた場合だと説明する）。契約責任説からは，売主がいかなる義務を負っていたのかに応じて損害賠償の範囲（旧416条）が定まるのであり，それが①にとどまることも，履行利益たる②に及ぶこともあると説明される。契約責任説に立ち，数量指示売買といえるかどうかは売主がその契約でいかなる債務を負っていたのかによると考えると，この判決は，損害賠償の範囲との関係で，面積を表示した土地の売主の債務の2つの類型を示したものと理解すべきことになろう。

　契約責任説によるこのような理解は，現行民法のもとでも有用である。表示された数量がどのような意味をもつものとして契約の内容となっていたのかを分析する必要がある（森田・前掲百選参照）。

第 7 章 売　買

　δ　解除　　物の契約不適合がある場合，買主は，債務不履行による解除（541条・542条）をすることも妨げられない（564条）。この場合，催告解除については，催告期間経過後の不適合が軽微であるときは解除できない（541条但書）。無催告解除については，一部不能の場合，残存部分のみでは，買主が契約をした目的を達することができないことが必要である（542条1項3号）。定期行為の場合（同項4号），催告しても履行の見込みがない場合（同項5号）も，それぞれの要件のもとで，無催告解除ができる。改正前民法のもとでは，売主の担保責任として買主に認められる解除について債務不履行一般とは異なる要件を定めていたが（旧570条・旧566条1項），現行民法は，債務不履行一般の規律を適用する。

▶ **救済方法の相互関係**　　代金減額請求権は，契約の一部解除の性質を有するので，履行の追完請求，履行の追完に代わる損害賠償の請求，契約の解除とは両立しない。代金減額請求権は形成権であるので，これを行使すると，上記の救済方法はとりえないことになるはずである。しかし，そのように規定すると，交渉過程で買主が値引要求をすると，直ちに追完請求権等を喪失することになるのかなど，新たな紛争を惹起するおそれがある。それを避けるために，代金減額請求権を行使するためには追完請求権等の放棄を要件とすることなども考えられるが（中間試案説明410頁），それもまた柔軟な紛争解決を妨げることになる。そこで，救済方法の相互関係について積極的に定める規定は置かれなかった（部会資料75A，第3，4説明2 (4)）。もっとも，564条は，「前三条の規定は，……を妨げない」という表現をとっており，代金減額請求権が現に行使された場合に，これと両立しない上記の損害賠償の請求や解除権の行使ができるものではないことを含意している（部会資料84-3，第30，5説明）。救済方法相互間には，上記の関係を含む論理的関係があることを前提に，具体的事案において適切な解決を図るべきである（たとえば，交渉過程で買主が値引を要求したとしても，それは代金減額請求権の行使でなく，契約の内容を変更する合意〔→第5章第2節2(1)（252頁）〕の申込みであって，売主が応じない場合には他の救済方法をとりうることを留保するものであると評価するなど）。

　このほか，追完請求と損害賠償請求に関する議論もある[11]。「追完に代わる損害賠償請求」について，415条2項を適用又は類推適用し，まず追完請求をすべきである（同項3号参照）という見解がある。履行請求権と追完請求権の関係の理解にも

---

11) 田中洋「改正民法における『追完に代わる損害賠償』」NBL 1173号4頁〜1178号38頁（2020）〔415条2項の不適用を前提として，追完を優先する付加的要件の要否を検討する〕。415条2項の法意による類推を主張するものとして，潮見・新債総Ⅰ483頁以下，潮見佳男『プラクティス民法債権総論〔第5版補訂〕』(2020) 135頁，潮見新各Ⅰ161頁以下。

> かかわるが，415条2項の文言及び結果の妥当性をも考えると，「追完に代わる損害賠償請求」について特に同項の適用を試みるのではなく，契約不適合自体について同条1項による損害賠償請求を認めるのが適切であると考える（中田・債総187頁以下）。つまり，追完請求を損害賠償請求に前置する必要はない。

(c) 移転した権利の契約不適合[12]

(i) 不適合の意義　「売主が買主に移転した権利が契約の内容に適合しないものである場合」には，562条～564条の規定が準用される（565条）。

売主は，売買契約の内容に適合した権利を移転する義務を負う。移転した権利の不適合とは，たとえば，売買契約の内容が土地の所有権である場合に，他人の地上権や抵当権の負担があったとき，一部が他人に属していて売主がそれを移転しないとき（565条括弧書），売買契約の内容が隣地を利用できる地役権付きの土地所有権である場合に，その地役権がなかったときである。権利の全部が他人に属していて売主がそれを取得して買主に移転しない場合は，「移転した権利」が不完全であったのではなく，履行がされていないものであり，売主は一般の債務不履行責任を負う。

● 買主に移転された権利に負担がついていたとしても，その負担が契約の内容である場合は，売主は担保責任を負わない。たとえば，賃貸中の建物の売買（買主が賃貸人たる地位を承継する），抵当権付きの土地の売買（買主が債務を引き受け，その分，売買代金を安くする）などである。

● 権利の不適合の諸態様を具体的に示そう。①用益的権利による制限。売買の目的物に用益物権（地上権，永小作権，地役権），留置的効力のある担保物権（留置権，質権），対抗力のある不動産賃借権（605条，借地借家10条・31条等）が付いていて，所有権が制限されている場合である（旧566条1項・旧567条参照）。たとえば，売買の対象である土地に地役権が設定されていて，第三者がその土地を通行できるのだとすると，買主は所有権を取得しても，自らの使用収益が制約される。②担保物権による制限。売買の対象である土地に抵当権が付いていたとしても，買主は所有者としてその土地を使用収益することができるし，被担保債権が弁済されれば，抵当権は消滅する。しかし，抵当権が実行されると，買主は所有権を失うことになる。③権利の一部の他人帰属。売買の対象である土地の一部の所有権が隣人に帰属していた場合である（旧563条参照）。④存在するといわれていた権利の不存在。たとえば，売買の対象である土地を要役地とし，その隣地を承役地とする通行地役権があると

---

12) 部会資料75A，第3，2及び6。

いわれていたのに，実はなかった場合である（旧566条2項参照）。借地権のあることを前提とする建物の売買において借地権がなかった場合も，同様に考えてよいだろう（改正前民法のもとで，これを物の瑕疵ではなく権利の瑕疵だとするのが判例〔最判平8・1・26民集50巻1号155頁，井上繁規『最判解民平8（上）』37頁〕・通説〔我妻中Ⅰ285頁，来栖94頁，広中65頁，柚木＝高木・新版注民（14）357頁〕だった）。

◆ **法律上の制限**　目的物に法律上の制限があることは，物の契約不適合（品質の不適合）か権利の契約不適合か。たとえば，建物を建てるために土地を買ったところ，その土地が道路予定地に指定されていて，建物を建ててもいずれ撤去しなければならないことが判明した場合である。

　改正前民法のもとで，目的物に法律上の制限のあることは旧570条の瑕疵にあたるかどうかが議論された。判例は，これを肯定した（最判昭41・4・14民集20巻4号649頁〔売買された土地の大部分が都市計画街路の境域内にあった場合〕，最判平13・11・27民集55巻6号1311頁〔土地売買で道路位置指定があった場合〕）。学説は，判例を支持する見解（柚木＝高木・新版注民（14）357頁〔柚木〕，来栖94頁など）と，判例に反対し，これは権利の瑕疵であり，旧570条ではなく旧566条を類推適用すべきだという見解（我妻中Ⅰ284頁，広中68頁，内田136頁など）に分かれた。後者の論拠は，①法律的な瑕疵は，権利の制限や不足という質的なものだから，旧566条の問題と考えるのが自然であること，②旧570条の問題だとすると，強制競売の場合は売主が責任を免除されることになるが（同条但書），それは適当ではないこと，である。①は，そもそも権利の瑕疵と物の瑕疵の区別をどう理解するかの問題である。②は，競売において，法律上の制限というリスクを買受人と債務者側のいずれが負担するのが適当かという問題である。このほか，③買主が瑕疵を発見して権利を行使することに対する期待可能性が引渡しの前後で異なるかも検討する必要がある。私見は，②③を検討し，法律上の制限は，権利の瑕疵に含めてよいと考えた（本書初版303頁）。

　現行民法でも，解釈に委ねられている（部会資料75A，第3，2説明2（3））。効果の違いは，担保責任の期間制限（566条），競売における特則（568条）の適用の有無である。それぞれにおいて種類・品質の不適合を特別に扱うことにした理由（→(d)(i) *α*〔316頁〕・(ii) *β*〔321頁〕）は，法律上の制限がある場合には，必ずしもあてはまらない。また，消滅時効の起算点としても，引渡し時よりも権利移転時が適切であろう。そうすると，法律上の制限があることは，権利の契約不適合としてよいと考える（反対，田中・前掲注8）380頁以下）。

(ii)　効果

　α　追完請求・代金減額請求・損害賠償請求・解除　買主には，履行の追完請求（565条・562条），代金減額請求（565条・563条），債務不履行に基づ

く損害賠償請求及び契約解除（565条・564条）が認められる。

履行の追完請求とは，たとえば，土地の所有権の移転をしたが，契約の内容に適合しない地役権の負担があった場合，売主においてその地役権を消滅させるよう，買主が請求することである。抵当権の負担があった場合も同様である。

代金減額請求は，たとえば，土地の所有権の売買において，その一部が他人に属していたが，売主がそれを移転しない場合，買主が，その不足する部分の割合に応じて，代金の減額を請求することである。抵当権の負担があった場合も，代金減額請求はありうる。買主が被担保債権を弁済することを前提に，売主との間では，代金減額請求権の行使で処理する場合が考えられる（部会資料75A，第3，6説明1(2)）。

損害賠償請求及び契約解除は，債務不履行に関する規定（415条・541条・542条）により，認められる。売主の損害賠償債務と買主の代金債務は，同時履行の関係にある（533条）。

β　費用償還請求　　買い受けた不動産に契約の内容に適合しない先取特権，質権又は抵当権が存在していた場合に，買主が自ら費用を支出してその所有権を保存したときは，買主はその費用の償還を売主に請求することができる（570条）。たとえば，抵当権が存在していた場合，買主が，被担保債権の第三者弁済（474条），代価弁済（378条），又は，抵当権消滅請求（379条）をしたときである。買主の善意・悪意を問わない（契約の内容に適合するか否かが基準である）。

> **改正前民法との比較**　　改正前民法では，履行の追完の請求については明文規定はなかった。代金減額請求権は，改正前民法では，権利の一部が他人に属する場合について認められていたが（旧563条1項），現行民法は，これを権利の不適合一般に広げている。損害賠償請求及び契約解除については，改正前民法では，買主が善意か悪意かで救済の可否を区別する場合があったが（旧561条・旧563条2項・旧566条1項・2項），現行民法においては，債務不履行の一般的規律を特に修正する必要はないので，そのような区別をしていない。抵当権等がある場合の費用償還請求は，旧567条2項を踏襲するものである。

(iii)　債権の売主の担保責任　　債権の売買において，移転した債権に契約不適合がある場合，売主は，565条によって担保責任を負う。債権について，契

約の内容に適合しない質権，先取特権又は譲渡担保権があった場合，570条を類推適用すべきである（我妻中Ⅰ292頁参照）。競売の場合，568条が適用される。

債務者の資力については，債権の売主は，これを担保した場合にのみ，責任を負う。その場合，債務者のどの時点での資力が担保されたのかについて，推定規定がある。原則として，売買契約時における資力であり（569条1項），弁済期未到来の債権について債務者の将来の資力を担保したときは，弁済期における資力である（同条2項）。

◆ **土地賃借権の売買**　土地賃借権の売買において，その土地に欠陥があった場合，欠陥の存在が契約の内容となっていなかったとすると，売主は担保責任を負うか（賃借権の移転自体は完了したとする）。改正前民法のもとで，建物及び敷地賃借権の売買で，敷地に欠陥があった場合について，それは敷地賃貸人の修繕義務（旧606条）の履行により補完されるべきものであるとして，売主の瑕疵担保責任（旧570条）を否定した例がある（最判平3・4・2民集45巻4号349頁，百選Ⅱ54 ［中田邦博］）。

欠陥の除去に関し，売主（元賃借人）Ａと土地所有者（賃貸人）Ｂの間では，修繕義務の所在（606条1項又はＡＢ間の合意で定まる）や，Ａの原状回復義務（621条）の存否により，様々の場合がある。①Ａに義務（修繕義務・原状回復義務）があり，これを買主（新賃借人）Ｃが承継する場合は，移転された権利に負担があったと考え，権利の不適合があるといえよう。②Ａに義務があるがＣが承継しない場合も，要修繕状態を解消して使用収益をさせよという債権について，債務者Ｂの抗弁が付着していたと考えると，権利の不適合があるといえよう。③Ａが義務を負わず，Ｂが修繕義務を負う場合，Ｂが修繕しないことや修繕されるまでに生じる支障について，ＡＣ間でどのようにリスクを分配していたのかが問題となる。これを債務者の資力についてのリスクと同様に考えれば，売主Ａが負担するのはＡが担保した場合に限られることになるが，使用収益する権利自体の制約だと考えると，反対の合意がなければ，Ａが負担すると考えることもできる。ＡＣ間の売買契約の内容が何であったかという問題だが，Ａが負担する（権利の不適合がある）と解すべき場合が多いのではないか。

(d)　物の不適合と権利の不適合を通じての規律

(i)　期間制限[13]

　　α　種類・品質の契約不適合　物の契約不適合がある場合，買主には4

---

13) 中間試案説明410頁以下，部会資料75A，第3，7，小粥・前掲注4) 78頁以下。

つの救済方法（追完請求，代金減額請求，損害賠償請求，契約解除）が認められているが（562条～564条），不適合が種類又は品質に関するものであるときは，その期間が制限される。すなわち，買主がその不適合を知った時から1年以内にその旨を売主に通知しなければ，買主は上記の救済方法をとることができなくなる（566条本文）。通知の内容は，契約不適合の種類及び大体の範囲を知らせるものであると考える（→下記1つ目の◆）。通知をすれば，買主の上記救済方法は保存される。ただし，債権の消滅時効に関する規定（166条1項）の適用を受ける（→下記3つ目の◆）。

種類・品質の契約不適合の場合に期間制限がされるのは，次の理由により，法律関係を早期に安定化する必要があるからである。①契約の内容に適合した目的物の引渡しにより履行が終了したという売主の期待を保護する必要があること，②目的物の使用や時間経過による劣化等により，不適合の有無の判断が比較的短期間で困難になること（買主が証明責任を負うとしても，売主の反証が困難なこともある），③売主は，早期に契約不適合の事実を知らされていれば安価で履行の追完ができるが，長期間経過後に知らされると多大な費用をかけて履行の追完をすることを余儀なくされること，である。

売主が引渡しの時に，契約不適合について悪意又は重過失であったときは，この期間制限は適用されない（566条但書）。そのような売主は，上記の期間制限の理由が妥当せず，保護する必要がないからである。この場合，消滅時効の一般原則（166条1項）が適用される。

◆ **566条の「通知」の意義** 改正前民法のもとで，瑕疵担保責任に基づく契約の解除及び損害賠償請求について，「買主が事実を知った時から1年以内にしなければならない」という期間制限があった（旧570条・旧566条3項）。この規定について，判例（最判平4・10・20民集46巻7号1129頁）は，次のように述べた。①これは除斥期間である。②買主が損害賠償請求権を保存するためには，1年以内に，売主の担保責任を問う意思を裁判外で明確に告げればよく，裁判上の権利行使をするまでの必要はない。③意思の告げ方としては，「売主に対し，具体的に瑕疵の内容とそれに基づく損害賠償請求をする旨を表明し，請求する損害額の算定の根拠を示すなど」が求められる。すなわち，商人間の売買に関する2017年改正前商法526条2項（当時は同条1項）の「通知」があったとしても，それでは損害賠償請求権の行使のための前提要件が満たされたにすぎず，同請求権を保存するためには，③の態様による権利行使が必要である。

この③は，買主の具体的かつ明確な権利行使を求めるものであり，買主に重い負担となる。これに対し，新566条は，買主は「不適合を知った時から1年以内にその旨を」通知すれば足りるとし，買主の負担を軽減している。

それでは，この「通知」は，どのようなものであるべきか。大審院は，2017年改正前商法526条2項（当時は商288条1項）の「通知」は，売主がいかなる対応処置をすべきかを決意することができる程度のものであるとし，「瑕疵ノ種類及大体ノ範囲ヲ通知」することを要するとした（大判大11・4・1民集1巻155頁〔汽船の売買〕）。566条と2017年改正後商法526条との関係は，複雑である。両者の間には，商人間売買か否か，検査義務を定めるか否かという点をはじめとして，いくつかの相違があるし（数量不足への適用の有無，通知の到達か発信か，売主が重過失の場合の適用の有無），それぞれと消滅時効の一般原則との関係もあるからである。ただ，いずれにせよ，両条の「通知」の内容を異なるものとすることは合理的ではない。そこで，566条の「通知」の内容は，上記大審院判例と同様，「契約不適合の種類及び大体の範囲の通知」であると解してよい（部会資料75A，第3, 7説明5，一問一答285頁，潮見新各Ⅰ 181頁参照）。これによって，566条の趣旨である，履行終了に対する売主の期待の保護，不適合の有無の判断の困難の回避，売主の履行の追完の可能性の保全も図りうると考える。

◆ **566条の「知った時」**　旧570条・旧566条3項の「買主が事実を知った時」について，「買主が売主に対し担保責任を追及し得る程度に確実な事実関係を認識したことを要する」という判例（最判平13・2・22判時1745号85頁，百選Ⅱ〔6版〕50〔中田〕）がある。新566条の「買主がその不適合を知った時」は，買主がその後にすべきことの内容（通知）が軽減されていることを考えると，この判例の基準よりも緩やかでよさそうでもある（反対，中舎175頁，北居・改正コメ764頁）。しかし，買主は，期間が経過すれば担保責任を追及できなくなるという大きな不利益を受けることから，慎重に考えるべきである。少なくとも，通知の内容となるべき「契約不適合の種類及び大体の範囲」（1つ前の◆）を知ることが必要である。それは，単なる事実の認識ではなく，「不適合」と評価しうる状態であることの認識でなければならないだろう。

◆ **担保責任と消滅時効**　買主が566条の期間内に通知をすれば，その有する救済方法は保存される。しかし，なお，消滅時効に関する規定（166条1項）の適用を受ける。このことを損害賠償請求権について具体的にいうと，買主が，①権利を行使することができる時から10年間，又は，②権利を行使することができることを知った時から5年間が経過すると，時効によって消滅する。①の起算点については，ⓐ引渡し時とする見解が多いが，ⓑ履行請求権ないし引渡債務の履行期とする見解もある[14]。ⓑは，担保責任は債務不履行責任だから，その一般的規律によるべきだという。しかし，担保責任が物の引渡し又は権利の移転を前提とする不完全な履行

についての責任である以上，引渡し時又は権利移転時を起算点とすべきである。旧570条・旧566条に基づく損害賠償請求権については，買主が引渡しを受けた時から10年の消滅時効（旧167条1項）にもかかるとする判例（最判平13・11・27前掲〔1311頁〕，百選Ⅱ53［松井和彦］）のいう実質論（買主が引渡しを受けた後であれば，時効期間満了までに瑕疵を発見して損害賠償請求権を行使することを期待しても不合理でない）は，現行民法のもとでも妥当する。②については，買主が契約不適合を知った時を起算点とすべきである。この「知った時」と566条の「知った時」とは，通常は，重なるだろうが，その後に買主のすべきことの相違（時効の完成猶予措置か，不適合の通知か）を考えると，当然に一致するわけではない。

◆ **改正の経緯**　部会では，種類又は品質の不適合に関して権利の存続期間の制限をすることについては，消極論も強かった。その理由は，①この場合のみを債務不履行一般の場合と区別する合理的理由がないこと，②この規律だと短期間で失権することになる買主に酷であること，である。しかし，①については，本文に記載した諸理由で区別できること，②については，改正前民法に比べ，期間内に買主のすべきことが軽減され（566条本文），かつ，悪意又は重過失のある売主については期間制限が適用されない（同条但書）という2点において買主の保護が拡大されていることから，積極論が採用された。

　　β　**数量の契約不適合及び権利の契約不適合**　不適合が数量に関するものである場合は，期間制限はなく，消滅時効の一般原則が適用される[15]。種類・品質に関する不適合とは異なり，数量不足は外形上明白であり，履行が終了したとの期待が売主に生ずることは通常考えにくいこと，目的物の使用や時間経過による劣化等により比較的短期間で不適合の有無の判断が困難となるとはいえないことから，一般の債権の消滅時効に加えて期間を制限する理由が乏しいことによる（部会資料75A，第3，7説明5）。ただし，商人間の売買の場合は，数量に関する不適合も検査・通知義務の対象となる（2017年改正後商526条2項）。

　　権利の不適合の場合も，566条のような期間制限はなく，消滅時効の一般原則が適用される。権利移転義務の不履行については，売主が契約の内容に適合

---

14) ⓐは，潮見105頁，平野193頁，森田・前掲注4) 278頁以下，田中・前掲注9) 286頁，松井・前掲百選109頁，ⓑは，磯村保「売買契約法の改正」Law & Practice 10号（2016）59頁・81頁，北居・改正コメ765頁。
15) 百選Ⅱ52［森田宏樹］は，土地の面積の表示がその「品質」をも表す場合，期間制限及び消滅時効について，品質の不適合の規律に服することを指摘する。

した権利を移転したという期待を生ずることは想定しがたいし，不適合の判断が短期間で困難になるともいいがたいからである（部会資料75A，第3，7説明4）。

(ⅱ) 競売における担保責任

α 競売における担保責任等の規律　　競売における担保責任について，特別の規定がある（568条）。ここでいう競売とは，強制執行としての強制競売（民執45条以下）や，担保権実行としての担保不動産競売（同180条以下）など，国家による強制的な換価のことである（568条1項）。競売による権利の移転の法的性質（私法上の売買か公法上の処分かなど）について議論があるが，民法は，担保責任について売買の構造を用いつつ，競売の特徴を考慮した規律を設けている。問題となるのは，不動産の競売であることが多い。

> ● たとえば，土地の競売があり，買い受けたところ，売却の際には知られていなかった地役権の負担があった場合である。借地権付き建物の競売において，その借地権がなかった場合も同様である（改正前民法のもとの判例・学説につき，本書初版327頁・303頁参照）。

競売によって買受人が取得した物又は権利について，数量に関する不適合又は権利の不適合があった場合，買受人には次の救済方法が認められる。①買受人は，債務者に対し，契約の解除（541条・542条），又は代金減額請求（563条・565条）をすることができる（568条1項）。それにより，債務者に対し，代金の返還（解除による原状回復）又は代金の一部の返還（減額請求による減額分）を求めることができる。なお，競売においては，目的物の所有者の意思にかかわらず強制的に行われるものであることから，債務者に追完義務を負わせるのは相当でなく，追完請求権は認められていない（568条1項参照）。このため，債務者による履行の追完の見込みはなく，解除及び代金減額請求をする際の催告は不要である（542条1項5号・563条2項4号。部会資料75A，第3，8説明2，一問一答288頁）。②この場合において，債務者が無資力であるときは，買受人は，代金の配当を受けた債権者に対し，その代金の全部又は一部の返還を請求することができる（568条2項）。③損害賠償請求は，原則として認められない（債務者の意思による売却でないから）。しかし，①②の場合において，債務者が物又は権利の不存在を知りながら申し出なかったとき，あるいは，債権者がこ

れを知りながら競売を請求したときは，買受人は，これらの者に対し，損害賠償を請求することができる（同条3項）。

> ◆ **物上保証人の提供した不動産の競売の場合**　物上保証人が債務者のために提供した不動産について担保権が実行された場合，①～③の「債務者」を「物上保証人」に読み替えるべきかどうかが問題となる。特に，①の代金返還債務を負うのが誰かについて議論がある。ⓐ物上保証人説が多い（梅517頁以下，末弘427頁，鳩山上350頁以下，広中80頁，星野137頁，三宅各上296頁）。物上保証人が売主である（梅），物上保証人に競売の実質的効果が及ぶ（末弘），物上保証人は債務者に対し求償権を有し，そこには権利の欠缺に相当する分も含まれている（鳩山），求償が奏功せず，他人の物を担保に供した物上保証人が買受人に返還した代金相当額の損をするとしても，自己の物を担保に供した場合にその物の価額の損をするのと同様であり，物的有限責任の趣旨に反するとはいえない（三宅）などを理由とする。ⓑ債務者説も有力である（我妻中Ⅰ295頁，柚木＝高木・新版注民（14）252頁〔柚木〕）。債務者が無資力である場合に物上保証人が負担することになるのは，物的有限責任を負うにすぎない者に過当な責任となる，その競売により債務者も債権者に対する債務を免れた利益を得ている，債務者が無資力であるときは，買受人は②による保護を受けうることを理由とする。物上保証人の提供した不動産について他人の権利が存在していた場合を考えると，物上保証人が自己の不動産を失ったうえ，さらに事実上求償できない返還債務を負担するのは，過大な負担である。他人の所有する不動産をもって物上保証するという異例の場合を標準とするのは適切でない。ⓑを支持したい。もっとも，③の損害賠償については，欺罔同然のことをした者に対する制裁という意義（梅518頁）に鑑み，「債務者」は「債務者又は物上保証人」と解すべきである。以上のことは，物上保証人だけでなく，第三取得者にも妥当する（我妻・前同）。
> 　以上は改正前民法のもとでの議論だが，現行民法においても同様となるだろう。

　β　規律の不適用　　αの規律は，競売の目的物の種類又は品質に関する契約不適合については，適用されない（568条4項）。つまり，買受人は，競売で取得した物に種類・品質の不適合があっても，甘受するほかない。

　この場合に担保責任が否定される理由は，競売については，①債務者（所有者）の自由意思に基づいて行われるものではないこと，②債権者は目的物の品質について知る機会が少なく帰責性が乏しいこと，③競売手続において目的物にある程度の損傷等があることは避けられず，それを織り込んで買受けが行われているのが実情であり，買受人は自己の危険で買い取るべきであること，④競売の結果の安定性を図る必要があること，という事情があるからである（柚

木＝高木・新版注民（14）371頁，山本309頁，中間試案説明421頁，部会資料75A，第3，8説明1）。

◆ **改正の経緯**　　部会では，目的物に種類・品質の不適合があった場合も，買受人に要件を加重したうえで救済手段を与えることが検討された（中間試案説明420頁以下）。しかし，そうすると，①競売手続の結果が覆される機会が増大し，配当受領者の地位が不安定になる，②執行裁判所は競売手続の結果が覆ることを懸念して手続を慎重に進めざるをえなくなり，競売手続の迅速円滑な進行が妨げられる，③この①②の結果として競売制度が利用しづらくなる，という指摘があり，見送られた（部会資料75A，第3，8説明1）。

もっとも，数量不足について，改正前民法の規律（旧565条）が廃され，物の契約不適合として一般化されたうえ，568条の規定が及ぶとされたこと（同条4項参照），また，契約の内容に適合しない公法上の規制がある場合，目的物の種類・品質の不適合ではなく，移転した権利の不適合と解する余地のあること（→(c)(i)◆〔314頁〕，一問一答289頁参照）から，従来より，競売における担保責任を問いうる可能性は広がりうると考える（中野＝下村・民執516頁以下の懸念には，ある程度，応えうるだろう）。

　(iii)　担保責任を負わない旨の特約　　担保責任に関する民法の規定は任意規定であり，当事者間の特約でこれを排除することができる。しかし，572条は，2つの場合について特約による免責の効果を否定する。信義則に反するからである。

　第1は，売主が知りながら告げなかった事実についてである。売主が責任を負うべきことを知りながら事実を隠して担保責任免除特約をするのは，詐欺的なことでさえあるからである（梅530頁）。

　第2は，売主が自ら第三者のために設定した権利又は第三者に譲り渡した権利についてである。たとえば，土地の売買において，売主が第三者に対する地上権を設定した場合である。明治民法の起草者は，第三者に対する権利の設定又は譲渡を売買契約の前にしていた場合か，その後にしたうえ第三者に対抗要件を備えさせた場合かを問わないと考えていた（梅530頁以下。旧民法財産取得編71条3項参照）。しかし，売買後の場合は，債務不履行であり，ここで対象となるのは，売買前のものに限ると解すべきである（我妻中Ⅰ300頁など通説）。

第3節　売買の効力

◆ **その他の法律による制限**　担保責任を免除する特約の効力が制定法で制限されることがある。有償契約である消費者契約において，目的物の種類又は品質に関する契約不適合責任につき事業者の消費者に対する損害賠償責任を免除するなどの条項の制限（消費契約8条2項），消費者の利益を一方的に害する条項の無効（同10条），宅地建物取引業者が自ら売主となる宅地建物の売買契約における物の種類又は品質に関する契約不適合責任に関する特約の制限（宅建業40条）がある。

◆ **売買内容の合意と担保責任免除特約**　ある特約が，売買契約の債務の内容を定めるものなのか，担保責任を免除する特約なのかが不明瞭なことがある。たとえば，中古住宅売買において「現状有姿」で引き渡すという特約がある場合である（基本方針Ⅳ 102頁参照）。①まず，その売買においてどのような物を引き渡すことが債務の内容として合意されたのかを，契約の解釈により確定すべきである。当該特約もそのための資料となる。合意内容が確定されたとして，売主が知りながら告げない事実については，説明義務違反の問題となりうる。②次に，確定された債務の内容に対する担保責任免除特約があるかどうかを判断すべきである。当該特約がこの段階で評価される場合もある。特約の存在が認められたとして，売主が知りながら告げない事実については，572条により免責の効力が認められないことになる。論理的には，①②の順に判断することになるが，①か②かでそれほど大きな違いは生じない（証明責任は異なりうる）。特約は，その売買契約の内容が不明確であるときは主として①で機能し，明確であるときは主として②で機能することになるだろう。建物状況調査（インスペクション）が実施され，その結果の概要が買主に示された場合（宅建業35条1項6の2号イ参照）も，同様の判断過程となるが，多くは①のレベルの問題となるだろう。

(e)　目的物の滅失等についての危険の移転

売買の目的物が当事者双方の責めに帰することができない事由によって滅失した場合，売主は別の物を引き渡す義務を負うか（給付危険），買主は代金支払義務を負うか（対価危険），という問題がある（→第3章第3節1(2)(b)〔164頁〕）。

567条は，目的物の滅失又は損傷についての危険の移転に関する規律を定める。これは，買主の追完請求・代金減額請求・損害賠償請求・解除（562条〜564条。以下「追完請求等」という）を生じさせる滅失・損傷の発生時期を限定するという方法による規律である。

まず，引渡し時が基準となる。売主が買主に目的物（売買の目的として特定したものに限る）を引き渡した後に，その物が当事者双方の責めに帰することができない事由によって滅失し又は損傷したとしても，買主はもはや追完請求等

をすることはできない（567条1項前段）。この場合，買主は代金の支払を拒むことができない（同項後段）。これに対し，目的物の滅失又は損傷について売主に帰責事由があった場合は，売主はなお責任を負う。たとえば，売主が引渡し前の善管注意保存義務（400条）に違反し，それが原因となって引渡し後に滅失した場合である（中間試案説明430頁参照）。

> ● 犬（特定物）の売買で，引渡し後に，犬が事故で死亡したときは，買主は売主に対し追完請求等ができない。しかし，引渡し前に，売主が善良な管理者の注意をもって飼育しなかったため，犬が病気に感染し，引渡し後，その病気が発症し，それが原因で死亡したとすると，買主は売主に対し追完請求等（解除・損害賠償請求）ができる。

　次に，引渡しがなくても，受領遅滞時が基準となる。売主が買主に，契約の内容に適合する目的物（売買の目的として特定したものに限る）をもって，引渡債務の履行を提供したにもかかわらず，買主が受領を拒絶し，又は，受領が不能であった場合，履行の提供があった時以後に，その物が当事者双方の責めに帰することができない事由によって滅失し又は損傷したときも，同様である。すなわち，買主は追完請求等ができず，かつ，代金の支払を拒めない（567条2項）。
　567条は，売主の契約不適合責任の部分に配置されているが，いくつかの制度に関連し，むずかしい問題がある。①567条は「売買の目的として特定したもの」を対象とするが，それは特定物又は種類物（不特定物）で特定したもの（401条2項）を意味する（部会資料83-2，第30，10説明）。ところで，567条2項は，目的物が契約の内容に適合するものであることを要件とするが，1項にはその要件はない。そこで，「契約の内容に適合しない物が引き渡された場合，特定が生じうるのか」が問題となる。②目的物の滅失については，履行不能に関する規律（412条の2・536条）との関係が問題となる。特に，「特定が生じた後，引渡しの前に目的物が滅失した場合，売主はなお別の物を引き渡す義務があるのか」が問題となる。他方，対価危険については，引渡しによって，売主（債務者）の負担（536条1項）から買主の負担（567条1項後段）に変わるということで，ほぼ問題ない。③受領遅滞については，413条の2第2項が567条2項と同様の規律を定める。そこで，567条2項の意義はどこにあるのかが問題

となる。以下のコラムでは、③①②の順に検討する。

◆ **567条2項の意義——受領遅滞による危険の移転**　受領遅滞による危険の移転に関する一般的規律として413条の2第2項があり、受領遅滞中に「履行が不能となったとき」について、567条2項と同様の規律を定める。両規定の関係は、次の通りである。買主の受領遅滞後に目的物が滅失又は損傷したとしても、目的物の修補や代替物の引渡し等による履行の追完が可能であれば、売主の債務の「履行が不能となった」とまではいえない場合がある。しかし、受領遅滞後に目的物の滅失又は損傷が生じた場合に、履行の追完が可能かどうかで差異を設ける合理的理由はない。そこで、履行の追完が可能な場合であっても、目的物の滅失又は損傷の危険が売主から買主に移転することとし、567条2項が置かれた（部会資料75A、第3、12説明1）。なお、受領遅滞後における売主の目的物の保管義務の程度は「自己の財産に対するのと同一の注意」義務に軽減されるが（413条1項）、売主が軽減された保存義務を尽くさなかったために目的物の滅失又は損傷が生じたときは、買主は、売主に対し、追完請求等をする権利を失わない（部会資料75A、第3、12説明2）。

　この規定は、履行不能と滅失とは、大部分が重なり合いつつ、ずれる部分もあることを前提としている。実際、目的物が滅失しなくても履行不能となることがあり（たとえば、法律により目的物の売買が禁止されたとき）、滅失しても履行不能とならないことがある（たとえば、滅失したときは他の物を給付するという合意があるとき）。損傷は、滅失に比べると履行不能と重なり合う範囲は少ないが、不能と評価される場合（412条の2第1項参照）がなくはないだろう。

◆ **567条1項の問題(1)——特定と契約適合性**[16]　567条1項は、目的物について「売買の目的として特定したものに限る」とする一方、「契約の内容に適合する」ことを要件としていない。そこで、種類物（不特定物）で契約に適合しないものが引き渡された場合が問題となる。①不適合な物を引き渡しても特定は生じないので、同項の対象とはならず、売主は依然として引渡債務を負うという考え方と、②不適合な物であっても特定が生じることはあり、あとは追完義務の問題となるところ、引渡しによる実質的支配の移転があるので同項の対象となるという考え方がある。引き渡された目的物に重大な契約不適合があり、およそ特定が生じているとはいえ

16）　以下の①は、潮見・新債総Ⅰ216頁、潮見111頁、潮見新各Ⅰ188頁以下（契約不適合責任との区別を強調し、「当事者双方の責めに帰することができない事由」について、売主の責めに帰すべき事由による場合を限定的に理解する）、磯村・前掲注14）85頁、②は、森田・前掲注4）288頁以下。石川博康「売買」潮見ほか・改正426頁・437頁は、契約不適合の内容・程度によって特定の有無が決まるとする。北居・改正コメ773頁以下は、契約不適合の物の引渡しも567条1項の対象となるとし、引渡し後の関係についての考え方を整理するとともに、「特定」の意味を分析する。契約適合性についての買主の錯誤から検討するものとして、野中貴弘「契約適合性への買主の信頼」日本法学83巻1号（2017）55頁。

ない場合（「物の給付をするのに必要な行為を完了」した〔401条2項〕といえない場合。中田・債総53頁参照）には，売買の目的として特定した目的物の引渡しがあったとは評価されず，危険は移転しないと解することができよう。他方，軽微な契約不適合が存在する物が引き渡され，受領された場合など，②の考え方が妥当することが多いだろう（「物の給付をするのに必要な行為を完了」したことによる特定又は合意による特定が，一応はされたと評価しうる場合）。567条1項は，そのような場合がありうることを前提としている。同項により，引渡し後に滅失したが，その原因が契約に適合しない品質であった場合，買主は追完請求等ができることが導ける。また，契約に適合しない物が引き渡された後，その物が不可抗力で滅失した場合，買主は売主に対し，滅失を理由として，代替物の引渡しや修補を請求することはできないが，契約不適合が存在していたことを理由として，代金減額請求や損害賠償請求をすることは可能である（部会資料81-3，第5，10説明）。

◆ **567条1項の問題(2)──特定及び引渡しと危険の移転の関係**　567条1項は，引渡し後に当事者双方の責めに帰することのできない事由によって目的物が滅失又は損傷した場合の法律関係を規律する。それでは，不特定物について401条2項により特定が生じた後，引渡しの前に，当事者双方の責めに帰することのできない事由によって滅失・損傷が生じた場合はどうか。大別して2つの考え方がある。①第1の考え方はこうである。ⓐ滅失した場合，それによって引渡債務が履行不能となったときは，買主は代替物の引渡しを請求できない（412条の2第1項）。ⓑ損傷した場合，修補が可能であれば，買主は履行の請求として修補を請求できる（一部不能となる場合は，ⓐに準じる）。ⓒこのうちⓑの帰結が売主に厳しいと考えられるとしても，合意による特定の場合は，損傷についての危険も買主に移転するという合意が含まれていると解しうるときは，それで対応できる。②第2の考え方はこうである。ⓐ滅失した場合，買主は代替物の引渡しの請求ができる。ⓑ損傷した場合は，修補が可能であれば，買主は修補を請求できる。ⓒこのうちⓐの帰結が売主に厳しいと考えられるとしても，占有改定（183条）が認められるときは，引渡しによる危険の移転が生じるので，それで対応できる。

②の考え方は，今回の改正により401条2項による特定の効果が変化したと理解するものである。旧534条2項の削除と新567条の創設により，対価危険が引渡しによって買主に移転するとともに，給付危険の移転時期もそれと一致することになったと理解し，それが整合的であってよいと評価する[17]。しかし，この考え方には，「給付危険の移転」の概念が不明確であること（森田・改正363頁以下参照），また，

---

17)　潮見・概要270頁以下，潮見・新債総Ⅰ202頁以下・214頁以下，潮見・前掲注11) 28頁，潮見新各Ⅰ190頁以下（ただし，「引渡し」を「引渡受領」と解し，占有改定を含まないという），山野目章夫「民法の債権関係の規定の見直しにおける売買契約の新しい規律の構想」曹時68巻1号（2016）1頁，道垣内＝中井・改正317頁以下［山野目章夫発言］，石川・前掲注16) 436頁以下。

それを対価危険の移転時期と一致させるべき理由も不明確であることのほか，次の問題点がある。まず，特定後も滅失による履行不能が生じないとすると，種類債権における特定の意義が極めて小さなものとなる。また，特定による善管注意保存義務（400条）や所有権の移転可能性との関係も不明確になる。さらに，この考え方によると，特定物売買か不特定物売買かで，引渡し前の滅失の場合に大きな相違が生じることになる。特定物と不特定物の区別は当事者の主観を標準とするものであるので，特定物なのか，不特定物で合意により特定されたものなのかの区別は微妙なことがあり，いずれかによって大きな相違をもたらすことは適切でない（両者を区別することは，「特定物のドグマ」に近づくことになる）。改正前民法では，対価危険に関する旧401条2項・旧534条2項の規律の問題点が指摘されており，部会でも，その改正のために検討が始められたものであり（中間試案説明92頁・428頁以下，部会資料75A，第3, 12説明1），それが当然に履行不能による給付義務からの解放という規律を変更することに帰結するとはいえない。このように，売買の規定である567条が債権一般にかかわる特定に関する規律を変更したと解することには無理があるし，同条が売買（及び同条が準用される有償契約）について特定に関する規律の例外を設けたと解することにも，十分な根拠があるとはいえない。

①の考え方は，今回の改正後も401条2項による特定の効果は変わらないと理解する[18]。代替物の引渡しは請求できないが，修補請求はできるという帰結となるが，不代替的特定物においても同様の帰結が生じうる。

結局，①は，不特定物は特定によって当初からの特定物とほぼ同様になることを重視し，両者を通じて履行不能の規律によるべきであると考えるものであり，②は，不特定物は，特定した後も客観的には代替性を有しているものが多いことを重視するとともに，対価危険の負担と給付危険の負担とを一致させるべきであると考えるものである。②は，従来，特定を基礎にして積み上げられてきた学説・判例を大きく変えるものだが，それが今回の改正によってされたとみるのは早計であろう。①を支持したい。

①によると，特定した後，引渡しの前に滅失又は損傷が生じた場合，履行の請求に関する一般的な規律が適用される。すなわち，履行不能であれば履行請求はできないが（412条の2第1項），不能でなければ修補請求はできる。損害賠償請求や解除は，要件を満たせば可能である。もっとも，滅失又は損傷が生じても，履行不能とならない場合もある（→2つ前の◆）。履行不能かどうかは，債務の発生原因である売買契約及び取引上の社会通念に照らして判断される（同項）。そうすると，特に，代替性のある物については，滅失・損傷が生じても，契約の内容によっては，履行不能と評価されないことはありうる。つまり，特定後・引渡し前に滅失した場合，

---

18) 部会における提案者の理解は，履行不能の法理が優先するというものだった（第97回部会議事録33頁～35頁〔金関係官・内田貴発言参照〕）。山本敬三「契約責任法の改正──民法改正法案の概要とその趣旨」曹時68巻5号（2016）1頁・40頁以下，奥田＝佐々木・前掲第2章注14）59頁。

通常は履行不能となるが，例外的に履行不能とならない場合もある[19]。他方，損傷については，通常は履行不能とならないだろう。滅失と損傷の帰結の相違は，このようにして説明することができるだろう。これに対し，引渡し後は，567条1項が適用される。ここでは，（履行請求権ではなく）追完請求権について，（履行不能ではなく）滅失・損傷を基準とする規律がされる。

「危険の移転」という概念は，多義的である。「給付危険の移転」を履行不能を基準とすると，特定時に移転することになり，滅失を基準とすると，引渡し時に移転することになるのであり，これは「給付危険の移転」の定義次第である。他方，「対価危険」の移転については，引渡し前の履行不能の場合は債務者（売主）が負担し（536条1項），引渡し後の滅失の場合は債権者（買主）が負担する（567条1項）ということで，明瞭である。

(f)　改正前民法における瑕疵担保責任の性質論[20]

改正前民法は，権利の瑕疵について，権利の全部又は一部が他人に属する場合（旧561条・旧563条・旧564条）と，第三者の権利によって制限されている場合（旧566条・旧567条）の売主の責任を定め，物の瑕疵について，目的物に隠れた瑕疵があった場合の売主の責任（瑕疵担保責任。旧570条）を定めた。また，目的物の数量が不足していた場合や目的物の一部が契約時に既に滅失していた場合について，権利の一部が他人に属する場合の売主の責任を定める規定を準用し，買主に代金減額請求権を与えた（旧565条）。

これらの売主の担保責任の性質に関し，議論があった。初期の学説は，「担保義務」も権利移転義務に包含されると考えていた（梅486頁）。しかし，その後，民法の担保責任の規定は，特定物の売買について法律が特に認めた責任であり，債務不履行責任ではないと解する見解（法定責任説）が通説となった（鳩山上309頁以下，我妻中Ⅰ270頁以下）。特定物の売買では，売主は契約で定められたその特定の物を給付する債務を負うだけだから，それを給付すれば債務の履行は完了し債務不履行にならない，しかし，それでは当事者間の公平が損な

---

[19]　この問題は，さらに，特定物売買における代物請求の可否という問題へと広がる。田中・前掲注9）140頁以下・特に156頁以下，古谷・前掲注8）325頁以下，田中・前掲注8）53頁以下・400頁以下参照。特定物の概念，履行不能の概念，履行請求権と追完請求権の関係にかかわる問題である。

[20]　円谷峻「瑕疵担保責任」講座Ⅴ185頁，磯村・前掲注7），森田宏樹『契約責任の帰責構造』(2002) 285頁以下〔初出1992〜96〕，小粥太郎『民法の世界』(2007) 193頁以下〔初出2005〕，大村敦志『もうひとつの基本民法Ⅱ』(2007) 77頁以下。

われるので，民法が特に定めたのが担保責任である，という考え方である。これに対し，1960年頃から，担保責任も契約上の債務の不履行による責任にほかならないという見解（契約責任説。債務不履行責任説ともいう）が台頭し，やがてそれが通説となった。この対立は，売主の担保責任全体に関するものだが，特に瑕疵担保責任について激しく議論された。現行民法は，売主の担保責任は債務不履行責任であるという前提をとるので，この論争は既に過去のものとなったが，現行民法の規定の意義を正確に理解するためには，その経緯を知っておくことが望ましい。そこで，以下のコラムで，瑕疵担保責任の性質に関する議論の概要を示すことにする。

◆ **瑕疵担保責任の性質に関する議論**　改正前民法は，売主の瑕疵担保責任を次のように定めていた。「売買の目的物に隠れた瑕疵があったとき」，買主は，そのために契約をした目的を達することができない場合は，契約を解除することができ，そうでない場合は，損害賠償請求のみができる。解除又は損害賠償請求は，買主が瑕疵を知った時から1年以内にしなければならない（旧570条本文・旧566条1項・3項）。この責任の性質について，法定責任説(1)と契約責任説(2)の対立を説明し，その他の見解(3)に触れた後，ある時点をもって区分する判例・学説(4)を説明し，最後に，今回の改正の前段階の議論状況(5)を紹介する。

1　法定責任説　(1)　内容　法定責任説は，1920年代に形成され，約半世紀の間，通説的地位を占めた[21]。次のように考える。特定物売買における売主の義務は，買主に目的物の所有権を移転し，引き渡すことに尽きる。目的物に瑕疵があったとしても，売主がその物の所有権を移転し，引渡しをすれば，債務の履行は完了し，債務不履行とならない。特定物である以上，瑕疵のないその特定物というものは存在しえないからである（ここまでの部分は「特定物のドグマ」と呼ばれる）。しかし，そうすると，売主が瑕疵ある物を給付したのに対し，買主は代金全額を支払わねばならないので，有償契約の当事者間の対価的均衡が失われ，公平が損なわれる。そこで，民法が特に定めたのが瑕疵担保責任である。すなわち，瑕疵担保責任は，特定物の売買について法律が特に認めた責任であり，債務不履行責任とは性質が異なるものである。

法定責任説によると，特定物売買は瑕疵担保責任の対象となり，不特定物売買は債務不履行責任の対象となる。具体的な帰結は次の通りである。

---

[21]　鳩山上309頁以下，石田文次郎『財産法に於ける動的理論』(1928) 362頁・423頁以下（損害賠償の範囲を信頼利益とした），我妻中Ⅰ270頁以下・305頁以下。柚木馨『売主瑕疵担保責任の研究』(1963) 179頁以下及び柚木＝高木・新版注民(14) 260頁以下［柚木］は，法定責任説の立場から契約責任説を批判する。

①売主の帰責事由。瑕疵担保責任においては，売主の帰責事由は不要である（旧570条・旧566条）。債務不履行責任においては，売主の帰責事由が必要である（旧415条・旧541条の解釈）。つまり，特定物の売主は無過失責任，不特定物の売主は過失責任である。

　②買主の救済手段。瑕疵担保責任では，買主の救済手段は，契約解除と損害賠償請求のみである。解除は，買主が契約をした目的を達することができない場合に限られるが，催告は不要である（旧570条・旧566条1項）。損害賠償の範囲は，信頼利益の賠償のみである。債務不履行責任では，買主は，契約解除，損害賠償請求ができるほか，完全履行請求権（代物請求権と修補請求権）を有する[22]。解除には催告が必要である（旧541条）。損害賠償の範囲は，履行利益の賠償である。

　③権利行使期間。瑕疵担保責任では，買主が事実を知った時から1年以内という期間制限がある（旧570条・旧566条3項）。債務不履行責任では，買主の完全履行請求権及び損害賠償請求権は，一般の債権の消滅時効期間（10年）に服する（旧167条1項）。

(2)　修正　　(1)の帰結に対し，具体的妥当性の観点から若干の修正がされる。②のうち，瑕疵担保責任における損害賠償の範囲については，信頼利益を原則としつつ，売主に過失がある場合は履行利益を認めるという見解（我妻中Ⅰ271頁）などがある。また，修補請求権については，不代替的特定物売買であっても，明示又は黙示の特約，当事者意思の合理的解釈，商慣習又は信義則によって，売主の瑕疵修補義務が認められる場合があるという見解[23]がある。③の権利行使期間については，買主が権利（特に完全履行請求権）を10年間も行使できるのは長すぎ，取引の安全を害するとし，信義則などにより，より短い期間に制限する見解がある（我妻中Ⅰ306頁）。

(3)　法定責任説に対する批判　　法定責任説に対し，次の批判が投じられた。

　①特定物のドグマに対する批判。法定責任説の前提とする特定物のドグマは，売主の債務のうち，物の引渡しだけを契約債務と考え，その物の品質や性能に関する当事者の合意を契約債務の外に置く。しかし，中古木造住宅の売買は，材木の売買ではなく，住める家という品質や性能も合意の対象であったと考えるのが自然である。瑕疵があってもその物を引き渡せば債務不履行にならないというのはおかしい。

　②原始的一部不能論に対する批判。法定責任説に立つ多くの論者がとる原始的一部不能論とは，売買の目的物に瑕疵があった場合，その部分は原始的一部不能であり，その部分の契約は無効だという理論である。これに対し，原始的不能であれば契約は当然に無効となるという理解自体に対する批判，特定物の修補が可能な場合にも不能だというのはおかしいという批判，原始的不能論は瑕疵の部分にも契約の効力が及ぶことを前提とするが，特定物のドグマは瑕疵の部分を無視するので，法

---

[22]　現行民法では，「完全履行請求権」は「追完請求権」，「代物請求」は「代替物の引渡しの請求」と呼ばれる（562条）。

[23]　下森定『履行障害法再構築の研究』(2015) 196頁〜266頁・298頁〜366頁〔初出1976〜92〕（マンション・建売住宅の売買を念頭に置き，「修正法定責任説」を唱える）。

定責任説が前提とする2つの論理は相互に矛盾しているという批判がある。

③旧483条による根拠づけに対する批判。法定責任説のうち一部の論者は，旧483条（特定物の現状による引渡し）は現状で引き渡せば債務者はもはや責任を負わないという意味であり，特定物のドグマを裏づけるという。しかし，これは，「その引渡しをすべき時」という同条の規定を，あえて「その引渡しの時」と読み替えるものである。同条は，履行期における状態で引き渡せばよいというだけの規定であり，特約物のドグマの実定法上の支えになるものではない。

④歴史的批判。法定責任説のような考え方は，歴史的にも比較法的にも特殊なものであり，わが国の起草者意思もそうではなかった。

2 契約責任説 (1) 内容 契約責任説は，1960年頃から主張され[24]，その後，通説となった[25]。次のように考える。売主は，目的物が特定物か不特定物かを問わず，売買代金に見合う程度の品質・性能を備えた物（つまり，瑕疵のない物）を給付する債務を負う。売買の目的物に隠れた瑕疵があった場合，売主はこの債務の不履行の責任を負う。瑕疵担保責任の規定は，このような債務不履行責任についての規律である。そこで，目的物に隠れた瑕疵があった場合，まず旧570条・旧566条が適用され，そこに定められていない事項に関しては，原則に戻って債務不履行に関する規定が適用される。

契約責任説によると，特定物・不特定物を問わず，売買の目的物に隠れた瑕疵がある場合は，債務不履行責任としての瑕疵担保責任の対象となる。具体的な帰結は次の通りである[26]。

①売主の帰責事由。瑕疵担保責任においては，売主の帰責事由は必要ない（旧570条・旧566条）。つまり，無過失責任である。

②買主の救済手段。目的物が特定物か不特定物かを問わず，買主は，契約解除，損害賠償請求ができるほか，完全履行請求権（代物請求権・修補請求権）を有する。解除については，催告は不要だが，契約目的を達しえない場合に限られる（旧570条・旧566条1項）。損害賠償の範囲は，旧416条の定めるところによる。完全履行請求権は，可能な限りで認められる。たとえば，代替性のない特定物である場合，代物の給付を請求することはできないが，修補は請求できることがある。

③権利行使期間。買主が事実を知った時から1年である（旧570条・旧566条3項）。ただし，目的物を受領した後，信義則上相当な期間を経過した後は，買主が目的物の瑕疵に気づかなかったとしても，売主に対する権利を行使できなくなる。

(2) 契約責任説の精緻化 契約責任説の具体的帰結の細部は論者によって異なる。

---

24) 五十嵐清「瑕疵担保と比較法」同『比較民法学の諸問題』(1976) 80頁以下〔初出1959～60〕，北川善太郎「瑕疵担保責任」同・前掲第2章注36) 98頁以下〔初出1960〕，星野英一①「瑕疵担保の研究——日本」同・前掲第1章注4) 第3巻171頁〔初出1963〕，同②『瑕疵担保の研究』補論」前同書239頁以下，星野133頁以下。

25) 潮見各Ⅰ190頁以下，内田128頁など。

26) 以下の①〜③は，星野・前掲注24) ① 235頁〜237頁・同② 245頁を基本としている。

さらに，債務不履行に関する議論の展開に伴い，同説の内容も精緻化した。売主の債務の内容と瑕疵の概念との関係，債務者の帰責事由と過失との関係，解除における催告の要否，損害賠償の範囲（履行利益と旧416条との関係）などについて，検討された。

(3) 契約責任説に対する批判　　主な批判は，3つある。

①過失責任と無過失責任との体系的バランスを崩すこと。契約責任説は，売主の瑕疵担保責任は無過失責任であるとしつつ，損害賠償の範囲は一般の債務不履行の場合と同じだというが，効果として損害賠償の範囲を拡大する（「信頼利益」に限らない）のであれば，要件面では売主の過失ないし帰責事由を必要とすべきである，そうでないと目的物の性状に関する合意についての債務不履行のみを特別扱いすることになり合理的でない，という批判である[27]。これに対しては，その前提となる過失ないし帰責事由の概念に問題があるという再批判がある。日本民法における債務不履行の帰責事由概念は，不可抗力によらない限り，約束したことを履行しないこと自体に債務者の過失が包含されていると理解すべきであり，過失責任と無過失責任という相容れない2つの体系があるという理解自体が相当でないという[28]。

②特則としての意義の不明瞭。契約責任説は，瑕疵担保責任は債務不履行責任の特則だというが，特則ということの積極的意義が明確でないという批判がある（大村(5) 64頁参照）。これに対し，瑕疵担保責任は，一方で，買主が目的物を受領した後も売主の債務はまだ残存することにして，買主を保護しつつ，その保護の要件として買主の善意無過失及び1年間の期間制限をすることによって売主の利益にも配慮する，つまり，売主の取引安全と勤勉な買主の保護の調和を図っているという点に特則性があるという説明がある（森田・前掲注28) 135頁）。

③思想的批判。契約責任説は，18世紀から19世紀にかけての自然法的な意思主義の色彩が強いものだが，擬制された意思によって説明する必要はなく，端的に法律上の義務であり，法定責任といってよいという（柚木・前掲注21) 190頁以下，柚木＝高木・新版注民(14) 275頁［柚木］）。

3　その他の見解　　以上の2つの見解が代表的なものだが，他の考え方も提唱された。

①瑕疵担保責任と危険負担の法理との共通性を見出す考え方。契約成立前から物に存在する瑕疵という危険を売主が負担するというものである。民法制定時の学説の一部に存在していた見解だが，近年もこれを展開する学説があった[29]。

②効果面で売主の責任を買主の対価の額によって制限する考え方。まず1930年代の対価的制限説がある[30]。法定責任説に立ちつつ，担保責任は売買契約の対価的

---

[27] 加藤雅信「売主の瑕疵担保責任――危険負担的代金減額請求権説提唱のために」同『現代民法学の展開』(1993) 390頁・399頁［初出1977］，加藤223頁。

[28] 森田宏樹「瑕疵担保責任に関する基礎的考察」私法51号(1989) 129頁，同・前掲注20) 252頁・304頁。内田133頁・137頁。債務不履行における帰責事由の意義については，中田・債総154頁以下参照。

有償性に基づくものだから，損害賠償額は代金額と瑕疵ある物の客観的価格の差額である（つまり代金額が限度となる）という。1970年代に，この説を再評価し，代金減額請求権として再構成する見解が現れた。法定責任説と契約責任説のいずれも批判したうえ，過失責任である債務不履行責任では履行利益の賠償が認められるが，無過失責任である瑕疵担保責任では減縮した危険負担の制度に基礎を置く代金減額請求権が認められるという（この意味で①の考え方も入っている）。危険負担的代金減額請求権説と称された[31]。

③ある時点をもって債務不履行責任から瑕疵担保責任に変化するという考え方。これを次項で検討しよう。

4 時的区分をする考え方　(1) 判例　判例は，瑕疵担保責任と債務不履行責任を区別する。この点で法定責任説と共通する。しかし，不特定物売買についても，ある時点以後は瑕疵担保責任の対象となることを認める。つまり，ある時点までは債務不履行責任，それ以後は瑕疵担保責任と区分する。その実際的機能としては，瑕疵担保責任の段階になると，①解除の要件の変化（催告は要しないが，契約目的達成不能を要する），②権利行使期間の制限（旧570条・旧566条3項），③損害賠償の範囲の限定（履行利益ではなく，信頼利益のみとなる），④完全履行請求権の否定，が生じる（③④は法定責任説の帰結）。その分岐点となる時点について，いくつかの判例がある。

大審院は，古くは瑕疵担保の規定は特定物売買にのみ適用されるとしたが，後にこれを変更し，不特定物であっても，買主が瑕疵の存在することを知らないで受領すれば，買主は，物に関する危険移転時期を標準として，瑕疵担保責任を追及できるとした（大判大14・3・13民集4巻217頁〔タービンポンプの回転不能の事案〕）。この判決は，不特定物売買において瑕疵ある物が給付されたとしても，買主が受領すれば，不完全ながら契約は履行されたものといえ，特定したといえるので，それ以降は特定物売買と同様に取り扱ってよいという。本判決の後，判例は，不特定物売買でも一定の時点以後の瑕疵担保責任を認めた（大判昭3・12・12民集7巻1071頁〔桜材の見本売買〕）。最高裁は，不特定物売買の買主は，受領したとしても，瑕疵の存在を認識したうえでこれを履行として認容し，売主に対し瑕疵担保責任を問うなどの事情がない限り，債務不履行責任を追及できるとした（最判昭36・12・15民集15巻11号2852頁〔有線放送用スピーカーの音質不良の事案。債務不履行による契約解除を肯定〕，百選Ⅱ51〔吉政知広〕）。このように判例は，不特定物売買において，買主の受領又は履行認容の時点をもって区分した。

(2) 時的区分説　学説でも，1990年代以降，不特定物売買において，買主が目的物を受領した時点を基準として売主の責任が債務不履行責任から瑕疵担保責任に

---

29)　岡松参太郎『無過失損害賠償責任論』(1916) 585頁以下（特定物について）。岡松次137頁・次138頁も危険の移転に言及する（特定物・不特定物について）。近年では，野澤正充「瑕疵担保責任の法的性質(1)」同編『瑕疵担保責任と債務不履行責任』(2009) 15頁。

30)　勝本正晃「瑕疵担保責任の対価的制限」同『民法研究第5巻』(1942) 149頁〔初出1939〕。

31)　加藤・前掲注27) 400頁以下，加藤223頁以下。

変化するという見解（時的区分説）が有力になった。そのなかにも諸説あるが[32]，いずれも受領の際の買主の意思に着目する。すなわち，不特定物売買でも，目的物が特定され（401条2項），それが引き渡されると売主の債務は消滅するはずだが，受領の際の買主の意思に不完全さないし限定性があるときは，受領後も売主の責任が認められる。これが瑕疵担保責任である，と考える。

時的区分説は，不特定物売買が特定によって特定物売買と同様になるというのではなく，特定が生じることは前提としつつも，受領の際の買主の意思に着目することによって，受領後の瑕疵担保責任を認めるものである。学説の対立と判例を全体として再構成しようとする試みであり，実質的には，受領後も売主の責任を残すことによって買主の保護を図りつつ，その責任の期間を制限することによって履行が完了したという売主の期待の保護をも図ることになる（内田131頁）。不特定物売買における瑕疵担保責任の法的性質は，当初の債務の不履行責任が受領によって変質したものであるという面と，受領後は「瑕疵」を基準とし期間制限のある責任が法律によって課せられるという面があり，法定責任説か契約責任説かの単純な対立の図式ではなくなった（大村(5) 64頁～65頁・71頁参照）。

5 瑕疵担保責任から契約不適合責任へ　　(1) 瑕疵担保責任の法的性質論の意味

売主の瑕疵担保責任の法的性質について半世紀以上にわたって激しく議論されたが，法定責任説の前提とする特定物のドグマに対する批判が強く，契約責任説が優勢になった。しかし，それとともに，この議論自体の意義が問われるようになった。

第1に，両説の具体的帰結の違いが小さくなった（①特定物売買における完全履行請求権・代物請求権については，代替性のない特定物の場合は，代物の給付は不可能だから問題とならず，代替性のある特定物は，取引自体が特殊な状況であり，個別の合意が認められることが多い。修補請求権については，住宅品質確保促進法〔1999年公布，2000年施行〕95条1項が，新築住宅の買主の修補請求権を認めた〔山下りえ子「民間請負のコントロール――住宅品確法」争点250頁〕。同法の対象とならない特定物の修補請求について，法定責任説でも，特約，当事者意思の合理的解釈，商慣習又は信義則によって，売主の瑕疵修補義務を認める見解があり，接近する。②不特定物売買における完全履行請求権。受領後に瑕疵担保責任を認める時的区分説も，何らかの構成によって完全履行請求権〔特に修補請求権〕を認める。③損害賠償の範囲。法定責任説でも，売主に過失がある場合には履行利益の賠償を認める見解があり，接近する。④権利行使期間。両説とも信義則による調整を認めるし，消滅時効による制限もあるので〔最判平13・11・27前掲（1311頁）〕，接近する）。法的性質をどう理解するにせよ，

---

[32] 受領に際しての買主の錯誤を根拠とするもの（森田・前掲注28) 135頁，同・前掲注20) 244頁以下・308頁以下），受領の際の当事者の合意による特定を根拠とするもの（北居功①「売主瑕疵担保責任と危険負担との関係」法学研究69巻5号39頁～9号31頁〔1996〕，同②「種類債務の合意による特定」私法59号〔1997〕138頁〔以上，同『契約履行の動態理論Ⅱ弁済受領論』(2013) 所収〕。池田清治「不特定物と瑕疵担保」みんけん566号〔2004〕3頁参照），受領に際しての買主の「客体性承認」を「性状承認」と区別するもの（潮見各Ⅰ 208頁，潮見2版90頁）がある。

どのような帰結が妥当であるかについては認識が共有され，各説ともそのために調整をしたからである。

　第2に，瑕疵担保責任論の前提となる債務不履行の一般理論の検討が進み，議論の比重がそちらに移行した（①債務不履行による損害賠償の要件。帰責事由を故意過失と等置することに対し疑問が投じられ，債務不履行は過失責任，瑕疵担保は無過失責任という二元論の基礎が揺らいだ。②債務不履行による解除の要件。一方で，解除には債務者の帰責事由を要件としないという見解が有力になり，他方で，軽微な不履行の場合の解除の制限がある。また，催告の有無は，契約目的達成不能の判断においても考慮の対象となりうる。この結果，債務不履行による解除と瑕疵担保責任による解除の違いは小さくなった）。

(2)　**瑕疵担保責任の存在意義の再検討**　瑕疵担保責任はローマ法以来の沿革をもつ制度だが[33]，こうして，その存在意義が改めて問われることになった。2つの背景がある。①理論的背景。主観的瑕疵概念が広く受け入れられ，当事者が契約でどのような品質・性能を予定していたかが重要になった。また，契約責任説が浸透し，瑕疵担保責任は，契約上の債務不履行の一種にすぎないという認識が広まった。いずれも，契約で何が合意されたのかが決め手になる。②社会的背景。現代社会における売買では，様々な分野で目的物の品質・性能に関する当事者間の合意ないしその手がかりがみられる。事業者と消費者との売買では，大量に製造・販売される不特定物の売買が著しく増加しており，そこでは製品が一定の品質・性能を有することが保証されていることが多い。事業者間の売買では，目的物の品質・性能について合意がされるのが通常である。不動産の売買では，宅地建物取引業者から重要事項の説明（宅建業35条）を受けたうえ，契約書が作成されるのが一般的である。非対面の売買（通信販売，インターネット売買など）では，目的物の品質・性能の説明が不可欠である。以上のいずれにおいても，目的物に関する合意の内容が重要な意味をもつことになる。

　このように，瑕疵担保責任の問題は，契約の目的物について当事者間でいかなる約束がされ，いかなる義務が発生したかの問題に帰着するのだとすると，なぜ，一般の債務不履行責任とは別に，瑕疵担保責任に関する規定を置く必要があるのかが問題となる。瑕疵担保責任の特則性がどこにあるのかではなく，なぜ特則を設けるのかである。一般的にいえば，担保責任の規定は，各種の典型契約の特質に結びついた一定の債務不履行類型に関するデフォルト・ルールを示すものとしての意味がある（→(a)(ii) 2つ目の◆〔300頁〕）。旧570条に関しては，売買に関する紛争のうち，最も典型的であり，その例も多い，目的物に隠れた瑕疵のある場合について，売主の取引安全と勤勉な買主の保護の調和（森田・前掲注28）135頁）を図った規律を示すことにより，紛争解決の指針を示したものである，という説明が考えられる。しかし，一方で，瑕疵担保責任の法的性質論についてこれだけ長らく多くの議論がさ

---

33)　柚木・前掲注21) 1頁以下，五十嵐・前掲注24) 86頁以下，北川・前掲注24) 99頁以下，小川浩三「瑕疵担保責任の請求期限について」桐蔭法学12巻2号（2006）1頁。

れてきたこと，他方で，債務不履行に関する一般法理が発達したこと，また，様々な分野の売買において目的物の品質・性能に関する合意ないしその手がかりが広まっていることを考えると，この規律が現代においてもつ意味について再検討が求められる。こうして，現行民法の契約不適合責任へと向かうことになった。

3 買主の義務

(1) 代金支払義務

(a) 代　金　額

買主は代金を支払う義務を負う（555条）。買主の代金支払義務は，売主の財産権移転義務に対応する中心的債務である。代金額は，当事者の合意によって定まる。契約締結時において具体的な金額が示されていなくても，確定しうるものであればよい。合意は，一定の基準に従って定まる額とするものでも，時価によるとするものでもよい。そのことが明示されていなくても，契約の解釈により，たとえば時価によるという合意であったと認められれば，そのような契約として有効である（→第2章第3節2(1)〔102頁〕）。

(b) 支払時期

代金の支払時期は，当事者の合意によって定まる。慣習によって定まることもある（92条）。合意や慣習が明らかでない場合について，民法は推定規定を置いた。目的物の引渡期限だけが定められていて，代金支払期限は明らかでない場合，代金支払についても同じ期限を付したものと推定される（573条）。目的物引渡債務と代金支払債務は同時履行の関係にあるから（533条），両期限を同じにすることが公平であり，実際にも多いだろうから，それが当事者の共通の意思であると推定することができる。そうすると，不動産売買の場合は，登記の時に代金を支払うと推定するのが妥当だということになる（星野141頁，潮見新各Ⅰ211頁以下）。

支払う時間としては，法令又は慣習により取引時間の定めがあるときは，その取引時間内に支払わなければならない（484条2項。2017年改正前商法520条を一般化した）。

● 継続的な売買においては，毎月分をまとめて一定期日に支払うなどの信用供与を伴うことが多い。たとえば，「毎月末日までに引き渡した商品について，翌月15日に支払う」などと取り決められる。

(c) 支払場所

　代金の支払場所も，当事者の合意によって定まる。慣習によって定まることもある（92条）。合意や慣習が明らかでない場合，一般的には，債権者である売主の現在の住所で支払うべきことになるが（持参債務の原則。484条1項），売買については特則がある。すなわち，目的物の引渡しと同時に代金を支払うべきときは，その引渡しの場所で支払わなければならない（574条）。もっとも，この規律は，代金の支払前に目的物の引渡しが現にあった場合には及ばず，その場合は，484条1項の原則が適用される（大判昭2・12・27民集6巻743頁〔旧484条〕。中間試案説明426頁，部会資料81-3，10頁）。

> ● 代金支払場所が問題となるのは，これから履行しようとする状況においてではない。どこで履行をすべきかわからなければ，相手に確認すればよい。主として問題となるのは，次の2つの場面である。第1に，紛争が生じた後，振り返って，買主が弁済の提供（493条）を有効にしていたか否かが問題となることがある。買主が支払をすべき場所で弁済の提供をしていれば債務不履行にならず（492条），売主の解除や損害賠償請求が認められないことになるので，弁済の提供が正しい場所でされたかどうかが問題となる。第2に，裁判管轄が問題となることがある。支払場所は，義務履行地として，裁判管轄が生じる（民訴5条1号）。当事者が遠隔地に住んでいるとき，どこで裁判を起こせるのかは，実際上，重要な問題となる。

(d) 代金の利息

　買主は，目的物の引渡しの日から代金の利息を支払う義務を負う（575条2項本文）。利息の支払と果実の帰属とが対応し，引渡しの前後でその組み合わせが転換することは，前述の通りである（→2(2)(b)〔297頁〕）。

　代金の支払期限があるときは，引渡しがあっても，買主は，期限到来まで利息を支払うことを要しない（同項但書）。当事者の意思を推測したものである。

> ◆ **代金の利息の法的性質**　この「利息」の性質は，「遅延利息」なのか（鳩山上356頁，末弘巌太郎『判民昭6』117頁，我妻中Ⅰ312頁，柚木＝高木・新版注民（14）423頁など多数説），「法定利息」なのか（大判昭6・5・13民集10巻252頁〔支払猶予令の適用の有無が争点〕，広中82頁以下，藤原弘道「売買代金債務と『利息』請求」司研論集77号〔1986〕41頁など）の議論がある（山本319頁以下参照）。遅延利息説は，575条2項は，履行遅滞による損害賠償が発生する時期を引渡し又は期限到来を基準とすることによって，一般原則（412条）に対する例外を設けたものであるという。法定利息説は，575条は，目的物の果実と代金の運用利益の二重取りを防止するための規律で

あるという。ここでは，①目的物引渡債務の履行期，①′目的物が実際に引き渡された時点，②代金債務の履行期，②′代金が実際に支払われた時点，の関係が問題となる。たとえば，①及び①′が②に先行する場合，①′と②の間で「利息」は発生しない（575条2項但書）。また，③代金債務が履行遅滞となる時点との関係も問題となる。たとえば，買主に目的物が引き渡されたが，代金債務の履行期の定めがない場合，①′から「利息」が発生し（同項本文），買主が代金債務の履行の請求を受けた時（③）から遅延損害金が発生する（412条3項）。ここで，①′以降の「利息」の性質（ⓐ），③以降の遅延損害金と「利息」との関係（ⓑ）が問題となる。遅延利息説は，ⓐについて「利息」を遅延損害金と考える。法定利息説は，ⓐについて不当利得の性質をもつ法定利息と考え，ⓑについては請求権競合説と非競合説に分かれる。遅延損害金についての約定（420条1項）のある場合も考えると，ⓐについては法定利息と解し，ⓑについては遅延損害金のみが発生すると解するのが簡明であり，575条の趣旨にも合致するだろう。①①′②②′③の組み合わせで様々な場合が生じうるが，同様に考えることができるだろう。

(e) 代金支払を拒絶できる場合

履行期が到来しても買主が代金の支払を拒絶できる場合がある。一般的な規律としては，同時履行の抗弁（533条）と不安の抗弁権（→第3章第2節4(2)〔160頁〕）がある。売買契約については，次の2つの規律がある。

第1に，売買の目的である財産権について権利を主張する第三者がいるなどのため，買主が買い受けた権利の全部又は一部を取得できず，又は失うおそれがある場合である。買主は，その危険の程度に応じて代金の全部又は一部の支払を拒絶することができる（576条。旧576条を拡充した。部会資料75A，第3，10説明）。

576条は，たとえば，土地を買ったが，第三者が自らが所有者であると主張したり，その土地を通行できる地役権を有していると主張したりしたという状況で適用される。第三者が，その主張通り，その土地について確定的に権利を取得した場合，買主は，売主に対し，売主の担保責任を追及できるが，そのおそれがある段階で，買主が代金の支払を拒絶できることにしたのが本条である。第三者の権利の取得が買主より前であるか後であるかを問わない。「おそれがある」というのは，買主の単なる主観的な危惧感では足りず，客観的にみて危険性があることが必要である。債権の売買において，債務者が債務の存在を否定する場合にも，適用がある。

買主が代金の支払を拒絶したのに対し，売主が相当の担保を提供した場合，買主はもはや拒絶できなくなる（576条但書）。また，売主は，買主に対し，代金を供託するよう請求することもできる（578条）。

第2に，不動産売買において，買い受けた不動産に契約の内容に適合しない抵当権の登記がある場合である（577条1項）。この場合，買主は，抵当権消滅請求の手続をすることにより，抵当権を消滅させることができる（379条～386条）。そのうえで，買主はそのために支出した費用の償還を売主に請求することができる（570条）。そうすると，買主が抵当権消滅請求の手続をする場合は，代金の支払を留保し，この償還金を差し引くことにするのが簡便かつ公平である。そこで，本条（577条1項前段）は，買主の代金支払拒絶を認めている（我妻中Ⅰ313頁参照）。

買主の代金支払拒絶に対し，売主は買主に，遅滞なく抵当権消滅請求をすること（577条1項後段），及び，代金を供託すること（578条）を請求できる。

577条1項の規律は，買い受けた不動産に契約の内容に適合しない先取特権又は質権の登記がある場合について，準用される（同条2項・341条・361条）。

(2) 受領義務（引取義務）の存否

目的物を引き渡そうとしても，買主が受け取らないと，売主には目的物の保管などの負担が生じる。買主が代金を支払わなければ，それを理由に解除すればよいが，代金支払済みの場合などではそれもできない。そこで，買主に受領義務（引取義務といわれることもある）があるか否かが問題になる。受領遅滞（413条）との関係で債権者に受領義務があるのかという一般的なレベルでも議論されることだが（中田・債総238頁以下），少なくとも買主については，同義務を認める見解が多い（我妻中Ⅰ315頁，星野143頁，広中85頁，潮見88頁，潮見新各Ⅰ209頁など）。判例では，買主の受領拒絶に対する売主の契約解除を否定したもの（大判大4・5・29民録21輯858頁），継続的な鉱石売買契約において，信義則に照らし，買主の引取義務を認めたもの（最判昭46・12・16民集25巻9号1472頁，百選Ⅱ55［平野裕之］）がある。国際的物品売買については，買主の引渡受領義務が認められている（国際売買約53条・60条）。この義務を認めることの具体的効果として重要なのは，買主の違反を理由として，売主が解除や損害賠償請求をできることである。特約や慣習があればそれによることになるが，

それらがない場合，売買契約については，財産権移転という契約の目的に鑑み，原則として受領義務があると認めてよいだろう。

> ◆ **改正の経緯**　部会では，買主の「売買の目的物（当該売買契約の趣旨に適合するものに限る。）を受け取る義務」を明文化することが検討された（中間試案説明425頁）。しかし，パブリック・コメントで反対意見（判例の理解，受領義務の効果の不明確性，消費者被害の懸念等による）が寄せられたことなどから，見送られた（部会資料75A，34頁）。もっとも，受領遅滞の効果が明確化される（413条）など，関連する規律が整備された（413条の2第2項・567条2項など）。

第4節　各種の売買

1　売買の諸相

(1)　社会的実態に応じた類型化

ここまで，主として，当事者の属性も目的物の種類も捨象した，1回限りの単純な売買を検討してきた。本章の冒頭で述べた通り，社会的実態としての売買は多様であり，生じる問題も様々である。そこで，社会的実態に応じて類型化された各種の売買について，個別的な検討が進められている。適用対象を明確にしたうえ特別法が規律するものもあれば，外延が必ずしも明確でない類型もある。以下では，当事者，目的物，取引の態様の各観点から概観する。複数の観点からとらえることのできるものも少なくない。

(2)　当事者

当事者の属性という観点からの類型としては，商事売買（商524条～528条）と消費者売買がある。

商事売買は，商人間の売買について，より効率的に取引が行われうるよう，民法の売買に関する規定の特則を置くものである。契約自由の原則が重視される領域であり，これらの特則は，もちろん，任意規定である。

消費者売買は，消費者と事業者との間には情報及び交渉力の格差があることから，それを是正して契約自由の原則が妥当しうる状況を確保すること，さらに一定の領域では，自由を後退させてでも消費者の保護を図ることが，企図される。ここでいう消費者とは，消費者契約法にいう消費者（消費契約2条1項）

が中心となるが，より広い範囲の買主を対象とする法律もある。消費者の契約からの離脱の保障（消費者契約の申込み又は承諾の取消し〔同4条～7条〕，クーリング・オフ〔特定商取引9条1項など〕，過量性のある契約からの解放〔消費契約4条4項，特定商取引9条の2〕），契約条項の無効（消費契約8条～10条），事業者・専門家たる売主に対する義務づけや制約（金融商品販売業者の説明義務〔金融サービス4条1項〕，宅地建物取引業者が売主となる売買における特約の制限〔宅建業40条〕など）などの規律が発達している。強行規定が多い。他方，買主の知識・経験に応じて規律の程度を変えるものもある（金融サービス4条7項1号）。

(3) 目 的 物

不動産売買は，社会的実態として重要な1つの類型となっている。成立の認定に契約書作成と手付金等の金銭の授受を求める実務（→第2章第4節2(1)(b)(ii)〔111頁〕），不動産登記制度との連結などの特徴がある。宅地建物（住宅品質95条，宅建業40条），農地（農地3条・5条）など不動産の種類に応じた規律もある。

債権や知的財産権など無体物の売買については，対象が可視的でないことなどから，取引の安定化や買主保護のための規律が発達する。たとえば，売買の効力要件が法定されているもの（電子債権17条，特許98条1項1号），売主である業者に対し，説明義務を課すもの（金融サービス4条1項），適合性の原則（→第2章第4節3(1)(a)(i)◆〔131頁〕）に沿うよう求めるもの（金商40条1号，金融サービス4条2項）がある。

(4) 取引の態様

第1に，売買が行われる「場」に応じた類型がある。国際売買（国際売買約1条），電子取引による売買（→第2章第2節1(2)(b)(ii)3つ目の◆〔85頁〕），競売（→同(a)4つ目の◆〔82頁〕）などである。

第2に，売買が行われる時間軸を考慮した類型がある。広くいうと継続的売買だが，そのなかには，1つの売買契約であって分割的に履行されるもの，基本契約に基づいて個別の売買契約が締結されるもの，全体としての契約が締結されたわけではないが同じ当事者間で個別の売買が継続的に行われるものがある。その解消（→第4章第1節2(1)(b)〔185頁〕），同時履行関係（→第3章第2節4(1)(c)3つ目の◆〔160頁〕），不安の抗弁（→同(2)◆〔161頁〕），事情変更（→第1章

第7章 売　買

第1節4(3)〔43頁〕）などの問題がある（→第1章第3節3(2)〔75頁〕，中田・解消444頁以下，中田・研究32頁以下・131頁以下）。

第3に，販売方法に着目した類型がある。消費者保護の観点から，訪問販売（特定商取引3条～10条），通信販売（同11条～15条の3→第2章第2節1(2)(a)1つ目の◆〔81頁〕），電話勧誘販売（同16条～25条）などについて，規制がある。

第4に，売買代金について信用を供与する仕組みが構築されている類型がある。代金を分割払とし，完済まで売主が目的物の所有権を留保する割賦販売（自社割賦）（割賦7条），信販会社等が買主に代わって売主に代金を支払い，買主から分割して支払を受けるクレジット契約などである。後者においては，買主の売主に対する抗弁を信販会社等に対しても主張しうる「抗弁の接続」が認められることがある（同30条の4）。

第5に，売買の成立又は解消に特殊性のある売買がある。

①成立に関しては，試味売買がある。買主が目的物を試用し気に入ったら買うというものである。買主が気に入ることを停止条件とする売買であるという理解（我妻中Ⅰ323頁など。売主の催告権〔556条2項〕が類推適用されるという）が多いが，契約に先立って試用の機会を与える売買だという理解（基本方針Ⅳ139頁以下）もある。いずれであるかは，個別の合意の解釈によるべきである。部会では，「契約締結に先立って目的物を試用することができる売買」の明文化が検討されたが（論点整理説明336頁），「送りつけ商法」に対する危惧（特定商取引59条参照），当事者間の合意に委ねれば足りることなどの理由により，見送られた（部会資料43，第4，2，同59，32頁）。

このほか，見本売買（見本を示してされる売買）が「特殊の売買」の例とされることが多い（我妻中Ⅰ323頁，星野147頁など）。しかし，見本は契約の内容（目的物の品質など）についての判断資料と位置づければ足り，類型としてあげるほどのものではないだろう。

②解消に関しては，買戻し特約付き売買がある。次項で検討する。

2　買戻し特約付き売買

(1)　意　　義

民法は，不動産の買戻しの特約について規定する（579条～585条）。これは，不動産の売主が，一定期間は，一定の金額で，売った不動産を買い戻すことが

できるという特約である。その法的性質は、売主の解除権留保特約である（579条）。

このような制度は、日本では中世以来、不動産担保として用いられてきた。旧民法は、フランス民法の影響のもと、売買の章に「受戻権能ノ行使」の款を置き、不動産・動産を通じて「受戻ノ約款」について規定した（財産取得編84条～93条）。明治民法制定の際、その弊害（所有権の所在を曖昧にし、買主は目的物の改良をしようとしなくなる。取引の安全を害する）も指摘されたが、古くから用いられてきたことや、外国にも同様の制度があることから、不動産（登記により公示できる）に限って、厳格な要件のもとで残すこととされた（民法修正案理由書559頁以下、民法速記録Ⅳ112頁～182頁、梅545頁以下、来栖211頁以下）。しかし、担保以外の目的での利用に伴い、今回の改正で要件が少し緩和された。

(2) 制度の概要

不動産の売主は、買戻しの特約をすれば、買戻期間内は、買主が支払った代金及び契約の費用を返還して、売買契約を解除することができる（579条前段・580条）。ただし、売主の返還すべき代金額について、別段の合意をすれば、それによる（579条前段括弧書）。

> ◆ **改正の経緯**　改正前民法では、売主の返還すべき代金額は買主が支払った額に固定され（旧579条）、これは強行規定と解されていた。買戻しが売主（被融資者）の担保として利用されることを想定し、利息制限法の潜脱を防止しようとする規律である（柚木＝高木・新版注民（14）440頁）。しかし、買戻しの規律を強行規定としても、再売買の予約を用いれば回避できるので、実効性がない。また、担保としての買戻しは譲渡担保と性質決定されるようになり（最判平18・2・7民集60巻2号480頁）、この規律の狙いは生かせない。他方、買戻しは、実際には金融担保以外の目的で用いられるようになった。そこで、売主が返還しなければならない金銭の範囲について柔軟な取扱いを認め、買戻し制度を利用しやすくした（中間試案説明431頁、部会資料75A、第3、13説明1）。

買戻しの特約は、売買契約と同時にしなければならない（579条前段）。売買契約と同時に特約の登記（付記登記）をしたときは、買戻しは、第三者に対抗することができる（581条1項、不登96条、不登則3条9号）。

買戻しの期間は，最長10年間であり，いったん定めると伸長できない。期間を定めなかったときは，5年間となる（580条）。

買戻しを実行するためには，売主は，買戻しの期間内に，代金及び契約の費用を提供しなければならない（583条1項）。当事者間の別段の意思表示がないときは，不動産の果実と代金の利息とは相殺したものとみなされる（579条後段）。買主又は転得者が不動産について費用を支出していた場合は，売主は，196条の規定に従って償還しなければならないが，有益費の償還については期限の許与がありうる（583条2項）。

以上が骨格である。このほか，買戻しの特約の登記の後に目的不動産の賃貸借がされた場合（581条2項），売主の債権者が債権者代位権により買戻権を代位行使しようとする場合（582条），共有持分が買戻し特約付きで売買された場合（584条・585条）の規律がある。

> ◆ **買戻しの利用状況と今回の改正**　　明治民法制定後，買戻しについて，次の動きがあった。
>
> ①担保としての利用の減少。明治民法は，買戻し制度についてかなり詳しい規定を置き，法典調査会でも多くの議論があったが，実際には，担保としての買戻しの利用は減少していった。買戻しに関する紛争も，明治末期から昭和初期に多発したが，その後，減少した。買戻しに関する民法の規定が厳格すぎて使いづらく，担保としては，再売買の予約が用いられるようになり，かつ，大審院が前者の制限が当然には後者には及ばないと判断したからである（大判大9・9・24民録26輯1343頁など）。買戻しと再売買の予約とは，不動産の売主A（被融資者）が，一定期間内に一定金額を買主B（融資者）に支払うことによって，不動産を取り戻せるという仕組みは同じだが，再売買の予約は，ⓐ再売買代金額に制限がない，ⓑ法律構成は解除でなく，再売買の予約であり，元の売主Aに予約完結権が与えられる，ⓒ公示方法は，登記でなく，仮登記（不登105条2号）である，という特徴がある（川井健「買戻と再売買の予約」大系II 70頁，星野148頁以下）。このうち，ⓐがBにとってのうま味となり，こちらが用いられた（買戻しでは，AはBの支払った代金と契約費用を返還すれば取り戻せる。特約があればBは代金の利息を得ることはできるが，Aは買戻しの実行の際に利息を提供する必要がないので，Bはそれを確保できない〔旧579条・583条〕）。
>
> ②目的不動産の利用に関する契約条件の履行確保手段としての利用。その後，買戻しが不動産の利用に関する契約条件の履行確保手段として用いられる例が現れた。公共団体や公団が土地・建物を分譲する際，買主に対し，購入した土地上に建築物を一定期間内に建築することを義務づけたり，一定期間内の転売を禁止することがあり，その条件に違反すると，売主が買戻権を行使できるという特約が付されるこ

とがある（新住宅市街地開発法33条，独立行政法人都市再生機構業務方法書44条・45条など）。これは，金融担保目的の売買ではなく，良好な住宅地や住宅を供給して国民生活の安定を図るという政策目的のもとでされる真正な売買であり，その目的の達成のために付されるものである（最判平11・11・30民集53巻8号1965頁は，その事例。豊澤佳弘『最判解民平11（下）』953頁，吉田邦彦「判批」判例評論501号〔2000〕26頁参照）。地方公共団体が埋立地を分譲する際の入札条件履行確保のためにも用いられる（滝澤孝一「港湾行政」法教486号〔2021〕4頁）。

　③担保としての利用の復活と判例によるその制限。近年の動きとして，担保としての買戻しの利用の復活と判例によるその制限がある。不動産を目的とする非典型担保としては，譲渡担保が多く用いられてきたが，判例・学説により，その担保としての実質に即した合理的な規律が形成されるようになった。すなわち，譲渡担保権設定者は，一定の段階までは目的物を受け戻すことができ，また，担保権が実行される場合は，譲渡担保権者は，融資額と不動産価格との差額を清算金として返還しなければならない。これに対し，買戻しは，法形式は解除権留保特約付き売買であるので，売主（被融資者）と買主（融資者）との間には被担保債権（貸金債権）は残らないことになり，売主は，買戻期間を経過すると取り戻せず，目的不動産の価格と代金額（実質は融資額）の差額について清算金を得ることもできない。そこで，金融業者は，担保としての買戻しに再び注目し，清算金支払義務を免れようとした。しかし，判例はこれを抑え，「買戻特約付売買契約の形式が採られていても，目的不動産を何らかの債権の担保とする目的で締結された契約は，譲渡担保契約と解するのが相当」とした（最判平18・2・7前掲，百選Ⅰ96〔小山泰史〕，片山直也「判批」金法1780号〔2006〕37頁，福田剛久『最判解民平18（上）』240頁）。この判決は，買戻し特約付き売買契約であっても，占有の移転がない場合は，担保目的と推認され，その性質は譲渡担保契約と解するのが相当だという。この結果，売主は買戻し期間を過ぎても受け戻すことができ，買主は担保権を実行する場合には清算金を支払わなければならず，金融業者にとってのうま味はなくなる。今後は，買戻しは，金融担保目的としては用いられず，契約条件の履行確保手段など，真正な売買に付される特約として用いられることが予想される。

　このような動きのなかで，買戻しに関する規定の存続に対する疑問も投じられたが（椿寿夫「民法改正に関する若干の検討と論評」法時1073号〔2014〕95頁），改正民法は担保目的以外での利用を考慮してこれを存置し，一部の改正にとどめた。

第8章 交　　換

　交換とは，当事者が互いに金銭所有権以外の財産権を相手方に移転することを約束する契約である（586条1項）。諾成・双務・有償契約である。

　有償契約なので，売買の規定が準用される（559条）。各当事者は，売主と同様，相手方がその財産権の新たな完全な権利者になるようにする義務（権利を移転する義務，権利の移転に必要な行為をする義務，対抗要件を具備させる義務，引渡しをする義務）（→第7章第3節2(2)(a)〔294頁〕）及び担保責任（→同(3)〔299頁〕）を互いに負う。

　当事者の一方が，他の権利とともに金銭を与えることを約束した場合，その金銭については，売買の代金に関する規定を準用する（586条2項）。この金銭を補足金という。ここで主として想定されているのは，売買の先取特権の規定（321条・328条）の準用である（民法速記録Ⅳ 184頁〔梅謙次郎発言〕，梅580頁）。売買の節における代金に関する規定（573条〜578条）については，559条によって準用されうる（このうち，573条・574条については，双方が目的物の引渡しをする交換契約の性質上，補足金支払義務者の引渡しの期限・場所をも考慮して判断すべきであろう）。

◧ **金銭と金銭の取替え**　　金銭と金銭を取り替える契約は，586条の交換ではない。その法的性質については，古くから議論がある（梅578頁参照）。「両替」について検討し，これを無名有償契約とする見解が有力だが（我妻中Ⅰ 341頁），これは金銭と金銭のいわば現実交換（取替え）という一場面の問題であるにすぎない。考察の対象を広げる必要がある。金銭と金銭を取り替える契約から発生する債権の種類に着目し，双方の債権が，それぞれ①特定金銭債権，②絶対的金種債権，③相対的金種債権，④金銭債権（金額債権）のいずれであるのか，また，双方が③又は④であるときは各債権額が同じ国の通貨で指定されているか否かを分け，組み合わせごとに

検討する必要がある（たとえば，一方が①，他方が④なら売買であるなど）。その際，金銭債権に関する規律（402条・403条）及び相殺に関する規律（505条2項など）との関係も考えなければならない。通貨概念が柔軟化しつつある現在，このような分析が一層求められることになる（中田・債総59頁。潮見新各Ⅰ231頁以下参照）。

◆ **等価交換方式**　不動産取引において，「等価交換方式」と呼ばれる方法がある。①土地所有者Aと不動産会社Bとの間で，Aの土地上にBが建物を建築し，その建物の一部と敷地の一部とを交換する契約，②区分所有建物の建替えによる再建建物の区分所有権の取得（建物区分62条参照），③土地収用における替地による補償（収用82条）などにおいて，この言葉が用いられることがある。これらは，所有する不動産の代わりに将来発生すべき不動産を取得するもの（①②），法律に基づいて行われるもの（②③），節税を目的とすることが多いもの（①），集団的なもの（②）など，それぞれに特殊性がある。したがって，「等価交換方式」が民法上の交換契約であるかどうかよりも，それぞれの制度の規律との関係が重要な問題となる。

第9章　消費貸借

第1節　意　義

1　概　念

　消費貸借とは，当事者の一方が種類・品質・数量の同じ物をもって返還することを約束して，相手方から金銭その他の物を受け取ることによって成立し，効力を生ずる契約である（587条）。要物契約であり（「受け取ること」が必要），片務契約である。利息付きの場合は有償契約，無利息の場合は無償契約である。

　消費貸借の成立については，もう1つの方法もある。すなわち，書面でする消費貸借は，両当事者の合意のみで成立し，効力を生じる（587条の2第1項）。こちらは，要式契約であり，片務契約である。利息付きか否かにより，有償契約又は無償契約となる。

　消費貸借の目的物は，「種類，品質及び数量の同じ物をもって返還」することができるもの，つまり金銭その他の代替物（米，石油など）である。かつては穀物の貸借が大きな意味をもつ時代もあったが，現代では金銭の消費貸借が圧倒的に多く，それが重要である。

> ● 民法には，「貸借」と名のつく3つの典型契約がある。消費貸借，使用貸借（593条），賃貸借（601条）である。これらを貸借型の契約（我妻中Ⅰ220頁），物の利用を目的とする契約（広中101頁）などという。明治民法の起草者は，「貸借」に含まれる契約の種類は法制によって異なるが，日本民法ではこの3種にしたという（梅581頁）。このうち，消費貸借においては，借主は借りた金銭等を消費したうえ，それと同種・同等・同量の別の物を貸主に返還するのに対し，使用貸借と賃貸借においては，借主は借りた物自体を貸主に返還する。そこで，消費貸借は，目的物の交換価値を借主に利用させる契約，使用貸借と賃貸借は，目的物の使用価値を借主

に利用させる契約であるということができる（使用貸借と賃貸借との違いは，賃料支払がないか，あるかである）。

◆ **「要式契約としての諾成契約」**　書面でする消費貸借は，「要式契約としての諾成契約」と表現されることもある（中間試案説明442頁。潮見新各Ⅰ245頁参照）。契約自由の原則の一部をなす方式の自由がローマ法以来の方式主義の伝統を克服したものであることを強調し，かつ，諾成主義を契約の成立要件の基本原則と位置づけるという観点（→第1章第3節3(1)(b)3つ目の◆〔74頁〕参照）からは，この表現は不自然である。他方，現代社会においては，諾成主義を前提としたうえで，政策的判断等により書面の作成が要求されることがあるという観点（→第2章第5節〔138頁〕）からは，このような表現もありえなくはない。この表現は，書面でする消費貸借を「諾成的消費貸借に書面要件を付したもの」として位置づけ，さらに，諾成契約である贈与契約の下位概念である書面による贈与（550条参照）との比較を促すという実践的意味をもつ。しかし，概念の混乱を招くおそれがあるし，要物契約である消費貸借との関係も不鮮明になるので，本書ではこの表現は用いない。

◆ **消費貸借の片務契約性**　要物契約である消費貸借は，片務契約である。消費貸借は，借主が目的物を受け取ることによって成立し，効力を生じるから，貸主による目的物の引渡しは契約の成立要件であって，契約から引渡債務が発生するわけではない。契約成立後は，借主の返還債務があるだけである。利息付き消費貸借においては，目的物に契約不適合がある場合に貸主の義務が観念されうるが（→第3節1(3)(b)(i)〔365頁〕），それと借主の返還債務との間に対価的牽連性があるとはいえないので，やはり片務契約である（→第1章第3節2(2)◆〔72頁〕，基本方針Ⅳ376頁）。要式契約である消費貸借においては，貸す債務に加え，借りる債務も認められるが，両者には対価的牽連性があるとはいえないので，なお片務契約であると解すべきである。これについては，「対価的牽連性」という概念をめぐる議論だけでなく，「貸す債務」と「借りる債務」の内容を明らかにすることが重要である（森田・深める195頁以下参照）。

2　2つの成立方法が定められた経緯

(1)　改正前民法のもとの状況

(a)　消費貸借の要物性に対する批判

改正前民法は，要物契約としての消費貸借（587条）だけを規定していた。これによると，金銭等の目的物が授受されるまで契約は成立せず，一部の授受しかないときは，その一部についてしか契約は成立しない。要物契約とされる理由は，①ローマ法以来の沿革（民法修正案理由書566頁），②借主の保護（合意

しただけで目的物を受領していない借主が返還債務を負うのは不当）である。しかし，要物性に対しては，早くから批判が投じられ[1]，少なくとも利息付き消費貸借契約については，要物契約とする合理性は乏しいという見解が多くなった。

◆ **要物性に対する批判**　①ローマ法以来の沿革という理由については，ローマ法で要物契約とされたのは無利息消費貸借であり，それは無償契約であるがゆえに要物契約とされていたのであり，利息付き消費貸借には妥当しないという指摘があった（来栖257頁，広中109頁）。実質的にも，好意や愛情に基づく無償契約である無利息消費貸借においては，実際に目的物が交付された段階で効力が生じるとすることに合理性があるが，有償契約である利息付き消費貸借ではそうはいえない。②借主の保護という理由については，契約の成立を認め，返還債務は発生しているとしつつ，未受領の抗弁権が認められると解し（我妻中I 351頁），あるいは，返還債務は目的物が交付されることにより発生すると解する（鳩山下397頁。星野174頁参照）ことで解決できる。

以上の2点は，要物契約とする必要はないという消極的批判だが，加えて積極的批判もあった。③要物契約とすると，現実の取引に支障が生じるという批判（→第2節1(2)〔353頁〕）と，④民法自体，要物性を徹底していないという批判である。④は，改正前民法で，ⓐ消費貸借の予約の存在が認められていたこと（旧589条参照），及び，ⓑ利息付き消費貸借の貸主の瑕疵担保責任において，貸主の債務の存在が認められていたこと（旧590条1項）である。ⓐでは，予約完結権が行使されると本契約が成立するが，その段階では目的物は交付されていないので，目的物の交付前に消費貸借契約が成立することになり，要物性と矛盾する。ⓑでは，利息付き消費貸借契約の目的物に隠れた瑕疵があったとき，貸主は瑕疵のない物と取り替えることを要するが，これは貸す債務を認めるものであり，要物性と矛盾する（→第3節1(3)(b)(i)〔365頁〕）。

(b) 諾成的消費貸借の承認

改正前民法の定める消費貸借の要物性に対する批判をもとに，非典型契約として諾成的消費貸借を認めるべきことが早くから指摘され（石坂・前掲注1）702頁），これを認める見解が一般的になった。判例もその有効性を認めた（最判昭48・3・16金法683号25頁，最判平5・7・20判時1951号69頁）。

諾成的消費貸借が成立すると，貸主は借主に対し，約束した日に約束した種

---

[1] 富井政章「消費貸借ノ成立ト占有ノ移転」法協30巻1号（1912）1頁〔立法論〕，石坂音四郎「要物契約否定論」同『改纂民法研究下巻』（1920）677頁〔初出1914〕。

類・品質・数量の代替物を引き渡す債務を負う。借主は貸主に対し，引渡債権を有し，その履行を請求すること，同債権を第三者に譲渡すること，同債権を貸主に対する同種の目的の債務と相殺することができる。借主の債権者は，借主の引渡債権を差し押さえることができる。ただし，契約後，借主が破産手続開始決定を受けたときは，貸主は貸す債務を免れる（旧589条類推適用。我妻中Ⅰ355頁など。大判昭12・5・26民集16巻730頁参照）。

> ◆ **諾成的消費貸借の概念の評価**　　改正前民法のもとで諾成的消費貸借を認めることは強行的規定である587条に反するという否定論もあったが（富井・前掲注1）5頁），その後，この概念を認める見解が一般的になった。これを一般に認める学説が多かったが（我妻中Ⅰ354頁など），利息付き消費貸借について認めるもの（広中112頁，来栖257頁）も有力だった。他方，消費貸借の予約に吸収されるとして諾成的消費貸借の概念の意義を認めないもの（三宅各下543頁以下）もあった。
> 　諾成的消費貸借を認める学説のなかでも，細部については見解が分かれていた。消費貸借の予約との区別，借主の返還債務の発生時期（契約時か，交付の後かなど），貸主側からの相殺，契約時から目的物交付時までの利息支払債務などについて，議論があった（本書初版357頁以下）。

(2)　要式契約としての消費貸借の追加

そこで，今回の改正で，消費貸借を要物契約とする改正前民法の問題点を考慮し，要物性を見直すことが検討された（論点整理説明346頁。基本方針Ⅳ373頁以下参照）。

まず，消費貸借を要物契約から諾成契約に改めることについては，安易に金銭を借りる約束をした場合の「借りる義務」の発生（中小企業が融資の申込みをした後に資金需要が解消した場合，金融業者の個人に対する「押し貸し」の場合など）や，安易に金銭を貸す約束をした場合の「貸す義務」の発生により，酷な結果が生じかねないという問題が指摘された。

次に，要物契約である消費貸借と諾成契約である消費貸借を併存させることについては，両者の関係をどう理解するかが問題となる[2]。また，当事者の合意のみがある場合に，それが要物契約の前提としての合意なのか，諾成契約の

---

2) 改正前民法のもとでも，鎌野邦樹『金銭消費貸借と利息の制限』〔1999〕151頁以下，潮見各Ⅰ302頁，山本368頁の指摘があった。

合意なのかが判然としないという問題も生じる（中間試案説明442頁）。

その結果，改正民法においては要物契約と要式契約を併存させることとされた（検討過程につき，部会資料44, 第2, 1, 同52, 第1, 同57, 第2, 1）。

両者の関係は，587条の2第1項が「前条の規定にかかわらず」と規定することから，要物契約（587条）が原則であり，書面でする消費貸借（587条の2）はその例外だということになる。もちろん，当事者は，訴訟において，どちらの成立を主張することもでき，その意味では両者は同列であるが[3]，先行する要物契約が批判にもかかわらず存置されたこと，また，諾成契約との併存とするのではなく要式契約を追加することにしたことは，その理由とともに，現行民法の解釈に際しても考慮されるべきものである[4]。

第2節　消費貸借の成立

1　要物契約

(1)　意義——要物性の原則

消費貸借は，借主となる者が返還を約して「相手方から金銭その他の物を受け取ることによって」効力を生ずる（587条）。明治民法以来の規定である（現代語化されたもの）。

(2)　要物性による支障の緩和

改正前民法のもとで，要物性に対する批判の1つとして，現実の取引に支障が生じるという点があった。すなわち，金銭消費貸借を行う際，貸主が借主に現金を手渡すという態様以外の方法が多くあるが，587条を厳格に解し，他の方法による契約の効力に疑義が生じるとすると，取引の安定を害する。また，貸金の回収を確保するため，抵当権を設定したり，公正証書を作成したりする際，要物契約であることを貫くと問題が生じる。そこで，判例は，これらの実務上の支障を緩和した。現行民法のもとでも，要式契約の要件を満たさない消費貸借については，これらの判例の意義は残ることになる（千葉・前掲注3）448頁以下）。

---

[3]　潮見133頁参照。千葉惠美子「消費貸借」潮見ほか・改正446頁・448頁参照。
[4]　鎌野邦樹「金銭消費貸借——法的性格を中心に」改正と民法学Ⅲ201頁・224頁参照。

第1に，現金の授受以外の方法であっても，金銭の「現実の授受があったのと同一の利益」を借主に与えるのであればよいとされる。たとえば，当座預金通帳と印章の交付（大判大 11・10・25 民集 1 巻 621 頁，末弘嚴太郎『判民大 11』399 頁），国庫債券の交付（大判明 44・11・9 民録 17 輯 648 頁）である。

第2に，貸主と借主の間の直接の授受でなくてもよいとされる。たとえば，借主の第三者に対する債務の弁済として，貸主がこの第三者に金銭を交付することである（大判昭 11・6・16 民集 15 巻 1125 頁）。銀行ローンで住宅を購入する場合，銀行から借主に資金が渡されるのではなく，直接，販売会社の口座に振り込まれることが認められるのも，その例である（内田 250 頁）。

第3に，抵当権の設定や公正証書の作成に際して生じる支障について，判例は，消費貸借の要物性を緩和するのではなく，抵当権や公正証書の要件を緩和することで解決する。

▶ **抵当権の効力**　金銭消費貸借の際，借主が担保として不動産に抵当権を設定することがある。消費貸借の要物性によれば，金銭が交付されて契約が成立し，貸金債権が発生する。他方，抵当権は，被担保債権がないと成立しえない（抵当権の付従性）。そうすると，金銭交付の前には貸金債権は存在しないので，抵当権を設定することはできず，設定しても無効になる。しかし，実際には，抵当権設定登記がされた後に，金銭が交付される。そうでないと，金銭交付の後，抵当権設定登記の前に，目的不動産を借主が処分したり第三者が差し押さえたりすると，貸主が害されるからである。そこで，抵当権設定登記後に金銭が交付された場合の抵当権の効力が問題となる。判例は，その効力を認める。もっとも，それは消費貸借の要物性を緩和して合意だけで貸金債権が発生すると解する方法によるのではなく，抵当権の付従性を緩和して被担保債権発生前に設定された抵当権であっても，その後に発生した債権を担保することができると解する方法によるものである（大判明 38・12・6 民録 11 輯 1653 頁）。学説は，要物性による支障の解決を図る判例の結論に賛成する（星野 174 頁。我妻中Ⅰ 362 頁参照）。

▶ **公正証書の効力**　金銭債権等について強制執行認諾文言が記載された公正証書（執行証書）があれば，債務者が弁済しない場合，債権者は訴訟を提起しなくても強制執行をすることができる（民執 22 条 5 号）。このため，金銭消費貸借に際して貸主が公正証書の作成を求めることがある。この場合，貸主は公正証書が作成された後に，借主に金銭を交付するが，公正証書の書面上は，消費貸借が成立し債権が存在するものとして記載されるので，その効力が問題となる。判例は，当該「請求」が他と区別して認識できる程度に具体的に記載されていれば，記載方法に多少の事実

第2節　消費貸借の成立

との違いがあっても，公正証書の執行力は肯定できるとする（大判昭11・6・16前掲。大判昭5・12・24民集9巻1197頁，大決昭8・3・6民集12巻325頁，我妻栄『判民昭8』88頁参照）。ここでも消費貸借の要物性を緩和するのではなく，公正証書の記載内容の厳格性を緩和する方法で解決する。

2　要式契約
(1)　意　義

書面でする消費貸借は，金銭等の授受の前であっても，当事者の合意により契約が成立し，効力を生じる（587条の2第1項）。借主の返還債務は，金銭等を借主が受け取ることによって発生する（同項の「その受け取った物」という表現。中間試案説明443頁，部会資料70A，第4，1説明3 (1)，同83-2，第32，1）。借主は，金銭等を受け取るまでは，契約を解除できるが，貸主は，その契約解除によって損害を受けたときは，借主にその賠償を請求できる（同条2項）。借主が金銭等を受け取る前に，当事者の一方が破産すると，消費貸借契約は効力を失う（同条3項）。電磁的記録による消費貸借も，書面によってされたものとみなされる（同条4項）。今回の改正で新設された規定である。

(2)　要　件
(a)　合　意

貸主となる者が「金銭その他の物を引き渡すことを約し」，借主となる者が受け取った物と同じ種類・品質・数量の物をもって「返還することを約すること」が必要である（587条の2第1項）。この合意は，諾成的消費貸借に相当するものであり，消費貸借の予約（→3(2)）に相当するものではない。また，要物契約をする過程での「要物契約の前提としての合意」でもない。

> ◆ **現行民法のもとの諾成的消費貸借**　　587条の例外として，書面でする消費貸借を新設した現行民法のもとでは，書面によらない諾成的消費貸借契約の効力は認められないと解すべきである。
> 　もっとも，書面でする消費貸借が成立するためには，諾成的消費貸借に相当する合意の存在が必要である。では，①諾成的消費貸借と②消費貸借の予約はどう違うか。①においては，当事者双方に契約上の債務が発生するが，②では発生しない。貸付金額・利率・返済条件・担保などの契約条件が確定しているべき程度は，両者で異ならないが，①においては，貸す時期が確定し，又は客観的に確定しているの

355

に対し，②においてはそれは未確定であるという違いがある（中田・研究261頁）。このような諾成的消費貸借に相当する合意が書面でされることにより，消費貸借が成立する（587条の2）。

(b) 書面ですること

　消費貸借において，単なる合意では足りず，書面が要求されるのは，①当事者の合意が「要物契約の前提としての合意」ではなく，直ちに債権債務を発生させる契約であることを明確にすること，及び，②軽率な契約を防止すること，が目的である（中間試案説明442頁，部会資料57，第2，1）。①が特徴的だが，問題の本質は，諾成的消費貸借に相当する合意の存在であり，それが認められる場合には，書面要件は厳格なものと解すべきではないだろう。したがって，書面は，貸主の貸す意思と借主の借りる意思（受け取って返す意思）が現れたものである必要があるが，消費貸借の詳細な内容まで具体的に記載されている必要はない。2つの意思は，1通の書面に現れている必要はない（一問一答293頁）。

◆ **「書面でする消費貸借」の解釈**　　書面を求める理由のうち，上記の①は，消費貸借において特徴的なものである（鎌野・前掲注4）228頁以下参照）。もっとも，ここでの問題の本質は，当事者の合意が直ちに債権債務を発生させる契約なのかどうかであり，その合意が認定できるのであれば，書面要件は厳格に解する必要はない。②は，保証契約の要式性（446条2項。吉田＝筒井・現代語化13頁，中田・債総568頁以下）や書面によらない贈与の規律（550条→第6章第4節1(1)〔275頁〕）におけるのと同様のものである。もっとも，保証や贈与においては，一方当事者（保証人，贈与者）の保護が想定されているのに対し，消費貸借においてはそのように定型的に保護すべき当事者がいるわけではない。他の典型契約（売買など）においては，給付の内容が重大なものであっても書面は要件とされていないし，従来，諾成的消費貸借において書面は要件とされていなかったのだから，消費貸借における②の意味は大きなものではない（改正前民法のもとで認められていた諾成的消費貸借を，改正民法が厳しく限定したとは考えにくい）。②が働くとすれば，それは安易な口頭の約束によって消費貸借の成立が認定されるのが不適当であると評価される借主又は貸主の保護という局面においてであろう。以上のことから，消費貸借においては，諾成的消費貸借に相当する合意の存在が本質的要件であり，書面要件は厳格に解すべきではないと考える（少なくとも保証契約において求められる「書面」よりも緩やかに解してよい）（これに対し，潮見新各I 245頁以下参照）。

◆ **金銭の交付を停止条件とする金銭消費貸借**　　貸主側としては，書面によって消

費貸借契約が成立すると「貸す義務」が発生するので，これを回避することに関心が向かう（井上＝松尾・改正432頁以下参照）。そこで，当事者が書面で「金銭の交付を停止条件とする消費貸借」の合意をした場合の効力が問題となる（潮見新各Ⅰ246頁以下も参照）。ここでは，3段階の問題がある。①金銭の交付を停止条件とする消費貸借は有効か。そのような条件は，債務者（目的物引渡債務の債務者である貸主）の意思にのみ委ねられる随意条件だから，消費貸借そのものが無効になるが（134条），現実に金銭が交付されればそこで消費貸借が成立すると説明されることがあるとの指摘がある（第53回部会議事録52頁〔金関係官発言〕）。随意条件の付された約束が無効であるのは，当事者を法的に拘束する意味をもたないから（我妻・総則414頁），あるいは，当事者には法的効果を発生させる意思がないから（四宮＝能見・総則402頁）である。しかし，ここでは，たとえば銀行が気が向けば貸すというような状況が想定されているのではない。むしろ，契約成立前の段階を当事者が意識的にコントロールする合意として，その効力が認められるべきであろう（→第2章第4節2(2)〔115頁〕）。②「金銭の交付を停止条件とする消費貸借」に関する書面が作成されたとして，当事者の合意の内容は何か。ⓐ諾成的消費貸借，ⓑ消費貸借の予約，ⓒ金銭の交付を停止条件とする消費貸借，ⓓ要物契約の前提としての合意などが考えられる。これは合意の解釈の問題である（単に，「貸す義務」が明記されていないから，直ちに貸す義務が発生しないことになるわけでない）。③契約書に，これは上記のⓒである，あるいは，ⓓにすぎないと明記されているが，実際にはⓐの合意が成立していると解釈された場合は，どうなるか（契約書に甲という合意が記載されていても，当事者の真意が乙という合意なら，乙契約が成立する→第2章第3節3(2)(a)〔105頁〕）。ここで，改めてその契約書が587条の2の「書面」となりうるのかが問題となる。書面要件は厳格に解すべきではないので（→前の■），この場合も，同条の「書面でする消費貸借」が認められる可能性はあると考える。

(3) 受取り前の法律関係

(a) 借主の解除権

(i) 意義　書面でする消費貸借においては，借主が金銭その他の物（以下，金銭で代表させる）を受け取る前に契約が成立し，借主に「借りる義務」が発生する。これは，貸主から目的である金銭の提供があれば受け取ったうえ，契約条件に従って（返還すべき時に，利息を付すべき場合はこれを付して）返還する義務である。もっとも，借主に金銭を受け取る「受領義務」があるとしても，貸主が受取りの強制までできるとは，いちがいにはいえない（森田・深める240頁以下参照）。金銭の引渡し前に資金需要のなくなった借主に，いったん受取りを強制したうえで，改めて返還させることは，意味があるとはいえない。むしろ，

借主を契約から解放したうえで，貸主に損害があればそれを賠償させるという解決が合理的である。そこで，借主は，金銭を受け取るまで，消費貸借契約を解除することができ，一定の場合に貸主が損害賠償を請求できるものとされる（587条の2第2項）。改正前民法のもとで，要物契約として，契約の成立が制御されていた消費貸借を，書面があれば合意のみで成立するとすることによって，当事者間の利益状況が大きく変化することにならないよう，調整したものである。

(ii) 損害賠償　　貸主は，「その契約の解除によって損害を受けたとき」に「その賠償」を請求することができる（587条の2第2項後段）。これは債務不履行による損害賠償（415条）ではなく，当事者の一方に解除権を付与しつつ，解除による相手方の損害を賠償させるという制度の1つである[5]。もっとも，ここで，借主が常に損害賠償をしなければならないというわけではない。規定の表現も，そのことを示すために慎重に吟味されている（中間試案説明441頁以下，部会資料70A，第4，1説明3(3)，同81-3，第7，1説明，同84-1，第32，1。641条・651条2項の各表現と対比せよ）。すなわち，損害の発生及びその額，並びに契約解除と損害との因果関係を貸主が証明することが必要である。

> ◆ **借主の金銭受取り前の解除による損害賠償**　　損害の発生については，利息及び返済期限の合意があるからといって，貸主が返済期限までに得られたであろう利息が，当然に貸主の損害となるわけではない。まず，その期限の合意が，①単に，借主が期限までは返済しなくてよいことを定めるものなのか，②それに加えて，借主が貸主に対し期限までの利息の支払を保証する趣旨のものであるのか，を確定すべきである。通常は，①と解すべきであろう（136条1項の趣旨及び利息は元本使用の対価であることから）。①の場合，貸主の損害としては，貸主が約束した資金を交付するために必要とした調達費用その他の履行準備費用が考えられる。それが特にないのであれば，損害が発生しなかったことになる。①と②を通じて，解除により，貸主が目的たる金銭を借主に交付せず，他に用いることによって得られる利益は損害から差し引くべきである（貸主が金融業者である場合は，そのような利益があるものと推定されるだろう）。次に，因果関係については，貸主に損害があるとしても，その契約がなかったとしても貸主が支出していたであろうものは，賠償の対象とならない。なお，貸主は，借主との合意の際，損害賠償について特約をすることがありうるが，

---

5) 契約当事者の一方に損害賠償を伴う任意解除権を与えることは，いくつかの例がある（641条，破53条・54条など）。中田・前掲第3章注3) 168頁以下参照。

その場合，特約の効力は，一般的規律（90条，消費契約9条・10条，548条の2第2項）に服する。

(b) 当事者の破産

書面でする消費貸借契約が成立し，効力を生じた後，借主が金銭を受け取る前に当事者の一方が破産手続開始決定を受けたときは，契約の効力は失われる（587条の2第3項）。借主が破産した場合は，信用供与の前提が崩れるからであり，貸主が破産した場合は，仮に消費貸借契約の効力を維持すると，借主は金銭交付請求権を破産債権として届出をして配当を受けた後，その金額を返還し，管財人はその分の追加配当をすることになり，手続が煩雑であるうえ，契約の趣旨に沿わないからである。改正前民法のもとで消費貸借の予約の後の当事者の破産（旧589条）についていわれていたこと（浜田稔・新版注民(15)38頁）と同趣旨である（中間試案説明443頁）。当然に失効するので，破産法53条以下の規定は適用されない（伊藤・破産421頁）。

◆ **改正前民法のもとでの消費貸借の予約後の破産**　改正前民法では，消費貸借の予約がされた後，当事者の一方が破産手続開始決定を受けたときは，予約の効力は失われるとの規定があった（旧589条）。破産後も予約の効力があるとすると，次のように妥当でない結果となる。すなわち，借主の破産の場合，破産管財人が貸主に合意した金額の交付を求め，受領後，直ちに（137条1号），これを返還することになる（破産的配当にとどまるか否かは議論がありうる）。貸主の破産の場合，破産管財人が破産的配当による金額を借主に交付することになるが，予定した金額よりも少ない金額の金銭を交付されても借主の契約目的を達しないことが多いし，破産管財人にとっても返済を待たねばならず煩雑である（梅592頁以下参照）。このようなことは，相互の財産状態に対する信頼を基礎とする消費貸借において相当ではないので，消費貸借の予約は当然に失効するものとされ，損害賠償請求権も発生しない（伊藤・破産420頁）。

3　その他の成立方法

(1) 準消費貸借

(a) 意　義

売買代金債務を消費貸借債務に切り替える場合などについて，準消費貸借という制度がある。すなわち，金銭その他の物を給付する義務を負う者がある場

合に，当事者がその物を消費貸借の目的とすることを合意したときは，それによって消費貸借が成立したものとみなされる（588条）。書面であることは必要ない（潮見129頁）。

既存の消費貸借上の債務についても，準消費貸借をすることは可能である（改正前民法のもとでも，解釈上認められていたが〔平田春二・新版注民（15）22頁〕，明確にされた）。実際，何口かの借入金を一本化するために用いられることがある。

> ● 町工場Ａが経営不振になり，仕入先Ｂに対する多数の売買代金債務の支払を滞らせている。ＡとＢが協議し，ＡがＢに新たな担保を提供する代わりに，既存の債務をいったん棚上げし，これをまとめて，一本の金銭消費貸借債務に切り替えたうえ，長期分割返済をする合意をしたとする。ここで要物契約としての消費貸借を成立させるとすると，ＡＢ間で金銭の授受の往復が必要になるが（消費貸借契約の成立と売買代金の支払のため）それは無意味である。要式契約としての消費貸借についても，Ａが返還債務の前提となる「受け取った」といえるかどうかの問題が生じうる。そこで，このような場合，金銭の授受がなくても，当事者の合意だけで消費貸借が成立するとしたのが準消費貸借である。

▶ **準消費貸借の規定の意義**　旧民法では，売買代金債務を金銭消費貸借債務に切り替えることは，原因の変更による更改にあたると考えられていた（旧民法財産編489条2号）。しかし，明治民法起草者は，原因の変更を更改とはしないことにした（明治民法513条。民法修正案理由書491頁，梅349頁以下）。法典調査会では，当初案には準消費貸借に関する規定はなく，後の整理会で挿入された。起草者は，当初，上記の切替えについては，簡易の引渡し（182条2項）で対応するつもりだったが，債務者がもともと金銭を所持していない場合もあることを考慮し，また，原因の変更による更改を一般的に認めるわけでもないことから，ドイツ民法草案を参照し，規定を追加することにした（整理会速記録295頁以下〔富井政章・梅謙次郎発言〕，梅591頁。柴崎暁『手形法理と抽象債務』〔2002〕97頁以下参照）。

(b)　新旧債務の関係

準消費貸借で問題となるのは，既存の債務（旧債務）と，成立した消費貸借に基づく債務（新債務）との関係である。

準消費貸借によって，旧債務は消滅し，新債務が発生する。旧債務が無効であった場合や存在しなかった場合，準消費貸借は無効である。

旧債務に関する法律関係や旧債務の性質が新債務に受け継がれるかどうかは，

まずは，準消費貸借契約をする当事者の意思を基本とし，その解釈によって決すべき問題である（来栖263頁以下，内田255頁，奥田＝池田編178頁［上田誠一郎］）。そのうえで，第三者や問題となる制度との関係を検討する必要がある。旧債務と新債務との「同一性」の問題といわれることもあるが，一律に決まるものではない（星野172頁，平田・新版注民（15）30頁以下）。

◆ **新旧債務の関係の具体的問題**　主な問題は3つある。①旧債務の担保として設定されていた抵当権等や，旧債務を主債務とする保証が，新債務にも及ぶか。担保については，その担保権の被担保債権の範囲の問題である。その範囲を超える場合であっても，債務者の設定している担保については，新債務を担保するように変更するのが当事者の通常の意思であろう（後順位担保権者等との関係は残る）。保証についても，保証契約の解釈によって定まる保証債務の範囲の問題である。第三者の提供する担保や保証において，上記の範囲を超える場合，債務者が債権者に対し，物上保証人や保証人から担保権設定契約や保証契約の変更の同意を取得する義務を負うと解すべきこともあるだろう。

②旧債務に付着していた同時履行の抗弁などの抗弁権が新債務でも引き継がれるか。これも，準消費貸借契約をした当事者の意思解釈によって決まる（肯定例として，最判昭62・2・13判時1228号84頁）。

③消滅時効に関して旧債務の性質を引き継ぐか。改正前民法には短期消滅時効の諸規定があったので，たとえば，旧債務が売買代金債務であって時効期間が2年（旧173条1号）である場合，準消費貸借により生じる新債務がこれを引き継ぐのか，それとも一般の時効期間の対象となるのかという問題があり，見解が分かれていた（本書初版354頁以下参照）。現行民法は，旧173条等の短期消滅時効を廃したので，同様の問題は生じにくくなった。

◆ **新旧債務の関係の問題**　これが問題となる制度としては，他に，免責的債務引受（472条〜472条の4），更改（513条〜515条・518条），和解（695条・696条）がある。各制度の趣旨（それが「債務の同一性」という言葉で表現される），合意をする当事者の意思，合意外の第三者の保護の面から検討すべきである。

(2) 予　約

予約には，当事者の一方又は双方が相手方の申込みがあったときは承諾する債務を負うもの（片務予約・双務予約）と，当事者の一方又は双方が予約完結権を有するもの（一方の予約・双方の予約）がある（→第2章第4節2(2)(b)〔116頁〕）。消費貸借においては，借主となる者が予約完結権を有する一方の予約，又は，

貸主となる者が承諾債務を負う片務予約の利用が，実際上，考えられる（以下も，これらの場合を検討する）。

　有償契約である利息付き消費貸借の予約については，売買の一方の予約に関する規定が準用される（559条・556条）。しかしながら，借主が予約完結権を行使しても，書面がなければ，消費貸借は，効力を生じない（587条の2第1項）。そこで，予め，予約完結権が行使された場合に用いられるべき書面（本契約書）を作成しておくことが考えられる。他方，予約についての書面（予約契約書）を作成しておけば，それとは別に，本契約書たる書面の作成は不要であるという見解がある（一問一答293頁以下，千葉・前掲注3）449頁・454頁，潮見新各Ⅰ256頁）。諾成的消費貸借と消費貸借の予約とでは，貸付金額等の契約条件が確定しているべき程度は異ならず，異なるのは貸す時期の確定の有無であるという理解（→2(2)(a)◆〔355頁〕）によれば，書面作成が要求される意味（→2(2)(b)〔356頁〕）は，予約契約書の作成によって満たされることになると考えられるので，この見解を支持すべきである。このような予約が成立した場合，556条2項（確答の催告）が準用される（559条）ほか，587条の2第2項（受取り前の借主の解除）及び同条3項（受取り前の借主の破産）が類推適用されうるだろう。もっとも，同条2項の損害賠償が認められることは，現実には考えにくい（一問一答294頁）。貸主となるべき者は，予約完結権が行使された場合に備えて資金を準備する必要はあるが，それは予約に対する対価の合意に委ねるべきことである。

　無利息消費貸借についての一方の予約も，同様に可能である（契約自由の原則）。587条の2第2項・3項のほか，556条2項も類推適用されうると考える。

　利息の有無を問わず，貸主となる者が承諾する債務を負う片務予約も可能である（契約自由の原則）。この場合，貸主となる者は，目的物（金銭等）を引き渡す債務又は書面を作成する債務も併せて負うことが必要となる（中田・研究259頁参照）。

◆ **改正の経緯**　改正前民法には，消費貸借の予約が可能であることを前提とし，予約後の当事者の破産により失効するとの規定があった（旧589条）。現行民法では，旧589条は，587条の2第3項の規定により，存在意義を失っているとして，削除された（部会資料70A，第4，2説明3）。もっとも，本文で述べた通り，現行民法のも

とでも，消費貸借の予約をすること自体は可能であるし，その需要もある[6]。

第3節 消費貸借の効力

1 貸主の義務
(1) 要物契約における「貸す義務」の不存在

要物契約である消費貸借（587条）においては，貸主が目的物を引き渡すことによって契約が成立するのであり，契約によって引渡債務が発生するわけではない。「貸す義務」は存在しない。

◆「貸しておく義務」　貸主は借主に対し，消費貸借の返還時期まで「貸しておく義務」を負うか。消費貸借では，目的物の所有権は借主に移転しているので，それを使用収益させる義務は問題とならない。貸主が借主に返還時期まで目的物の交換価値を利用させておくという拘束が問題となる。これは法的な債務ではないとする見解（我妻中Ⅰ353頁など通説）と，貸主は一定期間は返還を請求しないという形で代替物を利用させる義務を負うという見解（来栖249頁，広中103頁，広中俊雄・新版注民 (15) 1頁，北川51頁，平野218頁参照）がある。後者の見解は，①消費貸借を継続的契約とすること，及び，②利息付き消費貸借を双務契約とすること，に結びつきうる（中田・前掲第1章注79) 2号12頁注28参照）。もっとも，①は，継続的契約・契約期間・終期の概念の問題として，②は，双務契約における牽連性の問題として，論じるべきことであり，「貸しておく義務」を認めればすむものではない。この特殊な義務をあえて観念する必要はないだろう。

◆ 消費貸借は継続的契約か　消費貸借は，継続的契約関係（我妻中Ⅰ353頁，広中103頁，星野170頁，広中・新版注民 (15) 1頁，平野214頁），継続的債権契約（来栖249頁），継続的契約（北川51頁）などと呼ばれることが多い。それは，①貸主が一定の時期まで返還を請求できないことは消費貸借の本質的な拘束であると考えること（我妻），②貸主の「貸しておく義務」を認めること（来栖，広中，北川〔状態給付という〕，平野〔借主に利益を享受させる義務という〕），③貸主の返還の催告又は借主の返還を契約の終了として理解すること（来栖，広中，星野，北川，平野），④使用貸借・賃貸借との共通の構造を認めること（北川，平野）[7]に結びつく。①は，それ自体は正

---

6) 特定融資枠契約法の規律するコミットメント・ライン契約（→第3節2(2)(b)2つ目の◆〔371頁〕）については，消費貸借の予約であり旧589条が適用されるというのが立法担当者の説明である（揖斐潔＝古閑裕二「特定融資枠契約に関する法律の概要」NBL 663号〔1999〕8頁・11頁）。

当な指摘であるが，消費貸借にも極めて短期のものもある（日本銀行の日中当座貸越のように1日未満のものもある）ことに留意すべきである。②は，債務の概念にかかわることだが，特殊な義務を観念すること（ドイツの学説の影響がある）は，③④（あるいは消費貸借の双務契約性）を支えるためのようである。③に対しては，借主が所定の時期に返還する債務が問題となるだけで継続的契約関係が存在するとみるべき必然性はないという指摘がある（鈴木339頁以下，三宅上下531頁）。また，一部弁済又は分割弁済の場合，契約の一部終了となるかという，さらに混乱を招く問題を生じさせることにもなる。ここでは，また，期限と契約期間との関係という検討を要する問題が存在する。④は，目的物の所有権が移転する消費貸借と移転しない使用貸借・賃貸借との相違を軽視するという問題がある（中田・前掲第1章注79）2号11頁以下・3号12頁以下）。このように分析すると，①に基づき，消費貸借を継続的契約関係であると呼ぶことは差し支えないが，そこから②③④を導くことには慎重であるべきだろう（継続的契約という不確定な概念から結論を演繹する方法の問題点につき，中田・解消221頁）。なお，現行民法が使用貸借（597条〜600条）及び賃貸借（616条の2〜622条）とは異なり，契約の終了ではなく返還の規律とした（591条・592条）のも，これを反映するものと理解することができる。

◆ **レンダー・ライアビリティ（Lender Liability）**[8]　1990年代に，レンダー・ライアビリティ（融資者責任，貸手責任，貸付者責任などと訳される）という概念が注目を集めた。融資をする銀行などの金融機関は，消費貸借契約上の貸主の義務（→(1)・(3)）にとどまらない，法的責任を負うことがあるというものである。1980年代にアメリカの判例法で急速に発達し，わが国にも紹介された。

アメリカで問題となったのは，銀行による融資先企業の経営への介入，継続的融資先に対する融資の打切り，銀行が担保権の設定を受けた土地が汚染されていた場合の浄化責任などである。様々な異質な内容の問題が含まれているが，レンダー・ライアビリティ訴訟と呼ばれる巨額の訴訟が相次いだ。わが国では，①企業向け融資について，融資拒絶（東京高判平6・2・1判時1490号87頁〔不法行為による損害賠償を肯定〕），企業経営に対する不当介入，反社会的な活動をする企業に対する融資，汚染された土地の担保取得などの問題，②消費者向け融資について，説明義務，詐欺

---

[7]　司法研修所編『増補民事訴訟における要件事実 第1巻』（1985）275頁以下は，①を前提とし，④から，要件事実論における「貸借型理論」を展開する。山本376頁以下参照。貸借型理論に対する批判として，潮見2版125頁以下。

[8]　ナンシー・ヤング＝ヴィクター・C・ブッシェル（柏木昇訳）「レンダー・ライアビリティ（融資者責任）とは何か」NBL479号12頁〜481号44頁（1991），小林秀之＝河村基予「レンダー・ライアビリティーをめぐる近時の動向と今後の展望」金法1405号6頁・1406号30頁（1994），楠本くに代『金融機関の貸手責任と消費者保護——レンダー・ライアビリティ』（1995），長尾治助編『レンダー・ライアビリティ——金融業者の法的責任』（1996），柏木昇「アメリカのレンダー・ライアビリティと日本法への示唆」NBL610号6頁〜640号60頁（1997〜98）。

的商法による取引の提携ローン，過剰与信，個人情報保護などの問題が論じられた。その後，個々の問題についての制定法や判例による具体的対応が進み，レンダー・ライアビリティという呼び方は下火になった。この概念には，融資をする金融機関は，債権者として権利を有する立場にあり，義務を負う立場にはない，という従来あった感覚を揺るがしたこと，また，責任の根拠の検討を促したこと（専門家責任，情報・交渉力格差，信認義務など），という歴史的意義がある。

(2) 要式契約における「貸す債務」

書面でする消費貸借（587条の2第1項）が成立すると，借主の貸主に対する目的物引渡債権が発生する。借主の目的物返還債務は，借主が目的物を受け取ったことにより発生するので，貸主は，引渡債務を受働債権，返還債権を自働債権とする相殺をすることはできない（中間試案説明443頁，部会資料70A，第4，1説明3（1））。

(3) 目的物の状態に関する規律

(a) 概　　観

消費貸借の借主は，貸主から受け取った物（代替物）と同種・同等・同量の物を返還する債務を負う（587条・587条の2第1項）。その前提として，貸主はどのような物を引き渡すべきか，それが契約の内容に適合していなかったらどうなるのかが問題となる。

改正前民法は，要物契約である消費貸借において，引き渡した物に瑕疵があった場合の貸主の担保責任を，利息付きか無利息かで分けて規定していた（旧590条。本書初版360頁以下）。現行民法は，要式契約である消費貸借を追加したことから，以下のような規律に再編成した（中間試案説明446頁，部会資料70A，第4，5説明，同81-3，第7，5説明）。これは，売主の担保責任の規律の改正（物の契約不適合に関する562条～564条），及び，贈与者の担保責任を引渡義務の推定に改めたこと（551条1項）とも，そろうものである。

(b) 利息付き消費貸借

(ⅰ) 貸主の担保責任　　利息付き消費貸借は，有償契約であるので，売主の担保責任の規定が準用される。すなわち，借主に引き渡された目的物が種類，品質又は数量に関して当該消費貸借契約の内容に適合しないときは，借主は貸主に対し，履行の追完（代替物の引渡し，不足分の引渡し）の請求，損害賠償請

求及び解除権の行使ができる（559条・562条1項・564条）。数量不足の場合，借主は不足分の引渡しを請求できるが，請求の有無にかかわらず，不足分の引渡しがない限り，借主は「受け取った物」についてのみ返還債務を負う。

> ◆ **要物契約における追完請求**　本文の記載は，要式契約においては問題ない。これに対し要物契約の場合，借主が現に受け取った物についてのみ契約の効力が生じるはずだから，追完請求を認めることは，「貸す債務」を認めることになり，要物性に反するのではないかという疑問がありうる。この問題は，改正前民法のもとでもあった（旧590条1項は，利息付き消費貸借において，引き渡された物に隠れた瑕疵があった場合の貸主の代物引渡義務を定めていた→第1節2(1)(a)◆の④ⓑ〔351頁〕。本書初版361頁）。旧590条1項を廃止したのは，559条による準用に委ねる趣旨であったこと（一問一答297頁）を考えれば，少なくとも種類・品質の不適合については，従来の規律が維持されるべきであろう。数量不足については，要物性との抵触がより強く生じうるが，562条が数量の不適合を種類・品質の不適合と同じ規律に服させていることを考えると，不足分の引渡しも認めうるのではなかろうか。履行請求権に対する追完請求権の独自性の問題に加え，前者がなくても後者に相当するものを認めうるかという問題がある。

(ⅱ)　**借主の価額返還権**　貸主から引き渡された物が種類又は品質に関して契約の内容に適合しないものである場合，借主は，同じ不適合のある物を返還するのが原則である（587条・587条の2第1項）。しかし，借主が契約に適合しない物を消費した後，同程度の不適合のある物を返還することは困難であることが多い（米の消費貸借で，一部に虫食いがあった場合を考えよ）。そこで，借主は，その物の価額を返還することもできる（590条2項）。

(c)　**無利息消費貸借**

(ⅰ)　**貸主の引渡義務**　無利息消費貸借の貸主は，消費貸借の目的である物を消費貸借の目的として特定した時（401条2項）の状態で引き渡すと約束したものと推定される（590条・551条1項）。贈与者の引渡義務とそろえたものである。

(ⅱ)　**借主の価額返還権**　利息付き消費貸借と同じである。すなわち，貸主から引き渡された物が種類又は品質に関して契約の内容に適合しないものである場合，借主は，その物の価額を返還することができる（590条2項）。

2 借主の義務

(1) 返還義務

(a) 返還すべき物

借主は，受け取った物と同種・同等・同量の物を返還する義務を負う（587条・587条の2第1項）。「受け取った」ことが前提となる。返還について例外が2つある。

①受け取った物に契約不適合がある場合，借主は，その物の価額を返還することができる（→1(3)(b)(ii)・(c)(ii)）。

②借主が受け取った物と同種・同等・同量の物を返還することができなくなったときは，その時における物の価額を償還しなければならない（592条本文）。ただし，消費貸借の目的物である特定の種類の通貨（たとえば，旧100円札）が返還時期に強制通用力を失っているときは，借主は，その貨幣の市場価額で償還するのではなく，金銭債権の通則（402条2項）に従い，他の通貨で返還しなければならない（592条但書）。

(b) 返還時期

(i) **返還時期の定めがない場合**　当事者が返還時期を定めなかったときは，貸主は，相当の期間を定めて返還の催告をすることができる（591条1項）。「相当の期間」を必要とするのは，仮に借主が履行の請求を受けた時から履行遅滞になる（412条3項）とすると，借主は受け取った物をいつでも返還できる状態にしておかなければならなくなり，消費貸借の性質に反するので，返還のための準備期間を許与すべきだからである（梅600頁，鳩山下424頁）。期間の相当性は，その消費貸借契約の内容と取引上の社会通念によって定まると解すべきである（催告当時の事情のみを基準とすべきではない）。相当の期間を明示せず，又は，不相当な期間による催告をした場合であっても，催告の時から借主が返還の準備をするのに相当の期間を経過すれば，貸主は返還請求ができ，借主は履行遅滞になる（大判昭5・1・29民集9巻97頁，我妻栄『判民昭5』22頁）。

借主は，いつでも返還することができる（591条2項）。利息付き消費貸借であっても，その時までの利息を支払えば足りる（我妻中Ⅰ373頁）。

◆「返還の催告」の法的性質　返還時期の定めのない消費貸借においては，①返還請求権（返還債務）はいつ発生するのか，②貸主が返還請求権を行使できるのは

いつからか，③借主が履行遅滞になるのはいつか，④返還の催告は，ⓐ返還請求権の期限を到来させるものか，ⓑ消費貸借契約を終了させるものかについて，議論がある。加えて，⑤「相当の期間」を要するのは，ⓐ借主に返還準備期間を許与する必要があるからか，ⓑ消費貸借は契約成立から返還までの間に一定期間があることを必要とするものだからか，について理解の相違がある。その結果，返済時期の定めのない消費貸借の主張・立証責任に関して様々な見解が唱えられている（山本376頁以下は，貸主の返還請求の要件について「契約成立説」〔判例〕と「契約終了説」〔通説〕があり，後者には，返還時期の定めがない場合に関する「合意欠缺構成」と「合意存在構成」があるという）。①は，目的物の交付時（要物契約である場合には，それゆえ契約成立時となる）と解すべきである（諾成的消費貸借の返還債務の発生時期につき，かつて議論があった。本書初版357頁）。②は，権利行使可能時（166条1項2号参照）について，少なくとも法律上の障害がないことを要すると考えると，返還の催告及び相当の期間の経過があった時からと解すべきである（判例は，貸主は直ちに返還請求ができ，借主は591条1項の抗弁を提出できるだけであるとするが〔大判大2・2・19民録19輯87頁，大判昭5・6・4民集9巻595頁〕，学説は反対する〔我能通孝『判民昭5』196頁，我妻中Ⅰ373頁など〕）。③は，412条3項とは異なり，返還の催告及び相当の期間の経過があった時と解すべきである（借主はその時までは利息を支払い〔利息支払義務がある場合〕，それ以降は遅延損害金を支払う）。④のうち，ⓑは消費貸借を継続的契約と理解することに結びつくものだが，あえてそういう必要はなく（→1(1)2つ目の◆〔363頁〕），ⓐといえば足りる。⑤のⓐとⓑは，択一的なものではないが（我妻・前掲判民昭5 24頁），返還段階の問題であるので，ⓐを基本とすべきである。

(ii) 返還時期の定めがある場合

α 返還時期における返還　　返還時期の定めがある場合は，これに従う。借主は，返還時期に返還しないときは，債務不履行責任を負う（金銭消費貸借であれば，遅延損害金を支払うべきことになる。419条）。借主が137条により，又は，当事者間の特約により，期限の利益を喪失したときは，借主は直ちに返還しなければならない。

β 期限前の返還　　借主は，返還時期の定めのある場合でも，いつでも返還することができる（591条2項。136条1項参照。改正前民法のもとでの議論につき，本書初版363頁）。この場合，貸主は，借主が期限前に返還したことによって損害を受けたときは，借主に対し，その賠償を請求することができる（591条3項。中間試案説明447頁，部会資料70A，第4，6説明2，同81-3，第7，6，同84-1，第32，6参照）。この損害賠償の規律は，書面でする消費貸借の目的物受取り前の解除の場合の規律（587条の2第2項）と整合的に解釈すべきである

(→第2節2(3)(a)(ii)〔358頁〕)。「によって損害を受けた」ことは，個別の消費貸借に即して具体的に評価されるべきものであり，損害の発生及びその額，並びに期限前返還と損害との因果関係を貸主が証明することが必要である。貸主が返還時期までに得られたであろう利息が当然に貸主の損害となるわけではない。損害としては，貸主の支出した調達費用その他の消費貸借実行のための費用が基本となるだろう。また，貸主が返還によって得る利益（返還された金銭等を利用する利益，回収リスクの消滅）も考慮すべきである。損害賠償についての特約の効力は，一般的規律（90条，消費契約9条・10条，548条の2第2項）に服するが（中間試案説明447頁以下参照），その判定の際も，591条3項の上記の趣旨を十分に考慮すべきである。

◆ **受取り前の解除と期限前返還との類似性**　貸主の損害賠償については，経済的には両者で類似性がある（後者においては，貸主は，借主の受取りによりいったん与信リスクを負担するが，期限前返還がされることにより，そのリスクは消滅する）。また，どちらも債務不履行による損害賠償ではないことが共通する。受取り前の解除は損害賠償を伴う解除権を法定したものであり，期限前返還は損害賠償を伴う期限の利益の放棄を法定したものである（消費貸借を継続的契約と理解する立場では，どちらも損害賠償を伴う解除権を法定したものとなる）。

(2) 利息支払義務

(a) 利息の意義

消費貸借は，必ずしも利息を伴うものではない。貸主は，特約がなければ，借主に対して利息を請求することができない（589条1項）。ただし，商人間の金銭消費貸借においては，特約がなくても，貸主は法定利息を請求することができる（商513条1項）。

利息の割合（利率）は，合意によって定まる。利息を付するという合意のみがあり，利率の合意がないときは，法定利率による（404条1項）。法定利息を請求できる場合も同様である。法定利率は，今回の改正で変動制となり，3年ごとに変動する可能性がある（同条3項～5項）。当初（2020年4月1日）は年3％であり（同条2項），第2期（2023年4月～26年3月）も同じである。

利息が付されるのは，借主が金銭等を受け取った日以後，返還時期までである。利息は特約のない限り，借主が受け取った当日から発生する（589条2項）。

借主は，その当日から受け取った金銭等を使用できるからである（改正前民法のもとの判例・通説が明文化された。最判昭33・6・6民集12巻9号1373頁，広中・新版注民(15)18頁参照）。

> ● 利息とは，元本を借りていることの対価，いわば元本の使用料である。これと似ていて異なるのは，遅延損害金である。遅延損害金は，債務者が弁済期に履行しなかったという債務不履行による損害賠償である。金銭債務の不履行については，損害賠償額は法定利率又は約定利率によって定められるし（419条1項），当事者が予め合意する場合も（420条1項），残債務額に遅延期間と一定率を乗じたものとして定めることが一般的であるので，遅延損害金は，外見上，利息と似ているが，法的性質は異なる。たとえば，6月1日に金銭を借り，6月30日に返還すると約束していたが，実際に返したのは7月31日であったとする。借主は，金銭を受け取った6月1日から弁済期である6月30日までの30日間は利息を，遅滞に陥った7月1日から現実に返済した7月31日までの31日間は遅延損害金を，支払わなければならない（弁済期の後は，遅延損害金のみが発生し，利息は発生しない）。このほか，遅延利息という言葉が使われることもあるが，これは，通常，遅延損害金を意味する。

(b) 利息の規制[9]

金銭消費貸借においては，借りようとする者は弱い立場にあり，貸す側は強い立場にあることが多い。このため，利息は高くなりがちである。消費貸借契約においても契約自由の原則は尊重されるべきであるが，高金利については様々な理由から規制される。その理由は，国や時代によって異なり，キリスト教における利息に対する否定的態度，社会的・経済的弱者の保護，人間が合理的に判断できる能力の限定性，借入れをする者の楽観主義などの心理的バイアス，高金利の借入れにより生活が破綻する人が頻出することが社会的にも望ましくないことなどの観点がある。

日本では，暴利行為は公序良俗違反として無効とされるが（90条），より具体的な基準を示す法律が古くから制定され，また，数多くの判例がある。現行法では，利息の規制に関する基本的な法律は3つある。①民事上の規制をする「利息制限法」，②刑事上の規制をする「出資の受入れ，預り金及び金利等の取締りに関する法律」（出資法），③行政法上の規制をする「貸金業法」である

---

[9] この項の詳細は，中田・債総65頁以下。大村敦志『公序良俗と契約正義』(1995)，鎌野・前掲注2)，小野秀誠『利息制限法と公序良俗』(1999)，西内康人『消費者契約の経済分析』(2016) 165頁以下。

(③には民事上の効果を伴う規定や刑事上の罰則規定もある)。

◆ **高金利の規制の具体的内容**[10]　　上記の法律の適用範囲は3段階ある。ⓐすべての金銭消費貸借を対象とするもの（①②），ⓑ営業的金銭消費貸借を対象とするもの（①②の一部），ⓒ貸金業者の業務を対象とするもの（③）である。ⓐにおいては，利息制限法は，元本の額に応じて利息の上限を定め（元本10万円未満だと年20%，10万円以上100万円未満だと年18%，100万円以上だと年15%），それを超える合意については超過部分を無効とする（利息1条）。遅延損害金については，上記の上限利息の各1.46倍が上限となる（同4条）。このほか，利息の天引き（同2条），みなし利息（同3条）に関する規定がある。出資法は，利息又は遅延損害金が年109.5%（1日あたり0.3%）を超える契約をした貸主に刑事罰を課する（出資取締5条1項）。ここで，民事上は無効だが，刑事罰はないという「グレーゾーン」が生じる。ⓑにおいては，民事上の遅延損害金の上限が年20%とされ（利息7条1項），刑事上の上限が年20%に下げられる（出資取締5条2項）ので，「グレーゾーン」はごくわずかな範囲になる。超高金利（年109.5%超）についての重罰規定もある（同条3項）。ⓒにおいては，超高金利（年109.5%超）の消費貸借契約が無効とされる（貸金業42条1項）。このほか，借主の借入総量規制など，多重債務問題の解決のための様々な規律が設けられている。

◆ **コミットメント・ライン契約**　　企業が銀行から融資を受けようとするとき，通常は，都度，申込みをし，審査を受け，銀行の承認を得る必要がある。企業としては，それでは時間がかかるし，不安定でもある。そこで，一定の枠（融資枠）内であれば自動的に融資が受けられる契約をすることを求める。この契約をすると，銀行は常に融資枠の資金を準備しておくことが必要になるので，企業は銀行に対し，融資枠設定の対価として手数料を支払う。このような契約を，コミットメント・ライン契約，あるいは融資枠契約という。この契約が利息制限法・出資法に抵触しないかが問題となる（たとえば，ある企業と銀行が1000億円の融資枠を期間1年で設定し，手数料を年0.1%と合意したが，企業がこの間に2億円しか借りなかった場合，2億円の融資に対し，1億円の手数料が支払われることになる）。そこで，疑義をなくすために，1999年に「特定融資枠契約に関する法律」が制定された（揖斐＝古閑・前掲注6))。大企業

---

10)　筒井健夫＝山口聡也「利息制限法改正の概要」金法1801号（2007）37頁，同「利息制限法施行令の概要」金法1824号（2008）24頁，森寿明「出資の受入れ，預り金及び金利等の取締りに関する法律の一部改正の概要」金法1804号（2007）21頁，高橋洋明「『貸金業の規制等に関する法律等の一部を改正する法律』の解説」金法1796号（2007）6頁，上柳敏郎＝大森泰人編著『逐条解説貸金業法』(2008)，角田美穂子「改正貸金業法の完全施行をめぐる論点」ジュリ1404号（2010）2頁，小塚荘一郎「消費者の多重債務問題に対する法的アプローチの構造——比較法から見た平成18年貸金業法の改正」岩原紳作ほか編代『会社・金融・法下巻』(2013) 585頁。

など一定範囲の借主が同法の要件を満たす融資枠契約（一定の期間・極度額の限度内で，当事者の一方がその意思表示で金銭消費貸借を成立させる権利を付与され，手数料を支払う契約）をする場合は，利息制限法・出資法は適用されないものとされる（特定融資枠2条・3条）。

第10章　使用貸借

第1節　意　義

　使用貸借は，貸主が借主に無償で物（動産又は不動産）の使用収益をさせる契約である。すなわち，当事者の一方が「ある物を引き渡すこと」を約束し，相手方が「その受け取った物について無償で使用及び収益をして契約が終了したときに返還をすること」を約束することによって成立し，効力を生ずる（593条）。無償・諾成・片務契約である。

　使用貸借は，改正前民法では要物契約だったが（旧593条），改正により諾成契約に改められた（→第2節1）。

　◆ **使用貸借の片務契約性**　使用貸借の位置づけは，貸主の義務（借主の権利）をどのように評価するかによって異なりうる。旧民法制定前には，貸主には何らの義務もないという学説もあったが，旧民法は，使用貸借を要物契約としたうえで，借主が貸主に対し債権を取得することを明示し（財産取得編195条1項・196条1項），明治民法はこれを引き継いだ。そこで，初期の学説には，使用貸借を双務契約（梅607頁以下），あるいは，不純正片務契約（末弘540頁）と呼ぶものもあった。その後，①使用貸借は要物契約だから，引渡し前には貸主に目的物引渡債務はないし，②引渡し後に貸主が負うのは，借主が目的物を使用収益することを許容する債務にすぎず，それは借主の目的物返還債務と対価的な関係に立たないから，使用貸借は片務契約であるという見解が通説となったが（鳩山下427頁，我妻中Ⅰ376頁以下など），効果から遡って片務契約だと説明する見解（星野176頁）や，片務契約の概念自体を否定する見解もあった（山中康雄・新版注民(15)83頁）。現行民法では，①が改められたが，貸主の目的物引渡債務は借主の目的物返還債務と対価の関係に立つものではないし，②も変わらないので，依然として片務契約である（石坂1758頁以下参照）。

　双務契約における牽連性の意義，片務契約の概念の意義にかかわる問題である（→第1章第3節2(1)〔69頁〕，岩川・前掲第1章注77）2頁以下，中田・前掲第1章注79）2

号6頁以下・3号15頁以下)。

第2節　使用貸借の成立

1　要物契約から諾成契約へ

　改正前民法において，使用貸借は要物契約とされたが(旧593条)，その理由は，必ずしも明確ではない[1]。沿革や諸国の古来の慣習によると説明されてきたが(梅606頁，岡松次186頁，我妻中Ⅰ377頁)，その後，無償性から説明する見解が有力になった。すなわち，使用貸借は無償契約であるので，目的物を引き渡して初めて効力が発生するとするのが妥当である，なぜならば使用貸借の多くは，好意や愛情などの当事者間の関係を前提とするものであり，引渡し前にその関係が消滅した場合であっても，既に約束があるという理由で，借主に引渡請求権まで認めるのは行きすぎだと考えられる，ということである[2]。

　現行民法は，これを諾成契約とした(593条)[3]。部会では，使用貸借は，経済的取引の一環として行われることも多いため，目的物が引き渡されるまで契約上の義務が生じないのでは取引の安定性を害するおそれがあることが理由として強調された(中間試案説明469頁，部会資料70A，第5，1説明1)。伝統的な使用貸借においても，借主が合意を前提として行動する状況は考えられ，その際の借主の利益を法的に保護する必要がある場合もある[4]。もっとも，無償性を考慮し，契約の拘束力を緩和するため，書面によらない使用貸借は，借主が受け取るまでは，貸主が契約を解除できるものとされた(593条の2)。

▎● 従来，使用貸借としては，親族間など何らかの特殊な関係のある当事者間の好

---

1) 岡本詔治『無償利用契約の研究』(1989) 411頁以下は，民法の起草段階では，要物契約とすることについて積極的理由づけはされておらず，無償性と要物性を接合するのは，後の学説(後掲注2) 参照) によるものだと指摘する。
2) 末弘嚴太郎「民法雑記帳(32) 無償契約雑考」法時11巻4号(1939) 32頁〔同『民法雑記帳』(1940) 所収〕，広中・前掲第6章注3) 154頁以下〔初出1953〕，広中122頁。星野176頁参照。なお，諾成的使用貸借の可否については議論があったが(末弘534頁，我妻中Ⅰ377頁は肯定，鳩山下427頁は否定)，使用貸借の予約を認めるものは多く，さらに550条本文を類推適用し，書面によらない使用貸借は撤回できるという見解もあった(末弘・前掲論文32頁，広中122頁)。
3) 批判的検討として，森山浩江「債権法改正における使用貸借の諾成化をめぐって」法雑66巻1＝2号(2020) 41頁。
4) 基本方針Ⅳ 330頁。一問一答303頁は，諾成的使用貸借ができると一般に解されていたことを理由とする。

第 2 節　使用貸借の成立

意的な貸借が想定されることが多かった。親戚に空地を無償で使用させる，友人に別荘や自動車を貸すなどである。もっとも，社宅のように，無償の利用関係であっても恩恵的とは限らないものがあることも指摘されていた（基本方針Ⅳ 331 頁）。現代では，当事者間の経済的取引の一環として，つまり無償だが利益を伴うものとして，物の貸与がされることは少なくない。機械メーカーの下請業者に対する金型の貸与，製品販売会社の特約店に対する販売促進用設備の貸与，石油会社のサービス・ステーションに対する施設の貸与，スーパー・マーケットの顧客に対するカートの提供などである（中田・前掲第 1 章注 79）3 号 16 頁注 63。その法的性質決定につき，森山・前掲注 3）63 頁参照）。とはいうものの，現行民法のもとでも，使用貸借の典型例としては伝統的なものが想定されることが多い（潮見 137 頁，平野 231 頁以下，山野目 156 頁以下など）。解釈にあたっても，留意されるべきことである（これに対し，潮見新各Ⅰ 317 頁以下参照）。

2　物の使用収益及び返還

借主が目的物の使用及び収益をし，その後，貸主に返還することの合意が必要である。目的物は，動産でも不動産でもよいが，裁判例が多いのは不動産の使用貸借である。「使用」とは単に使うこと，「収益」とは使用して果実を収取することである。「及び」とあるが，使用のみでもかまわない。

● 友人の別荘を 1 週間無償で借りる場合は「使用」であり，親戚の土地を半年間無償で借り，菜園として野菜を収穫する場合は，「収益」である。第三者に使用させて賃料（法定果実）を得ることも「収益」だが，貸主の承諾が必要である（594 条 2 項）。

● 父 A と同居して家業を営んできた子 B が A の死後も引き続きその家に居住していた。これに対し，他の共同相続人である C と D が，遺産分割までは，A の土地・建物は相続人全員の共有物なのだから，B は C と D に不当利得を返還すべきだと請求した。裁判所は，A の生前に，AB 間で，A が死亡した後も遺産分割がされるまでは引き続き B にその家を無償で使用させる，という合意があったと推認されるとし，使用貸借契約関係が存続すると判断した（最判平 8・12・17 民集 50 巻 10 号 2778 頁，百選Ⅲ 71 ［高橋眞］）。なお，夫婦の一方が死亡した場合の他方の居住については，配偶者居住権（1028 条以下）・配偶者短期居住権（1037 条以下）の制度がある。共有物の使用一般については，249 条 2 項参照。

◆ **他人の土地を使用する法律関係**　他人の土地を有償又は無償で使用する関係は，様々である。①債権的関係として，使用貸借（593 条），賃貸借（601 条），②用益物権として，地上権（265 条），永小作権（270 条），地役権（280 条）など，③担保物権

に基づくものとして，留置権（298条2項），不動産質権（356条）がある。このほか，④法律上の権原なく使用することもある。これには，所有者が事実上使用を容認している場合，不法占拠の場合がある。

このうち，他人の土地の無償使用として一般的なものは，ⓐ地代のない地上権，ⓑ対価のない地役権，ⓒ使用貸借，ⓓ事実上の使用容認である（担保物権の存在が前提となる③と，④のうちの不法占拠は，特殊な場合なので除外する）。

他人の土地の無償使用は，親族間など特別な関係のある者の間で，契約書もないまま行われることがあり，その法律関係の性質が問題となる。上記のうち，ⓐについては，登記・契約書・地代支払のいずれもないのに，強い効力をもつ物権である地上権を設定することが当事者の意思であったと認められることは稀であろう。ⓑかⓒかは，隣地の通行について問題となることがあるが，両者のいずれであるかよりも，そのいずれかとⓓとの区別が実質的争点となる[5]。最も問題となるのは，他人の不動産を占有する関係が，ⓒかⓓかである。ⓒであれば，契約が存在する以上，それが終了しない限り，貸主は借主に対して返還を請求できないし，使用収益について不当利得返還請求や不法行為による損害賠償請求はできない。ⓓであれば，そうではない。そこで，使用貸借契約の成否が問題となる。当事者間の意思が問題となるが，中心となるのは，所有者ないし貸主が占有者に対して返還を求めれば，占有者はいつでもこれに応じる（返還請求が権利濫用となる場合は別として）という内容であったかどうかである。それを当事者及び周囲の状況から判定する作業がされるべきことになる。

◆ **使用貸借契約と事実上の使用容認**　契約である使用貸借（①）に類似するものとして，所有物を他人が使用することを所有者が容認しているという関係（②）がある。②では，所有者はいつでも取り上げることができ，そこには債権も物権も発生していないという関係が典型的なものである（ローマ法における容仮占有〔precarium〕をそのように説明するものとして，原田・ローマ法143頁・202頁。ローマ法におけるプレカリウムの生成発展につき，岡本・前掲注1）23頁以下参照）。もっとも，①と②の区分は微妙であり，使用目的・使用期間の定めのない使用貸借（契約プレカリウム）と事実的無償利用（事実的プレカリウム）を区別する見解もある（岡本・前掲注1）6頁以下・406頁以下。近代ヨーロッパ諸国のプレカリウムにつき，同317頁以下。イタリアにおける忍容行為とプレカリウムにつき，岡本・前掲注5）19頁以下）。この観点によると，日本民法においては，期間及び目的の定めのない使用貸借（598条2項）は，いずれかの定めのある使用貸借契約（597条1項・2項）と，事実上の使用容認との中間的なものと位置づけられることになる。

5）岡本詔治『隣地通行権の理論と裁判〔増補版〕』（2009）11頁以下。

3　無　　償

　使用貸借は，無償契約である。この点で有償契約である賃貸借（601条）と区別される。賃貸借だとすると，特に借地借家法の適用対象となる場合には，借主の地位は強い保護を受け，使用貸借であればその地位は弱い。とりわけ目的不動産を取得した新所有者との関係において違いは大きい（→第3節3）。そこで，借主が謝礼などとして若干の金銭を支払っていたり，何らかの費用を負担したりしている場合，性質決定が問題となる。使用貸借とされた例として，親戚間の部屋の貸借（間貸し）で，借主が相場賃料の10数％程度の金銭を謝礼として貸主に支払っていた場合（最判昭35・4・12民集14巻5号817頁），親戚間の建物の貸借で，借主が建物の固定資産税等の支払をしていた場合（最判昭41・10・27民集20巻8号1649頁）などがある。借主が貸主との合意に基づき支払や負担をしていたとしても，それが目的物の使用収益の対価としての意味をもつものでないときは，なお使用貸借である（我妻中Ⅰ378頁，星野177頁）。

4　目的物受取り前の貸主の解除権

　使用貸借は諾成契約であるが，その無償性を考慮し，契約の拘束力が緩和されている。すなわち，借主が借用物を受け取るまでは貸主は契約を解除することができるが，書面による使用貸借の場合には貸主は解除できない（593条の2）。

　書面によらない使用貸借において解除が認められるのは，書面によらない贈与の解除（550条）と同趣旨であり，貸主保護の見地から，軽率な使用貸借を予防し，貸主の意思の明確を期して後日紛争を生ずるのを避けるためであると説明される（中間試案説明469頁，部会資料70A, 第5, 1説明2）。もっとも，贈与と使用貸借には違いがあるので，使用貸借における書面は，使用貸借契約の成立とそれを履行する意思を，より明確に示すものであることを要すると解したい（解除権放棄の意思が表示されているものなど）。

　この書面は，電磁的記録をもって代えることはできない。消費貸借（587条の2第4項）とは異なる。解除の可能性をそこまで狭める必要はないからである（一問一答303頁）。

　なお，使用貸主が相手方に目的物を引き渡す前に，過失でそれを損傷などした場合，548条の適用はなく，解除権は失われないと考える（→第4章第2節6

(1)(b) 1つ目の◆〔245頁〕)。

> ◆ **書面による使用貸借**　借主の受取り前の貸主の解除権をより広く認める立法提案もあった（基本方針Ⅳ332頁以下，論点整理説明370頁，中間試案説明469頁参照）。すなわち，上記の解除権を排除する書面による合意がない限り，貸主は解除できるとするものである。これは，使用貸借の特徴として，①改正前民法では，贈与は既に諾成契約だが，使用貸借は要物契約であること，②贈与の内容はある財産を無償で与えることであり定型的かつ明確だが，使用貸借の内容は多様であり契約ではない事実上の使用容認との境界も明確でないこと，③使用貸借は親族間などの関係に基づくものが依然として多く，そこで書面の有無を基準とすることはかえって紛争を招きやすいこと，を考慮するものである。593条の2の「書面」の解釈においても，このような使用貸借の特徴は考慮されるべきであり，特に，不動産使用貸借においては，「書面」は制限的に解釈すべきであると考える（森山・前掲注3）71頁以下参照。異なる見解として，潮見新各Ⅰ319頁）。

第3節　使用貸借の効力

1　貸主の義務

(1)　引渡債務

使用貸借契約が成立すると，貸主は目的物を引き渡す債務を負う（593条）。貸主が引き渡さないときは，借主は履行の請求，債務不履行による損害賠償請求（415条），契約の解除（541条）をすることができる。他方，貸主は，書面による使用貸借の場合を除き，借主が借用物を受け取るまでは，契約を解除できる（593条の2→第2節4）。

引き渡す物は，種類・品質・数量に関して，契約の内容に適合したものでなければならない（一問一答301頁・304頁）。どのような状態の物を引き渡すべきかについて，同じ無償契約である贈与の規定が準用される。すなわち，使用貸主は，目的物を使用貸借の目的として特定した時（使用貸借契約成立の時。不特定物使用貸借なら特定した時）の状態で引き渡すことを約束したものと推定される（596条・551条1項）。その時から引渡しまでは，貸主は善管注意保存義務（400条）を負う。貸主がこれらの義務に反したときは，債務不履行に関する規律に従って，その責任を負う。

負担付使用貸借においては，貸主は，負担の限度において，売主と同じく担

保責任を負う（596条・551条2項）。すなわち，借主は貸主に対し，負担の限度で，追完請求権・負担減額請求権・損害賠償請求権・契約解除権を有する。

(2) 使用収益許容義務

貸主は，借主の使用収益を妨げない義務を負う（使用収益許容義務）。貸主がこれに違反すれば，債務不履行責任を負う。しかし，この義務は消極的なものであり，賃貸人が積極的に借主の使用収益に協力すべき義務を負うのとは異なる。すなわち，使用借主は借用物の通常の必要費を負担し（595条1項），使用貸主は目的物を修繕する義務を負わない（賃貸借における606条1項との相違）。

(3) 費用償還義務

使用貸借においては，目的物について発生する費用は，借主が負担すべきものが多いが，貸主が負担すべきものもある。後者について，借主が支出したときは，借主はその償還を請求することができ，貸主は償還義務を負う。以下，建物使用貸借を例に説明する。

第1に，通常の必要費は，借主が負担する（595条1項）。借用物の現状を維持するために通常生じる補修費・修繕費・保管費などである（建物の玄関灯の電球が切れたので取り換えるなど）。固定資産税などの公租公課も通常の必要費に入るという見解があるが（山中・新版注民（15）110頁，山本545頁，潮見141頁など），たとえば固定資産税は，固定資産の所有者に課せられるものであり，当然に借主負担とはならないと解すべきである（高津環『最判解民昭41』441頁参照）。賃貸借では，必要費は通常のものも貸主が負担するので（608条1項参照），使用借主の方が負担が大きい。無償である以上，それが当事者の通常の意思に沿うからである。

第2に，特別の必要費（非常の必要費ともいう）は，貸主が負担する。借主が支出したときは，その時から貸主から償還させることができる（595条2項・583条2項・196条1項本文）。風水害により建物が損傷した場合の修繕費などである（我妻中Ⅰ381頁）。

第3に，有益費は，貸主が負担する。借主が支出したときは，価格の増加が現存する場合に限り，貸主の選択に従い，借主の支出した金額又は増価額を支出した時から貸主に償還させることができる。ただし，裁判所は，貸主の請求

により，償還について相当の期限を許与することができる（595条2項・583条2項・196条2項本文）。有益費とは，借用物の改良費などであるが（196条2項参照），改良をするについては用法遵守義務（594条1項）の制約を受ける。なお，当該使用貸借契約の内容に照らして不相当にぜいたくな改良等の費用（奢侈費）は，借主が負担すると解すべきである（星野202頁参照）。

借主が費用の償還を請求できるときは，借主は，目的物について，費用償還請求権を被担保債権とする留置権（295条1項本文）を有する。裁判所による貸主に対する期限の許与は，この留置権を消滅させる意味をもつ（同項但書）。

費用の償還は，貸主が返還を受けた時から1年以内に請求しなければならない（600条1項）。これは除斥期間である。部会では，この期間制限を削除することが検討されたが，当事者間の均衡が考慮され，維持された（中間試案説明471頁，部会資料81-3, 17頁）。

2　借主の義務
(1)　目的物の使用収益に関する義務

借主は，契約又は目的物の性質によって定まった用法に従って使用収益をしなければならない（594条1項）。用法遵守義務という。また，借主は，貸主の承諾がなければ，第三者に借用物を使用収益させることはできない（同条2項）。目的物の又貸しや，借主たる地位の譲渡はできない。

借主がこれらの義務に違反した場合，貸主は契約を解除することができる（同条3項）。貸主は，債務不履行による損害賠償も請求できる（415条）。損害賠償請求権については，期間制限があり，貸主は，返還を受けた時から1年以内に請求しなければならない（600条1項）。これは，法律関係の早期安定を図るためのものであり，除斥期間である。この損害賠償請求権の消滅時効は，貸主が返還を受けた時から1年を経過するまでは，完成しない（600条2項。時効の完成猶予）。

◆**600条2項の趣旨**　貸主が借主の義務違反を知らなかったとしても，違反の時から10年を経過すると，損害賠償請求権について消滅時効が完成する（166条1項2号）。しかし，使用貸借の存続中は貸主が目的物の状況を把握することが困難なことが多いから，長期の使用貸借においては貸主が違反の事実を知らない間に時効

が進行し，貸主が目的物の返還を受けた時には既に時効が完成しているという場合が生じうる。600条2項は，これを防ぐために新設された（部会資料70A，第5，4説明2）。

以上のほか，借主は目的物について善管注意保存義務（400条）を負う。この点については，賃貸借における議論と同様である（→第11章第2節2(2)(a)(ii) ◆〔399頁〕）。借主は，また，目的物の通常の必要費を負担する（595条1項）。

(2) **契約終了時の義務等**
借主は，使用貸借が終了したときは，以下の3つの義務を負う。
①返還義務　借主は，借用物を返還する義務を負う（593条）。
②収去義務　借主は，借用物を受け取った後にこれに附属させた物があれば，その附属させた物を収去する義務を負う（599条1項本文）。ただし，借用物から分離することができない物又は分離するのに過分の費用を要する物については，借主は収去義務を負わない（同項但書）。その後の法律関係は，状況により，借主の貸主に対する費用償還請求（595条2項参照），又は，貸主の借主に対する損害賠償請求（599条3項・415条）の問題となる（付合との関係を含め→第11章第2節2(2)(c)の②〔405頁〕・③〔406頁〕）。

収去は，借主の権利でもある（収去権。599条2項）。契約存続中でも収去できる。

● 建物の使用貸借において借主がエアコンを設置した場合，借主は，契約存続中及び終了時にこれを収去する権利があるとともに，契約終了時にこれを収去する義務がある。

③原状回復義務　借主は，借用物を受け取った後にこれに生じた損傷がある場合，その損傷を原状に服する義務を負う（599条3項本文）。その損傷が借主の責めに帰することができない事由によるものであるときは，借主は原状回復義務を負わない（同項但書）。借主が用法遵守義務を尽くし，かつ，通常の必要費を支出して，目的物を適法に使用収益していた場合であっても，通常生じる損耗（通常損耗）や時間の経過に伴う目的物の変化（経年変化）が問題となる。借主がそれらについて原状回復義務を負うかどうかは，当該使用貸借の契約の趣旨によって定まる。

● 新築住宅の使用貸借をし，10年経過後に返還される場合，建物の外壁に生じた自然な汚れについては，借主は，新築状態に戻すのではなく，契約存続期間中に適法な使用収益をしていた場合にあるべき状態を基準として，その状態にすればよい，というのが通常の契約の趣旨であろう（我妻中Ⅰ 382頁参照）。

◆ **通常損耗及び経年変化**　　原状回復義務に関する規定は，使用貸借（599条3項）と賃貸借（621条）とで，わずかな違いがある。すなわち，賃貸借では，「損傷」について，「通常の使用及び収益によって生じた賃借物の損耗並びに賃借物の経年変化を除く」という限定があるが，使用貸借ではこれがない。賃貸借においては通常損耗等が生じることを前提に賃料が定められるので，原則的規律となる任意規定を置く意味があるが，使用貸借は無償であるため，通常損耗等の負担のあり方は一定していない（借主が通常損耗もすべて回復するという合意もあれば，貸主が通常損耗もすべて甘受するという合意もあるなど）ので，任意規定を置くのではなく，個々の使用貸借契約の趣旨によって定まるものとすると説明される（中間試案説明471頁，部会資料70A，第5，3説明2(2)，一問一答307頁以下）。単純に2つの条文を対比すると，使用貸借においては，通常損耗及び経年変化も借主の原状回復義務の対象となるようにも読めるが，そのように反対解釈をするのではなく，上記の通り，個々の使用貸借契約の解釈によって定まるものと解すべきである（第97回部会議事録41頁〜43頁〔中田・金関係官・道垣内弘人発言〕）。

3　借主と第三者との関係

(1)　目的物の新所有者との関係

借主は，目的物の所有権を譲り受けた者などの第三者に対し，使用貸借契約に基づき目的物の使用収益ができる権利を主張することができない。すなわち，使用借権は，第三者に対抗できない。不動産賃貸借においては，登記等により対抗力が備わりうる（605条，借地借家10条・31条など）のと異なる。譲受人が所有権に基づく明渡し又は返還を請求すれば，借主は，これに応じなければならない（権利濫用の主張や留置権の行使はありうる）。

(2)　借主の使用収益を妨害する者との関係

借主は，(1)以外の第三者が目的物の使用収益を妨害した場合も，使用借権に基づく妨害排除請求はできない。このことは，不動産の使用貸借においても同様であると解する見解が多い（我妻中Ⅰ 377頁など）。しかし，故意の不法占拠者に対しては，不動産使用借権に基づく妨害排除請求を認めてもよいのではな

いか（平井・債総123頁，潮見新各Ⅰ329頁，中田・債総344頁。より広く認めるものとして山中・新版注民(15) 96頁）。なお，借主は，占有を取得していれば，占有訴権（197条以下）を行使することができる。

第4節　使用貸借の終了

1　終了と返還

使用貸借契約が終了すると，借主は目的物を返還しなければならない（593条）。このように，現行民法では，契約の終了と目的物返還債務の関係が明確にされている（中間試案説明470頁，部会資料70A，第5，2説明，同81-3，第9，2説明・3説明）。契約の終了事由としては，契約期間を基軸とする継続的契約の終了の観点から，当然終了（期間満了等）と意思表示による終了（解除）に分けて規定される（597条・598条）。

2　終了原因

(1) 期間満了等——当然終了

(a)　期間満了

期間の定めのある使用貸借契約は，期間満了により，終了する（597条1項）。

(b)　目的に従った使用収益を終えること

期間の定めのない使用貸借契約は，使用収益の目的が定められているときは，借主がその目的に従った使用収益を終えることによって，終了する（597条2項）。

● 建物の建築工事をするため，隣人の土地を資材置場として無償で使わせてもらうという場合，建物が完成すれば契約は終了する。

▶ **使用収益の目的の意味**　それが個別具体的な直接の目的でなければならないとすると（双書(6) 92頁［加藤永一］），その要件が満たされていないときは，目的が定められていないことになり，期間の定めもない場合は，貸主はいつでも解除できることになるので（598条2項），借主に不利である。他方，一般的抽象的な目的でもよいとすると，使用貸借はいつまでも終了しないことになり，貸主に不利である。「目的」だけに着目するのではなく，借主が目的に従い使用収益を終えた，又は，そうするのに足りる期間が経過した（597条2項・598条1項）と評価できるかどうかも考慮して，契約の解釈によって判断すべきである（来栖395頁以下，星野180頁参

照)。

(c) 借主の死亡

期間の定めの有無にかかわらず,使用貸借契約は,借主が死亡すると,終了する(597条3項)。つまり,使用借権は相続されず,相続人は返還債務を負う。これは,賃借権と異なる。使用貸借は,貸主の借主自身に対する信頼関係に基づいて無償でされるものだからである。ただし,別段の合意は可能である(広中127頁,潮見143頁)。他方,貸主が死亡しても,終了しない。借主は,引き続き使用収益できる。

(2) 解除——意思表示による終了

(a) 期間及び目的に関連する規律

(i) 使用収益をするのに足りる期間の経過　期間の定めのない使用貸借契約において,使用収益の目的が定められている場合,その目的に従い借主が使用収益をするのに足りる期間を経過したときは,貸主は契約を解除できる(598条1項)。契約の終了と返還債務の関係を明確にするため,返還請求という改正前民法の法形式(旧597条2項但書)ではなく,契約の解除による終了とされた。

> ● (1)(b)の●の例で,普通なら半年で建物が完成するはずのところ,建築主と工事業者との間のトラブルで工事が中断し,1年たっても再開されないという場合,資材置場の貸主は契約を解除できる。実際の紛争は,より微妙である(たとえば,最判平11・2・25判時1670号18頁は,建物所有を目的とする土地使用貸借契約において,38年8か月の経過と人的関係の著しい変化を理由に,使用収益をするに足りる期間が経過したと認めうる可能性があるとした)。

(ii) 期間及び目的の定めがない場合　期間の定めのない使用貸借契約において,使用収益の目的が定められていない場合,貸主は,いつでも契約を解除できる(598条2項)。

(iii) 借主の解除　借主は,いつでも契約を解除できる(598条3項)。貸主だけでなく,借主にも解除権のあることを明示し,疑義を避けるものである(改正前民法では,借主による期限の利益の放棄による契約の終了として,解釈で認められていた〔鳩山下437頁〕)。

(b)　借主の義務違反等に関連する規律

(i)　用法遵守義務等の違反　　借主が用法遵守義務に違反し又は無断で第三者に借用物を使用収益させた場合，貸主は，契約を解除することができる（594条3項）。催告は，要件とされていない。

(ii)　債務不履行　　貸主は，借主の債務不履行を理由として，契約を解除することができる（541条）。

> ◆ **信頼関係破壊等による解除**　　改正前民法のもとで，当事者間の信頼関係が破壊されたり，「やむを得ない事由」が生じた場合に，貸主が使用貸借契約を解除できるとする学説があった（来栖403頁以下，広中126頁，奥田＝池田編183頁以下［上田誠一郎］）。贈与における事情の変化がある場合の解消（→第6章第4節3〔279頁〕）とのバランスが指摘されることもある。判例でも，親子間の土地使用貸借において信頼関係が失われた場合について，旧597条2項但書を類推適用して，貸主の解約を認めた例がある（最判昭42・11・24民集21巻9号2460頁）。これらを新たな終了事由とする立法提案もあり（基本方針Ⅳ361頁以下），部会でも検討されたが，借主の立場の保護の必要性や労働組合事務所の使用貸借の例などの指摘があり，見送られた（論点整理説明372頁，部会資料57，第4，21頁）。
>
> 　賃貸借における信頼関係破壊法理を使用貸借にも導入することについては，賃貸借では，有償契約としての拘束力があることを前提として信頼関係破壊による解除（賃貸人の解除権を拡張する面）が例外的に認められるという構造になるのに対し，無償契約である使用貸借においては，もともと信頼関係を前提とするものであることが強調されると，その破壊による解除は原則的に認められることになり，契約としての拘束力が軽視され，借主の地位が著しく不安定になるおそれがある。使用貸借に契約としての効力を認める以上（事実上の使用容認との関係につき→第2節2，2つ目の◆〔376頁〕），まずは既存の方法による解決（負担付使用貸借の認定，債務不履行の認定，597条・598条の解釈）を検討することがよい。現行民法のもとで賃貸借における信頼関係破壊法理をより一般的な規律のなかで位置づけるとすれば（→第11章第2節3(3)(b)(iii)〔427頁〕），使用貸借においても同様の位置づけをしたうえで，その規律の適用に際して契約の特性を考慮すべきことになる（これに対し，潮見新各Ⅰ336頁参照）。

(c)　目的物受取り前の貸主の解除

前述の通り，使用貸借の諾成契約化に伴い，借主が目的物を受け取る前の貸主の解除権が規定されている（593条の2→第2節4〔377頁〕）。

◘ **使用貸借の貸主の破産**　書面でする消費貸借は，借主が目的物を受け取る前に当事者の一方が破産したときは，その効力を失う（587条の2第3項）。また，双方未履行の双務契約の一方当事者が破産した場合には，破産法53条の規律がある。しかし，書面による使用貸借については，587条の2第3項のような規定はないし，また，使用貸借は諾成契約となってもなお片務契約であるので（→第1節◘〔373頁〕），破産法53条の適用もない。そこで，①書面による使用貸借において借主の受取り前に貸主が破産した場合の貸主の破産管財人による解除の可否，②使用貸借において借主の受取り後に貸主が破産した場合の借主の使用借権の対抗の可否及び対抗を認める場合の貸主の破産管財人の解除の可否が特に問題となる。この点については，明文規定により解決することが適切であったと考えるが，解釈に委ねられた（部会資料70A，第5，1説明2，第81回部会議事録9頁〜11頁〔中田・金関係官発言〕）。そこで，①については，特に不動産使用貸借において書面による使用貸借の「書面」を制限的に解釈すること（→第2節4◘〔378頁〕）のほか，贈与と使用貸借の相違に留意しつつ，587条の2第3項を類推適用することが，次善の策として考えられる。②については，貸主が破産した場合の使用貸借の帰趨について検討が進められるべきであるが，実質的には，破産管財人の解除を認めたうえ，それによって生じた損害の賠償について借主が破産財団の配当に加入するという帰結が妥当であろう。そうだとすると，破産法53条を類推適用することが，次善の策として考えられる。もっとも，これは同条の規律のあり方にもかかわる問題であり，さらに検討を要する（以上につき，中田・前掲第1章注79）3号，中田・前掲第3章注3）参照）。

(d)　解除の方法と効力

使用貸借の節における解除には，次の2つの特徴がある（598条・594条3項）。第1に，催告や猶予期間は不要である。

第2に，遡及効がなく，将来に向かってその効力が生じる。解除の前にされた借主の使用収益は，権原に基づくものであり，解除されたとしても，不当利得や不法行為にならない。賃貸借における620条のような規定はないが，契約の性質上，そのように解すべきである（594条3項につき，我妻中Ⅰ384頁など通説）。

第11章 賃　貸　借

第1節　意　　義

1　賃貸借の対象

　賃貸借とは，当事者の一方が「ある物の使用及び収益を相手方にさせること」を約束し，相手方が「これに対してその賃料を支払うこと」及び「引渡しを受けた物を契約が終了したときに返還すること」を約束することによって成立し，効力を生ずる契約である（601条）。賃貸借は，諾成・双務・有償契約である。

　賃貸借の対象となるのは「物」，すなわち，有体物（動産及び不動産）である（85条・86条）。「財産権」が対象である売買（555条）よりも限定されている。

> ◆ **権利や事業の有償使用**　　権利や事業を相手方に有償で使用させる契約は，民法上の賃貸借に類似した無名契約であり，それぞれに関する固有の規律に従うほか，性質の許す限りで民法の規定が類推適用されるにとどまる（我妻中Ⅰ 415頁，来栖300頁）。たとえば，特許権者が相手方に特許権の通常実施権（特許78条）を許諾して対価を受け取る場合，賃貸借のようでもあるが，ここでは相手方が当該特許権を実施しても特許権侵害として差止めや損害賠償を請求しないという特許権者の不作為義務が重要であり，また，通常実施権には当然に第三者に対する対抗力がある（同99条）など，賃貸借とはかなりの相違がある。また，株式会社の事業の全部の賃貸は，会社法の規定に従って行われる（会社467条1項4号・309条2項11号）。

　動産と不動産のうち，数多いのは動産賃貸借である。そのほとんどは営業的なものである。比較的短期の動産賃貸借（レンタルと呼ばれることがある）としては，レンタカー，レンタルDVD，貸衣裳，貸スーツケースなど消費者向け

のものが多い。これらは，短期間であるうえ，目的物の価格もそれほど高くなく，訴訟にまで至ることは少ない（レンタルDVD等の延滞金をめぐる紛争などはある）。より長期の動産賃貸借は，事業者向けのものが中心である（レンタルのほか，オペレーティング・リースと呼ばれることもある）。IT関連機器，建設機械，観葉植物などの賃貸借がある。船舶の賃貸借については，運送契約に接続するものとして独自の検討がされている（江頭・商取引348頁）。

◆ **ファイナンス・リース**　現代社会において重要な取引として，ファイナンス・リースがある。サプライヤー（S）の所有する物を使用したいと考えるユーザー（U）が，Sから直接購入するのではなく，それをリース会社（L）に買ってもらい，LからUが借り，リース期間中，UがLにリース料（Lの調達費用等を基礎に算出した総額を支払回数により分割したもの）を支払うという仕組みである。SL間で売買契約，LU間でリース契約がそれぞれ結ばれる。コンピュータ，医療機器，事務機器など様々な物が対象とされ，企業を中心に多く用いられている。これは，目的物の賃貸借に類似する面と，目的物の調達資金の金融の面があり，その性質が問題となる。今回の改正で規定を新設することが検討されたが（論点整理説明468頁以下，中間試案説明466頁以下，基本方針Ⅳ419頁以下参照），見送られた（部会資料69A，64頁）。

このように動産の賃貸借は数多いが，より重要なのは不動産の賃貸借である。土地・建物の賃貸借は，賃借人にとって生活や事業の基盤となっていることが多い。目的物の価値も高いし，通常は長期間に及ぶ。このため，紛争も生じやすい。賃貸借に関する裁判例は，圧倒的多数が不動産を目的とするものであり，特別法も発達している。そこで，本章では，不動産賃貸借を中心に検討する。

2　不動産賃貸借の3つの場面と法制度

(1)　3つの場面

不動産賃貸借の諸問題は，3つの場面で現れる。

第1は，賃貸人Aと賃借人B，すなわち，賃貸借の当事者間の場面である。各当事者の権利義務，契約の存続期間，解除などの問題がある。

第2は，賃借人Bの側に第三者Cが出現した場面である。BがCに賃借人たる地位を譲渡した場合や，BがCに目的不動産を転貸した場合のABCの関係が問題となる。Bの側からいえば，賃借権の譲渡性の問題である。

第3は，賃借人側ではない第三者Dが出現した場面である。Aが賃貸不動

産をDに譲渡した場合のABDの関係が中心的問題である。Bの賃借権の対抗の問題であり，賃貸人たる地位の移転の問題でもある。このほか，DがBの賃借不動産の二重賃借人である場合の問題，DがBの賃借不動産の不法占拠者である場合の問題もある。

これらの問題について，民法では賃貸人と賃借人は対等な当事者であるという前提がとられており，社会的・経済的な強弱はあまり考慮されていない。このため，特別法が不動産賃借人保護を図ってきたが，近年，それとは異なる動きもある。以下では，宅地と建物の賃貸借を中心に，上記の3つの場面における主な法制度の展開を振り返る。農地の賃貸借は歴史的にも比較法的にも重要であるが，現在では，農業政策にもかかわる規律や制度が農地法（1952年）で発達し，独自性があるので[1]，これについては関連部分で触れるにとどめる。

(2) **不動産賃貸借に関する法制度の展開**
(a) 旧 民 法[2]

旧民法（1890年公布）では，賃借権は，地上権とともに物権とされ（財産編115条・171条），その譲渡や賃借物の転貸も原則として自由だった（同134条）。ボアソナードは，賃借権を物権とすることによって，賃借人に，より大きな安定性が確保され，その結果，農業，商業，工業が発達すると考えたようである。しかし，この考えは，激しい批判を受けた。すなわち，そうすると，地主に従属しているはずの小作人に物権を与えることになり慣習に反する，また，使用収益という面では，物権である賃貸借も債権である使用貸借も同じだから，使用貸借も物権であるべきだということになりかねない，という批判である。

(b) 明治民法

明治民法（1896年公布，98年施行）は，賃貸借を債権編に配置し，当事者間の関係を債権関係を生じさせる契約として位置づけた。すなわち，明治民法は，他人の土地の上に建物を所有する権利として，物権としての地上権と債権としての賃借権を用意した。

---

1) 原田純孝「農地・採草放牧地の賃貸借」松尾弘＝山野目章夫編『不動産賃貸借の課題と展望』(2012) 101頁が要領のよい概観を与える。
2) 原田純孝「民法612条（賃借権の無断譲渡，無断転貸）」百年Ⅲ397頁，星野英一「日本民法典及び日本民法学説におけるG・ボアソナードの遺産」同『民法論集第8巻』(1996) 35頁〔初出1992〕。

第11章 賃貸借

◆ **地上権と民法上の不動産賃借権の比較**　以下，各項目について，カッコの前半に地上権，後半に民法上の土地賃借権の規律（明治民法・現行民法）を示す（淡路剛久ほか『民法Ⅱ物権〔第4版〕』〔2019〕176頁〔原田純孝〕を参考にした）。①土地を使用する権利の性質（土地に対する直接の使用権たる物権〔265条〕／賃貸人に対し土地の使用収益をさせよという債権〔601条〕），②土地の使用目的（工作物・竹木の所有〔265条〕／限定はない〔601条〕），③使用の対価（地代支払又は無償〔266条〕／賃料支払〔601条〕），④土地の使用態様（回復不能の損害を生ずべき変更不可〔271条類推〕／用法に従った使用収益〔616条・594条1項〕），⑤修繕義務（設定者にはない／賃貸人にはある〔606条〕），⑥合意による存続期間の上限（制限なし／20年〔旧604条1項〕, 50年〔604条1項〕），⑦存続期間の合意のない場合（20年から50年の範囲で裁判所が決定〔268条2項〕／解約申入れの自由〔617条〕），⑧更新に関する規律（ない／ある〔604条2項・619条〕），⑨消滅・終了原因（限定的〔266条1項・276条〕／一般的規律を制限〔判例〕），⑩終了時の処理（地上権者の収去権・設定者の買取権〔269条〕／賃借人の収去権〔旧616条・旧598条, 622条・599条2項〕・収去義務〔解釈, 622条・599条1項〕・費用償還請求権〔608条〕），⑪譲渡・転貸（自由／賃貸人の承諾を要する〔612条〕），⑫第三者に対する対抗（地上権登記〔177条〕・地上権者に登記請求権あり／賃借権登記〔605条〕・賃借人に登記請求権なし〔判例〕）。

　民法上の賃貸借は，自由で対等な当事者間の契約であり，その効力も当事者限りの相対的なものである。上記(1)の第1の場面（賃貸人と賃借人の関係）については，賃料などの契約条件や，存続期間満了後の更新の有無は，当事者の自由な合意で定められる。なお，明治民法は，存続期間の上限を20年とし，より長期のものは地上権が利用されると想定していた（現行民法では上限を50年と改正）。第2の場面（賃借人Bの側の第三者Cとの関係）では，Bは賃貸人Aの承諾がなければその権利をCに譲渡することはできない。第3の場面（賃借人側でない第三者Dとの関係）では，AがDに目的不動産を譲渡すると，原則として，BはDに敗れる。債権である賃貸借は，当事者間でしか効力がなく，売買によって物権を取得した者には主張できないというわけである（このことを「売買は賃貸借を破る（Kauf bricht Miete）」という）。

　このように民法の賃貸借は，古典的な契約法に基づくものであり，賃借人保護の思想は微弱である。明治民法起草者は，建物所有のために他人の土地を使用する場合には地上権が利用されるものと考えていた。また，地上権ニ関スル法律（1900年）は，同法施行前からの宅地の利用関係は地上権だと推定したが，第三者に対する対抗要件の具備のための期間が制限されていたこともあり，年

月とともに消滅していった。他方，新たな利用関係は，起草者の予想に反し，現実には賃貸借が選択されることになった。貸し手は，相手方に物権を与えることを望まず，賃貸借を選択するからである。こうして，広く賃貸借契約が利用されると，現実には弱い立場にあり，借地や借家で生活をしたり事業を営んだりする賃借人の保護が求められるようになる。そこで，特別法が制定された。

(c) 特別法——借地人・借家人の保護

最初に対応があったのは，第3の場面である。建物保護ニ関スル法律（1909年）は，「売買は賃貸借を破る」の原則を修正した。すなわち，Aから土地を借りたBは，借地上に建物を建て，その建物の登記をしておけば，Aから土地を買ったDに対し，借地権を対抗できることにした（その後，借家法〔1921年〕により，借家権にも簡易に対抗力が付与されるようになった）。

次に，第1の場面で，賃借人の保護が図られた。借地法（1921年）は，借地について民法よりも長い存続期間を定めた。ただし，期間満了時に賃貸人が更新拒絶する余地は広く残されていた。同時に制定された借家法は，更新や解約申入れなどについて借家人に若干の保護を与えた。その後，1941年に借地法・借家法が改正され，賃貸人からの更新拒絶や解約申入れが大きく制限されるようになり，賃借人の立場の安定化が進んだ。当事者間のもう1つの重要問題である賃料については，地代家賃統制令（1939年）がその上限を定めた。この1939年と41年の動きは，第2次大戦直前の経済統制法の色彩が濃い。しかし，戦後の住宅難の折には，改正借地法・借家法は大きな機能を果たした。他方，地代家賃統制令は，一時期大きな意味をもったが，次第に実情に合わなくなり，1986年に廃止された。

第2の場面での保護は遅れたが，1966年に借地法が改正され，借地人が賃借権を譲渡し，又は転貸することを可能にする制度が設けられた。

(d) 特別法——多様化

このようにして，借地人・借家人の地位は強化されたが，戦後，経済が発展し，社会の都市化が進むにつれ，その弊害も指摘されるようになった。すなわち，借地借家制度が画一的・硬直的なものとなり多様な需要に対応できない，土地所有者が賃貸することに消極的になり借地の供給が減少しているという指摘である。そこで，新たに借地借家法（1991年公布，92年施行）が制定された（従来の借地法，借家法，建物保護法は廃止され，借地借家法に統合された）。この法

律は，定期借地権（更新されない類型の借地契約）を新設するなど，借地借家をめぐる社会関係の多様化に対応しようとする大改革であるが，借地人・借家人保護という基本思想は変わっていない。

これに対し，借地借家法が良質な借地借家の供給を抑制している，借地借家制度も市場経済に委ねるべきであり，さらに自由化すべきであるという主張がされるようになった。その結果，1999 年に借地借家法が改正され，新たに定期借家権（更新されない類型の借家契約）が導入された。この導入については，規制をなくし市場経済に委ねるべきだとする賛成論と，伝統的な借家人保護の考え方に立脚する反対論との間で論争があったが，規制緩和が推進されるなか，前者の考え方が立法に反映された。もっとも，市場経済に委ねるとしても低所得者や高齢者である借家人についてのセーフティ・ネットが求められる。そこで，高齢者の居住の安定確保に関する法律（2001 年）が制定されるなど，一定の対応がされた。

◆ **借地借家制度をめぐる議論**　効率性の観点から規制のない市場経済を重視すべきか，正義の観点から弱者保護・人格的利益の保護を重視すべきかという議論は，大雑把すぎる。借地借家制度は，各時代の社会経済状況を反映しつつ，個別当事者間の利害の調整と，社会全体としての借地借家のあり方の適正化を図ってきたし，今後もそうなるだろう。より緻密な検討が必要である。当事者間では，①契約締結段階での当事者の社会的・経済的立場の強弱の問題と，②契約関係の継続に伴って各当事者に生じる変化（賃貸人は賃借人の賃貸不動産の利用方法や賃料支払状況についての情報を取得し，賃借人は賃借不動産を基礎にして生活や営業を形成するなど）をどう評価すべきかの問題がある。①は，社会全体としての借地借家のあり方の適正化の観点も大きくかかわる（内田勝一『現代借地借家法学の課題』〔1997〕1頁以下参照）。その際，実証的検討は大きな意味をもつ（たとえば，瀬川信久『日本の借地』〔1995〕）。また，ある規律がいかなる現実的影響をもたらすかの検証も必要である（定期借家制度の利用実態など）。基本権や居住福祉などの観点からの基礎的考察も重要である（戒能通厚「住宅基本権の法概念」早川和男編代『講座現代居住1 歴史と思想』〔1996〕37 頁，吉田邦彦『多文化時代と所有・居住福祉・補償問題』〔2006〕2 頁以下，吉田 187 頁以下，潮見 195 頁，潮見新各Ⅱ23 頁以下）。②については，継続的契約における不確実性，関係継続により生じる価値，それらを自己に有利に利用しようとする当事者の行動についての規律という，やや抽象的な観点からの検討もする必要がある（たとえば，内田・前掲第1 章注7）215 頁以下，中田・前掲第1 章注82）②230 頁）。

(e) 現行民法

現行民法は，賃貸借の一般ルールに関する判例法理を明文化するとともに，現代社会に適合するよう，いくつかの新たな規律を設けた。第1の場面（当事者間の関係）では，存続期間の上限の長期化，目的物の使用収益や賃貸借の終了に関する規律の明確化，敷金に関する規定の新設がされた。第2の場面（賃借人側の第三者との関係）では，転貸に関する規律が明確化された。第3の場面（賃借人側でない第三者との関係）では，不動産賃貸借に関する規律が大幅に拡充された。

このように賃貸借に関する規律は，不動産賃貸借を中心に，社会的・経済的な課題に向き合いつつ，時代に応じて変化してきた。以下では，まず，民法上の賃貸借の説明をし（第2節～第4節），その後，特別法の説明をする（第5節）。それぞれ，上記(1)の3つの場面に分けて，検討を進める。

第2節　当事者間の関係

1　賃貸借の成立

(1) 諾成契約

賃貸借は，当事者の一方（賃貸人）が相手方（賃借人）にある物の使用収益をさせることを約束し，相手方がその賃料の支払と契約終了時の目的物返還を約束することによって成立する。当事者の合意のみでよく，目的物の引渡しは要しない。特別法により，当事者の合意によらずに賃貸借が成立したものとみなされることもある（仮登記担保10条）。

(2) 物の使用収益及び返還

(a) 物

賃貸借の目的となるのは物である。他人の物でもよい（559条・561条）。

◆ **他人の物の賃貸借**　他人の物の賃貸借も有効である。それゆえ，目的物が賃貸人に属しないことは，原則として賃貸人の錯誤取消し（95条。旧95条では錯誤無効）の原因とならない（大判昭3・7・11民集7巻559頁）。この場合，賃貸人は賃借人に対し，目的物を引き渡し，使用収益させる義務を負い，賃借人は賃貸人に対し，賃料

を支払い，契約終了時に目的物を返還する義務を負う。

　所有者Ａとの関係は，Ａと賃貸人Ｂとの法律関係によって異なる。①ＡＢ間に賃貸借がある場合，Ｂと賃借人Ｃとの賃貸借は転貸借と呼ばれる。ⓐＡがＢの転貸を承諾したときは，ＡＣ間にも一定の効果が生じる（613条）。ⓑＢがＡに無断でＣに転貸したときは，ＡはＡＢ間の賃貸借を解除することができる（612条2項）。②ＡＢ間に何らの法律関係もない場合，Ａは，所有権に基づいて，Ｃに明渡しを求めることができる。Ｂは，Ａから賃貸権限を取得する義務をＣに対して負う（559条・561条）。具体的な法律関係については，転貸借の項で説明する（①ⓐ→第3節3〔432頁〕，①ⓑ→同4〔439頁〕，②→同3(2)(b)(ii) 2つ目の◆〔434頁〕）。このほか，③ＡＢ間に賃貸借以外の法律関係（地上権，使用貸借，配偶者居住権など）がある場合は，その規律による。

◆　**自己の物の賃借**　　自己の物の賃借は，原則として認められないが，例外的に法律で認められることがある（借地借家15条1項〔自己借地権〕→第5節2(1)(a)(iv)〔467頁〕）。後発的に賃借人の所有物となったときは，混同の問題となる。Ａがその所有する物をＢに賃貸した後，Ｂが目的物の所有権を取得し賃貸人たる地位を承継すると，賃貸借契約上の債権債務は混同により消滅する（520条本文）。しかし，目的物が不動産であって，Ｂがその賃借権について対抗要件（605条，借地借家10条・31条など）を備えた後，Ａがその不動産にＤのための抵当権を設定してその登記をし，その後，Ｂがその所有権を取得したときは，混同の例外（179条1項但書・520条但書の類推適用）により，賃借権は消滅しない（最判昭46・10・14民集25巻7号933頁，我妻中Ⅰ432頁）。Ｄが抵当権を実行し，第三者がその不動産を取得した場合，Ｂは賃借権を主張できる。

(b)　使用収益及び返還

　賃貸人が賃借人に目的物の使用及び収益をさせ，賃借人が引渡しを受けた物を契約が終了したときに賃貸人に返還することの合意が必要である。「使用」とは単に使うこと，「収益」とは使用して果実を収取することである。外国では，使用のみができる使用賃貸借と，収益もできる用益賃貸借とを区別する法制もあるが，わが国では区別せず，使用のみでもかまわない。使用貸借とは異なり，貸主が借主に目的物を使用収益させるという合意が必要である（593条と601条を比較せよ）。

(c)　契約期間

(i)　**契約期間**　　賃貸借契約には，期間の定めのあるものと，ないものがある。民法は，契約期間を「賃貸借の存続期間」あるいは「賃貸借の期間」と呼

んでいる（604条・617条など）。継続的契約の終了に関する諸理念（→第4章第1節2(1)(b)3つ目の◆〔187頁〕）は，賃貸借において典型的に現れる。そのうち，長期契約の弊害防止について，賃貸借の存続期間を制限する規定がある（他の諸理念については→3(1)〔422頁〕）。

(ii) **最長期間の制限**　賃貸借の存続期間は，最長50年である。これより長い契約をしても，50年になる（604条1項）。更新は可能だが，その場合も更新時から最長50年に制限される（同条2項）。

改正前民法では，いずれも20年だったが（旧604条），引き上げられた。

◆ **改正の経緯**　明治民法の起草者は，契約期間が長すぎると，賃貸人は目的物の改良をしなくなり，賃借人は他人の物に改良を施すことなどまずしないから，結果として目的物の劣化，損傷を招き，「経済上大いに不利益」だと考え，存続期間を最長20年と定めた（旧604条1項）。20年としたのは，それを超える土地の使用収益については地上権・永小作権が利用でき，これらの物権取得者は土地の改良をすると見込まれること，建物や動産については20年を超えるような長期の賃貸借はみられないことが理由である（梅635頁以下）。

しかし，明治民法のもとで，実際には，土地の使用収益について地上権・永小作権ではなく賃貸借が用いられたこと，重要な特別法で旧604条の適用が除外されたこと（借地借家3条・9条・29条2項，農地〔2017年削除前〕19条），これらの特別法の対象とならない土地（ゴルフ場敷地など），動産（重機，プラントなど）においても長期の賃貸借をする必要があること，が指摘された。

そこで，今回の改正で，旧604条を削除し，契約期間の制限を撤廃することが検討された（中間試案説明449頁以下。基本方針Ⅳ240頁以下）。しかし，あまりにも長期にわたる賃貸借は，目的物の所有権にとって過度な負担になるなどの弊害が生ずる懸念があり，それに対しては公序良俗等の一般原則によっては十分な対応ができないおそれがあることから，やはり存続期間の上限を設けるのがよいと考えられ，永小作権の存続期間の上限が50年であること（278条）などを参照して，50年が上限とされた（部会資料83-2，第33，3説明，一問一答315頁）。

● 民法上は，最短期間の制限はない。しかし，たとえば，家を建てて住むための借地契約で，期間が1年というのは，およそ不合理である。そのような場合，契約の解釈によって解決したり（その期間は，賃貸借の存続期間ではなく，賃料据置期間の趣旨であると解するなど），その条項は法的効力の認められない「例文」にすぎないと解したりするなどの試みがされた（星野・借地借家37頁・240頁・490頁，沖野・前掲第2章注22））。しかし，根本的な解決には特別法（旧借地2条2項，借地借家3条）を待

たねばならなかった。

(iii) **短期賃貸借**　処分の権限を有しない者は，短期の賃貸借しかすることができない。処分の権限を有しない者とは，管理権限はあるが，処分権限がない者である。不在者の財産管理人（28条），権限の定めのない代理人（103条），共有物の管理者（252条の2第1項*），後見監督人のある場合の後見人（864条），相続財産の管理人（897条の2第2項*），相続財産の清算人（953条*）などである（*は2021年改正）。短期の賃貸借とは，樹木の栽植又は伐採を目的とする山林の賃貸借は10年，それ以外の土地の賃貸借は5年，建物の賃貸借は3年，動産の賃貸借は6か月を超えないものである（602条）。処分の権限を有しない者がこれらの期間を超える期間の賃貸借をしたときは，短期賃貸借に縮減される（同条柱書後段）。これらの賃貸借は，更新することができるが，更新は，期間満了前，土地については1年以内，建物については3か月以内，動産については1か月以内にしなければならない（603条）。

明治民法起草者は，短期賃貸借は管理行為だが，長期賃貸借は貸主にも借主にも不利益になることが少なくないので，これを処分行為とみて，処分の権限を有しない者にはできないことにした（梅629頁）。

> **◆ 改正の経緯**　改正前民法は，①処分につき行為能力の制限を受けた者も，②処分の権限を有しない者とともに，短期賃貸借しかできないと定めていた（旧602条）。①は，管理する能力はあるが，処分する能力がない者であり，被保佐人（13条1項9号参照），短期でない賃貸借をするには補助人の同意を要するとの審判を受けた被補助人（17条1項・13条1項9号）である（未成年者〔意思能力があり，かつ法定代理人の同意があるものを除く〕及び成年被後見人は，短期賃貸借であっても契約できない）。
>
> しかし，①の者については，管理行為と処分行為を通じて，制限行為能力者の規律に委ねれば足り，602条に規定を置くとかえって疑義を生じる（未成年者や成年被後見人でも，短期賃貸借なら単独で有効に契約できるとの誤解を招きかねない）。このため，現行民法は②の者だけを対象とした（中間試案説明449頁，一問一答310頁）。

(3) **有　償**

賃借人が賃料を支払うことの約束が必要である。賃貸人の使用収益をさせる債務と賃借人の賃料支払債務は，相互に対価としての意義をもつので，賃貸借

は双務・有償契約である。

2 賃貸借の効力
(1) 賃貸人の義務
(a) 使用収益させる義務

賃貸人の中心的義務は，目的物を使用収益させる義務である（601条）。賃貸人は，賃借人に目的物を引き渡し，賃貸借契約が存続する間，使用収益に適した状態に置かなければならない。使用貸借の貸主が単に借主の使用収益を許容するという消極的義務を負うにすぎないのとは異なり，賃貸人は積極的な義務を負う。具体的には，次の通りである。

①目的物引渡し前の段階。賃貸人は賃借人に対し，目的物を引き渡さなければならない。賃貸人が第三者に目的物を引き渡し，賃借人への引渡しが不可能となったときは，賃貸人は，債務不履行（履行不能）責任を負う。

②目的物引渡し後の段階。賃貸人が自ら使用収益を妨げた場合，あるいは，賃貸人が第三者に目的物を譲渡し，賃借人が賃借権を対抗できない場合，賃貸人は賃借人に対し，債務不履行責任を負う。第三者が賃借人の使用収益を妨害するときは，賃貸人はこれを排除しなければならない（妨害排除義務）。また，賃貸人は，賃貸物の使用収益に必要な修繕をする義務を負う（606条1項本文）。目的物が修繕を要する状態になった場合については様々な問題があるので，後にまとめて検討する（→(3)）。

(b) 費用負担

賃貸借では，目的物について発生する費用は，賃貸人が負担すべきものが多い（使用貸借と異なる）。これを賃借人が支出したときは，賃借人はその償還を請求することができ，賃貸人は償還義務を負う。

第1に，賃貸人の負担に属する必要費については，賃借人が支出したときは，賃貸人に対し，契約終了を待たず，直ちに償還請求ができる（608条1項）。「賃貸人の負担に属する」という限定が付されたのは，たとえば馬の賃貸借において，その飼養料は，慣習上，賃借人負担になると考えられたことによる（民法速記録Ⅳ 360頁〜361頁〔箕作麟祥・梅謙次郎発言〕。飼養料につき末弘590頁は反対）。「賃貸人の負担に属する」かどうかは，個別の契約の内容によって定まるが，賃貸借においては目的物の使用収益をさせることが賃貸人の義務である

以上，賃借人が使用収益できる状態に置くために必要な費用は，反対の特約のない限り，賃貸人の負担に属すると解すべきである（616条・594条1項参照）。これに対し，現実に使用収益をするために必要な費用は，賃借人の負担に属するものが多いだろう（建物の賃貸借における光熱費，レンタカーにおけるガソリン代など）。建物の賃貸借において，賃借人が契約又は目的物の性質によって定まった用法に従って使用収益をしたとしても通常生じる損耗（通常損耗）の補修費用は，反対の特約のない限り，賃貸人の負担に属する（最判平17・12・16判時1921号61頁参照。重判平17民8［内田勝一］）。そのような損耗の発生は，賃貸借という契約の本質上，当然に予定されているからであり，反対の特約をする場合には，明確な合意が必要である（最判平17・12・16前掲）。なお，賃貸人のすべき修補を，賃借人がした場合，相当な範囲内の補修費用のみが「賃貸人に属する」ことになる（梅644頁）。

第2に，有益費については，賃貸人が負担する。賃借人が支出したときは，賃貸借の終了時に，価格の増加が現存する場合に限り，賃貸人の選択に従い，賃借人の支出した金額又は増価額を賃貸人に償還させることができる。ただし，裁判所は，賃貸人の請求により，償還について相当の期限を許与することができる（608条2項・196条2項本文）。有益費とは，借用物の改良費などであるが（196条2項参照），改良をするについては用法遵守義務（616条・594条1項）の制約を受ける。なお，当該賃貸借契約の内容に照らして不相当にぜいたくな改良等の費用（奢侈費）は，賃借人が負担すると解すべきである（星野202頁参照）。

賃借人が費用の償還を請求できるときは，賃借人は，賃貸人が返還を受けた時から1年以内に請求しなければならない（622条・600条1項）。これは除斥期間である（大判昭8・2・8民集12巻60頁。諸説につき山本399頁参照）。部会では，この期間制限を削除することが検討されたが，当事者間の均衡が考慮され，維持された（中間試案説明465頁以下，部会資料81-3，15頁以下→第10章第3節1(3)〔379頁〕）。

賃借人が費用の償還を請求できるときは，賃借人は，目的物について，費用償還請求権を被担保債権とする留置権（295条1項本文）をもつ。家屋の賃借人は，留置権により，当該家屋に居住し続けることができるが，明渡までの間，客観的な賃料相当額を不当利得として賃貸人に返還しなければならない（大判昭10・5・13民集14巻876頁参照。我妻栄『判民昭10』232頁）。有益費についての

裁判所による賃貸人に対する期限の許与は，この留置権を消滅させる意味をもつ（同項但書）。

(c) 担保責任

賃貸人は，種類・品質・数量に関して賃貸借契約の内容に適合する目的物を引き渡さなければならない。

引き渡された賃貸借の目的物が契約内容に適合しないものであった場合，賃貸人には売主の担保責任が準用される（559条・562条～564条）。したがって，賃借人は，損害賠償請求及び解除のほか，追完請求（修補・代替物の引渡し・不足分の引渡し）及び賃料減額請求ができる。このうち，修補請求及び賃料減額請求については，賃貸借に固有の規定があり，これが適用される（→(3)）。

(2) **賃借人の義務**[3]

(a) 目的物の使用収益に関する義務

(ⅰ) 用法遵守義務　賃借人は，契約又は目的物の性質によって定まった使用方法に従って，使用収益をしなければならない（616条・594条1項）。

> ● 契約によって定まる使用方法には，使用目的によって定まるものから個別の禁止事項によるものまで様々ある。借地の場合，まず，建物を建てるためか，駐車場にするためかなどの使用目的が定められる。前者なら，建築すべき建物の種類・構造が定められることが多い。さらに，増改築禁止条項（建物の増改築は賃貸人の同意を得ずにしてはならないという特約）が付されることも少なくない。借家の場合，まず，居住用か営業用かなどが定められる。居住用だと，動物を飼育してはならないなどの特約が付されることがある。営業用だと，事務所か，飲食店かなど，内容まで定められることが多い。

(ⅱ) 善管注意保存義務　賃借人は，目的物の返還まで善良な管理者の注意をもって保存する義務を負う。その具体的内容は，賃貸借契約の解釈によって定まる。

◆ **用法遵守義務と善管注意保存義務の関係**　賃借人が用法遵守義務のほか，善管注意保存義務を負うか否かについて，改正前民法のもとで学説が分かれていた。善

---

[3] 賃借人の保証人の責任につき，中田「不動産賃借人の保証人の責任」千葉大学法学論集28巻1＝2号（2013）666頁。

管注意保存義務を認める見解には，①旧400条に基づくというもの（広中156頁，近江200頁，内田206頁，潮見2版138頁），②同条に依拠しないもの（山本400頁，川井224頁。我妻中Ⅰ464頁・381頁は，同条を「参照」とする）がある。他方，③同条は物の引渡しを契約の目的とする場合の規定であり，賃貸借は，第一次的には物の使用収益を目的とし，契約終了後に返還債務が生じるものだから，契約終了まではその適用がないというもの（星野204頁，星野英一『民法概論Ⅲ〔補訂版〕』〔1981〕204頁），④同条は所有権移転義務を伴う引渡義務について適用される規定であり，それ以外の契約における保存義務は，各契約からその解釈として生じるのであり，契約期間経過後，引渡しまでの間についても，同条が直ちに適用されるべきではないというもの（平井・債総21頁以下）があった。①説では，用法遵守義務と善管注意保存義務が明確に区別されるが，②説〜④説では，使用収益と保存とを区別するか一体的にみるかという違いはあるものの，その具体的内容は賃貸借契約の解釈により定まることになる。④説は，旧400条の起源であるフランス民法においては，売買など所有権移転義務を伴う引渡義務についての一般的規律（フ民〔2016年改正前〕1136条・1137条〔フ民〔同年改正後〕1197条は限定しない〕）と賃貸借についての規律（フ民1880条〔改正なし〕）とがあり，前者は他に規定がない場合に適用されると指摘する。もっとも，フランス民法1880条は，賃借人の善管注意保存義務と用法遵守義務の両方を規定するのに対し，日本民法では，旧616条・594条1項は用法遵守義務のみを規定し，善管注意保存義務は旧400条で規定される（明治民法の起草者は，同条の対象は所有権移転を伴う引渡しに限らないと考えていた。民法速記録Ⅱ978頁〔穂積陳重発言〕）。改正前民法のもとでは，旧400条は賃貸借にも適用があるが，同条は一般規定かつ任意規定である（梅13頁，民法修正案理由書391頁）ので，まずは賃貸借の規律から保存義務の内容を導くべきであり，賃貸借終了から引渡しまでの間についても，当該契約の効力によってまず規律され，それらによっては定まらない場合に同条が補充的に適用されると解すべきである。

　現行民法では，400条は「契約その他の債権の発生原因及び取引上の社会通念に照らして定まる善良な管理者の注意」を保存義務の内容とする。①説において，善管注意保存義務をどこまで客観的に理解するかは同説の内部でも分かれうるが，現行民法のもとでは，保存義務も当該賃貸借契約及び取引上の社会通念によって定まることになるので，②説以下と大きな違いはなくなる。問題は，目的物の使用収益についての用法遵守義務のほかに，保存についての善管注意義務を観念する意味があるかどうかである。両者が重なり合うこともあり（298条2項参照），区別に拘泥する必要はない。実際上も，紛争は損害賠償請求の形で現れるので，どちらの義務の違反かはあまり問題とならない。ただ，第三者又は自然力による目的物の損傷の場合などについては，保存義務という方がわかりやすいのだとすれば，この概念を排除することもない。いずれにせよ，両義務とも，その内容は当該賃貸借契約によって定まるものであることに留意する必要がある。

(iii) 通知義務　賃借物が修繕を要する状態にあるとき，又は，賃借物について権利を主張する者があるときは，賃借人は遅滞なくそのことを賃貸人に通知しなければならない（615条）。

(iv) 保存行為受忍義務　賃貸人が賃借物の保存に必要な行為をしようとするときは，賃借人はこれを拒むことができない（606条2項）。賃貸借の目的物の保存に必要な修繕等の行為をすることは，賃貸人の義務であるとともに権利でもあることを示す（梅640頁）。賃借人が，この義務に違反して，賃貸人のしようとする行為を拒む場合は，賃貸人が契約を解除できることもある（渡辺洋三＝原田純孝・新版注民（15）231頁）。他方，賃貸人が賃借人の意思に反して保存行為をしようとする場合に，そのために賃借人が賃借した目的を達することができなくなるときは，賃借人は契約を解除することができる（607条）。賃借人は，損害賠償請求はできないが（梅642頁以下），保存行為により賃借人が目的物を使用収益できない部分の割合に応じて，賃料が減額されると解すべきである（→(b)(ii)γ）。賃借人に受忍義務を課すのは，保存行為の必要を考慮し，賃貸人の使用収益させる義務を一時的に縮減することであるから，賃貸人の保存行為は，必要な範囲で，かつ，賃借人のために損害が最も少ない方法によることを要すると考える。

(v) 賃借権譲渡・転貸の制限　賃借人は，賃貸人の承諾を得なければ，賃借権を譲渡し，又は，賃借物を第三者に転貸してはならない（612条1項）。これに反したときは，賃貸人は，契約を解除できる（同条2項）。転貸借の部分で検討する（→第3節4(1)(a)〔439頁〕）。

(vi) 損害賠償義務　賃借人が以上の義務に反したときは，債務不履行による損害賠償責任を負う。賃貸人の損害賠償請求権については，期間制限があり，賃貸人は，返還を受けた時から1年以内に請求しなければならない（622条・600条1項）。これは，法律関係の早期安定を図るためのものであり，除斥期間である。この損害賠償請求権の消滅時効（166条1項）は，貸主が返還を受けた時から1年を経過するまでは，完成しない（622条・600条2項。時効の完成猶予→第10章第3節2(1)◆〔380頁〕）。

(b) 賃料支払義務

(i) 一般　賃料を支払うことは，賃借人の中心的義務である（601条）。賃料は，通常，金銭であるが，その他の物でもよい（大判大11・3・16民集1

巻109頁〔小作米の納付〕，中川善之助『判民大11』83頁）。かつては，小作料が金銭に限られていたこともある（2000年改正前の農地21条・22条）。

　賃料額は，契約によって定められる。定額でなくてもよい（賃借人が賃借した場所で営業をし，売上額の一定割合を賃料とするなど）。かつては，賃料の最高額が法定されていたこと（1970年改正前の農地21条，1986年廃止前の地代家賃統制令）や，定額とすべきことが定められていたこと（2000年改正前の農地21条）もある。

　賃料の支払時期は，後払が原則である。すなわち，宅地・建物・動産については毎月末に，宅地以外の土地については毎年末に支払う。収穫期のあるものについては，その季節の後に遅滞なく支払わなければならない（614条）。これと異なる契約，慣習があるときは，それによる。実際には，前払の合意が多い（月末に翌月分の家賃を支払うなど）。

> ◼ **具体的賃料債権と抽象的賃料債権**　賃料は，賃借人が目的物を使用収益できる状態に賃貸人が置いたことに対する対価であり，賃料債権はそのような状態が生じたことに応じて時間の経過とともに具体的に発生する（具体的賃料債権）。賃貸借契約の成立により，賃借人は賃料支払義務を負うが（抽象的賃料債権），その段階では，賃貸人が具体的な支払請求をできるわけではない（森田・深める118頁以下参照）。抽象的賃料債権と将来の具体的賃料債権とは，区別すべき概念である（譲渡の対象など）。

(ⅱ)　賃料額の変更

　　α　概観　　賃貸借契約は，継続的契約であるので，時間の経過に伴い，賃料額が不相当になることがある。民法は，2つの場合に賃料の減額を認める。減収の場合の減額請求（609条）と，目的物の一部滅失等の場合の当然減額（611条）である。このほか，特別法で賃料増減額請求が認められることがある（たとえば，借地借家11条・32条→第5節2(3)(a)〔477頁〕）。

　　β　減収による賃料減額請求　　耕作又は牧畜を目的とする土地の賃貸借において，不可抗力によって賃借人の得た収益が賃料より少ないときは，賃借人は，収益の額にいたるまで，賃料の減額を請求できる（609条）。また，不可抗力によって引き続き2年以上，賃借人の得た収益が賃料より少ないときは，賃借人は，契約の解除をすることができる（610条）。「耕作又は牧畜を目的と

する土地の賃貸借」とは，農地及び採草放牧地（農地2条1項）の賃貸借の意味である。

> ◆ **改正の経緯**　旧609条は，「収益を目的とする土地」の賃貸借について，本文記載の規律を置いていた。これは610条（改正なし）とともに，小作人保護を意図した規定であるが（民法修正案理由書582頁以下，梅645頁以下），現実にはその機能を果たしえないという批判があった。すなわち，小作人は，凶作のときは得たわずかな収益をすべて地主に支払い，凶作が2年以上続けば賃貸借契約を解除できるという規律は，小作人の保護とはいえないし，そもそも現実には小作人が地主に減額請求をできるような関係にないと指摘される（広中150頁以下）。そこで，第2次大戦後，農地法（1952年）が小作料減額請求権に関する規定を置き（農地〔原始規定〕24条，〔2009年改正前〕22条〔小作料が収穫額の25％（田）又は15％（畑）を超える場合にそこまで減額請求できる〕），その後，小作料増減額請求権に関する規律が追加された（1970年改正による農地23条。現在では農地20条〔借賃等増減請求権〕）。このため，旧609条・610条は，実質的意味を失うようになった。他方，農地でも宅地でもない土地の賃貸借（ゴルフ場・スキー場・駐車場等の敷地）においては，収益の多寡にかかわらず，約定賃料を支払うべきであり，旧609条の規律は妥当ではないという指摘があった。そこで，部会審議においては，旧609条・610条を削除する方向になった（中間試案説明458頁）。しかし，最終段階で，農地法所管官庁からの異論が出たため，対象を農地及び採草放牧地（農地2条1項）に限定したうえ，規律を存続させることとされた（部会資料84-3，第33，9説明。第94回部会議事録6頁～10頁・第95回部会議事録36頁～39頁）。旧609条・610条の内容に問題がある以上，両条を削除し，2009年改正前の農地法22条を農地法に復活させることで足りたと思うが，2009年農地法改正の意義（原田純孝「新しい農地制度と『農地貸借の自由化』の意味」ジュリ1388号〔2009〕13頁，原田・前掲注1）113頁以下）にかかわることでもあり，むずかしかったようである。

　γ　**賃借物の一部滅失による賃料減額等**　賃借物の一部が滅失その他の事由により使用収益をすることができなくなり，それが賃借人の責めに帰することができない事由によるものであるときは，賃料は使用収益ができない部分の割合に応じて減額される（611条1項）。

　賃料の支払は，賃借物を使用収益することの対価であり，使用収益ができなければ賃料も発生しない。賃借物の一部滅失は，使用収益ができない場合の一例であるので，それに対応する割合で賃料が当然に減額されることになる。

◆ **改正の経緯**　改正前民法では，一部滅失の場合，賃借人が賃料の減額を請求できると規定されていた（旧611条1項）。これに対し，危険負担の法理（旧536条1項）によれば当然に減額されるべきであるのに，それと区別する理由が明確でない，あるいは，一部滅失により使用収益が不能であるのであれば，対応する部分の賃料債権はそもそも発生していないはずだという疑問が投じられていた。そこで，減額請求から当然減額に改められた（中間試案説明459頁，部会資料69A，第4，10説明1 (1)）。

◆ **「賃借人の責めに帰することができない事由」の証明責任**　使用収益不能が「賃借人の責めに帰することができない事由」によることが，賃料減額の要件である。部会では，その証明責任は，賃借人にあると説明された。賃借物は賃借人の支配下にあり，賃借人に帰責事由があるかどうかは通常賃貸人が把握することはできないので，賃借人が証明責任を負うとするのが相当であるという理由である（部会資料69A，第4，10説明1 (2)，第79回部会議事録55頁〔金関係官発言〕）。そうすると，原因不明であって，賃借人が自らの責めに帰することができない事由があると証明できない場合，賃料は減額されないことになりそうである。しかし，そのような帰結は，使用収益不能状態にあっては，使用収益の対価である賃料が発生しないという基本的考え方と整合せず，妥当でない。この基本的考え方に基づき，賃借人の帰責事由の存在について，賃貸人に証明責任があると解すべきである（潮見新各Ⅰ394頁参照）。また，賃借人に証明責任があると解する立場においても，滅失等の状態に応じて，「賃借人の責めに帰することができない事由」の存在を事実上推定するなどにより，賃借人の証明の負担を緩和することを試みるべきである。

　一部滅失その他の事由により使用収益ができなくなり，残存する部分のみでは，賃借人が賃借した目的を達することができないときは，賃借人は契約を解除できる（611条2項）。「賃借人の責めに帰することができない事由による」という1項の要件は，2項にはない。たとえ賃借人に帰責事由があったとしても，長期間に及びうる賃貸借を，賃借の目的を達しえないのに存続させることは合理的ではなく，賃借人の解除を認めるのが相当だと考えられるからである（543条とは異なる）。賃貸人は，賃借人に対する損害賠償（415条）によって対処する（中間試案説明460頁）。

(iii) **賃料の支払拒絶**　賃借物について権利を主張する者があり賃借人が賃借権を失うおそれがあるとき，賃借人はその危険の程度に応じて賃料の支払を拒むことができる。ただし，賃貸人が相当の担保を供したときは，この限りでない（559条・576条。最判昭50・4・25民集29巻4号556頁〔建物が無断転貸され，

転借人が所有者から明渡しを求められた場合，転借人は，以後，転貸人に対する賃料の支払を拒絶できる〕)。

(c) 契約終了段階における義務等

賃借人は，賃貸借が終了したときは，以下の3つの義務を負う。

①返還義務　賃借人は，賃借物を返還する義務を負う（601条）。

②収去義務　賃借人は，賃借物を受け取った後にこれに附属させた物があれば，その附属させた物を収去する義務を負う（622条・599条1項本文）。ただし，賃借物から分離できない物又は分離に過分の費用を要する物については，賃借人は収去義務を負わない（622条・599条1項但書）。この場合，付合の規定により，その物は賃貸物の所有者の所有となる（242条・243条）。

収去は，賃借人の権利でもある（収去権。622条・599条2項）。賃借人は，契約存続中であっても収去することができる（599条2項には，1項にある「使用貸借が終了したときは」の限定がない）。

◆ **付合との関係**[4]　分離不能又は分離に過分の費用を要するという状態においては，付合が生じるのが通常である。動産賃貸借においては，その状態は，損傷しなければ分離できなくなったとき又は分離に過分の費用を要するときという，動産の付合の要件（243条）を充足する。この場合，賃借人には収去権・収去義務はなく，付合物の所有権は賃貸借目的物の所有者に帰属する。賃借人は，要件を満たせば，費用償還請求権を有する（608条）。不動産賃貸借においては，「従として付合した」（242条本文）という概念について議論があるが，これを動産の付合の要件と同様のものと理解する通説的立場によれば，動産の場合と同じ帰結になる。

もっとも，収去と付合は，別の制度であるので，それぞれの要件を一応，分けて考えることは可能である。建物の賃貸借において賃借人が附属させた動産があり，分離するのに客観的には過分の費用を要するとしても，附属物が賃借人にとって主観的価値が高い場合（以下「この場合」という）には，賃借人の収去権を認めてもよさそうである（賃借人は，収去義務〔622条・599条1項〕はなく，費用償還請求権〔608条〕と収去権〔622条・599条2項。1項と違い，但書がない〕を選択して行使できる）。建物賃貸借の性質上，あるいは，当該賃貸借契約の解釈として，建物の使用収益として予定されている範囲で動産を建物に附属させることは，242条但書の「権原」にあたるといえ，「この場合」は借家人が動産の所有権を留保しうると解したい（同条本文にあたらないというのは，やや無理がある。なお，建物の付合については，増改築に関し判

---

4) 我妻中Ⅰ466頁以下，星野・借地借家201頁以下，星野208頁，来栖321頁以下，基本方針Ⅳ310頁以下。建物の付合については，文献も含め，百選Ⅰ73〔水津太郎〕を参照。

> 例・学説の展開がある。建物賃借権は，増改築との関係では，同条但書の「権原」にはあたらず，建物所有者の承諾も当然にそれを付与するものとはならないが，予定された範囲での動産の附属はこれと区別しうると考える）。土地の賃貸借においては，建物その他賃借人が権原により土地に附属させた物（同条但書）については，土地の原状回復を優先し，定型的に分離可能と解して，賃借人は収去義務を負うと解すべきである（借地借家13条1項参照）。

③原状回復義務　賃借人は，賃借物を受け取った後にこれに生じた損傷がある場合，その損傷を原状に復する義務を負う（621条）。

「損傷」には，賃借物の通常の使用収益によって生じた賃借物の損耗（通常損耗）及び賃借物の経年変化は含まれない（同条本文括弧書）。賃貸借契約は，賃借人が目的物を使用収益し，その対価として賃料を支払うことを内容とするものであるから，通常損耗や経年変化は，契約の本質上，当然に予定されており，減価償却費や修繕費等の必要経費は賃料に含まれているのが通常だからである（最判平17・12・16前掲）。

「損傷」が賃借人の責めに帰することができない事由によるものであるときは，賃借人は原状回復義務を負わない（同条但書）。

賃借人が原状回復義務を履行しないときは，債務不履行による損害賠償責任を負う（最判平17・3・10判時1895号60頁〔賃借地に不法投棄した産業廃棄物の撤去義務を原状回復義務として認め，その違反による損害賠償責任の可能性を肯定〕）。

> ●　賃借人が設置したエアコンや看板は収去義務・収去権の対象となるが，賃借人が外壁に塗ったペンキは，分離できないので，収去義務・収去権の対象とならない。しかし，ペンキの塗装が賃借人の責めに帰すべき事由による場合（用法遵守義務違反にあたる場合），それが「損傷」と評価されるときは，賃借人は原状回復義務を負う（元の色に塗り替えなければならない）。賃借人は，履行しなければ，損害賠償義務を負う（415条）。「損傷」があっても，それが賃借人の責めに帰することができない事由による場合，賃借人はそのまま返還すればよい（621条但書。中間試案説明465頁）。ペンキの塗装が，用法遵守義務に反せず，目的物の価値を高める場合，賃借人は，有益費償還請求権を有する（608条2項）。

(3) **目的物の状態に関する問題**

(a) 問題の所在

賃貸借の目的物の状態が良くないとき，修繕，損害賠償，賃料への影響，契

約の終了という問題が生じる。これらに関係する規律としては，①賃貸人の使用収益させる債務の履行に関する規律，②賃貸人の修繕に関する規律，③目的物の滅失に関する規律，④賃貸人の担保責任，⑤契約法の一般的規律（同時履行の抗弁・危険負担など）がある。「目的物の状態が良くない」ことは，各規律の観点から表現される。①では「使用収益不能状態」，②では「要修繕状態」，③では「滅失」，④では「契約内容不適合」である。これらの概念の範囲は，重なり合うことが多いが，ずれることもある。また，その状態が生じた原因によって，帰結が異なることがある。以上のことから，議論は錯綜する。

◆ **問題の整理**　①の使用収益不能状態には，全部又は一部のもの，確定的又は一時的なもの，物質的又は人的なものがある。このうち，目的物の全部が確定的に使用収益不能である場合は，原因が物質的なものか人的なものかを問わず，賃貸借契約は終了する（616条の2→3(3)(c)〔429頁〕）。また，目的物の使用が物質的には可能だが，人的な面で不可能である場合（第三者による目的物の占拠など）は，賃貸人の使用収益させる債務の内容ないしその不履行の問題として，あるいは担保責任の問題として検討すべきものである。以上の諸場合は，ここでは除外する。

②の要修繕状態は，①使用収益不能状態が生じている場合と，大部分，重なり合うが，ずれもある（一時的使用収益不能だが修繕の対象とはならない場合，使用収益可能だが修繕の対象となる場合がある）。

③の滅失には，賃貸借の目的物の全部が滅失した場合（建物の焼失など）と一部が滅失した場合がある。全部滅失の場合は，原因のいかんを問わず，賃貸借契約は終了する（616条の2）。ここでは，全部滅失は，独立したものとしては取り上げない。一部滅失は，①の使用収益不能状態の一種と位置づけることができる（611条）。

④の賃貸人の担保責任は，賃貸借の目的物の品質に関する契約適合性が問題となるので，①の使用収益させる債務との関係で検討することができる。その効果については，損害賠償及び解除は一般的規律の問題であり，修補請求及び賃料減額請求については，賃貸借における修繕及び賃料減額に関する規律が適用される。そこで，④の問題は，独立したものとして取り上げる必要はない。

整理しよう。検討の対象とすべきものは，物質的な面で，ⓐ目的物の一部の確定的使用収益不能，又は，ⓑ目的物の全部又は一部の一時的使用収益不能，の状態が生じた場合である。一部滅失は，ⓐ又はⓑに含まれる。要修繕状態は，ⓑと，大部分，重なる。各場合について，修繕，損害賠償，賃料，契約終了が問題となる。以下，これらを検討する。

(b) 規律の内容

(i) 要修繕状態及び使用収益不能状態に関する規律と問題点　要修繕状態については，賃貸人の修繕義務（606条1項），賃借人の保存行為受忍義務（同条2項），賃借人の修繕権（607条の2），賃借人の通知義務（615条）の規定がある。ここでの主な問題は，修繕義務の存否，修繕義務の不履行の効果，要修繕状態と賃料との関係である。

使用収益不能状態については，賃貸人の使用収益させる債務の不履行責任（415条・541条），賃料債権の発生の有無，危険負担（536条）との関係が問題となる。

このほか，賃借物の一部滅失等による賃料減額（611条1項→(iv)）及び解除（同条2項→3(3)(b)(i)β〔424頁〕）の規定がある。

(ii) 修繕義務の存否

α　特約　当事者の合意により賃貸人の修繕義務を減免すること，さらには一定の範囲の修繕を賃借人の義務とすることは可能である。実際にはそのような特約が多い。

β　賃借人の帰責事由　賃借人の責めに帰すべき事由により要修繕状態になった場合には，賃貸人には修繕義務がない（606条1項但書）。もっとも，賃借人が修繕費用を弁償した場合（来栖312頁参照）や，修繕すべき部分が賃借人の管理下にない場合（東京地判平7・3・16判タ885号203頁〔台所の排水口から食用油を捨てたためマンションの排水管が閉塞〕参照）には，例外的に賃貸人の修繕義務を認めてよいと考えたい（潮見新各Ⅰ 377頁参照）。

◆　**要修繕状態と帰責事由**　改正前民法には，要修繕状態の発生と帰責事由との関係について規定がなく，賃貸人の修繕義務について議論された。①賃貸人に帰責事由がある場合は，当然，修繕義務が発生する。②当事者双方に帰責事由がない場合も，修繕義務は発生する。これは，天災等の不可抗力による場合（我妻中Ⅰ 443頁など通説。反対，篠塚昭次・新版注民(15) 268頁），通常損耗・経年変化による場合などである。③賃借人に帰責事由がある場合について，見解が分かれた。修繕義務が生じるとする肯定説は，賃借人は要修繕状態を発生させたことについては，用法遵守義務・善管注意保存義務に反した債務不履行による損害賠償責任を負うが，そのことと賃貸人の修繕義務とは別だと考える（我妻中Ⅰ 444頁，平野(5) 490頁以下）。否定説は，肯定説は形式的であり，賃借人が自らの帰責事由により要修繕状態を生じ

させた以上，賃貸人に修繕義務を負わせるのは不当だと考える（来栖311頁，星野200頁，内田204頁，渡辺＝原田・新版注民（15）221頁など多数説）。今回の改正は，賃貸借契約の当事者間の公平及び他の規律（611条1項・621条）との整合性を考慮し，否定説をとったものである（部会資料69A，第4，8説明1（1））。

　γ　修繕の可能性　　修繕義務が発生するのは，修繕可能な場合に限られる。修繕が物理的には可能だが，過大な費用を要する場合も，賃貸人は修繕義務を免れると考える（我妻中Ⅰ444頁，星野・借地借家619頁以下，渡辺＝原田・新版注民（15）213頁，山本395頁参照）。

(iii)　修繕義務の不履行　　賃貸人が修繕義務を履行しない場合，賃借人は履行請求，損害賠償請求，契約の解除をすることができる。賃借人の修繕権が生じることもある（607条の2第1号）。

◆　**修繕義務の不履行による損害賠償請求**　　要修繕状態が生じた原因が何であれ，修繕義務が生じた以上，それを履行しない賃貸人は，履行遅滞による損害賠償責任（415条1項）を負う。また，要修繕状態が全部又は一部の使用収益不能状態でもある場合には，賃貸人は，使用収益させる債務について本旨に従った履行をしていないので，損害賠償責任（同項）を負う。2つの損害賠償責任の発生は，おおむね重なり合うが，ずれもある。両者が重なり合う場合でも，損害賠償の範囲（416条）や過失相殺（418条）を検討する際，区別して考えることが有益である（最判平21・1・19民集63巻1号97頁〔建物賃貸人の修繕義務不履行のため，賃借人が営業できなくなったことによる逸失利益の賠償請求につき，ある時期以降の分を否定〕参照。中田「判批」法協127巻7号〔2010〕130頁参照）。

(iv)　賃料との関係　　賃貸人が修繕義務を履行しないとき，賃料はどうなるのか。要修繕状態が使用収益不能状態でもある場合は，611条1項による。すなわち，賃借物の一部が滅失その他の事由により使用収益不能状態となった場合，それが賃借人の責めに帰することができない事由によるものであるときは，賃料は，使用収益不能部分の割合に応じて，当然に減額される（→(2)(b)(ii)γ〔403頁〕）。修繕を要するが使用収益不能とはいえない場合に賃貸人が修繕義務を履行しないときは，賃借人は損害賠償請求権を取得し（→(iii)），賃料債務と相殺することができるだろう。

第11章　賃　貸　借

◆ **要修繕状態・使用収益不能状態と賃料**　　改正前民法のもとで次の諸見解があった。

①支払拒絶権説。賃借人は、同時履行の抗弁（533条）により、修繕されるまでは支払を拒絶できると考える（大判大10・9・26前掲）。賃貸人が後に修繕すれば、賃借人は、それまでの賃料債務を履行すべきことになるが、その間目的物を使用できなかったのだから、債務不履行による損害賠償請求権を取得し、それと賃料債務を相殺できるという。①説には、次の問題点がある。ⓐ目的物の使用収益が不能である場合には、賃料債務は発生しない。ⓑ修繕義務と賃料債務は同時履行の関係にはない（賃料について前払の特約があるときを含め、賃借人は賃貸人が修理しなければ賃料を払わないといえるが、賃貸人は賃借人が賃料を払わなければ修繕しないとはいえない）。そこで、この説を維持しようとすると、同時履行の抗弁ではない、特別の支払拒絶権を認めるべきことになるが（平野(5) 493頁。広中142頁、潮見2版135頁参照）、その性質や根拠が明確でない。

②請求減額説。賃貸人が修繕義務を履行しないときは、賃借人は賃料の減額を請求できると考える（大判大5・5・22民録22輯1011頁）。これを、旧611条（賃借物の一部滅失による賃料減額請求）の類推適用で説明するものがある（我妻中Ⅰ 444頁）。これに対しては、同条は、双務契約の一般原則を改めるものだがその合理的理由がなく、むしろ限定的に解釈すべきだという批判がある（星野・借地借家222頁、星野205頁、内田204頁）。もっとも、②説には、賃借人の通知義務（615条）とともに、要修繕状態を賃貸人に早く知らせることを促し、紛争の抑制をもたらす利点があり、減額請求の遡及効を認めるとすれば、当事者間の公平は保たれる。

③当然減額説。要修繕状態は使用収益不能状態に含まれ、使用収益できない部分に相当する賃料は、自動的に減額されると考える。多数説だが、さらに分かれる。ⓐ危険負担説。賃借人に帰責事由がない使用収益不能の場合、旧536条1項により、当然に賃料債務が減額されるという（星野・借地借家220頁～225頁、内田204頁など）。ⓑ賃料債務不発生説。使用収益不能状態にある以上、その部分に対応する賃料債権は発生せず、当然に減額となるという（基本方針Ⅳ283頁～284頁・287頁、森田・深める137頁）。③説は、一部滅失による使用収益不能の場合に請求減額となる旧611条の規律と、一部滅失以外の場合に当然減額とするこの説とは整合的でないという問題があるが、同説は、同条には合理的理由がなく、限定的に解釈すべきだと主張する。また、③説に対し、賃貸人が知らない間に賃料債権が消滅している事態が生じ不安定であるとの批判がありうるが、賃借人の通知義務（615条）で対応されているともいえる。

このように、賃料債務の発生のメカニズムや危険負担についての理解の相違があり、また、要修繕状態・使用収益不能状態・一部滅失の概念が論者により異なることもあって、議論が錯綜していた。現行民法は、旧611条を改正し、使用収益不能状態である場合について③ⓑの考え方をとった（旧536条1項も改正されたので、③ⓐとはならない）。修繕を要するが使用収益不能でない場合が残るが、本文のように考

えたい。

> ◪ **賃料の支払拒絶が可能な範囲**　賃借人は，修繕が必要な部分以外の分についても，賃貸人に対する心理的圧迫を加えるために賃料支払を拒めるか。そこまでは無理である（大判大5・5・22前掲，最判昭43・11・21前掲）。不払をしても当事者間の信頼関係を破壊したとはいえないと評価されることがあるという程度である（星野45頁）。

　（v）**賃借人の修繕権**　要修繕状態にある場合において，①賃借人が賃貸人に修繕が必要である旨を通知し，又は，賃貸人がその旨を知ったにもかかわらず，賃貸人が相当期間内に必要な修繕をしないとき，あるいは，②急迫の事情があるとき，賃借人は修繕をすることができる（607条の2）。今回の改正の新設規定である。賃借人が他人の所有物について修繕をできる要件を明らかにし，法律関係の明確性を高めた。要件を満たす場合，賃借人が修繕しても，債務不履行又は不法行為とならない（一問一答321頁）。賃借人が修繕したことにより必要費償還請求権を取得するか否かは，同請求権の要件（608条1項）に照らして判断される（中間試案説明458頁）。

（4）**付随的関係——敷金等**

（a）**意　　義**

　（i）**賃貸借契約締結時に授受される金銭**　不動産等の賃貸借契約の締結時に，賃借人から賃貸人に対し，賃料以外の名目の金銭が交付されることがある。敷金，保証金，権利金，礼金などである。もともと慣習的なものであり，名称や内容も時代や地域によって様々である。この項（(a)）では，これらについて概観し，そのうち民法に規定のある敷金について，次項（(b)）でさらに検討する。なお，契約更新の際に授受される更新料については，後に検討する（→第5節2(1)(b)(ii)β(イ)〔469頁〕）。

　（ii）**敷金**　敷金は，敷金契約に基づき，賃借人の負うべき債務の担保として賃貸人に交付される金銭である。敷金の授受は，主として建物の賃貸借において古くから行われてきたが，現在では土地の賃貸借でも多くみられる。その額は，賃料の1か月分ないし6か月分であることが多いが，それよりはるかに多いものもある。賃貸借終了後に賃借人の債務を控除した残額が返還される。

(iii) 保証金　保証金は，敷金よりも比較的新しい形態のものであり，事務所・店舗等のためのビルの区画の賃貸借などで用いられる。居住用の借家における敷金よりも，はるかに高額である。一定割合を償却費として差し引き，残額を返還するという特約が付されることが多い。

> ◆ **保証金の性質**　①ビル建設時に建設企画者が入居者を募り，入居希望者から建設資金の一部を借り受けるとともに，ビル完成後にその特定区画を賃貸することを約束し，入居後には分割して返済するという「建設協力金」（最判昭51・3・4民集30巻2号25頁〔賃貸借とは別の消費貸借の目的と解した〕，斎藤次郎『最判解民昭51』11頁），②早期退室の場合の空室損料の制裁金，③敷金に相当するもの，などがある。かつては①の性質のものが多かったが，ビル建設企画者が独自に資金調達をするようになり，減少した。しかし，保証金という名称は残った。その目的や返還方法などにより性質が決定されるが，③と認められるときは，敷金の規律が適用されることになる。

(iv) 権利金・礼金　権利金・礼金は，敷金や保証金とは異なり，原則として返還が予定されていないものである。

> ◆ **権利金・礼金の性質**　①営業ないし営業上の利益の対価（のれん代などの性質をもつもの），②賃料の一部の一括前払，③賃借権の譲渡を予め承諾することの対価などの性質のものがある（我妻中Ⅰ477頁，星野・借地借家269頁以下，星野207頁，石外克喜・新版注民(15) 337頁）。このほか，場所的利益の対価，借地権・借家権そのものの対価と説明されることもあるが，それは②に含まれるだろう（星野・各前同）。交付された金銭の返還請求の可否が争われることがある（最判昭43・6・27民集22巻6号1427頁〔返還請求否定例〕，野田宏『最判解民昭43（上）』513頁）。

(b) 敷　金

(i) 意義　敷金は，不動産賃貸借契約の締結時に交付される賃料以外の金銭として最も一般的なものであり，明治民法制定当初から言及されていた（旧316条・旧619条2項）。現行民法は，従来，判例（大判大15・7・12民集5巻616頁など）・学説（我妻中Ⅰ472頁など）によって形成されてきたその概念と内容を，明文で規律する。すなわち，敷金とは，「賃料債務その他の賃貸借に基づいて生ずる賃借人の賃貸人に対する金銭の給付を目的とする債務を担保する目的で，

賃借人が賃貸人に交付する金銭」であり，名目のいかんを問わない（622条の2第1項柱書）。敷金を受け取った賃貸人は，賃貸借が終了し，目的物の返還を受けたときなどに，賃借人の賃貸人に対する債務の額を控除した残額を返還しなければならない（同項）。賃借人の債務とは，未払の賃料債務や目的物を損傷したことによる損害賠償債務などである。

◆ **敷引特約**　居住用建物の賃貸借において，敷金を返還する際，一定額又は一定割合を控除するという特約が付されることがあり，これを敷引特約という。関西地方で多くみられる。契約期間の途中で賃貸借が終了した場合（最判平10・9・3民集52巻6号1467頁〔災害により借家が滅失した場合に敷引特約の適用を否定〕），その額が高額にすぎる場合（最判平23・3・24民集65巻2号903頁〔敷引特約は，通常損耗等の補修費用を賃借人に負担させる趣旨を含むとし，敷引金の額が高額にすぎる場合は，賃料が相場に比して大幅に低額であるなど特段の事情のない限り，消費者契約法10条により無効となるという〕），特約の解釈・効力が問題となる。

◆ **敷金の法律構成**　敷金は，担保としての機能をもつが，その法律構成については議論がある。伝統的には，「一種の停止条件付返還債務を伴う金銭所有権の移転」と説明されてきた（我妻中I 472頁など）。近年では，金銭の譲渡担保としての分析（森田・深める152頁以下，清水恵介「金銭の担保化の担保法的構造」私法78号〔2016〕132頁，平野299頁）など，検討が進んでいる（小島庸輔「アメリカ法における敷金法制の展開」早稲田大学大学院法研論集167号95頁〜171号109頁〔2018〜19〕，長谷川隆「敷金契約の法的構成および関連する基本的な一，二の問題についての覚え書き」金沢法学60巻2号〔2018〕45頁・61巻2号〔2019〕37頁など）。

敷金に関する主な問題点は，①敷金返還請求権はいつ発生するのか，②担保としての効力はどのようにして実現されるのか，③賃貸人又は賃借人が変更した場合はどうなるのかである。これらについて，現行民法は，おおむね改正前民法のもとでの判例法理を明文化した。順次検討しよう。

(ii) 敷金返還請求権の発生時期

　α　**賃貸借契約の終了段階**　賃貸人は，「賃貸借が終了し，かつ，賃貸物の返還を受けたとき」は，敷金の額から「賃貸借に基づいて生じた」賃借人の賃貸人に対する金銭債務の額を控除した残額を返還しなければならない（622条の2第1項1号）。

改正前民法のもとで，賃貸借契約の終了段階における敷金返還請求権の発生

時期について，明渡時説と契約終了時説があった。明渡時説は，賃貸借契約が終了した後，賃借人が現実に明け渡した時点で敷金返還請求権が発生するといい，契約終了時説は，賃貸借契約が終了した時点で同請求権が発生するという。現行民法は，明渡時説をとる判例法理を明文化したものである。そこで，「賃貸借に基づいて生じた」賃借人の債務には，賃貸借契約終了後，賃貸物返還前に生じた不法行為に基づく損害賠償債務も含むと解すべきである（部会資料69A，第4，7説明1（2）参照）。

◆ **明渡時説と契約終了時説**　両説の具体的な相違は，2点で現れる。
　①被担保債権の範囲。契約終了時から明渡しがされた時までの間に発生した賃借人の債務（無権原占有による賃料相当の損害や目的物の損傷による損害など賃借人の不法行為による損害賠償債務）が敷金によって担保される対象になるか（明渡時説），否か（契約終了時説）が異なる。
　②同時履行の関係の有無。明渡時説では，明け渡して初めて返還請求権が発生するのだから，賃借人は，明渡しが敷金返還と同時履行の関係にあると主張できない。契約終了時説では，明渡しの時点では既に返還請求権は発生しているから，敷金返還と賃貸物の返還とが同時履行だといいやすい。
　判例は，いずれについても明渡時説をとった。①については，「家屋賃貸借における敷金は，賃貸借存続中の賃料債権のみならず，賃貸借終了後家屋明渡義務履行までに生ずる賃料相当損害金の債権その他賃貸借契約により賃貸人が賃借人に対して取得することのあるべき一切の債権を担保し，賃貸借終了後，家屋明渡がなされた時において，それまでに生じた右の一切の被担保債権を控除しなお残額があることを条件として，その残額につき敷金返還請求権が発生する」と述べた（最判昭48・2・2民集27巻1号80頁，星野英一「判批」法協92巻2号〔1975〕47頁，百選Ⅱ〔7版〕61〔岡孝〕）。②については，家屋明渡債務と敷金返還債務は，1個の双務契約によって生じた対価的債務の関係にないこと，両債務の間には著しい価値の差が存しうること，賃貸借終了後の問題なので，賃借人保護を強調するのは相当でないこと，敷金は明渡までに賃貸人が取得することのある一切の債権を担保することを目的とすること，という理由で，同時履行の関係にたつものではないとした（最判昭49・9・2前掲，百選Ⅱ65〔髙嶌英弘〕）。
　このうち，①については，学説も支持したが，②については，明渡時説の帰結は，賃借人の保護に欠けるという批判があった。そこで，敷金返還請求権は契約終了時に発生し，明渡請求権と同時履行関係にあるとしつつ，契約終了以後の損害賠償債務についても当然相殺の特約があったと解するという修正説（星野・借地借家265頁，星野・前掲判批55頁）も提示された。契約終了時説又はその修正説は，借家人保護に資する（借家人は借家を出た後，控除された額に不満があっても，事実上争いにくいので，

明渡しの際に適切な額を支払えと主張できる方がよい）と考えられ，これを支持する学説が少なくなかった。他方，賃貸人としては賃借人が現実に明渡しをしない限り，目的物の損傷がどの程度かわからないこと，賃貸人がまず敷金を返還し，明渡し後に判明した目的物の損傷の処理については，後日，損害賠償請求をするとすれば，相手方の所在の探求や相手方の資力の面で，賃貸人の負担が大きいこと，同時履行の関係を認めても，現実に明け渡すまでの賃料相当損害金は発生するので，賃借人の保護が貫徹されるわけでもないこと，同時履行の関係にたつとされるとすると，賃貸人は特約で敷金の返還時期を遅らせるであろうこと（現に，敷金返還請求権は明渡しの後に発生するという特約をすることが多いといわれた。ただし，消費者契約法10条の対象となる可能性はある）という問題が指摘された。

現行民法は，①②とも明渡時説をとった。もっとも，問題がすべて解決したわけではない。課題は，賃借人が敷金の返還を受けることの確保と，敷金から控除される額を適切に評価する方法の確立である。不動産賃貸借契約の適正化という観点から総合的に取り組む必要がある。

β 賃借人の交替　賃借人が適法に賃借権を譲り渡したとき（612条1項），賃貸人は敷金の額から賃借人の債務の額を控除した残額を返還しなければならない（622条の2第1項2号）。この規律については，次々項で説明する（→(iv)β）。

(iii) 担保としての効力の実現　敷金は賃借人の債務の担保であるが，その効力はどのようにして実現されるのか。①賃貸借存続中，②賃貸借終了時，③賃借人交替時，の各場面で問題となる。ここでは，①②を説明する。③は，次項で説明する（→(iv)β）。

①賃貸借存続中　賃貸借終了前であっても，賃借人の金銭債務の不履行があるときは，賃貸人は敷金をその弁済に充てることができるが，賃借人はそうせよと請求することはできない（622条の2第2項）。

②賃貸借終了時　賃貸借が終了し，かつ，目的物の返還があったときは，賃貸人は敷金の額から賃借人の金銭債務の額を「控除した残額」を返還する（同条1項1号）。

このように，敷金の担保としての効力は，賃貸借存続中は，賃貸人の充当の意思表示により実現し，賃貸借終了後は，明渡時に，賃借人の債務に当然に充当され，その分が控除されることにより実現する。いずれの段階でも，賃貸人は敷金から賃借人の他の債権者に優先して弁済を受けることができる（賃貸借

存続中は敷金返還請求権は未発生であり,明渡時は充当した残額についてのみ敷金返還請求権が発生するから)。これらの規律は,改正前民法のもとの判例法理を明文化したものである。

> ◪ **改正前民法のもとの判例法理** ①賃貸借契約存続中であっても,賃貸人は,未払賃料の支払に敷金を充当できるが,充当せずに,賃料の支払を請求することもできる(大判昭5・3・10民集9巻253頁〔賃借人の保証人がまず充当せよと求めたが否定〕,我妻栄『判民昭5』74頁)。すなわち,賃貸人の「充当」はその権利であり,充当の意思表示は担保の実行であると理解することができる。
> ②賃貸借契約が終了し,目的物が明け渡されたときに,「被担保債権を控除しなお残額があることを条件として,その残額につき敷金返還請求権が発生する」といわれる(最判昭48・2・2前掲)。この「控除し」の意味が問題となる。これについては,賃料債権の側からみた判断であるが,「目的物の返還時に残存する賃料債権等は敷金が存在する限度において敷金の充当により当然に消滅する」とされる(最判平14・3・28民集56巻3号689頁〔賃料債権に対する抵当権者の物上代位による差押えがあっても,債権は敷金の充当により消滅する〕)。つまり,賃貸人が敷金返還債務と賃料債権等との相殺(505条)をするのではなく,何らの意思表示なしに,賃料債権は当然に消滅する。すなわち,賃貸借契約の終了と目的物の返還があれば,敷金の担保としての効力が自動的に実現される。

(iv) 当事者の変更と敷金の承継

α 問題点　不動産等の賃貸借契約において,賃貸人又は賃借人が変更することがある。当初の当事者と新たな当事者の3者の間で敷金についての合意があれば,それによるが,合意のない場合にその承継の有無が問題となる。3つの面での検討を要する。

第1は,賃貸借契約と敷金契約の関係という面である。賃貸借契約と敷金契約は,別個のものである(別個性)。しかし,敷金契約は,賃貸借に基づいて生ずる債務を担保するためのものだから,賃貸借契約に従たる性質をもつ(付従性)。別個性を強調すれば,賃貸借契約が移転しても,敷金契約は移転しない。付従性を重視すれば,賃貸借契約に随伴して敷金契約も移転する。

第2は,敷金返還請求権の移転という面である。同請求権の債権者である賃借人が交替する場合,新賃借人への移転は,債権譲渡の問題となる。債権譲渡は,原則として自由である(466条)。同請求権の債務者である賃貸人が交替す

第2節　当事者間の関係

る場合，新賃貸人への移転は，債務引受の問題となる。債務引受は，元の債務者の免責を伴う場合（免責的債務引受）は，債権者の同意又は承諾が必要である（472条）。

第3は，担保関係の変更という面である。賃貸人の変更の場合，被担保債権の移転に伴い，敷金という担保も随伴するかという問題になる。賃借人の変更の場合，敷金という担保の提供者（旧賃借人）と被担保債権の債務者（新賃借人）のずれが生じるという問題がある。

以下では，不動産賃貸借において賃借人が変更する場合と賃貸人が変更する場合に分けて検討する。

　β　**賃借人が変更する場合**　　賃借人が適法に賃借権を譲り渡したとき，賃貸人は賃借人に対し，敷金の額から賃借人の債務（賃貸借に基づいて生じたもの）の額を控除した残額を返還しなければならない（622条の2第1項2号）。

「適法に」というのは，賃借人が賃貸人の承諾を得て，賃借権を譲り渡すことである（612条1項）。借地について承諾に代わる許可（借地借家19条・20条）がある場合（→第5節3(1)(b)〔481頁〕）も，「適法に」譲り渡したといえるだろう。なお，許可の際，付随的裁判として，敷金の差入れが命じられることもある（最決平13・11・21民集55巻6号1014頁〔同20条の場合〕）。

無断譲渡だが背信的行為にあたらない特段の事情がある場合については，後述する（→第3節4(1)(b)(iv)◆〔443頁〕）。

このように，賃借人の変更の場合，賃借権の譲渡の合意と賃貸人の承諾があった時に，旧賃借人に敷金返還請求権が発生する。敷金に関する権利義務関係は，新賃借人に当然に承継されることはない。これは，改正前民法のもとの判例法理を明文化したものである。

◆　**改正前民法のもとの判例法理**　　賃借人が賃貸人の承諾を得て第三者に賃借権を譲渡したときは，賃貸人と旧賃借人との間に別段の合意がない限り，敷金に関する権利義務関係は新賃借人には承継されず，賃貸人の承諾の時点で敷金返還債務が生ずるというのが判例である（最判昭53・12・22民集32巻9号1768頁〔借地の敷金。旧賃借人Bの所有する建物とその敷地の賃借権が競売され，Cがこれを取得した。賃貸人A（被告）は，賃借権譲渡を承諾した。Aによれば，AとCは，BからCに敷金が承継されることを合意し，Bはこれを承諾した。しかし，Bの敷金返還請求権は，それ以前にX（原告）が差し押さえていた。このため，仮にBC間に敷金の承継の合意ないし敷金返還請求権の譲渡があっ

たとしても，差押債権者Xには対抗できないことになる。Aは，敷金関係の当然承継を主張したが，認められなかった］，百選Ⅱ〔6版〕61［池田恒男］，百選Ⅱ66［小林和子］）。

◆ **敷金関係の当然承継が否定される理由**　最判昭53・12・22前掲が敷金関係の当然承継を否定する理由は，①敷金契約は，賃貸借に従たる契約ではあるが，賃貸借とは別個の契約であること，及び，②旧賃借人の交付した敷金が当然に新賃借人の債務を担保するものとすることは，旧賃借人に予期に反する不利益を被らせる結果になることである。

　各当事者の立場を，さらに検討しよう。ⓐ旧賃借人については，敷金関係が当然に承継されるとすると，旧賃借人は，賃貸人と新賃借人との賃貸借契約が終了し，目的物の返還がされるまで，自らの交付した敷金によって他人（新賃借人）の債務を担保することになるが，特別の合意がない限り，そのようなことはしないというのが旧賃借人の合理的意思であろう（上記②）。ⓑ新賃借人については，自らが賃借する以上，その債務不履行に備えて敷金の差入れを求められても，仕方がない。ⓒ賃貸人については，賃借人が交替した場合，敷金が承継されないと，新賃借人の債務不履行についての担保がなくなるという不利益がある。しかし，賃借権の譲渡には賃貸人の承諾が必要だから，賃貸人はその承諾にあたって，新賃借人からの敷金の差入れや新旧賃借人の間の敷金の承継の合意を求めることができる。

　そうすると，賃貸人の承諾のある賃借権譲渡の場合，敷金関係が当然には承継されず，旧賃借人との関係ではその時点で敷金返還債務が発生するという帰結は妥当である。

　γ　賃貸人が変更する場合

　(ア)　概観　賃貸不動産が譲渡されると賃貸人の地位も移転するのが通常だが，直ちに移転しないこともある。詳細は後に検討するが（→第4節2(2)〔449頁〕），ここでは敷金関係について述べる。現行民法は，おおむね従来の判例法理を明文化したが，一部に異なる点がある（→(イ)）。このほか，賃貸借終了後に不動産が譲渡された場合の問題もある（→(ウ)）。

　(イ)　賃貸不動産の譲渡

①賃貸不動産の譲渡人と譲受人が賃貸人たる地位を譲受人に移転させる合意をした場合，賃借人の承諾を要することなく，その地位は譲受人に移転する。このとき，敷金返還債務は譲受人が承継する（605条の3・605条の2第4項）。

②不動産の賃借人が賃貸借の対抗要件（605条，借地借家10条・31条など）を備えている場合，その不動産が譲渡されると，賃貸人たる地位は譲受人に移転する。このとき，敷金返還債務は譲受人が承継する（605条の2第1項・4項）。

③②の場合であっても，不動産の譲渡人と譲受人は，一定の要件のもとに，賃貸人たる地位を譲渡人に留保することができる。すなわち，賃貸人Ａが賃借人Ｂに賃貸中の不動産をＡがＣに譲渡する場合，ＡとＣが，賃貸人たる地位をＡに留保すること，及び，その不動産をＣがＡに賃貸することを合意した場合，Ｂに対する賃貸人たる地位はＡからＣに移転しない。しかし，その後，ＣＡ間の賃貸借契約が終了した場合は，Ａに留保されていた賃貸人たる地位はＣ又はその承継人に移転する（同条２項）。このようにして，賃貸人たる地位がＡからＣ又はその承継人に移転したときは，敷金については①②と同様になり，譲受人又はその承継人が承継する（同条２項後段・４項）。

これらのうち，①と②は改正前民法のもとの判例法理を明文化したものである。③は新たな制度である（→第４節２(2)(b)(iv)〔452頁〕）。

◆ **敷金関係の当然承継が肯定される理由**　この理由は，各当事者の立場の分析から導かれる。ⓐ旧賃貸人は，不動産譲渡時の賃借人の未払賃料等が回収できればよく，それに敷金が充当されうるのなら残額の返還債務を新賃貸人に引き継いでもらうことで不利益はない。ⓑ新賃貸人は，債務を引き継ぐこと自体は不利益なことだが，旧賃貸人から賃貸不動産を取得する際に，譲渡価格に織り込むことで対処できる。ⓒ賃借人からみれば，敷金関係の承継は，債務引受となるが，むしろ利点が多い。すなわち，承継されれば，新賃貸人に改めて敷金を差し入れる必要がない。敷金の返還の確保という面でも，不動産を失った旧賃貸人よりも，これを取得した新賃貸人の方が所在の把握及び資力の面で安心である。仮に，賃貸借終了が近づいているが新賃貸人の資力が悪化しているときは，賃料の支払を停止して敷金の充当を期待することもできる。

これに対し，敷金返還債務の債務者である賃貸人の変更による資力の低下のリスクを賃借人に負担させるのは適当でないと考え，旧賃貸人にも債務を残存させる（併存的債務引受とする，あるいは，保証人的責任を負わせる）べきだという見解もある。しかし，旧賃貸人の立場（不動産を譲渡し，賃貸借関係から離脱したのに，敷金返還債務を負い続けることになる），及び，賃借人の立場（ⓒの利点もある）も考慮され，支持が広がらなかった（森田・深める175頁〜193頁参照）。また，敷金返還債務の当然承継が賃貸不動産の流通の支障になるという指摘もあるが，実務的対応がされるようである（→後掲注14）参照）。このほか，執行妨害のため，多額の敷金差入れがあるとの主張がされることもあるが，実務的対応が工夫されている（小久保孝雄・民事法Ⅲ 140頁）。

こうして，①②で当然承継という従来の判例法理が明文化され，③にも及んだ。

賃貸人たる地位の移転に伴い譲受人が承継する敷金の額については，規定がない（622条の2第1項各号にあたらない）。賃貸人たる地位が移転する時点で賃借人の債務（未払賃料等）がある場合，改正前民法のもとの判例法理は，㋐敷金は賃借人の債務に当然充当され，その残額が譲受人に承継される，というものだった（最判昭44・7・17民集23巻8号1610頁〔上記①の場合〕，原田純孝「判批」法協88巻4号〔1971〕135頁）。しかし，現行民法では，㋑譲渡人が敷金を充当して（同条2項）その残額を譲受人に承継させるか，充当することなく敷金全額を譲受人に承継させるかを選択できることになる[5]。これは，承継される敷金の額を譲渡の当事者が合意で決める可能性を認めるものである。もっとも，㋐の考え方は，現行民法のもとでも広く支持されており（潮見221頁，潮見新各Ⅰ497頁，平野302頁，山野目209頁など），合理性もある（原田・前掲判批141頁以下，森田・深める169頁参照）。賃貸不動産の譲渡の時に賃借人の譲渡人に対する債務がある場合は，譲渡人と譲受人の間では，敷金が充当されたうえ残額が譲受人に承継されるというのが合理的意思であり，別段の合意がなければ，これによると考えたい（充当の方法は，譲渡人の明示若しくは黙示の意思表示による充当又は敷金契約の解釈に基づく当然充当による）。

> ◆ **改正の経緯**　改正前民法のもとで，賃貸不動産の所有権の移転に伴い賃貸人たる地位の移転があった場合，旧賃貸人に差し入れられた敷金は，未払賃料債務があればこれに当然充当され，その残額について敷金の権利義務関係が新賃貸人に承継されるという㋐が判例（最判昭44・7・17前掲）・通説（我妻中Ⅰ475頁，星野・借地借家262頁以下など）だった。部会では，当初，この判例法理全体の明文化が検討されたが，実務では旧賃貸人に対する債務に充当した残額ではなく，敷金返還債務の全額を新賃貸人に移転させるのが通例であり，それが当事者の通常の意思にも沿うという指摘があった。このため，承継する額については，解釈又は個別の合意に委ねられることになった（部会資料45，第1，3(1)イ(ウ)補足説明1，同57，第3概要，中間試案説明452頁）。
>
> 　㋐の考え方を現行民法に取り入れる方法として，旧賃貸人との関係での賃貸借の相対的終了（622条の2第1項1号）という構成（潮見221頁，潮見新各Ⅰ497頁）もあるが，条文から離れるうえ，実務の要請に応えるにはかなり技巧的な処理を要する。本文記載の構成が無理が少ないと考える。もっとも，当然充当と意思表示による充

---

[5]　秋山靖浩「不動産賃貸借と民法改正」改正と民法学Ⅲ235頁・254頁，同・改正コメ831頁参照。

当とでは，未払賃料に係る賃料債権が差し押えられた場合や旧賃貸人の破産の場合などに相違が生じる可能性があり，それらの場合の処理も含め，なお検討を要する。

　(ウ)　**賃貸借終了後の不動産の譲渡**　　以上は，賃貸不動産が譲渡された時点で，賃貸借が存続する場合の帰結であるが，その時点で賃貸借が既に終了していた（しかし，まだ明渡しはすんでいない）場合は，別である。賃貸借が終了しているのに，賃借人が明け渡していないとすると，敷金返還債務はまだ発生していない（622条の2第1項1号）。これを譲受人が承継することはない。賃貸借は終了しているので，不動産譲受人が賃貸人たる地位を承継する余地はなく，敷金契約が付随することもないからである。譲渡人と譲受人が敷金返還債務を承継するという合意をすることは可能だが，譲渡人を免責するとすれば，免責的債務引受として，債権者である賃借人の承諾が必要になる（472条3項。最判昭48・2・2前掲参照）。不明確な場合，併存的債務引受と構成すべきであろう（星野・前掲判批53頁参照）。

◆ **賃借人の変更と賃貸人の変更の関係**　　以上のように，敷金関係は，賃貸借が存続していることを前提として，①賃借人が変更する場合は原則として承継されないが，②賃貸人が変更する場合は承継される。①では賃貸借契約と敷金契約の別個性が重視され，②では敷金契約の付従性が重視される。一見すると不整合のようだが，そうではない。着目すべき点が2つある。ⓐ敷金が賃借人の債務不履行に対する担保であること。賃借人が変更する場合，敷金関係も移転するとすると，旧賃借人にとっては，他人の債務不履行の担保を提供することになるが，それは合理的な意思とはいえない。賃貸人が変更する場合，賃借人は同じだから，その不履行についての担保も承継される方が合理的である。ⓑ当事者の変更がある場合の相手方の保護。賃借人の変更の場合，「相手方」は賃貸人である。賃借権の譲渡には，賃貸人の承諾が必要だから（612条1項），賃貸人は，承諾をする際に，敷金をどうするかを合意で決めることができ，その利益は保護される。したがって，敷金関係は原則として移転しないということで支障なく，むしろ承諾の際に適切な調整が図られる。賃貸人の変更の場合，「相手方」は賃借人である。所有者である賃貸人は賃貸借の目的物を自由に譲渡できるから，賃貸借契約及び敷金契約も一緒に移転する方が，相手方である賃借人の保護になる。このように考えると，上記の結論は妥当だということになる（池田・前掲百選）。

3 賃貸借の終了

(1) 概　　観

賃貸借契約の終了の規律においては，継続的契約の終了に関する理念である，合意の尊重と契約関係の安定性の保護が図られる（→第 4 章第 1 節 2(1)(b) 3 つ目の◆〔187 頁〕。長期契約の弊害防止の理念については→1(2)(c)(ii)〔395 頁〕）。民法では，合意の尊重が重視されるが，判例は，契約関係の安定性の保護にも配慮する。以下では，本来の終了原因と特別の終了原因について，順に検討する。

> ● 契約関係の安定性の保護は，不動産の賃借人において，特に要請される。借地・借家の場合，賃借人は，そこで生活や事業を営むのであり，安定性に対する要請は極めて高い。農地の場合，ある程度以上の期間が確保されていないと，土地を荒らしてしまう危険もある。安定性の保護の理念は，契約の最短期間の制限，契約期間満了による自動的終了という効果の制限，解約申入れにおける終了時期の繰延べないし予告期間の要求，解除の制限などで現れる。

(2) 本来の終了原因

(a) 期間の定めのある賃貸借

期間の定めのある賃貸借の本来の終了原因は，期間満了である。合意の尊重の理念によれば，期間満了時に契約は自動的に終了し，契約が更新されるかどうかは，その時点で当事者が新たに合意するかどうかに委ねられる。しかし，それでは，安定性の保護に欠けることになる。民法は，安定性の保護を少しだが考慮した。

第 1 に，賃貸借の存続期間は，更新されうることが明示される（604 条 2 項）。

第 2 に，黙示の更新が認められる。すなわち，賃貸借の期間満了後，賃借人が賃借物の使用収益を継続する場合，賃貸人がこれを知りながら異議を述べないときは，従前の賃貸借と同一条件でさらに賃貸借をしたものと推定される（619 条 1 項前段）。ただし，期間については，期間の定めのない賃貸借となり，解約申入れ（617 条）の対象となる（619 条 1 項後段）。また，敷金以外の担保は，消滅する（同条 2 項）。要件（賃貸人が異議を述べれば更新されない。賃貸人は推定を覆すことができる），効果（期間の定めのない賃貸借になる。敷金以外の担保は消滅する）のいずれにおいても，安定性の保護の程度は低い。この点は，特別法で修正されるようになる。

他方で，民法は，合意による契約終了の可能性にも配慮している。解約権留

保の合意の規律がそれである。すなわち，期間の定めのある賃貸借であっても，当事者の一方又は双方がその期間内に解約する権利を留保したときは，期間の定めのない賃貸借の解約申入れの規律（617条）に従って，解約権を行使することができる（618条）。

期間の定めのある契約で解約権留保のあるものと，期間の定めのない契約とでは，次の違いがある。第1に，前者においては，一方のみが解約権を有するときは，他方は契約期間の拘束を受ける。第2に，前者においては，解約権を行使しなくても，期間が満了すれば，契約は終了する。

(b) 期間の定めのない賃貸借

期間の定めのない賃貸借の本来の終了原因は，解約申入れである。しかし，解約の効果が直ちに発生すると相手方に不測の損害を発生させるおそれがある。これを避けるため，解約の申入れをした後，一定期間が経過した時点で賃貸借が終了するものとされる。すなわち，土地については1年，建物については3か月，動産及び貸席については1日である（617条1項）。なお，田・畑など収穫の季節がある土地の場合は，収穫季節の終わった後，次の耕作に着手する前に限って，解約申入れができる（同条2項）。

このような期間を置くとしても，いつでも解約されうるということは，賃借人を不安定な状態に置く。これは，特に，不動産賃借人にとって大きな問題である。この点も特別法で修正されるようになる。

(3) **特別の終了原因**

(a) 概　　観

期間の定めの有無にかかわらず，異常な事態が発生した場合，賃貸借は，特別の原因によって終了する。賃貸借契約の解除（→(b)），賃貸物の全部滅失等による使用収益の不能（→(c)）がその原因である。

当事者の死亡は，終了原因ではない。使用貸借（597条3項）とは異なり，賃借人の死亡の場合も，賃貸借は終了せず，賃借権は相続される。借家契約における賃借人の死亡については，特有の問題がある（→第5節3(2)(b)〔483頁〕）。

(b) 賃貸借契約の解除

(i) 解除原因

α　賃借人の債務不履行　　契約法の一般的規律によれば，債務者が債務

を履行しないときは、債権者は相当期間を定めて催告をしたうえ、契約を解除することができる。しかし、不動産賃貸借においては、この規律をそのまま適用すると、賃借人に苛酷な結果となることがある。賃借している土地や建物が賃借人の生活や事業の基盤となっていることが多いからである。他方、賃貸人の側からは、相当の長期間にわたって自己の不動産の使用収益を委ねる相手方の不履行やその行為があまりにもひどい場合には、催告することなく、また、不履行の前提となる債務の内容が必ずしも明確でないとしても、解除を認めてほしいという要請がある。この両面から、改正前民法のもとで、旧541条を不動産賃貸借にそのまま適用することについて疑問が投じられ、判例・学説が発達した。そこで、改正前民法のもとで発達した考え方を紹介したうえ（→(ii)）、現行民法のもとでその考え方をどのように位置づけるべきかを検討する（→(iii)）。

β　その他の解除原因　賃貸借に特有の解除原因がいくつかある。①賃借人の意思に反する賃貸人の保存行為による賃借目的の達成不能の場合（607条）、②一定の土地の賃貸借において収益が引き続き2年以上賃料より少ない場合（610条）、賃借人が解除できることは既に述べた。③賃借物の一部滅失等の事由による使用収益不能における賃借目的の達成不能の場合（611条2項）も同様である。その事由が賃借人の責めに帰すべき場合でも、賃借人は解除できる（→2(2)(b)(ii) γ〔403頁〕。616条の2との関係も含め、一問一答323頁以下参照）。④賃貸人の承諾なしに賃借人が第三者に賃貸物の使用又は収益をさせた場合、賃貸人が解除できる（612条2項→第3節4(1)(a)〔439頁〕）。なお、使用借主が用法遵守義務（594条1項）に違反した場合の貸主の無催告解除権（同条3項）は、賃貸借には準用されていない（616条参照）。これは α の問題となる。

一般的な制度として、⑤当事者（賃借人又は対抗力のない賃貸借の賃貸人）が破産した場合、破産管財人は賃貸借契約を解除できる（破53条1項・56条1項）。この点は、かつて民法にあった規定（2004年改正前民621条）と破産法との関係も含め、破産法学に譲る（伊藤・破産392頁以下）。なお、⑥合意解除によっても終了する。

(ii)　信頼関係破壊法理——改正前民法のもとでの形成

α　意義　改正前民法のもとで、不動産賃貸借（借地・借家）について、履行遅滞等による解除の一般的規律（旧541条）とは異なる規律が2つの方向でみられた（→第4章第2節3(2)(e) 2つ目の◆〔207頁〕）。

第2節　当事者間の関係

　第1は，賃貸人の解除権の制限である。形式的には賃借人の債務不履行があっても，一定の場合には，賃貸人の解除が認められない。種々の構成が検討されたが，最終的に信頼関係破壊法理（信頼関係破壊理論ともいう）に落ち着いた。これは，賃借人に当事者間の信頼関係を破壊するにいたる程度の不誠意がない限り，賃貸人の解除権の行使は信義則上許されない，という法理である（最判昭39・7・28前掲〔借家。賃料不払に基づく解除を否定〕，最判昭41・4・21民集20巻4号720頁〔借地。増改築禁止特約違反による解除を否定〕）。このような考え方は，無断転貸について背信的行為と認められない場合には解除権（612条2項）を制限する，という判例で示されていたが（→第3節4(1)(a)(ii)〔440頁〕），その他の債務不履行においてもとられ，学説も認めるところとなった（星野195頁など）。

　第2は，賃貸人の解除権の拡張である。賃借人の債務不履行が当事者間の信頼関係を破壊する場合，賃貸人は催告することなく契約を解除できる（最判昭27・4・25前掲〔借家人の善管注意保存義務・用法遵守義務の違反がはなはだしい場合。「契約関係の継続を著しく困難ならしめる不信行為」として，無催告解除を認める〕，我妻栄『判民昭27』119頁）。その際，賃借人の債務内容が必ずしも明確でないこともある（最判昭38・9・27民集17巻8号1069頁〔借家人が賃貸人の所有する敷地又はそれに接続する賃貸人の所有地上に，賃貸人に無断で建物を建築〕，最判昭50・2・20前掲〔ショッピングセンターの建物賃借人が特約に反する行動をした場合，「特約違反が解除理由となるのは，それが賃料債務のような賃借人固有の債務の債務不履行となるからではなく，特約に違反することによって賃貸借契約の基礎となる賃貸人，賃借人間の信頼関係が破壊されるから」だという〕，田尾桃二『最判解民昭50』42頁〔信義則上の義務を見出す〕参照。最判昭38・11・14民集17巻11号1346頁〔借地人が借地に隣接する賃貸人所有地に越境建築したことが借地自体の用法違反になるとする〕につき，信頼関係破壊法理の対象となりうると指摘するものとして，安倍正三『最判解民昭38』310頁，星野195頁）。

　つまり，信頼関係破壊法理は，2つの異なる方向の規律を再統合したものである。賃借人の債務不履行そのものよりも，賃貸借の当事者間の信頼関係破壊の有無を重視し，破壊されているときは無催告解除を認め，そうでなければ解除権の行使を封じる。

　　　β　内容　　それでは「信頼関係破壊」とは何か。3つのレベルが考えられる。①賃貸人に重大な経済的損失を与える場合（長期間にわたる賃料の不払，

著しく不相当な使用方法による賃借物の損傷など)，これが信頼関係破壊にあたることは異論ない。②単に賃貸人の主観的・感情的な信頼を害するにすぎない場合(挨拶の仕方が悪い，対立する宗派の信者だと判明した，賃料増額請求に応じず裁判で争うなど)，これが信頼関係破壊にあたらないことも異論ない。①′両者の中間的な場合(借主の素行が悪く近所の人から苦情が絶えないなど)が問題となる。ある学説は，①(「即物的信頼関係」という)と①′(「人的信頼関係」という)を区別し，賃貸人が解除できる信頼関係破壊とは，①に限られ，①′②は含まないと主張した。しかし，①と①′を区別せず(星野196頁，同213頁参照)，①′も含めて賃貸人の被る損失を総合的に評価する見解が一般的となった(総合事情判断説〔奥田＝池田編207頁〔和田安夫〕，総合判断説〔山本467頁〕と呼ばれる)。本書初版(424頁)もこれを支持したうえ，評価にあたっては，背景となる社会的・経済的事情も考慮に入れてよい(たとえば，終戦直後の住宅難の時代と現代とでは，異なりうる。大村(5)115頁)と指摘した。

◆ **人的信頼関係論**　人的信頼関係論は1950年代後半に提示され，60年代に展開された。近代市民法は有償契約関係においては人的要素を視野に入れないのであり，そこに前近代法的人間観の克服があると述べ，人的信頼関係の破壊は賃貸借解除の理由にならない，という見解である[6]。これに対し，何が近代市民法のあり方かについて共通の理解はない，仮にそれを「理念型」として想定するとしても，「それが近代市民法のあり方だからそうあるべきである」というのは何事も物語っていない，仮に「近代化は望ましい」という価値判断命題が妥当であるとしてもそこからあらゆる解釈上の帰結を演繹するのは不当である，という批判が投じられた[7]。この議論は，民法解釈論のあり方にかかわるものである。

　この問題は，もともと無断譲渡・転貸の場面(→第3節4(1)(a)〔439頁〕)で提起されたのが出発点だった。住宅地の借家で借家人Bがその一部屋をCに間貸ししたところ，Cが「世評によって指弾されるような職業」である場合，賃貸人AとBの間の信頼関係の破壊の有無の判断に際して，Cの職業を考慮してよいかどうかである。そのようなCに間貸ししたために貸家の借り手が減るとか，Cの使用方法が悪いといったことがなければ，Cの職業を考慮すべきではない，Cの職業について

---

6) 広中俊雄①「賃貸借における『信頼関係』の破壊と『解除』」ジュリ126号(1957)27頁〔同『不動産賃貸借法の研究』(1992)合併論文所収〕，幾代通ほか『民法の基礎知識(1)』(1964)106頁〔広中俊雄〕，広中170頁，広中俊雄②「『信頼関係破壊』法理と人的要素」争点246頁。川村泰啓「借家の無断転貸と民法第612条」新報63巻2号1頁・3号20頁(1956)参照。

7) 星野・前掲第2章注44)323頁・347頁以下，星野・借地借家306頁・342頁以下。

> は，近隣の者はCに対する説得や告発によって対処すべきものであり，近代法たる民法が関与するところでなく，すべきでもない——人的信頼関係論の主唱者である広中教授は，こう述べた。信頼関係から人的要素を捨象し，近代法の理念に近づけたいという主張は，当時大きな議論を呼び，信頼関係破壊法理の発展・深化に寄与した。信頼関係破壊法理が定着した現在，改めてそこで考慮されるべき要素を検討すると，Bが無断転貸した相手の職業を考慮してはならないとすることは限定的に過ぎるだろう。その意味で，総合的に判断するという多数説を支持すべきである。もっとも，総合的に判断するといっても，本文で示した②（賃貸人の主観的・感情的な信頼）のように除外すべきものはある。広中教授の問題提起は，それを意識させるという現代的意味を，なお有する。

γ 解除の根拠規定　賃貸借契約の解除について，かつて旧541条適用説・非適用説の対立があった。非適用説は，継続的債権関係である賃貸借には同条の適用はなく，628条の類推適用などにより「やむを得ない事由」がないと解除できない，という（中田・解消20頁注13参照）。しかし，信頼関係破壊法理の定着により，この議論のもつ借家人・借地人保護の機能は別の形で実現したことになる。他方，非適用説も，628条とは異なり，催告は必要であるとする。この結果，旧541条の適用の有無という議論の意味は小さくなった。そこで，民法の規定上は賃貸借にも旧541条の適用はあるし，明治民法起草者もそう考えていたことから，同条の適用を認めたうえ，必要な修正を加える，という考え方（星野196頁など）に収斂していった。その後，解除の一般的要件として，「重大な契約違反」や「重大な不履行」が論じられるようになり（→第4章第2節3⑵(e)1つ目の◆〔206頁〕），信頼関係破壊法理とこの議論との関係に関心が向かうようになった（基本方針Ⅱ309頁以下）。

(iii)　現行民法における信頼関係破壊法理の位置づけ　今回の改正で信頼関係破壊法理が明文化されることはなかったが，この法理が否定されたわけではない。今後は，解除及び債務不履行の一般的な規律のなかに位置づけるのが適当である。次のように考えたい。

①賃料不払の場合及び用法遵守義務・善管注意保存義務違反の多くの場合，信頼関係破壊の有無は，催告解除の要件である期間経過時の不履行の軽微性（541条但書）の判定に際しての，借地・借家という契約類型における定型的な判断基準として位置づけることができる。これらの場合，催告と評価されるべき事実が存在することが通常であり，このように解しても従来の判例法理を実

質的に縮減することにはならないだろう。

②用法遵守義務・善管注意保存義務違反のなかには，債務者（賃借人）の履行拒絶（542条1項2号）又は履行見込みの不存在（同項5号）を理由に無催告解除が認められるべき場合もあるが，信頼関係破壊の有無はそれらに該当するか否かの判断基準としても考慮されるべきである。

③不履行の前提となる債務の内容が不明確である場合については，契約解釈により又は信義則上の義務として，賃借人の債務の内容を明確にしたうえ，その不履行について，①又は②の規律に従って判断すべきである。

④賃借権の無断譲渡・無断転貸については，背信的行為論は，借地・借家という契約類型における信義則による612条2項の解除権行使の制限として，位置づけるべきである。

◆ **改正の経緯**　部会では，賃借権の無断譲渡・無断転貸による解除（612条2項）について，「背信的行為」論による制限を明文化することが検討され，より一般的な形で信頼関係破壊法理の規定を置くべきであるという意見も出されたが，問題点の指摘も多く，見送られた（論点整理説明363頁以下，部会資料45, 第1, 9（1）補足説明1, 同57, 19頁。基本方針Ⅳ 289頁以下参照）。

◆ **特約違反による解除**　特約違反が約定解除事由とされる場合と信頼関係破壊法理との関係を整理しておこう。4段階の検討が必要である。①特約の成否。たとえば，建物の賃貸借で通常損耗についての補修費を賃借人の負担とする特約については，通常損耗の補修費は賃貸人負担が原則だから，それを変更するのであれば明確な合意によることが必要であり，不明確な場合には，特約の成立は認められないことになる（最判平17・12・16前掲）。②特約の有効性。借地借家法などの強行規定に反する特約の効力は否定される。また，たとえば，マンションの賃貸借で子供が産まれたら賃貸人は契約を解除できるという特約は，その効力が問題となる（90条，消費契約10条）。③特約該当性。賃借人のした行為が特約に違反するかどうかについて，特約の解釈と賃借人の行為の評価が問題となる。たとえば，借家内で動物の飼育を禁止する特約について，賃借人が小動物を飼った場合である。④信頼関係破壊法理。その特約が有効で，賃借人の行為がその違反となる場合であっても，信頼関係破壊にいたらないとして解除が認められないことがある。たとえば，借地契約において，借地人が借地上に所有する建物の増改築禁止特約に違反して，小規模な改築をした場合である（最判昭41・4・21前掲）。ここで本文に記載した通り，一般的規律の適用に際して，この法理が機能しうる。

(iv) 賃貸借の解除の効力　　賃貸借の解除は，将来に向かってのみ効力を生じる（620条前段）。継続的契約においては，当事者に原状回復義務（545条1項）を負わせ，双方に不当利得の返還をさせることは無意味だからである（我妻中Ⅰ484頁）。この場合，損害賠償請求は妨げられない（620条後段）。

◆ **効力発生の起算点**　「将来に向かって」というのは，解除時からか，解除原因（債務不履行等）の発生時からか。解除原因発生時から解除時までの規律を，賃貸借契約によるか，不当利得法理によるかの違いがある。法律関係の明確性・安定性を考えると，解除時を原則とすべきだが，約定賃料額と客観的賃料額との間に乖離がある契約などにおいては，解除原因によっては，契約解釈の方法により，解除原因発生時に遡るべき場合もあるだろう（中田・解消143頁以下・153頁以下，基本方針Ⅴ412頁以下参照）。

(c) 賃借物の全部滅失等による使用収益不能

賃借物の全部が滅失その他の事由により使用収益できなくなった場合，賃貸借は終了する（616条の2）。

使用収益できなくなったというのは，一時的なものではなく，確定的なものであることを要する。原因は問わない。物質的な原因による場合に限らない。その原因について当事者のいずれかに責任がある場合でもよい。その責任のある当事者は，相手方に対し損害賠償責任を負う。これは，改正前民法のもとの判例・学説を明文化したものである（中間試案説明463頁以下，部会資料69A，第4，12。基本方針Ⅳ307頁以下参照）。

◆ **改正前民法のもとの判例・学説**　賃貸借の目的物の全部が確定的に使用収益不能状態にあるときは，それが全部滅失・朽廃など物質的な原因による場合でも（最判昭32・12・3前掲〔賃貸建物の朽廃〕），その他の場合でも（最判昭36・12・21民集15巻12号3243頁〔賃借人の債務不履行により賃貸借契約が解除された場合の転貸借の終了〕），各当事者の帰責事由の有無を問わず，賃貸借契約は当然に終了する（我妻中Ⅰ481頁など通説。森田・深める124頁以下）。どちらかに帰責事由があったとしても，使用収益させる債務及び賃料債務の性質に鑑みると，賃貸借を存続させることは意味がないし，適切でもないからである。

(4) 終了段階における当事者の義務

賃貸借終了段階で当事者が負う義務を整理しておこう。賃借人は，返還義務・収去義務・原状回復義務を負う（→2(2)(c)〔405頁〕）。賃貸人は，費用償還義務・敷金返還義務を負う（→2(1)(b)〔397頁〕・2(4)(b)〔412頁〕）。

第3節　賃借人側の第三者との関係[8]

1　賃借権の譲渡・目的物の転貸

賃借人側に第三者が現れる場合には，2つの類型がある。

第1は，賃借権の譲渡である。賃借人Bが賃借権を第三者Cに譲渡し，Bは賃貸借から離脱する。たとえば，Aの土地を賃借しているBがその土地の上に建物を建て，その後，建物と敷地の賃借権をCに売る場合である。このように，BCの関係は，賃借権の売買であることが多い。

第2は，目的物の転貸である。たとえば，A所有の建物を賃借しているBが第三者Cに又貸しする場合である。BCの関係は，賃貸借であることが通常である（使用貸借もありうるが，その場合は「転貸」と評価されないこともある。広中・新版注民(15) 274頁）。転貸の場合，AB間の賃貸借契約は残存する。ABの賃貸借を原賃貸借，BCの賃貸借を転貸借という。転貸借という言葉は，広義では，目的物が転貸された場合のABC3者の関係を指すこともある。

● 612条の見出しに「賃借権の譲渡及び転貸の制限」とある。これは「『賃借権の譲渡』及び『転貸』の制限」という意味である（「賃借権の」は「転貸」にはかからない）。賃借権の譲渡と目的物の転貸という2つの類型についての制限である。

◆ **転貸借の諸形態**　転貸借は，①土地や建物を現に使用している賃借人が第三者に又貸しするのが伝統的な形態だが，他にもある。②近年，貸ビルやアパート用建物の所有者Aがその全体を業者Bに賃貸し，Bが各室を入居者Cらに転貸するという「サブリース」も増加している。BのAに対する賃料額をめぐる紛争が多い（→第5節2(3)(a) 2つ目の◆〔479頁〕）。また，③BC間に賃貸借がある状態で，Bが賃貸不動産をAに譲渡しAから賃借することにより，事後的にBC間の関係が転貸借になることもある（605条の2第2項→第4節2(2)(b)(iv)〔452頁〕）。さしあたっては，①を念頭におくとよい。

---

8) 原田・前掲注2)，原田純孝「賃借権の譲渡・転貸」講座Ⅴ 295頁，広中俊雄・新版注民(15) 269頁以下，篠塚・同287頁以下。

この2つの類型における当事者の関係が本項の対象である。基本となる規定は、612条である。賃借権の譲渡及び目的物の転貸には賃貸人の承諾が必要である（同条1項）。承諾を得て賃借権の譲渡又は転貸がされると、新たな法律関係が発生する。この場合の賃借権の譲渡又は転貸は、「適法な」ものと呼ばれる。承諾なしに賃借人が第三者に目的物を使用収益させたときは、賃貸人は賃貸借契約を解除できる（同条2項）。そこで、承諾のある場合とない場合に分けて検討する必要がある。承諾のある場合、当事者間に生じる法律関係は2つの類型によってかなり異なるが、承諾のない場合は、いずれも同条2項の問題となり共通する部分が多い。そこで、以下、3つに分けて検討する。承諾のある賃借権の譲渡（→2）、承諾のある転貸（→3）、承諾のない賃借権譲渡及び転貸（→4）である。それぞれの項で、賃貸人A、賃借人B、賃借権譲受人又は転借人Cの3者について、ABの関係・BCの関係・ACの関係を順次検討する。

2　承諾のある賃借権の譲渡
(1)　**賃貸人と賃借人の関係（ABの関係）**

賃貸人の承諾を得て、賃借人が賃借権を譲受人に譲渡すると、賃借人は賃貸借関係から離脱する。その際、敷金関係は、当然には承継されない。賃借権の譲渡とは別に、賃借人・譲受人間で敷金返還請求権を譲渡する合意がある場合に、それによって移転するだけである（→第2節2(4)(b)(iv)β〔417頁〕）。

(2)　**賃借人と譲受人の関係（BCの関係）**

賃借権譲渡の原因は、通常は、賃借人・譲受人間の賃借権の売買である。売買以外に、贈与、交換、代物弁済などもある。任意の譲渡のほか、民事執行法等に基づく競売による賃借権の移転もある。賃借人と譲受人との法律関係は、これらの原因についての規律に従う（売主の担保責任など）。

(3)　**賃貸人と譲受人の関係（ACの関係）**

譲受人が新たな賃借人となり、賃貸人・譲受人間で賃貸借契約が存続する。

3 承諾のある転貸

(1) 賃貸人と賃借人の関係（ABの関係）

(a) 原賃貸借の存続

賃貸人の承諾を得て，賃借人が第三者に目的物を転貸した場合，賃貸人と賃借人との賃貸借契約は存続する。転借人Cは賃貸人Aに対し義務を負うことになるが（→(3)），Aは依然として賃借人Bに対し賃料を請求するなど，その権利を行使することができる（613条2項）。Aが賃貸借契約を解除する場合も，催告及び解除は，Bに対してすれば足りる。

(b) 転借人による目的物の滅失・損傷

適法な転貸において，転借人が目的物を滅失させ又は損傷した場合，賃借人の賃貸人に対する責任が問題となる。たとえば，建物の転借人の煙草の火の不始末で，家の一部が焼失した場合である。大別して3つの考え方がある。

第1は，転借人は，賃借人の用法遵守義務・善管注意保存義務の履行補助者又はそれに準ずるものであるので，賃借人は賃貸人に対して責任を負うという（大判昭4・6・19民集8巻675頁〔転借人は賃借人の「債務履行ノ補助者タル地位ニ彷彿タルモノ」という〕，吾妻光俊『判民昭4』276頁〔本判決はドイツ民法の態度を受け入れたものであり，転借人も履行補助者に含まれるという〕）。

第2は，転借人は履行補助者の一類型である履行代行者のうち，その使用が許容されているものにあたるので，賃借人は，転借人の選任監督に過失がない限り，責任を負わないという。独立して目的物の利用をする転借人の過失について，賃借人に責任を負わせるのは妥当でない，という賃借人保護の判断に基づく（我妻中I 462頁，我妻・債総109頁）。

第3は，この問題は履行補助者の概念によって処理すべきではなく，賃貸借契約の解釈問題として処理すべきであるとし，賃貸人のした転貸の承諾（612条1項）は，賃借人を免責する趣旨まで含まないことが多いから，原則として，賃借人は転借人の過失について責任を負うという（内田貴『民法III債権総論・担保物権〔第4版〕』〔2020〕171頁）。

債務の履行過程で履行に障害が生じたときは，債務者が補助者を使用していたとしても，債務者の責任は軽減も加重もされないのを原則と考えるべきであり，補助者使用についての債権者の承諾が債務者の責任を減免するかどうかは，その契約により債務者の負う債務の内容と当該承諾の評価によって定まるべき

である。第3の見解を支持したい（転貸は賃借人の都合でされているのだし，多くの場合，賃借人は賃料の差益を得ているか，転借人との間に何らかの人的関係があるだろうから，実質的にもこれでよい。もちろん，賃借人の責任を減免する趣旨の「承諾」のある場合もありうる。履行補助者については，中田・債総164頁以下）。

(2) 賃借人と転借人の関係（BC の関係）

(a) 転貸借の性質

転貸借は，賃借人（転貸人）と転借人の間では単なる賃貸借であり，賃貸人と賃借人の原賃貸借とは別個のものである。したがって，転借人が目的物の所有権を取得して賃貸人の地位を承継した場合も，転貸借が混同によって終了することはない（最判昭35・6・23民集14巻8号1507頁〔家屋の転貸借〕，我妻中Ⅰ461頁など通説）。

もっとも，賃貸人の承諾を得たことによって転貸借が適法なものとなったのだから，原賃貸借との関係も生じる。次の諸点である。①転借人Cが賃貸人Aに直接，転貸料を支払ったときは，その限度で，Cは賃借人（転貸人）Bに対する賃料債務を免れる。②原賃貸借と転貸借が同時に終了する場合，CがAに目的物を返還すれば，CはBに対する返還債務を免れる（大判昭12・4・19民集16巻524頁）。③原賃貸借の終了が転貸借に影響を及ぼすことがある。これは項を改めて検討する。

(b) 原賃貸借の終了が転貸借に及ぼす影響

(i) 概観　原賃貸借が終了しても，別個の契約である転貸借が自動的に終了するわけではない。しかし，原賃貸借の終了により，転貸借の適法性の基盤が失われることになる。転貸借の帰趨は，原賃貸借の終了原因によって異なる。

(ii) 賃借人の債務不履行による解除　賃借人の債務不履行により賃貸人が原賃貸借を解除した場合，転借人は賃貸人に対し，転借権を対抗できなくなる（最判昭36・12・21前掲。613条3項但書参照）。

適法な転貸借において，転借人Cが賃貸人Aに転借権を対抗できる（AはCに明渡しを請求できない）のは，賃借人BがCに目的物を使用収益させることについてのAの承諾に基礎を置いている。AB間の原賃貸借がBの債務不履行により解除された場合，BC間では，BのCに使用収益させる債務の履行はほぼ不可能になる。BがAと再び賃貸借契約を締結し，転貸についてAの承

諾を得れば，BのCに対する債務は履行可能になるが，AがBとの契約を解除したうえ，Cに目的物の返還を請求する段階にまできていれば，BがAと再契約することはもはや期待できない。そこで，原則として，AがBとの賃貸借契約を解除したうえ，Cに対し返還請求をした時に，BC間の転貸借は，賃借物全部の使用収益が不能となり，終了すると評価できるだろう（616条の2）。

◆ **転貸借の終了時期**　転貸借はいつ終了するのか。①賃貸人が原賃貸借を解除した時，②賃貸人が転借人に返還請求をした時，③賃貸人が転借人に使用収益させることが事実上できなくなった時（賃貸人の明渡請求を認容する判決が確定した時，それに基づく強制執行があった時など），④転借人が解除した時（転貸人の転借人に対する使用収益させる債務の履行不能により，債権者たる転借人が解除した場合）などの見解がある。①は，原賃貸借と転貸借が別個の契約であることを軽視し，解除の事実を知らない転借人に不測の不利益を与え，適当でない（最判昭36・12・21前掲は①のようだが，傍論）。④は，賃貸借における使用収益させる債務と賃料債務の性質に照らし，適当でない。転借人が目的物の全部について確定的に使用収益することができなくなったと評価される時点（616条の2）は，原則として②，とすることが明確であり，かつ，転借人の認識も確保できるので，妥当である（③は，やや不明確・不安定である）。改正前民法のもとの判例で，転貸人の転借人に対する債務が履行不能になるとの構成で，②をとるものがある（最判平9・2・25民集51巻2号398頁〔建物転貸借。Bの賃料不払によりAが原賃貸借を解除。BがCに転借料を請求したので，転貸借の終了時期が問題となった〕，山下郁夫『最判解民平9（上）』220頁，百選Ⅱ〔6版〕62〔鎌田薫〕，百選Ⅱ 64〔千葉恵美子〕。大判昭10・11・18民集14巻1845頁もほぼ同じ）。

◆ **他人の物の賃貸借の法律関係**　他人の物の賃貸借は有効である（559条・561条→第2節1(2)(a)1つ目の◆〔393頁〕）。Aの所有物をその授権なくBがCに賃貸する場合，BはCに対し目的物を使用収益させる義務を負い，CはBに対し賃料を支払う義務を負う。BがCから受領した賃料は，Cとの関係ではBの不当利得とはならない（大判昭9・6・27民集13巻1745頁）。Aは，Cに対し，所有権に基づく返還請求ができる。この場合，CはBに対し通知義務を負う（615条）。また，CはBに対し賃料の支払を拒絶できるようになる（559条・576条）。CがAに目的物を返還すると，BはCに対し，賃貸人としての担保責任ないし債務不履行責任を負う。

　BCの賃貸借はいつ終了するのか。判例は，CがAへの土地明渡しを余儀なくされた時（最判昭40・3・23裁民78号395頁〔無断転貸借の例で傍論〕）や，CがBとの契約の目的物について後にAとの間で賃貸借契約を締結した時（最判昭49・12・20判時768号101頁）に，BのCに対する債務は履行不能になるとする。AがCに明渡しを求める場合を比較すると，承諾ある転貸借で原賃貸借が解除された場合は，

AのCに対する返還請求により転貸借が終了するが（前の■の②の時点），Bに当初から賃貸権限がない場合は，それだけでは終了せず，より後になるとされる（前の■の③又は④の時点）。Bに当初から賃貸権限がない場合と，B自らの債務不履行により賃貸権限を失った場合とでは，BがCの賃借権をAに対抗できるようにする可能性がなくなる時期が異なりうる（山下・前掲 233 頁参照）。現行民法のもとでは，これは，確定的使用収益不能状態（616 条の 2）となる時期の評価の問題となる。

　AのB及びCに対する不当利得返還請求はこうなる（不法行為に基づく損害賠償請求もほぼ同様）。Bについては，目的物の使用利益（客観的な賃料相当額）又は法定果実（Cの賃料）の取得又は返還が問題となり，Bが善意か悪意かに応じて，189 条 1 項・190 条 1 項（使用利益については類推適用）により決せられる。Cについては，目的物の使用収益の取得又は返還が問題となり，Cが善意か悪意かに応じて，189 条 1 項・190 条 1 項の類推適用により決せられる（悪意のCがBに賃料を支払済みであっても，Aとの関係では考慮されない。潮見 151 頁，潮見新各Ⅰ 358 頁以下）。なお，無断転貸の場合やAB間に賃貸借以外の関係がある場合の不当利得については，AB間の法律関係によって決まり，それがAC間の不当利得の成否に影響を及ぼすこともある。

　転借人Cは，賃貸人Aの承諾を得ていたのに，賃借人（転貸人）BのAに対する債務不履行の結果，自らの転借権を失うことになる。そこで，Bの債務不履行が賃料不払である場合，CはAに対し，直接（613 条 1 項），又は，弁済をするについて正当な利益を有する第三者の弁済として（474 条 1 項・2 項。最判昭 63・7・1 判時 1287 号 63 頁〔借地上建物の賃借人の地代弁済〕参照，内田 226 頁），賃料を支払うことにより，Aの解除権を消滅させ，自己の地位を保全することができる。そこで，Aは，Bの賃料不払により原賃貸借を解除しようとするときは，Bに催告するだけでなく，Cに対しても通知するなどして支払の機会を与えるべきであり，そうしないと，Aは解除できないか，又は，解除の効果をCに対し主張できない，という学説が有力である（星野 215 頁など。原田・前掲注 8）373 頁以下参照）。しかし，判例は，AはCに支払の機会を与える必要はないとし（最判昭 37・3・29 民集 16 巻 3 号 662 頁，最判平 6・7・18 判時 1540 号 38 頁），この立場をとる学説も有力である（我妻中Ⅰ 462 頁。ただし，同 463 頁参照）。賃貸人の承諾の性質は，転貸の禁止の解除にすぎず，それによって賃貸人に積極的な義務を課すものではない。承諾を理由に賃貸人に解除権行使に際して新たな義務を負わせるとすると，その不利益は大きく，結果として賃貸人の承諾を抑制する効果をもつ。賃貸人の解除は，自らに帰責性のない，賃借人の債務

不履行によるものである。転借人は，転貸借である以上，原賃貸借の影響を受ける可能性のあることを認識できる。後の見解を支持したい。

(iii) 期間満了　　原賃貸借が期間満了により終了したときは，転借人は賃貸人に対し，転借権の存続を主張できなくなる（大判昭10・9・30新聞3898号7頁，我妻中Ⅰ465頁）。

> ◆ **更新の可能性との関係**　　借地借家法上，更新拒絶には正当事由が必要とされ，その判断に際しては転借人の事情も考慮される（借地借家6条・28条）。したがって，賃貸人が更新を拒絶しても，正当事由が認められなければ，原賃貸借は終了しない。もっとも，賃借人の側から更新を拒絶した場合は，原賃貸借が終了することになる。しかし，賃貸人Aが単に転貸を承諾したというにとどまらず，賃借人Bと転借人Cの転貸借の締結に加功するなど積極的な役割を果たした場合には，Bが更新しなくても，Aは原賃貸借の終了を信義則上，Cに主張できないとした裁判例がある（最判平14・3・28民集56巻3号662頁〔ABが転貸目的でビルを建て，Cがテナントであるサブリースの事案だが，賃貸借の一般的規律により解決〕，百選Ⅰ3〔佐藤岩夫〕，中田「判批」リマークス27号〔2003〕34頁）。

(iv) 合意解除　　適法な転貸借があった場合，賃貸人と賃借人が原賃貸借を合意解除しても，これを転借人に対抗できない。ただし，解除の当時，賃貸人が賃借人の債務不履行による解除権を有していたときは，この限りでない（613条3項）。

合意解除は賃借人の賃借権の放棄であり，権利の放棄は正当に成立した他人の権利を害する場合には許されないという考え方（我妻中Ⅰ464頁）による。改正前民法のもとの判例・学説を明文化したものである（中間試案説明463頁，部会資料69A，第4，11説明4）。合意解除後の法律関係については諸見解があるが（原田・前掲注8）376頁以下，潮見新各Ⅰ486頁以下参照），転借人Cが賃貸人Aに対し転貸借を主張できるという関係を，法律関係の簡明化の観点から，転貸人Bと転借人Cの間の賃貸借における賃貸人たる地位がBからAに移転すると理解するのが多数である。それでよいが，終了時期についてはなお検討を要する。

> ◆ **改正前民法のもとの判例・学説**　　判例は，賃貸人Aと賃借人Bが賃貸借契約を合意解除しても，転借人Cに対抗できないとする（大判昭9・3・7民集13巻278頁

〔土地の適法な転貸〕。最判昭38・2・21前掲〔土地賃貸借の合意解除は地上建物の賃借人に対抗できない〕、最判昭62・3・24判時1258号61頁〔無断転貸だが賃貸借の解除ができない場合にされた、原賃貸借の合意解除は転借人に対抗できない〕参照）。権利の放棄に関する本文記載の説明（我妻中Ⅰ464頁）がされ、398条・旧538条の法理や信義誠実の原則が援用された（最判昭38・2・21前掲など）。もっとも、Bの債務不履行によりAが解除できるという状況のもとでABが合意解除した場合には、その効果をCに対抗できる（最判昭62・3・24前掲）。そのような状況でAの解除がないとCに対抗できないとするのは、形式的すぎ、実態に即しないからである（星野・借地借家375頁参照）。

(3) 賃貸人と転借人の関係（ACの関係）

(a) 転借人の義務

賃貸人Aが賃借人Bの転貸を承諾しても、転借人Cの転貸借に基づく使用収益が適法になるというだけで、AC間に賃貸借契約が発生するわけではない。しかし、転貸借においては、CがBに賃料を払うのにBがAに賃料を払わない場合がありうることや、目的物を現実に占有し使用収益をするのはCであることから、CがAに対し、直接に義務を負うことにし、Aを保護することが妥当である（梅656頁、我妻中Ⅰ462頁）。そこで、適法な転貸借においては、転借人は賃貸人に対し、直接に義務を負うとされる（613条1項）。具体的には、賃料支払義務のほか、占有し使用収益することに伴う義務（用法遵守義務・善管注意保存義務、それらに違反した場合の損害賠償義務、保存行為受忍義務、通知義務、契約終了時の目的物返還義務など）がある。もっとも、CがAに対して負う義務は、CのBに対する債務の範囲内であることはもちろん、BのAに対する債務の範囲をも限度とする（今回の改正で、我妻中Ⅰ463頁など通説が明文化された）。たとえば、AのCに対する直接の賃料請求権は、原賃貸借の賃料と転貸借の賃料の低い方が上限となる。このように、転借人Cは賃貸人Aに対し、直接義務を負うが、このことにより、賃貸人Aが賃借人Bに対してその権利を行使することが妨げられることはない（同条2項）。

賃料については、さらに具体的な規律がある。AがCに対し、賃料の支払を求めても、CがBに既に支払っていれば、CはAに対する支払義務を免れる。ここで、BとCが通謀すれば、Aを害することができる。たとえば、家賃を前月末日までに支払うという借家契約で、CがBに対し、向こう3年分の家賃を支払ったとすると、Aはその間、Cに対する賃料請求ができなくなる。

これを防ぐため，転借人は，賃料の前払をもって賃貸人に対抗することができない，とされる（613条1項後段）。本条の趣旨（BCの通謀によりAを害することを防ぐ）[9]に鑑み，この前払とは，BC間の転貸借契約で定められた賃料の支払時期を基準として，それよりも前にした支払という意味であると解すべきである（大判昭7・10・8民集11巻1901頁，東季彦『判民昭7』513頁〔当時の諸見解を紹介したうえ，判旨に反対〕，我妻中Ⅰ463頁など現在の通説）。「転貸借契約で定められた賃料の支払時期」がいつを指すのかは，契約の解釈及びこの規定の趣旨に照らして判断される。

> ◆ **改正の経緯**　法制審議会で決定された「民法（債権関係）の改正に関する要綱」では，613条1項前段の改正のほか，後段を「この場合においては，転貸借契約に定めた当期の賃料を前期の賃料の弁済期以前に支払ったことをもって賃貸人に対抗することができない。」と改めるものとされていたが（第33，11 (1)。中間試案説明463頁，部会資料69A，第4，11説明2，同81-3，第8，11説明），法案にいたる段階で後段の改正は見送られることとなった（一問一答314頁）。しかし，この規律は，判例及び現在の通説の基準を具体化するものであり，今後も解釈の指針となりうるだろう。もっとも，具体的解決に際しては，契約の解釈及び同項後段の趣旨に照らした判断が必要である（たとえば，「毎月末日までに翌月分を支払う」という条項で，7月分の支払時期は，6月下旬なのか，6月1日から30日までの間か，「毎月15日までに翌月分を支払う」という条項で，7月分の支払時期は，6月1日から同月15日までの間か，5月16日から6月15日までの間か，「毎年12月末日までに当年分を支払う」という条項で，当年分の支払時期は，その年の1月1日から12月31日までの間か，その年の12月1日から31日の間か，原賃貸借が毎月払なのに転貸借を毎年払としたことをどう評価するかなど）。

(b)　**賃貸人の義務**

適法な転貸借において，転借人は賃貸人に対し義務を負うが，権利は取得しない。すなわち，転借人Cは賃貸人Aに対し，修繕請求権（606条1項），費用償還請求権（608条），（賃借人Bに交付した）敷金の返還請求権（622条の2）などの権利を有しない（我妻中Ⅰ463頁）。

もっとも，賃貸人は，転貸借を承諾した以上，転借人が転貸借契約に基づい

---

9) 梅659頁以下。加賀山茂「民法613条の直接訴権《action directe》について」阪法102号65頁・103号87頁（1977）（特に，103号93頁以下）は，「借賃の前払」から推定される「詐害的な支払」となる余地をより広く認める。

て目的物を使用収益することを妨げることはできない。今回の改正に際して，その明文化が検討されたが（中間試案説明 461 頁以下，部会資料 69A，第 4，11 説明 1），特に規定を設けるまでもないとして見送られた（部会資料 83-2，第 33，11 説明）。

4 承諾のない賃借権の譲渡及び転貸
(1) 賃貸人と賃借人の関係（AB の関係）
(a) 賃貸人の解除権とその制限
(i) 概観　旧民法では，賃借権は物権とされ，賃借人は賃借権の譲渡・目的物の転貸を自由にできた（財産編 134 条）。しかし，明治民法は，これを改め，賃借人は，賃貸人の承諾を得なければ，債権である賃借権の譲渡又は目的物の転貸をできないものとし（同 612 条 1 項），賃借人がこれに反して，第三者に目的物の使用収益をさせたときは，賃貸人は契約を解除できるとした（同条 2 項）。これは，わが国の慣習を取り入れる（民法修正案理由書 586 頁）とともに，物の使用収益の仕方が人によって異なること，特に，田畑については小作人の勤勉さや才能によって収穫額が異なることを考慮したものである（梅 653 頁）。賃料債務の履行の仕方や賃借人の資力が人によって相違があることも，付加できよう。現在の 612 条は，これを現代語化した規定である。

この規律は賃貸人側からは当然視されるとしても，賃借人側からすれば，一律に賃借権譲渡・転貸を禁止されることは，過剰な制限である。特に，土地賃借権は，財産的価値を有するようになっており，その換価が必要な場合もある。そこで，判例・学説は賃貸人の解除権を制限する解釈を展開し，特別法は土地賃貸借における賃借権の譲渡・転貸について賃貸人の承諾に代わる許可の制度を設けた（借地借家 19 条・20 条〔1966 年借地法改正で新設された制度を承継〕→第 5 節 3(1)(b)〔481 頁〕）。

判例・学説による解除権の制限は，戦前から，「賃借権譲渡・転貸」や「第三者」を限定的に解釈する方法で行われた。たとえば，土地賃貸借において，賃借人が借地上に建物を建て，この建物を第三者に賃貸した場合，大審院は敷地の転貸借にあたらないとした（大判昭 8・12・11 裁判例 7 巻民 277 頁）。もっとも，戦前は賃借人の保護は限定的であった。しかし，第 2 次大戦後，住宅難のため，借家の一部に親戚を住まわせるなどの例が続出し，問題が噴出した。判

例・学説は様々の構成で賃貸人の解除権を制限した（その事案では譲渡・転貸又は第三者とはいえない，賃貸人の黙示の承諾がある，賃貸人の承諾拒否又は解除は信義則違反又は権利濫用である，賃借人に違法性阻却事由があるなど）が，最終的には信頼関係破壊法理に収斂した[10]。背信行為論ともいう。

(ii) 信頼関係破壊法理（背信行為論）　最高裁は，借地の一部の無断転貸を理由とする解除を否定するにあたり，「賃借人の当該行為が賃貸人に対する背信的行為と認めるに足らない特段の事情がある場合においては，同条〔612条〕の解除権は発生しない」と述べた（最判昭28・9・25民集7巻9号979頁，百選Ⅱ〔4版〕62〔原田純孝〕）。この法理は，その後の判例でも踏襲され，学説もほぼ一致して支持するにいたった（原田・前掲注8）338頁以下参照）。なお，この場合，「特段の事情」の証明責任は，賃借人が負う。

◆ **用語法**　判例は，当初は，612条による解除については「背信的行為」又は「背信行為」という語を用い，それ以外の解除については「信頼関係の破壊」の有無を問題としていたが，後に，同条による解除についても信頼関係破壊の概念を用いるようになった（最判昭40・6・18民集19巻4号976頁）。信頼関係破壊は，不動産賃貸借における賃借人の債務不履行一般に通じるものであり，そのうち無断譲渡・転貸について，背信（的）行為の語が用いられることがある，と整理することができるだろう（広中・前掲注6）②246頁）。

賃借権の譲渡・転貸が背信的行為にならない（信頼関係が破壊されていない）とされる例として，次のものがある。①譲渡・転貸に営利性がなくその動機もやむを得ない場合（最判昭44・4・24民集23巻4号855頁〔夫の借地上に妻が建物を建て同居していたが，離婚に伴い，夫が妻に借地権を譲渡〕，最判昭40・9・21民集19巻6号1550頁〔借地上の建物を同居の孫に贈与するのに伴い借地権を譲渡。賃貸人は賃借人の娘婿〕）。賃借人と転借人が近親者であることが多い。②譲渡・転貸が軽微な場合（一時的な，又は僅少部分の間貸し）。③使用収益の実態が変わらない場合（貸店舗で個人営業をしていた賃借人の法人成り）。一般化すると，使用収益の主体に変化があっても使用収益の実態に変化がない場合には，いまだ信頼関係の破壊はないと判断されることがある，ということになる。

---

10) 広中・前掲注6) ①28頁以下，星野・借地借家105頁以下・598頁以下，原田・前掲注2) 420頁。

逆に，主体に変化はないが，実態に変化がある場合に，譲渡にあたらないとされた例がある（最判平8・10・14民集50巻9号2431頁〔土地賃借人である小規模で閉鎖的な有限会社の実質的経営者が交代した場合。ただし，この交代は信頼関係を悪化させ，他の事情と相まって信頼関係破壊による解除権の発生する余地があるという〕，百選Ⅱ60〔渡辺達徳〕）。

結局，使用収益の主体も実態も変化した場合に，譲渡・転貸の存在と信頼関係破壊が認められうるということになる。なお，この信頼関係破壊に「人的信頼関係」を含むかどうかという議論があるが，現在では，これを排除せず，総合的に考慮するという見解が一般的である（→第2節3(3)(b)(ii)β〔425頁〕）。

(iii) 第三者による使用収益　612条2項の解除権が発生するためには，賃借人が第三者と賃借権譲渡又は転貸の契約をしただけでは足りず，賃借人が第三者に現実に目的物の使用収益をさせることが必要である（梅655頁）。

◆ **譲渡担保と信頼関係破壊**　賃借人Bが借地上に建てた建物に第三者Cのための譲渡担保権を設定したとしても，Bが同建物を引き続き占有していたときは，譲渡・転貸があったとはいえない（最判昭40・12・17民集19巻9号2159頁）。しかし，譲渡担保権者Cが建物の引渡しを受けて使用収益する場合は，譲渡担保権実行前であっても，譲渡・転貸にあたり，他に信頼関係破壊を認めるに足りない特段の事情のない限り，賃貸人は解除できる（最判平9・7・17民集51巻6号2882頁〔BがAに無断でCに使用収益させること自体が信頼関係破壊行為であるとし，他に特段の事情がなければ解除できるという〕）。

◆ **無断譲渡・転貸自体の評価**　初期には，無断譲渡・転貸それ自体が背信行為であり，賃貸人は権利濫用にあたらない限り，賃貸借契約を解除できるとする判例や意見があったが（広中・前掲注6）①29頁参照），その後，信頼関係破壊法理に収斂した。他方，近年，無断で第三者に現実に使用収益させること自体が信頼関係破壊行為であるという判例もある（最判平9・7・17前掲）。この命題は，要件事実の整理及び譲渡担保の事案の分析（三村量一『最判解民平9（中）』987頁参照）としては理解できるが，信頼関係破壊法理の形成過程や他の債務不履行における同法理の位置づけを考えると，慎重な取扱いが必要である（来栖356頁以下参照）。

ここまでをまとめると，①譲渡・転貸とは，賃借人と第三者の合意だけでは足りず，第三者の現実の使用収益が必要である，②賃借人が無断で第三者に使用収益させた場合でも，信頼関係破壊と認めるに足りない特段の事情があると

きは，解除権が発生しないことがある（最判平9・7・17前掲），③譲渡・転貸にあたらない場合でも，信頼関係破壊があれば解除権が発生することがある（最判平8・10・14前掲），ということになる。

(b) 無断譲渡・転貸の帰結

(i) 概観　賃貸人の承諾を得ない賃借権譲渡又は目的物の転貸がされたことにより生じる法律関係としては，3つの可能性がある。賃貸人が解除しない場合，解除しその効力が認められる場合，解除したがその効力が認められない場合である。順に検討しよう（賃貸人は目的物の所有者だとする）。

(ii) 賃貸人が解除しない場合　賃貸人が賃借権譲渡・転貸を承諾すれば，適法な賃借権譲渡や転貸借となるが，賃貸人は，承諾も解除もせず，第三者を無視して，賃借人との賃貸借契約を継続することもできる。つまり，賃貸人Aは，賃借人Bとの賃貸借契約を存続させたまま，第三者Cに対し所有権に基づく返還請求をすることができる。

(iii) 賃貸人の解除の効力が認められた場合　賃貸人が解除し，その効力が認められた場合，賃貸人は，賃借人と第三者に対し，目的物の返還を請求することができる。まず，賃貸人Aは，賃借人Bに対しては，賃貸借契約が終了したことによる返還請求と，所有権に基づく返還請求ができる。第三者Cに対しては，所有権に基づく返還請求ができる（AC間には契約関係はないから）。Aは，また，BとCに対し，返還されるまでの占有について，不法行為による損害賠償請求及び不当利得返還請求ができる。

AはBに対し，賃貸借終了に伴う，一般的な請求もできる。たとえば，原状回復請求（621条）である。

◆ 転借人のした損傷についての賃借人の責任　無断転貸の転借人が目的物を損傷した場合，賃貸借契約を解除された賃借人は，賃貸人に対し，原状回復義務を負う。債務の履行過程で履行に障害が生じたときは，債務者が補助者を使用していたとしても，債務者の責任は軽減も加重もされないのを原則と考えるべきだからであり，まして債権者の承諾もないからである（→3(1)(b)〔432頁〕）。土地の無断転貸で転借人が不法に投棄した産業廃棄物の撤去について，賃借人の原状回復義務が認められた例がある（最判平17・3・10前掲）。

(iv) 賃貸人の解除の効力が認められない場合　賃貸人が解除の意思表示を

したが，賃借権譲渡や転貸が背信的行為にはあたらない（信頼関係を破壊するものではない）特段の事情があるとして，解除が認められない場合については，2つの考え方がある。第1説は，この場合，賃貸人Aの解除が認められない結果，Aが第三者Cに明渡しを請求することができないにすぎず，その他の点は依然として承諾のない譲渡・転貸のままであるという。第2説は，承諾のない譲渡・転貸が背信的行為にあたらないとされた以上は，Aの承諾があったのと同様に，適法な譲渡・転貸になるという。第1説によると，AはCに明渡しを請求することはできないが，CがAに賃借権確認を請求することもできないし，Aも承諾しない限りCに賃料請求はできないという状態になる。しかし，このような法律関係は不明確で不安定である。そこで，判例は第2説をとり（最判昭45・12・11前掲〔土地賃借権の無断譲渡が背信行為と認められずAが解除できない場合，AB間の賃貸借契約関係はAC間に移行し，Cのみが賃借人となり，Bは契約関係から離脱し，特段の意思表示がない限り，Aに対して契約上の債務を負うこともないという〕，最判昭62・3・24前掲〔無断転貸の場合〕），学説でも多数説となった（原田・前掲注2）431頁以下）。なお残された問題はあるが，賃貸借契約という継続的な法律関係の安定性・明確性という観点から，第2説を支持することができる。その結果，Cが譲渡・転貸の効果を享受するためには，Aの承諾又は上記の特段の事情のどちらかを主張立証すればよいことになる。

◆ **残された問題**　①無断譲渡において第2説をとると，旧賃借人Bが契約関係から離脱することになり賃貸人Aに不利益を与えるから，Bに併存的な責任を負担させるべきであるという議論がある。しかし，そうすると複雑な法律関係が賃貸借契約の存続する限り続くことになるし，Aの不利益は信頼関係破壊の有無の判断において考慮されうるので，賛成できない。②第2説をとると，無断譲渡・転貸の時から背信的行為にあたらないとする判決の確定した時までの間の法律関係はどうなるのか（特に，賃借権の譲渡はいつ生じるのか）という問題が生じる。原則として，遡及的にAの承諾があったものとみなされ，Cの賃借権譲受け又は転借は当初から適法だったと考えるべきであろう（内田222頁）。もっとも，BCの無断譲渡・転貸によって生じた不確定性に伴う危険をAに負担させるのは，相当でない。また，背信的行為にあたらない場合，BとCを一体とみうることが多いだろう。そこで，賃借権の譲渡の場合，判決確定時までの間に生じた事由については，遡及効が制限され，Bが賃借人でないことをBとCはAに対抗できないと考えてはどうか（原田・前掲注2）433頁参照）。具体的には，ⓐBもCも賃料を支払わない場合にAがB

に対してした催告・解除を有効とする，ⓑBのした賃料の支払・供託をAは有効とみなしうる，ⓒAのBに対する敷金返還債務は譲渡時に遡及して発生するが（622条の2第1項2号），Aは，同債務と判決確定時までの未払の賃料債権を相殺できる，となる。③土地賃貸借において，Aが譲渡・転貸を承諾しないとき，Bは承諾に代わる裁判所の許可を求めることができるが，その場合，裁判所は当事者間の利益調整のための措置を講じることができる（借地借家19条1項）。これに対し，第2説では，Aはそのような調整を受けられないという不利益を被るという問題がある（原田・前掲注2）433頁）。これについては，契約更新時の財産上の給付（同6条・28条参照）などによって対応することが考えられる。

(2) **賃借人と譲受人・転借人の関係（BCの関係）**

賃貸人Aの承諾のない賃借権の譲渡・目的物の転貸の場合，Aと賃借人Bとの賃貸借契約は，Aによって解除される可能性がある。しかし，Bと第三者Cとの契約（賃借権譲渡なら売買など，転貸借なら賃貸借が通常）の効力は別問題である。かつては無効説（梅654頁。無断譲渡につき，鳩山下474頁以下等）も有力だった。賃借権には譲渡性がなく，賃貸人の承諾は譲渡性を付与する意思表示だから，承諾のない以上，譲渡は無効だという。しかし，判例及び現在の通説は，有効説をとる（原田・前掲注2）410頁参照）。承諾のない譲渡・転貸もBC間では有効であり，Aに対抗できないだけだと考える。この場合，BはCに対し，BC間の契約上の義務を負う。BCの契約が賃借権の売買であるときは，Bは売主の財産権移転義務の一部として，Aの承諾を得る義務をCに対して負う（最判昭34・9・17前掲→第7章第3節2⑵(a)(ⅲ)〔296頁〕）。他人の物の売買・賃貸借との比較や，結果の妥当性からも，有効説を支持すべきである。

AがBC間の譲渡・転貸を認めず，Cに対し，明渡しを請求した場合，BC間では次のようになる。①賃借権の譲渡の場合（売買とする），CはBに対し，売買代金の支払拒絶（576条），売買契約の解除（541条），損害賠償請求（415条）ができる。②転貸の場合，CはBに対し，賃料の支払拒絶（559条・576条。最判昭50・4・25前掲），転貸借契約の解除（541条），損害賠償請求（415条）ができる。CがAへの土地明渡しを余儀なくされたときは，その時に転貸借は終了する（最判昭40・3・23前掲）。

(3) 賃貸人と譲受人・転借人の関係（ACの関係）

賃貸人Aと譲受人・転借人Cとの間は何らの契約関係もない。Aにとって，Cは不法占拠者である。Aは賃借人Bとの賃貸借契約を解除するか否かを問わず，所有権に基づき，Cに対して返還を請求することができる（最判昭26・5・31民集5巻6号359頁〔家屋賃借権の無断譲渡〕，最判昭41・10・21民集20巻8号1640頁〔土地賃借権の無断譲渡〕，最判昭26・4・27民集5巻5号325頁〔土地の無断転貸〕）。

> ◆ **所有者の返還請求における返還先**　AがBとの賃貸借契約を解除しないままCに返還を求める場合，Aは自己に引き渡せと請求できるか。上記の判例は，これを肯定し，支持する学説がある（広中・新版注民(15) 283頁）。これに対し，AB間の賃貸借契約が存続する以上，AはCに対し，Bに返還せよと請求することはできるが，Aに引き渡せとは請求できないという否定説もある（我妻中Ⅰ460頁，松坂165頁。星野英一『判民昭26』123頁及び星野・借地借家352頁は，否定説だが例外を認める）。Aの所有権に基づくCに対する返還請求に対し，Cは自らの占有権原である賃借権又は転借権の取得をAに対抗することはできない。また，所有者であるAから返還請求を受けたCが，AB間に賃貸借契約があるからAには返還しなくてよい，と主張できるというのはおかしい。Aに返還させたうえ，あとはAB間で解決すればよいことである。肯定説を支持したい。

Aはまた，Bとの賃貸借契約を解除しなくても，Bから賃料を受けたなどの事情のない限り，Cに対し，賃料相当損害金の賠償請求をすることができる（最判昭41・10・21前掲）。Cが善意か悪意かによって区別すべきである（→3(2)(b)(ii) 2つ目の◆〔434頁〕）。

第4節　賃借人側でない第三者との関係

1　賃借人側でない第三者

賃借権は債権だから，賃借人は，本来，賃貸人に対してしかこれを主張できない。しかし，不動産賃貸借の場合，賃借人が賃借権の対抗要件を備えることにより，所有者（賃貸人）から目的不動産を譲り受けた第三者に対しても，対抗できるようになる。このとき，賃貸借関係はどうなるのかが問題となる。目的不動産について所有権以外の物権を取得した者やこれを差し押さえた者との

関係も問題となる。このほか，賃貸人が目的不動産を他の者に二重に賃貸した場合の問題もある。さらに，権原なく目的不動産の全部又は一部を占有する者に対し，賃借人がいかなる請求をできるかという問題もある。以下では，目的物の新所有者等（→2），二重賃借人（→3），不法占拠者等（→4）が現れた場合について，検討する。賃貸人をA，賃借人をB，これらの第三者をDと表示することがある。

2 目的物の新所有者等との関係
(1) 不動産賃貸借の対抗力
(a) 規律の展開

(i) 民法の規律　「売買は賃貸借を破る」という考え方によれば，賃借人は，目的物の買主（新所有者）に対し，賃借権を対抗できない。新所有者が賃借人に明渡しを請求すれば，賃借人はそれに応じなければならない。しかし，不動産賃貸借については，登記をすれば，その不動産について物権を取得した者その他の第三者に対抗することができる（605条）。登記された不動産賃借権は，対抗力を有する。

ほぼ同様の規定は，明治民法605条以来存在する。明治民法起草者は，不動産については賃貸借の対抗を認めないと「実際ノ不便」が少なくないこと，また，不動産賃借権は債権ではあるが，間接的に不動産を目的とするものであり，登記で公示することが容易であることを，この規定の理由とする（梅638頁以下）。

賃借権の登記は，賃貸借の目的となる不動産の登記簿にされる（不登3条8号）。一般的な登記事項（同59条）のほか，賃料，存続期間，賃料支払時期等が登記される（同81条）。

賃借人が対抗できる相手方は，①「その不動産について物権を取得した者」と，②「その他の第三者」である。

①は，その不動産について所有権，地上権，抵当権などの物権を，ⓐ賃借権の登記後に取得した者，及び，ⓑ賃借権の登記前に取得したが，その登記をしていなかった者である（賃借権の登記前に現れた第三者についても，対抗要件具備の先後で優劣が決まる）。

②は，その不動産を差し押さえた者（差押債権者），二重賃借人などである。

このうち，二重賃借人については，やや特殊な問題があるので，後述する（→3）。

◆ **605条の改正**　同条について細かい文言の改正があった（中間試案説明451頁，部会資料69A，第4，4説明1）。第1に，旧605条は，不動産賃貸借の登記をすると，その不動産の新所有者等に対して「その効力を生ずる」と規定していたが，605条は「対抗することができる」と規定する。これは，㋐第三者に対する賃借権の対抗の問題と，㋑第三者への賃貸人たる地位の移転の問題とを区別し，605条は㋐を規律し，新設の605条の2が㋑を規律することとして，規律内容を明確化したものである。第2に，旧605条は，賃借権の登記との関係で，「その後」に物権を取得した者を対象としていたが（本文の①ⓐのみ），605条では「その後」が削除され，①ⓑも含むことが明確になった。

(ii) **特別法の制定**　明治民法605条により，不動産賃貸借の登記をすれば，不動産の譲受人に対しても賃貸借を対抗することができ，賃借人は保護される。ところで，この登記の申請は，賃貸人と賃借人が共同してしなければならない（不登60条）。しかし，賃貸人は，自分の権利を制約する登記がされることを望まない。しかも，判例は古くから，賃借人は，特約のない限り，賃貸人に対し，賃借権の登記を求める権利を有しないとした（大判大10・7・11民録27輯1378頁）。学説には批判もあったが（星野・借地借家384頁など），判例を支持する見解も有力であり（我妻中Ⅰ 452頁など），確立した判例となった。このため，賃借権の登記がされることは現実には少なく，賃借人は賃借不動産が譲渡されると明渡しを強いられるという弱い立場にあった。

● 日露戦争（1904年～05年）の後，地価が急上昇した。そこで，土地の賃貸人Aは賃借人Bに賃料の大幅な値上げを要求し，Bが応じなければ，その土地をDに売却してBの借地権を覆滅するという事態が生じた。土地を動かして，Bの借地権，さらには借地上のBの建物を壊すという意味で，AD間の売買は地震売買と呼ばれ，社会問題となった。

そこで，借地については1909年に建物保護法が制定され，借地人の権利が保護されるようになった。借地人は，借地上に登記した建物を有するときは，土地に借地権の登記をしていなくても，借地権（地上権又は賃借権）を第三者に対抗できることになった（同法1条）。建物の登記は，借地人（建物所有者）が単独で登記できるので，その地位は強化された。借家についても，1921年に

借家法が制定され，借家人は，建物の引渡しを受けていれば（つまり，住んでいれば），建物に賃借権の登記をしていなくても，賃借権を第三者に対抗できることになった（同法1条1項）。これらの規律は，現在では，借地借家法に引き継がれている（同法10条1項・31条1項）。

こうして，現在では，賃借権の登記（605条），借地上の登記建物の所有（借地借家10条1項），借家の引渡し（同31条1項）のような対抗要件を備えれば，不動産賃借権は，第三者に対抗できることになる。

● 対抗要件という言葉は，物や債権の二重譲渡のように，1つの権利をめぐって相容れない者同士が争う場合（対抗問題）の優劣決定基準という意味で用いられることが多い（177条・178条・467条）。賃借権の対抗要件は，賃借権という本来は債務者に対してしか主張できない債権について，第三者である新所有者等に対しても，主張できるようにする（対抗力をもたせる）という機能をもつ。

◆ **605条と605条の2の規定の仕方の違い**　605条は，対抗要件として賃借権の登記のみを掲げるが，605条の2・605条の4は，登記に加え，借地借家法等による対抗要件についても規定する。これは，605条に関しては，借地借家法には既に「対抗することができる」（同法10条1項），「その効力を生ずる」（同31条）という同様の規定があるので，605条で借地借家法等の対抗要件を掲げると規定の重複が生じることになるが，605条の2・605条の4に関しては，対応する明文規定が借地借家法にないので，規定の重複は生じず，むしろ民法において規定する意味がある，という立法技術上の理由によるものである（第68回部会議事録20頁・21頁〔金関係官・筒井幹事発言〕，第94回部会議事録14頁～16頁〔筒井幹事ほか発言〕）。

(b)　対抗要件を具備しない賃貸借

不動産賃貸借において，対抗要件を具備していない賃借人Bは，目的不動産を取得した新所有者Dに賃借権を対抗できず，Dから明渡しを請求されると，これに応じなければならない。ただし，例外的にではあるが，Dの請求が権利濫用だとして退けられることもある（最判昭38・5・24民集17巻5号639頁，百選Ⅱ〔4版〕59〔山田卓生〕）。

賃借人が新所有者に賃借権を対抗できずこれを失ったときは，賃貸人は使用収益させる債務の履行不能として，賃借人に対し債務不履行責任を負う（大判昭8・7・5民集12巻1783頁など）。賃借人が対抗要件を具備していないことを知りえなかった状態で賃貸人が賃貸不動産を譲渡した場合，賃貸人の免責（415

条1項但書）が認められるか否かが問題となる。原則として肯定する見解もあるが（星野198頁），賃貸不動産を譲渡する賃貸人は，賃借権の存続に配慮するべきであり，免責事由が認められるのは例外的であると考える。

(2) 不動産の譲渡と賃貸人たる地位の移転
(a) 概　　観
　賃貸借の目的である不動産が譲渡された場合，賃借人は，賃貸借の対抗要件を備えていれば，所有権に基づく譲受人の明渡請求を拒むことができる。では，その場合，賃貸借契約はどうなるのか。たとえば，賃料を請求できるのは，譲渡人か，譲受人か。このように，賃貸不動産の譲渡があった場合，①譲受人に対する賃借権の対抗の問題とともに，②賃貸人たる地位の移転の問題が生じる。ここでは，②について，不動産の賃貸人たる地位の移転はどのような場合に生じるのか（→(b)），移転があった場合，新賃貸人がその地位を賃借人に主張するための要件は何か（→(c)），に分けて検討する（→第5章第3節1(1)(b)◆〔257頁〕）。

(b) 不動産の賃貸人たる地位の移転が生じる諸場合
　(i) 3つの場合　　賃貸不動産の譲渡があったとき，賃貸人たる地位がどうなるかについて，現行民法は，3つの場合に分けて規定する。①譲渡人と譲受人の間で賃貸人たる地位を移転する合意がある場合（605条の3），②賃貸借に対抗力がある場合（605条の2第1項），③賃貸借に対抗力があるが，譲渡人と譲受人の間で賃貸人たる地位を譲渡人に留保することを合意した場合（同条2項）である。①と②では，従来の判例法理がほぼそのまま明文化された。③では，判例法理とは異なる規律が設けられた。

　(ii) 賃貸人たる地位の移転の合意がある場合　　賃貸不動産の譲渡人（賃貸人）と譲受人の間に，不動産の譲渡の合意とともに，賃貸人たる地位の移転の合意もある場合，地位が移転する。賃貸借の対抗力がなくてもよい。問題は，賃借人の承諾の要否である。賃貸人たる地位の移転は，契約上の地位の移転であり，契約の相手方（賃借人）の承諾を要するのが原則である（539条の2。最判昭30・9・29前掲参照）。譲渡人は契約関係から離脱して契約上の債務を免れ，譲受人がこれを引き受けることになるので（免責的債務引受），譲受人が無資力であったり，その履行態様が悪いことによる不利益を契約の相手方が受けるお

それがあるからである。そもそも相手方の有する，契約自由の1つである「相手方選択の自由」を損なうことにもなりうる（→第5章第3節1(1)(b)〔256頁〕）。

しかし，現行民法は，賃借人の承諾を不要とする。すなわち，不動産の譲渡人が賃貸人であるときは，賃貸人たる地位は，賃借人の承諾を要しないで，譲渡人と譲受人の合意により，譲受人に移転させることができる（605条の3前段）。これは，相手方（賃借人）の承諾を不要とする点で，契約上の地位の移転の一般的規律（539条の2）に対する特則としての意味をもつ。ほぼ従来の判例・通説を明文化するものである（中間試案説明454頁，部会資料69A，第4，5，同83-2，第33，5）。

◆ **改正前民法のもとの判例・学説**　判例（最判昭46・4・23民集25巻3号388頁，百選Ⅱ〔5版〕35［野澤正充］，百選Ⅱ41［丸山絵美子］）・通説（我妻中Ⅰ447頁以下）は，特段の事情のない限り，賃借人の承諾がなくても，譲渡人（賃貸人）と譲受人間の合意により賃貸人たる地位が移転すると述べていた。そこで「特段の事情」について，賃借人の異義がこれにあたるかという議論があった（本書初版448頁参照）。

賃借人の承諾を不要とする理由は，こうである。①賃貸人の主たる債務である目的物を使用収益させる債務は，賃貸人が誰であっても履行方法が特に異なることはない。特に，目的物が土地である場合はそうである。建物等の修繕義務は，賃貸人自身が修繕するのであれば人によって履行態様が異なりうるが，通常は専門業者に依頼するので，あまり問題にならない。②賃貸借の目的物の所有権が移転した場合，譲受人を新賃貸人とする方が賃借人にとって有利である。賃借権に対抗力がない場合，賃貸借が承継されることは，賃貸借が終了し，譲渡人に債務不履行責任を追及するだけの状態より有利である。また，譲渡人との間に賃貸借が存続するとすれば，目的物の所有者と賃貸人が別の人になり（他人物賃貸借），複雑かつ不安定である。③賃借人の不利益はさほど大きくない。③に関しては，譲受人の無資力の危険を賃借人に負わせることの評価が分かれうる。これを重視し，譲渡人に併存的責任を負わせるという見解もある（広中158頁。個別事案における探求を促すものとして，潮見新各Ⅰ450頁参照）。他方，譲渡人は，賃料債権を有しないのに債務だけがいつまでも残るのは不均衡だという指摘もある（星野・借地借家426頁）。賃貸人たる地位の移転時に，具体化

していない賃貸人の債務についてまで，譲渡人に併存的責任を負わせ続けるのは過大である。既に具体化している賃貸人の債務（費用償還債務，損害賠償債務）の承継（→(v)β）については議論がありうるが，賃借人の受ける利益や賃借人のとりうる対抗手段を考えると，譲受人が承継し，譲渡人が免責されることは許容されうるだろう。

◆ **賃貸不動産の譲渡を伴わない賃貸人たる地位の移転**　605条の3は，目的物の所有権の譲渡を伴わない賃貸人たる地位の移転を封じるものではない（中間試案説明455頁）。もっとも，賃借人の承諾なしにそのような地位の移転が可能だとすると，賃借人の意思的関与なしに他人物賃貸借ないし転貸借に変じる結果を生じさせるので，賃貸人たる地位の移転を伴わない目的物の所有権の譲渡の規律（605条の2第2項→(iv)）と対比しつつ，慎重に検討する必要がある[11]。

(iii)　**賃貸借に対抗力がある場合**　賃貸借が対抗要件を備えている場合（605条，借地借家10条・31条など），賃貸不動産の譲渡人と譲受人の間で，不動産の譲渡の合意があれば，賃貸人たる地位の移転の合意がなくても，賃貸人たる地位が譲受人に移転する（605条の2第1項）。賃借人の承諾も不要である。従来の判例法理の主要部分を明文化したものである（中間試案説明451頁）。

◆ **改正前民法のもとの判例・学説**　判例は，不動産賃借権に対抗力がある場合，賃貸人たる地位が移転することを認めつつ（大判大10・5・30民録27輯1013頁〔土地賃貸借。譲渡人が譲渡後にした解約申入れの効力を否定。賃貸借関係は「法律上当然」移るという〕），若干の留保を付するものもあった（最判昭39・8・28民集18巻7号1354頁〔家屋賃貸借。地位の移転につき「特段の事情のないかぎり」という留保を付す〕）。605条の2第1項には，この留保はない。例外については，同条2項が規律する。
　学説も，結論として，賃貸人たる地位が移転することを認めるが，その説明の仕方はいくつかある。①かつては，「状態債務」という概念で説明された。不動産の賃貸借関係は，目的不動産の所有権と結合する一種の状態債務関係であり，不動産が譲渡されるとそれとともに当然に移転するという（我妻中I 420頁，幾代通・新版注民（15）188頁など）。これに対し，賃貸借のうち対抗力のあるもののみを状態債務と

---

11)　松尾弘「不動産流動化の要請と賃貸人の地位」松尾＝山野目編・前掲注1）407頁・422頁以下，大窪誠「賃貸借——賃貸人たる地位の移転」法セ739号（2016）41頁，池袋真実「賃貸人の地位の留保に関する一考察」NBL 1177号（2020）22頁・28頁。広く認めるものとして，荒木新五「賃貸人の地位の譲渡とその対抗」椿ほか編・前掲序章注15）302頁。

いう概念で説明するのは一貫しないという批判や，この説が参照するドイツ法においてはこのような説明はされていないという批判が投じられた[12]。そこで，いくつかの説明が試みられたが（松尾・前掲注11）412頁以下参照），②譲渡人と譲受人との合理的意思による説明が簡明であり，支持を得ている。すなわち，賃貸不動産を譲渡した譲渡人は賃貸借契約から離脱するのがその合理的意思であり，譲受人は，所有者にはなったが，賃借人が対抗要件を備えている以上，自らは使用収益ができないので，それならば賃貸人の地位も譲り受けて賃料を取得するというのがその合理的意思であると考えられる。なお，賃借人の承諾については，賃貸人たる地位の移転の合意がある場合（→(ii)）と同様に考えることができる。

● 賃借権に対抗力がなく，不動産の譲渡人と譲受人の間に賃貸人たる地位の移転の合意がない場合，賃貸人たる地位は移転しない。しかし，譲受人が賃借人の賃借権を承認した場合や，譲受人の賃借人に対する明渡請求が権利濫用とされた場合は，賃借権に対抗力がある場合と同様，譲受人が賃貸人たる地位を承継すると考えるべきである。

(iv) **賃貸人たる地位を譲渡人に留保する合意がある場合**　賃貸不動産の譲渡人Ａと譲受人Ｄの間で，不動産の所有権はＤに譲渡するが，賃貸人たる地位は移さず，Ａに留保するという合意がある場合，これをそのまま認めると，賃借人Ｂに不利益になる。すなわち，仮に，ＤＡ間に賃貸借契約がないとすると，Ｂにとっては他人物賃貸借となり，Ｄに対抗できなくなる。ＤＡ間に賃貸借契約が結ばれたとしても，ＤがＡに賃貸し，それをＡがＢに転貸することになり，Ｂは，賃借人であったのが転借人にいわば格下げされてしまう（ＡのＤに対する賃料不払によりＤが賃貸借契約を解除すると，転貸借が終了することになる）。そこで，改正前民法のもとの判例は，このような留保の合意の効力を認めなかった。

◆ **改正前民法のもとの判例**　最判昭39・8・28前掲は，対抗要件を備えた賃借権のある不動産の譲渡において，「特段の事情のないかぎり」，賃貸人たる地位も移転するとした。この判決について，賃貸人の地位を譲渡人に留保する合意が「特段の事情」にあたるという考え方（森綱郎『最判解民昭39』303頁・310頁）が示されてい

---

12) 野澤・前掲第5章注6) ②92頁以下・326頁，野澤210頁。後者につき，大窪誠「状態債務説の導入過程についての考察」東北学院法学66号（2007）224頁は，ドイツでは状態債務説は賃貸借関係の承継否定理論であったのに，わが国では当然承継の論拠とされたと指摘する（同・同誌68号190頁〜71号438頁〔2009〜11〕の各論文も参照）。

た。しかし，その後，賃貸不動産の譲渡の当事者間で，不動産の所有権は譲受人に移転するが，賃貸借契約は譲渡人に留保すると合意したとしても，賃借人は，譲受人に対し，敷金返還請求ができるという判例（最判平 11・3・25 判時 1674 号 61 頁，百選Ⅱ〔6 版〕33〔内田勝一〕）があり，上記の考え方はとられなかった。

しかし，賃借人の承諾があれば，賃貸人たる地位を譲渡人に留保することは認められるはずである。さらに，その承諾がなくても，この留保の合意は賃借人に不利益が生じる限りで効力がないと解すれば足り，合意の効力自体を否定すべきではないという見解もあった（磯村保「判批」判例評論 491 号〔2000〕34 頁）。賃貸不動産の信託による譲渡など流動化取引等の実務上，そのような合意の効力を認める要請があるという指摘もあった（荒木・前掲注 11）304 頁，松尾・前掲注 11）417 頁以下，中間試案説明 453 頁，一問一答 316 頁以下参照）。

そこで，現行民法は，従来の判例法理とは異なる規律をする。すなわち，不動産の譲渡人と譲受人が，賃貸人たる地位を譲渡人に留保する旨の合意をするとともに，その不動産を譲受人が譲渡人に賃貸する旨の合意[13]をしたときは，賃貸人たる地位は譲受人に移転しない（605 条の 2 第 2 項前段）。しかし，その後，譲渡人と譲受人（又はその承継人）との間の賃貸借が終了したときは，譲渡人に留保されていた賃貸人たる地位は，譲受人又はその承継人に移転する（同項後段。賃借人に対抗するには登記が必要〔同条 3 項〕）。なお，譲渡人・譲受人間の賃貸借終了により，賃貸人たる地位が移転する場合の債務の承継は，(ii)・(iii)の場合と同様である（同条 4 項）。取引実務の要請に応えつつ，賃借人の不利益防止を確保しようとするものである[14]。

(v) 賃貸人たる地位が移転した後の法律関係

　α　賃貸借契約の内容　　新所有者を賃貸人として承継される賃貸借契約の内容は，従来のそれと同じものである（我妻中Ⅰ 452 頁，幾代・新版注民（15）191 頁以下）。

---

13) 賃貸合意要件に対する批判として，秋山・前掲注 5）241 頁以下。他方，丸山絵美子「賃貸不動産の譲渡における賃貸人の地位の移転と留保に関する一考察」池田眞朗古稀『民法と金融法の新時代』（2020）77 頁・89 頁以下は，譲受人が目的不動産を転譲渡した場合の賃借人の地位の安定化という意義を指摘し，説得的である。

14) 中間試案説明 452 頁以下，部会資料 69A，第 4，4 説明 2。実務的課題として，譲渡人が倒産して譲渡人・譲受人間の賃貸借が終了すると譲受人が敷金返還債務を承継することの指摘がある（丸山・前掲注 13）91 頁以下，池袋・前掲注 11）24 頁以下）。

第11章　賃貸借

> ◆ **対抗要件との関係**　①賃貸借の対抗力が登記（605条）によって備わっている場合，賃借人は譲受人に対し，登記事項（不登81条。山野目章夫『不動産登記法〔第2版〕』〔2020〕422頁以下）のうち登記されたものは対抗できるが，登記されていないものは対抗できない（たとえば，譲渡転貸許容特約〔同条3号〕）。登記事項でないものは，当然に移転する（以上，我妻中Ⅰ 452頁）。②賃貸借の対抗力が特別法（借地借家10条・31条）によって備わっている場合，契約内容の公示方法としては不完全なものでありながら，法が対抗力を認める以上，賃貸借は包括的に（つまり，仮に①だとすると登記事項がすべて登記されたものとして）新所有者に移転する（星野・借地借家428頁，幾代・新版注民（15）197頁）。以上のことを一応は原則とすべきである。
> 　もっとも，ⓐ賃借人が①と②の対抗要件をいずれも備える場合の登記事項で未登記のものの評価（①だと対抗不可，②だと可），ⓑ賃借権の登記がされた後，契約条件が変更した場合の対抗，ⓒ極端な内容の特約の効力，が問題となる。ⓐは，賃借権の登記をする以上，事実との相違は，賃借人が負うべきであり，①の基準によるべきである。ⓑは，なお登記を基準とすべきではあるが，精緻な利害調整に基づく厳格な制度である，抵当権者の同意のある場合の賃貸借の対抗力の制度（387条）においてさえ解釈の余地がありうること（道垣内弘人『担保物権法〔第4版〕』〔2017〕182頁以下）を考えると，ここでも少なくともこれと同程度の変更の余地はありうる。ⓒは，極端な内容の特約は，そもそも賃貸借契約の内容となっていないとして，譲受人に承継されないことがある[15]。
> 　一般的には，賃借人の承諾を要しないまま賃貸人たる地位の移転を認める以上，それは包括的なものであるべきことと，公示方法があるのに怠った賃借人が不利益を甘受すべきこととの調和が課題であり，具体的には，賃借人による執行妨害の可能性，譲受人の予測可能性・調査可能性などの要素を考慮すべき問題であって，なお検討を要する。

β　費用償還債務・敷金返還債務　(ⅱ)・(ⅲ)の場合，費用償還債務（608条）及び敷金返還債務（622条の2第1項に規定される）は，譲受人が承継する。(ⅳ)で譲渡人と譲受人（又はその承継人）の間の賃貸借の終了に伴い譲渡人に留保されていた賃貸人たる地位が移転する場合も，同様に，譲受人（又はその承継人）が承継する（以上，605条の3・605条の2第4項）。

　費用償還債務は，必要費か有益費かを問わない（中間試案説明452頁・454頁参照。有益費につき，最判昭46・2・19民集25巻1号135頁〔建物賃貸借〕，有益費及び必要費につき，渡辺＝原田・新版注民（15）250頁以下）。譲渡人のもとで既に発

---

[15]　道垣内弘人「賃貸借の対抗力に関する一般法と特別法」潮見佳男ほか編『特別法と民法法理』（2006）143頁。

生じた必要費の償還債務について譲渡人を免責することに関しては議論がありうるが、賃借人の受ける利益や賃借人のとりうる対抗手段を考えると許容されるということになるだろう。

敷金返還債務については前述した（→第2節2(4)(b)(iv) γ (イ)〔418頁〕）。

(c) 新賃貸人がその地位を賃借人に主張するための要件

賃貸不動産の譲受人が新たな賃貸人となった場合、そのことを賃借人に主張する（新賃貸人として、賃借人に対し、賃料を請求する、あるいは、賃貸借契約の解約申入れや解除をする）ためには、何が必要か。現行民法は、登記が必要だとする。すなわち、①不動産譲渡の当事者間に合意がある場合、②賃借権に対抗力がある場合、③不動産譲渡の際に賃貸人たる地位が譲渡人に留保され、かつ、譲受人が譲渡人に賃貸する合意がされたが、その賃貸借が終了した場合、賃貸人たる地位の移転が生じるが、賃貸不動産の所有権の移転登記がなければ、これを賃借人に対抗することができない（605条の3後段・605条の2第3項・1項・2項後段）。③は、譲受人に承継人がいる場合には、同人との関係でも同様になる（605条の2第3項・2項後段）。

登記は基準として明確である。すなわち、譲渡人と譲受人のどちらに支払うべきかという場面でも、譲渡人が賃貸不動産を二重に譲渡した場面でも、賃借人が支払うべき相手が明確に定まる。また、譲受人に登記を要求することは過重な負担でもない。そこで、このような規律が置かれた。改正前民法のもとの判例・多数説を明文化したものである（中間試案説明452頁、部会資料69A、第4、4説明3・同5説明2）。

この登記は、対抗要件としての登記（177条）ではなく、権利保護要件（権利行使要件）としての登記である。「対抗することができない」というのは、賃貸不動産の譲受人が登記を備えていない場合、賃借人の側から譲受人を新賃貸人と認めて賃料の支払等をすることは可能であることを含意する（最判昭46・12・3判時655号28頁、中間試案説明454頁）。なお、所有者ではない賃貸人がその地位を譲渡した場合は、債権譲渡の対抗要件の具備が必要である（最判昭51・6・21判時835号67頁〔転貸人たる地位の譲渡〕）。

◆ **登記説と債権譲渡通知説**　改正前民法のもとで、大別して2つの説があった。登記必要説（登記説）と登記不要説である。後者のなかで有力なものが債権譲渡通

知説であった。賃貸借契約という債権関係の移転の問題だから，債権譲渡の対抗要件があればよく，賃借人との関係では，譲渡人の通知又は賃借人の承諾が（旧467条1項），他の第三者との関係では，その通知又は承諾が確定日付のある証書でされることが（同条2項），必要かつ十分であるという。

登記説が判例（大判昭8・5・9民集12巻1123頁，最判昭25・11・30民集4巻11号607頁，最判昭49・3・19民集28巻2号325頁，百選Ⅱ［6版］60［内田勝一］，百選Ⅱ59［岡本裕樹］）・通説（幾代・新版注民（15）190頁以下参照）だったが，登記不要説もかねてからあり（舟橋諄一『新法学全集〔第12巻民法Ⅵ〕不動産登記法（2）』〔1938〕73頁・78頁，同『物権法』〔1960〕189頁，川島武宜『民法Ⅰ総論・物権』〔1960〕168頁以下），そのうち債権譲渡通知説（鎌田薫『民法ノート物権法①〔第3版〕』〔2007〕41頁以下）が有力だった。この問題は，不動産の所有権移転について賃借人が177条の第三者にあたるかという観点から論じられることもあったが，これは同条の対象とする対抗問題ではない。そこで，新賃貸人の資格要件として何が適切かという観点からの検討に議論の焦点が移った。債権譲渡通知より登記の方が基準として明確だし，譲受人に登記を要求することは過重な負担ではないことから，登記説が支持を集めるにいたった（議論の詳細は，本書初版453頁参照）。

3 二重賃借人との関係

Aがその所有する不動産をBに賃貸した後，Dにも二重に賃貸した場合（賃借権の二重設定），BとDはどちらが優先するのか。2つの考え方がある。①賃借権の対抗要件を先に備えた方が優先するという考え方と，②占有を先に得た方が優先するという考え方である。現行民法は，①をとった。すなわち，不動産賃貸借の登記があるときは，その不動産について物権を取得した者だけでなく，「その他の第三者」にも対抗できる（605条）。二重賃借人は，この「その他の第三者」に含まれる（中間試案説明451頁，部会資料69A，第4，4説明1）。賃借人が借地借家法上の対抗要件を備えた場合は，同法10条1項の「第三者」及び同法31条1項の「その後その建物について物権を取得した者」について，同様に解釈すべきである（もっとも，後者では第一賃借人Bは引渡しを受けているので，問題となることは稀であろう）。改正前民法のもとでの判例（最判昭28・12・18民集7巻12号1515頁，百選Ⅱ57［赤松秀岳］）・通説（星野・借地借家432頁以下，幾代・新版注民（15）201頁など）を明文化したものである。

● 不動産の所有権の登記が177条の想定する場面（二重譲渡）における対抗要件としてだけでなく，賃貸不動産の譲受人が新賃貸人としての権利行使をするための要件として用いられるのと同様に，賃借権の登記が旧605条の想定していた場面（新

所有者に対する対抗）における対抗要件としてだけでなく，二重賃貸借の優劣判定基準として用いられることにもなったわけである。

◢ **二重賃貸借の優劣判定基準**　本文②の考え方は，賃借権は債権だからBとDの債権はいずれも相互に優先することなく成立するし，両者は平等であるところ，一方が引渡しを受けると，他方の債権は履行不能となるという（高木多喜男「不動産賃借権の対抗力」大系Ⅲ 66頁・75頁）。賃借権の対抗要件は，もともと目的不動産の新所有者など物権取得者に対抗する場面で機能するものであり，二重賃貸借の場面での優劣決定基準ではない。これに対し，①の考え方は，賃借権の対抗要件を二重賃借人間の優劣判定基準として用いることが適切だという。ⓐ不動産賃借権と地上権との社会的類似性を考えると，地上権においては登記の先後が優劣を決すること（177条）と同様に処理することには，それほど無理はない。ⓑ賃借権の対抗要件を備えた者は目的不動産の新所有者に対抗できるが，単に占有を得ただけの者は同人に対抗できない（借地借家法31条の場合を除く）。そうすると，対抗要件を備えた賃借人は，占有を得たにすぎない賃借人に優先すると解するのが妥当である（以上，星野・借地借家432頁以下）。ⓐⓑにより，不動産賃借権の対抗力は，元来は，目的不動産について物権を取得した者との関係のものであるが，二重賃借人相互の間の優劣判定基準としても用いることができると考えてよい，という見解が支持を得た。

こうして，対抗要件（605条，借地借家10条・31条等）を備えた不動産賃借人Bは二重賃借人Dに対抗することができ，その結果，Dが目的不動産の占有を妨害しているときは妨害停止を，Dが目的不動産を占有しているときは返還を，請求することができる（605条の4）。605条は二重賃借人間の優劣判定基準でもあり，その基準により優先することになる賃借人は，占有の妨害停止等に関しては，劣後賃借人を不法占拠者と同列に位置づけ，これに対し605条の4に基づく請求ができる，ということになる。

4　不法占拠者等との関係

賃借人が賃借不動産の不法占拠者に対し，妨害排除等を請求できるかどうかが問題となる。現行民法は，不動産の賃借人が対抗要件（605条，借地借家10条・31条等）を備えた場合，第三者が目的不動産の占有を妨害しているときは妨害の停止を，これを占有しているときは返還を，請求することができると規定する（605条の4）。「妨害の停止」「返還」の語は，占有の訴え（198条・200条）にならったものである。第三者には，不法占拠者のほか，劣後する二重賃

借人も含まれる（中間試案説明 455 頁以下，部会資料 69A，第 4，6 説明）。

この規律は，改正前民法のもと判例法理を明文化したものであるが，その射程については議論がある。

◆ **605 条の 4 の射程**　不動産賃借権に基づく妨害排除請求について，改正前民法のもとで次の議論があった。判例は，不動産賃借権の対抗力を基準とする。すなわち，不動産賃借権が対抗力を有する場合，賃借権自体による妨害排除請求を認め（最判昭 30・4・5 民集 9 巻 4 号 431 頁），賃借権に対抗力がない場合，不法占拠者に対してであっても，賃借権に基づく妨害排除請求を認めない（最判昭 29・7・20 民集 8 巻 7 号 1408 頁〔土地賃借権に基づく明渡請求を認めた原判決を破棄〕）。学説でも，対抗力の存在に実質的意味を認める見解は少なくない。他方，対抗力の有無を問わず，不動産賃借権自体に基づく不法占拠者に対する妨害排除請求を認める見解も有力である。その根拠は，今日における不動産賃借権の特殊な地位とその保護の必要性にある（星野・前掲第 2 章注 14）132 頁，平井・債総 127 頁など）。地上権者は，未登記かつ無償でも不法占拠者に対し妨害排除を請求できるところ，有償の使用収益権である不動産賃借人にも同様の地位を認めてよい（広中 162 頁），そもそも不法占拠者に賃借人の対抗力の不存在を主張する利益を認める必要はない（星野・前同）といわれる。

この対立が，605 条の 4 の射程の理解にも投影される。同条は，判例法理を忠実に明文化した限定的なものであるという理解（部会資料 69A，第 4，6 説明 2〔賃借権が債権であることを強調する〕）と，なお解釈に委ねられる部分があるという理解（たとえば，第 94 回部会議事録 15 頁・16 頁〔山本敬三・筒井幹事・鎌田薫部会長発言参照〕）がある。①対抗要件を備えない不動産賃借権に基づく不法占拠者に対する妨害排除請求，②賃借権に基づく妨害予防請求（199 条の占有保全の訴えに対応する）について，相違が現れる。たとえば，①を否定する最判昭 29・7・20 前掲は，債権と物権の峻別から演繹する抽象論を説くにすぎず，その後の判例・学説の展開に鑑みると，かなり形式的な議論であるという感を否めない。②については，判例がないなどの理由で規定されていないが，否定されたわけではない。本条を限定的に理解して安易にその反対解釈をするのではなく，本条に規定されていない部分については，なお判例・学説による法形成に委ねられていると考える。上記①②については，不動産賃借権の特殊性を考慮し，これを認める余地が残されていると考える（潮見新各 I 438 頁以下，①につき中田・債総 340 頁以下，②につき山野目 186 頁参照）。

◆ **賃借人のとりうる他の方法**　賃借人が既に賃借不動産の占有を取得していたときは，占有の訴え（198 条〜200 条）を提起することができる。しかし，賃借人が賃貸借契約を締結しただけでまだ占有を取得していない場合や，占有の訴えの期間（201 条）を経過していた場合は，この方法はとれない。

賃借人は，債権者代位権を行使することもできる（423 条適用又は 423 条の 7 の類推

適用。私見は前者〔中田・債総277頁〕。改正前民法のもとでは、旧423条の転用を認めるのが判例・通説だった〔大判昭4・12・16民集8巻944頁、我妻・債総163頁以下など〕）。賃借人Bの賃貸人Aに対する使用収益させよという債権を被保全債権として、Aが不法占拠者Dに対して有する所有権に基づく物権的請求権を代位行使する方法である。この場合、Aの無資力を要件としない。この方法については、DのBに対する抗弁が封じられることになる（たとえば、Dが転借人である場合）という批判[16]がある。改正前民法のもとでは、債権者代位権制度の本来の適用対象ではないという批判もあったが、現行民法では想定されている（中田・債総266頁以下・276頁以下）。

第5節　特別法上の賃貸借

1　概　観

(1)　経　緯

本節では、特別法のうち借地借家法を中心に検討する[17]。これまでと同様、当事者間の関係（→2）、賃借人側の第三者との関係（→3）、賃借人側でない第三者との関係（→4）に分けて検討する。最後に、大規模災害の被災地に関する特別措置を紹介する（→5）。

借地借家法は、1991年に公布され、翌92年に施行された。それ以前は、土地の賃貸借及び地上権に関する特別法として建物保護法と借地法があり、建物の賃貸借に関する特別法として借家法があったが、借地借家法の施行によって、これらの法律は廃止された（借地借家附則2条）。もっとも、借地借家法は、新法ではあるが、実質的には従来の法律の改正である。内容的な変更のある部分と、従来の法律を現代語化したにとどまる部分がある（研究会編12頁）。したがって、従来の法律のもとでの判例・学説でも、引き続き意味をもつものが少なくない。借地借家法は、その施行前に締結された契約にも遡及的に適用されるのが原則だが、従来の法律が適用される重要な事項もある（同4条）。

---

16)　天野弘「不動産賃借権者による妨害排除請求権の代位行使という判例理論の再検討（上）」判タ286号（1973）9頁、平井・債総126頁。

17)　寺田逸郎「借地・借家法の改正について」民事月報47巻1号（1992）11頁、「特集・新借地借家法の運用と実務」判タ785号（1992）、借地借家法制研究会編『一問一答　新しい借地借家法〔新訂版〕』（2000）（以下、本節で「研究会編」として引用する）、稲本洋之助＝澤野順彦編『コンメンタール借地借家法〔第4版〕』（2019）。

(2) **適用対象**

　借地借家法の適用対象は，建物の所有を目的とする地上権及び土地の賃借権（すなわち，借地）と建物の賃貸借（すなわち，借家）である（借地借家1条）。

　借地は，建物の所有を目的とするものでなければならない（資材置場用地や農地の貸借には適用がない）。「建物」は，居住用のもの（一戸建，マンション）でも，事業用のもの（事務所，店舗，工場，倉庫など）でもよい。独立性のある建物を広く含むが，地上権における「工作物」（265条）より範囲が狭い（望月礼二郎＝水本浩・新版注民（15）371頁）。壁や床のないトタン屋根のバラックなどに関する裁判例がいくつかある。

　建物の所有を「目的とする」とは，その土地の上に建物を所有することが主たる目的であることである。敷地に比し建物が小さい場合などに問題となる。借地法の適用に関し，ゴルフ練習場（最判昭42・12・5民集21巻10号2545頁）やバッティング練習場（最判昭49・10・25裁集民113号83頁）について否定例があり，自動車教習場について，肯定例（最判昭58・9・9判時1092号59頁）と，否定例（最判昭35・6・9裁集民42号187頁）がある。

　借地権は，地上権又は土地の賃借権である（借地借家2条1号）。譲渡性の点では両者に違いがあるので，譲渡が制限されている賃借権のみを対象とする規定もある（同14条・19条・20条）。以下では，土地の賃借権を中心に説明する。

　借家は，「建物」の賃貸借である。アパートの一室はもちろん，間貸しも対象となる。建物の一部であっても，障壁等によって他の部分と区画され，独占的排他的支配が可能な構造・規模を有するものは，ここでの「建物」にあたる（最判昭42・6・2民集21巻6号1433頁〔借家法1条の「建物」〕）。居住用の建物に限らず，事業用の建物の賃貸借でもよい。

> ●「建物」の概念は，借地における「建物の所有を目的とする」というときの建物（借地借家1条），借家における「建物の賃貸借」というときの建物（同条），不動産登記の対象となる建物（「屋根及び周壁又はこれらに類するものを有し，土地に定着した建造物であって，その目的とする用途に供し得る状態にあるもの」。不登則111条）の，それぞれにおいて異なる。借地権が対抗力をもつための要件である「登記されている建物」（借地借家10条1項）は，不動産登記の対象となるものである必要がある。

　このような借地・借家であっても，一時使用のためのものについては，特則がある。「臨時設備の設置その他一時使用のため」の借地権設定であることが

明らかな場合は，存続期間や更新に関する規定など重要な規定の大部分が適用されない（借地借家25条）。たとえば，工事現場用の仮設建物を建てるための1年間の土地の賃貸借の場合である。一時使用のために建物の賃貸借をしたことが明らかな場合は，借地借家法の借家に関する規定は，一切適用されない（同40条）。たとえば，別荘の1か月間の賃貸借の場合である。

　借地借家法の適用の有無が問題になるのは，その大部分が強行規定だからである。建物保護法・借地法・借家法は，借地・借家関係を安定化させ，借地人・借家人の経済的不利益を防止する目的があった。また，借地借家法は，その後の社会経済状況の変化のもとで当事者の公平な利害調整を目指し，従来の目的を維持しつつ，画一的制度に例外を設けて多様化するものである（研究会編3頁～18頁）。つまり，借地人・借家人保護という意味でも，一定の要件のもとでの例外の許容という意味でも，強行的規律とする必要がある。当事者の特約による適用除外を認めると，現実には，借地人・借家人に不利益な契約内容となることが多く，規律の実効性が失われるからである。そこで借地人・借家人に不利な特約は，無効とされる（借地借家9条・16条・21条・30条）。

　● 土地賃貸借の当事者を貸主（地主）・借地人，建物賃貸借の当事者を貸主（家主）・借家人などと呼ぶことが多い。もっとも，借地借家法は，より厳密な用語法をとる。土地賃貸借については，賃貸人Aを借地権設定者，賃借人Bを借地権者と呼ぶ。適法な転貸借があるときは，転貸人Cを転借地権者という。これらの言葉は相対的であり，BC間ではBが借地権設定者，Cが借地権者である。賃貸人を土地所有者・地主などと呼ばないのは，賃貸人が土地所有権を有するとは限らないからである。借地権が地上権である場合は，地上権設定者が借地権設定者，地上権者が借地権者である（以上，借地借家2条）。建物賃貸借については，建物の賃貸人，建物の賃借人，建物の転借人と呼ぶ（同26条2項・3項参照）。

2　当事者間の関係
(1)　存続期間・更新等
(a)　借　　地

(i)　存続期間　　借地権の存続期間は，原則として30年である。契約でそれより長い期間を定めたときは，その期間となる（借地借家3条）。特約で30年より短い期間とする合意をした場合，その特約は無効であり（同9条），期間の定めがないことになるから，原則に戻って30年となる。もちろん，一時使

用目的の借地権の場合は別である（同25条）。

> ◆ **借地法との比較**　借地法では，借地権の存続期間は，借地上に所有する目的とする建物の種類によって区別されていた。すなわち，堅固な建物（ビルなど）を所有する目的だと60年，非堅固な建物（木造住宅など）を所有する目的だと30年を原則とし（旧借地2条1項），合意による場合も，前者だと30年，後者だと20年が最短期間とされていた（同条2項）。しかし，堅固・非堅固の区別の基準は明確でないこと，その区別と耐用年数が必ずしも対応しないこと，建築技術の向上により建物の堅固性が高まっていることから，借地借家法はその区別を廃した（内田勝一・新版注民（15）828頁参照）。それにもかかわらず，存続期間を原則30年としたのは，建物を所有するための土地の利用関係に一応の安定性を保障する期間として適当だからだと説明される（研究会編36頁）。期間経過後には，更新が想定されているので，実質的には，更新の機会を増やしたという意味をもつ。
> 　借地法では，また，法定存続期間満了前の建物の朽廃による借地権の消滅が定められており（旧借地2条1項但書），これに関する紛争も少なくなかった。借地借家法は，この規定を引き継がなかった。朽廃の意義が明確でないこと，借地権者の修繕による朽廃の回避について見解の対立があること，存続期間内の土地利用を保障すべきだという見解があることによる（内田・前掲829頁）。

　(ⅱ)　**更新**　借地契約の更新には，法律上，当然にその効果が生じる法定更新と，当事者の合意による合意更新がある。

　　α　**法定更新**　借地においては，存続期間は，その定めがない場合でも，法律上30年になるから，常に期間が定まっていることになる。そこで，期間満了の際の更新が問題となる。法律上，当然に更新される場合が2つある。

　①借地権者の更新請求。期間満了に際して，借地権者が更新を請求した場合，借地上に建物があるときは，借地権設定者が遅滞なく異議を述べない限り，更新したものとみなされる（借地借家5条1項）。

　②借地権者の使用継続。借地権者（又は転借地権者）が期間満了後も土地の使用を継続する場合，借地上に建物があるときは，借地権設定者が遅滞なく異議を述べない限り，更新したものとみなされる（同条2項・3項）。

　実際には，②の場合が多い（借地権者は「寝た子を起こす」ようなことはしないから）。なお，①において借地権設定者が要件を満たす異議を述べたが，借地権者が期間満了後も使用を継続する場合も，②に含まれる（研究会編42頁，内田198頁）。①②を通じて，借地権設定者の異議には「正当の事由」がなければ

ならない（同 6 条）。

　● ②は，民法上の黙示の更新（619条1項）と似ているが，要件（②は，異議を「遅滞なく」述べる必要があること，異議に「正当の事由」が必要なこと），効果（②は，更新が推定されるのでなく，「みなされる」こと，更新後は期間の定めのないものとなる〔619条1項後段〕のではなく，期間の定めのあるものとなること〔借地借家4条〕），対象（②は，賃借権だけでなく地上権も対象となること）の違いがある。

　正当事由の内容については，借地法のもとで形成された判例法理を基礎にして，具体的な要素が示されている（借地借家6条）。①主たる要素は，借地権設定者と借地権者がそれぞれ，その土地の使用を必要とする事情（借地権設定者の自己使用の必要性，借地権者の使用継続の必要性・移転の難易など）である。転貸借がある場合には，転借地権者の事情も評価対象となる。②そのほか，従たる要素が3点ある。ⓐ借地に関する従前の経過（土地を借りた経緯，権利金の有無，期間中の建物滅失と再築の経緯など），ⓑ土地の利用状況（借地人がどのような種類・構造の建物を建て，土地をどのように利用しているか，周辺の地域の状況など），ⓒ借地権者に対する財産上の給付をする旨の申出（立退料，代替土地の提供など。明渡しの条件として，又は，明渡しと引換えに給付するとの申出）である。

◆ **借地法に関する判例・学説と借地借家法の関係**　　①借地法の規定では，土地所有者側の事情だけが正当事由の例とされているが（旧借地4条1項），判例・学説は，土地所有者側の事情だけでなく，借地権者側の事情も参酌し，双方を比較考量して決めるべきだということで一致していた（最大判昭37・6・6民集16巻7号1265頁，鈴木禄弥＝生熊長幸・新版注民(15)405頁以下）。これは，借地借家法6条に取り込まれた。②転借地権がある場合，法定更新の規定（旧借地6条）が準用されており（同8条），転借地権者の土地使用の必要性が土地所有者と借地権者との間でも考慮されるべきだと解されていた（星野・借地借家93頁）。これも，借地借家法6条で明示された。③借地権者の所有する借地上の建物の賃借人の事情は，借地権設定者と借地権者との間では，原則として考慮することは許されないというのが判例である（最判昭58・1・20民集37巻1号1頁，百選Ⅱ61［武川幸嗣］，中田「判批」法協103巻7号〔1986〕225頁）。この判例法理は，借地借家法のもとでも妥当するだろう（なお，同法35条は，借地上の建物の賃借人について，新たな保護をしている）。④立退料については，借地法上に明文規定はなかったが，判例は，その提供ないし増額の申出を正当事由を補完するものとして考慮し，さらに，提供ないし申出は，更新拒絶時でなく事実審口頭弁論終結時までにされれば原則として考慮しうるとしていた（最判平6・10・

25民集48巻7号1303頁,百選Ⅱ62［橋口祐介］)。借地借家法6条は,立退料の申出を考慮することを明示した。申出の時期については規定しないが,上記の判例法理は,借地借家法のもとでも妥当するだろう（西謙二『最判解民平6』521頁・541頁参照)。

　法定更新された後の契約条件は,契約期間を除き,従前の契約と同一の条件である（借地借家5条1項・2項)。契約期間は,1回目の更新の後は20年であり,2回目以後の更新の後は10年ずつである。当事者がそれより長い期間を定めたときは,その期間となる（同4条)。借地法に比べると,更新の間隔が短くなり,契約が終了しうる機会が増えた（借地法では,更新後の法定期間は,堅固建物所有目的だと30年,非堅固建物所有目的だと20年だった〔同法5条〕)。

◆ **期間満了前の建物の滅失と再築**　借地上の建物が滅失した場合について,次の規律がある。当初の存続期間中に滅失し,借地権者が残存期間を超えて存続すべき建物を築造した場合,借地権設定者が築造を承諾したときは,借地権の期間が延長されること（借地借家7条1項),更新後に滅失した場合,借地権者が借地権設定者の承諾なく残存期間を超えて存続すべき建物を築造したときは,借地権設定者が解約の申入れができること（同8条2項）などである（借地権設定者が更新後の再築の承諾をしない場合につき,同18条の裁判所の許可の手続がある)。借地法に比べると,借地権設定者が契約を終了させやすくなっている（旧借地7条参照)。

　以上の存続期間及び更新に関する規定は,借地借家法施行（1992年8月1日）前に成立していた借地契約には適用されず,それについては借地法が適用される（借地借家附則4条但書・5条〜7条)。借地契約の期間は長いので,対象となる借地契約は,現在もなお相当数,存在していると考えられる。

　β　**合意更新**　当事者は,期間満了に際して,合意によって契約を更新することができる。更新するとだけ合意して,期間を定めなければ,法定期間（1回目の更新後は20年,2回目以降は10年）となるが,より長い期間が合意されれば,その期間となる（借地借家4条)。合意更新の際,更新料が支払われることがある。これについては,借家契約の部分で説明する（→(b)(ii)β(イ)〔469頁〕)。

　(iii)　**定期借地権**　以上の通り,一般的な借地契約においては,借地権の存続が強く保障されている。これは借地法以来の法政策に基づくものだが,その結果,土地所有者が借地権の設定を差し控えるようになり,借地の供給が減っ

ているという指摘があった。また，借地関係の多様化に対応する必要があるという指摘もあった。たとえば企業が一定期間だけ土地を借りたいという場合などについては，一律の保護を及ぼすのではなく，選択肢を認めることによって，需要に応えるべきだということである。そこで，借地借家法は，借地権の存続保障を基本としつつ，画一的な制度に一定の範囲で例外を認めることとした。こうして同法制定時（1991 年）に導入されたのが，定期借地権制度である。この制度は，その後，2007 年の借地借家法改正（2008 年 1 月 1 日施行）により，さらに拡充された[18]。この制度と対比して，従来からある一般的な借地権を普通借地権と呼ぶこともある。

現在，広義の定期借地権には，3 種類のものがある。

第 1 は，狭義の定期借地権である（借地借家 22 条 1 項）。一般定期借地権ともいう。借地借家法制定時に導入された。存続期間を 50 年以上とする借地権について，①契約の更新がないこと，②建物の再築による存続期間の延長（同 7 条）がないこと，③建物買取請求（同 13 条）をしないこと，の 3 点をあわせて特約することを認め，これらの特約があることによって，更新がないことが確保されるというものである[19]。この特約は，書面（公正証書等）でしなければならない（定期借地権の特約である趣旨を明確にするとともに，50 年以上先である契約終了時の紛争を防止するため。研究会編 94 頁。2021 年改正で，電磁的記録によることも可能になった〔同 22 条 2 項。笹井ほか・前掲第 2 章注 63）②4 頁参照〕）。登記することもできる（不登 78 条 3 号・81 条 8 号）。マンションや貸ビルなどを建築するための借地として用いられる。

第 2 は，事業用定期借地権である。事業用建物（もっぱら事業の用に供する建物であって，居住の用に供するものでないもの）の所有を目的とする借地権である。2 種類ある（両者をあわせて，広義の事業用定期借地権ということもある。筒井・前掲注 18) 42 頁）。

その 1 は，狭義の事業用定期借地権である（借地借家 23 条 1 項）。2007 年改正で追加された。事業用建物の所有を目的とし，かつ，存続期間を 30 年以上

---

[18] 井上和輝「借地借家法の一部を改正する法律」ジュリ 1352 号（2008）101 頁，筒井健夫「平成 19 年借地借家法改正に関する覚書」NBL 886 号（2008）39 頁。
[19] ①②③のうち一部のみの特約がある場合については，吉田克己・新版注民 (15) 905 頁参照。2007 年改正法との関係では，筒井・前掲注 18) 41 頁。登記実務上は，①②③のすべてがそろっていることを要するものとして運用されている。

50年未満とする借地権について，①契約の更新がないこと，②建物の再築による存続期間の延長（同7条）がないこと，③建物買取請求（同13条）をしないこと，の3点をあわせて特約することを認め，これらの特約があることによって，更新がないことが確保されるというものである。この契約は，公正証書によってしなければならない（同23条3項。事業用建物に該当することの法的判断や借地権者の意思の確認の必要性が高いため。井上・前掲注18）105頁）。登記することもできる（不登78条3号・81条8号）。倉庫・配送センター等の物流拠点，物品販売・飲食店等の店舗などでの使用が考えられる（井上・前同103頁）。

　その2は，より短期の事業用定期借地権である（借地借家23条2項）。借地借家法制定時に導入され，2007年改正の際，改正された。事業用建物の所有を目的とし，かつ，存続期間を10年以上30年未満とする借地権の設定を認め，この場合，存続期間・更新に関する規定（同3条〜8条），建物買取請求権（同13条），借地契約更新後の建物再築の許可（同18条）の規定は適用されないものとした。存続期間を30年未満とする借地権は，一般的には認められないが（同3条・9条），事業用建物の所有を目的とするものに限って例外的に認めたものである。この契約は，公正証書によってしなければならない（同23条3項。趣旨は，これが例外的に認められたものであることのほか，同条1項のものと同様）。郊外型レストラン，各種フランチャイズ店，量販店，遊技場等の店舗を建てる目的の借地が想定されている（内田194頁）。

> ◘ **借地借家法23条2項の借地権の性質**　この借地権は，狭義の定期借地権及び狭義の事業用定期借地権とは異なり，本来は認められない存続期間の借地権の設定が例外的に認められたものであり，かつ，当事者間で契約の更新に関する特約をすることが否定されていないなど，定期借地権との違いがある。このため，借地借家法制定時は，定期借地権とは区別され，「事業用借地権」と名づけられた（2007年改正前借地借家24条）。2007年改正の際，存続期間の上限を20年から30年に引き上げるとともに，狭義の事業用定期借地権に続く制度として位置づけられるようになったが，基本的性質は当初と変わっていない（借地借家法23条の見出しの「等」はこの借地権を指す。筒井・前掲注18）41頁）。

　第3は，建物譲渡特約付借地権である（借地借家24条〔2007年改正前23条〕）。普通借地権又は借地借家法22条若しくは23条1項の定期借地権であって，借

地権設定後30年以上を経過した日に，借地権者が借地権設定者に，借地上の建物を相当の対価で譲渡するという特約が付されたものである。30年以上経過した日であれば，確定した期日でもよいし，借地権設定者の申し出たときなどでもよい。存続期間よりも前でもかまわない。譲渡されると，借地権は消滅する（存続期間満了時に借地権者の建物がないために更新されないこと〔借地借家5条参照〕，又は，混同〔179条・520条〕による）。特別の方式は必要ないが，借地権設定の際に，建物譲渡特約を借地契約と一体のものとして付さなければならない。開発業者Bが土地所有者Aから土地を借りて賃貸用マンションを建築し，30年以上たてば，Aに建物を譲渡するという場合などに用いられる。この例で，BがAに建物を譲渡し借地権が消滅した場合，B又は建物入居者が請求すれば，Aとの間で期間の定めのない建物賃貸借がされたものとみなされる（借地借家24条2項。ただし，定期借家契約が結ばれたときはそれによる〔同条3項〕）。

(iv) 自己借地権　　最後に，自己借地権について説明する。土地の所有者は，その土地に自己のための借地権を設定することはできない（混同の法理）。しかし，借地上にマンション等の区分所有建物が建てられ，敷地の所有者が建物の専有部分の1区画の所有者でもあるという状況や，借地上に共有建物があり，敷地の所有者が建物の共有者の1人でもあるという状況は，現実に生じうる。このような場合の借地の法律関係を安定的なものとするため，借地借家法は，借地権設定者が他人とともに借地権を有することとなる場合に限り，自己を借地権者とする借地権の設定を認める（借地借家15条1項）。また，借地権が後発的に借地権設定者に帰属したとしても，同人が他人とともに借地権を有する場合は，その借地権は消滅しないものとする（同条2項）。

● 土地所有者が借地権付きの分譲マンションの建築・販売を企画したとする。土地所有者は，専有部分のうち売却済みの分については借地権を設定できるが，売却未了分については，混同の法理を形式的に適用すると，借地権を設定できない。しかし，借地借家法15条により土地所有者が既に購入した人と借地権を準共有すること（264条）が可能になる。

(b) 借　家
(i) 契約期間　　借家契約の最短期間は1年である。それより短い期間が定められた場合，期間の定めのない賃貸借とみなされる（借地借家29条1項）。当

初から，期間を定めないで契約することも可能である。最長期間については，604条の制限（50年。改正前は20年〔旧604条〕）が適用されない（借地借家29条2項）。この結果，借家契約は，1年以上の期間の定めのあるものと，期間の定めのないものとの2種類となる。前者については，期間満了時の更新が問題となり，後者については，解約申入れが問題となる。

(ii) 更新・解約申入れ

　a　法定更新・解約申入れ

　(ア)　法定更新　　期間の定めのある借家契約が，法律上，当然に更新される場合が2つある。

①更新拒絶通知の不存在。当事者が期間満了の1年前から6か月前までの間に，相手方に対して，更新をしない旨の通知又は条件を変更しなければ更新をしない旨の通知（以下，両者をあわせて「更新拒絶通知」という。広中俊雄＝佐藤岩夫・新版注民(15) 929頁参照）をしなかったときは，更新したものとみなされる（借地借家26条1項）。建物賃貸人による更新拒絶通知には，「正当の事由」がなければならない（同28条）。

②建物賃借人の使用継続。更新拒絶通知がされた場合であっても，建物賃借人（又は転借人）が期間満了後も建物の使用を継続する場合，建物賃貸人が遅滞なく異議を述べなかったときも，更新したものとみなされる（同26条2項・3項。この異議については，「正当の事由」は要求されない）。

このように，建物賃貸人は，期間の定めのある借家契約を終了させるためには，期間満了前に更新拒絶通知（正当事由を要する）をしたうえ，建物賃借人又は転借人の使用継続に対し遅滞なく異議を述べるという，2段階の意思の表明が必要となる（借地とは異なり，更新拒絶通知がないと，当然に更新されることに注意）。

法定更新された後の契約条件は，従前の契約と同一の条件である。ただし，契約期間は，定めがないものとなる（同26条1項・2項）。

　(イ)　解約申入れ　　期間の定めのない借家契約は，解約申入れによって終了する。建物賃貸人が解約申入れをした場合，建物賃貸借は，解約申入れの日から6か月が経過することによって終了する（借地借家27条1項）。建物賃貸人による解約申入れには，「正当の事由」がなければならない（同28条）。

この場合であっても，建物賃借人（又は建物転借人）が解約申入れの日から6

か月が経過した後も建物の使用を継続する場合，建物賃貸人が遅滞なく異議を述べなかったときは，更新したものとみなされる（同27条2項・26条2項・3項。この異議については，「正当の事由」は要求されない）。

　(ウ)　正当事由　　更新拒絶通知及び解約申入れにおいて，賃貸人に求められる正当事由については，借地の場合と同様の規定がある。すなわち，借家法のもとで形成された判例法理を基礎にして，正当事由の具体的な要素が示されている（借地借家28条）。①主たる要素は，建物賃貸人と賃借人がそれぞれ，その建物の使用を必要とする事情である。転貸借がある場合は，転借人の事情も評価対象となる。②そのほか，従たる要素が3点ある。ⓐ建物賃貸借に関する従前の経過，ⓑ建物の利用状況，ⓒ明渡しの条件として，又は，明渡しと引換えに，賃借人に対し財産上の給付をする旨の申出である。

◆ **借家法に関する判例・学説と借地借家法の関係**　　①借家法の規定では，建物賃貸人の事情だけが正当事由の例とされていたが（旧借家1条ノ2），判例・学説は，両当事者の事情を比較考量して決めると解していた（最判昭27・12・26民集6巻12号1338頁，星野・借地借家513頁以下，三宅正男・新版注民(15) 702頁以下）。これは，借地借家法28条に取り込まれた。②転貸借がある場合，転借人の事情も考慮して正当事由の存否を判断すべきだという下級審裁判例及び学説があった（星野・借地借家531頁以下）。これも，同条で明示された。③立退料については，借家法上に明文規定はなかったが，判例は，その支払の申出を正当事由を補完するものとして考慮し，支払と引換えに明渡しを命ずる判決（引換給付判決）ができるとし（最判昭38・3・1民集17巻2号290頁），賃貸人の申し出た金額よりも高い立退料と引換えに明渡しを命じることもできるとした（最判昭46・11・25民集25巻8号1343頁）。同条は，立退料の申出を考慮することを明示した。

　β　合意更新
　(ア)　意義　　当事者は，期間満了に際して，合意によって契約を更新することができる。法定更新の場合，更新後は，期間の定めのない契約となるが，合意更新の場合，期間を定めることができる。
　(イ)　更新料[20]　　更新料は，契約期間が満了し，賃貸借契約を更新する際に，賃借人と賃貸人との間で授受される金員である。合意更新に際して授受されるのが典型的であるので，ここで取り上げることにする（実際には，法定更新がされている状態のもとで支払われることもあるし，更新料支払の事前合意がある場合

に，なされた更新が合意更新・法定更新のいずれであったのか判然としないこともある）。なお，借地・借家を通じた検討をする。

　更新料の授受は，借地契約においては1950年代半ば以降，借家契約においては1960年代半ば以降，次第に広まったといわれる。その額は，時期・地域・場所（住宅地か商業地か）・賃貸建物の構造及び用途によって異なるが，借地においては，更地価格の3〜5％，地代の10年分程度を中心にばらつきがあり，借家においては，賃料の1〜2か月分が多いようである（店舗はアパートよりやや多めである）。

　更新料については，①合意のない場合の支払義務，②支払合意の有効性，③更新料ないし更新料支払合意の性質，④支払合意に反した場合の効果が問題となる。

　更新料の支払は法的義務ではないし，商慣習や事実たる慣習でもないというのが判例・通説である（最判昭51・10・1判時835号63頁〔借地。1960年代後半の東京〕）。賃借人が支払わなくても，賃貸人は正当事由がない限り，更新を拒絶できず，契約は法定更新される。それにもかかわらず，更新料が授受されることが多い。その背景には，賃借人側にも紛争を回避し良好な関係を維持したいという希望のあること，更新料を払って合意更新する方が法定更新よりも賃借人に有利な面があること（更新後の契約期間につき，借地では法定期間より長期にし，借家では期間の定めのあるものとしうる〔借地借家4条但書・26条1項但書参照〕）など，将来の関係において有利な実績となりうること（将来，更新拒絶・解約申入れがされた場合の正当事由の判断や立退料算定にあたっての考慮要素，賃料の増額請求がされた場合の適正賃料算定にあたっての考慮要素となりうる）などの事情があるようである。他方，賃貸人側では，地価の上昇に地代の値上げが伴っていない（新規賃料と継続賃料との格差）という地価上昇期の感覚，更新料の授受が広く行われているという認識，更新料は更新拒絶権放棄の対価であるなどの理由づけにより，その請求が正当なものであるという意識が醸成される。

20）　星野・借地借家65頁以下・495頁以下，梶村太市「借地借家契約における更新料をめぐる諸問題」判タ341号91頁・342号57頁（1977），太田武聖「更新料」判タ695号（1989）23頁，広中＝佐藤・新版注民（15）931頁以下，浦葉真美子「更新料をめぐる問題」判タ932号（1997）135頁，木崎安和「借地契約における特約の効力」稲葉威雄ほか編『新借地借家法講座第3巻借家編』（1999）171頁，大澤彩「建物賃貸借契約における更新料特約の規制法理」NBL931号19頁・932号57頁（2010）。

こうして，更新料支払の事前合意がされるようになる。借地においては，契約期間が長く，件数が相対的には少ないため，合意の存否や効力が問題となることがあるものの，個別紛争にとどまる。借家においては，契約期間が短く，件数も多いため，消費者契約という観点から，定型的な契約書に含まれている更新料条項の効力が争われるようになった。近年の最高裁判決で，当該事案における更新料条項は，消費者契約法10条・借地借家法30条に反するものでなく，有効だとしたものがある（最判平23・7・15前掲〔借家。契約期間1年，更新料は賃料2か月分。2000年代初めの京都〕，森冨義明『最判解民平23（下）』544頁，百選Ⅱ63〔大澤彩〕）。この判決は，更新料の性質は「具体的事実関係に即して判断される」との前提のもと，「更新料は，一般に，賃料の補充ないし前払，賃貸借契約を継続するための対価等の趣旨を含む複合的な性質を有」し，「更新料の支払にはおよそ経済的合理性がない」とはいえないとしたうえ，「賃貸借契約書に一義的かつ具体的に記載された更新料条項は，更新料の額が賃料の額，賃貸借契約が更新される期間等に照らし高額に過ぎるなどの特段の事情がない限り」，消費者契約法10条に抵触しないという。

　更新料の性質については，賃料の補充ないし前払，更新拒絶権等の放棄の対価，賃借権強化の対価などと説明されるが，合意に基づくものである以上，個別具体的な事実関係に即して判断されるべきものである。もっとも，ある時代・地域における実践が急速に広まったことの背景，賃貸借契約の定型的条項とされるにいたった経緯[21]，契約時における情報・交渉力の格差，更新時における両当事者の立場など，構造的な背景を見落としてはならない。上記最高裁判決は，そのような背景をも考慮したうえ，条項が有効とされうる限界を示そうとしたものであろう。

　更新料支払合意が有効とされるとき，賃借人が支払わない場合の効果は次の通りである。まず，賃貸人は履行の請求ができる。次に，賃貸人は，債務不履行を理由として支払合意の契約を解除できる。その合意が賃貸借契約の合意更新の前提であった場合，合意更新はされなかったことになり，法定更新の成否が問題となる。さらに，支払合意の不履行が賃貸借契約における信頼関係の破壊と評価されるときは，賃貸借契約の解除原因となる（最判昭59・4・20民集38

21）　角田美穂子「賃借人のシルエット──消費者法の視座から」松尾＝山野目編・前掲注1）157頁・168頁は，「仲介業者に依存した零細経営の賃貸人」像を浮かび上がらせる。

巻6号610頁, 百選Ⅱ〔5版〕62 [新田敏])。

(ⅲ) 定期建物賃貸借

α 経緯　借地借家法は, 借家関係の多様化に対応するため, 1991年の制定時に, 期限付建物賃貸借という新たな制度を導入した。賃貸人の不在期間の建物賃貸借 (1999年改正前借地借家38条) と取壊し予定の建物の賃貸借 (同39条) の2類型があり, 前者は契約の更新がなく, 後者は取壊し時に賃貸借が終了する。これらは新制度だったが, 適用対象が限られていたことから, より一般的な要件のもとで, 正当事由制度の適用のない借家関係が認められるべきであるという主張がされるようになった。他方, 社会的に弱い立場の借家人の保護はやはり必要であるという見解も根強くあり, 激しい議論となった (→第1節2(2)(d)〔391頁〕)。その結果, 1999年に「良質な賃貸住宅等の供給の促進に関する特別措置法」が制定された。同法5条は, 借地借家法の一部を改正し, 定期借家制度を導入するものであり, 2000年から施行されている (研究会編29頁～32頁)。なお, この特別措置法は, 良質な賃貸住宅等の供給の促進 (同法2条), 住宅困窮者のための良質な公共賃貸住宅の供給の促進 (同3条) なども定めており, 同法2条に応じるものとして, 2001年に「高齢者の居住の安定確保に関する法律」が制定された (家主に対する家賃保証制度, 終身建物賃貸借制度等を導入)。

β 内容　現在, 期限付きの借家契約として, 2つの類型がある。

(ア) 定期建物賃貸借 (定期借家権)　定期建物賃貸借とは, 一定の要件を満たすことにより, 建物賃貸借につき契約の更新がないこととする旨の定め (定期借家条項) の効力が認められるものである (借地借家38条1項前段)。期間が満了すれば, 正当事由を問題とすることなく, 当然に終了する。なお, 1年未満の期間の定めも認められる (同項後段)。一定の要件とは, ①書面 (公正証書等) によって契約すること (同項前段), ②賃貸人が賃借人に対し, 契約の更新がなく, 期間満了により賃貸借が終了することについて, 事前に書面を交付して説明すること (同条3項〔2021年改正前2項〕) である。①又は②に反すると, 定期借家条項は効力がなく, 定期建物賃貸借としての効力は認められない (同条1項前段・5項〔2021年改正前3項〕)。判例は, ②の要件を厳格に解釈する (最判平22・7・16判時2094号58頁〔①の公正証書に②の書面交付があったと記載されているというだけでは, ②の書面交付の主張立証がされたとはいえない〕, 最判平24・9・

13民集66巻9号3263頁〔②の書面は，賃借人の認識いかんにかかわらず，契約書とは別個独立の書面であることを要する〕）。2021年改正（笹井ほか・前掲第2章注63）②5頁以下参照）により，①は，電磁的記録でされれば書面による契約がされたとみなされ（同条2項），②は，政令（借地借家法施行令）の定めるところにより，賃借人の承諾を得て，電磁的方法による情報提供で書面交付に代えることができるようになった（同条4項）。②における事前の説明（同条3項）及び賃借人の承諾（同条4項）が，実質的に確保される必要があると考える。

　定期建物賃貸借契約の終了は，次の通りである。①期間が1年未満の場合，期間満了により，当然に終了する。②期間が1年以上の場合，ⓐ期間満了の1年前から6か月前までの間（通知期間）に，賃貸人が賃借人に対し，期間満了による終了の通知をすれば，期間満了時に終了し，ⓑ賃貸人が通知期間内にこの通知をせず，通知期間経過後に通知したときは，通知の日から6か月を経過した時に終了する（借地借家38条6項〔2021年改正前4項〕）。③目的物が床面積200㎡未満の居住用建物である場合，建物賃借人は，一定の事由があれば，期間内でも解約申入れをすることができ，申入れの日から1か月を経過した時に終了する（同条7項〔同5項〕）。②及び③に反する特約で賃借人に不利なものは，無効である（同条8項〔同6項〕）。

　なお，定期建物賃貸借において，借賃の改定に係る特約がある場合は，借賃増減請求権に関する規定（借地借家32条）は，適用されない（同38条9項〔2021年改正前7項〕）。

◆ **定期借家制度の意義**　　定期借家制度は，従来の2種類の期限付建物賃貸借のうち，賃貸人の不在期間の建物賃貸借の制度を廃止し，これに代わる一般的な制度として設けられたものである。一般的なものであるだけに，民法研究者は鋭敏に反応した。この制度により，借地借家法の中核的規制である存続保障が当事者の自由で明確な意思決定によって排除できるようになり，その限りで，同法が純粋の弱者保護規制に尽きず，自律尊重型規制の側面をもつにいたったという指摘や，定期借家制度は適用対象の限定がないから，期間の定めのある建物賃貸借において，更新されるもの（正当事由を要するもの）と更新されないものという2類型が並立することになったという評価が表明された[22]。借地借家法制における「市場主義」への批判を紹介したうえ，居住利益・生活利益を憲法上の自由権的基本権として把握する見方を提示するものもある（潮見195頁参照）。もっとも，1921年に制定された借家法に正当事由要件が導入されたのは，41年改正によってであり，91年の借地借家法

> はそこに限定的例外を設け，99年改正で一般的例外を設けたというのが経緯である。この流れを眺めると，借家法制において，借家人保護という基本は動いておらず，その程度・範囲が時代の変化に応じて調整されてきたにすぎないともいえる。定期借家制度の導入によって舵が切られたのだから，その方向を突き進めるべきだということにはならない。定期建物賃貸借が特則であることは，要件（借地借家38条1項・3項〔2021年改正前2項〕）が設定された目的や片面的強行規定性（同条8項〔同6項〕）にも表れている。最高裁のとる要件の厳格な解釈も，そのような理解に立つのであろう。当該借家契約において賃借人に約束されている給付は何か（存続保障の有無・程度により居住の質が異なりうる），そのことについて合意があるといえるか，借家契約で形成される関係価値の適切な配分は何か（→第1節2(2)(d)◆〔392頁〕）など，契約法内在的な検討が，なお続けられるべきである。

　(イ)　取壊し予定の建物の賃貸借　　これは，取壊しが予定された建物を，それまでの間だけ賃貸し，取り壊す時点で賃貸借が終了するという合意を認めるものである。借地借家法によって導入された。すなわち，法令又は契約により，一定期間経過後に建物を取り壊すべきことが明らかな場合に，建物賃貸借をするときは，「建物を取り壊すこととなる時に賃貸借が終了する」という特約をすることができる（借地借家39条1項）。この特約は，建物を取り壊すべき事由を記載した書面によってしなければならない（同条2項。電磁的記録によることもできる〔同条3項。2021年改正〕）。

　この賃貸借をするためには，法令又は契約による取壊しが予定されていることが必要であり，単なる賃貸人の主観的な予定では足りない（研究会編199頁）。取壊し時期が延期された場合は，当初予定された時期ではなく，実際に建物を取り壊すこととなる時期に賃貸借は終了する（研究会編200頁，広中＝佐藤・新版注民（15）988頁）。

(2)　契約終了時の調整——買取請求権

(a)　意　義

　民法上，賃借人は，賃貸借契約終了時に，有益費償還請求権及び収去権を有

---

22)　前者の指摘は，山本敬三「借地借家法による賃料増減規制の意義と判断構造」潮見ほか編・前掲注15）153頁・178頁。後者の評価は，小粥太郎「定期借家制度導入後の民法教科書」みんけん599号（2007）3頁。また，秋山靖浩「存続保障の今日的意義」松尾＝山野目編・前掲注1）53頁参照。

し，収去義務を負う。具体的には，次の通りである（→第2節2(1)(b)〔397頁〕・(2)(c)②〔405頁〕）。①賃借人が賃借物に附属させた物がある場合，賃借人は収去義務を負い，収去権を有する。②この場合であっても，賃借物から分離できない物又は分離に過分の費用を要する物については，賃借人には収去義務はない（収去権については付合の問題とも関係する）。③賃借物から分離できない物又は分離に過分の費用を要する物が賃借物の価値を高めるときは，賃借人は有益費償還請求権を有する。④土地の賃借人が土地上に建物を建てた場合，賃借人はこれを収去する義務を負う。

しかし，①は建物賃貸借において，④は土地賃貸借において，必ずしも合理的ではない帰結をもたらすことがある。そこで，借地借家法は，以下のような特則を置く。

(b) 借　地

民法の規律によると，借地権者は，借地契約の終了時に，建物を収去して，土地を明け渡さなければならない。収去は，通常，取壊しによって行われる。建物に残存価値がある場合，そのような結果は，借地権者が投下資本の回収をできないことを意味し，社会経済上も不利益であることが多い。

そこで，借地権者に建物買取請求権が認められる。借地権の存続期間満了時に，契約の更新がない場合，借地権者は，借地権設定者に対し，建物その他借地権者が権原により土地に附属させた物を，時価で買い取るべきことを請求できる（借地借家13条1項）。

期間満了時に，更新が拒絶された場合が典型的な適用場面である。借地権者の債務不履行を理由とする解除により終了した場合には，買取請求権は認められないというのが判例（最判昭35・2・9民集14巻1号108頁）である。判例に反対する肯定説もあるが（水本233頁など。買取価格を減額のうえ認めるものとして，星野・借地借家211頁），否定説が有力である（我妻中Ⅰ490頁，鈴木＝生熊・新版注民（15）424頁，内田215頁など）。信頼関係破壊法理により解除が制限されていること（借地権者が利益を失うこともやむを得ない），土地の有効利用という観点からは建物の存在が負担となることもあること（社会経済的利益が常にあるとはいえない）から，否定説を支持したい。

借地権者が建物買取請求権を行使すると，建物売買契約が成立する。「買い取るべきことを請求」とあるが，形成権である（借地権者側で一方的に法律関係

を形成することができる)。代金額は「時価」である。それは存続する建物としての客観的に相当な価格であり、取り壊された資材の価格ではない。借地権者は、この代金が支払われるまで、留置権により敷地を占有することができるが、その間の賃料相当額を不当利得として支払わなければならない(我妻中Ⅰ491頁)。

> ◆ 関連問題　建物買取請求権については、ほかにも関連する規定がある。①借地権設定者の承諾を得ないで借地権の残存期間を超えて存続すべきものとして建物が新たに築造され、存続期間満了を迎えた場合(借地借家法7条1項の承諾のない場合、同8条2項の解約申入れがされなかった場合)にも、建物買取請求権はあるが、裁判所は代金支払につき期限の許与ができる(同13条2項)。②転貸借のある場合、原借地権の存続期間が満了したときは、転借地権者は、借地権設定者に対し、直接、建物買取請求をすることができる(同条3項)。③建物買取請求権は、狭義の定期借地権(同22条)、広義の事業用定期借地権(同23条)、一時使用目的の借地権(同25条)においては、認められない。建物譲渡特約付借地権(同24条)については、認められる余地がある(生熊長幸・新版注民(15)875頁)。

(c) 借　　家

民法の規律によると、建物賃借人は、賃貸借契約の終了時に、附属させた物であって分離可能なもの(分離に過分の費用を要する物を除く)を収去しなければならない。しかし、いったん附属させた物は、分離可能であっても、取り外すと価値を減ずることが多い。他方、分離できる以上、賃借人は費用償還請求権を有しない。このため、賃借人は不利益を被る。さらに、賃借人がそのような状態にあることを利用して、賃貸人が附属物を二束三文で買い取ったうえ、新賃借人に高く売りつけるという事態も生じた(渡辺＝原田・新版注民(15)750頁)。そこで、借家法は、一定の「畳、建具其ノ他ノ造作」について、賃借人に買取請求権を認め、これを強行規定とした(旧借家5条・6条。造作買取請求権)。「建具」とは、戸・障子・襖など、室を区切るために取り付けて開閉するものである(広辞苑〔第7版〕)。「造作」とは、建物に付加された物件で、賃借人の所有に属し、かつ建物の使用に客観的便益を与えるものである(最判昭29・3・11民集8巻3号672頁)。

借地借家法は、これを引き継ぎ、次のように規定する。建物賃貸人の同意を

得て建物に付加した造作及び建物賃貸人から買い受けた造作がある場合，建物賃借人は，建物賃貸借が期間満了又は解約申入れによって終了するときは，建物賃貸人に対し，その造作を時価で買い取るべきことを請求できる（借地借家33条1項）。建物賃借人がこの請求権を行使すると，時価による造作の売買契約が成立する（形成権）。もっとも，借地借家法はこれを任意規定としたので，当事者間の特約で排除することができる。

◆ **任意規定化の理由** 現代では，アパートやマンションの賃借人が畳や建具を自ら付加して終了時に買取りを求めることは，ほとんどない。造作にあたるものは限られているが（エアコン，ガス設備など），大量生産・消費型の生活様式のなかで，その経済的価値は相対的に低下している。他方，この請求権を強行規定とすると，建物賃貸人は造作の設置を制限ないし禁止する傾向になり，かえって不便になる。現代社会における造作買取請求権のこのような位置に鑑み，任意規定とされた（研究会編211頁。渡辺＝原田・新版注民（15）752頁以下，原田純孝・新版注民（15）947頁参照）。

◆ **関連問題** ①造作買取請求権が生じるのは，建物賃貸借が期間満了又は解約申入れによって終了した場合に限られる（借家法は「賃貸借終了ノ場合」と規定していたので，賃借人の債務不履行により賃貸人が解除した場合に，否定する判例〔最判昭31・4・6民集10巻4号356頁など〕と肯定する学説の対立があった）。②借家法のもとで，造作売買代金債権を被担保債権とする建物についての留置権は認められない（建物に関して生じた債権ではないから）という判例（最判昭29・1・14民集8巻1号16頁）と，認めるという学説の対立があった（同時履行の抗弁についても同様）。現在は，同請求権が特約で排除されていることが多く，問題自体が生じにくくなっている。③同請求権を行使した賃借人は，以後，附属物の収去義務を負わず，収去権を行使することもできない。これは，現行民法のもとでも変わらない（部会資料69A，第4，13 説明1（3））。④建物転貸借がある場合，原賃貸借が期間満了又は解約申入れで終了するときは，転借人は，直接，賃貸人に対し買取りを請求できる（借地借家33条2項）。

(3) **契約内容の変更**

(a) **賃料増減請求権**

借地・借家契約は，長期間，継続することが多く，状況の変化により賃料が不相当になることがある。民法には，減収による賃料減額請求の規定（609条）があるだけだし，事情変更の原則は，極めて例外的な場合を対象としており，その要件の充足は困難である（→第1章第1節4(3)〔43頁〕）。そこで，東京市内

における慣習を基礎として（92条），地代増額請求を認める判例（大判大3・10・27民録20輯818頁など）が現れた後，借地法・借家法で明文規定が置かれ，借地借家法がこれを受け継いだ。公平の観念や信義則によって説明されるが（我妻中Ⅰ506頁），継続的契約に関する諸理念を調和し，契約の維持を図るための具体的解決手段とみることができる（→第4章第1節2(1)(b)3つ目の◆〔187頁〕・第5章第2節3(1)(a)〔254頁〕）。

借地については，次の通りである（借地借家11条1項）。地代又は土地の借賃（以下，賃料で代表させる）が，不相当となったときは，当事者は，将来に向かって，その増額又は減額を請求することができる。「不相当となった」ことの判断要素は，①土地に対する租税その他の公課の増減，②土地の価格の上昇又は低下その他の経済事情の変動，③近傍類似の土地の賃料との比較である。②の「その他の経済事情の変動」には，物価や国民の所得水準の推移などが含まれる（研究会編136頁）。一定期間は賃料を増額しないという特約がある場合は，それが優先するが，それ以外の特約があっても，この増減請求権は排除されない。借地法の時代から，増減請求権は，形成権であり，裁判外でも行使できると解されてきた。したがって，当事者の一方が増減請求の意思表示をすると，それが相手方に到達した時に，客観的に相当な賃料額への増減の効果が生じる（大判昭7・1・13民集11巻7頁，我妻中Ⅰ508頁）。

借家についても，借賃について，借地とおおむね同様の規律がある（借地借家32条）。

◆ **賃料増減請求訴訟**　借地・借家を通じて，適正な賃料の額について，当事者間で協議が成立しないときは，裁判で決することになる。裁判においては，原則として，まず調停の申立てをしなければならない（民調24条の2）。調停が成立しない場合，訴訟手続で判断される。なお，裁判が確定するまでの間の賃料の支払・請求の仕方についての規定がある。すなわち，増額請求を受けた相手方は，相当と認める額の賃料を支払えば，結果的に不足していたことになっても，債務不履行とはならない。ただし，裁判が確定すれば，不足額に年1割の利息を付して支払わなければならない。減額請求を受けた相手方は，相当と認める額の賃料の支払を請求できる。ただし，裁判が確定すれば，超過額に年1割の利息を付して返還しなければならない（借地借家11条2項・3項・32条2項・3項）。賃料増額請求における「相当と認める額」について，賃借人が主観的に相当と認めていない額はこれにあたらないし，賃借人が主観的に相当と認める額の支払をしても，常に債務不履行にならないわけ

ではない（たとえば，支払額が賃貸人の負担する公租公課の額以下であることを賃借人が知っているときは，債務の本旨に従った履行とはいえない。最判平 8・7・12 民集 50 巻 7 号 1876 頁〔借地法〕）。

◆ **サブリースにおける減額請求**　借地借家法 11 条・32 条の賃料増減請求権については，かつては，もっぱら賃貸人からの増額請求が争われたが，バブル経済崩壊による地価下落に伴い，賃借人からの減額請求をめぐる紛争が多発した。特に，サブリースにおける賃料増額特約の効力との関係で，活発な議論が生じた。当初問題となったのは，土地所有者 A と不動産会社 B が協力して A の土地上に貸ビルを建築し，そのビルを所有者 A が B に一括して賃貸し，B が多数のテナントに転貸するという取引である。AB 間では，テナントの入居状況にかかわらず，B が A に一定の賃料を支払う合意（賃料保証，空室保証）があり，多くの場合，賃料は定期的かつ自動的に増額されるという特約がある。この取引は，形式的には建物の転貸借だが，B は目的物の自己使用を予定しておらず，AB 間の賃貸借は，もっぱら B の収益のためのものである。また，AB の関係は，賃貸借だけでなく，ビルの建築計画，資金調達，テナント管理まで，B の積極的活動を伴う総合的なものである。このような契約がバブル経済の頃に多く結ばれたが，バブル経済が崩壊し，テナントが安い賃料でしか入居しなくなったため，B が A に合意した賃料を支払うと大幅な赤字が発生し続けるようになった。そこで，B は，借地借家法 32 条 1 項に基づく賃料減額請求をした。これに対し，A は，サブリースは純然たる賃貸借ではなく，同法の適用はないといって争った。

最高裁は，サブリースであっても借地借家法の適用があり，同法 32 条も適用されるところ，同条 1 項は強行法規であり，自動増額特約によっても排除できないので，B は同項による減額請求ができるとした。そのうえで，衡平の見地に照らし，サブリースであるという事情は，同項に基づく賃料減額請求の当否及び相当賃料額の判断に際して，重要な事情として十分に考慮されるべきであるとした（最判平 15・10・21 前掲，松並重雄『最判解民平 15（下）』535 頁，百選 II 67〔内田貴〕）。

学説では，この判決の前後を通じて，サブリースの法的性質，借地借家法の適用範囲，同法 32 条の「不相当」の解釈，強行規定論，事情変更の原則との関係など，多くの議論がされた（文献・判例評釈については松並・前同を参照）。なお，この判決に先立ち，賃料自動増額改定特約のある企業間の借地契約について，賃借人からの同法 11 条 1 項による減額請求が認められていた（最判平 15・6・12 民集 57 巻 6 号 595 頁〔特約による賃料額の改定が同法 11 条 1 項の趣旨に照らして不相当になった場合，その改定の効果は生じず，当事者は同項に基づく増減請求権を行使できる〕。最判平 16・6・29 判時 1868 号 52 頁も同様）。また，この判決以後も，サブリースの事案（最判平 15・10・21 判時 1844 号 50 頁，最判平 15・10・23 判時 1844 号 54 頁，最判平 16・11・8 判時 1883 号 52 頁〔以上，本判決と同旨〕）や，オーダーメイド賃貸借（土地所有者が転用困難な建物を建設して

賃貸する）の事案（最判平17・3・10判時1894号14頁〔大型スーパー用建物の賃貸借〕，最判平20・2・29判時2003号51頁〔レジャー施設用建物賃貸借〕）など，同法32条の適用に関する判断が重ねられている。

近年では，個人がローンでアパートを建築し，建物全体を不動産業者に賃貸するというサブリースが増えているが，業者のした「家賃保証」等の契約条件をめぐる紛争が多い。そこで，2020年に「賃貸住宅の管理業務等の適正化に関する法律」が制定され，所有者とサブリース業者との賃貸借契約の適正化が図られている（賃貸住宅管理業の登録制度も創設）。

(b) 借地条件の変更

借地契約において，借地権者が借地上に建てる建物について制限されることがあるが，そのような借地条件の変更について当事者の協議が調わない場合の手続が定められている。

まず，建物の種類，構造，規模又は用途を制限する借地条件があるが，法令の変更などの結果，借地条件と異なる建物の所有を目的とすることが相当である場合，裁判所は当事者の申立てにより，借地条件を変更することができる（借地借家17条1項）。たとえば，契約締結時は，公法上の規制により，その土地には2階建ての建物しか建てられず，契約上も2階建てしか建てられないと制限されていたが，その後，規制が緩和され，3階建ても可能になった場合，賃借人の希望としても，土地の有効利用という観点からも，変更が望ましいということになる。他方，借地権設定者としては，規制緩和により土地の利用価値が高まったのだから，賃料を増額したいと考える一方，将来，建物買取請求権を行使された場合には買取価格が上昇するという懸念もある。そこで，裁判所は，許可をするにあたり，当事者間の利益の衡平を図るため，賃料を変更したり，借地権者から借地権設定者に金銭を支払わせるなどの相当の処分をすることができる（同条3項）。許可及び相当の処分をするにあたっては，裁判所は，諸事情を考慮し，また，原則として鑑定委員会の意見を聴く必要がある（同条4項・6項）。

また，借地上の建物の増築や改築には借地権設定者の承諾を要するという特約があるのが通常であるが，その承諾について協議が調わない場合，裁判所が借地権設定者の承諾に代わる許可を与えることができる。これについても同様の手続が設けられている（同条2項～4項・6項）。

これらの裁判の手続については，非訟事件手続法及びその特則である借地借家法41条～60条の定めるところによる[23]。

3 賃借人側の第三者との関係

(1) 借　　地

(a) 転借地権者等の保護

転借地権がある場合，借地契約の存続等にあたって，転借地権者の行為や事情が，借地権者に準じるものとして評価されることがある（借地借家5条3項・6条・7条1項・3項・8条5項・12条4項・18条2項・19条7項・20条5項・21条）。また，転借地権者は，借地権設定者に対し，直接，建物買取請求権を有する（同13条3項・16条）。借地借家法により，転借地権者の法的地位が明確にされたものである（研究会編162頁以下）。

借地上の建物の賃借人についても，保護規定がある。すなわち，建物賃借人は，借地権の存続期間が満了すると土地を明け渡さなければならなくなるが，同人が存続期間の満了することをその1年前までに知らなかったときは，裁判所に申立てをすると，1年間の範囲内で明渡しを猶予されることがある（借地借家35条）。借地権設定者Aは借地権者Bが借地上の建物を賃貸することに容喙できないこと（Aは土地の無断転貸を理由に借地契約を解除できない→第3節4(1)(a)(i)〔439頁〕），建物賃借人Cの使用の安定性を配慮する必要があること，借地契約の更新拒絶についての正当事由の判断にあたっては，特段の事情のない限り，B側の事情としてCの事情は考慮されないこと（→2(1)(a)(ii)α1つ目の◆〔463頁〕），という各当事者の立場を考慮したうえ，借地借家法によってとられた調整方法である。もちろん，借地契約が更新された場合や，更新拒絶が認められてもBが建物買取請求権（同13条）を行使した場合は，Cの建物賃借権は存続する。

(b) 土地の賃借権の譲渡・転貸の許可

賃借人が賃借権の譲渡や賃借物の転貸をしたいと考えても，民法上は，賃貸

---

[23] 借地条件の変更・増改築の許可，借地契約更新後の建物再築の許可，土地賃借権の譲渡又は転貸の許可，建物競売の場合の土地賃借権の譲渡の許可（借地借家17条～20条）について，借地非訟事件と呼ばれる手続が発達している（2011年の新非訟事件手続法の制定に伴い，借地借家法41条以下の手続が改正され，現行規定となった）。石渡圭「非訟事件手続法の施行に伴う借地借家法の一部改正について」NBL 966号（2011）46頁。

人が承諾しなければ，できない（612条）。しかし，土地については，賃借人が誰であるかによって損傷の相違が生じることは少ない（産業廃棄物の投棄や土壌汚染などはありうるが，例外的である）。また，大都市などでは，借地権の価値は高く，借地権者がその換価を必要とすることがある。そこで，裁判所が一定の要件のもとに借地権設定者の承諾に代わる許可を与える制度がある。すなわち，借地権者が借地上の建物を第三者に譲渡し，これに伴いその第三者に賃借権を譲渡し，又は借地を転貸しようとする場合に，借地権設定者に不利となるおそれがないのに，借地権設定者が譲渡・転貸を承諾しないときは，借地権者の申立てにより，裁判所は，承諾に代わる許可を与えることができる。この場合，裁判所は，借地条件の変更を命じ，又は財産上の給付をさせることができる（借地借家19条。裁判手続は，前掲注23）参照。借地上の建物の競売による土地賃借権譲渡の場合につき，同20条）。借地権が地上権である場合は，対象外である（借地権者は自由に譲渡できるから）。

(c) 第三者の建物買取請求権

第三者が借地上の建物を取得した場合（借地権者から建物の譲渡を受けた場合や，これを競売により取得した場合），借地権設定者が敷地の賃借権の譲渡又は転貸を承諾しないときは，その第三者は，借地権設定者に対し，その建物を時価で買い取るべきことを請求することができる（借地借家14条）。建物のほか，借地権者が権原によって土地に附属させた物も同様である。第三者が建物を取得した後，建物買取請求権を行使する前に，借地権設定者が612条2項により賃貸借契約を解除したとしても，同請求権は消滅しない（大判昭14・8・24民集18巻877頁参照。他の場合も含め，鈴木＝生熊・新版注民（15）575頁以下，山本豊・稲本＝澤野編・前掲注17）111頁以下参照）。

(2) 借　　家

(a) 転借人の保護

建物賃貸借の更新及び解約申入れに際して，転借人の使用継続や事情は，賃借人に準じるものとして評価される（借地借家26条3項・28条・30条）。

このほか，建物賃貸借が期間満了又は解約申入れによって終了する場合について，転借人の保護が図られている。第1に，この場合，転借人は，賃貸人に対し，直接，造作買取請求権を有する（同33条2項）。第2に，この場合，賃

貸人は，転借人に建物賃貸借が期間満了又は解約申入れによって終了する旨の通知をしないと，その終了を転借人に対抗することができない。通知をすれば，建物転貸借は，通知の日から6か月を経過することで終了する（同34条・37条）。

(b) 建物賃借人の死亡

賃貸借契約は，賃借人の死亡によって終了することはなく，賃借人たる地位は相続される。そこで，居住用の建物の賃借人が死亡した場合，相続人及びその建物内に居住している賃借人の家族との関係が問題となる。3つの場合がある。

①相続人が居住者である場合。たとえば，賃借人Bと妻が同居しており，Bが死亡した場合である。妻は賃借権（賃借人たる地位）を相続し，その建物に居住し続けることができる。Bの相続人が他にもいる場合は，賃借権の帰属は共同相続人間の遺産分割によって決まるが，遺産分割までの間は，妻は居住し続けることができる（配偶者は少なくとも2分の1の法定相続分を有するので，他の共同相続人が賃貸借契約を解除することはできない）。

②相続人は居住しておらず，居住者は相続人でない場合。たとえば，賃借人Bの相続人は弟B′（その建物には居住していない）であり，Bと同居していたのは内縁の妻Cであった場合である。2つの場面で問題が生じる。ⓐ建物賃貸人AがCに対し，明渡しを求める場面。判例は，賃借権はB′が相続するが，CはB′の賃借権を援用して，Aに対し当該建物に居住する権利を主張できるという（援用権説。最判昭37・12・25民集16巻12号2455頁〔賃借人の事実上の養子〕，最判昭42・2・21民集21巻1号155頁〔賃借人の内縁の妻〕，百選Ⅱ〔5版〕65〔松倉耕作〕）。この説では，CはB′と共同賃借人となるわけではないので，Aに対する賃料支払義務はB′が負い，B′にCが支払うという不安定な関係になる。また，B′が賃料を支払わずAが解除した場合や，B′が賃借権を放棄した場合の問題，Aの更新拒絶・解約申入れに際してCの事情が賃借人側の事情として考慮されるかどうかが不明であるという問題もある。そこで，学説では，借家権の主体は家庭共同体であり，契約名義人はその代表者であるという見解（家庭共同体説。星野・借地借家592頁以下，星野238頁）などが提唱されている。ⓑ相続人B′がCに対し，明渡しを求める場面。ここでは，B′の請求が権利濫用として退けられることがある（最判昭39・10・13民集18巻8号1578頁〔持ち家の

③相続人が存在せず，相続人でない者が居住する場合。たとえば，賃借人Bと内縁の妻Cが同居しており，Bが死亡したが，Bには相続人がいなかった場合である。この場合について，借地借家法は，「居住用建物の賃貸借の承継」の規定を置く（同法36条）。すなわち，建物賃借人と「事実上夫婦又は養親子と同様の関係にあった同居者」は，建物賃借人の権利義務を承継する。ただし，賃借人が相続人なしに死亡したことを知った後1か月以内に，同居人が賃貸人に，反対の意思を表示したときは，承継しない。そうでなく，承継されたときは，建物賃貸借関係に基づいて生じた債権債務は，承継者に帰属する。

> ◆ **同居者の居住保護の立法的解決**　上記②の場合の法律関係の不安定さが残されており，立法的解決が検討されたこともある。しかし，建物の同居者の保護については，様々な場面についての検討を要すること（建物が自己所有物件か賃借物件か，同居者が配偶者か否か，相続の場面か離婚の場面か，相続において生存同居者が単数か複数か，の組み合わせ），また，賃借権の承継を相続財産の分配においてどう取り扱うべきかの問題もあることなどから，見送られた。②が活発に論じられたことの背景には戦後の住宅難があるが，その後，住宅事情が変化したこと，また，定期借家契約が導入されたことから，議論はやや下火になっている（他方，被相続人の所有する建物に居住していた生存配偶者の保護については，2018年の民法改正により，配偶者居住権〔1028条〜1036条〕及び配偶者短期居住権〔1037条〜1041条〕の各制度が新設された）。

4　賃借人側でない第三者との関係

(1)　借　　地

民法上は，賃借権の登記（605条）をしなければ，不動産賃借人は賃借権を新所有者等に対抗できないが，土地所有者（賃貸人）の協力が得られないことが多い。そこで，借地人保護のため，建物保護法が制定され，それが借地借家法に引き継がれた（→第4節2(1)(a)(ii)〔447頁〕）。すなわち，借地権は，その登記がなくても，「土地の上に借地権者が登記されている建物を所有するとき」は，第三者に対抗できる（借地借家10条1項）。

建物保護法のもとで，借地人の登記の要件について，2つの系列の判例があった。①一方で，地上建物の登記上，建物の所在地番に多少の相違があっても，登記の表示全体から建物の同一性を認識できる程度の軽微な相違であるときは，

借地権に対抗力はある，という柔軟な解釈をする。土地を買い受けようとする者は，現地を見て，建物の所在を知り，ひいては賃借権等の存在を推知できるからだという（最大判昭40・3・17民集19巻2号453頁）。②他方で，建物の登記は借地人の自己名義である必要があり，借地人の子や妻の名義の登記のある建物があっても，借地権に対抗力はない，という厳格な解釈をする（最大判昭41・4・27民集20巻4号870頁〔長男名義の登記〕，百選Ⅱ58〔副田隆重〕，最判昭47・6・22民集26巻5号1051頁〔妻名義の登記〕，百選Ⅱ〔4版〕60〔内田勝一〕）。これは，借地上の建物の登記（旧建物保護1条〔借地借家10条1項〕）を賃借権の登記（605条）の代用物としてとらえ，第三者が権利者を推知できるようにするためには正しい名義であることが必要だとし，それによって取引安全との調和を図るという考え方である。これに対し，土地を買おうとする者は現地を見るのが通常であり（①の理由中の指摘），そこに居住者の表札のある家があれば，その家の登記名義人が借地人本人か，その妻や子であるかにかかわらず，借地権の存在を認識できるはずだと批判し，土地に対する現実的支配を重視して，借地権をより保護すべきだという学説が有力である。登記による公示で決着をつけるのか，土地を取得しようとする者に現地を見る程度の調査義務のあることを前提とするのかという対立である（内田228頁）。なお，賃借権が対抗力を欠いていても，敷地の新所有者からの明渡請求が権利濫用とされる場合もある（最判昭38・5・24前掲，最判平9・7・1民集51巻6号2251頁〔建物の敷地である甲地と隣接する乙地とを賃借し一体として利用していても，借地権の対抗力は乙地には及ばないことを前提とする〕）。

　借地借家法は，この対立について明示的な解決をしていないが，借地権の対抗力に関する新たな制度を設けた。建物保護法では，借地権者が借地上に自己名義の登記のある建物を所有していても，建物が滅失した場合，再築前に，敷地が第三者に譲渡されると，借地権者は借地権を対抗することができない。借地借家法は，この場合，借地権者が借地上の見やすい場所に，「その建物を特定するために必要な事項，その滅失があった日及び建物を新たに築造する旨」を掲示しておけば，建物滅失の日から2年間は，借地権が対抗力をもつとした（同法10条2項本文）。ただし，この2年が経過する前に，建物を新たに築造し，かつ，その建物について登記することが必要である（2年以内に再築・登記をすれば，2年経過前に現れた敷地の譲受人に対し，2年経過後も，引き続き対抗できる。

同項但書）。建物の残影としての掲示（研究会編131頁）による仮の明認方法とでもいうべき制度である。ここに「建物登記簿一辺倒」の姿勢から「現地主義加味」への転換があると評価し，建物保護法時代の厳格な判例（上記の②の系列）は，維持されるべきでないという指摘がある（広中202頁以下，大村（5）117頁。借地借家法10条1項の文言〔借地権者が「登記されている」建物を所有するとき，という表現〕も理由とする）。

> ◆ **建物の譲渡担保の場合**　土地賃借人Bが第三者Cに対し，借地上の建物を譲渡担保とし所有権移転登記をしたとしても，Bが同建物を引き続き占有している場合は，土地賃借権の譲渡・転貸があったとはいえず，賃貸人Aは解除できない（最判昭40・12・17前掲→第3節4(1)(a)(iii)1つ目の◆〔441頁〕）。しかし，Bは，登記上，自己名義の建物を所有していない状態になるので，その後，Aから敷地を譲り受けたDに対し，借地権を対抗できない。Bの保護は，背信的悪意者排除論や権利濫用法理によることになる（最判平元・2・7判時1319号102頁）。これに対し，借地権の対抗力をより広く認める見解もある（内田勝一「判批」ジュリ増刊担保法の判例Ⅱ〔1994〕22頁）。「現地主義」を，建物の同一性の判断，借地権者の判断，建物及び借地権の権利関係の判断のどこまで及ぼすべきか（譲受人の調査義務をどこまで広げるか）の問題である。

(2) 借　　家

借家においては，建物の引渡しがあれば，賃貸借に対抗力が生じる（借地借家31条1項）。建物賃借人は，入居していれば，その賃借権に対抗力が備わることになり，その保護は厚い。借家法以来の規律である（旧借家1条1項）。

なお，借地・借家を通じて，賃借人が借地借家法上の対抗要件を備えた場合，不動産の賃貸人たる地位の移転及び賃借人による妨害停止の請求等については，民法の規定するところによる（605条の2・605条の4）。

5　被災借地借家法[24]

以上が借地借家法を中心とする特別法の規律であるが，2013年に「大規模な災害の被災地における借地借家に関する特別措置法」（被災借地借家法）が制

---

24) 岡山忠広編著『一問一答　被災借地借家法・改正被災マンション法』（2014）（概要は，岡谷忠広「被災関連二法の概要」ジュリ1459号〔2013〕39頁，吉政知広「被災地借地借家法における借地権に関する特例」同46頁。

定された（同年施行）。従来の制度が使いにくくなっていたので，新たな制度が設けられたものである。

◆ **被災借地借家法の内容**　大規模な火災，震災その他の災害が発生し，政令で特定大規模災害と指定された場合，被災地における借地借家について次の特別措置が適用される（被災借地借家〔以下，本項で「法」という〕2条）。①借地契約の解約等の特例。特定大規模災害により借地上の建物が滅失した場合，政令施行日から1年間は，借地権者は地上権の放棄又は土地賃貸借の解約申入れをすることができ，放棄又は解約申入れの日から3か月を経過すると借地権は消滅する（法3条）。借地借家法上は，契約更新後にのみ認められているが（借地借家8条1項），更新前にも可能にする。②借地権の対抗力の特例。借地上に借地権者が登記されている建物を所有している場合，特定大規模災害によってその建物が滅失したとしても，政令施行日から6か月間は，掲示などすることなく借地権を第三者に対抗することができ，必要事項を記載した掲示を借地上にしたときは，政令施行日から3年間，借地権を第三者に対抗することができる（法4条）。借地借家法10条の特則である。③土地賃借権の譲渡・転貸の許可の特例。特定大規模災害によって借地上の建物が滅失したときは，借地権者の申立てにより，借地権設定者の承諾に代わる許可を与えることができる（法5条）。借地借家法19条の特則である。④被災地短期借地権。被災地においては，存続期間5年以下で契約の更新を認めない短期の借地権の設定ができる（法7条）。仮設住宅や仮設店舗を想定している。⑤従前の賃借人に対する通知。特定大規模災害によって賃借建物が滅失した場合，従前の賃貸人が滅失した建物の敷地に滅失直前と同一用途に供される建物を再築し，再度賃貸しようとするときは，従前の賃貸人は従前の賃借人（所在のわかっている者）に対し，その旨の通知をしなければならない（法8条）。再築建物の賃貸借についての任意の交渉を促すものだが，従前の賃借人に優先借家権を与えるわけではない。

◆ **従来の制度**　大災害があった場合の借地借家に関する特別措置を定めるものとしては，関東大震災後の借地借家臨時処理法（1924年）を出発点とし，第2次大戦後は，罹災都市借地借家臨時処理法（1946年）が，長年，根拠法となっていた（我妻中Ⅰ399頁以下）。同法は，災害で滅失した建物の賃借人に敷地の優先借地権や優先借家権を与えるなど，建物賃借人の保護に手厚いものである。しかし，戦争直後から時を経て，集合賃貸建物や区分所有建物が増え，また，借地権の財産的価値が大きくなっている現代において，従来の法制度には，建物賃借人の保護が過大であること，被災地における暫定的な土地利用に応える制度がないことなどの問題が生じていた。同法は，政令で指定された災害に適用されるが（1956年改正後），阪神・淡路大震災（1995年）の際には適用されたものの，東日本大震災（2011年）の際には，関係市町村の意向などもあり，適用が見送られた。その際にも，このような問題が指摘された。そこで新たに制定されたのが，被災借地借家法である。

第12章 雇　　用

第1節 意　　義

1 雇用と役務提供契約

　雇用とは，当事者の一方が相手方に対して「労働に従事すること」を約束し，相手方が「これに対してその報酬を与えること」を約束することによって成立し，効力を生ずる契約である（623条）。労働に従事する人を労働者，報酬を与える人を使用者という。諾成・双務・有償契約である。役務提供契約であり，継続的契約でもある。

　本章から始まる4つの章で取り上げる雇用・請負・委任・寄託は，役務の提供を契約の主要な内容とするものであり，役務提供契約（労務供給契約）といわれる。請負は，ある仕事の完成を目的とし（632条），委任は，受任者の裁量のもとに委任者の事務を処理することを目的とし（643条・644条・656条），寄託は，ある物を保管することを目的とする（657条）。これらに対し，雇用は，「労働に従事すること」自体を目的とするものである。さらに，現在では，雇用は，使用者が労働者に対し指揮命令をしうること（労働者の従属性）が特徴であると理解されている（我妻中Ⅱ 532頁・539頁・549頁）。なお，役務提供契約以外の契約でも当事者の役務の提供を伴うことはある（賃貸借における保存・修繕など）。

　● 雇用は，会社に勤める，パートで働く，臨時のアルバイトをするなど，社会において広く行われている重要な契約である。請負は，工務店に家を建ててもらう，委任は，弁護士に訴訟を依頼する，寄託は，ペットホテルに犬を預けるなどの契約である。詳しくは，後に検討する（→第15章第6節〔559頁〕）。

◆ **役務提供契約の特徴**[1]　　　従来，契約法で想定されてきた取引は，主として物の

第12章 雇　用

取引であったが，近年，サービス取引の重要性が増加したこともあり，役務提供契約が注目されている。「物」と比較すると，役務（サービス）には，貯蔵不可能性，無形性（視認困難性），復元・返還・譲渡の困難性（不可逆性，一過性），品質の客観的評価の困難性などの特徴がある。役務提供契約は，これらの特徴を反映し，債務内容を確定しにくいこと，その履行が供給者の行為態様や受給者の協力など可変的な要素による影響を受けること，これらの結果，契約内容に適合した履行の有無の判定が困難であること，不履行による損害が受給者の身体や一般財産に及びうること（拡大損害が問題となりやすいこと），新種の役務提供契約が少なくないことなどの特徴がある。「物」の具体性に依存できないため，役務提供契約においては債務内容をより詳しく明確にすることが求められるが，それには限界があり，信頼や評判など不確定な要素に頼らざるをえないことが多い。そこで，契約の拘束力を弱め，締結後も離脱を容易にすることによって，当事者間の利益調整が図られることがある（契約の一方的解消の要請）。また，役務の提供は，一定時間の経過を伴うことが多く，それが途中で不可能になることもあるため，その場合の報酬が問題となることがある（報酬の規律の要請）。

◆ **役務提供契約の一般規定**　明治民法の起草者は，役務提供契約の原型（受け皿）として雇用を想定したようだが，その後，雇用に「使用従属性」の要素が取り込まれるようになったことから，原型の役割は準委任（656条）が担うようになった（基本方針Ⅴ4頁以下）。しかし，準委任には，当事者間の信頼関係を基礎にするという特徴があり，原型とするには問題がある。そこで，役務提供契約に関する一般的な規定についての立法提案がされた（松本恒雄「サービス契約」改正課題202頁，基本方針Ⅴ3頁以下）。部会でも当初，「準委任に代わる役務提供型契約の受皿規定」の新設の要否が論点とされ（論点整理説明420頁以下），次いで，準委任の規定を「受任者の選択に当たって……受任者の属性が主要な考慮要素」であるものと，そうでないものに分けて規律する提案がされた（中間試案説明499頁以下）。しかし，結局，この点についての規定は置かれないことになった（山本豊・新注民（14）13頁以下，手嶋豊「役務提供契約」改正と民法学Ⅲ299頁）。抽象度を高めた契約類型を設定することに対する懐疑ないし危惧が強く，各典型契約の規範から抽象的な共通規範を抽出することよりも，典型契約のレベルで一般法の例示をすることが好まれたように感じられる[2]。もっとも，改正民法においては，役務提供型の契約を横断的に検討したうえでの報酬に関する規定の整備が進んだ（624条の2・634条・648条3項・665条など）。

---

1)　中田・研究159頁以下，基本方針Ⅴ3頁以下。
2)　中田ほか・改正303頁以下［中田］。大村（5）152頁以下は，契約類型に対する理解が得られなかったことを指摘する。

2　雇用と労働契約

　雇用に関する民法の規定は，対等な当事者が自由に内容を協議して合意し，それを履行するという契約を想定している。しかし，現実には，企業を中心とする使用者と個々の労働者との間には，契約締結段階において，交渉力の格差がある。また，雇用は，使用者の指揮命令を予定するものであるため，契約の履行段階において，使用者の行きすぎた支配が問題となることがある。雇用は，継続的契約であり，労働者の生活の基盤となっていることが多いので，契約の終了段階においても，民法の一般的規律を適用することが妥当ではないことがある。

　そこで，労働者を保護する労働法の規律が発達した。第 2 次大戦後，憲法 27 条 2 項を受けて労働基準法が制定された（1947 年公布・施行）。本法は，労働者を保護する基本法であり，「労働契約」について刑事罰や行政監督などの公法的規制がされる。その後，労働基準法などの労働者保護法に反しない枠内で，使用者と労働者が合意する具体的な「労働契約」についての私法的規律として，労働契約法が制定された（2007 年公布，08 年施行）。現在，雇用契約は，ほとんどの場合，これらの法律により規律されている。そこで，以下では，ごく簡単な説明にとどめ，詳しい内容は労働法の著作に委ねる。

　なお，「労働契約」について民法の雇用の規定が適用されるのは，①労働基準法・労働契約法等で規律されていない規定（労働者側からの解除・解約申入れなど），②労働契約法の適用除外とされる「使用者が同居の親族のみを使用する場合」（労契 22 条 2 項。労基 116 条 2 項参照）である。労働基準法と労働契約法の「労働契約」は基本的に同一のものと解されているが（菅野・労働 148 頁・150 頁。荒木・労働 49 頁参照），雇用と労働契約との関係については議論がある。

◆ **雇用と労働契約の関係**[3]　　明治民法の起草者は，雇用を広い概念として理解し，医師や弁護士などの労務も含まれると考えていた（旧民法財産取得編 266 条を改めた。民法速記録Ⅳ 458 頁以下〔穂積陳重発言〕）。しかし，その後，医師や弁護士の仕事は雇用ではなく委任であると理解されるようになり，戦後は，雇用は使用者による指揮

---

[3]　基本方針Ⅴ 3 頁以下，土田道夫編『債権法改正と労働法』(2012) 2 頁〔水町勇一郎〕・242 頁以下〔座談会・債権法改正と労働法〕，山川隆一・新注民 (14) 19 頁以下，同・改正コメ 852 頁。労働契約法制定前の労働契約につき，中田「契約解消としての解雇」新堂幸司＝内田貴編『継続的契約と商事法務』(2006) 215 頁参照。

命令と被用者の従属性がある契約だと理解されるようになった（我妻中Ⅱ532頁）。このように，民法上の雇用の概念は限定されていった。他方，労働法では，労働基準法（1947年）に「第2章　労働契約」を置き，労働契約の概念を設定した。同法は，労働条件の最低基準や労働者の人権保障を定めるものであり，強行規定であって（労基13条），違反に対しては公法的規制が用意されている。その後，労使間の私法的規律として，労働契約法が制定された（2007年）。もっとも，同法の労働契約も労働基準法の枠内のものであるから，契約自由を支援するための類型というよりも，規制の対象としての類型という意味をもつ。

雇用と労働契約との関係については，①雇用も労働契約も指揮命令関係のある契約であり，対象となる契約は同一であると理解する「同一説」が労働法学の通説だといわれる。これに対し，②契約自由を基本とする民法と生存権を基本とする労働法とは理念が異なり，それを反映して雇用と労働契約は規制原理が異なるとする「峻別説」が一時期有力であったが，支配的にはならなかった。その後，③民法の雇用の意義について再検討したうえ，雇用と労働契約との概念の相違を認める「新たな峻別説」が登場した[4]。

同一説は，雇用と請負の間や雇用と委任との間の「グレーゾーン」も，指揮命令に服する使用関係があれば，雇用すなわち労働契約であると考える（荒木・労働47頁以下）。これは，雇用の概念を請負及び委任との関係で拡張するものである。もっとも，刑事罰や行政監督による公法的規制である労働基準法及びその枠内の労働契約法が「規制対象」とする労働契約と，典型契約の1つとして，当事者の契約自由を支援する民法上の雇用とでは，観点が異なる。労働法の「規制対象」という観点のみで，民法の雇用・請負・委任の概念区分を決定することは，行きすぎではないだろうか。それは，典型契約の本質的性質に関する一般的検討（大村・前掲第1章注60），石川・前掲第1章注60）など）を制約する。また，請負や委任の概念を，その固有の意義にかかわらず，外から限定することになる。制定法のレベルでは，下請企業を保護する法律（下請代金支払遅延等防止法など）との関係も不明瞭になる。これに対し，民法においても雇用にあたるかどうかは実質的に判断されることを理由として，労働契約との同一性を導く議論がある（荒木・労働48頁）。たしかに，契約の性質は，当事者の付した名称だけではなく，実質によって判断されるが，それは具体的契約の法的性質決定の問題であり，雇用・請負・委任の各典型契約の概念の確定の問題とは次元が異なる。民法上，雇用である場合のほか，請負や委任とされる場合であっても，「労働契約」に該当することがあると考える（菅野・労働150頁参照）。その意味で，「新たな峻別説」の方向を支持したい。

なお，今回の民法改正に関する審議では，民法の雇用に関する規定と労働契約法

---

[4]　①は，荒木・労働47頁以下など。③は，村中孝史「労働契約概念について」京都大学法学部創立百周年記念論文集刊行委員会編『京都大学法学部創立百周年記念論文集第3巻』（1999）485頁，鎌田耕一「雇傭・請負・委任と労働契約」横井芳弘ほか編『市民社会の変容と労働法』（2005）151頁。他の文献は，土田編・前掲注3）2頁［水町］参照。

の関係のあり方が検討課題となりうるが，当面，民法と労働契約法との関係については現状を維持することとされた（論点整理説明 430 頁。基本方針Ⅴ 243 頁以下参照）。

◪ **雇用の規定における当事者の対称性**　民法の雇用の節は賃貸借の節と構成がよく似ている（623 条と 601 条，624 条と 614 条，625 条と 612 条，626 条と 604 条，627 条～630 条と 617 条～620 条，631 条と〔2004 年改正前〕621 条を対比せよ）。雇用は労務の賃貸借（「自己と自己の労務を貸す」）であって物の賃貸借（「物を貸す」）などとともに「貸借」として理解されてきた沿革を反映する（民法修正案理由書 594 頁，原田・ローマ法 189 頁以下参照）。そこでの当事者は，対等な存在であり，対称的である。この対称性は，雇用は対等で自由な当事者間の合意であるという近代法の契約観にも合致する。これに対し，労働契約では，当事者は非対称的である。これにも歴史的な背景と思想的な背景がある。市民法と社会法という図式だけでなく，より立ち入った分析の余地がありそうである（土田編・前掲注 3）252 頁～256 頁〔中田発言〕）。

第 2 節　雇用の成立

雇用は，当事者の合意によって成立する諾成契約である（623 条）。労働法においても，諾成主義がとられるが（労契 6 条），使用者は，労働契約の締結に際し労働条件の明示をしなければならず（労基 15 条），労働者に提示する労働条件及び労働契約の内容についての労働者の理解を深めることが求められており（労契 4 条 1 項），当事者は，労働契約の内容をできる限り書面で確認することが求められる（同条 2 項）。

契約の成立時期については，採用内定により，始期付き解約権留保付きの労働契約が成立すると解されている（最判昭 54・7・20 前掲〔大日本印刷事件。内定取消しを解約権の濫用であり無効とした〕，菅野・労働 230 頁以下，荒木・労働 368 頁以下，山川・新注民 (14) 28 頁以下）。

第 3 節　雇用の効力

1　労働者の義務

(1)　労働従事義務

雇用契約が成立すると，労働者は，労働に従事する義務を負う（623 条）。その際，使用者の指揮命令に従わなければならない。この指揮命令権は，雇用契

約に基づくものであるから，その内容は，契約で合意されたところによる。労働法においては，就業規則が労働条件の最低基準を画するとともに（労契12条），周知された就業規則の合理的な労働条件は，労働契約の内容となる（同7条）。また，労働協約があれば，組合員の労働契約における労働条件等の基準となる（労組16条。労基92条参照）。

労働者は，労働従事義務を自ら履行しなければならず，使用者の承諾を得なければ，自己に代わって第三者をその労働に従事させることができない（625条2項）。労働者がこれに反したときは，使用者は，雇用契約を解除することができる（同条3項）。労働法において，この解除権の行使については，解雇に関する規制が適用される（労契16条・17条，労基19条・20条）。

(2) **付随的義務**

労働者は，秘密保持義務（労働に従事したことによって知りえた営業秘密や使用者の私事を他に漏らしてはならない），競業避止義務（使用者と競合する業務をしてはならない）などの義務を負う。雇用契約の解釈によって導かれるものであるが，付随的義務と呼ばれることが多い（我妻中Ⅱ568頁，星野255頁）。労働法においては，誠実義務（労契3条4項）の具体化として説明される（菅野・労働157頁以下，荒木・労働306頁以下）。就業規則で具体的に規定されていることも多い。

2 使用者の義務
(1) **報酬支払義務**
(a) 報酬の内容と支払方法など

使用者は，労働者が労働に従事することに対する報酬を支払う義務を負う（623条）。支払方法などについては，雇用契約で合意されたところによる。

民法は，支払時期について規定する。すなわち，労働者が報酬を請求できるのは，約束した労働を終わった後である（624条1項）。労働従事義務を先履行（報酬後払）とし，533条を適用しないのが当事者の通常の意思であり，慣習に従ったものであると説明される（梅685頁）。ただし，報酬を期間によって定めた場合には，その期間の経過した後に請求することができる（624条2項）。これは，任意規定であり，当事者の特約があれば，それによる。

労働法では，報酬は賃金と呼ばれ（労契6条。労働基準法11条の「賃金」は客

観的に明らかにされるべきものとされる〔菅野・労働421頁〕），支払方法などについて詳しく規定される。すなわち，賃金は，通貨で，直接労働者に，全額を，毎月1回以上，一定の期日に支払わなければならない（労基24条）。労働者が非常の費用に充てるために請求する場合の支払期日前の支払（非常時払）も義務づけられる（同25条）。最低賃金も法定される（最低賃金法）。そのほか，賃金の決定についての労使交渉の法的基礎を整えたり，一定事由による賃金の不利益取扱いを禁止したりする規律が定められている（菅野・労働426頁以下）。

(b) 労働従事と報酬請求の関係

(i) 原則　労働者は，労働に従事すれば，支払時期（624条又は特約により定められた時期）に報酬を請求することができる（623条）。労働者が労働に従事しなければ，報酬を請求することはできない（ノーワーク・ノーペイの原則）。

労働者は，支払時期の前に労働に従事しなくなった場合でも，次の2つの場合には，既にした履行の割合に応じた報酬を請求できる（624条の2）。

①使用者の責めに帰することのできない事由によって労働に従事できなくなったとき（同条1号）。これは，当事者双方に帰責事由なく履行が不能となった場合，及び，労働者の帰責事由によって履行が不能となった場合である。使用者の帰責事由による場合は，次項（(ii)）の問題となる。

②雇用が履行の中途で終了したとき（同条2号）。これは，雇用が，契約期間満了や契約で定められた労務の終了ではなく，他の原因によって終了したときのことである。雇用が解除された場合（①にはあたらないとき），労働者の死亡によって雇用が中途で終了した場合などである（部会資料81-3，第12説明1，一問一答331頁）。

今回の改正で，各種の役務提供契約を通じて，役務提供の履行の割合に応じた報酬のあり方が検討され，雇用についてはこのような規律が設けられた（請負は634条，委任は648条3項，寄託は665条・648条3項）。

(ii) 例外　労働者が労働に従事しなくても，従事できなくなったのが使用者の責めに帰すべき事由による場合は，労働者は，報酬を請求することができる（536条2項前段）。ただし，労働者が労働従事義務を免れたことによって利益を得たときは，これを使用者に償還しなければならない（同項後段）。同項前段は，債権者（使用者）は，「反対給付の履行を拒むことができない」という規律であるが，報酬請求権の発生根拠を示すものと解すべきである（山川・新注

民（14）65頁以下，一問一答229頁→第3章第3節2(3)(a)1つ目の◆〔169頁〕）。

なお，使用者の帰責事由による履行不能と使用者の受領遅滞との関係については，前述した（→第3章第3節2(3)(a)2つ目の◆〔169頁〕）。

◆ **改正の経緯**　旧536条2項前段は，債権者（使用者）の帰責事由による履行不能の場合，債務者（労働者）は，「反対給付を受ける権利を失わない」と規定しており，これが報酬請求権の発生根拠となると理解されていた。今回の改正により，危険負担制度が反対給付債務の消滅構成から反対給付の履行拒絶権構成へと改められ（→第3章第3節2(1)〔165頁〕），536条2項前段は，債権者は，反対給付の履行（報酬の支払）を拒むことができないという規定になった。部会では，そのように改めると，労働者の報酬請求権の発生根拠が不明確になるという懸念が示され，旧536条2項の規律を維持しつつ，同項とは別に報酬請求権の発生根拠となる規定を設けることも検討された（中間試案説明507頁，部会資料73A，第1，1 (2)）。しかし，その規定により請求できる報酬の範囲が必ずしも明確ではないこと，そのような規定を雇用についてのみ設けると，請負・委任における報酬請求権の規律について疑義が生じることなどの問題が指摘され，結局，この規定は設けられず，引き続き536条2項に委ねることとされた（部会資料81-3，第12説明2，同83-2，第37，1説明）。この経緯に照らしても，同項の規律内容の実質は変化していないと解すべきである。

◆ **ノーワーク・ノーペイの原則の根拠規定**　改正前民法のもとで，同原則は，雇用契約の性質それ自体に基づくことから623条を根拠とするのが一般的であるといわれていたが（基本方針Ⅴ23頁参照），624条を根拠とする見解（潮見233頁，潮見新各Ⅱ187頁，山川・新注民（14）52頁以下，荒木・労働135頁）も多い。①抽象的報酬債権（我妻中Ⅱ580頁のいう「基本債権」）と②具体的報酬債権を区別する（山川・前掲53頁。基本方針Ⅴ23頁以下参照→第11章第2節2(2)(b)(i)◆〔402頁〕）として，623条は①②を定めたのか，623条は①を定め，624条が②と支払時期を定めたのかという問題である。どちらも可能だが，冒頭条文である623条が雇用の内容を表すものであること，支払時期に関する他の典型契約の規定（614条・633条）との関係を考えると，623条を根拠にしてよいのではないか。

労働法では，休業手当に関する規定がある。すなわち，「使用者の責に帰すべき事由による休業」の場合，使用者は，休業期間中，労働者に対し，その平均賃金の60％以上の手当を支払わなければならない（労基26条。違反には罰則がある。同120条1号）。536条2項では，「債権者の責めに帰すべき事由によって債務を履行することができなくなったとき」には，使用者は報酬全額を支払

◆ **536条2項と労働基準法26条の関係**　第1に，要件の問題がある。労働基準法26条の「責に帰すべき事由」は，536条2項の「責めに帰すべき事由」よりも広い概念であると解するのが労働法学の通説（菅野・労働457頁，荒木・労働140頁・711頁など）であり，判例（最判昭62・7・17前掲〔ノース・ウエスト航空事件。「使用者側に起因する経営，管理上の障害」は，後者には含まれないが前者には含まれるという〕）である（星野261頁も同様。広中254頁は反対）（→第3章第3節2(3)(b)2つ目の◆〔170頁〕）。第2に，労働者が使用者の責めに帰すべき事由によって労働に従事できない間に他で働いて収入を得た場合，その償還と休業手当の保障の関係が問題となる。判例は，解雇が無効とされた場合に解雇時から解雇無効判決等の時までの間に労働者が得た中間収入につき，労働者は，特段の事情がない限り，中間収入を使用者に償還すべきであるが（旧536条2項後段），平均賃金の6割までは休業手当が保障されるので（労基26条），使用者が遡及して支払うべき賃金額から控除できるのは平均賃金の4割までであるとする（最判昭37・7・20前掲〔米軍山田部隊事件〕，最判昭62・4・2判時1244号126頁〔あけぼのタクシー事件〕。菅野・労働804頁以下，荒木・労働341頁以下参照）。

(2) 権利の譲渡制限

使用者は，労働者の承諾を得なければ，その権利を第三者に譲り渡すことができない（625条1項[5]）。承諾のない譲渡は，無効である（我妻中Ⅱ567頁）。使用者が変わると労働の内容も変化することが多いし，使用者と労働者の間の人的関係を使用者の意思だけで他に移転することを認めるべきではないことが理由とされるが，使用者が企業である場合には，この理由が妥当しないこともある（我妻中Ⅱ566頁以下）。

労働法では，この規律は，使用者の地位の譲渡による転籍の場合に適用されると解されている。もっとも，転籍には，他の法律構成による場合もある（会社分割による転籍については，労働契約承継法がある）。この規律は，また，指揮命令権が譲渡される場合（出向など）にも及ぶと解する説もある。もっとも，出向については，労働者の事前の包括的同意でも足りると解することにより，個別的同意がない出向も命じうると解するものが多い（菅野・労働735頁以下，荒木・労働460頁以下）。

---

[5]　土田編・前掲注3）44頁以下〔本庄淳志・大内伸哉〕。

(3) 安全配慮義務

使用者は，労働者が労働に従事するにあたり，その生命や健康に危険が生じないように配慮する義務を負う（安全配慮義務）。かねてから学説で指摘されていたが（我妻中Ⅱ585頁以下，星野261頁），公務員に対する国の安全配慮義務を認めた判例（最判昭50・2・25民集29巻2号143頁〔自衛隊車両整備工場事件〕）を契機に，広い範囲の法律関係について議論されるようになった（中田・債総138頁以下）。また，労働安全衛生法は，労働者の安全及び衛生について，詳細な規定を置いている（労基42条参照）。このような状況で，労働契約法は，使用者が労働者の安全への配慮をすべきことを規定した（労契5条）。この義務に反すると，使用者は債務不履行に基づく損害賠償義務を負う。労働法では，この損害賠償は，労災補償・労災保険給付とともに，労働災害に対する救済方法となっている（菅野・労働669頁以下，荒木・労働290頁以下）。

第4節　雇用の終了

1　期間の定めのある雇用[6]

(1)　概　　観

期間の定めのある契約は，期間中は一方的に解消することはできず，期間の経過により当然に終了し，当事者の合意があれば更新することがあるというのが原則である。しかし，雇用については，いくつかの修正がある。

(2)　期間経過前の解除

(a)　長期の雇用における解除権

雇用の期間が長すぎると，人身拘束の弊害と経済上の不都合（労働の価格の変動，労働者の状況の変化）が生じうる。そこで，雇用期間が5年を超える場合，又は，その終期が不確定である場合，当事者の一方は，5年が経過した後，いつでも契約を解除することができる（626条1項）。この解除をしようとする者は，使用者なら3か月前に，労働者なら2週間前に，予告しなければならない（同条2項）。626条は，後述の通り，労働基準法14条1項により，適用場面が

---

[6] 土田編・前掲注3) 61頁〜72頁・94頁〜135頁〔奥田香子・篠原信貴・根本到・石田信平・坂井岳夫〕。

限定されているが，同項が適用されない契約において，長期にわたる契約の拘束から労働者を保護するという存在意義がある。労働者からの解除の予告期間が短いのは，辞職の自由を保護するためである（部会資料73A，第1，2説明1(1)，同81B，第5，1説明）。旧626条を改正し，規律内容を現代化するとともに，労働者の予告期間を短縮した（本書初版496頁，一問一答333頁）。

なお，解除の効力は，将来に向かってのみ生ずる（630条・620条。以下の解除についても同じ）。

労働法では，期間の定めのある労働契約における期間の上限は，3年が原則であるとされる（労基14条1項。雇止めにつき→(3)）。

(b) やむを得ない事由による雇用の解除

雇用の期間が定められた場合であっても，やむを得ない事由があるときは，各当事者は，直ちに契約を解除できる。その事由が当事者の一方の過失によって生じたものであるときは，相手方に対し，損害賠償責任を負う（628条）。

労働法では，使用者による解雇について，628条前段と同様の規定がある（労契17条1項）ほか，解雇予告期間（労基20条）が課せられる。労働者の辞職については，労働基準法に特則がある（同137条）。

(3) **期間満了と更新**

雇用の期間満了後にも労働者が引き続き労働に従事し，使用者がそれを知りながら異議を述べないときは，従前の雇用と同一条件で更新されたものと推定される（629条）。ただし，更新後は，各当事者は，期間の定めのない雇用に関する規定（627条）により，解約の申入れをすることができ，その場合は，申入れの日から2週間で契約は終了する（同条1項）。このように，民法上は，労働者の雇用の保障は限定的である。

労働法では，雇止めの法理が発達している。期間の定めのある労働契約が反復更新されているなどの場合に，雇止め（使用者の更新拒絶）は，期間の定めのない契約の解雇に類するものとして，解雇権濫用法理（労契16条）が類推適用されることがある（最判昭49・7・22民集28巻5号927頁〔東芝柳町工場事件〕，最判昭61・12・4判時1221号134頁〔日立メディコ事件〕）。労働契約法は，労働契約における期間について使用者に配慮義務を課しているが（同17条2項），2012年の同法改正により，判例法理を明文化する規定が追加された（同19条。菅

野・労働335頁以下，荒木・労働538頁以下)。この改正の際，有期労働契約の期間の定めのない労働契約への転換に関する規定（同18条）及び期間の定めがあることによる不合理な労働条件の禁止に関する規定（同20条）も新設された。

2 期間の定めのない雇用[7]

当事者が雇用の期間を定めなかった場合，各当事者は，いつでも解約の申入れをすることができる。この場合，雇用は，解約申入れの日から2週間を経過することで終了する（627条1項）。

雇用の期間の定めはないが報酬が期間によって定められている場合，使用者からの解約申入れは，当期の前半に，次期以降についてすることができる（同条2項。1項との関係につき，山川・新注民（14）89頁以下参照）。6か月以上の期間によって報酬を定めた場合は，使用者からの解約申入れは，3か月前にしなければならない（同条3項）。

労働者からの解約申入れ（辞職）については，時期の制限はない（同条1項のみが適用される）。労働者の辞職の自由を保護するためである（部会資料81B，第5，2説明，同82-2，第37，3説明，一問一答334頁以下）。

労働法上は，使用者からの解雇については，30日前に予告をすることが必要であり（労基20条1項），また，解雇権濫用法理（労契16条）が及ぶ。

3 その他の終了事由

(1) 541条による解除

541条による解除については，628条がその特則を定めるものであると解して，否定する見解もある。しかし，期間の定めのある契約において628条の要件を満たさない場合や期間の定めのない契約において627条の要件を満たさない場合（たとえば同条3項の場合），541条による解除の意味はある（星野252頁参照）。また，541条以下による解除と628条による解除の沿革的・実質的相違の指摘もある[8]。541条の要件を満たすときは，それによる解除も可能であると解したい。いずれにせよ，労働法においては，解雇に関する規律が優先する。

---

[7] 土田編・前掲注3）73頁以下［根本］。
[8] 杉本好央「民法541条以下の解除と『やむを得ない事由』による解除」法雑66巻1＝2号（2020）322頁。

(2) 使用者の破産[9]

使用者について破産手続開始決定があった場合，雇用に期間の定めがあるときでも，労働者又は破産管財人は，627条の規定により，解約の申入れをすることができる。この場合，各当事者は，相手方に対し，解約によって生じた損害賠償の請求ができない（631条）。

破産管財人の解約申入れを認める規律は，双方未履行双務契約に関する破産管財人の解除権（破53条・54条）の特則である。労働者の損害賠償請求が認められない点が異なるが（破54条1項参照），使用者が破産した以上，雇用継続による労働者の利益を保護するのはむずかしいし（山川・新注民（14）113頁），破産管財人の解約申入れにも労働基準法20条等による保護が及ぶので深刻な問題とならない（伊藤・破産427頁）からである。

労働者の解約申入れを認める規律は，破産法にはない。627条がこれを認めるのは，賃金が財団債権として保護されるとはいえ，破産管財人を相手方とする雇用契約に労働者を拘束するのは適切ではないからである。破産管財人の損害賠償請求を認めないのは労働者の解約の自由を保障するためである。

(3) 当事者の死亡

労働者の死亡は，雇用の終了原因となると解されている（896条の「被相続人の一身に専属したもの」にあたる。我妻中Ⅱ593頁など通説）。

使用者の死亡は，原則として，雇用の終了原因とならない。ただし，雇用契約の内容がその使用者に限定するものと解釈されるときは，終了原因となる。

---

[9] 伊藤・破産427頁以下，土田編・前掲注3）136頁以下［坂井］，中田・前掲第3章注3）158頁以下。

第13章 請　負

第1節　意　義

1　請負の多様性

　請負とは，当事者の一方が「ある仕事を完成すること」を約束し，相手方が「その仕事の結果に対してその報酬を支払うこと」を約束することによって成立し，効力を生ずる契約である（632条）。仕事を完成する人を請負人，報酬を支払う人を注文者という。諾成・双務・有償契約であり，役務提供契約の一種である。

　請負には，①仕事の目的物の引渡しを要するものと，②物の引渡しを要しないものがある（633条参照)[1]。①には，ⓐ請負人が物を製造するもの（建物の建築，船舶の建造，機械部品の製作，洋服の仕立てなど。注文者の提供する材料を用いることもある），ⓑ注文者の物について請負人が製造以外の行為をするもの（自動車の修理，衣服のクリーニング，物品運送など。「引渡し」を広くとらえると，ビルの清掃，ピアノの調律もここに入る）がある。②には，ⓐ物以外の仕事の成果を引き渡すべきもの（設計図面の作成，ソフトウェアの作成など。これらは仕事の結果を記載した紙や電子情報媒体の引渡しがあるときは①ⓐともみうるが，データの移転に着目すると②ⓐとなる），ⓑ仕事の成果が無形であるもの（講演，指定された場所での一定時間のピアノ演奏，理髪，旅客運送など）がある。

　このように多様であるため，請負は，様々な問題に関係する。第1に，他の典型契約との関係が問題となる。①ⓐについては，売買と請負との中間的な製作物供給契約がある（→第1章第3節1(3)1つ目の◆〔67頁〕）。①ⓑ及び②では，

---

1) 山本642頁以下は，各種の請負を「物型仕事」と「役務型仕事」に分けて検討する。

他の役務提供契約との間で法的性質決定が問題となる。たとえば，清掃は雇用であることもある。講演は請負か（山本643頁），準委任か（我妻中Ⅱ549頁参照），微妙である。第2に，物を製造する請負（①ⓐ）においては，製造された物の所有権の帰属が問題となり，物権法との交錯が生じる。

> ● 請負か雇用かは，労働基準法や労働契約法の適用に関し問題となることがある（→第12章第1節2，1つ目の◆〔491頁〕）。また，役務提供者が第三者に加えた損害の賠償について，注文者は請負人のしたことに原則として責任を負わないが（716条），使用者は労働者のしたことに原則として責任を負う（715条）という違いがある。

> ◆ **無償の仕事完成約束** 請負は有償に限られるので，無償の仕事完成約束は請負ではない。役務提供者の負う義務（無償ゆえの軽減，役務提供者が事業者である場合の非軽減など），それが契約として認められる場合の双方からの解除権などが問題となる（基本方針Ⅴ7頁〜16頁・37頁〜42頁参照）。

2 「仕事の完成」の方法の多様性

仕事を完成するためには，様々な方法がある。会社を例にすると，①社内で行う（そのための専門家がいなければ雇い入れる），②子会社を設立し又は会社を分割して「仕事」を移管する，③社外の者と契約をしてその者に「仕事」をしてもらうなどである。請負は，③のうちの一形態である。

「仕事」は，分割されることもある。③で請負が選択される場合も，ⓐ社外の者に「仕事」の一部のみをさせることもあるし，ⓑ社外の複数の者に「仕事」を分担させることもある。ⓑの場合，複数の請負契約が並列することになる。また，ⓒ請負人は，その仕事の全部又は一部を他の者（下請負人）に請け負わせることもある。ⓒの場合，元請負契約と下請負契約という2つの契約が直列することになる。

このように，請負は「仕事の完成」の一方法であるので，組織法と契約法の関係（平井・前掲第1章注53）①参照）や，複数の契約の関係ないし契約の相対効という，大きな問題にかかわることがある。

3 請負の類型に応じた規律

請負は，以上の通り，一方では多様であり，他方では大きな問題にかかわることがあるので，その中間レベルでの一般的規律を過不足なく示すことはむず

かしい。そこで，請負の類型に応じた規律が発達する。運送は，商法その他の法律により，独立した法領域を形成している（商569条以下，江頭・商取引287頁以下）。また，各種の請負について，業法による規律がある。

　建設工事請負も，そのような類型の1つである。約款の存在，建設業法や下請代金支払遅延等防止法などによる規律，建設工事紛争審査会（建設25条）という裁判外紛争処理機関の存在など，独自の規範が発達している。もっとも，それは，請負人が目的物を製造して，注文者に引き渡すという意味では，請負の代表的なものである。また，物の所有権の帰属の問題（1の①ⓐ参照）や，元請負契約と下請負契約の連鎖に伴う問題（2の③ⓒ参照）のように，請負における重要な問題も現れる。社会的にも重要であり，具体的なイメージも浮かべやすい。そこで，かねてから建設工事請負を中心に請負契約の説明がされることが多かった。本書でも，以下，建設工事請負を中心に検討するが，それはあくまでも請負の一類型であることを意識しておく必要がある。

第2節　請負の成立

　請負は諾成契約であり，口頭でも成立する（632条）。

　建設工事の請負契約については，締結に際して，16項目の契約内容を記載した書面の作成と交付が義務づけられている（建設19条）。また，「当事者は，各々対等な立場における合意に基いて公正な契約を締結し，信義に従つて誠実にこれを履行しなければならない」とされる（同18条）。さらに，中央建設業審議会が，建設工事の標準請負契約約款，経費や工期などに関する基準を作成し，その実施を勧告する（同34条2項）。約款には，公共工事標準請負契約約款，民間工事標準請負契約約款（甲）・（乙），建設工事標準下請契約約款がある。そこでは，工事名・工事場所・工期・工事を施工しない日及び時間帯・請負代金額などの欄が用意されたうえ，工期・代金額の変更，不可抗力による損害，検査・引渡し，契約不適合，代金の支払など，建設工事において生じうる諸問題について詳細な条項が置かれる[2]。これらの規定や約款の背景には，建設工事の請負においては多様な不確実性が存在することがある。また，注文者（特に官公庁）がその優越的地位に基づいて，請負人に負担を甘受させてきたという歴史的経緯が指摘されることもある[3]。なお，下請負についても，親事業

者が製造委託等をした場合に下請事業者に書面を交付する義務が法定されている（下請代金3条）。これらの書面の作成・交付（建設19条，下請代金3条）は，契約の成立要件ではなく（星野266頁），着工が先行することもありうる。他方，書面作成も仕事の着手もない段階では合意の終局性が認められないこともあるだろう（→第2章第4節2(1)(b)(ii)〔111頁〕）。

第3節　請負の効力

1　請負人の権利義務

(1)　仕事完成義務

(a)　仕事の完成に向けて行為する義務

請負人は仕事を完成する義務を負う（632条）。約束した仕事を履行期までに完成しなければならない。

仕事は，着手から完成までの間，請負人が完成に向けて作業を進めることが必要な場合が多い。そこで，契約の条項により，又は，契約の解釈により，請負人が履行期までに完成することを可能にするために，適時に仕事に着手し，完成に向けて行為をする義務が認められることがある。請負人が約定の時期に仕事に着手しない場合，注文者はその債務の不履行による解除をすることができる（541条。旧541条につき，我妻中Ⅱ614頁）。仕事の着手の有無にかかわらず，履行不能若しくは履行拒絶があること又は履行の見込みがないことを理由に，注文者が履行期前に解除できることもある（542条1項1号～3号・5号。旧543条につき，大判大15・11・25前掲→第4章第2節3(3)(c)◆〔211頁〕）。

請負については，雇用（625条2項）とは異なり，請負人が自己執行義務を負うという規定は，民法にはない。「仕事を完成すること」が目的であるから，他の者にさせることは，当然には禁止されない。もちろん，仕事の内容によっ

---

2)　民間建設工事では，「民間（七会）連合協定工事請負契約約款」が広く用いられている（同約款委員会編著『民間（七会）連合協定　工事請負契約約款の解説』〔2020〕〔以下「七会約款解説」という〕）。また，工業施設建設工事については，FIDIC（プラント）約款など，いくつかの国際的な標準契約書式がある（江頭・商取引89頁以下）。

3)　川島武宜＝渡辺洋三『土建請負契約論』（1950）は，土木建築請負（特に官公庁からの請負）が非近代的な封建的契約関係であったことを指摘する。来栖486頁以下も参照。請負におけるリスク分担については，その後，研究の展開がある。内山尚三『現代建設請負契約法』（1979），笠井修『建設請負契約のリスクと帰責』（2009）参照。

て，請負人自身がしなければならないこともある（たとえば，講演）。それは当該請負契約の条項又は解釈によって定まる。

建設工事においては，下請負がされることが多い。それがどの範囲で可能なのかは，当該請負契約によって定まる。建設業法上は，一括下請負は禁止されている（建設22条）。

(b) 目的物引渡義務

請負が物に関するものである場合，請負人は完成した物を引き渡す義務を負う。これも仕事完成義務に含まれる[4]。

> ● 物を製造する請負においては，仕事完成義務には，請負人が仕事の完成に向けて必要な行為をし，製造を完了し，製造した物を引き渡すという一連の行為をする義務が含まれる。その意味では，仕事完成義務は，目的物引渡義務を包含する。もっとも，物を製造する請負において，製造完了を「完成」と呼ぶことも多い（「完成した物を引き渡す」という表現も，その用法である）。この意味での完成（製造完了）だけでは，仕事完成義務を履行したことにはならない。このように，「完成」には，仕事完成義務における「仕事の完成」と，履行過程における「製造完了としての完成」とがある。

◆「一応の完成」　改正前民法のもとで，「仕事の一応の完成」という概念が学説及び裁判例で用いられることがあった。①請負人の債務不履行責任と瑕疵担保責任の時的区分を画する基準，②給付危険の移転（請負人の仕事完成義務からの解放）を示す基準，③報酬請求権の発生時期又は履行期，に関して言及された[5]。現行民法のもとでは，①の意義は乏しくなったが，②③との関係で，なお言及されることがある[6]。上記の「製造完了」は，「完成」の概念を整理するためのものであり，この議論に直結するわけではない。

---

[4] 我妻中Ⅱ 615頁，星野267頁，大村 (5) 147頁。これに対し，仕事完成義務と完成した物の引渡義務を区別する見解もある（石田326頁以下，山本647頁，平野339頁）。義務の関係を示すという意味ではわかりやすいが，632条の規律との関係では不明確になるおそれがある（笠井修・新注民 (14) 129頁はその説明を試みる）。

[5] 我妻中Ⅱ 633頁（①），北居功「民法改正と契約法 (9)～(11)」法セ695号80頁～697号82頁（2012～13）（①～③），山本677頁（①の紹介），森田修『契約責任の法学的構造』（2006）495頁以下・508頁以下（主として②），小粥・前掲第7章注4) 87頁（②）。

[6] 森田修「請負関連規定に関する民法改正経緯」法協136巻10号（2019）134頁・142頁以下・178頁（②．再履行と修補を区別），北居功「請負契約における仕事の引渡し」池田眞朗古稀『民法と金融法の新時代』（2020）365頁（③），坂口甲「請負契約における請負人の報酬債権の履行期」法雑65巻1=2号272頁・3・4号710頁（2019）（③につき批判的検討）。このほか，641条の解除権行使の時期に関し，笠井・新注民 (14) 227頁参照。

第13章 請　負

(c)　仕事の完成に障害が生じた場合

(i)　物の引渡しを要しない請負において仕事完成が不可能になった場合

　仕事の完成が不可能になった場合，注文者はその履行を請求することができない（412条の2第1項）。注文者の報酬支払義務及び請負人の責任が問題となる。

　仕事の完成が不可能になったのが請負人の帰責事由によるときは，注文者は報酬支払義務を負わない（仕事が完成していないから）。請負人は，債務不履行（履行不能）責任を負う（415条・542条1項1号）。注文者の帰責事由によるときは，注文者は報酬の支払を拒むことができない（536条2項）。請負人は債務不履行責任を負わない（415条1項但書・543条）。いずれの当事者にも帰責事由がない場合，注文者は報酬支払義務を負わない（仕事が完成していないから。536条1項の問題とはならない→第3章第3節2(2)2つ目の◆〔167頁〕・(3)(a)1つ目の◆〔169頁〕）。請負人は債務不履行による損害賠償責任を負わないが（415条1項但書），注文者は契約を解除できる（542条1項1号）。以上のほか，634条の規律があるが，これについては後述する（→2(1)(b)(ii)β〔520頁〕）。

(ii)　目的物の引渡しを要する請負における目的物の滅失・損傷　　目的物の引渡しを要する請負において，引渡し前に目的物が滅失又は損傷（以下「滅失等」という）した場合も，基本的には(i)の枠組みで考えることができそうである。しかし，改正前民法のもとでは，①仕事の完成がなお可能か，もはや不可能となったのか，②滅失等が生じたのが完成（製造完了）の前か，完成（製造完了）後・引渡し前かで区別して考える見解が多かった。

　現行民法のもとでは，もっぱら引渡しの前か後かが基準となる（559条・567条1項）という見解（潮見253頁以下，潮見新各Ⅱ250頁以下）がある。しかし，引渡しの前でも，滅失等により履行不能（412条の2第1項）となることはあり，その評価に際して，完成（製造完了）が考慮されることがあると考えたい（→第7章第3節2(3)(e)3つ目の◆〔326頁〕）。

　　◆ **目的物の滅失等の帰結**　改正前民法のもとで，伝統的な見解（我妻中Ⅱ620頁以下。星野269頁以下も近い）は，次のように区分した。
　　①仕事の完成の可否による区別。ⓐ滅失等があったが仕事の完成がなお可能である場合，請負人は依然として仕事完成義務を負い，仕事が完成すると報酬を請求で

きる。損害賠償及び二重の製造のための追加費用については，滅失等の原因の所在により区別される。⑦請負人の帰責事由による場合，請負人は，損害賠償も追加費用も請求できず，仕事の完成が遅れれば債務不履行（履行遅滞）による損害賠償責任を負う。④注文者の帰責事由による場合，請負人は，損害賠償（追加費用相当分等）を請求でき，損害賠償責任を負わない。⑦当事者双方に帰責事由がない場合，請負人は，損害賠償も追加費用も請求できないが，損害賠償責任を負わない。

⑥仕事の完成が不可能となった場合，請負人の仕事完成義務は消滅する。報酬と損害賠償はこうなる（解除については省略）。⑦請負人の帰責事由による場合，請負人は報酬を請求できず，債務不履行（履行不能）による損害賠償責任を負う。④注文者の帰責事由による場合，請負人は報酬を請求することができ（536条2項。最判昭52・2・22前掲参照，百選Ⅱ68［米倉暢大］），損害賠償責任を負わない。⑦当事者双方に帰責事由がない場合，請負人は報酬を請求することができないが，損害賠償責任を負わない。

②滅失等の発生時期による区別。滅失等が生じたのが完成（製造完了）の前であった場合，原則として①ⓐとなるが，その後であった場合，原則として①ⓑとなる。なぜなら，完成（製造完了）により，仕事完成義務は目的物引渡義務に「集中する」からであり，それゆえ，その後に目的物について滅失等が生じれば，原則として履行不能になる。そのため，完成（製造完了）後に滅失し，仕事の完成がなお可能であることは，極めてまれだということになる[7]。

以上の見解は，完成（製造完了）後の滅失の場合も①ⓐとなるとすると，請負人に酷な結果となること（特に①ⓐ⑦の場合）を考慮するものである。これに対し，①のⓐとⓑで理論的な違いはなく，完成後の滅失等により履行不能となったと解される場合が事実上多いにすぎないという批判があった（内田282頁）。

現行民法のもとで，もっぱら引渡しのみを基準とすると，滅失等による危険は，注文者の帰責事由による場合（及び受領遅滞の場合。567条2項）を除き，請負人が負担する（追加費用なしに再工事をしなければならない）ことになる。しかし，引渡し前の滅失であっても，「契約……及び取引上の社会通念に照らして不能」（412条の2第1項）となる（①ⓑとなる）場合はありうるだろう。その際，目的物の引渡しを要する請負「契約」に照らすと，完成（製造完了）の前か後かは，不能の判定に際してなお意味をもちうるのではないか（森田・前掲注6）178頁参照）。さらに，建物の完成と検収により仕事完成義務が履行され，残された引渡義務の不可抗力による履行不能について危険領域説によって報酬請求を認める（536条2項類推適用）という見解もある（平野347頁）。

---

7) 我妻中Ⅱ625頁。基本方針Ⅴ51頁，森田・前掲注5）530頁以下参照。

(2) **請負人の担保責任**

(a) 概　　観

　請負人の完成した仕事の目的物が契約の内容に適合しない場合，請負人は担保責任を負う。規律の内容は，原則として，売主の担保責任の規定の準用によるが（559条・562条～564条），請負に特有の規定もある（636条・637条）。

　請負の目的である仕事の完成に権利の移転が含まれる場合，権利の契約不適合の規定の準用がありうる（559条・565条。物の製作又はソフトウェアの作成において，関連する権利の移転を目的に含む請負など）。また，請負の目的である仕事の成果が無形である場合も，これらの規定の類推適用がありうる（ピアノ演奏を目的とする請負で，演奏にミスが多かった場合の563条2項など）。

　しかし，請負において実際に多く問題となるのは，仕事の目的物の契約不適合，とりわけ種類・品質の不適合である。請負に特有の上記規定もこれに関するものである（数量の不適合には適用されない）。また，改正前民法のもとでも，「仕事の目的物に瑕疵があるとき」の請負人の担保責任（旧634条～旧640条）が論じられてきた。そこで，以下では，完成した仕事の目的物に種類・品質に関する契約不適合がある場合について検討する。

(b) 目的物の種類・品質の不適合

(i) 請負人の担保責任の発生　　請負人が種類・品質に関して契約の内容に適合しない仕事の目的物を注文者に引き渡した場合，注文者は，履行の追完の請求・報酬減額請求・損害賠償請求・契約の解除（以下「追完請求等」という）をすることができる（559条・562条～564条）。引渡しを要しない請負においては，仕事が終了した時に目的物に不適合があった場合，注文者は追完請求等ができる（636条参照）。

　このほか，請負においては注文者が材料を提供したり指図をしたりすることがあるという，請負の特徴を反映する規律がある。すなわち，契約不適合があったとしても，その不適合が「注文者の供した材料の性質又は注文者の与えた指図によって生じた」ときは，注文者は追完請求等ができない。ただし，請負人がその材料又は指図が不適当であることを知りながら告げなかったときは，注文者は追完請求等ができる（636条）。請負固有の規律であり，旧636条を引き継ぐものである。

第 3 節　請負の効力

◆ **修補請求**[8]　　改正前民法では,「瑕疵が重要でない場合において，その修補に過分の費用を要するとき」は，修補請求ができないと規定されていた（旧634条1項）。現行民法では，この問題は，履行不能の規律（412条の2第1項）によることになる。

また，改正前民法では，瑕疵修補に代わる損害賠償請求が認められていた（旧634条2項前段）。現行民法では，これは損害賠償請求の規律（415条）による。ここで，415条2項が適用されるとすると（潮見251頁，潮見新各Ⅱ235頁参照），従来は催告せずに請求できたのに，催告が必要になる（同項3号・541条参照），という問題が生じる（森田・前掲注6）180頁以下）。しかし，契約不適合自体について同条1項による損害賠償請求を認めればよく，この問題は生じない（→第7章第3節2(3)(b)(ii) δ◆〔312頁〕，中田・債総187頁以下，一問一答341頁）。

さらに，改正前民法では，注文者の損害賠償債権と請負人の請負代金債権は，同時履行の関係にあるとされていた（旧634条2項後段による旧533条の準用）。「準用」というのは，旧533条の適用範囲の制限的理解（→第3章第2節3(2)(a)2つ目の◆〔152頁〕）及び請負人の担保責任としての損害賠償が債務不履行がない場合もありうるという理解（我妻中Ⅱ638条）から説明される。現行民法は，533条を改正し（括弧書を追加），また，請負人の担保責任を債務不履行責任とするので，修補に代わる損害賠償債権と請負代金債権には，同条が「適用」される（一問一答226頁・341頁）。

◆ **請負代金債権と修補に代わる損害賠償債権の関係**　　両債権の関係について，改正前民法のもとで次のような判例法理が形成された。これは現行民法のもとでも維持されるだろう（中田・債総460頁・474頁）。

すなわち，請負代金債権と瑕疵修補に代わる損害賠償債権は同時履行の関係にあり，各債権に抗弁権が付着していることになるが，注文者からも（最判昭51・3・4民集30巻2号48頁〔508条との関係〕），請負人からも（最判令2・9・11民集74巻6号1693頁），対当額で相殺することができる。注文者の代金支払義務と請負人の目的物引渡義務は対価的牽連関係にあるところ，瑕疵修補に代わる損害賠償債権は，実質的，経済的には，請負代金を減額し，請負契約の当事者相互の義務に等価関係をもたらす機能があること，両債権は，相互に現実の履行をさせなければならない特別の利益があるわけではなく，相殺を認めても相手方に不利益を与えることはないこと，むしろ相殺による清算的調整が双方の便宜と公平にかない法律関係を簡明に

---

8)　部会では，旧634条について，請負に独自の規定を置くかどうかが最終段階まで検討された。まず，同条1項本文を改めるとともに，同項但書（過分の費用を要する場合の除外）を削除し，履行請求権に関する一般的規律に委ねることとされた（部会資料81-3，第10, 2 (1)）。次に，同条1項の改正に伴い同条2項の削除の当否が検討課題とされた（仕事の目的物の契約内容不適合に対する請負人の責任に関する規定のあり方は，2項を維持すべきか否かのみならず，1項及び旧636条についても検討する必要があるため。部会資料83-2，第35, 2)。検討の結果，最終的に旧634条全体が削除されることになった（部会資料84-3，第35, 2)。この経緯の批判的検討として，森田・前掲注6）178頁以下。

第13章 請　負

することによる（最判昭51・3・4前掲，最判昭53・9・21判時907号54頁，最判令2・9・11前掲）。両債権のこの関係により，相殺による清算的調整がされるまでの間，注文者の代金債務は，信義則に反しない限り，全体として履行遅滞に陥ることがない（最判平9・2・14民集51巻2号337頁，百選Ⅱ70〔森田修〕）。両債権の額が異なる場合，相殺で消滅しなかった残額（対当額を超える部分）については，履行遅滞の効果は存続し，遅延損害金が発生するが，相殺後に注文者に代金債務が残る場合も（最判平9・7・15民集51巻6号2581頁），請負人に損害賠償債務が残る場合も（最判平18・4・14民集60巻4号1497頁），残債務の履行遅滞責任は，（相殺適状時ではなく）相殺の意思表示をした日の翌日から生じる。債権が相殺適状時に遡って消滅するとしても，相殺の意思表示をするまでこれと同時履行の関係にある債務の全額について履行遅滞責任を負わなかったという効果には影響しないからである。

◆ **請負人の第三者に対する不法行為責任**　請負人は，注文者に対し，上記のような担保責任を負うが，建物の建築において，請負人が第三者（注文者からの譲受人等）に対し，不法行為責任を負うことがある。建物の建築に携わる設計者，施工者等は「建物の建築に当たり，契約関係にない居住者等に対する関係でも，当該建物に建物としての基本的な安全性が欠けることがないように配慮すべき注意義務を負う」とした判例がある（最判平19・7・6民集61巻5号1769頁，百選Ⅱ85〔山本周平〕）。

(ⅱ)　請負人の担保責任の期間制限　請負人の担保責任の期間制限について，売主の場合（566条→第7章第3節2(3)(d)(i) α〔316頁〕）と同様の規定がある（637条）。すなわち，注文者は不適合を知った時から1年以内にその旨を請負人に通知しないと追完請求等ができなくなる。請負では，売買と異なり，引渡しを要しないこともあるので，固有の規定が置かれる（同条2項参照）[9]。旧637条を引き継ぐものである。

なお，これとは別に，消滅時効の規定（166条1項）の適用がある。売買の場合と同様である。

◆ **住宅新築工事の請負**　住宅を新築する建設工事の請負契約については，住宅品質確保促進法（1999年公布，2000年施行，04年・17年改正）に特則がある[10]。住宅の

---

9)　表現の修正の経緯につき，部会資料75A，第5，1説明，同81-3，第10，2 (3) 説明，同82-1，第35，2 (3)，同83-2，第35，2 (3) 説明。
10)　笠本靖「住宅の品質確保の促進に関する法律の概要」NBL 668号18頁～675号38頁（1999），鎌野邦樹「民法から見た住宅の品質確保の促進等に関する法律の意義」ジュリ1159号（1999）52頁，山下りえ子「民間工事請負のコントロール──住宅品確法」争点250頁。

構造耐力上主要な部分等の瑕疵については，担保責任の期間は，注文者に引き渡した時から10年間である（同法94条1項）。これは強行規定であり，短縮できない（同条2項）。この期間は，20年まで伸長することができる（同97条）。637条は読み替えられて適用される（同94条3項）。

◆ **改正の経緯**　改正前民法は，仕事の目的物に瑕疵がある場合の請負人の担保責任を定めていた（旧634条～旧640条）。これは，売主の瑕疵担保責任（旧570条・旧566条）とはいくつかの相違があった（星野272頁参照）。すなわち，①瑕疵は隠れたものに限らない（旧634条1項）。②瑕疵修補請求権が定められていた（旧634条→(i) 1つ目の◆〔511頁〕）。③仕事の目的物が建物その他の土地の工作物である場合は，注文者は解除権を有しないとされた（旧635条但書）。解除をして請負人に原状回復させることは，請負人に過大な損失を負担させるし，社会経済上も損失が大きいからである（我妻中Ⅱ640頁）。④瑕疵が注文者の供給した材料の性質又は注文者の指図によって生じた場合について，請負人には責任がない（旧636条本文。同条但書に例外規定がある）。⑤担保責任の存続期間について，起算点（旧637条），建物その他の土地の工作物についての存続期間の長期化（旧638条），存続期間の伸長の合意（旧639条）の規律があった。⑥債務不履行との関係につき，売買においては議論があったが，請負人の瑕疵担保責任が債務不履行責任の特則であることには異論がなかった（我妻中Ⅱ632頁。星野267頁，内田275頁参照）。

これに対し，現行民法は，請負人の担保責任については，原則として，債権総則，契約総則及び有償契約に関する規律（559条）によることとする。これらの一般的規律が見直された結果，請負人の担保責任も原則としてそれに委ねることができ，そうすることが契約法全体の整合性を高めるからである。このような観点から，修補請求権を定める旧634条，注文者の解除権を定める旧635条，建物の建築工事等の請負の特則を定める旧638条，担保責任の存続期間の伸長に関する旧639条，担保責任を負わない旨の特約に関する旧640条は，いずれも削除され，旧636条と旧637条だけが一部改正のうえ引き継がれた。この結果，請負人の担保責任は，売主の担保責任と実質的にそろうものとなった。

(3) 目的物の所有権の帰属

(a) 問題の所在

建物建築工事請負において，注文者の土地の上に請負人が建物を建築した場合，その建物の所有権は誰に帰属するのか。請負人が建物を原始取得し，それを注文者に引き渡すことにより，注文者が承継取得するという考え方と，注文者が建物を原始取得するという考え方がある。両説の相違が鮮明になるのは，①建物の引渡しがあるまでの間，請負人は注文者に対して建物の所有権を主張

できるのかという問題においてである。これが基本問題であるが、加えて、②建物となる前の段階の築造物の所有権は、誰に帰属するのか、③請負人が下請負契約を締結しており、実際の工事は下請負人がしていた場合、下請負人に所有権が帰属するのか、という派生問題がある。まず、注文者と請負人の二者間の問題（①と②）を検討し（→(b)）、次に、下請負人がいる場合の問題（③）を検討する（→(c)・(d)）。

> ◆ **建物の完成** 木造建物建築工事を例に考えると、着工後、①棟上げ（主要な柱、梁などを組み立て、その上に棟木を上げること）がされ建前となる段階、②屋根や周壁ができ、独立した不動産（建物）として所有権の対象となる段階、③床や天井も備わった段階、④内装や電気・ガスなどの設備も整った段階などがある。②については、判例上、工事中の建物であっても、屋根及び周壁があり、土地に定着する1個の建造物として存在するにいたれば、不動産となるとされ（大判昭10・10・1民集14巻1671頁）、不動産登記においても、屋根・周壁があり、目的とする用途に供しうる状態にある、土地に定着した建造物が、建物（所有権の対象である）として登記の対象となる（不登則111条、不登27条・44条）。請負における製造完了（完成）は④以降であろうし、建築基準法にいう工事の完了（建基7条1項）も④以降であろうが、ここでは所有権の帰属が問題となるので、②が基準時となるべきである。この問題については、「完成した物」の所有権の帰属という表現で論じられることが多いが（我妻中Ⅱ618頁など）、ここでの議論の眼目は、「引渡しによって所有権が注文者に移転する」のか、「引渡し前から注文者に帰属する」のかであり、後者における帰属開始時点ではない。従来、その時点を表すものとして「完成」の語が広義で用いられてきたにすぎないと理解すべきであろう。このように整理することにより、②よりも前の段階の問題（本文②の問題）との関係も明確になる。

(b) 注文者と請負人との間の問題

(i) 建物の所有権の帰属

　α　特約　　当事者間に所有権の帰属に関する特約があれば、それによる。

　β　材料提供者　　特約がない場合、材料を提供したのは誰かが問題となる。

　㋐　注文者が材料の全部又は主要部分を提供した場合　　この場合、請負契約の性質上、加工の規定（246条1項但書・2項）が適用されることはなく、注文者が建物を原始取得する（末弘696頁、鳩山下576頁など以来の通説。大判昭7・5・9民集11巻824頁）。

(イ) 請負人が材料の全部又は主要部分を提供した場合　　この場合について，請負人帰属説と注文者帰属説が対立する。請負人帰属説は，建物の所有権は請負人に原始的に帰属し，請負人から注文者への引渡しによって所有権が移転すると考える。注文者帰属説は，建物は注文者に原始的に帰属すると考える。

判例は，請負人帰属説をとったうえ（大判明37・6・22民録10輯861頁など），例外として，一定の事情があるときは，当事者間の合意を推認し，注文者に原始的に帰属するという。一定の事情とは，建物完成前に請負代金の全額が支払われていたことなどである（大判昭18・7・20民集22巻660頁，最判昭46・3・5判時628号48頁。合意の推認によらないものとして，最判昭44・9・12判時572号25頁）。

学説は，判例と同様，請負人帰属説をとったうえ，合意の推認による例外を認めるものが通説であったが，その後，注文者帰属説が多数になった。しかし，請負人帰属説もなお有力である。

◆ **請負人帰属説と注文者帰属説**[11]　　請負人帰属説の根拠は次の通りである。①請負人が自己の材料を用いて自己の労務を提供して製作した以上，目的物の所有権は請負人に帰属し，引渡し又は代金支払によって注文者に移転するというのが，当事者の合理的意思に適する。②請負人が自己の材料に自ら労力を加えたのだから，その成果物である建物所有権は請負人に帰属することが物権法の原則に適合する。③請負人の報酬請求権の確保に資する。請負人には，不動産工事の先取特権（327条）があるが，工事を始める前に費用の予算額を登記することが必要なため（338条，不登85条・86条），その行使は，実際上困難である。請負人帰属説はこれを補う。④請負では引渡しが重視される。担保責任の期間制限の起算点（637条1項。大判明37・6・22前掲），及び，報酬の支払時期（633条）においては，引渡しが基準となる。所有権の帰属についても同様とすべきである。⑤請負人の所有権を認めることが紛争解決のための当事者間の交渉を促進する（内田281頁）。⑥完成した建物に重大な契約違反があり，取壊しが必要な場合，所有権が請負人にある方が妥当な結果を導く（内田278頁）。

これに対し，注文者帰属説は，次のように反論する。①建物建築工事請負契約の目的（注文者の建物を建築することであり，請負人が自己の所有物を作るために建築しているわけではない）に鑑みると，注文者に原始的に帰属することこそが，当事者の合理的意思にかなう。②建物所有権の帰属について，引渡しや代金支払などの事実を介在

---

[11] 坂本武憲「請負契約における所有権の帰属」講座V 439頁，大橋弘『最判解民平5（下）』895頁，武川幸嗣・民事法III 164頁。

させるのではなく，契約目的に照らした合理的意思を直接反映させることが，物権変動について意思主義をとる物権法の原則（176条）に整合的である。③請負人の報酬請求権確保のためには，先取特権以外にも，同時履行の抗弁と留置権がある。また，請負人に建物の所有権を帰属させても，請負人には敷地使用権がないから意味がない。④担保責任の期間制限の起算点や報酬の支払時期の基準は，所有権の帰属の基準とはなりえない。⑤交渉促進の効果は，不合理な結果をもたらすこともある。⑥取壊しが必要なほどひどい工事の場合，工事が完成したといえるのか疑問である。⑦建築基準法上の建築確認や建物の保存登記は，注文者の名義でされるのが通常であり，請負人帰属説はこの実態に反する。

このうち③について，請負人帰属説は，次の再反論をする。同時履行の抗弁（533条）は，注文者が敷地を第三者に譲渡すると，請負人は第三者に対抗できなくなるので十分な保護とならない。留置権も十分ではない（民事留置権〔295条〕は，注文者が破産すると効力を失う〔破66条3項〕。商事留置権〔商521条など〕は，不動産が対象となるとしても〔最判平29・12・14民集71巻10号2184頁〕，適用範囲が限定されている）。敷地利用権がないことについては，注文者が請負代金を支払わないで明渡しを求めるのは権利濫用と評価すべきである。さらに，請負人に法定賃借権を認める見解もある（米倉明『担保法の研究』〔1997〕235頁〔初出1996〕）。

代金が支払われてもいないのに，請負人が自らの労務と材料を提供して作った物が注文者に帰属するというのはたしかに不自然だが（①②），報酬請求権確保の手段として請負人に目的物の所有権まで帰属させるのは過大ではないか（③）。請負人は，報酬について，工事の進捗に応じた分割払の取り決めをすることができるし，多くの場合そうされている。留置権もそれなりの機能を果たしうる。敷地利用権がないことも無視できない（法定賃借権を認めることは，注文者の土地所有権の長期間の制約を意味する。武川・民事法Ⅲ 168頁）。所有権を取得した請負人が倒産した場合のことを考える必要もある。代金支払から合意を推認する方法は，手形による支払の場合や未払分がわずかな場合を考えると不安定さがある。建物建築工事請負契約の目的を尊重し，注文者帰属説をとるべきであろう。

(ii) 建物となる前の段階の築造物の所有権の帰属　建物となる前の段階の築造物について，これを①土地の定着物として不動産とみるのか（86条1項），②土地とは独立した動産とみるのかは，状況によっても異なる。①だとすると，築造物が注文者の土地に付合しないか（242条）が問題となる。築造物の材料が請負人の物であったとしても，請負人は，建築工事を行うという権原によって土地上に築造しているのだから，建物として独立した段階にいたらなくても，築造物は土地に付合しない（同条但書）という見解がある（末弘695頁注(16)）。また，添付に関する規定は任意規定だから，当事者の合意により排除されうる

ものであり，建物建築工事請負において築造物の材料が請負人の物であるときは，築造物は動産として請負人の所有に属するのが当事者の合理的意思であるという見解もある（榎本恭博『最判解民昭54』25頁。最判昭54・1・25民集33巻1号26頁参照）。いずれにせよ，請負人の材料による築造物について242条本文で注文者の土地に付合するとして決着をつけることは，実質的検討を封じることになり，適切でなく，支持されていない。

そのうえで，(i)の議論と対応させると，建物となる前の段階の築造物の所有権は，請負人帰属説では，当然，請負人に帰属すると解され，注文者帰属説では，建築のいかなる段階にあるかを問わず注文者に帰属するという見解が多い（大橋・前掲注11）902頁の引用文献）。

(c) 下請負人との関係

建物建築工事においては，様々な専門業種が関係することもあり，下請契約が締結されることが多い。そこで，一方で，下請負人が自己の材料を提供して工事をし，他方で，注文者は元請負人に報酬の全部又は一部を支払っているという状態で，元請負人が下請負人に報酬を支払わないまま倒産する事態が生じうる。ここで注文者帰属説をとると，下請負人は代金を受け取れないまま工事をしたことになり，請負人帰属説をとると，注文者は二重払を強いられることになる。また，途中までの工事による築造物が注文者に帰属する場合における下請負人の留置権の成否（下請負人の占有の性質の理解により見解が分かれる。武川・民事法Ⅲ171頁），築造物が請負人に帰属する場合において注文者が第三者に工事を続行させて建物を建築した場合の所有権の帰属（最判昭54・1・25前掲は，246条2項によって解決した）などの問題があり，深刻かつ複雑な紛争となる。

請負人帰属説は下請負人保護を指摘するが，既に代金を支払った注文者を保護するのが裁判例では一般的であり（大橋・前掲注11）904頁），学説でも多数である（武川・民事法Ⅲ170頁）。

◘ **建設業法による下請負人保護**　建設業法は，元請負人の諸義務（同法24条の2〜24条の8）の1つとして，下請代金の支払に関する義務を定め（同24条の3），この問題に配慮している。このほか，下請業者がその労働者に賃金を支払わなかったり，他人に損害を加えたりした場合に，特定建設業者である元請業者が上記労働者や他人に立替払をするよう大臣等が勧告する制度もあるが（同41条2項・3項），これは労働者や他人の保護のためのものであり，下請業者を直接保護の対象とするわけで

はない（吉川愼一・民事法Ⅲ 175 頁参照）。

(d) 特　　約

注文者と請負人の間で，建物及びその前の段階の築造物の所有権は，注文者に帰属するという特約が結ばれることがある。この合意の効力が下請負人にも及ぶかが問題となる。「下請負人は，注文者との関係では，元請負人のいわば履行補助者的立場に立つ」として，合意の効力が下請負人にも及ぶとした判例がある（最判平 5・10・19 民集 47 巻 8 号 5061 頁，百選Ⅱ〔6 版〕65［坂本武憲］，百選Ⅱ 69［曽野裕夫］）。この結論は支持するものが多いが，その説明に対しては批判がある。履行補助者の概念は，履行補助者の行為について債務者が債務不履行責任を負うかという場面で用いられるものであり，契約の第三者に対する効力の問題とは異なるからである（森田宏樹「判批」法教 174 号判例セレクト '94〔1995〕27 頁。他方，本判決の内在的理解として，潮見新各Ⅱ 257 頁以下参照）。

請負における「仕事」の分割可能性（→第 1 節 2）及び建物建築工事に必要な専門業種の多様性（→(c)）から生じる，建物建築工事請負の重層的構造のなかで，契約の相対的効力の例外を認めることの可否，その法律構成，判定基準が問題となる。

> ◼ **注文者・請負人・下請負人の関係**　注文者 A と請負人 B の間の所有権に関する特約の効力が下請負人 C に及ぶかどうかについては，いくつかのアプローチがある。すなわち，①AB 間の契約と BC 間の契約の結合を考える[12]，②C の A に対する直接請求権を認めるとともに，それを制約するものとして AB 間の特約を位置づける[13]，③BC 間の請負契約の解釈において，AB 間の特約の内容を取り込む，などである。①は，複数の契約の相互関係，合意が第三者に不利益を及ぼしうる場合など，契約の相対効の例外というやや抽象度の高いレベルでの検討となる（→第 1 章第 1 節 5(2)(c)◼〔51 頁〕）。②も，①と共通するが，直接請求権を認めうるのはどのような場合かという観点から考えるものであり，①よりも少し具体化されたレベルでの検討となる（下請負を転貸借・復委任などとともにフランス法でいわれる「下位契約」の 1 つとして位置づける）。③は，建物建築工事請負の重層的構造が周知であるこ

---

12)　大村敦志『もうひとつの基本民法Ⅱ』（2007）113 頁及び大村 (5) 163 頁は，この問題について「複合契約」の視点を提示し，大村 (4) 210 頁は，作り上げられている契約結合の構造に従った契約上の地位の移転の視点を提示する（B の地位は併存するのだろう）。

13)　基本方針Ⅴ 77 頁以下。フランスにおける下請負人の注文者に対する直接訴権につき，作内良平「建築請負人の報酬債権担保と直接訴権」本郷法政紀要 15 号（2006）37 頁。

とを前提として，BC 間の契約解釈の問題として解決を図るものである。最も具体的なレベルの解決のようにみえるが，契約解釈論という大きな問題に広がりうるものである。各レベルでの検討とその総合が必要である。

2 注文者の義務

(1) 報酬支払義務

(a) 報酬の内容と支払時期

　注文者は，請負人の仕事の結果に対し，報酬を支払う義務を負う（632条）。報酬は，後払である。すなわち，目的物の引渡しを要するときは，物の製造又は物についてのその他の行為をした後，引渡しと同時に（633条本文），引渡しを要しないときは，仕事が終了した後に（同条但書・624条。636条参照），支払わなければならない。

▶ **報酬の定め方**　　建設工事請負では，着工した後に作業遂行上の困難が判明したり，工事期間中に予想外の出来事（天災地変，事故，急激な物価変動，法令改正等）が生じたりすることがあるため，報酬の定め方には困難を伴う。特に，海外で行う工事の請負ではトラブルが少なくない。確定金額方式（総価契約方式，lump-sum）にすると，予想外の出来事が生じると，追加費用等は請負人が負担することになるが，その場合，請負人が経費節減を図り仕事の質を落とすおそれがある。実費精算方式（cost-plus-fee）にすると，請負人が冗漫な出費をするおそれがある。状況に応じた報酬の定め方が，約款や契約で工夫される（江頭・商取引94頁以下参照）。たとえば，公共工事標準請負契約約款や民間（七会）連合協定工事請負契約約款では，請負金額を総額で定めたうえ，請負代金額の変更に関する詳細な条項を置く方法がとられる（前者の25条・26条，後者の29条〔七会約款解説179頁以下〕）。

▶ **報酬と費用**　　請負契約においては，報酬と費用の定め方は多様である。①報酬に費用が含まれる場合も，②報酬とは別に費用について合意する場合もある。634条柱書後段の「報酬」には，①の場合だけでなく，②の場合においても，費用が含まれることがあると解すべきである。注文者破産の場合に関する規定に「報酬及びその中に含まれていない費用」という文言があり（642条2項），委任においては報酬と費用とが区別して規定されているが（648条，650条），それらとは問題状況が異なるので，これらの規定との対比により，634条柱書後段の「報酬」には当然に費用は含まれないと解すべきではない[14]。536条2項の「反対給付」についても同様

---

[14] 部会資料83-2，第35，1説明，第96回部会議事録50頁〜51頁〔中田・合田関係官発言〕参照。部会資料81-3，第10，1説明2も参照。潮見・改正284頁。

である。

(b) 仕事完成と報酬請求の関係
(ⅰ) 原則　　請負人は，仕事を完成すれば，支払時期に報酬を請求することができる（632条）。仕事を完成しなければ，報酬を請求できない（同条）。
(ⅱ) 例外　　仕事完成前であっても，報酬を請求できる場合がある。
　α　特約　　仕事完成前に報酬を支払う合意があれば，それによる。建設工事請負などでは，前払，部分払，出来高払などが通常である（七会約款解説26頁，笠井・新注民（14）182頁）。
　β　みなし完成　　一定の場合において，「請負人が既にした仕事の結果のうち可分な部分の給付によって注文者が利益を受けるとき」は，その部分が仕事の完成とみなされ，請負人は，注文者が受ける利益の割合に応じた報酬を請求できる。一定の場合とは，①注文者の責めに帰することのできない事由によって仕事を完成できなくなったとき，及び，②請負が仕事の完成前に解除されたとき，である（634条）。①には，両当事者に帰責事由がない場合と請負人に帰責事由がある場合が含まれ，②には，請負人の債務不履行により注文者が解除した場合も含まれる（部会資料72A，第1，1説明2（2），同81-3，第10，1説明1参照。判例法理〔大判昭7・4・30民集11巻780頁，最判昭56・2・17前掲〕の帰結を，一部解除論を用いることなく，一般化するものである）。
　γ　注文者の帰責事由による完成不能　　注文者の責めに帰すべき事由によって仕事を完成できなくなったときは，注文者は，報酬の支払を拒むことができない。この場合において，請負人は，仕事完成義務を免れたことによって利益を得たときは，これを注文者に償還しなければならない（536条2項）。

◆ 報酬債権の発生時期と支払時期　　①請負契約の成立時に発生し，仕事の完成時に支払時期が到来するという考え方（大判昭5・10・28民集9巻1055頁〔転付命令を肯定〕，我妻中Ⅱ 647頁，潮見243頁。多数説），②仕事の完成によって発生するという考え方（来栖479頁），③請負契約の成立時に抽象的報酬債権が発生し，仕事の完成時に具体的報酬債権が発生するという考え方（星野270頁・276頁，基本方針Ⅴ 21頁以下）がある。①～③を通じて，④「仕事の完成時」とはいつかについて見解が分かれる（特に，注文者の承認等の意思的要素が必要か，仕事に契約不適合があるときはどうなるか）。この問題は，ⓐ立法論としてデフォルト・ルールを置くとしたらどのような

規律とすべきか，ⓑ解釈論として他の規定（533条・536条・623条・624条・633条・648条など）と整合的な考え方は何か，ⓒ各説の具体的帰結はどうか（特に，譲渡の可能性及びその効果，差押え・転付の可能性）など，多様なレベルに及びうる15)。議論を整理するためには③が有用であろう（→第11章第2節2(2)(b)(i)◧〔402頁〕・第12章第3節2(1)(b)(ii) 2つ目の◧〔496頁〕）。具体的報酬債権の発生時期及び履行期は，個別契約によって定まるが，建築工事請負契約においては，製造完了の後，注文者の検査に合格した時ないし検査合格後に引渡しがされた時に報酬を請求できるとすることが多いようである（公共工事標準請負契約約款33条，七会約款解説27頁）。ⓐでは，典型契約としての請負の規律として，このような実態をどの程度まで考慮するかが問題となる。ⓑでは，特に④が議論されるが，売主の担保責任との関係や給付危険の移転（再履行の要否）との関係で分かれうる。ⓒについては，将来債権の譲渡に関する規律や転付命令の制度の側からの検討も必要である。

(2) 協力義務[16]

請負においては，注文者の各種の協力行為が必要であり，契約上，注文者の協力義務を認めるべき場合が多い。建設工事請負において，注文者が工事の用地を約束の期日に提供すること，契約で定められた必要な指図をすること，機械部品の製造において，注文者が材料や設備を貸与することなどである。注文者がそれに反した場合，請負人が報酬を請求したり（536条2項），損害賠償請求（415条）や解除（541条）をすることができる。

第4節　請負の終了

1　各種の解除

請負契約の解除につき，いくつかの規定がある。請負人の担保責任に基づく解除（559条・564条）については，前述した（→第3節1(2)〔510頁〕）。このほか，注文者による任意解除（641条），注文者破産の場合の解除（642条）の各規定がある。

---

15) 北居・前掲注6），坂口・前掲注6），笠井・新注民(14) 139頁，白石大「債権の発生時期に関する一考察」早法88巻1号91頁～89巻2号1頁（2013～14），中田・債総27頁参照。
16) 来栖474頁以下，生田敏康「債権者の協力義務——ドイツ請負契約における注文者の義務を中心に」早稲田法学会誌44巻（1994）1頁，笠井・前掲注3) 189頁以下（建設請負契約の各段階における協力義務を検討する）。

2 注文者による任意解除[17]

　請負人が仕事を完成しない間は，注文者は，いつでも損害を賠償して契約を解除することができる（641条）。請負は，注文者のための仕事をするものであり，注文者にその仕事が必要なくなったときは完成させても無意味だから，請負人が十分な損害賠償を得られるのであれば，注文者の一存で契約を終了させることを認めてよいという制度である。損害賠償を伴う解除の一例である（→第9章第2節2(3)(a)(ii)〔358頁〕）。

　このような制度の趣旨により，解除は，仕事の完成前に限られる。目的物の引渡しを要する請負においては，引渡し前であっても，物の製造が完了し，又は，物についてなすべき行為が終了していれば，解除できないと解すべきである。この場合，製造その他の行為をすることが請負人の債務の主要な内容だからである（我妻中Ⅱ650頁，打田畯一＝生熊長幸・新版注民（16）172頁，笠井・新注民（14）227頁）。

　注文者が請負人の債務不履行を理由とする解除（541条）をしたが，債務不履行は存在しないと判断される場合，この意思表示を641条による解除の意思表示として有効とすることはできないというのが判例・通説である（大判明44・1・25民録17輯5頁〔建物建築工事請負代金担保のために振り出された約束手形の振出人に対する請負人の手形金請求〕，鳩山下603頁，我妻中Ⅱ650頁，広中275頁，星野278頁など。反対，末弘718頁。原田・前掲注17) 373頁以下参照）。同条による解除は注文者の利益のために特に認められた損害賠償を伴う任意解除という特殊なものであり，債務不履行がないと信じて仕事を継続した請負人を保護する必要があるからだといわれる。①当該意思表示について，641条の解除の意思表示も含まれていると解釈できるかどうかの問題（三宅各下925頁。解除の意思表示において理由を示す必要はないというのが判例→第4章第2節4(1)〔216頁〕）と，②そのように解釈できない場合に，541条の解除としては無効な意思表示を，641条の解除の意思表示に転換できるかという問題がある。上記の判例・通説は，②を否定したものとして，支持することができる（注文者は損害賠償でなく

[17) 坂口甲「ドイツにおける注文者の任意解除権の理論的展開」民商135巻1号133頁・2号62頁（2006），原田剛『売買・請負における履行・追完義務』(2017) 341頁以下〔初出2011〕，丸山絵美子「請負契約における注文者の任意解除に伴う損害賠償」加藤雅信古稀『21世紀民事法学の挑戦 下巻』(2018) 141頁，直井義典「注文者による請負契約の任意解除」改正と民法学Ⅲ267頁。

報酬を支払うべきことになる)。

　注文者が賠償すべき請負人の損害は、①仕事が完成すれば得られたであろう報酬（費用相当分は除く）、②解除時までに支出した費用、③解除によって生じた追加費用の合計額から、④解除によって請負人が受けた利益を控除したものである[18]。④は、損益相殺の考え方（536条2項後段参照）に基づくものである。たとえば、建設工事の請負人がその工事のために購入した資材（代金は②に含まれている）を他に売却したり、転用したりすることによって得た利益である。請負人が当該請負契約から解放されたことにより、他の工事を引き受けて得られるべき利益（梅722頁、来栖484頁、星野278頁）又は得た利益（星野・前同）も控除するという見解が有力であるが、損益相殺の基礎にある公平の理念（中田・債総213頁以下）に照らし、個別的に判断すべきであろう（損害軽減義務の概念との関係につき、山本705頁、丸山・前掲注17))。

　注文者は、641条に基づく解除をするにあたって、損害賠償の提供をする必要はない（大判明37・10・1民録10輯1201頁）。損害額の算定は容易ではなく、提供を要するとすれば、解除は著しく困難になるからである（我妻中Ⅱ650頁など通説）。

3　注文者の破産による解除

　注文者が破産したときは、注文者の破産管財人又は請負人は、請負契約を解除することができる（642条1項本文）。解除された場合、請負人は既にした仕事の報酬及びそのなかに含まれていない費用について、破産財団の配当に加入することができる（同条2項）。解除によって生じた損害の賠償は、注文者の破産管財人が解除した場合における請負人に限って請求することができ、請負人は、この損害賠償について、財団の配当に加入する（同条3項）。

　双方未履行双務契約に関する破産法の原則によると、解除できるのは、注文者の破産管財人のみであり、解除された相手方（請負人）は損害賠償を請求できるにとどまる（破53条・54条）。642条は、これに加えて、請負人の解除権を認めるものである。しかも、解除された相手方（破産管財人）は損害賠償を

---

[18]　注文者の責めに帰すべき事由によって仕事が完成できなくなった場合に支払われる報酬（536条2項→第3節2(1)(b)(ⅱ)γ〔520頁〕）とほぼ同様になる。なお、①については、請負人が634条2号による報酬請求をできる場合もある。

請求できない。請負においてこのような規律がされるのは，請負人は注文者が破産しても仕事完成義務を負うところ，仕事を完成しても報酬及び費用の支払が確実ではないこと（財団債権にはなるが財団不足もありうる），他方，注文者の地位は賃借人に匹敵するほどの財産的価値がないことが理由である[19]。

　請負人は，仕事を完成した後は解除できない（642条1項但書）。仕事完成前であれば，注文者の破産により報酬の支払が確保できないまま仕事を続行させられる状態から請負人を解放する必要があるが，仕事完成後ならその必要はないので，これを除外するものである（今回の改正で追加された。部会資料72A，第1，3説明）。この場合，請負人は報酬債権を破産債権として届け出ることになる。

---

[19] 2004年の新破産法制定の際，請負契約の当事者の破産に関する規律が改正されたが，この解除権は維持された。642条の沿革及び同条の2004年改正につき，伊藤・破産407頁以下，小川秀樹編著『一問一答 新しい破産法』(2004) 94頁以下，中田・前掲第3章注3) 158頁。

第14章 委　任

第1節　意　義

1　委任の概念
(1)　委任と準委任
　委任とは，当事者の一方が「法律行為をすることを相手方に委託」し，相手方がこれを承諾することによって成立し，効力を生ずる契約である（643条）。また，「法律行為でない事務の委託」をすることを準委任といい，これにも委任の規定が準用される（656条）。委託する人を委任者，される人を受任者という。委任・準委任とも，有償のものと無償のものがある。有償であれば，諾成・双務・有償契約であり，無償であれば，諾成・片務・無償契約である。

　委任は，たとえば，老親が自分の土地の売却を子に委託する場合である（土地売買契約が委託された法律行為）。準委任は，たとえば，親が幼児を託児所に預ける場合である（幼児の監護が委託された事務）。委任と準委任を分けたのは，明治民法制定の際，委任の概念が限定的に設定されたからであるが，効果は変わらないので，今日では，他人に事務の処理を委託する契約を広く委任と呼ぶこともある。

　◆ **委任の概念**　旧民法は，委任と代理を一体的に規定していたが（→2），明治民法は，当事者の内部関係（委任）と第三者との関係（代理）とを分けて規定することにし，また，委任は代理を目的とするものに限らないことにした。法典調査会では，委任の目的を「事務ヲ処理スル〔コト〕」とすることも検討されたが，そうすると，「労務ニ服スルコト」を目的とする雇用との区別が不明瞭になるため，委任を「法律行為ヲ為スコト」の委託に限定することでいったん了承された（民法速記録Ⅳ 584頁以下〔富井政章発言〕，民法修正案理由書617頁以下）。しかし，その後，法律行為以外

のことを目的とする委託もありうることから,「法律行為ニ非サル事務ノ委託」にも委任の規定を準用する旨の規定が追加された。これは,雇用と区別するために,委任は法律行為を目的とするものに限定したうえ,法律行為を目的としないものにも委任の規定を及ぼすという方策であった（整理会速記録584頁〔富井政章発言〕,民法修正案理由書735頁）。ところが,民法施行後,雇用の概念が次第に限定されるようになり,使用者の指揮命令（労働者の従属性）があるものとされるにいたった（→第12章第1節2, 1つ目の◆〔491頁〕）。その結果,委任と雇用の区別は,雇用の限定（指揮命令関係の存在）によってされうることになり,委任の限定（法律行為の委託）の必要性は薄らいだ。そのため,委任と準委任との区別のもつ意味が乏しくなるとともに,準委任が役務提供契約の受け皿としての機能をもつようになった（我妻中Ⅱ532頁は,雇用の限定と委任・準委任の統合を提唱し,同667頁は,委任の通則性・普遍性を指摘する→第12章第1節1, 2つ目の◆〔490頁〕）[1]。

(2) 無償委任と有償委任

委任は,特約がなければ無償である（648条1項）。委任の無償性は,その沿革による。ローマ法では,「知能的な高級労務」は本来対価にふさわしくないと考えられていたからだと説明される[2]。もっとも,現在では,商人については報酬請求権が定められているし（商512条）,商人でなくても業として他人の事務を処理する者については有償であることが普通であろう。民法は,有償と無償とを区別していないので,受任者の義務の内容が同じでよいかなどの議論がある（→第3節1(1)(c)〔532頁〕）。

2 委任と代理

旧民法は,フランス民法の影響のもとに,委任と代理を一体的に規定していた[3]。明治民法は,これを分離し,代理は民法総則で（99条～118条）,委任は契約各則で（643条～656条）,規定した。現行民法もこれを引き継ぐ。代理は代理人Bと第三者Cとの間でした行為の効果を本人Aに帰属させるものであり,委任は委任者Aと受任者Bの内部関係の規律であって,両者は関連する

---

[1] このような見方に反対し,委任は法律行為（意思表示などを含む）の委託であり,常に代理を生じさせるという理解に基づく委任像を提示するものとして,柳勝司『委任による代理』(2012)。
[2] 我妻中Ⅱ658頁。原田・ローマ法198頁参照。委任を無償のものに限定するドイツ法を中心に検討しつつ,委任の無償性の背景に「好意」があることを重視するものとして,一木孝之『委任契約の研究』(2021) 7頁以下〔初出1999〕,無償委任と好意との関係について,同83頁以下〔初出2000～01〕。

●　委任があっても，常に代理を伴うわけではない。たとえば，東京のAが知人Bに，京都在住のCの所有する有名な茶碗をCから買ってくることを委託したとする。京都に行ったBは，Cに，Aの代理人と名乗って買うこともあるだろうし，Aの名前は伏せてB自身が買主として行動し，CもBを買主と信じて売買契約をすることもあるだろう。前者の場合は代理だが，後者は民法上の代理ではない。また，代理がすべて委任によって発生するわけでもない。まず，法定代理は別である。任意代理は，委任のほか，雇用・請負・組合などからも生じるという見解が有力である[4]。このように委任と代理の観念は異なるが，代理を伴う委任が典型的なものであることは間違いない。ただ，委任の項で検討されるのは，委任者と受任者の内部関係が中心となる。

3　各種の委任の発達と民法の委任の規定

(1)　各種の委任の発達

委任の性質を有するもので，個別的に発達している制度がある。まず，仲立ちや取次ぎがある。仲立ちは，他人間の法律行為の媒介をするものであり（商502条11号。同543条以下の仲立営業のほか，民事仲立ちもある），取次ぎは，自己の名で他人のために法律行為をすることを引き受けるものである（同502条11号。取次業者の一類型である問屋営業につき同551条以下）。これらの内部関係は委任又は準委任だといわれる[5]。そのうちの特定の類型のものについて，宅地建物取引業法や旅行業法などの個別的規制がある。次に，法人その他の団体と役員などとの関係も委任とされる（会社330条，一般法人64条・172条1項など）。個々の法人・団体について具体的に規定されている。また，弁護士に対する訴

---

3) フランス民法は，1804年当初から「第3編　所有権取得の諸態様」のなかに「委任（mandat）」の章を置いている。旧民法は，mandatを「代理」と訳したうえ，財産取得編第10章「寄託及ヒ保管」と第12章「雇傭及ヒ仕事請負ノ契約」の間に，第11章「代理」を置いた。現行民法は，これを本文のように改めた。他方，フランス民法は，2016年改正により，第3編のなかに「債権債務関係の発生原因」の章を設け，そのなかに「代理（représentation）」の規定（1153条〜1161条）を新設した（委任の章は存置）。

4) 四宮＝能見・総則347頁以下など。もっとも，明治民法の起草者は，任意代理を「委任代理」と呼び，代理は委任によってのみ生じると考えていた（梅謙次郎『訂正増補民法要義巻之一』〔1899〕251頁以下〔使用版は1911年33版〕）。104条及び111条2項の「委任による代理」という表現はそれを示している。現在でも，代理は委任によってのみ生じるという見解もある（佐久間毅『民法の基礎1〔第5版〕』〔2020〕239頁，柳・前掲注1）など）。

5) 江頭・商取引230頁（双方的仲立契約）・250頁。商法上の委任（代理商，仲立営業，問屋営業）の規律を一般法化して民法に規律を設けることを検討するものとして，基本方針V 133頁以下。

訟委任については，弁護士法及び民事訴訟法の規律がある。このほか，委託販売契約（大塚龍児「委託販売契約」現大系Ⅳ 25頁），銀行預金契約（最判平 21・1・22前掲，最大決平 28・12・19民集 70巻 8号 2121頁参照），フランチャイズ契約（最判平 20・7・4前掲〔コンビニエンス・ストアのフランチャイズ・チェーンの運営者と加盟店経営者との商品仕入委託〕）などにおいて，委任として法的性質決定がされたり，委任の要素を含むといわれたりする。

委任以外の法制度であっても，委任の規定が準用されることが多い（業務執行者である組合員につき 671条，親権者・後見人による財産管理につき 831条・869条，相続に関連する財産管理につき 926条 2項・936条 3項・940条 2項・944条 2項・950条 2項・1012条 3項，事務管理につき 701条など）。

(2) 民法の委任

このように，委任に関する規律は各類型ごとに発達しており，民法の委任の規定だけが適用されることは，実はそれほど多いわけではない。しかし，民法の委任の規定は，各種の委任や委任を含む法律関係の基本型としての意味をもつ。また，それは，他人の事務の処理（財産管理）に関する規律において，広く準用されている。この点で民法の委任の規定は，他人の事務を処理する法律関係の技術的基礎を提供している。そこで，委任という典型契約が他人の事務を処理する関係の通則としての性質をもつ（我妻中Ⅱ 667頁，星野 281頁参照），あるいは，委任を「役務提供型契約」の最も基礎的な契約類型と位置づける考え方がありうる[6]といわれる。

委任・準委任は，受任者に法律行為その他の事務の処理を委託する契約であり，その相手方の意思と能力による裁量の余地のあることが前提となる（我妻中Ⅱ 652頁・668頁）。そのため，委任は，当事者間の信頼関係を基礎とする（651条の解除権はその現れである）といわれることが多い。この点に着目すると，委任には当事者間の信頼関係に依存するという独自性があるので，それは役務提供契約の原型ではなく，原型からの派生物として位置づけるべきことになる[7]。

---

[6] 沖野眞已「契約類型としての『役務提供契約』概念（下）」NBL 585号（1996）41頁・43頁注（33）。一木・前掲注2）79頁以下参照。
[7] 大村（5）152頁。大村敦志『新しい日本の民法学へ』（2009）71頁〔初出 2000〕も参照。

つまり、委任の規定が他人の事務を裁量をもって処理する法律関係についての基本的規律を提供していることを強調すれば、その普遍性（「原型」性）は高いものとなるが、委任が当事者間の信頼関係を基礎とするものであることを強調すれば、その独自性が重視されることになる。両者では、信頼関係の内容も異なりうるが（前者ではより客観的、後者ではより人的なものとなるだろう）、どちらの面に着目するのかの違いにすぎない。

第2節　委任の成立

委任は諾成契約であり、口頭でも成立する（643条）。

不動産取引においては、宅地建物取引業者が媒介契約や代理契約をした場合、書面を作成して依頼者に交付することが必要である（宅建業34条の2・34条の3。電磁的方法も認められる）。

委任が代理を伴うときは、委任状が作成されることが多い。委任状は、受任者に代理権を与えたこと及びその範囲を相手方その他の関係者に対外的に示すための書面であり、委任契約自体は合意のみで成立する。法的手続等に関しては、代理権の授与を書面等で証明することが必要とされることがある（訴訟代理につき、民訴規23条1項、登記申請の代理につき、不登令7条1項2号、特許に関する代理につき、特許則4条の3、税務代理につき、税理士2条1項1号・30条など）。

第3節　委任の効力

1　受任者の義務

(1)　事務処理義務

(a)　意　義

受任者は、「委任の本旨に従い、善良な管理者の注意をもって、委任事務を処理する義務」を負う（644条）。これが受任者の基本的な義務である。その具体化されたものとして、報告義務、受け取った物の引渡し等の義務、金銭消費についての責任がある（645条〜647条）。

処理すべき委任事務の内容は、契約によって定まる[8]。もっとも、委任事務の処理の過程においては、様々な事態が生じる可能性があり、受任者の裁量の

余地を認めざるをえない。そのため，受任者が何をどのようにすべきかを契約で具体的に規定し尽くすことは困難である。そこで，旧民法は，受任者がすべきこととその際の注意義務とに分けて，比較的詳しい規定を置いた（財産取得編237条〜239条）。明治民法起草者は，これを簡素化し，644条に統合した。受任者のすべきことは「委任の本旨に従って委任事務を処理すること」であり，その処理の仕方は「善良な管理者の注意をもってすること」である（梅729頁以下）。

(b) 委任の本旨に従うこと

「委任の本旨に従って」とは，「契約の目的に適合するように」という意味である（仏訳民法154頁。鳩山下615頁も同旨）。敷衍して「委任契約の目的とその事務の性質に応じて最も合理的に処理すること」ともいわれる（我妻中Ⅱ670頁）。「委任の本旨」は，もともとは，受任者が原則としてすべきことを示す限定的な概念であったが，次第に拡張的に理解されるようになった。また，「商行為の受任者は，委任の本旨に反しない範囲内において，委任を受けていない行為をすることができる」という規律（商505条）が商行為以外の委任にも妥当するという理解（我妻中Ⅱ671頁）が広まった（基本方針Ⅴ94頁参照）。こうして，「委任の本旨」の概念は，委任事務の範囲を柔軟にする機能と，受任者のなしうる行為の外延を画する機能とをもつことになった。すなわち，「委任の本旨」は，委任事務の範囲にかかわる契約解釈の指針となるとともに，解釈によって定められた委任事務の範囲を超えることであっても，受任者がなしうること・なすべきことがあることを示し，さらに，超えうるとしてもなお限界があることを示している。これは，委任においては当初の合意によって受任者のすべき行為を具体的に確定することに限界があることに伴う法技術として理解することができる。

◆ 委任の本旨　①「委任ノ本旨ニ従ヒ」という語は，旧民法財産取得編237条1項に現れる（仏文は，dans sa forme et teneur）。ボワソナードは，これは「受任者は課されたこと以上のことも以下のこともしてはならない」という原則を示すものだと簡単に述べた後，同項でこれに続いて規定される，委任者の明示なき意思を斟酌

---

8)　不動産登記申請の委任を受けた司法書士の義務につき，委任者に対する義務（委任契約の内容によって定まる）と，委任者以外の者に対する義務を，それぞれ具体的に示した例として，最判令2・3・6民集74巻3号149頁。

すべきことについて詳しく説明する (Exposé des motifs, t. 3, p. 427)。また，法典調査会では，当初，現在の644条の原案（案650条）に続いて，受任者が委任者の指図に違反することができる例外を定める規定（案651条）が提案され，その際，委任の本旨に従うことが原則であり，それと異なる例外を定めるのが案651条だと説明された。しかし，案651条は支持されず，削除された（民法速記録Ⅳ 603頁・607頁以下〔富井・土方寧発言など〕）。このようにして，明治民法では，委任者の意思の斟酌に関する規定も，委任者の指図に関する規定も置かれないまま，原則を示す「委任ノ本旨」のみが残された。それは，もともとは限定的な概念であったが，例外規定を設けなかったがために，やがて，例外に関する問題が「委任ノ本旨」の解釈論に取り込まれ，結果として，この概念の拡張が生じたのではないかと考える。②一方，商法では，「委任蹤越」をした仲買人の免責に関する商法（明治23年法律第32号）459条が，商法（明治32年法律第48号）267条（現行商法505条と同内容）において，商行為の委任一般に拡張されたが，その際にも「委任ノ本旨」が用いられた（法務大臣官房司法法制調査部監修『日本近代立法資料叢書21 法典調査会商法修正案参考書』〔1985〕115頁）。これは，もともと商行為の委任に限るものだったが，その後，現行商法505条の規律は委任一般に及ぶという学説が広まった。①②の結果，「委任の本旨」の機能と概念の拡張がもたらされた（星野283頁は，信義則をも含意するとまでいう）。もっとも明治民法415条・493条で用いられる「債務ノ本旨ニ従ヒ」の訳語として，上記と同様，suivant la forme et teneur de l'obligation が選ばれている（仏訳民法103頁・119頁）のに対し，同644条の「委任ノ本旨」は，but visé dans le contrat と訳されたこと（同154頁）からすると，仏訳民法の執筆者は，委任の本旨を債務の本旨とは区別していたと理解することができ，明治民法の段階で，拡張の兆しがあったことがうかがわれる。なお，同415条の「本旨ニ従ヒ」の語は，不履行と遅延の両方を含める趣旨で選択されたものである（民法速記録Ⅲ 64頁〔穂積陳重発言〕）。

◆ **指図遵守義務**[9] 　受任者は委任者のした指図に従うべきことを前提として，一定の場合にその例外を認める見解が有力である（我妻中Ⅱ 671頁など）。このような規律を明文化することが，法典調査会で提案されたが採用されず（民法速記録Ⅳ 607頁～615頁），今回の民法改正の審議においても検討されたがとられなかった（論点整理説明399頁以下，部会資料46，第2，1 (1) 補足説明，同57，33頁。基本方針Ⅴ 92頁以下参照）。指図の射程の解釈，善管注意義務の適用などにより，個別的に解決されることになる。この問題は，受任者の債務の内容，当初の合意と事後の指図の関係，受任者の債務の履行における委任者の意思と利益の位置づけなど，委任の本質と構

---

9) 大塚智見「委任者の指図と受任者の権限」法協134巻10号1頁～12号1頁 (2017)，栗田晶「委任契約における受任者の指図遵守義務」民商155巻3号55頁・4号63頁 (2019)，潮見260頁，潮見新各Ⅱ 302頁以下，山野目265頁以下。本文(b)項は，大塚論文に負うところが多い（ただし，前掲12号62頁参照）。

造にかかわる。

(c) 善管注意義務[10]

受任者は，善良な管理者の注意をもって委任事務を処理する義務（善管注意義務）を負う。これは，その事務の受任者として通常すべき注意をすることである。当該受任者の個人的資質・能力が通常より低かったからといって，注意義務の基準が下がるわけではない。このことは，委任が有償か無償かで区別されない。寄託において，有償の場合（善管注意保存義務。400条）と無償の場合（「自己の財産に対するのと同一の注意」をもって保管する義務。659条）とが区別されているのと異なる。委任は，当事者の信頼関係を基礎とするから，報酬の有無により左右されないと説明される。もっとも，好意で引き受けている無償の受任者に重い義務を負わせることは適当ではないという見解もある。無償の受任者については，過失責任は，有償の受任者より寛大に適用されるという立法例もある（フ民1992条2項〔改正なし〕，旧民法財産取得編239条2項1号）。

善管注意義務違反ないしその可能性が認められた例としては，保険会社の診査医による被保険者の診査（大判大10・4・23民録27輯757頁），銀行が当座勘定取引契約に基づき顧客の振り出した約束手形をその当座預金から支払う際の印影の照合（最判昭46・6・10民集25巻4号492頁），債務整理を受任した弁護士が特定の債務について消滅時効の完成を待つ方針をとる場合の依頼者に対する説明（最判平25・4・16民集67巻4号1049頁）などがある。

> ◆ **無償の受任者の義務**　受任者が専門的な知識や技能を有する職業人（医師，弁護士など）である場合，委任の意義及び専門家としての地位に鑑み，委任契約をした以上は，有償無償を問わず，善管注意義務を負うと認めてよいだろう。他方，専門家でない者が無償又はごく低廉な報酬で他人のために何かをする場合，あまり重い義務を課すると，そのような義務を伴う契約の効果意思の存否が問題となりうる（我妻中II 672頁。津地判昭58・2・25判時1083号125頁〔隣人訴訟事件〕参照）。重い義務を伴う委任契約が成立するか，何らの契約も成立しないかの二者択一ではなく，注意義務の軽減された委任契約又はこれに類する無名契約の成立を認める余地があると考えたい。そのことは，当該契約の解釈によって導くことができるだろう（我

---

10) 中川高男「受任者の善管注意義務」大系IV 261頁，同・新版注民（16）221頁，一木孝之・新注民（14）247頁。中田・債総40頁以下参照。

妻・前同，広中279頁，内田292頁参照。潮見新各Ⅱ298頁は，「善良な管理者の注意」の程度の判断に帰着するという)。その前提として，受任者の善管注意義務を自己の事務におけるのと同一程度の注意義務に軽減する特約は，原則として有効であると考える（広中・前同。信託29条2項但書参照)。

◆ **忠実義務**[11]　受任者が，委任者との利害が対立する状況において，受任者自身の利益を図ってはならない義務を忠実義務という（会社355条，信託30条参照。647条との関係につき→(2)(c)）。今回の改正に際して，忠実義務に関する一般的な規定を置くことが検討されたが，見送られた（論点整理説明400頁以下，部会資料46，第2，1(2)補足説明，同57，33頁。基本方針Ⅴ97頁以下参照)。なお，代理を伴う委任においては，自己契約等についての制約がある（108条)。忠実義務の検討は，信認関係の検討へと広がる（→第1章第1節5(3)(c)〔52頁〕)。

◆ **委任の本旨と善管注意義務の関係**　「委任の本旨」の概念が不明瞭であることもあり，それを独立のものとはせず，644条全体が善管注意義務を表すという見解もある（内田291頁，山本712頁〔「委任の本旨」は注意の基準を示すものだという〕)。委任の多様化に応じ，同条全体で総合的に判断するという意味をもつ。もっとも，両者の観点・沿革が異なること，他の法律の規定の仕方（信託29条参照)，改正された400条との関係（善良な管理者の注意は契約等に照らして定まるとするので，「委任の本旨」を注意の基準を示すものだとすると重複することになる）を考え，伝統的な学説（梅729頁以下，鳩山下615頁以下，我妻中Ⅱ670頁以下，星野283頁など）と同様，本書では両者を区別する。

(d)　自己執行義務

受任者は，原則として，委任された事務の処理を自らが行わなければならない（644条の2第1項)。自己執行義務という。委任者は，受任者の資質・能力を信頼し，その裁量の余地を認めるからである。

もっとも，受任者が委任事務の処理を第三者に委託すること（復委任）が事務処理の円滑に資することがあるし，これができないと事務処理に支障が生じることもある。そこで，一定の場合に復委任が許容される。すなわち，受任者は，「委任者の許諾を得たとき」又は「やむを得ない事由があるとき」は，復受任者を選任することができる（644条の2第1項)。この要件は，任意代理に

---

11)　岩藤美智子「ドイツ法における事務処理者の誠実義務」神戸法学雑誌48巻3号（1998）609頁，同「委任契約における受任者の忠実義務」私法64号（2002）152頁，柳・前掲注1)230頁以下，潮見新各Ⅱ299頁以下。

おける復代理人の選任の要件（104条）と同じである。復委任の内部関係については，次の規定がある。すなわち，代理権を付与する委任において復委任がされたときは，復受任者は委任者に対し，その権限の範囲内において，受任者と同一の権利を有し，義務を負う（644条の2第2項）。

> ◆ **改正の経緯**　改正前民法では，復委任の規定がなく，その有効性及び内部関係については，復代理の規定（旧104条・旧105条・旧107条2項）の類推適用が唱えられていた（我妻中Ⅱ673頁以下）。しかし，代理の有効性は，復代理人が第三者との間でした法律行為の効果の本人への帰属という外部関係の問題であるのに対し，復委任の有効性は，受任者が復受任者に事務を処理させることが受任者の委任者に対する債務不履行となるかという内部関係の問題である。また，復委任は，代理権の付与がない委任でも生じうる。委任者と復受任者との関係に旧107条2項を類推適用することの可否についても議論があった。
>
> 　現行民法は，復代理の規律を一部改めるとともに，これとは別に復委任についての規定を新設した。まず，復委任の有効性については，104条と同じ要件が644条の2第1項で規定される（審議の過程では，復受任者選任の要件を104条より緩和することも検討されたが〔中間試案第41，1（注）〕，採用されなかった）。内部関係については，旧107条2項のうち，法定代理の内部関係は106条2項で規定され，任意代理の内部関係は644条の2第2項で規定される（106条2項は，任意代理については「第三者に対して」という部分のみが適用される）。
>
> 　この結果，本人又は委任者をA，代理人又は受任者をB，復代理人又は復受任者をC，代理行為の相手方をDとすると，任意代理においては，AD間は106条1項，AB間は643条以下（特に644条の2第1項），BC間は643条以下，AC間は644条の2第2項，CD間は106条2項が規律し，法定代理については，AD間は106条1項，AB間は法定代理関係の規定と105条，BC間は643条以下，AC間及びCD間は106条2項が規律する。

(2) 個別的義務

受任者は644条の規律に従って委任事務を処理しなければならないが，民法は具体的な義務について個別的に規定する。

　(a)　報告義務[12]

受任者は，①委任者の請求があるときは，いつでも，委任事務の処理の状況

---

12)　岩藤美智子「ドイツ法における報告義務と顛末報告義務」彦根論叢327号177頁〜337号97頁（2000〜02）。

を報告しなければならず，また，②委任が終了した後は，遅滞なく，その経過及び結果（あわせて「顚末（てんまつ）」ともいう）を報告しなければならない（645条）。①につき，代理商に関する特則がある（商27条。請求がなくても報告しなければならない）。

(b) 受取物の引渡し等の義務

受任者は，委任事務を処理するにあたって受け取った金銭その他の物を委任者に引き渡さなければならない（646条1項前段）。第三者から受け取った物だけでなく，委任者から受け取った物も含む（我妻中Ⅱ677頁など）。復代理の場合，復代理人が受取物を代理人に引き渡すと，特別の事情がない限り，それにより復代理人の本人に対する受取物引渡義務も消滅する（最判昭51・4・9民集30巻3号208頁）。

受任者は，委任事務を処理するにあたって収取した果実を委任者に引き渡さなければならない（同項後段）。受け取った土地の作物（天然果実），賃料（法定果実）などである。

受任者は，委任者のために自己の名で取得した権利を委任者に移転しなければならない（同条2項）。代理を伴う委任の場合は，受任者が代理人として相手方から取得した権利は，直接，委任者に帰属するが（99条1項），代理を伴わず，受任者が自己の名で取得した権利について，この規律が適用される。受任者は委任者に対抗要件を備えさせる義務も負う（我妻中Ⅱ679頁など）。

以上を通じて，引渡し又は移転をすべき時期は，委任の終了の時である。ただし，明示又は黙示の特約があれば，委任継続中であっても，その時に引渡し等をしなければならない（我妻中Ⅱ678頁など）。

(c) 金銭消費の責任

受任者は，委任者に引き渡すべき金額又は委任者の利益のために用いるべき金額を自己のために消費したときは，消費した日以後の利息を支払わなければならず，なお損害がある場合は，その賠償の責任を負う（647条）。

受任者は，委任事務を処理するにあたって金銭を取得した場合，銀行に預けるなどして安全かつ有利に保管しなければならず，そうせずに委任者に損害を与えたときは，善管注意義務違反により損害賠償責任を生じる。受任者がそれにとどまらず，その金額を自己のために消費した場合は，不当な行為に対する制裁として，本条の適用を受ける。利息は，合意がないにもかかわらず，また，

委任者の損害の有無にかかわらず，金銭消費の日から課せられる。また，損害賠償は，金銭債務に関する規律（419条1項）の特則として，法定利率を超えるものも認められる。

647条の根底には，その範囲においてではあるが，受任者の忠実義務の思想が認められると考える（中田・研究396頁以下。潮見新各Ⅱ315頁以下参照）。

2 委任者の義務

(1) 受任者に損失を被らせない義務[13]

(a) 概　観

委任者は，委任事務の処理について，受任者に経済的負担をかけず，損失を被らせることのないようにする義務を負う（我妻中Ⅱ681頁，最判昭47・12・22民集26巻10号1991頁）。有償委任か無償委任かを問わない。費用，債務負担，損害賠償に関する規定がある。

(b) 費用支払義務

受任者が委任事務を処理するのに必要と認められる費用を支出したときは，委任者に対し，その費用及び支出した日以後の利息の償還を請求できる（650条1項。702条1項と対比せよ）。「必要と認められる」というのは，結果的・客観的にみて必要であったという意味ではなく，受任者が相当の注意のもとに必要と認めた費用であるというのが判例・通説の理解である（大判昭2・1・26裁判例2巻民100頁，我妻中Ⅱ682頁）。受任者が善良な管理者の注意をもって支出した費用と理解すべきであろう。利息は，法定利率による（404条）。

受任者が委任事務を処理するについて費用を要するときは，受任者の請求があれば，委任者は前払をしなければならない（649条）。

> ● AがB（東京在住）に対し，京都のCからCの所有する茶碗を買うことを委任した場合，茶碗の代金，往復の交通費，現地での宿泊費は，費用である。Bが立て替えて支払ったときは，Aはその費用と利息をBに支払わなければならない。Bが請求すればAは前払をしなければならない。Bの報酬は，これとは別である。

---

[13] 一木孝之「受任者の経済的不利益等に対する委任者の塡補責任（1）（2）」國學院法學45巻2号1頁・46巻1号1頁（2007〜08，未完），一木・前掲注2）197頁以下。

第3節　委任の効力

(c)　債務の代弁済義務等

受任者が委任事務を処理するのに必要と認められる債務を負担したときは、受任者は委任者に対し、自己に代わってその弁済をすること（代弁済）を請求できる。その債務が弁済期にないときは、委任者に対し、相当の担保を提供させることができる（650条2項）。この受任者の代弁済請求権に対し、委任者は受任者に対する債権をもって相殺することができないというのが判例である（最判昭47・12・22前掲〔505条1項の同種の目的を有する債務といえないこと、相殺を許すと受任者に立替払いを強いる結果となることが理由〕）。

● 前の例で、BがCとの間で、自己の名前で（Aの代理人としてではなく）茶碗を買う契約をし、代金債務を負った場合、BはAに対し、自分に代わってCに支払うことを請求できる（梅747頁の例による）。

(d)　損害賠償義務

受任者は、委任事務を処理するため、自己に過失なく損害を受けたときは、委任者に対し、その賠償を請求できる（650条3項）。委任者の過失の有無を問わない。どのような場合の損害が含まれるのかについて、古くから議論がある。委任事務処理に伴うリスクの負担について、その委任契約でどのように合意されたかを、委任事務の性質、受任者の専門性・事業性、受任者の報酬の有無・額などを考慮しつつ、判定すべきである。

◆ 受任者が受けた損害の賠償義務　　法典調査会では、受任者が委任事項を「処理スルニ当リ」過失なく損害を受けたときは、という原案に対し、それでは広すぎるという意見があり、大議論の末、「処理スル為メ」に改められた（民法速記録Ⅳ 631頁〜659頁）。その後の学説でも、「ため」を広く解するか狭く解するかについて、外国法も参照しつつされる対立がある（来栖527頁以下、明石三郎・新版注民（16）276頁以下、一木・新注民（14）314頁以下）。今回の改正では、部会の審議で、「委任事務が専門的な知識又は技能を要するものである場合」に一定の要件のもとで650条3項の適用除外とすることが検討されたが、特約の認定の解釈基準にすぎないとして見送られた（中間試案説明490頁、部会資料73B、第1、1、同81-3、21頁）。

(2)　報酬支払義務

(a)　報酬支払義務の有無

委任は無償が原則であるが、特約があれば、委任者は受任者に報酬を支払う

義務を負う（648条1項）。商人がその営業の範囲内で委任事務を行ったときは，相当な報酬を請求することができる（商512条）。

①弁護士報酬，②宅地建物取引業者の報酬，③会社の役員報酬などについて，それぞれ固有の問題がある（①について，報酬に関する合意の有無・内容，中途解任の場合。②について，媒介契約の成否，委託を受けていない売買当事者に対する業者の請求，中途排除の場合。宅建業34条の2第1項7号参照。③について，お手盛りの弊害防止。会社361条参照）。

(b) 報酬支払時期

受任者に報酬請求権がある場合，後払が原則である。すなわち，受任者は，委任事務を履行した後でなければ，報酬を請求できない（648条2項本文）。期間によって報酬を定めたときは，受任者は，その期間経過後に請求できる（同項但書・624条2項）。

成果に対する対価として報酬を支払うという合意のある委任（以下「成果報酬型委任」と呼ぶ[14]）。受任者が第三者から茶碗を買い取ることができたら報酬を支払う合意のある委任，勝訴したら一定の成功報酬を支払う合意のある弁護士に対する訴訟委任など）については，次の規律がある。すなわち，委任事務の履行により得られる成果に対する報酬支払が約束された場合，その成果が引渡しを要するときは，報酬は，その成果の引渡しと同時に支払わなければならない（648条の2第1項）。引渡しを要しないときは，委任事務の履行終了後に支払わなければならないが（648条2項本文），この場合も成果が達成されていることが必要である。

成果報酬型委任は，委任の報酬が委任事務の処理という役務それ自体に対してではなく，委任事務処理の結果として成果が達成されたときに，その成果に対する対価として支払われるという報酬支払方式の委任である。この場合，受任者が成果をもたらす義務（結果債務）を負うわけではないので，仕事の完成義務がある請負とは異なるが，報酬に関しては請負と類似する（中間試案説明492頁，部会資料72A，第2，2 (1) 説明，同84-3，第36，2 (1) 説明。基本方針Ⅴ25

---

[14] 役務提供契約一般についての報酬支払方式として，履行割合型と成果完成型の分類が提唱され（基本方針Ⅴ19頁以下），これが648条の2の規定の新設に影響を及ぼしたと考えられる（論点整理説明409頁，中間試案説明492頁以下参照）。そこで，同条の委任を「成果完成型」と呼ぶこともある（潮見264頁，吉永一行・改正コメ895頁，一木・新注民 (14) 295頁など）。ただ，この呼称だと，請負との関係が不明瞭になるおそれがあるので，本書では，条文の文言に則して，成果報酬型と呼ぶことにする。

第 3 節　委任の効力

頁参照)。そこで，この規定が新設された（一問一答 352 頁以下)。

(c)　委任の履行不能又は終了時の報酬請求

(i)　履行の割合に応じた報酬　　委任事務処理の途中で履行ができなくなったり，委任が終了した場合の報酬について，雇用 (624条の2) と同様の規定がある (648条3項)[15]。

①委任者の責めに帰することができない事由によって委任事務を履行できなくなった場合　　受任者は，既にした履行の割合に応じて，報酬を請求できる (648条3項1号)。これは，当事者双方の責めに帰することができない事由による場合，及び，受任者の帰責事由による場合である。後者の場合，受任者の債務不履行責任は，別途生じる。

②委任が履行の中途で終了した場合　　受任者は，既にした履行の割合に応じて，報酬を請求できる (同項2号)。「委任が履行の中途で終了した」とは，委任が解除された場合，及び，履行の中途で終了事由 (653条) が生じた場合である。解除された場合など，「委任事務を履行できなくなった」とはいいにくく①にあたらないとしても，②で同じ帰結が導かれる（一問一答 351 頁)。

③委任者の帰責事由によって委任事務を履行できなくなった場合　　委任者は，原則として，報酬全額を支払わなければならない (536条2項)。

(ii)　成果報酬型委任の場合　　途中で成果が得られなくなったり，委任が解除された場合の報酬について，請負における規定が準用される (648条の2第2項・634条)[16]。

①委任者の責めに帰することができない事由によって成果を得ることができなくなった場合　　受任者が既にした委任事務の処理による結果のうち可分な給付によって委任者が利益を受けるときは，その部分を得られた成果とみなし，受任者は，委任者が受ける利益の割合に応じて，報酬を請求できる (648条の2第2項・634条1号)。「委任者の責めに帰することができない事由」の意味は，(i)①と同じである。

②成果が得られる前に委任が解除された場合　　①と同様である (648条の2

---

[15]　部会資料81-3, 第11, 2 (2) 説明, 同83-2, 第36, 2 (2), 同84-1, 第36, 2 (2)。旧648条3項との相違につき，大塚智見「委任の中途終了時における受任者の報酬」上法64巻3・4号 (2021) 245頁を参照。

[16]　部会資料83-2, 第36, 2 (2) イ参照。

第2項・634条2号)。

③委任者の帰責事由によって成果を得ることができなくなった場合 委任者は,原則として,報酬全額を支払わなければならない(536条2項)。

(3) **協力義務**

委任契約上,委任者は,受任者の委任事務処理に協力すべき義務(医師に健康診断を委任した者の受診への協力など)や,ある特定の行為をしない義務(債権の代理受領を委任した者が自ら取り立てない,不動産の売却を委任した者が自ら売却しないなど)を負うことがある。委任者が履行しない場合,前項の報酬請求の問題となることが多いが,債務不履行による損害賠償の問題となることもある。

第4節　委任の終了

1　委任契約の解除

(1) **概　　観**

委任契約については,債務不履行による解除(541条・542条)のほか,各当事者の任意解除が定められている(651条)。これらの解除には,遡及効がない(652条・620条。一木・新注民(14)332頁以下)。

(2) **各当事者の任意解除**[17]

(a) 解除の自由と制限

委任は,各当事者がいつでも解除することができる(651条1項)。委任の解除が自由であることの中心的な理由は,委任は当事者の信頼関係[18]を基礎とするので,相手方が信頼できなくなったときは,委任を終了させうることが適当であることである(梅751頁以来の一般的な説明)。このほか,委任が委任者の利益のための契約であること,委任契約上の債務には本来の履行を求める意味が小さいものが多いこともあげられる。なお,解除自由は委任の無償性による

---

[17] 中田・研究330頁以下(関連文献の引用はこれに譲る),基本方針Ⅴ122頁以下,森田・前掲第1章注60)429頁以下,吉田204頁以下。

[18] 委任の解除の自由の根拠となる信頼の概念の多様性につき,丸山絵美子『中途解除と契約の内容規制』(2015) 187頁以下〔初出2001〜06〕。

(651条は有償委任には適用されない) という見解もある (広中292頁, 平野388頁)。

他方, 委任の解除の自由を制限すべき場合もある。当事者の意思の尊重(委任者が解除権を放棄した場合など), 相手方の利益の保護の必要(委任が受任者の利益をも目的とする場合など), 社会法的配慮(受任者の委任者への経済的従属性が高い場合など) などによる。そこで, 解除の自由に対する調整(同条2項)がされ, また解除が否定されることがある。

(b) 具体的規律

民法は, 委任の解除自由を原則としたうえで, 一定の場合には, 損害賠償によって相手方の利益の保護を図る。次の通りである。

①委任は, 各当事者がいつでも解除できる(651条1項)。

②次の2つの場合には, 解除した者は, 相手方の損害を賠償しなければならない。

ⓐ「相手方に不利な時期に委任を解除したとき」(同条2項1号) 旧651条2項を引き継ぐ規定である。たとえば, 訴訟の途中で弁護士が辞任した場合である(梅752頁)。この場合に賠償すべき損害は, 解除の時期が不当であることに起因する損害である(我妻中Ⅱ690頁参照)。

ⓑ「委任者が受任者の利益(専ら報酬を得ることによるものを除く。)をも目的とする委任を解除したとき」(651条2項2号) 改正前民法のもとの判例法理に基づく規定である(「専ら報酬を得ることによるものを除く」のは, 最判昭43・9・3裁集民92号169頁, 最判昭58・9・20前掲による)。この場合に賠償すべき損害は, 委任契約が解除されなければ受任者が得たであろう利益から受任者が債務を免れることによって得た利益を控除したものである(中間試案説明497頁以下, 部会資料72A, 第2, 3説明2)。

③やむを得ない事由があったときは, ②のⓐ又はⓑの場合であっても, 損害賠償を要しない(651条2項柱書但書)。

◆ **651条2項における「相手方の損害」** 受任者の報酬と費用が特に問題となる。受任者の得べかりし報酬は, 原則として,「損害」に含まれないと解すべきである。ⓐ同項1号の場合の損害は本文記載の通りであり, 報酬は含まれない(反対, 潮見270頁。潮見新各Ⅱ335頁以下参照)。ⓑ同項2号の場合, ㋐同号の受任者の利益については報酬以外のものが想定されていること, ㋑委任が解除された場合の受任者の報酬については, 648条3項2号・648条の2第2項・634条2号により部分

第 14 章 委　任

的なものに限られているところ（→第 3 節 2(2)(c)〔539 頁〕），ここで得べかりし報酬を一般的に損害として認めると，報酬についての規律が無意味になること，㋦報酬は，現実に行われた委任事務処理の対価であること（成果報酬型委任を除く），が理由である。

　もっとも，受任者の報酬を保証する特約又はこれを認めるべき特別の事情がある場合は，別である（たとえば，会社法 339 条 2 項の「解任によって生じた損害」は，取締役の地位の安定の確保という制度的要請に基づいて解釈されるべきことになる）。なお，委任について期間の定めがある場合は，その期間にかかる解除権放棄合意が認められるときは解除自体ができないし，解除権放棄合意とは認められず，かつ，651 条 2 項 1 号又は 2 号が適用されるときでも，期間の定めの解釈により残期間の報酬請求権が認められる可能性がある。いずれにせよ同項の「損害」とは別の問題になる（以上につき，部会資料 81-3，第 11，3 説明，同 83-2，第 36，3 説明，第 95 回部会議事録 41 頁〜45 頁〔安永貴夫・神作裕之・岡正晶・中井康之・合田関係官発言〕）。

　次に，費用との関係はこうである。解除時までに生じた費用等は 650 条により清算され，ここでの「損害」とならない。解除により生じた追加費用は，損害賠償の対象となりうると考える（請負における注文者の任意解除の場合を参照→第 13 章第 4 節 2〔522 頁〕）。

◆ **改正前民法のもとの判例法理**　　古くは，委任者の解除権放棄特約の効力を一般的には認める判例があった（大判大 4・5・12 民録 21 輯 687 頁〔年金受領の委任。当該事案では特約の効力を否定〕）。その後，受任者の利益をも目的とする委任の解除について，次のような判例の展開があった。まず，大審院は，受任者の利益をも目的とする委任においては委任者は旧 651 条による解除はできないとして，解除自由を大きく制限した（大判大 9・4・24 民録 26 輯 562 頁〔債権の取立委任〕）。しかし，その後，制限の範囲を少し狭め，受任者の利益でもある委任であっても，やむを得ない事由がある場合は，同条による解除はなお可能であるとし（最判昭 40・12・17 裁集民 81 号 561 頁〔会社の負債処理の委任〕），さらに，制限の範囲をより限定し，受任者の利益でもある委任においても，委任者が委任契約の解除権自体を放棄したものとは解されない事情があるときは，やむを得ない事由がなくても，委任者は，なお同条により解除でき，受任者の被る不利益は損害賠償によって塡補すれば足りるとした（最判昭 56・1・19 民集 35 巻 1 号 1 頁〔建物賃貸に関する管理の委任〕，淺生重機『最判解民昭 56』1 頁，大塚直「判批」法協 99 巻 12 号〔1982〕147 頁，百選 II 71〔一木孝之〕）。このように，判例は，いったんは旧 651 条の文言よりも解除の自由を大きく制限したが，その後，解除を自由にし，金銭的調整での解決を図る方向に転じ，結局，同条の文言よりもやや制限されているという程度にまで戻っていた。

(c) 解除が否定される場合

以上が 651 条の内容だが，契約の性質上，あるいは，解除権放棄の合意により，委任の解除が否定されることがある。この場合，解除の効果は生じず，委任契約は存続する。

◆ **委任の解除が否定される場合**　委任者の解除権の放棄は，古くから認められている（大判大 4・5・12 前掲）。近年では，登記義務者 A と登記権利者 C のそれぞれが司法書士 B に登記手続を委任した場合，A は C に無断で AB 間の委任契約を解除できないとした例がある（最判昭 53・7・10 民集 32 巻 5 号 868 頁）。委任者 A が受任者 B に債務を負担しており，その担保として A の C に対する債権の弁済受領を委任し，A が解除権を放棄した場合（代理受領など。解除を認めると，B が担保を失うだけであり，損害賠償は無意味である）も同様である。当該契約が委任かどうかの性質決定も問題となる（委任でなければ 651 条は適用されない）。なお，「契約関係の継続性の価値」に着目し，解除の制限を試みる見解がある（内田 298 頁）。

651 条 2 項 2 号には，「委任者が委任契約の解除権自体を放棄したものとは解されない事情があるとき」という改正前民法のもとの判例（最判昭 56・1・19 前掲）の文言は，取り入れられていない。解除権自体の放棄については，同条 1 項は任意規定であるので，放棄の合意は，公序良俗に反するものでなければ，依然として有効であって，あとはその認定と射程の解釈の問題となると考えるべきである（判例法理とは，証明の対象と証明責任が異なりうる）（中間試案説明 498 頁参照）。

2 その他の終了事由

(1) 委任の終了事由

(a) 当事者の死亡

委任者又は受任者の死亡により，委任は終了する（653 条 1 号）。委任における信頼関係が個人的なものだからだと説明される。もっとも，当事者の死亡後も委任を存続させる合意があるときは，その効力は認められる（最判平 4・9・22 金法 1358 号 55 頁〔委任者の死後の事務を含む委任〕，百選Ⅱ〔5 版〕68〔後藤巻則〕，中田・研究 342 頁以下）。また，651 条による解除が認められない場合には，当事者の死亡によって終了しないのが原則だという見解が有力である（我妻中Ⅱ 695 頁など）。当事者の死亡によっても委任又は任意代理権が終了しないことが法律で定められているものもある（商 506 条〔商行為の委任〕，民訴 58 条 1 項 1 号〔訴訟代理〕，不登 17 条 1 号〔登記申請の代理〕，特許 11 条〔特許に関する代理〕など）。

第14章　委　任

(b)　当事者の破産

　委任者又は受任者が破産手続開始決定を受けると、委任は終了する（653条2号）。契約当事者が破産した場合の一般的な規律とは異なる取扱いであるが、委任関係が相互の信頼関係に基づくことを重視するものである（伊藤・破産421頁。梅755頁参照）。民事再生手続や更生手続の開始決定によっては、委任は終了しない（中田・研究357頁以下）。

(c)　受任者についての後見開始

　受任者が後見開始の審判を受けると、委任は終了する（653条3号）。受任者は自ら委任事務を処理できなくなるが、その法定代理人は委任者が信認を与えた者ではないからである（梅755頁）。

(2)　**委任の終了時の規律**

　委任が終了した場合において、急迫の事情があるときは、受任者（又はその相続人・法定代理人）は、委任者（又はその相続人・法定代理人）が委任事務を処理することができるにいたるまで、必要な処分をしなければならない（654条）。善処義務という。委任者が不測の損害を被ることを避けるためである（梅758頁）。

　委任の終了事由は、相手方に通知したとき、又は、相手方が知っていたときでなければ、これを相手方に対抗できない（655条）。653条の終了事由があれば、委任は当然に終了するが、それだけだと終了を知らない相手方が損失を被ることがある。たとえば、受任者が委任者の死亡を知らずに事務処理を続行した場合、受任者が事務管理者の地位に立つことになるとすると、不利益を被るおそれがある（650条と702条の違い）。また、委任者が受任者の死亡を知らずに委任事務が処理されていると思って放置していた場合、不利益を被るおそれがある。655条は、このようなことを避けるための規律であり（梅758頁）、終了事由の生じた当事者側は、相手方が知るまでは、委任契約上の義務を負い続ける（星野293頁）。

第15章 寄　　託

第1節　意　　義

　寄託とは，物を保管する契約である。当事者の一方がある物を保管することを相手方に委託し，相手方がこれを承諾することによって成立し，効力を生ずる（657条）。預ける人を寄託者，預かる人を受寄者という。有償のものと無償のものがある（665条・648条1項）。有償であれば，諾成・双務・有償契約であり，無償であれば，諾成・片務・無償契約である。

　寄託は，改正前民法では要物契約だったが（旧657条），改正により諾成契約に改められた（→第2節1）。

　寄託は，物を保管するという役務を提供する契約である。保管とは，目的物を自分の所持（支配）内に置いて，その物の原状を維持することである（鳩山下635頁，我妻中Ⅱ702頁）。単に保管場所を提供するだけのものではない。たとえば，駐車場契約は土地の賃貸借であり，銀行の貸金庫契約は場所・設備の賃貸借であって，いずれも寄託ではない。

　保管の対象となる物は，特定の動産であることが多い。代替物である場合は，混合寄託（665条の2）又は消費寄託（666条）となることもある。金銭の場合は，消費寄託であることが通常である（→第5節2〔556頁〕）。

　寄託物は，寄託者の所有する物でなくてもよい。他人物の寄託の場合も，寄託者は，寄託契約上の債権としての返還請求権を有する。所有者の所有権に基づく返還請求との関係については後述する（→第3節1(3)(c)(ii)〔552頁〕）。

　寄託の例は，倉庫における商品の保管，飼主の旅行中のペットの預託，ホテルのクロークでの手荷物の一時預かり，銀行への金銭の預託（預金）など多様である。受寄者が商人である場合等には，商法第2編第9章も適用される。倉

庫営業については、その第2節に規定があるほか（商599条～617条）、倉庫業法の規制がある。

第2節 寄託の成立

1 要物契約から諾成契約へ

改正前民法で寄託が要物契約とされていたのは、ローマ法以来の伝統によるものである。しかし、今日では実質的意味がないといわれ、寄託の予約や諾成的寄託契約を認める学説が一般的となった。実際上も、倉庫寄託契約を中心に、諾成的寄託契約が広く用いられており、寄託を要物契約とすることは取引の実態とも合致していないといわれていた（中間試案説明510頁）。

現行民法は、これらの指摘を考慮し、寄託を諾成契約とした（657条）。合意による契約の成立から寄託物の受取りまでの法律関係については、改正前民法のもとでの諾成的寄託契約に関する学説（我妻中Ⅱ705頁以下など）も考慮され、消費貸借・使用貸借と同様、目的物受取り前の解除権の規定が置かれた。次項で検討する。

2 寄託物受取り前の寄託の解除

(1) 寄託者の解除権

寄託者は、受寄者が寄託物を受け取るまでは、契約の解除をすることができる（657条の2第1項前段）。この場合、受寄者は、その契約の解除によって損害を受けたときは、寄託者に対し、その賠償を請求することができる（同項後段）。

寄託を諾成契約として合意のみによる拘束力を認めるとしても、寄託は寄託者のためにされる契約だから、寄託者が望まなくなった場合にまで強いて預けさせる必要はなく（662条参照）、受寄者に生じた損害があればそれを賠償させることで足りる。そこで、受取り前の寄託者の解除権が規定された（中間試案説明510頁、部会資料73A、第2、1 (2)・(3) 説明）。書面でする消費貸借の借主の受取り前の解除（587条の2第2項）と同様の表現である（部会資料83-2、第38、1 (2) 説明）。受寄者が賠償を請求するためには、損害の発生及び契約解除との因果関係を証明することが必要である。

◆ **受寄者の損害賠償請求** ①受寄者の得べかりし報酬は，原則として，この損害に含まれないと解すべきである。寄託の報酬は，現実に保管することの対価であること（我妻中Ⅱ706頁），657条の2第1項の規律は，要物契約を諾成契約とすることにより失われる当事者の利益に配慮するものであるが，この損害に得べかりし報酬を含めると，寄託が中途で終了した場合の受寄者の報酬に関する規律（665条・648条3項2号）に比しても，寄託者に過大な負担となることが理由である。書面による消費貸借の場合（→第9章第2節2(3)(a)(ii)〔358頁〕）と共通するが，貸主の目的物調達費用などがありうる消費貸借と，自らの施設・場所を利用する受寄者とでは同じではない。②受寄者が保管の準備のために支出した必要費は，「損害」に含めることも考えられるが，性質上は，費用償還請求の対象とするのが適切であろう（665条・650条1項。我妻・前同，星野297頁参照。解除の効果は遡及しないと考える）。③結局，寄託者が保管の有無にかかわらず特に受寄者の報酬を保証した場合の報酬相当額，650条の償還請求の対象とはならないが賠償の対象とすべき費用，他からの寄託の申込みを拒絶して場所を空けておいたことによる損失などが，損害として考えられる。この損害について「契約が解除されなければ受寄者が得たと認められる利益から，受寄者が債務を免れることによって得た利益を控除したもの」と説明されることがあるが（部会資料81-3，第13，1(2)説明），契約成立段階である657条の2第1項後段の損害について過度に一般化することには注意が必要である。

(2) 受寄者の解除権

(a) 書面によらない無償寄託における受寄者の解除権

無償寄託の受寄者は，寄託物を受け取るまでは，契約の解除をすることができる。ただし，無償寄託であっても書面による場合は，受寄者は解除できない（657条の2第2項）。寄託を諾成契約としつつ，無償寄託については，受寄者の保護を図る観点からその拘束力を有償寄託よりも緩和するものであり，使用貸借についての規律（593条の2）と同様のものである（中間試案説明510頁，部会資料73A，第2，1説明3）。

(b) 有償寄託及び書面による無償寄託の受寄者の解除権

有償寄託及び書面による無償寄託の受寄者は，寄託物を受け取るべき時期を経過したにもかかわらず，寄託者が寄託物を引き渡さない場合，相当の期間を定めて引き渡すよう催告をし，その期間内に引渡しがないときは，契約の解除をすることができる（657条の2第3項）。寄託を諾成契約とすることにより，当事者は合意によって拘束されることになるが，寄託者が寄託物を引き渡さず，解除もしない場合には，受寄者（保管場所を確保し続けなければならない）を契約

から解放する必要がある。そこで，寄託者に寄託物引渡義務がないとしても，受寄者に法定の解除権を与えるものである（中間試案説明510頁，部会資料73A，第2,1説明4,一問一答358頁）。

第3節　寄託の効力

1　受寄者の義務
(1)　目的物保管義務
(a)　注意義務

有償寄託の受寄者は，善良な管理者の注意をもって，寄託物を保管する義務を負う（400条）。

無償寄託の受寄者は，自己の財産に対するのと同一の注意をもって，寄託物を保管する義務を負う（659条）。ただし，商人がその営業の範囲内で寄託を受けたときは，無償であっても，善管注意義務を負う（商595条）。

無償寄託の受寄者の注意義務が軽減されているのは，①無償契約であるがゆえの責任の軽減が妥当であること（我妻中Ⅱ714頁，星野298頁），及び，②責任軽減が寄託者の意思にも適合することが理由である。②は，寄託者は受寄者の注意深さの程度を知って預けるからといわれたが（梅768頁），受寄者の個人的能力についての寄託者の具体的認識より，無償寄託の寄託者の合理的意思から説明するのが適切だろう（中田・債総41頁以下参照）。

受寄者がこれらの義務に違反して，寄託物が滅失し，又は損傷した場合，受寄者は債務不履行による損害賠償責任を負う。倉庫営業に関しては，倉庫営業者の責任についての短期時効が定められている（商617条）。

倉庫営業における上記期間制限並びに使用貸借及び賃貸借における借主に対する損害賠償請求権の期間制限（600条・622条）と同様に，寄託者の損害賠償請求権についても，債権債務関係の早期処理が妥当である（寄託物の一部滅失又は損傷が受寄者の保管中に生じたものか否かが不明確になることを避ける必要がある）。そこで，短期の期間制限がある。すなわち，寄託物の一部滅失又は損傷によって生じた損害の賠償については，寄託者は返還を受けた時から1年以内に請求しなければならない（664条の2第1項）。これは除斥期間である。この損害賠償請求権については，寄託者が返還を受けた時から1年を経過するまでは，時

効は完成しない（同条2項。時効の完成猶予→第10章第3節2(1)◆〔380頁〕）。

寄託物の全部滅失の場合には，この期間制限はなく，一般の規律による。この場合は，寄託物の返還自体が不能となっており，664条の2の規律が適用される状況とは異なり，債権債務関係の早期処理の要請も高くないからである（以上につき，中間試案説明521頁，部会資料73A，第2，5説明）。

> ◆ **場屋営業者の責任**　旅館，飲食店，浴場など客の来集を目的とする場屋の営業者は，客から寄託を受けた物について厳格責任を負うとともに，客がその場屋内に携帯したが特に寄託しなかった物についても過失責任を負う（商596条〜598条）。これは，船主，旅館の主人等の重い責任を認めるローマ法のレセプトゥム責任の流れを汲むものである[1]。部会では，2017年改正前商法の規定を現代化して民法で規定することが検討されたが，主体の限定の仕方や根拠づけについて疑義が示され，見送られた（論点整理説明452頁，部会資料47，第3，12補足説明，同57，43頁，第59回部会議事録1頁〜3頁）。

(b) 寄託物の使用の禁止

受寄者は，寄託者の承諾がないと，寄託物を使用することができない（658条1項）。

(c) 自己執行義務

受寄者は，原則として，自ら保管しなければならない（658条2項）。

しかし，2つの場合に，第三者に保管させること（再寄託）ができる。①寄託者の承諾を得たとき，又は，②やむを得ない事由があるとき，である（同項）。改正前民法では，①しか認められていなかったが（旧658条1項），実務の要請及び復委任（644条の2第1項）との整合性を考慮し，再寄託の可能性が広げられた（中間試案説明512頁，部会資料73A，第2，2説明1）。

適法に再寄託がされた場合，再受寄者は，寄託者に対して，その権限の範囲内において，受寄者と同一の権利を有し，義務を負う（658条3項）。これにより，再受寄者は，寄託者に対し，直接，報酬を請求することができ（受寄者に

---

1) 沿革及び外国法につき，原田・ローマ法212頁，廣瀬久和「レセプトゥム（receptum）責任の現代的展開を求めて」上法21巻1号75頁〜26巻1号83頁（1977〜83），須永醇「ホテル・旅館宿泊契約の一側面」現大系Ⅶ135頁，松田真治「宿泊契約と場屋営業者の責任に関する序論的考察」岸田雅雄古稀『現代商事法の諸問題』（2016）1001頁。現状分析及び立法提案として，文献引用も含め，基本方針Ⅴ231頁〜242頁・499頁〜501頁。

資力がなくても保護される），寄託者は，再受寄者に対し，寄託物の返還請求権をもつことになる（中間試案説明 513 頁以下，部会資料 73A，第 2，2 説明 2)。「権限の範囲内において」という限定がされるのは，再受寄者の権利義務の範囲が受寄者のそれと異なる場合があるからである（一問一答 361 頁，吉永一行・新注民（14）382 頁)。

> ◆ **改正の経緯**　改正前民法では，受寄者は，再受寄者の選任及び監督について寄託者に対して責任のみを負うと規定されていた（旧 658 条 2 項・旧 105 条)。しかし，再寄託が認められるからといって受寄者の責任を軽減する必要はなく，債務者が履行を補助する者を使用した場合の一般的規律に委ねれば足りる。また，寄託者の承諾がなくても再寄託が認められることにすると，受寄者の責任軽減は，一層正当化しにくい。そこで，この規定は削除された（中間試案説明 513 頁，部会資料 73A，第 2，2 説明 2)。

(2) 保管に付随する義務

(a) 通知義務

受寄者は，保管に付随するいくつかの義務を負う。特徴的なのは，第三者が寄託物について権利を主張してきた場合に受寄者のすべき行為に関する規律である。寄託物は寄託者の所有物とは限らないし，その譲渡等もありうることから，寄託物をめぐって，寄託者と第三者の争いに受寄者が巻き込まれることがある。そこで，受寄者に通知義務が課せられる。

すなわち，寄託物について権利があると主張する第三者が，受寄者に対して，訴えを提起し，又は，差押え・仮差押え・仮処分をした場合，受寄者は遅滞なく寄託者にその事実を通知しなければならない（660 条 1 項本文)。寄託者が異議を述べるなど，適切な対応をとることができるようにするためである（梅 770 頁)。したがって，寄託者が既にその事実を知っているときは，受寄者の通知義務はない（同項但書)。

そのような場合，受寄者は誰に返還すべきかが問題となる。現行民法は，規律を明確化した（→(3)(c)(ii)〔552 頁〕)。

(b) その他の義務

委任に関する規定が準用される（665 条)。受寄者は，受取物引渡し等の義務（646 条）と金銭消費責任（647 条）を負う。受寄物自体は，保管及び返還の目的

であるので，ここでの「受取物」には含まれない（吉永・新注民（14）418頁）。

● 受寄者が受寄物である馬を寄託者の承諾を得て自己の名で撮影用に一時賃貸した場合，受寄者は，受領した賃料又は取得した賃料債権を，寄託者に引き渡し又は移転しなければならない。その馬が受胎しており，仔馬が生まれた場合も同様である（646条1項後段）。受寄者が受領した賃料を自己のために消費したときは，647条による責任を負う（梅777頁参照）。

(3) 目的物返還義務
(a) 概　観

寄託契約が終了したときは，受寄者は寄託者に寄託物を返還する義務を負う。寄託者は，寄託物の所有者であるときは，所有権に基づく返還請求権も有する。寄託契約上の返還請求権が消滅時効にかかっても，所有権に基づく返還請求権は存続する（大判大11・8・21民集1巻493頁。前者の消滅時効の起算点につき，四宮＝能見・総則431頁参照）。

返還の場所は，寄託物を保管すべき場所であるが，受寄者が正当な事由によって保管場所を変更したときは，現在の保管場所で返還することができる（664条）。有償寄託の場合，受寄者は，返還債務と報酬請求権との間で同時履行の抗弁を有し（533条），また，目的物について留置権を有する（295条1項）。

(b) 返還時期

(i) 返還時期の定めがない場合　　当事者が寄託物の返還時期を定めなかったときは，寄託者はいつでも返還を請求することができ（662条1項参照），受寄者はいつでも返還をすることができる（663条1項）。

(ii) 返還時期の定めがある場合

　α 期限における返還　　返還時期の定めがある場合は，期限が到来すると，受寄者は寄託物を返還しなければならず，寄託者はこれを引き取らなければならない。

　β 期限前の返還　　返還時期の定めがある場合であっても，寄託者はいつでも返還を請求できる（662条1項）。寄託は，寄託者のためにされるものであり，保管を委託しておく必要のなくなった物を強いて寄託させ続ける理由はないからである（我妻中Ⅱ724頁）。この場合，受寄者は，期限前の返還請求によって損害を受けたときは，寄託者に対し，その賠償を請求することができる

(同条2項)。

> ◆ **受寄者の損害賠償請求**　受寄者の得べかりし報酬は、原則として、この損害に含まれないと解すべきである。寄託の報酬は、現実に保管することの対価であること、寄託が中途で終了した場合は、その時までの割合的な報酬が支払われるという規律と整合的に解すべきこと（665条・648条3項2号）が理由である（我妻中Ⅱ706頁・724頁）。また、受寄者が保管のために支出した費用は、本来の期限までの分を含めて、その償還請求（665条・650条1項）により清算されうる（我妻中Ⅱ724頁）。ここでの損害賠償請求は、全期間についての受寄者の報酬請求権の保証がある場合や、償還請求の対象とならない費用がある場合について、考えられる。

返還時期の定めがある場合、受寄者は、やむを得ない事由がなければ、期限前に返還することができない（663条2項）。

(c) 返還の相手方

(i) 原則　寄託者に返還しなければならない（657条・660条2項・662条1項参照）。

(ii) 第三者が寄託物について権利を主張する場合　次の通りである。

①第三者が寄託物について権利を主張する場合も、受寄者は、寄託者の指図がない限り、寄託者に寄託物を返還しなければならない（660条2項本文）。

②ただし、受寄者が660条1項の通知をした場合又は寄託者が提訴等の事実を知っているため通知を要しない場合において、寄託物をその第三者に引き渡すべきことを命じる確定判決（確定判決と同一の効力を有するものを含む）があり、その第三者に寄託物を引き渡したときは、この限りでない（同条2項但書）。

③受寄者は、寄託者に寄託物を返還しなければならない場合（①②で定まる）は、寄託者に寄託物を引き渡したことによって第三者に損害が生じたとしても、その賠償責任を負わない（同条3項）。

この規律の要となるのは、②である。この「確定判決」は、確認判決では足りず、引渡しを命じるものであることを要する。「確定判決と同一の効力を有するもの」というのは、裁判上の和解などでもよいという意味である。これは、受寄者と第三者の和解により受寄者が第三者に引き渡すことを可能にするものであり、寄託者が害される可能性がある。そこで、通知義務の履行等を要件とし、寄託者の保護を図っている。

第3節　寄託の効力

　この規律は，受寄者が第三者に任意に引き渡す場面についてのものである。受寄者が強制執行により寄託物を執行官に引き渡した場合は，寄託者に対する寄託物返還債務が履行不能となるが，これは受寄者の責めに帰することができない事由によるものなので，受寄者は損害賠償責任を負わない（415条1項但書）。

◆ **改正の経緯**　第三者が寄託物の所有権を主張して受寄者に返還を求めた場合の規律について，明治民法起草時に，関連規定の提案があったが，解釈により導きうるとして削除された（民法速記録Ⅳ763頁～786頁）。そこで，改正前民法のもとで，学説が解釈論を提示していた（我妻中Ⅱ718頁など）。また，動産・債権譲渡特例法改正（2004年）の際にも議論があり，規定が置かれた（動産債権譲渡特3条2項）。しかし，より一般的に法律関係を明確化する要請があり，上記規定が新設された（中間試案説明514頁以下，部会資料73A，第2，3説明2，同81-3，第13，3説明。基本方針Ⅴ195頁以下参照）。

◆ **第三者と受寄者の関係**　寄託者AがBに受寄者Bに動産甲を寄託したところ，甲の所有者CがBに返還を請求した場合について，いくつかの問題がある[2]。①660条2項本文によりBがAに対する返還義務を負う場合，Bは，そのことを理由に，Cの引渡請求を拒絶できるか（潮見278頁）否か，②Bは，Cの引渡請求に対し，AのCに対する抗弁（賃借権，同時履行の抗弁，留置権など）を援用できるか（山野目289頁，平野・改正530頁。中間試案説明514頁以下，基本方針Ⅴ200頁以下参照）否か，③AがBに甲を寄託した後，AがCに甲を譲渡した場合，Cが返還請求権を行使するために指図による占有移転（184条）が必要か否かについて議論があるが，660条2項・3項の新設は，この議論に影響するか。次のように考えたい。①は，BのAに対する返還義務の存在がCの引渡請求に対する抗弁となることはないが（水津126頁，松岡480頁），Bは，同義務のある間，Cの請求に応じなくてもCに対する不法行為（不法占有）による損害賠償責任は負わない（660条3項参照）。②は，受寄者たる地位から当然に援用権が生じるとはいえず（松岡480頁。行澤912頁参照），受寄者に援用義務を認めることも妥当ではない（部会資料73A第2，3説明3参照）。ただし，AのBに対する授権を認めうる場合があるほか，抗弁事由によっては主張権者の人的範囲の問題として論じうる余地はある。③は，議論に影響しない（松岡481頁以下）。

---

2) 水津太郎「受寄者の返還義務と民法178条の『第三者』」法時1134号（2019）124頁，松岡久和「寄託中の動産の所有権移転」吉村良一古稀『現代市民社会における法の役割』（2020）457頁，吉永・新注民（14）396頁以下，行澤一人・改正コメ909頁以下，平野・改正528頁以下。この◆では，著者名のみで引用する。

2 寄託者の義務
(1) 受寄者に損失を被らせない義務
(a) 概　　観
寄託者は，寄託について，受寄者に損失を被らせることのないようにする義務を負う。

(b) 損害賠償義務
寄託者は，寄託物の性質又は瑕疵によって生じた損害を受寄者に賠償しなければならない。ただし，その性質又は瑕疵を，寄託者が過失なく知らなかったとき，又は，受寄者が知っていたときは，賠償義務を負わない（661条）。たとえば，病気の家畜を預けて受寄者の他の家畜に伝染させた場合である。寄託者は，寄託物の性質等を知りうる立場にあるから，寄託物の性質等から生じる損害を負担させることにより，それを防止するインセンティヴが働くし，また，寄託者は寄託により利益を受ける者であるから，原則として損害賠償責任を負わせるのが適切だと考えられるからである。

> ◆ **改正の経緯**　寄託者のこの損害賠償義務は，委任者の損害賠償義務（650条3項）よりも，寄託者に有利である。「寄託物の性質又は瑕疵によって生じた損害」に限定されており，かつ，寄託者が善意無過失である場合の免責が認められるからである。これに対し，もう少し受寄者の保護を図るべきであるとし，少なくとも無償寄託については，650条3項を類推適用すべきであるという見解がある（明石三郎・新版注民（16）341頁，星野300頁参照）。部会では，661条の規律を改めることが検討され，寄託が有償か無償か，受寄者が専門的知識技能を有する者であるか否かなどにより，区別して規律することが検討されたが，合意にいたらず，改正は見送られた（中間試案説明517頁，部会資料73B，第2説明，同81-3，26頁）。引き続き解釈に委ねられることになるが，寄託者の過失の存否の判断及び当事者間の特約の認定などにより，受寄者を保護すべき場合が検討されるべきである（→第14章第3節2(1)(d)◆〔537頁〕）。

(c) 費用支払義務等
寄託者の費用支払義務及び債務の代弁済義務等について，委任の規定が準用される（665条・649条・650条1項・2項）。

受寄者の費用償還請求については，寄託者が返還を受けた時から1年以内という期間制限がある（664条の2第1項→第10章第3節1(3)〔379頁〕）。

(2) 報酬支払義務

受寄者は，特約がなければ，寄託者に対して報酬を請求できない（665条・648条1項）。受寄者が商人であってその営業の範囲内で寄託を受けたときは，相当な報酬を請求できる（商512条）。報酬の支払時期，寄託が中途で終了した場合等の報酬については，委任（成果報酬型でないもの）と同様である（665条・648条2項・3項）。

第4節　寄託の終了

寄託は，契約一般の終了原因（解除，期間満了など）によって終了する。委任とは異なり，当事者の死亡等によっては終了しない（653条は寄託には準用されない）。なお，寄託物の滅失の場合，解除（542条1項1号）により終了するとも考えられるが，当然に終了すると考えたい（616条の2類推適用。我妻中Ⅱ 723頁→第4章第1節2(2)(c)(iv)1つ目の◆〔191頁〕）。

> ◆ **寄託者の返還請求等と寄託契約の終了との関係**　2つの考え方がある（我妻中Ⅱ 723頁以下，部会資料73A，第2，1説明1）。①寄託物の返還は寄託契約の内容をなすから，寄託者の返還請求又は受寄者の返還の申出により，契約存続中に返還義務が発生し，返還によって契約は終了するという考え方と，②寄託者の返還請求又は受寄者の返還の申出を遡及効のない解除（告知）と解したうえ，これによって寄託契約が終了し，その時から返還しない受寄者又は引き取らない寄託者は遅滞に陥るという考え方である。②が通説であり（我妻・前同，来栖604頁，星野301頁），債務不履行により解除された場合には契約が終了するといわざるをえないこととも整合的である。しかし，①には，662条・663条の規律と整合的であること，一部返還の場合も無理なく説明できること，返還請求等から返還までの間の法律関係を契約によって規律する方が明確であり当事者の意思にも沿うこと，寄託物の返還は保管に本来的に伴う概念であることなどの論拠がある。他方，債務不履行による解除による契約の終了と返還請求等とは区別することができる。①を支持したい。

第5節　特殊の寄託

1　混合寄託

混合寄託は，複数の者が寄託した物の種類・品質が同一である場合，受寄者

が各寄託者の承諾を得て，これらを混合して保管し，同じ数量の物を返還するという契約である（665条の2第1項・2項）。混蔵寄託ともいう。改正前民法には規定がなかったが，実務上広く行われ，学説でも認められていた（我妻中Ⅱ716頁以下）。現行民法は，これを明文化した。たとえば，それぞれのタンカーで港に運ばれてくる石油会社Ａと石油会社Ｂの石油を保管業者が1つの石油タンクで保管し，後に，Ａ又はＢのタンクローリーが来ればそれぞれの分を渡すという取引である（「混合」概念につき，潮見新各Ⅱ393頁参照）。

混合寄託における寄託物は，本来の所有者たち（寄託者とは限らない）の寄託された数量に応じた持分による共有となる。各寄託者は，共有持分の有無にかかわらず，寄託契約上の債権として，「その寄託した物と同じ数量の物の返還を請求することができる」（同条2項）。受寄者は，預かった物自体を返還するわけではないが，寄託物の所有権を取得することはなく，目的物を消費することはできない。この意味では，混合寄託はなお通常の寄託に近く，消費寄託の一種ではない。

混合寄託の寄託物の一部が滅失した場合，寄託者は，総寄託物に対する自己の寄託物の割合に応じた数量の物の返還を請求することができる。損害賠償請求もできる（同条3項）。

2 消費寄託
(1) 意　義

消費寄託とは，受寄者が寄託物（金銭その他の代替物）を消費することができ，寄託された物自体ではなく，これと同種・同等・同量の物を返還することを約束する寄託である（666条1項）。物ではなく，価値の保管が目的となる（鳩山下659頁，我妻中Ⅱ726頁参照）。消費貸借と似ているが，消費貸借の場合は，目的物を受け取る借主にその交換価値を利用させることが目的であるのに対し，消費寄託の場合は，目的物を受け取る受寄者にその交換価値を保管させることが目的である。

消費寄託においては，受寄者が目的物の所有権を取得する。寄託者は，寄託契約上の債権として同種・同等・同量の物の返還請求権を取得する。

消費寄託は，寄託の一種であるので，その規定が適用される。たとえば，消費寄託は諾成契約である（657条）。そのうえで，目的物の所有権が移転する点

で消費貸借に類似することから，その規定の一部が準用される（666条2項）。すなわち，無利息消費寄託における寄託者の引渡義務等（590条1項），利息付きか否かを問わず，寄託者から引き渡された物に種類・品質に関する契約不適合があった場合の受寄者の価額返還権（同条2項），受寄者の価額償還義務（592条）である。

◆ **寄託の有償・無償と消費寄託の利息の有無**　寄託が有償か無償かは，寄託者が受寄者に報酬（保管料）を支払うかどうかの違いである（665条の準用する648条1項）。消費寄託が利息付きか無利息かは，受寄者が寄託者に利息（預かった金銭等を運用できることの対価）を支払うかどうかの違いである（666条2項の準用する590条1項の引用する589条1項）。近年，「マイナス金利」が論じられるが，その際，報酬（保管料）と利息の概念は，民法上は異なる性質のものとして区別されていることに留意すべきである（第68回部会議事録47頁〜48頁参照）。

◆ **改正の経緯**　改正前民法は，消費寄託については，返還時期に関する1つの規定（591条1項）を除いて，消費貸借の規定を準用していた（旧666条1項）。返還時期について例外としたのは，消費貸借は借主の利益のためのものだが，消費寄託は寄託者の利益のためのものだからだと説明される（梅779頁）。このように，両者の違いに配慮されてはいたが，消費寄託において，性質の異なる消費貸借の規定を包括的に準用する法形式には，不明瞭さがあった。そこで，今回の改正により，消費寄託の意義と規定の適用関係が明確にされた。

(2) 預貯金契約

社会的に最も重要な消費寄託は，銀行預金や郵便貯金である。これは金銭の消費寄託であり，一般の消費寄託に関する規定（666条1項・2項）に加え，さらに準用規定を置く（同条3項）。すなわち，預貯金契約においては，返還時期の定めの有無にかかわらず，受寄者はいつでも返還をすることができる（591条2項）。また，返還時期の定めのある場合に，受寄者の期限前返還によって寄託者が損害を受けたときは，寄託者は，その賠償を請求できる（同条3項）。これは，返還時期の定めのある場合，受寄者は，やむを得ない事由がなければ期限前返還ができないという寄託の規律（663条2項）を適用しないことを意味する。

第15章 寄　託

◆ **預貯金の約款**　預貯金契約は，約款によって行われる。各銀行は，全国銀行協会が作成する各種預金規定ひな型を参照しつつ，各自の預金規定を作成し用いている[3]。郵便貯金については，株式会社ゆうちょ銀行等の約款がある。

◆ **定期預金の期限前返還**　①銀行等からの返還　改正前民法のもとでは，消費寄託一般について消費貸借の規定が準用される結果（旧666条1項），663条2項ではなく旧591条2項が適用され，また，期限の利益の放棄に関する136条2項も適用された。現行民法においては，消費寄託一般については663条2項が適用されることになるが，預貯金契約は，受寄者が預かった金銭を運用することを前提とする契約類型であり，受寄者にとっても利益がある契約である点で，他の消費寄託契約とは違いがあることから，同項ではなく，591条2項・3項を準用することとされた（666条3項。部会資料81-1，第12，7説明，同83-2，第38，7説明）。銀行が自ら定期預金等の期限前払戻しだけをすることは，ほとんどないだろうが，期限の利益を放棄して相殺や払戻充当をするというような類似の状況は考えられる。そこで銀行が損害賠償をしないという特約が置かれた場合，その効力の問題となる。
　②預貯金者からの返還請求（期限前解約）　預貯金契約にも662条1項が適用される。預貯金者の期限前返還請求を制約する特約については，その内容によっては，548条の2第2項（定型約款）及び消費者契約法10条の問題となりうる（消費者庁消費者制度課編『逐条解説 消費者契約法〔第4版〕』〔2019〕268頁，井上＝松尾・改正488頁以下・500頁以下参照。消費契約8条の2参照）。

◆ **預貯金契約の諸問題**　2017年の債権法改正と2018年の相続法改正により，預貯金に関する若干の規定が民法に置かれた。666条3項は預貯金「契約」に着目する。466条の5は預貯金「債権」の定義をし，909条の2及び1014条3項は，相続の場面で，この語を用いる。また，預貯金「口座」への振込みについて477条がある。預貯金契約・債権・口座について，現在，検討が進みつつある。預貯金契約の性質・構造（最判平21・1・22前掲〔消費寄託の性質とともに委任ないし準委任の性質も有するという〕，最大決平28・12・19前掲，百選Ⅲ66〔白石大〕，最判平29・4・6判時2337号34頁），預貯金債権の共同相続等（最大決平28・12・19前掲，最判平29・4・6前掲），預貯金債権の帰属（最判平15・2・21民集57巻2号95頁，百選Ⅱ73〔加毛明〕），誤振込みの法律関係（最判平8・4・26民集50巻5号1267頁，百選Ⅱ72〔岩原紳作〕）などの問題がある。流動性預金口座による消費寄託についての現状分析及び立法提案として，文献情報も含め，基本方針Ⅴ221頁～231頁を参照（流動性預金を枠契約として理解しうることにつき→第2章第4節2(2)(f)(ⅱ)〔129頁〕）。

---

3)　天野佳洋監修『銀行取引約定書の解釈と実務』（2014）17頁以下。なお，預金規定は定型約款（548条の2）にあたる（一問一答246頁，村松秀樹＝松尾博憲『定型約款の実務Q&A』〔2018〕51頁。郵便貯金も含め，中田・債総396頁参照。

第6節　役務提供契約の区別[4]

　第12章からここまで4つの役務提供契約を検討してきた。このうち寄託は，物を保管することに内容が限定されているので，他の3つ（雇用・請負・委任）との区別は比較的容易である。他の3つのいずれであるのかの法性決定（→第1章第3節1(3)2つ目の◆〔68頁〕・第2章第3節3(2)(b)2つ目の◆〔108頁〕）は，むずかしいことがある。一方で，役務提供契約の実態が多様かつ連続的であること，他方で，雇用・請負・委任の各契約の概念もまた連続的であることによる。

　まず，実態については，特定の建設会社とその仕事を専属的に行っている自営の大工の関係は，雇用か，請負か，企業と産業医の関係は，雇用か，委任か，出版社から大学教授が依頼されてする講演は，請負（山本643頁，潮見新各Ⅱ206頁）か，委任（我妻中Ⅱ549頁・659頁）かなど，微妙である。

　また，雇用・請負・委任の概念の境界線も明確でない。雇用と委任の区分については，起草者の理解は維持されなくなった（→第14章第1節1(1)◆〔525頁〕）。請負と委任の間では，請負における割合的報酬（634条）と委任における成果報酬型委任（648条の2）により，一層微妙になった。

　具体的契約の法性決定にあたっては，次のような方法が考えられる。

　一方で，各典型契約について，①契約の本質的性質・特徴（雇用における使用者の指揮命令〔労働者の従属性〕のもとでの役務の提供，請負における仕事の完成，委任における受任者の裁量による他人の事務の処理），②その要件，③その効果（当事者の義務，役務提供者が損害を被った場合の補償，役務提供者が他人に損害を与えたときの本人の責任〔715条・716条〕，中途で履行できなくなった場合の帰結，期間制限，終了の態様など）を確認する。他方で，④当事者が当該契約をした目的，⑤当該契約においてなされるべき役務の内容・性質に関する当事者の合意，⑥中途で履行できなくなった場合の帰結に関する当事者の合意，⑦報酬の支払の有無・報酬が何に対する対価であるのか，を確認する。そのうえで，当事者が契約の性質を明示していない場合は，①～③と④～⑦とを照合して，法性決定をする。当事者がある典型契約だと法性決定している場合，その選択の理由も④において考慮しつつ，上記と同様の照合をして，再法性決定をする。

---

[4]　森田・前掲第1章注60) 175頁以下（フランスにおける請負と委任），山本豊・新注民（14) 8頁以下（雇用・請負・委任），山川隆一・新注民（14) 19頁（雇用・請負・委任）。

第15章　寄　　託

　このように各典型契約の概念と当該具体的契約の内容を比較検討して，その法的性質を決定すべきである。ここで，混合契約（→第1章第3節1⑶〔67頁〕）又は無名契約とすることもありうる。ただ，無名契約とした場合，具体的な問題を解決する際，よるべき基準が明瞭でないということになるおそれがある。なお，他の領域の法律（消費者契約，労働契約，租税に関するものなど）との関係が問題となる場合は，当該法律の趣旨に照らして判断すべきである。

第16章　組　　合

第1節　意　　義

1　組合契約と組合

　組合契約は，各当事者が出資をして共同の事業を営むことを約束することによって成立し，効力を生ずる（667条1項）。出資は，労務でもよい（同条2項）。
　組合の節の冒頭規定は，前節までが「贈与は」（549条），「売買は」（555条）などで始まるのと異なり，「組合契約は」で始まる。民法は，組合契約と組合の語を区別している（678条1項参照）。当事者間の組合契約によって，各当事者を構成員（組合員）とする組合が成立する。組合には，「団体を形成し規律する契約」としての面と，「契約によって形成された団体」としての面がある。

> ● 3人の学生が夏休みの間，パソコン教室を開くことにした。Aは中古のパソコン数台を調達して提供すること，Bは自宅の一室を会場として利用させること，Cは受講者に教えること，教室の運営は3人で協議して決めること，利益は3等分することを合意した。この場合，ABCによって法人が設立されたわけではないが，共同の事業を営む団体が形成されている。これは民法上の組合である。DとEが2人でパソコン教室を開くことにし，同様の合意をした場合は，2人の組合が成立する。

　民法上の組合の実例としては，複数の弁護士からなる法律事務所（弁護士法人となっていないもの），映画の製作委員会，建設工事請負における共同企業体（ジョイント・ヴェンチャー。最大判昭45・11・11民集24巻12号1854頁，最判平10・4・14民集52巻3号813頁），株式会社の設立過程における発起人団体（発起人組合。大判大7・7・10民録24輯1480頁），ヨットクラブ（最判平11・2・23前掲，百選Ⅰ17［大村敦志］）などがある。目的，規模，存続期間など，多様である。

第16章 組　合

　組合は，民法上のものより，各種の法律に基づくものの方が知られている。消費生活協同組合法に基づく消費生活協同組合（生協），農業協同組合法に基づく農業協同組合（農協），建物区分所有法に基づくマンションの管理組合，労働組合法に基づく労働組合などである。このうち，前2者は法人であり（生協4条，農協4条），後2者は法人になることもできるし，ならなくてもよい（建物区分47条1項，労組11条1項）。これらの組合では，団体としての性格が前面に出ている。これに対し，本章で取り扱う民法上の組合については，契約としての面と団体としての面の両方を常に意識する必要がある。

　民法の13種の典型契約のうち，最初の10種が移転型・貸借型・役務型などと分類されるのに対し，組合以下の3種は「その他の契約」などと呼ばれることもある。これについては後述する（→第18章末尾の◆〔610頁〕）。

2　契約としての面――契約か合同行為か

(1)　合同行為論の台頭

　667条によれば，組合契約は諾成・双務・有償契約であると読めるし，かつてはそのように解されていた（梅785頁，鳩山下665頁以下など）。これに対し，組合は，当事者が給付を交換するのではなく，全当事者に共通の目的のために給付が結合するものであり，合同行為と解すべきであるという見解（我妻中Ⅱ758頁）が有力になった。契約は対立する意思表示の合致により成立し，合同行為は同じ方向の意思表示の合致によって成立するといわれ，社団設立行為が後者の典型例とされる。組合は，社団設立行為とは異なり，契約的色彩を有するが，契約の一般的規律は適用されないことが指摘された。

(2)　契約の一般的規律の適用の有無

　たしかに，組合契約には，契約に関する一般的な規律が適用されないことが多い（→第3節1(1)〔571頁〕）。まず，同時履行の抗弁（533条）及び危険負担の規律（536条）は，組合契約には適用されない（667条の2第1項）。債務不履行による解除も認められない（同条2項）。また，売主の担保責任の規定の準用（559条・562条以下，559条・旧560条以下）も，組合については限定され（西内康人・新注民（14）481頁）又は排除される（我妻中Ⅱ761頁など改正前民法のもとの通説）と解されている。

(3) 組合契約の性質

組合契約を合同行為と解する見解は，組合の団体的性質を強調した（我妻中Ⅱ 758 頁）。契約総則等の規定の適用の当否を個別的に検討したうえ，その結論を支持する見解も有力である（星野 310 頁，内田 309 頁）。しかし，組合契約をあえて合同行為という意味は乏しい。

◆ **合同行為の概念と組合契約**　合同行為の概念は，それほど明確ではない。そもそも社団設立行為は合同行為だが，組合は契約であるという対比がされていた（福地俊雄・新版注民 (17) 32 頁）。現在では，社団設立行為のうち，株式会社の発起人や持分会社（合資会社を除く）の社員となろうとする者は 1 人でもよいので[1]，これは合同行為ではないことになる。他方，一般社団法人については，設立には 2 人以上の設立時社員が必要と解されているが，これは合同行為の概念から導かれるわけではない（四宮＝能見・総則 112 頁）。判例では，社団設立行為について合同行為の概念を用いた大審院判決があるが，その判示はやや図式的である（大判昭 7・4・19 民集 11 巻 837 頁〔合資会社の設立行為は，「併行スル意思表示」からなる合同行為であり，相手方がいないので，94 条の適用はないが，旧 93 条の適用はあるという〕）。最高裁は，少なくとも公刊された裁判例では，この概念を用いていないようである。このように，社団設立行為においてさえ合同行為の概念の意義が低下しているなかで，組合をあえて合同行為という必要性は低い。

組合契約には契約に関する一般的規律の適用がかなり制限されること，それは組合契約が組合という団体を形成するものであるという構造に由来することは，認められる。そこで，これを契約というか，合同行為というのかが問題となる。法律行為論において合同行為の概念を認めるべきかの問題に帰着するが，上記の通り，組合を合同行為と呼ぶ意味は乏しいし，そう呼ぶことは，それを他の契約とは異質なものとし，組合員相互の関係を軽視することに導くおそれもある。合同行為を広義の契約に含めたうえ，団体設立型契約と呼ぶこと（福地・前掲 33 頁）も，それほど積極的な意味はなさそうである。合同行為の概念に 667 条の 3 の射程を画する意味を認めること（西内・新注民 (14) 450 頁）も，そのためにこの概念が不可欠というまでにはいたらないのではないか。では，契約だとして，双務契約か片務契約か。双務契約における債務相互間の牽連性ないし対価的意義の有無の判断を実定法の規定に求めるとすると（→第 1 章第 3 節 2 (1)〔69 頁〕），組合契約が実定法上の双務契約であるといいがたいことは事実である。もっとも，牽連性ないし対価的意義については，より柔軟にとらえることができなくはない。667 条の 2 第 1 項自体，組合契約が双務契約であることを前提としているともいえる（西内・前掲 451 頁）。あまり意

---

[1] 神田秀樹『会社法〔第 24 版〕』(2022) 46 頁・349 頁。

味のある議論ではないが，組合契約は，諾成・有償契約であり，広義の双務契約であると理解したい。

3 団体としての面——社団法人との関係
(1) 組合と社団

民法上の組合が法人格をもたない団体であるのに対し，社団法人は，法人格をもつ団体である。2006年の民法改正前は，社団法人は，民法総則に規定されていたが，現在では，一般社団・財団法人法等に規定されている[2]。社団法人の「社団」も人の団体を意味し，上記改正前の民法では，「社団」という語は単独でも条文で用いられていた[3]。そこで，どちらも民法に現れる，社団と組合の関係が問題とされた。峻別論と連続論がある。

峻別論は，社団と組合とは明確に区別できると考え，次のようにいう。①社団は法人格が与えられる適格性のある団体であるのに対し，組合は当事者間の契約による結合にすぎない。社団のうち，法人となったものが社団法人であり，法人となっていないものが権利能力なき社団である。②社会的実態としては，社団は，多数の構成員からなる団体で，各構成員の個性は希薄であり，構成員から独立した存在であるのに対し，組合は，比較的少数の構成員からなり，各構成員の個性が濃厚であり，当事者間の契約による結合であって団体の独自性はない。

連続論は，社団と組合とを連続的なものと考え，次のようにいう。①峻別論は，法人格の意義が画一的なものであるという前提で，社団と組合を区別するが，そもそも法人格の意義は一義的ではない。②社会的実態としても，現実に存在する団体は，社団と組合に二分されるものではなく，連続している。小規模な社団もあれば，大規模な組合もある。

峻別論がかつての通説であったが，20世紀後半に連続論が登場し[4]，大きな影響を与えた。現在では，組合という団体のなかに，社団という類型があり，

---

2) 「特集・新しい非営利法人制度」ジュリ1328号（2007）2頁以下。
3) 明治民法34条は，「祭祀，宗教，慈善，学術，技芸其他公益ニ関スル社団又ハ財団ニシテ営利ヲ目的トセサルモノハ主務官庁ノ許可ヲ得テ之ヲ法人ト為スコトヲ得」と規定し，「社団」の語を用いていた（同35条も同様）。その後，現代語化を経て，2006年改正でこの規定は削除された。なお，かつての商法は，会社を社団とする定義をしていたが（2005年改正前商52条），会社法はこれを取り入れなかった。これは，一人会社を広く許容したことを反映しているようである。

そのうち法人格を得たものが社団法人であるという見方が有力である[5]。いずれにせよ，法人と（法人格を得ていない）組合との区別はある。そこで，法人格があるとはどういうことかが問題となる。

◆ **社団概念の意義**　組合と社団法人との間に連続性を認めると，社団という概念のもつ意義が小さくなる。民法から「社団」に関する規定がなくなったことも，それを助長する。もっとも，社団の概念は，「権利能力なき社団」の基礎になるという意味がある。実際，かつては，法人格の取得が制約されていたので，実体は法人に近いが法人格を取得していない存在として，権利能力なき社団がしばしば認められた。しかし，現在では，一般社団・財団法人法や会社法により，登記をすれば簡単に法人格を取得できるので，今後，権利能力なき社団自体が減ると見込まれる。そうすると，この意味でも，社団概念の意義は小さくなる。

(2)　法人格の意義

(a)　法人格があることの効果

団体に法人格が認められる場合，次の3つの私法上の効果が生じる。

第1は，権利能力の取得である。すなわち，団体自身が権利義務の主体となりうる。具体的には，①団体名義で契約ができること（預金口座の開設，売買契約，賃貸借契約など），②団体自身が物を所有することができ，団体名義の不動産登記もできること，③団体自身が訴訟上の当事者（原告，被告など）になりうること，である。

第2は，団体財産の分離独立性である。すなわち，構成員の債権者は，団体の財産に対して強制執行することができない。

第3は，構成員の有限責任である。すなわち，団体の債権者は，構成員の個人財産に対して強制執行をすることができない。有限責任というのは，出資の

---

[4]　星野英一「いわゆる『権利能力なき社団』について」同・前掲第1章注50）227頁〔初出1967〕。

[5]　内田・民Ⅰ224頁，大村敦志『新基本民法2物権編〔第3版〕』（2022）173頁以下。そもそも起草者は，組合が法人となりうるという理解だった（総会速記録255頁〔穂積陳重発言〕）。もっとも，会社法学では，峻別論をとったうえ，会社法に具体的規定があるために社団性を論じる実益はないという見解が有力である（神田・前掲注1）6頁以下）。明治期における言葉の選択の経緯も含め，高田晴仁「会社，組合，社団」法学研究83巻11号（2010）1頁参照。ギールケ研究に基づく近年の会社法に対する評価として，庄子良男「解説」オットー・フォン・ギールケ（庄子良男訳）『ドイツ団体法論第1巻（ドイツゲノッセンシャフト法史第4分冊）』（2015）427頁以下。

第16章 組　合

範囲での責任に限るという意味だが，出資を伴わない法人であっても，団体債権者に対し構成員が直接責任を負わないという意味でこの語を用いることは可能である（四宮＝能見・総則 97 頁）。

　もっとも，法人でも，この 3 つの効果全部は生じないものもある。合名会社（会社 580 条 1 項・576 条 2 項），弁護士法人（弁護 30 条の 15 第 1 項〜3 項）においては，構成員は，補充的にではあるが無限責任を負う（第 3 の効果を伴わない）。

◆ **法人となるその他の意味**　ほかにも，次のような意味がある。第 1 に，法人には，それぞれ根拠法があり（33 条 1 項），そこで各法人の組織が定められているので，形式的・画一的に内容が定まり，安定性がある。特に，法人には，その名称が与えられ（株式会社 A，一般社団法人 B，学校法人 C など），登記により公示されるので（商業登記法，組合等登記令など），特定しやすく，社会的信用も高まる。第 2 に，税制面が異なる[6]。法人においては，法人に法人税が課され，法人からの配当について構成員に所得税が課される（二重課税の問題が論じられる）。これに対し，組合においては，その活動による所得は直接に組合員に帰属するので，組合員に課税される（パス・スルー課税）。現実には，これらのことのもつ意味は大きい。

(b)　組合の場合

　民法上の組合において，前項の第 1 ないし第 3 の効果が全くないわけではない。第 1 については，組合には，権利能力はないが，実際上は，それほど支障がない。すなわち，組合の名前で契約することはでき，財産を取得することもできる。ただ，帰属主体は組合員であり，そのやや特殊な共有となる（668 条）。また，訴訟の当事者能力が認められることもある（民訴 29 条）[7]。第 2 については，組合財産は，組合員個人の債権者の強制執行から守られている（677 条）。第 3 については，組合員の責任は有限ではない。組合の債権者（→第 3 節 3 (3)〔585 頁〕）は組合員の個人財産に対し，各自に分割された割合についてではあるが，強制執行をすることができる（675 条 2 項）。

---

6)　増井良啓「組織形態の多様化と所得課税」租税法研究 30 号（2002）1 頁，髙橋祐介『アメリカ・パートナーシップ所得課税の構造と問題』(2008)，水野忠恒『租税法〔第 5 版〕』(2011) 332 頁以下，金子宏『租税法〔第 22 版〕』(2017) 316 頁・505 頁以下。なお，「人格のない社団等」については，法人税が課される（法税 2 条 8 号・66 条 1 項）。

7)　民事訴訟における組合の現れ方につき，高橋・前掲第 3 章注 4) 306 頁，青木哲「民法上の組合の債務と強制執行 (1)」法協 121 巻 4 号（2004）1 頁，来栖 662 頁以下，西内・新注民 (14) 531 頁以下。

第1節　意　義

以上のように，民法上の組合は，第1と第2については法人における効果がある程度は認められ，第3が欠けている。組合に法人格がないというのも，そのような意味においてである。

(3)　**組織形態の多様化・柔軟化**

組合と社団との峻別論・連続論は理論的なものだが，現在では，制定法上，組合と法人の間で様々な組織形態が用意されている。各種の制定法は，それぞれの目的に応じて，組合の特性のうち，ある部分を利用する仕組みを構築しようとする[8]。

◆ **組合に近接する諸制度**　2005年に制定された有限責任事業組合法は，民法上の組合の効果の一部（組合員の無限責任。675条2項，旧675条）を修正したうえで，その仕組みを用いる[9]。同法に基づく有限責任事業組合（LLP）は，大企業同士の共同研究開発，ITや金融分野の専門技能を有する人材による共同事業等のために用いられる。LLPが法人格を有しない組合であるのに対し，大規模又は中長期的な共同研究開発のために，技術研究組合法（2009年に鉱工業技術研究組合法を改正）は，法人格のある技術研究組合の制度を定める[10]。これに対し，匿名組合（商535条以下）は，営業者の営業であって共同事業ではないなど，組合とは大きく異なる。他方，会社ではあるものの，組合に類似する組織もある。特に，合名会社（会社576条2項）には，民法上の組合と共通するところがある。合名会社や合資会社と同様，持分会社でありつつ，社員全員が有限責任である合同会社（同条4項）もあるが，これは組合からはより遠いものになる。

◆ **内的組合**　各当事者が出資をして共同の事業を営むが，対外的行為は，当事者全員の名ではなく，対外的行為を行う当事者の固有の名義で行われ，組合関係が対外的に現れないものを内的組合という。財産は全員の共有となるのではなく，対外的活動を行う当事者に帰属するという理解が有力である（我妻中Ⅱ767頁以下，福

---

[8]　大村・前掲第14章注7）98頁〔初出2006〕は，投資事業有限責任組合とマンション建替組合を素材に，組合契約の特性の一部を用いようとする動きを指摘する。前者につき，岡橋寛明「投資事業有限責任組合法（ファンド法）の抜本改正」金法1708号（2004）20頁参照。

[9]　篠原倫太郎「有限責任事業組合契約に関する法律の概要」商事法務1735号6頁，石井芳明「LLP制度の創設」金法1746号95頁，日下部聡「有限責任事業組合契約に関する法律」ジュリ1299号114頁（以上，2005）。

[10]　経済産業省産業技術環境局技術振興課編『オープンイノベーション時代の研究開発パートナーシップ（技術研究組合制度）』，伊達智子「新『技術研究組合』とオープンイノベーション」NBL906号75頁，吉岡正嗣「研究開発パートナーシップ制度の整備」ジュリ1381号2頁（以上，2009）。

地・新版注民 (17) 25 頁以下，西内・新注民 (14) 470 頁以下・517 頁以下参照)。民法上の組合の一種か，その特殊形態かについては，複数の見方があるが，これが認められることは争いがない。今回の改正で規定することが検討されたが，匿名組合（商535条以下）との区別について議論が熟していないこと，実需の不明，濫用に対する懸念などが指摘され，見送られた（論点整理説明 459 頁以下，部会資料 47，第 4，6。基本方針 V 317 頁以下参照）。

◼ **組合とハブ＝スポーク型契約**　保険契約，預託金会員制ゴルフクラブ契約，フランチャイズ契約，クレジット・カード契約，在学契約などでは，中軸となる 1 事業者とその多数の相手方という関係がみられる。匿名組合契約が多数締結された場合も同様である。いわば車輪のハブとスポークの形態である（基本方針 V 263 頁以下）。これは，事業者と各相手方との契約の集積にすぎず，相手方相互間には契約関係はないので，構成員相互の契約である組合とは異なる。もっとも，ここでは，多数の相手方がいることによって事業者の契約目的が達成されるという関係があり，相手方群という一種の団体を観念することができる。そこには，事業者の情報提供義務・権限濫用防止・平等取扱原則，契約解釈の方法，契約上の地位の移転，契約終了時の清算など，共通する問題がある。ただ，団体の種類・性質によって問題の現れ方は異なり，一律には決しえない。このような関係は，より広くいえば，企業と消費者との間にもみられる。そこで集団的被害が生じた場合については，その回復のため 2013 年に消費者裁判手続特例法が制定された。

◼ **契約と組織**　本節の冒頭に ABC の 3 名がパソコン教室を営む組合の例を示した。この場合，ABC が法人を設立して，パソコン教室を営むことも可能である。逆に，A が個人でパソコン教室を営むことにし，B との間で部屋の賃貸借契約をし，C との間で受講者教育を内容とする雇用契約をする方法もある。組織としての一体性という観点からは，①法人，②組合，③諸契約の締結，という順になる。市場型契約と組織型契約という区別（→第 1 章第 1 節 6(2)(a) 2 つ目の◼〔57 頁〕）を用いると，②は組織型，③は市場型になる。その意味で，組合契約には組織性がある（大村(5) 180 頁。上記のハブ＝スポーク型契約ともその意味で連続性がある）。この観点からすると，組合は，契約のなかでは組織性のあるものといえる。他方，現在，法人格を取得することが容易になっており，権利能力なき社団の存在意義が減少していることから，民法上の組合としては，契約的性質が強いものが残ることになる。その結果，組合の契約性がより強調されることになる。このように，組合は，契約のなかでは組織性・団体性が強調され，団体のなかでは契約性が強調される位置にある。

4　組合の財産関係

ここまで，組合を人の結合という角度から検討してきたが，組合においては

財産関係の面も重要である。組合財産については，物権法における共同所有との関係が問題となる。ここでは，①組合財産の共有（668条）が物権法の共同所有関係のなかで占める位置，②各種の共同所有関係にある当事者たち（共有者，共同相続人，入会権者など）と組合との異同が検討課題となる。また，③組合の利益及び損失（674条）の概念も検討を要する。

5 組合の制度設計

　組合は，このように他の制度との関係が問題となる，微妙で，とらえにくい制度である。組合を形成する当事者にも，民法だけでなく課税関係なども慎重に検討したうえ，組合契約の形態を選択するものもあれば，契約という意識もせずに共同の事業を営むものもある。そこで，様々な角度から組合の本質や意義を解明しようとする研究が進められる[11]。おそらく，組合は，常に他の団体（社団法人，物の共有者全員など）と対比されつつ，その法的性質と社会的機能が考察されるべき存在なのだろう。このことは，組合という制度をどのように設計すべきかという問題にも反映される（基本方針Ⅴ 203頁以下・486頁参照）。

第2節　組合契約の成立

1　成立要件

　組合契約の成立は，各当事者が「出資」をして「共同の事業」を営むことを約束することを要件とする（667条1項）[12]。

　法人のように定款を作成することが要件（一般法人10条など）ではないが，実際には，書面で組合規約を作成することが多い。

　「出資」は，財産的価値があるものであればよく，金銭，動産，不動産，債権，知的財産権，労務（667条2項）のほか，信用でもよい（我妻中Ⅱ 772頁など

---

[11]　近年のものでは，後藤元伸「組合型団体における共同事業性の意義」関西大学法学論集59巻3＝4号（2009）557頁，西内康人「団体論における契約性の意義と限界」論叢165巻3号1頁～166巻4号1頁（2009～10），岡本裕樹「典型契約としての組合契約の意義」名法254号（2014）723頁，高橋英治『会社法の継受と収斂』（2016）312頁以下，平野秀文「組合財産の構造における財産分割の意義」法協134巻4号1頁～135巻3号77頁（2017～18），金子敬明「組合」改正と民法学Ⅲ 327頁。

[12]　法律により，組合契約がされたものとみなされることもある（鉱業43条5項〔共同鉱業権者〕）。

通説)。出資は，全員がしなければならない。

「共同の事業」の概念は広い（福地・新版注民（17）47頁）。営利を目的とするものでも，組合員に共通する利益（共益）を目的とするもの（最判平 11・2・23 前掲〔共同購入したヨットを利用して航海等を楽しむヨットクラブ〕）でも，公益を目的とするものでもよい。事業は，継続的なものでなく，一時的なものでもよい。利益の分配をする場合には，全員が利益を受けることを要する。特定の組合員だけが利益を受けるもの（ローマ法以来，獅子組合〔societas leonina〕と呼ばれる）は，組合ではない（我妻中Ⅱ 773 頁など通説。許容論として，西内・新注民（14）458 頁以下）。

> ◆ **非営利の組合**　民法上の組合は，旧民法（財産取得編 115 条）やフランス民法（1832 条）とは異なり，利益分配を目的とすることを要件としないことから，非営利の事業でもよいといわれることがある（福地・新版注民（17）47 頁。来栖 627 頁参照）。もっとも，各組合員に対する残余財産の分配が予定されているので（688 条 3 項），厳密な意味での非営利とはいえないことが通常である（一般社団・財団法人法 11 条 2 項と比較せよ。平野・前掲注 11）134 巻 4 号 59 頁・135 巻 3 号 143 頁）。組合と非営利団体・非営利法人との関係については，営利の概念も含めて，なお検討すべき問題がある（大村・前掲注 5）173 頁参照，西内・新注民（14）464 頁以下）。

2　組合員の 1 人についての意思表示の無効等

一般に，契約当事者の 1 人の意思表示が無効であるか取り消された場合，その契約は成立せず，あるいは，効力が否定される。組合契約においては，そのようにすると，組合の存続を望む他の組合員の利益や組合の成立を信じて取引関係に入った第三者の利益を害することがある。他方，意思表示に無効又は取消しの原因のある当事者の保護を図る必要もある。

そこで，民法は次の通り規律する（新設規定。中間試案説明 526 頁以下，部会資料 75A，第 6，2 説明，同 81-3，第 14，2 説明。西内・新注民（14）482 頁以下）。組合員の 1 人について意思表示の無効又は取消しの原因があっても，他の組合員の間においては，組合契約の効力は妨げられない（667 条の 3）。組合員の 1 人についての意思表示の無効等は，組合契約全体の効力に影響を及ぼすことはなく，その組合員との関係でのみ効果が生じ，その組合員は，出資した財産がある場合は，原状回復としてその返還を受ける（121 条の 2）。残存組合員のみで

は組合を存続することができない場合は，組合を解散することになる（682条1号又は4号）。

　法人については，設立取消しの訴えの制度（一般法人267条1号・274条・276条1項，会社832条1号・839条・845条〔持分会社〕）があるが，組合では，より簡潔で柔軟な規律となっている。

> ◆ **時的区分の不採用**　改正前民法のもとでは，組合が事業を開始し，第三者との取引関係が生じる前であれば，無効等に関する規律は，そのまま適用され，組合契約全体に影響を及ぼすという見解が有力だったが（我妻中Ⅱ762頁），現行民法は，これをとらず，第三者との取引開始の前後を問わない規律とする。これは，①第三者との取引開始前でも，他の組合員の意思を尊重して組合契約の効力を認める必要があること，②他の組合員間で組合契約を有効としても無効等である意思表示をした組合員が害されるわけではないこと，③第三者との取引開始の前後で区別すると，取引開始時点をめぐる紛争が生じるおそれがあること，が理由である（部会資料75A，第6，2説明1 (2)，一問一答371頁以下）。①が中心的理由である。そうすると，他の組合員の意思の尊重を要しないときは，あるいはその意思の内容によっては，組合契約全体が成立しない，又は，効力が生じないと解すべきことがあるだろう（あえて解散手続をとるまでもない）。

第3節　組合契約の効力

1　組合員の義務
(1)　出資債務

　組合契約が成立すると，各組合員は出資する債務を負う。出資債務の内容は，組合契約で定まる。現実に出資をすべき時期は，組合成立時には限らず，その後のこともある。

　金銭を出資する債務を履行しないときは，その組合員は，利息を支払うほか，損害の賠償をしなければならない（669条。419条1項の例外）。金銭の出資を怠ると組合の事業に支障を来すことは当然に予想されるし，営利を目的とする組合にあっては単に法定利息を得るために組合を組織するわけではないからである（梅787頁）。

　組合員は，ある組合員が出資債務を履行しないことを理由として，自己の出資債務の履行を拒むことができない（667条の2第1項〔533条の不適用〕）。ABC

の3人が組合契約を締結し，Aは出資債務を履行したが，BCが履行しない場合において，AがBに履行を請求したとき，BがCの未履行を理由に自らの債務の履行を拒絶することは，認めるべきではない。CがBに履行を請求したときは，公平の理念に基づき，Bは履行を拒絶できるという見解が改正前民法のもとでは有力だったが（我妻中Ⅱ760頁，福地・新版注民(17)34頁），現行民法は，組合の業務の円滑の観点から，請求者が誰であるかを問わず，Bの履行拒絶を認めない（中間試案説明528頁，部会資料75A，第6，1説明2(1)，同81-3，第14，1説明1）。

組合員は，ある組合員の出資債務が当事者の責めに帰することができない事由によって履行できなくなった場合であっても，自己の出資債務の履行を拒むことができない（667条の2第1項〔536条の不適用〕）。この場合に危険負担の規律を適用すると，他の組合員がそれぞれ履行を拒むことが可能になり，適当ではないからである（部会資料81-3，第14，1説明2。我妻中Ⅱ760頁参照）。

組合員は，ある組合員が出資債務を履行しないことを理由として，組合契約を解除することはできない（667条の2第2項）。仮に，債務不履行による解除（541条）を認めると，「やむを得ない事由」を要件とする解散請求の制度（683条）と整合しないし，解散請求のほか，履行しない組合員の除名（680条・679条4号），脱退（678条）又は組合の解散（682条1号・3号・4号）の各制度もあり，組合の団体性を考慮したこれらの制度により解決すべきだからである。なお，この規律は，出資債務に限らず，組合契約に基づく債務不履行一般に適用される（中間試案説明528頁，部会資料75A，第6，1説明2(2)，同81-3，第14，1説明3）。改正前民法のもとの判例〔大判昭14・6・20民集18巻666頁〕・通説〔我妻中Ⅱ762頁〕も同様〔ただし，福地・新版注民(17)38頁参照〕）。

出資債務が履行されると，出資された財産は，組合の財産となる（→3）。

(2) 共同事業遂行義務

組合員は，約束した共同事業を遂行する義務を負う。その具体的内容は，組合の業務の執行という観点から詳しく規定されている。これを次項で検討する。

2 組合の業務執行

(1) 業務執行の分析

組合の事業を行うためにビルの1室を事務所として賃借する場合を考える。それを実現するためには，①その部屋を借りることを組合員の間で決定すること，②ビルの所有者との間で賃貸借契約を締結すること，が必要となる。①は，組合内部の意思決定とその執行に関する問題であり，「業務の決定及び執行の方法」として規律される（670条）。②は，法人格をもたない組合において第三者との法律行為をする際，誰がどのような資格で行い，その効果が誰にどのように帰属するかの問題であり，「組合の代理」として規律される（670条の2）。改正前民法では，「業務の執行の方法」という表題の規定（旧670条）しかなく，①は，対内関係，狭義の業務執行，内部的業務執行，②は，対外関係，組合代理，対外的業務執行などと呼ばれたが，両者の関係が不明瞭だった。現行民法は，これを明確化した。順に検討する。

(2) 業務の決定及び執行

(a) 業務の決定及び執行の方法

組合の業務は組合員が行うのが基本であるが，業務の決定及び執行を一部の組合員又は第三者に委任することもできる。委任を受けた者を業務執行者という。以下では，業務執行者を定めない場合と定めた場合とに分けて検討する。

(b) 業務執行者を定めない場合

組合の業務は，組合員の過半数をもって決定し，各組合員がこれを執行する（670条1項）。組合の業務の決定があることにより，それを実行する組合員の行為が組合の業務執行と評価されることになる。頭数による過半数を決定の基準とする理由は，次の通りである。仮に，組合員の全員一致を要することにすると，実際上不便であるし，業務執行が停滞するおそれがある。他方，各組合員の専断に委ねることにすると，各人の行為が矛盾したり，多くの組合員の意思に反する結果が生じたりすることがある。出資の価額に応じて議決権を付与する方法も考えられるが，組合では人的結合の性格が強いので，頭数による過半数とすることが適当である（梅789頁）。なお，組合契約においてこれと異なる定めをすることは可能である（部会資料75A，第6，4説明1(2)）。改正前民法では，業務執行の方法については明文がなく（旧670条参照），解釈により，各

組合員が業務執行権を有するとされていた（我妻中Ⅱ777頁）。現行民法は，決定と執行の関係を明確にした。

　以上が原則であるが，日常的な軽微な業務（常務）まで，過半数の決定がないとできないというのでは煩瑣である。そこで，常務は，各組合員が単独でできることとし，ただ，他の組合員は，それが完了するまでは，異議を述べることができ，異議が述べられれば，単独ではできなくなることとする（670条5項，旧670条3項）。組合員の過半数で決める可能性を残しつつ，常務は，まずは各組合員ができるようにするということである。ただし，異議を述べる機会を与えるまでの必要はない（我妻中Ⅱ778頁以下）。常務の例は，漁業の組合が日々漁船を出し，漁獲した魚を売却すること（梅793頁），物品販売を目的とする組合で店舗の陳列や宣伝方法を改めること（我妻中Ⅱ778頁）などである。共有物の「保存行為」（252条5項。2021年改正前民252条但書）よりも広い（星野320頁）。

　組合員が業務の執行をする場合，他の組合員との関係については，委任の規定の一部が準用される（671条）。この場合，組合員の業務執行権は，組合契約に基づき相互に付与されるものであり，組合員間に委任契約が締結されるわけではないが，業務を執行する組合員は受任者と同様の地位に立つからである（我妻中Ⅱ780頁）。具体的には次の通りである。業務を執行する組合員は，組合契約の本旨に従い善良な管理者の注意をもって執行する義務を負う（644条）。原則として自ら執行すべきであり，他に委任することについては民法の定める規律（644条の2）による。また，他の組合員に対する報告義務（645条），受取物引渡義務等（646条），金銭消費についての責任（647条）を負う。特約がないと報酬は請求できないが，報酬を受けるべき場合は民法の定める規律による（648条・648条の2）。費用の前払請求や償還請求等ができる（649条・650条）。

　(c)　業務執行者を定めた場合

　(i)　業務執行者と組合員の関係　　前項の方法は，組合員の数が少なく，全員が熱心なうちはよいが，そうでないとうまくいかない。誰かに任せる方がよいことがある。そこで，組合の業務の決定及び執行は，組合契約の定めるところにより，組合員又は第三者に委任することができる（670条2項）。委任される人（業務執行者）は，1人でも複数でもよい。業務執行者が複数であるときは，その過半数で組合の業務を決定し，各業務執行者がこれを執行する（同条3項）。

常務は，各業務執行者が単独でできるが，その完了前に他の業務執行者が異議を述べたときは，この限りでない（同条5項）。

業務執行者を定めた場合，業務執行者でない組合員は，組合の業務の決定及び執行をする権利を失うが，組合の業務及び組合財産の状況を検査する権利を有する（673条。旧673条もほぼ同じ）。この検査権は，業務執行権を有しない組合員の最低限の保護のためのものであり，組合契約である以上は，特約によって剥奪できないと解すべきである（我妻中Ⅱ778頁，森泉章・新版注民（17）124頁）。

業務執行者を定めた場合であっても，組合の業務については，総組合員の同意によって決定し，又は，総組合員が執行することができる（670条4項）。この場合，組合の業務執行の統一性を保つため，業務執行者もその決定に服すると解すべきである。なお，組合員でない業務執行者（「同意」の主体ではない）の執行権限は，組合契約，業務執行委任契約及び総組合員の同意による決定の趣旨によるが，原則として，存続すると解すべきであろう。本規定により，組合に対して意思表示等をしようとする者は，組合の業務執行者が不明であっても，組合員全員に対して意思表示等をすればよいことになる（中間試案説明534頁，部会資料75A，第6,4説明2(1)・(2)）。この場合，総組合員が共同して意思表示等を受領すると解することができる（基本方針Ⅴ289頁参照）。

◆ **総組合員の同意による決定・執行**　業務執行者が組合員である場合は，総組合員には業務執行者たる組合員も含まれるので，その同意もあることが前提となるから，問題は生じない。業務執行者が第三者である場合は，組合員全員と当該第三者との間に委任契約が成立しているところ，委任契約においては，委任者が協力義務を負うことがあり，受任者に任せた以上，委任者が自らその事務をすることを差し控えるべき場合がありうる（→第14章第3節2(3)〔540頁〕）。実際，この場合，原則として本人（組合員）は手をつけない趣旨と解すべきだという学説が改正前民法のもとであった（我妻中Ⅱ785頁）。しかし，現行民法は，業務執行者が定められた場合，各組合員の業務決定・執行権を失わせる一方，総組合員の同意があればなおそれが優先するという内容の委任とすることが，法人格のない組合の構造に適し，組合の共同事業の遂行に資すると判断したものと考えられる。なお，670条4項を「代理法理から当然に導かれる帰結」だという説明（中間試案説明534頁，部会資料75A，第6,4説明2(1)）は，代理とは区別された業務決定・執行の説明としては，不十分であろう。

組合員が業務執行者である場合も，委任の規定の一部が準用される（671条）。この場合，組合員相互間には組合契約があり，それとは別に委任契約が締結されるわけではないが，業務執行組合員は受任者と同様の地位に立つからである（我妻中Ⅱ782頁，森泉・新版注民（17）98頁）。第三者が業務執行者である場合は，委任の規定が適用される。

(ⅱ) 業務執行者の辞任及び解任　　組合員の一部の者を業務執行者とする場合，組合の目的を達成するための重要な手段としてされるのだから，業務執行組合員の責任は重く，その地位は安定したものである必要がある。したがって，業務執行組合員は，正当な事由がなければ辞任することができない（672条1項）。また，その解任には，正当な事由があることと，他の組合員の一致が必要である（672条2項）。正当な事由とは，業務執行組合員と他の組合員の重大な意見の対立，業務執行組合員の疾病等により組合業務の決定・執行ができなくなったこと（以上，梅798頁），業務執行組合員の重大な義務違反（以上，森泉・新版注民（17）123頁）などである。

第三者を業務執行者とする場合，その辞任・解任は，委任の解除の規定（651条）による。

(3) 組合代理

(a) 組合における第三者との法律行為

組合には法人格がないので，第三者と法律行為をする場合，組合員全員の名前で共同して行うことが基本的な方法である。しかし，組合員が多い場合など，この方法はとりにくいことがある。そこで，代理の方法が用いられる。ある組合員が他のすべての組合員から代理権を与えられた場合，その組合員は，自らの組合員たる資格と他の組合員の代理人としての資格により（その結果，全員共同して），法律行為を行う。第三者が全組合員から代理権を与えられた場合は，その第三者のした法律行為の効果は，各組合員に帰属し，組合員全員で法律行為をしたことになる。代理権を，ある組合員又は第三者に包括的に与え，かつ，同人に代理権を集中させることもある。現行民法は，業務執行者に代理権を包括的かつ排他的に与えている。これらの方法による取引を組合代理と呼ぶことがあるが，組合（法人格がない）が本人となるわけではないので，やや比喩的な表現である。以下，業務執行者を定めない場合と定めた場合とに分けて検討

する。

◆ **組合代理における顕名**　代理においては，本人のためにすることを示すこと（顕名）が必要である（99条）。まず，「本人」については，取引に際しての「A組合」という記載は，A組合の組合員全員を表示するものと解釈することができる（大判大14・5・12民集4巻256頁〔約束手形面上の記載〕）。次に，「顕名」については，「A組合代表者理事長B」「A組合組合長B」などの記載は，A組合の組合員全員の代理人であるBという表示として理解され，A組合の組合員全員がその責任を負うとされることがある（最判昭36・7・31民集15巻7号1982頁〔約束手形面上の記載〕）。

◆ **組合の「代表」**　組合において第三者との法律行為が業務執行者に委ねられることを「組合代表」と呼ぶことがある（森泉・新版注民 (17) 101頁）。この表現は，組合に法人格がないことを強調すると，不適当だともいえる（法人と代表機関との関係は，組合には妥当しない）。しかし，日常用語としては，法人格の有無にかかわらず，団体の長を代表者と呼ぶことは多い。法律用語としても，権限に包括性がある代理を「代表」と呼ぶなど，代理と代表が峻別されないこともある。上記のような組合代理の構造を前提としつつ，「組合を代表する」「組合の代表者」などの表現を用いることは許容されよう（基本方針Ⅴ 295頁）。社会的には，業務執行者の長は，理事長，組合長などと呼ばれることが多い。

(b)　業務執行者を定めない場合

(i)　各組合員の代理権　各組合員は，組合の業務を執行する場合において，組合員の過半数の同意を得たときは，他の組合員を代理することができる（670条の2第1項）。ただし，組合の常務については，単独で組合員を代理することができる（同条3項）。

業務執行者を定めない場合，組合員全員が共同してでないと第三者との法律行為ができないとすると不便であるので，各組合員は，組合契約に基づき，一定の要件のもとで代理権を有するとすることが適切である。改正前民法には明文規定がなかったが，判例・学説は，おおむね同様の結論をとっていた。現行民法は，それをもとに，規律を明確にした。「組合員の過半数の同意」は，必ずしも「決議」でなくてもよい（670条1項の「過半数をもって決定」とは異なる）。なお，業務執行者がいるときは，組合員の代理権はなくなる（670条の2第2項）。

組合員の代理権は，組合契約に内在するものであるが，性質は任意代理権で

あり，別途，制限を付することは可能である（共同代表とすること，重要な行為について特別決議を要件とすることなど）。

◆ **組合員の代理権**　改正前民法のもとでは，大別すると，①各組合員は旧670条1項所定の過半数決議により代理権が与えられるという説明（大判明40・6・13民録13輯648頁〔ただし，代理ではなく「対抗」構成〕参照）と，②組合契約によって各組合員が相互に代理権を与え合い，各自が単独代理権を有するのが原則であるとする説明（我妻中Ⅱ788頁）があった（山本764頁以下参照）。もっとも，①も，常務については各組合員の単独代理権を認め，②も，常務以外の事項については，内部的には過半数決議が必要だから，それを得ない代理行為は無権代理となるというので，結論は接近する。実質的に考えると，一方で各組合員がすべての事項について当然に単独代理権をもつという制度では，組合契約は危険で使いにくいものとなるが，他方で，各組合員は過半数決議に基づいてのみ代理権が与えられるという制度では，日常的な業務に支障が生じる。常務については各組合員に単独代理権を与え，それ以外については過半数組合員の同意により代理権が認められるとすることが，組合契約を安定的かつ柔軟なものとし，かつ，当事者の意思にも沿うと考えられる。現行民法は，組合契約は原則としてそのようなものであると評価して，この規律を選択したと理解できる（潮見新各Ⅱ433頁以下参照）。したがって，この代理権は，任意代理権であると解すべきである。

◆ **組合員の過半数の同意**　過半数組合員の意思を集めることは，必ずしも決議によることを要しないというのが改正前民法のもとの判例だった（最判昭35・12・9民集14巻13号2994頁〔7名の組合員のうち4名のした売買の効果が全員に及ぶとした。反対意見がある〕）。このことは，組合員の代理権を旧670条1項から導く見解からは，やや説明しにくいが，組合契約の解釈から導く見解からは説明しやすい（川添利起『最判解民昭35』424頁）。実質的には，決議を要するとする方が慎重ではあるが，機動性を欠くこと，第三者を害する結果となるおそれがあること，決議の瑕疵をめぐる紛争が生じやすいことなどの問題がある。組合内の対立が激しいときは，脱退，解散請求，損害賠償（善管注意義務違反）などにより解決することが考えられる。そうすると，決議までは要しないことにする選択がありうる。現行民法はこの選択をしたものと理解できる。

「決議」を要件とすることは，決議によって組合員に新たに代理権を授与したという構成に親和的であるが，「同意」でよいとすると，各組合員の代理権があることを前提に，常務以外については同意を要するという制約が課されているという構成に親和的になる。業務執行者が数人いる場合（670条の2第2項後段）については，後者の構成によるのが妥当である。業務執行者がいない場合も，それと一貫させることが簡明である（部会資料81-3，第14，7説明参照）。

(ii) 要件を欠く代理行為　組合員が組合の業務の執行に際して，常務でない事項について組合員の過半数の同意を得ないでした代理行為は，無権代理である。

そこで，相手方が当該事項が常務だと信じた場合，又は，組合員の過半数の同意があったと信じた場合，その保護が問題となる。このほか，組合内部で各組合員の代理権に制限を付していたが相手方がそれを知らなかった場合，業務執行者がいるのに相手方がそれを知らなかった場合も問題となる。670条の2第1項の代理権を法定代理に引きつける見方，組合員の過半数同意を法定要件であるとする見方，法人の理事の代理権の制限（一般法人77条5項参照）に引きつける見方からは，これらの各場合について，分けて論じることも考えられる。しかし，この代理権は組合契約に基づく任意代理権であること（→(i)1つ目の◆）を重視し，いずれも表見代理（110条）の規定によることでよいと考えたい（部会資料75A，第6，5説明2（4）参照）。

◆ **相手方の保護**　改正前民法のもとで，半数に満たない組合員のした常務でない事項の代理行為の効力は，他の組合員には及ばないというのが判例（大判大7・7・10前掲）であり，これを支持する学説が多かったが，組合員は単独代理権を有し，過半数の決定（旧670条1項）を欠くことは内部関係の問題にすぎないという少数説もあった。無権代理とする多数説においても，相手方の保護は，①旧110条の表見代理によるというもの，②同条の類推によるというもの，③法人の理事の代理権の制限（2006年改正前民54条。一般法人77条5項参照）と同様に取り扱うというものなど，分かれていた（山本765頁〜769頁参照）。このうち，②説は，常務についての代理権を基本代理権とする旧110条の表見代理を認める①説だと，過半数の決定を要することの意味が失われるので，同条の類推により，「常務」の範囲内に属するということに対する信頼を保護するにとどまるという（山本766頁注31）。この指摘は，現行民法のもとでも考慮すべきであるが，670条の2の1項と3項の代理権は同質のものと考えられるところ，代理行為の要件の欠け方は多様であり，そこまで厳密に分ける必要はないだろう。

(c) 業務執行者を定めた場合

(i) 業務執行者の代理権　業務執行者を定めた場合，各組合員の代理権はなくなり，業務執行者のみが組合員を代理することができる（670条の2第2項前段）。業務執行者が数人いるときは，各業務執行者は，業務執行者の過半数

の同意を得たときに限り，組合員を代理することができる（同項後段）。ただし，組合の常務については，各業務執行者は単独で組合員を代理することができる（同条3項）。

　これは，業務執行者が定められた場合についての改正前民法のもとでの一般的な理解を明文化したものである。業務の決定・執行の委任と代理権の授与とは別のことであるが，組合においては，両者は一致するのが通常であろうから，業務執行者になれば，当然，代理権が授与されることとされる。この代理における本人は，各組合員である。複数の業務執行者がいる場合，業務執行者の過半数の同意（670条の2第2項後段）と業務についての過半数による決定（670条3項後段）は，別のものだが，後者の決定には前者の同意も含まれることが通常であろう。組合員が業務執行者となる場合，その代理権は，組合契約に内在するものであり，第三者が業務執行者となる場合，その代理権は委任契約によるものである。いずれも性質は任意代理権であり，別途，制限を付することは可能である。

　(ⅱ) 要件を欠く代理行為　業務執行者が数人いるとき，組合の業務の執行に際して，常務でない事項について業務執行者の過半数の同意を得ないでした代理行為は，無権代理である。相手方が当該事項が常務だと信じた場合，業務執行者の過半数の同意があったと信じた場合，組合内部で業務執行者の代理権に制限を付していたが相手方がそれを知らなかった場合，他に業務執行者がいるのに相手方がそれを知らなかった場合，相手方の保護が問題となる。これについても，いずれも表見代理（110条）の規定により解決すべきである（部会資料75A，第6，5説明2（4）参照）。

　改正前民法のもとで，結果的には同様となる判例がある（最判昭38・5・31民集17巻4号600頁〔組合規約等で業務執行者の代理権を制限しても善意無過失の第三者に対抗できない〕）。

> ◆ **相手方の主観的要件**　要件を満たさない業務執行者の代理行為について，表見代理（110条）が成立するためには，取引の相手方には代理人の権限があると信ずべき正当な理由が必要となる。このため，組合と取引をする者は，法人と取引をする者よりも慎重さが求められることになる（一般社団・財団法人法77条5項では，相手方は善意であれば足りる）。業務執行者が定められる場合，ある程度の規模の組合であることが想定されるので，法人の規律にそろえることも考えられるが，組合が契約

による結合であり，相手方もそのことを認識しうることから，両者の相違は正当化されよう。組合の規模等は，過失の有無の評価に際して考慮することで具体的妥当性を図ることができるだろう。

3 組合の財産関係
(1) 概　　観
ある組合の財産が次の表（以下，本章において，〔表〕と呼ぶ）の通りであるとする。

（資産）		（負債）	
現金及び預金	200万円	借入金債務	500万円
売掛金債権	200万円		
土地	800万円	（純資産）	
農機具	300万円	出資	1000万円
資産合計	1500万円	負債及び純資産合計	1500万円

　組合の財産関係としては，まず，このような財産（積極財産と消極財産）の総体が考えられる。各組合員は，この総体的財産について，それぞれ組合員たる地位を有する。これを持分ということがある。

　次に，総体的財産に属する個別の資産と債務も問題となる。個別の資産（売掛金債権，土地など）を組合財産という。組合財産について，各組合員は持分を有する。つまり，持分という語は，総体的財産についての各組合員の地位という意味と，組合財産（個別の資産）に対する各組合員の権利という意味がある。また，総体的財産に属する債務を組合債務という。組合債務について，各組合員は一定の責任を負う。

　このように，総体的財産，組合財産，組合債務について，各組合員がどのような権利義務をもつかが問題となる。組合財産は，さらに，物権（所有権など）と債権に分けて検討する必要がある。前者は共同所有関係の一種であり，後者は多数当事者の債権関係の一種である。組合財産は，各組合員の固有財産からは独立している。しかし，組合財産も組合債務も，組合自体がその主体であるわけではない（組合には法人格がない）。

> ● 以上の用語の整理は，本書の叙述の前提とするものであるにすぎない。たとえば，組合財産という言葉は，総体的財産あるいは組合の資産全体という広い意味で用いられることもある（品川孝次・新版注民 (17) 56頁参照）。また，持分という言葉は，広くいえば8種類の意味で用いられるという指摘もある（我妻中Ⅱ 816頁）。現

> 行民法のもとの概念整理も進められている（西内・新注民 (14) 491頁以下）。なお，668条には，「出資その他の組合財産」という表現があるが，この「出資」は，組合員の出資した各種の財産（金銭，動産，不動産等）を意味する（「その他」は，組合の事業により取得した財産等）。これに対し，〔表〕の「出資」は，計算上の科目である。

組合の財産関係については，組合の事業により生じた利益及び損失を各組合員にどのように分配するかという問題もある。これを損益分配という。

以下，組合財産，組合債務，損益分配の順に検討する。

(2) 組合財産

(a) 所有権などの物権

組合財産（個別の資産）は，総組合員の共有に属する（668条）。各組合員の持分の割合は，出資額の割合と解されている（我妻中Ⅱ815頁，星野313頁）。不動産については，組合員全員が共有者として登記される（組合の名前では登記できない）。もっとも，668条の共有は，通常の共有（249条以下）とは，次の2点において異なる。

第1点は，持分の処分の制限である。通常の共有においては，明文規定はないが，各共有者は持分を自由に処分できると解されている。これに対し，組合財産については，組合員が持分を処分しても，組合や組合と取引した第三者に対抗できない（676条1項）。これを認めると，持分譲受人と他の組合員の共有となり事業の執行に支障を来すし，組合の債権者にとっては組合財産が減少することになるからである（梅804頁参照）。その効果は，実質的には無効に近い（我妻中Ⅱ804頁，星野314頁）。

また，組合員の債権者は，組合財産について，差押え，仮差押えなどの権利行使をすることができない（677条）。組合財産は，組合員の債権者から守られていることになる。改正前民法のもとでは，組合員の債権者の差押えは，組合員の処分と同様の結果を招くことから，債務者たる組合員の組合財産持分を差し押さえることはできないと解されていた。現行民法は，明文化にあたり，差押えに限らず，権利行使一般についての規定とした（中間試案説明530頁，部会資料75A，第6，3説明4 (2)，同81-3，第14，4説明）。

◆ **組合員の債権者のとりうる手段** 　組合員が脱退すると持分の払戻しを請求する権利を取得する（681条）ので，組合員の債権者はこの請求権を差し押さえたいと考える。そのために，組合員の債権者は，①組合員に対し任意に脱退するよう働きかけること（山本787頁），②債権者代位権（423条）により，組合員に代わって脱退の意思表示をすること，③持分会社の社員の債権者がその持分を差し押さえて社員を退社させる制度（会社609条。同611条7項参照）を類推適用することが考えられる。組合員が①に応じない場合が問題である。②については，脱退の意思表示を代位してすることの可否（その一身専属性〔423条1項但書〕）が問題となるが，可能ではないか。③については，総体的財産に関する組合員の地位という意味での持分の差押えの可否，及び，それが可能な場合に差押債権者が脱退の意思表示をすることの可否が問題となる。肯定する見解が有力である[13]。

　第2点は，分割請求ができないことである。通常の共有においては，各共有者はいつでも共有物の分割請求ができる（256条1項）。これに対し，組合財産については，組合員は，清算前にはその分割を求めることができない（676条3項）。これを認めると，組合の事業の執行に支障が生じるからである。ただし，組合員全員の合意があれば，一部の組合財産を分割することは可能だと解されている（大判大2・6・28民録19輯573頁，我妻中Ⅱ803頁。組合債権者は詐害行為取消権を行使できることがある。星野314頁）。

　以上の2点が通常の共有と大きく違う点である。これは，組合が組合員による共同事業を目的とするものであることから生じる特徴である。そのため，組合の財産については，「共有」とは区別された「合有」と呼ばれることが多い（我妻中Ⅱ800頁など）。

◆ **合有概念** 　共同所有を共有・合有・総有の3類型に分ける見解が有力である（我妻栄〔有泉亨補訂〕『新訂物権法』〔1983〕314頁以下など）。合有の例として，①組合財産，②相続財産，③受託者複数の信託財産（信託79条）がある。もっとも，②については共有説が有力であり，①と③の内容は異なる（基本方針Ⅴ279頁注3）。また，共同財産をこの3類型に分けることには疑問が示されている（山田誠一「団体，共同所有，および，共同債権関係」講座別Ⅰ285頁参照）。組合財産を合有ということは，組合に関する債権債務関係についても「合有的帰属」とみることになるが，むしろ多

13）　中野＝下村・民執778頁。2005年改正前商法91条につき，我妻中Ⅱ816頁。来栖642頁参照。他方，大判昭6・9・1新聞3313号9頁は，「組合加入権即組合員タル資格ニ於テ有スル一切ノ権利義務」の競売を否定した。西内・新注民（14）505頁以下参照。

数当事者間の債権債務関係としてみるべきだといわれる（星野311頁）。不明瞭な「合有」の概念を用いるよりも，組合財産の「共有」について具体的規律を明確にすることを目指すべきであろう（潮見新各Ⅱ438頁以下参照）。

(b) 債　　権

　組合財産である債権も総組合員の共有になる（668条）。しかし，組合員は，その持分についての権利を単独で行使することができない（676条2項）。すなわち，組合員は，組合財産である債権を全員で共同してのみ行使できる（組合員は単独では取り立てることができず，債務者が組合員の1人に全部又は一部を履行しても債務は消滅しない）。多数当事者の債権関係の原則形態は分割債権であるが（427条），組合財産である債権について，各組合員がそれを自己の持分に応じて分割して行使できるとすると，共同の事業のために用いるべき財産が損なわれることになる。そこで，427条の適用のないことを明確にするものである。改正前民法は，組合財産である債権を分割して行使できないという考え方（大判昭13・2・12民集17巻132頁参照）を前提として，組合の債務者がその債務と組合員に対する債権とを相殺できないと規定していた（旧677条）。現行民法は，この「前提」を676条2項で明示するとともに，組合員の債権者の権利行使という観点から，旧677条の規律を677条でより一般化して規定する（中間試案説明531頁，部会資料75A，第6，3説明5 (2)，同81-3，第14，4説明，同84-3，第39，4説明，一問一答370頁）。

　　● 組合財産である金銭債権f_1の債務者Sが組合員A個人に対し金銭債権f_2を有しているとする。この場合，Sは，組合に対する債務f_1と，A個人に対する債権f_2とを相殺できない。これを認めると，組合の財産である債権f_1がA個人のために使われることになるからである（677条）。

　◆ **組合財産である債権の法律関係**　　組合財産である債権は総組合員に合有的に帰属すると説明する見解が有力である（我妻中Ⅱ808頁）。しかし，多数当事者の債権関係の一類型である共同債権と位置づけるのが適切であると考える[14]。

---

14) 中田「共同型の債権債務について」星野英一追悼『日本民法学の新たな時代』（2015）393頁，中田・債総556頁以下。

(3) 組合債務[15]

(a) 組合の債権者と組合財産

組合債務とは，たとえば，組合員全員が共同して，又は，組合代理により，金銭を借り入れた場合の貸金債務や，組合の所有する建物の設置保存の瑕疵により他人に損害を与えた場合の損害賠償債務（717条）である。このように，組合の事業を営むにあたって負担した債務についての債権者を組合の債権者という。

組合の債権者は，組合財産についてその権利を行使することができる（675条1項）。改正前民法には明文規定はなかったが，広く認められていた。組合債務は，可分給付を目的とするものであっても，各組合員に分割されるのではなく，全体として，各組合員に帰属し，組合財産を引当てとする（我妻中Ⅱ 809頁）。そのため，組合の債権者が組合員の1人である場合も，その債権（組合債務）が同人の負担部分について混同によって消滅することはなく，同人は全額を請求することができる（大判昭11・2・25民集15巻281頁，百選Ⅱ 75〔金子敬明〕，伊藤栄寿「組合財産の帰属関係」法時1115号〔2017〕121頁）。

> ◆ **組合債務の内容** 明治民法起草者は，組合の債権者に対し義務を負うのは組合員であり，旧675条は，その負担割合を規定したものだと理解していた（梅802頁）。その後の学説も，組合債務は組合員の負担する分割債務と理解するのが通説であった（鳩山下700頁など）。これに対し，大判昭11・2・25前掲が，組合債務は組合財産によって弁済されるのが「本筋」であると述べ，学説でもそれは組合財産を引当てとするという見解が支配的になった（品川・新版注民(17) 82頁）。

(b) 組合の債権者と組合員の財産

組合の債権者は，各組合員の財産に対しても権利を行使することができる。その割合は，①各組合員の損失分担の割合，又は，②等しい割合であり，債権者が選択できる。ただし，債権者が債権発生時に，①を知っていたときは，①による（675条2項）。各組合員は，債権者に対し，①又は②の割合で責任を負うが，それは連帯責任でなく，分割責任である[16]。また，各組合員は，債権者

---

15) 組合の債権者の組合財産及び組合員の財産に対する執行の方法については，来栖三郎「民法上の組合の訴訟当事者能力」同『来栖三郎著作集Ⅱ』(2004) 355頁〔初出1967〕，来栖667頁以下，中野＝下村・民執118頁，青木・前掲注7) 4頁以下。

に対し，まず組合財産に執行せよといえるわけではなく，併存して責任を負う（併存的な分割無限責任。持分会社の無限責任社員が補充的な連帯無限責任である〔会社580条1項〕のと異なる）。この責任について債務なき責任という見解もあるが，組合員は責任だけでなく債務も負うという見解が一般的である（品川・新版注民（17）133頁）。

> ● 2名の組合員ABからなる組合において，AとBの損失分担割合が7対3である場合，組合の債権者Gは，その選択により，AとBに50%ずつ請求すること，又は，Aに70%，Bに30%を請求することができる。ただし，債権発生時にGが損失分担割合を知っていたことをBが証明したときは，GはBに30%しか請求できない。

> ◆ **改正の経緯** 改正前民法は，組合の債権者は，債権発生時に組合員の損失分担の割合（①）を知らなかったときは，各組合員に対し，等しい割合（②）で権利を行使できると規定していた（旧675条）。しかし，債権者に①を知らなかったことの証明を求めるよりも，②を原則としたうえ，組合員の側で債権者が①を知っていたことを証明したときは①によることとし，かつ，債権者は①と②を選択できるとすることが適切であると考えられ，改正された（中間試案説明532頁，部会資料75A，第6，3説明2 (2)，同84-3，第39，3説明）。

(4) 損益分配

(a) 損益分配の割合

組合の事業により，利益が生じたときは，各組合員に分配され，損失が生じたときは，各組合員が分担する。これが損益分配である。民法は，その割合について規定を置く（674条）。①当事者が損益分配の割合を定めたときは，それによる。②当事者が利益又は損失についてのみ分配の割合を定めたときは，その割合は利益及び損失に共通であると推定する。③当事者が損益分配の割合を定めなかったときは，各組合員の出資の価額に応じて定める。

(b) 利益と損失の概念

利益と損失には，2つの意味がある。

① 1つは，ある時点における組合の財産状態について，純資産額（資産の額

---

16) 組合債務が商行為から生じたものである場合，組合員の責任は連帯債務になる（品川・新版注民（17）134頁）。共同企業体について組合と性質決定したうえ，構成員に会社が含まれている場合に商法511条1項を適用し，連帯債務の発生を認めた例として，最判平10・4・14前掲がある。立法提案として，基本方針Ⅴ283頁以下・457頁以下参照。

から負債の額を控除した残余の額）と出資の総額との関係に着目するものである。純資産額が出資総額を超える場合にその超過額を利益という。純資産額が出資総額を下回る場合については，ⓐその下回る額を損失というもの（品川・新版注民 (17) 125 頁）と，ⓑ純資産額がマイナスになる（債務超過となる）ときにその債務超過額を損失というもの（我妻中Ⅱ 821 頁〔出資を償還しえないだけでは損失ではないという〕）がある。

②もう1つは，ある期間（事業年度）における純資産額の増減に着目するものである。前期よりも増加した場合にその額を利益，減少した場合にその額を損失という。①の意味での損益分配は，最終的には組合の解散，清算の段階でされることになるが，組合が長期間存続する場合，途中で利益分配や損失処理をするため，②が用いられることになる。

●〔表〕では，純資産額は出資額と同額だから，この時点では，①の意味での利益も損失もない（解散したとすると出資額が戻される）。これに対し，その後1年間に，㋐組合の事業により 200 万円の利益が生じた場合，㋑農機具が落雷で滅失して 300 万円の損失が発生した場合，㋒1800 万円の損害賠償債務を負った場合をそれぞれ考える。②の意味での損益としては，この期間中に，㋐では 200 万円の利益，㋑では 300 万円の損失，㋒では 1800 万円の損失があったことになる。この時点における①の意味での損益としては，㋐では 200 万円の利益，㋑では 300 万円の損失（ⓐ）又は出資の欠損（ⓑ），㋒では 1800 万円（ⓐ）又は 800 万円（ⓑ）の損失となる。

利益の分配方法は，組合契約又は全組合員の合意で定めるのが通常である。たとえば，事業年度ごとに決算をしたうえ，利益があれば出資額に応じて分配するとか，事業が安定するまでは利益があっても分配せず，組合財産として留保する（その結果，総体的財産に対する各組合員の持分の内容が増加する）などである。②の意味での利益（純資産額の増加）を分配するにあたって，①の意味での利益（純資産額が出資総額を超えること）が存在することは要件ではない（出資に欠損が生じている状態で，当期に②の意味での利益が生じた場合，それを分配することはできる）。組合債務について組合員が併存的に分割無限責任を負うので，組合の債権者を害することはなく，出資に相当する額を維持する必要はないからである（2005 年改正前商法のもとで，株式会社について資本維持の原則があり，利益配当が規制されていた〔同 290 条 1 項〕のと異なる）。

損失については，上記のように概念が多様である。ある事業年度において，

②の意味での損失（純資産額の減少）が生じても，組合員が当然にそれを補てんする義務はない。組合員全員の合意により追加出資をしてもよいし，そのままにしてもよい（その結果，総体的財産に対する各組合員の持分の内容が減少する）。ある時点において，出資の欠損（①ⓐの意味での損失）がある場合も同様である。①ⓑの意味での損失があり，組合の事業の継続が困難になって解散した場合，組合員はその損失を分担する（我妻中Ⅱ 824頁）。

損失の分担は，このように組合員内部の問題であり，組合の債権者との関係は別である。組合の債権者は，組合財産に執行してもよいし，組合員の固有財産に執行してもよい（675条2項）。固有財産をもって組合債務を弁済した組合員は，弁済した全額について組合に対し求償権をもち（我妻中Ⅱ 822頁），組合債権者に代位する（499条）。

第4節　組合員の変動

1　概　　観

組合契約においては，団体性が考慮され，組合を存続させたまま，第三者が新たに組合員となること（加入）及び組合員の一部が組合員の資格を失うこと（脱退）が認められる。組合が契約であることを貫くと，いずれも原組合契約の解除と新組合契約の締結によってなされるべきことになるが，迂遠であり無用のコストを要する。改正前民法は，脱退についてのみ規定を置いていたが，現行民法は加入について規定を新設した（677条の2）。

2　加　　入

(1)　**加入の要件**

組合員は，組合員全員の同意により，又は，組合契約の定めるところにより，新たに組合員を加入させることができる（677条の2第1項）。加入者は，出資をしなければならない（667条）。

加入は，改正前民法のもとで，判例・学説（大判明43・12・23民録16輯982頁，菅原菊志・新版注民(17)153頁）により認められており，組合契約の特別法で認めるものもあった（有限組合24条1項）。現行民法は，組合契約一般について明文化した。

(2) 加入の効果

加入した組合員は，組合員としての権利義務を負う（→第3節1〔571頁〕・2〔573頁〕）。

財産関係については，加入者は，その出資を含めた総体的財産についての持分及び組合財産（個別の資産）についての持分を取得する。加入者のした出資も組合債権者の権利行使の対象となる（675条1項）。ただし，加入した組合員は，加入前に生じた組合の債務については，固有財産によって弁済する責任を負わない（677条の2第2項）。この最後の点は，改正前民法のもとで学説が認めていたところであるし（我妻中Ⅱ840頁，星野329頁〔債権者の期待を害することがないという〕），法人である持分会社に関する規律（会社605条。菅原・新版注民(17) 158頁参照）を組合に持ち込むことは適当ではないと考えられ，このように定められた（中間試案説明537頁以下，部会資料75A，第6，6説明2）。

3 脱 退

(1) 脱退の要件

(a) 任意脱退

脱退には，任意のものと非任意のものがある。任意脱退は，脱退する組合員の意思によるものである。

①ⓐ組合契約に組合の存続期間の定めがないとき，又は，ある組合員の終身の間，組合が存続すべき定めがあるときは，各組合員はいつでも脱退できる。ⓑただし，組合に不利な時期には脱退できない。ⓒしかし，組合に不利な時期であっても，やむを得ない事由がある場合は，脱退できる（678条1項）。

②ⓐ組合契約に組合の存続期間の定めがあるときは，その期間中は，各組合員は脱退できない。ⓑただし，やむを得ない事由がある場合は，脱退できる（同条2項）。

①ⓐの規律は，あまりにも長期間，当事者を組合契約に拘束することは，自由の過度の束縛になるので，それを防止するためのものである（梅809頁。中田・前掲第4章注4）参照）。多数決制度のもとで少数派に認められる対抗手段という機能もある（西内・新注民 (14) 584頁参照）。①ⓑ及び②ⓐで，脱退できない，というのは，脱退の意思表示をしてもそれは無効であり，依然として組合員であり続けるという意味である（脱退は有効だが損害賠償責任が生じるという意

味ではない)。①ⓑの組合に不利な時期とは,事業年度の途中で事業の遂行や計算に支障をきたすときや,組合の事業に慣れ業務を担当していた組合員について後任がいない間などである(梅810頁,星野326頁。我妻中Ⅱ827頁は,組合の目的達成のために特に不利益である時期という。菅原・新版注民 (17) 164頁参照〔会社606条との対比〕)。①ⓒ及び②ⓑのやむを得ない事由とは,組合員間の意見対立があり,対立者の方針がとられるときは自らの財産に悪影響が及ぶおそれのある場合などである(梅810頁,星野326頁)。組合の解散請求の要件である「やむを得ない事由」(683条)よりも軽度でよい(我妻中Ⅱ828頁)。①ⓒ及び②ⓑは,強行規定であると解されている(我妻中Ⅱ829頁など)。やむを得ない事由があっても任意脱退を許さないという組合契約は,組合員の自由を著しく制限し,公の秩序に反するからである(最判平11・2・23前掲)。

(b) 非任意脱退

組合員は,次の事由があるときは,その意思にかかわらず,脱退する(679条)。

①死亡。組合員の相続人は,組合員たる地位を相続しない。脱退に伴う持分の払戻しを受け(681条),改めて出資をして加入することは,その要件を満たせば可能である(組合契約又は組合員の全員の同意により,相続人をそのまま組合員とすることも可能である〔梅812頁〕)。

②破産手続開始の決定を受けたこと。

③後見開始の審判を受けたこと。

④除名。これは,正当な事由がある限り,他の組合員の一致によってすることができる。ただし,除名した組合員にその旨を通知しなければ,その組合員に対抗できない(680条)。正当な事由とは,出資債務の不履行その他重要な義務の不履行,業務執行にあたっての不正の行為などである(星野327頁参照,会社859条参照)。

(2) **脱退の効果**

(a) 概　　観

任意か非任意かを問わず,脱退した組合員は,組合員としての資格を失うが,組合は,残存組合員の間で存続する。そこで,総体的財産についての脱退組合員と残存組合員の関係,及び,組合債務についての脱退組合員と組合債権者の

関係が問題となる。
　(b)　総体的財産についての清算
　脱退組合員は，総体的財産についての持分を有する。そこで，脱退時における組合財産の状況に従って，これを清算する（681条1項）。純資産がプラスである場合，その持分を払い戻すが，脱退組合員の出資の種類を問わず，金銭で払い戻すことができる（同条2項）。純資産がマイナスである場合，脱退組合員は，損失分担の割合に従って，自己の負担部分に相当する額を支払わなければならない。脱退時に完了していない事項については，完了後に計算することができる（同条3項）。

> ●〔表〕の組合において，10名の組合員（出資額は全員同じ）のうちの1人が脱退する場合，脱退組合員は，純資産の1割である100万円の払戻しを受ける。この組合に300万円の損失が発生した後，脱退する場合は，70万円の払戻しを受ける。この組合に1800万円の損失が発生した後，脱退する場合は，脱退組合員は，80万円を支払わなければならない。

　脱退組合員に総体的財産についての持分を金銭で払い戻した場合，残った組合財産に対する残存組合員の持分は，増加する。

> ●〔表〕の組合において，10名の組合員（出資額は全員同じ）のうちの1人が脱退し100万円の払戻しを受けた場合，たとえば，組合財産である土地についての残存組合員の持分は，従来の10分の1から9分の1になる。

　(c)　組合債務についての組合債権者との関係
　前項の規律は，脱退組合員と残存組合員の間の内部における清算であるが，組合債権者との外部関係については，別である。現行民法は次のように定める。
　脱退組合員は，脱退前に生じた組合債務について，従前の責任の範囲内で弁済する責任を負う。この場合，債権者が全部の弁済を受けない間は，脱退した組合員は，組合に担保を供させ，又は，組合に対して自己に免責を得させることを請求することができる（680条の2第1項）。脱退組合員は，上記の組合債務を弁済したときは，組合に対して求償権を有する（同条2項）。改正前民法のもとで，学説により認められていた規律（我妻中Ⅱ838頁，菅原・新版注民（17）181頁）を明文化したものである。なお，脱退後に生じた組合債務については，脱退組合員は責任を負わない。

● 〔表〕の組合において，10名の組合員（出資額は全員同じ）のうち1人が脱退する場合，脱退組合員は，借入金債務について，債権者に対し50万円を支払う責任を負う。脱退組合員は，組合に対し，50万円について担保を提供すること，又は，債権者と交渉するなどして脱退組合員を免責させることを請求できる。脱退組合員が債権者に支払った場合，組合に50万円の求償をすることができる。

第5節　組合の解散と清算

1　概　　観

　組合が解散すると，共同事業は行われなくなる。しかし，解散時における財産関係を清算することが残されている。法人の場合，一般社団法人は，解散により清算法人となり，清算の目的の範囲内において，清算結了までなお存続するものとみなされる（一般法人207条）。組合は法人格がないので，このような擬制がされることはない。組合が，組合契約に定められた共同事業ではなく，清算を目的とする段階に入ったといえば足りる。組合の解散は，将来に向かってその効力を生じるが（684条・620条），契約の終了をプロセスとして理解すると（→第4章第1節1〔183頁〕・第2節5(1)〔221頁〕），解散後も組合員たる地位は清算に必要な範囲でなお存続し（685条など），その意味では組合契約も存続し，清算結了によって最終的に終了するというべきである。

2　解　　散

　組合は，以下の事由によって解散する（682条）。①組合の目的である事業の成功又はその成功の不能，②組合契約で定めた存続期間の満了，③組合契約で定めた解散の事由の発生，④総組合員の同意，である。このうち②③④は，改正前民法では，解釈により一般に認められていたこと（梅820頁など）を明文化したものである（中間試案説明540頁，部会資料75A，第6，8説明1・2）。

　また，やむを得ない事由があるときは，各組合員は組合の解散を請求することができ，それによっても解散する（683条）。解散請求は，他の組合員全員に対する意思表示によってされるべきである。「やむを得ない事由」とは，目的である事業が成功不能とまではいえないが著しく困難となったこと（我妻中Ⅱ844頁），多数の組合員が不正をしていて脱退したのでは公正な解決がされないこと（梅822頁）などである。持分会社について同様の規定があり（会社833条

第5節　組合の解散と清算

2項，2005年改正前商112条1項〔合名会社〕），それに関する裁判例が参考になる（大判昭13・10・29大審院判決全集5輯1122頁〔3名の社員間の不和〕，最判昭61・3・13民集40巻2号229頁〔多数派社員の不公正かつ利己的な業務執行〕）。脱退における「やむを得ない事由」よりも重く，脱退ができても，解散請求はできないこともある。

解散の効果は，遡及しない（684条。準用される620条は解除に関する規定だが，組合の解散も同様とする〔民法修正案理由書645頁，梅823頁，菅原・新版注民（17）185頁〕）。

◆ **組合員が1人になった場合**　①組合員が1人になることも解散事由であるというのが通説である（我妻中Ⅱ845頁，星野331頁，菅原・新版注民（17）183頁，山本799頁）。これに対し，②新たな組合員の加入による組合存続の可能性がある以上，組合員が1人でもいれば解散しないという考え方もある。合名会社の解散事由は，かつては社員が1人になったことだったが，現在では社員が欠けたことである（2005年改正前商94条4号，会社641条4号〔持分会社〕。一般法人148条4号参照）。組合員が1人になることを解散事由としつつ，新組合員加入による存続の可能性を残す制度も現れている（有限組合37条柱書但書・2号）。①は，組合の契約性・団体性のいずれの面でも複数組合員の存在が必要であり，それは成立要件かつ存続要件であると考えるが，②は，組合事業の継続の要請を重視し，複数組合員の存在は成立要件であるにすぎないと考える。

今回の改正で，組合員が1人になったことを解散事由とすることが検討されたが，実務上の支障があるという意見もあり，解釈に委ねられることになった（中間試案説明541頁，部会資料75A，第6，8説明2）。②について検討課題は多いが（基本方針Ⅴ312頁以下参照），組合員が1人になった後，遅滞なく新組合員の加入があった場合には，組合が存続する余地を認めてよいのではないか[17]。なお，667条の3の「他の組合員の間においては」という表現は，無効等の原因がある当事者を除く組合員が2人以上いることを想定しているようだが，これだけで上記の解釈が排除されることにはならないだろう。

---

[17] 潮見新各Ⅱ467頁以下は，個々の組合契約の解釈によるとしたうえ，不明の場合，原則として解散事由となるとしつつ，例外的に本文と同様の結論を認める。フランスのsociété（会社・組合）につき，鳥山恭一「一人会社の法規整——フランスにおけるその展開」早法65巻3号（1990）1頁，山田誠一「日仏一人会社法制を比較していだく印象」学術月報44巻4号（1991）6頁参照。

3 清　算

組合が解散したときは，清算が行われる。

清算の方法は，総組合員が共同して行う方法（全員が清算人になること）と，組合員が過半数の決定により選任した1人又は複数の清算人が行う方法がある（685条）。

清算人の業務の決定・執行の方法及び代理については，業務執行者に関する規律に準じる（686条）。清算人でない組合員は，清算業務の決定・執行権及び代理権を有しないが，清算業務を監視する権限を有する（我妻中Ⅱ850頁。673条の類推適用）。組合員のなかから選任された清算人の辞任及び解任は，業務執行組合員に関する規律に準じる（687条・672条）。

清算人の職務は，①現務の結了，②債権の取立て及び債務の弁済，③残余財産の引渡しである（688条1項）。清算人は，これらの職務を行うために必要な一切の行為をすることができる（同条2項）。③の残余財産は，組合財産により組合債務を弁済した残余である。純資産に相当するものであり，出資を償還した残余ではない（鳩山下720頁，我妻中Ⅱ848頁）。組合財産は組合員の共有に属するが（668条），残余財産となることにより，各組合員の出資の価額に応じて分割される（688条3項。梅828頁）。

第17章　終身定期金

　終身定期金契約は，当事者の一方が，自己，相手方又は第三者の死亡にいたるまで，定期的に金銭その他の物を相手方又は第三者に給付することを約束し，相手方との間でその合意がされることにより，成立し，効力を生ずる（689条）。

> ● たとえば，高齢者が持ち家を他人に譲渡し，その代わりに同人から自分が死ぬまで毎月一定額の金銭の支払を受けるという契約，法人の発展に長年にわたって貢献した理事長の退職に際し，その死亡にいたるまで法人が毎月一定額の金銭を支払うという契約である。

　終身定期金契約は，諾成契約である。給付を受ける当事者（終身定期金債権者）が給付をする当事者（終身定期金債務者）に対し反対給付をする場合は，双務・有償契約，しない場合は，片務・無償契約である。終身定期金は，金銭その他の代替物の定期的給付であり，終身定期金契約（689条）又は遺贈（694条）により設定される。旧民法では，終身年金と呼ばれ，報酬として，あるいは贈与又は遺贈により，設定されるとしていた（財産取得編164条）。明治民法では，わが国においては，年払よりも月払又は半年払が多いという理由で，終身定期金と名称が改められ，また，契約の部分に配置することから契約によるものを中心とする規定とされた（民法速記録Ⅴ40頁以下〔梅謙次郎発言〕）。
　終身定期金制度は，ヨーロッパの制度を導入したものである[1]。明治民法の起草者の1人は，わが国では例が少ないが，次第にその需要が生じることは疑

---

1) フランスの終身定期金制度の紹介として，松川正毅「実践フランス法入門　終身定期金契約」国際商事法務25巻11号1268頁～26巻4号456頁（1997～98），野村豊弘「フランスにおける終身定期金（rentes viagères）制度について」北村一郎編『現代ヨーロッパ法の展望』（1998）295頁。ドイツの終身定期金契約につき，右近健男編『注釈ドイツ契約法』（1995）643頁以下［青野博之］。

いないと述べていた[2]。しかし，実際にはあまり利用されていない。老後の生活については，社会保障としての公的年金や各種組織の運営する私的年金が発達している。これらの内容は法律や約款で定められており，民法の終身定期金契約の規定が直接適用されることはほとんどない[3]。

> ◆ **改正との関係** 今回の改正において，終身定期金契約の規定の削除論もあった。しかし，多様な典型契約を用意しておく意義，高齢社会においてこれを基礎とする仕組みを創設しうる可能性のあること，終身性・射倖性を有する無名契約の解釈の手がかりになりうることなどを理由とする存置論が多かった。他方，現実の利用が少ないことから，あえて一部を改正するまでもないとされ，結局，従来の規律が維持されることとなった[4]。

終身定期金債務者は，ある特定の者（終身定期金契約の各当事者又は第三者。以下「基準となる者」と呼ぶ）の死亡にいたるまで，終身定期金債権者又は第三者に対し，金銭その他の代替物を定期的に給付する義務を負う。基準となる者が期中に死亡したときは，日割計算がされる（690条）。

終身定期金債務者Bが元本（金銭や不動産など）を受領した場合，Bが終身定期金債務その他の債務を履行しないとき，相手方Aは元本の返還を請求することができる（691条1項前段）。これは債務不履行による解除であるが，2点においてその特則となる。①要件面では，催告（541条）が不要である。②効果面では，BはAに元本を返還し，Aは既に受け取った終身定期金のなかから，Bの受領した元本の利息を控除した残額をBに返還する（691条1項後段。545条2項と比較せよ。詳細は，基本方針Ｖ 333頁以下を参照）。他方，債務不履行による解除の一般的規律を確認する規定もある。すなわち，解除は損害賠償請求を妨げないこと（691条2項，545条4項），解除による双方の返還債務は同

---

2) 梅829頁。これに対し，他の起草者は，終身年金契約の利用の少ないことについて，年金債権者側では元本（金銭や土地建物）を放棄することを好まないこと，及び，年金債務者が無資力になるおそれがあること，年金債務者側では年金債権者が長命となり損失を被るおそれがあることを，旧民法当時の著作で指摘していた（富井政章『民法論綱財産取得編中巻』〔1893〕162頁以下）。
3) 沼正也「終身定期金契約」大系Ｖ 239頁をはじめとして，しばしば指摘される。
4) 論点整理説明461頁以下，中間試案説明541頁以下，部会資料75A，56頁以下。有償の終身定期金契約の規定を設ける立法提案として，基本方針Ｖ 321頁以下。扶養契約との関係につき，久保野恵美子「扶養契約」改正と民法学Ⅲ 367頁・393頁以下。

時履行の関係にあること（692条・533条，546条・533条）である。

　終身定期金債務者の責めに帰すべき事由によって，基準となる者が死亡したときは，裁判所は，終身定期金債権者又はその相続人の請求により，終身定期金債権が相当の期間，存続することを宣告することができる（693条1項）。相当の期間とは，基準となる者の平均余命までの期間が基準となる（梅840頁，我妻中Ⅱ866頁，星野336頁）。終身定期金債務者が元本を受領していたときは，終身定期金債権者は，691条による解除をして元本の返還請求をすることもできる（693条2項）。

◆ **射倖契約としての終身定期金契約**　　終身定期金契約は，債務者にとっては，基準となる者が早く死亡すると得をし，想定以上に長寿であると損をすることになる。つまり，偶然性ないし射倖性がある。旧民法は，フランス民法（2016年改正前1964条以下）にならい，射倖契約の章を設け，そこに「博戯及ヒ賭事」と「終身年金権」の2つの節を置いた（財産取得編157条〜177条）。また，射倖契約を，当事者の双方又は一方の損益について，その効力が将来の不確定な事件にかかる合意と定義し，上記の2つのほか，保険と冒険貸借を商法で規定すると定めた（同157条〜159条）。しかし，明治民法は，ドイツ民法草案などと同様，射倖契約の下位類型とするのではなく，直接，終身定期金の章を置いた。

　フランス民法は，実定契約（contrat commutatif）と射倖契約（contrat aléatoire）の分類を設けており（2016年改正前1104条・1964条，同改正後1108条），後者について過剰損害（レジオン）による取消しの可能性が議論されてきた（山口・フランス39頁以下）。しかし，わが国では，旧民法の段階で過剰損害の規律を導入せず（大村・前掲第1章注59）42頁以下），明治民法でも採用されなかったうえ（民法速記録Ｖ41頁〔梅発言〕），射倖契約の概念自体が排除されたので，現在，なじみの薄い概念となっている。近年，これについての研究が進められているが[5]，概念を不要だとする指摘もある[6]。

　この問題は，①射倖性のある契約の有効性，②偶然性に関する操作その他のモラルハザードの抑止，③結果的に終身定期金契約当事者間の給付の不均衡が著しく大きくなった場合の是正の可否，④終身定期金契約当事者間の債権債務の性質などにかかわる。①は，公序良俗（90条）の問題として個別に判断されるべきことである。②は，693条に反映されている。この観点からは，基準となる者が第三者である場

---

[5] 西原慎治①『射倖契約の法理』（2011），同②「無償の終身定期金契約と贈与契約の拘束力との関係について」岸田雅雄古稀『現代商事法の諸問題』（2016）849頁，同③・新注民（14）623頁以下，小野秀誠「虚無の所有権，終身年金，保険売買と射倖契約」川井健傘寿『取引法の変容と新たな展開』（2007）133頁など。

[6] 森田果「射倖契約はなぜ違法なのか？」NBL 849号（2007）35頁。

第17章　終身定期金

合には，その同意を要すると解すべきことになろう（保険38条参照）。③は，有償の終身定期金契約において，契約締結直後に基準となる者が死亡した場合に，特に問題となる。終身定期金債権者又はその相続人による契約の取消しや解除，黙示的な条件の認定などが検討されうるが，現行法下では一般法理で対処するほかない（立法提案として，基本方針Ⅴ 335頁）。他方，予想以上に長寿となった場合は，その可能性は織り込み済みであったと考えるべきだろう。④については，基本権としての定期金債権とそれにより発生した支分権とに分けて考えるのが一般的だが（我妻中Ⅱ 864頁など），出捐それ自体ではなく，機会の給付（状態給付である偶然性）が債務の内容であり，それは契約成立時に与えられ，履行されるという見解もある（西原・前掲注5）①9頁以下，同②858頁以下）。後者の見解は，前者の基本権を射倖性の観点から評価したものともいえるが，時間の経過とともに存続する射倖的利益を観念することは，給付の均衡の判断や清算の対象の検討において意味をもつ可能性がある（基本方針Ⅴ 334頁参照）。射倖契約という概念は，これらのうちどの点に着目するかでその内容が異なりうるものであり，それゆえ外延が不明瞭にならざるをえない。また，偶然性やリスクは，程度の差はあれ，あらゆる契約に内在するともいえる（森田・前掲注6）36頁）。ただ，この概念は，これらの諸問題を浮かび上がらせる機能はある。

　なお，終身定期金契約は長期にわたるので，経済状況の変化などによる問題も生じうるが，これは射倖性によるのではなく，継続的な給付に伴う問題である（損害賠償に関する規定だが，民訴117条参照）。契約中に，予め変更条項を置くなどして対応することもある。

第18章 和　　解

第1節　意　　義

　和解とは，当事者が互いに譲歩をしてその間に存在する争いをやめることを約束することによって成立し，効力を生ずる契約である（695条）。和解契約において当事者の一方Aが争いの目的（対象）である権利を有すると認められた場合，又は，相手方Bがこれを有しないと認められた場合，後になって，Aは従来その権利を有していなかったという確証が得られたとき，又は，Bがこれを有していたという確証が得られたとき，その権利は，和解によってAに移転したもの，又は，和解によって消滅したものとされる（696条）。

　● (例1) AとBが甲土地の所有権を争っていたが，これを2等分し，東半分をAが，西半分をBが取得するという和解をしたとする。後になって，甲土地全部がBのものでありAのものではなかったことを示す証拠が出てきたとすると，東半分の土地は和解によってBからAに移転したものとされる。

　(例2) 債権者Bと債務者Aの間で，残債権額について争いがあり，Bは80万円，Aは40万円であると主張していたが，50万円とすることで和解したとする。後になって，残債権額は80万円だったという証拠が出てきたとすると，Bの債権のうち30万円は和解によって消滅したものとされる。

　(例3) 例2の和解がされた後，残債権額は40万円だったという証拠が出てきたとすると，Bに債権10万円分が和解によって付与されたものとされる。これは条文上は明示されていないが，解釈により認められている（篠原弘志・新版注民 (17) 259頁）。

　このように，和解は，権利義務関係について争っていた者同士が互いに譲り合って合意した以上，争いの目的（対象）について，真実がどうであれ，その合意は効力をもつという契約である。後に真実とは違うという証拠が出てきた

第18章 和　　解

としても，もはや和解の効力は覆らない。和解の確定効と呼ばれる。

　民法上の和解は，日常的な意味の和解より，要件が限定的であり，効果が強い。日常的には，和解は，必ずしも権利義務にかかわらないことも含め，不和・対立を解消する合意を広く意味するが，新たな証拠が出てくれば紛争は再燃するであろうし，和解を覆すことが社会的・倫理的に許容される場合も少なくない。これに対し，民法上の和解は，後に覆されることがなくはないが，限られた場合だけである。両者は異質のものではなく，これで争いは終わりにしようと合意するレベルでは共通しているが，民法上の和解は，それを明確な法的効果と結びつけている。

　法的効果と結びつく和解の代表的なものは，裁判の場での和解である。この場合，「争い」は「訴訟」である。和解による解決がされれば，確定効が付与されるとともに，訴訟法上の効果が生じる[1]。しかし，民法上の和解は，裁判の場でされるものには限らない[2]。

◆ **裁判上の和解**　裁判所の面前でされる和解を裁判上の和解という[3]。訴訟上の和解と訴え提起前の和解がある。訴訟上の和解とは，訴えが提起された後，裁判が確定するまでの間にされるものである（民訴89条参照）。訴え提起前の和解とは，当事者が，訴えを提起することなく，簡易裁判所に和解の申立てをし，成立すれば調書に記載してもらう制度である（同275条。起訴前の和解，提訴前の和解，即決和解とも呼ばれる）。これらの裁判上の和解が成立し，裁判所書記官が調書に記載すると，その記載は確定判決と同一の効力をもつ（同267条）[4]。特に，それが債務名義となること（民執22条7号）が重要であり，和解条項が履行されないときは，相手方は和解調書に基づいて強制執行をすることができるようになる。日本の裁判では和解に

---

1)　民法上の和解と訴訟上の和解との関係については，民事訴訟法学上，議論がある。高橋・前掲第3章注4) 769頁以下。

2)　裁判所とは別に様々の団体が用意する紛争解決手続（ADR）が発達している。裁判外紛争解決手続の利用の促進に関する法律（2004年公布，07年施行）は，和解の長所を生かしつつ，問題点を是正する試みである。2023年改正により，「特定和解」に執行力を付与しうることとされた。同法については，小林徹『裁判外紛争解決促進法』(2005)，山本和彦「ADR和解の執行力について」NBL 867号9頁・868号24頁 (2007)，福田敦ほか・NBL 1246号 (2023) 28頁 (上記改正の解説)。もちろん，民法上の和解は，同法によるものに限らない。

3)　裁判所における話合いによる解決の手続としては，このほかに調停がある。調停調書も確定判決と同様の効力がある（民調16条，家事268条）。

4)　訴訟上の和解に既判力まで認められるかについては，既判力肯定説，制限的既判力説，既判力否定説がある。いずれも民法696条による確定効を前提として，それとは別に既判力を認めるべきか否かを議論する（高橋・前掲第3章注4) 771頁以下，伊藤・前掲第2章注62) 509頁以下）。

よる解決が多く、裁判所も積極的に和解を試みる。訴訟上の和解には迅速・円満・柔軟な解決、履行される確率の高さなどの長所があるが、本来の権利の実現を曖昧にし、なしくずし的な妥協を奨励し、公正さを損なうなどの危険も伴う。和解の評価は、国や歴史によって異なるが、わが国では特にその長所と欠点とを自覚する必要があるだろう[5]。

　和解契約は、諾成契約である。互いに譲歩するので有償契約であり、さらに双務契約でもあるというのが伝統的な学説であるが、和解契約による債務をどう理解するかによって、見解が分かれる。

◆ **和解契約の性質**[6]　　和解契約の性質については諸見解がある。①当事者は譲歩して合意したことを実現する債務を負うから、和解は双務契約であるという見解[7]、②当事者は「争いを止むべき債務」を負うので、和解は双務契約だが、直ちに係争の法律関係を確定する形成的効力を有することがある点で、単純に双務契約とはいい切れないという見解（末川下304頁）、③和解は、有償契約だが双務契約ではないという見解[8]、④和解は、一般的には有償・双務契約だが、常にそうだとはいえず、これは実益のない議論であるという見解[9]などである。

　これは、ⓐ和解契約自体による債務の存否・内容の問題、及び、ⓑ和解契約自体による債務と争いの対象である法律関係に含まれる債務との関係の問題である。ⓐについて、和解契約により「争いの対象である法律関係について処分する債務」若しくは「争いをやめる債務」が発生し直ちに履行されると考えるか、又は、「訴えを提起しないという合意（不訴求特約）」若しくは「争いの対象となった事項を以後争わないという不作為債務」を観念することができれば、双務・有償契約といえなくはない。見解は分かれうる。ⓑについては、両債務は論理的には区別できるが、両者を一体的に取り扱う（たとえば、後者の債務の不履行があれば和解契約を解除できる

---

5)　訴訟上の和解に対する異なる見方を示すものとして、草野芳郎『和解技術論〔第2版〕』(2003)〔同『新和解技術論』(2020)に所収〕、垣内秀介「裁判官による和解勧試の法的規律」法協117巻6号1頁〜122巻7号1頁(2000〜05、未完)。
6)　基本方針Ⅴ344頁参照。
7)　梅845頁以下、末弘880頁以下、鳩山下734頁、我妻中Ⅱ873頁・879頁以下。
8)　山木戸克己「和解に関する一考察」同『民事訴訟理論の基礎的研究』(1961) 289頁は、和解は、係争の法律関係を当然かつ即時に確定させる契約であり、確定させる債務を生ずるものではないし、和解の対象である法律関係とは区別されるから、債権契約・双務契約ではないが、互譲を要求するので有償契約であり、かつ、和解によって当事者が債権を取得し債務を負担するのが通常だから、債権契約の最後に規定するのは不当でないという。三宅各下1231頁は、和解は有償契約だが、和解の成立により直接に争いが確定し、債務は介在しないから双務契約ではないという。広中321頁は、和解は有償契約であるとだけいう。
9)　星野338頁。石田415頁、平井45頁参照。

とする）ことも，和解契約の解釈によりできなくはない（→第3節2(3)◧〔609頁〕）。また，和解契約において争いの対象とは別の給付が合意されることがあるが（たとえば，Aが係争土地の所有権を有することをBは認めるが，AはBに金銭を支払う），そこで発生する債務（Aの金銭債務）は，和解契約自体による債務でありつつ，争いの対象である法律関係と補完的なものともいえる。こうして，ⓑもいちがいにはいえない。学説の対立は，これらの諸問題のどこに着目するか，また，そこでどの立場をとるかの違いであると理解することができる。

◆ **改正の検討**　今回の改正においては，①和解の意義（互譲の要件の要否，書面を要件とすることの当否），②和解の効力（和解と錯誤に関する規律の明文化，人身損害についての特則の要否）が検討されたが，最終的にはいずれも見送られ，従来の規律が維持されることとなった（論点整理説明463頁以下，中間試案説明543頁以下，部会資料75A，57頁。基本方針Ⅴ343頁以下，民法改正研究会編・前掲序章注15) 225頁以下参照）。

第2節　和解の成立

1　2要件論

695条によれば，和解契約の要件は，「当事者が互いに譲歩をしてその間に存する争いをやめる」と合意することである。これを「争いをやめること」と「互譲」という2つの独立した要件として理解するのが明治民法起草者以来の伝統的な通説であった。判例も，それを前提としたうえ，実質的には，各要件を少し緩和することによって妥当性を図っている。

◆ **「争いをやめること」と「互譲」**　明治民法起草者は，この2要件を定立し，①弁済期に弁済されないので，債務者が担保を提供し，債権者が期限を猶予する合意をした場合，互譲はあるが，争いがないので和解ではなく，②訴訟が提起されたが，原告が取り下げた場合又は被告が請求を認諾した場合，争いはあるが互譲がないので和解ではないと説明した（梅843頁）。
　その後，「争い」については，抽象論としては比較的狭く理解され，当事者間で権利義務に争いはなく，それが不明確・不確定であるにすぎない場合は，この要件を欠くとされた（末弘879頁，鳩山下731頁。大判大5・7・5民録22輯1325頁）。もっとも，訴訟上の和解については，請求権の存在に争いがなくても，その履行を求める訴訟が係属していれば「争い」があるとされる（大判大6・10・5民録23輯1531頁）。「互譲」については，当事者の一方だけが譲歩する場合は，この要件を欠くと解された（鳩山下733頁。大判明41・1・20民録14輯9頁）。もっとも，訴訟上の和解で，一

方が請求を全面的に認め，他方が訴訟費用だけを負担するというものでもよいとされた（大判昭8・2・13新聞3520号9頁）。なお，学説では，争いをやめることが目的であり，互譲はその手段にすぎないというものもあった（末弘878頁）。

2 和解の効力に着目する要件論

このような伝統的な要件論に対し，1960年頃から，和解の効力との関係で要件を考える見解が有力になった。和解において「争い」や「互譲」が要件だといわれるが，「たとい真実に反しても云々の法律関係とする」と両当事者が合意した点についてのみ，和解の効力（後に真実と反する確証が現れても争えないという効力）が生じるというだけのことであるという見解（我妻中Ⅱ 870頁・875頁）が，大きな影響を与えた[10]。端的に，和解においては「確定効」が重要であり，それが認められるべき契約を和解と解すれば足りるという学説もある（星野343頁）。これらの見解によれば，「争い」と「互譲」の要件は緩やかに解すべきことになる。この方向がよいと考えるが，「確定効」とは何かをもう少し詰める必要がある。次節で検討しよう。

> ◆ **契約自由への還元論**　伝統的な2要件論にせよ，効力に着目する要件論にせよ，要件を欠く合意は，民法上の和解ではないとしても，無名契約としての効力は認められるという（鳩山下731頁，我妻中Ⅱ 875頁）。これを突き詰め，民法上の和解であるか否かは，錯誤との関係（→第3節2(2)〔606頁〕）又は制限行為能力者のした和解の効力（13条1項5号）との関係で問題になるにすぎないと指摘するものもある（来栖715頁）。さらに，和解は，契約自由の原則に還元されうるものであり，典型契約とするまでもないという見解が登場するにいたる（平井45頁）。実際，スイス債務法は和解を典型契約として規定していない。
> 　たしかに，和解の要件は，その効力との関係で考えざるをえず，究極的には当事者がどのような合意をしたかの問題（契約自由の原則と契約の解釈の問題）に帰着するといえそうである。ただ，695条・696条は，紛争を解決する様々な合意のうち確定効を付与すべきものの範型を示したものとしての意味はある。やはり，確定効の内容が問題である。

---

10)　高梨公之「和解」大系Ⅴ 205頁など。竹中悟人・新注民（14）645頁以下参照。

第3節　和解の効力

1　和解の確定効
(1)　確定効の概念

確定効と呼ばれるものには，多様な内容が含まれているが，次の3つの効力に整理することができるだろう[11]。①紛争終止効。当事者がそれまでしていた争いをやめることである。695条の定義から導かれる。②権利変動効。仮に真実と違っていても，和解によって実体法上の権利変動が生じることである。696条の効力である[12]。③不可争効。以後，特段の事情がない限り，蒸し返しが認められないことである。695条・696条による[13]。

一般的にいって紛争解決合意は，通常，①の合意を含む。これは，契約自由の原則に委ねれば足りる。民法上の和解は，定義上，①の合意を含むことになる。これに対し，②については，紛争解決合意の当事者は，そこまでは明確にしないのが通例であろう。民法上の和解にあたれば，②の効力が生じることが重要である。③は，どの紛争解決合意にも，ある程度は含まれているが，民法上の和解においては，②との関係で「特段の事情」が限定されることになる。この分析に基づいて，要件を再検討しよう。

(2)　和解の要件の再検討
(a)　争いの存在

争いの存在は，少なくとも紛争終止効の前提として必要である。「争い」とは何かは，権利変動効との関係で決まる。すなわち，私法上の権利義務関係の存否・範囲・態様に関するものであること，当事者が処分しうるものを対象と

---

[11]　基本方針V 346頁による。潮見新各II 479頁以下も同様。確定効に関する学説の他の観点からの整理として，山本803頁以下。この整理に対する批判として，遠藤歩『和解論』(2019) 335頁以下。

[12]　フランス民法・旧民法は，和解の効力を認定的 (déclaratif) 効力のみとしたが，それだと不都合が生じる。といって常に付与的 (attributif) 効力があるとするのも適当ではない。そこで，明治民法起草者は，和解の効果を明確化するため，696条を置いた（民法速記録V 100頁〔梅謙次郎発言〕，梅847頁以下）。同条の沿革につき，竹中・新注民 (14) 654頁以下，遠藤・前掲注11) 336頁，平井50頁以下。基本方針V 360頁参照。

[13]　沿革的には696条は不可争効を直接規定するものではなく，不可争効は和解契約の本旨から導かれるという指摘がある（竹中・新注民 (14) 658頁〜660頁。遠藤・前掲注11) 348頁もほぼ同様）。本文では，③と②との関係を示すものとして，696条もあげている。

することが必要である。当事者間の法律関係の不明確な点を確定する合意が和解といえるかについては，否定する判例があるが（大判大5・7・5前掲），権利変動効に相当する効力を認めるべきものであれば肯定してよいだろう（我妻中II 869頁以下，星野344頁参照）。

(b) 互　　譲

互譲は，紛争終止効・権利変動効・不可争効を安定的に導くための重要な要素である[14]。しかし，形式的な要件とするのではなく，要素として理解する以上，譲歩の存否，程度及び内容は柔軟に解すべきである。

権利変動効が認められるためには，「一方的な譲歩でないこと」を必要とすることは，公平であり（星野344頁），当事者の意思にも合致する（内田317頁）。もっとも，一方の主張を全面的に認める内容の合意でも，客観的事実からの乖離の可能性はあり，その乖離の確証が出たとしても権利変動効を生じさせることが当事者の意思であると認められる場合は，和解の成立を認める余地があろう。譲歩の程度は，大小を問わない。譲歩の内容は，紛争の目的である財産自体には限られない。たとえば，土地所有権についてAB間に争いがある場合に，Aの所有権を認めたうえ，AがBに金銭を交付するという内容でもよい。

2　和解の効力の覆滅
(1) 概　　観

和解も契約だから，法律行為や契約に関する規律が適用される。たとえば，詐欺や強迫によって和解契約を締結させられた当事者は，これを取り消すことができる。もっとも，錯誤については議論がある。債務不履行に基づく契約解除についても検討を要する。

---

14) フランス民法の和解について，条文（2044条〔下記改正前〕）にある「争い」の意義と学説によって認められる「互譲」の意義の関係を検討したうえ，「互譲」について，ある合意を放棄・認諾等と区別し和解と性質決定するための「弱い互譲要求」と，和解の効力を正当化するための「強い互譲要求」があると分析する視点（垣内・前掲注5）122巻7号11頁・47頁以下）は有益である。ここで問題とするのは，「強い互譲要求」である。「弱い互譲要求」と梅843頁の関係につき，篠原・新版注民(17) 240頁参照。なお，フランス民法の和解に関する規定は，2016年11月18日法により大きく改正された（互譲要件の明文化〔2044条〕，和解と目的〔対象〕が同じである提訴等の障害〔2052条〕，和解と錯誤に関する規定等〔旧2053条以下〕の削除）。

(2) 和解と錯誤

(a) 改正前民法のもとでの議論

和解が権利変動効をもたらすのは,「たとい真実に反していても」それで確定するという合意だからであるが,合意について真実と異なるところがあった場合,錯誤(95条)が成立する可能性もある。「和解と錯誤」というテーマが古くから議論されている[15]。今回の改正で,錯誤の規定が改められ,要件が明確化されるとともに,効果が無効から取消しに変更された。その影響の有無を考えるため,改正前の議論の検討から始めたい。

「和解と錯誤」は,和解をした後,どの範囲で紛争の蒸し返しができるのか(不可争効の範囲)の問題だが,どの点に錯誤があったのかによって区別するのが判例・学説である[16]。すなわち,①争いの目的となっていた事項について錯誤があった場合は,錯誤の規定は適用されず,和解の効力は覆らないが,②それ以外の事項について錯誤があった場合は,錯誤の規定が適用される。②については,ⓐ「争いの目的である事項の前提ないし基礎とされていた事項」とⓑ「それ以外の事項」とに区別する学説が多い。

> ●(例4)債権者Bの債務者Aに対する債権をBがCに譲渡したところ,CとAの間で,残債権額について争いが生じ,Cは80万円,Aは40万円と主張したが,50万円とすることで和解したとする。後になって,残債権額が40万円であったという証拠が出てきたとしても,残債権額は争いの目的となっていた事項であるから,錯誤の規定は適用されず,Aは争うことができない(①にあたる。第1節の●〔599頁〕の例3と同じ)。
>
> (例5)例4の和解がされた後,BC間の債権譲渡は無効であり,Cはそもそも債

---

15) 旧民法は,フランス民法(原始規定)の影響のもと,和解について5か条の規定を置いていたが(財産取得編110条〜114条),明治民法は,錯誤等による和解の銷除(取消し)に関する規定を不要と考え,削除した。錯誤については,法律行為に関する一般原則の適用によればよいし,錯誤以外の銷除原因については,一般の契約で認められないものは和解においてはなおさら認めない方がよい,という理由である(民法速記録Ⅴ90頁〜107頁・116頁〜124頁,民法修正案理由書651頁以下)。法典調査会の審議に際して,ドイツ民法第1草案・第2草案も参照されたが,その和解と錯誤に関する規定(第1草案667条,第2草案718条。その後,第3草案763条を経て現779条)は,取り入れられなかった。竹中・新注民(14)660頁以下。

16) 我妻栄「和解と錯誤との関係について」法協56巻4号(1938)726頁〔同『民法研究Ⅵ』(1969)所収〕が,以下の本文①,②ⓐ,②ⓑに相当する3分類をし(我妻中Ⅱ880頁以下も同様),以後の判例・学説に大きな影響を及ぼした。星野340頁以下,平井52頁,山本806頁以下など。我妻論文が3分類とし,②ⓐを独立させるのは,ドイツ法の影響であろう(ドイツ民法779条は,和解の基礎とされた事実について錯誤があるときに無効とする)。ドイツ民法の形成過程及び行為基礎論との関係につき,村上淳一「和解と錯誤」大系Ⅴ191頁,来栖706頁以下・728頁参照。

権者でなかったと判明した場合，Cが債権者であることは和解の前提ないし基礎とされていた事項であって，争いの目的となっていた事項ではないから，その点についてAの錯誤があれば，Aはその主張をすることができる（②ⓐにあたる）。

　次のような判例がある。①の例として，借地契約の期間満了後にされた借地権消滅を内容とする和解（調停）において，法定更新により借地権が存続していたことについて錯誤があったとしても，和解の対象は，借地権の存否自体であり，その消滅が合意された以上，696条により和解の効力を争うことはできないとしたものがある（最判昭36・5・26民集15巻5号1336頁，倉田卓次『最判解民昭36』184頁）。②ⓐの例として，転付命令を得た差押債権者と第三債務者が債務の弁済方法について和解したが，差押・転付命令が無効であり，差押債権者がその債権を取得していなかった場合に旧95条の適用を認めたものがある（大判大6・9・18民録23輯1342頁〔696条は「当事者カ和解ニ依リテ止ムルコトヲ約シタル争ノ目的タル権利ニ付キ錯誤アリタル場合ニ限リ適用アル」という〕）。②ⓑの例として，和解のための譲歩の手段とされた事項に錯誤があった場合に旧95条の適用を認めたものがある（最判昭33・6・14前掲〔売買代金の支払義務の有無について争いがあったが，訴訟上の和解をし，買主が所有し売主が仮差押えをしていた苺ジャム甲をもって代物弁済する合意をした。その際，甲は良品であるという前提だったが，後に粗悪品であることが判明した。争いの対象は代金支払義務の有無であり，甲の代物弁済は和解のための譲歩の手段にすぎないから，その品質についての錯誤には696条は及ばないという〕，百選Ⅱ76［曽野裕夫］）。

　①の場合に，旧95条の適用が認められない理由は，㋐和解の合意は，「たとい真実に反するとしても」その内容で確定する（不可争効）というものであるから，後に真実と反する事実が判明したとしても，合意した内容の通りとなる（権利変動効）にすぎず，そもそも錯誤がないこと（我妻中Ⅱ880頁，星野340頁，山本806頁），㋑仮に錯誤があるとしても，旧95条の適用を認めると和解の機能がなくなるので，696条は旧95条を排除するものとして規定されていること（我妻・前同，来栖726頁，星野・前同，内田318頁，平井53頁）である。㋐が主な理由であると考えるべきである[17]。「争いの目的となっていた事項」であるかどうかは，契約の解釈によって定まるが，その際，この理由を考慮しつつ解釈すべきである。

(b) 現行民法のもとの規律

今回の改正により，錯誤の効果は無効から取消しに変更された（95条）。ここで，和解における錯誤の効果を引き続き無効とするのであれば，特別規定を置く必要がある[18]。しかし，その必要があるとまでは考えられず，現状が維持された。その結果，(a)の①については，95条の適用がなく，②については，同条1項2号の錯誤としての要件（1項柱書・2項）を満たせば，取り消されうることになる（潮見299頁）。

◆ **維持の経緯** 和解と錯誤に関する規律については，様々な立法提案があった（基本方針V 354頁以下〔両案併記〕，民法改正研究会編・前掲序章注15）225頁〔特則を置かない〕，高森八四郎「和解契約の規定を詳細化する必要はないか」椿ほか編・前掲序章注15）317頁〔ドイツ民法779条と同様にする〕，平井46頁など）。部会でも議論され，中間試案では和解の確定効の範囲に関する判例法理を明文化する提案がされた。しかし，パブリック・コメントにおいて，①確定効が生ずる対象を示す表現の不明確性，②和解契約に関する錯誤の主張を困難とする効果により一方当事者が不利益を受ける可能性への懸念を理由とする反対意見が多く，錯誤の規定の解釈によって解決可能であるとする意見もあったことから，改正が見送られた（論点整理説明463頁以下，中間試案説明543頁以下，部会資料75A，57頁，神田桂・改正コメ952頁）。

(3) 債務不履行による解除

和解契約上の債務が履行されない場合，債権者たる当事者は，和解契約を解除することができるか。判例は，解除権が留保された場合（大判大10・6・13民録27輯1155頁〔和解の内容である生涯生活必要品を供給する義務の不履行〕）だけでなく，債務不履行による解除の場合（大判大9・7・15民録26輯983頁〔履行不能との主張〕，大判昭13・12・7民集17巻2285頁〔和解の内容である代物弁済等の不履行〕）も肯定し，解除により和解前の法律関係が復活するという。学説も，これを肯定する（鳩山下735頁，我妻中Ⅱ882頁，星野342頁，石田422頁，潮見新各Ⅱ479頁以下。三宅各下1232頁は「移転的・創設的条項」の不履行として肯定）。

---

17) ④の理由を残すのは，錯誤があってもその主張をしないという合意が一般に有効であるかどうかはなお検討を要するところ，少なくとも695条・696条が適用される場面では，そのような合意が認められうると考えるからである。

18) ドイツ民法では，錯誤一般の効果は取消可能であるが（ド民119条），和解の基礎とされた事実についての錯誤の効果は無効である（ド民779条）。後者を行為基礎論によって理解することの当否について議論がある（村上・来栖・各前掲注16）参照）。

◪ **債務と和解契約の関係**　和解契約からどのような債務が発生するのかは議論があり（→第1節2つ目の◪〔601頁〕），和解契約と不履行となった債務との関係もいちがいにはいえない。和解契約において，譲歩の一態様として，争いの対象とは別に新たに負担した債務が履行されない場合，和解契約の解除は認められるだろう。争いの対象となっていた債務で和解で一定の譲歩がされたものの不履行については若干問題があるが，①和解契約には当該債務の不履行の場合には和解契約を解除できるとの合意が黙示的に含まれているとの解釈，あるいは，②当該和解契約は当該債務の発生原因を一体的なものとして取り込んでいるとの解釈により，和解契約の解除を認めるべき場合が多いだろう。判例上，遺産分割協議の債務不履行解除は認められていないが（最判平元・2・9民集43巻2号1頁），これは遺産分割協議の特質によるものであり，和解とは区別することができると考える。

3　和解により確定された法律関係と従来の法律関係

　和解の効果の問題として，和解によって確定された法律関係と従来の法律関係との「同一性」が論じられるが，内容は様々である。
　①従来の法律関係が公序良俗に反しているときは，和解契約も無効である（最判昭46・4・9民集25巻3号264頁〔賭博債務の履行のために交付された小切手の支払についての和解〕）。和解の要件である「争い」についての当事者の処分可能性（→1(2)(a)〔604頁〕）を欠くからである（平井49頁）。
　②従来の法律関係から発生した債務の人的・物的担保の帰趨は，和解契約の解釈によるが，当事者の意思としては，和解契約により確定された法律関係においても存続するのが原則と解すべきだろう（星野342頁）。ただし，保証人又は物上保証人のような第三者には，和解契約の効力は当然には及ばない（契約の相対的効力）。
　③従来の法律関係から発生した債務に付着した抗弁の帰趨も，和解契約の解釈によるが，当事者の意思としては，和解の効果（特に権利変動効）の及ぶ範囲では消滅するとするのが原則と解すべきだろう（星野342頁）。
　④和解により確定された債権の消滅時効期間については，和解契約の内容が従来の法律関係から発生した債務を存続させるものであるか否かによる（大判昭7・9・30民集11巻1868頁〔不法行為による損害賠償債権についての和解。旧724条の適用可能性を肯定〕，川島武宜『判民昭7』507頁）。不明確な場合は，従来の法律関係から発生した債権を存続させるものと解すべきであろう（平井54頁）。

第18章 和　解

4　和解の効力をもたない紛争解決合意

　和解の要件を欠き，権利変動効はないが，一応の紛争終止効のある紛争解決合意がある。和解類似の無名契約といわれる。このような合意は，和解にあたらないとすると，①効果の覆滅が認められやすい（権利変動効がなく，錯誤の認められる範囲が広い），②制限行為能力者が同意を得ずにしても取り消されない（13条1項5号参照）ということになる。

　代表的なものが示談である。交通事故などの際，当事者が話し合って，紛争を終結させる合意である。加害者が損害賠償として支払うべき金額や支払方法などを約束し，その代わりに被害者もそれ以上の請求権を放棄するというものが多い。そこで，示談した後に，予期しない損害が発生した場合が問題となる。最高裁がとり，学説も支持しているのは，契約の解釈により，示談契約の及ぶ範囲を限定する方法である（最判昭43・3・15民集22巻3号587頁〔全損害を正確に把握しがたい状況のもとで，早急に小額の賠償金で示談した場合，この示談で被害者が放棄した損害賠償請求権は，示談当時予想していた損害についてのみと解すべきであり，その当時予想できなかった不測の再手術や後遺症等についてまで，被害者が賠償請求権を放棄した趣旨とは解しえないとした。契約を限定的に解釈し，後遺症等は示談の対象外の別損害だとしたものである（別損害説）〕，百選Ⅱ104［山城一真］）。このほか，例文解釈（示談書に記載されている権利放棄条項は「例文」にすぎないから効力がない），示談の前提となる事実の錯誤，示談に黙示的な解除条件が付されていたという構成，示談後の事情の変更という構成などが提唱されている。なお，上記の②については，13条の趣旨に照らして，別途判断されるべきである。

> ◆「その他の契約」　民法の典型契約の最後の3つである組合・終身定期金・和解は，それまでの10種の典型契約が移転型・貸借型・役務型に分類されえたのに対し（→第1章第3節1⑷〔69頁〕），それぞれ特色があってひとまとめにしにくく，「その他の契約」といわれることがある。先行する10種についての上記の3つの型は，契約から生じる債務の内容に着目した分類であるが，最後の3種は，それとは異なり契約から生じる法律関係に特色がある。組合契約によって組合が成立し，それは団体性がある。終身定期金契約によって終身定期金が成立し，それは射倖性がある。和解によって，紛争終止効・権利変動効・不可争効のある法律関係が発生する。これらの3種は，契約により特徴ある法律関係を新たに形成するという共通点があるといえるのではないか（形成型契約）。

事項索引

あ行

安全配慮義務 ………………………………… 498
意思自治の原理 …… 23, 29, 30, 31, 33, 45, 75
意思実現 …………………………………… 92, 93
意思理論 ………………………………………… 32
遺贈 …………………………………………… 284
一時的契約 ……………………… 75, 185, 249
委任 …………………………………………… 525
　　──と代理 ……………………………… 526
　　──の本旨 ……………………………… 530
委任状 ………………………………………… 529
インコタームズ ……………………………… 63
インスティトゥティオネス体系 …………… 2
インターネット・オークション ………… 82
インターネット・ショッピング …… 81, 82
ウィーン売買条約 ………………………… 5, 63
請負 …………………………………………… 503
　　──契約約款 ………………………… 505
　　──の報酬の定め方 ………………… 519
　　──目的物の所有権に関する特約 …… 518
　　──目的物の所有権の帰属 ………… 513
　　建設工事の── ……………………… 505
　　住宅新築工事の── ………………… 512
受取物引渡義務（受任者）………………… 535
永久契約 ……………………………………… 185
ADR（裁判外紛争解決手続）……… 47, 600
役務提供契約 ………………… 169, 489, 503, 528
　　──の一般規定 ……………………… 490
　　──の区別 …………………………… 559
　　──の特徴 …………………………… 489
　　──の履行不能 ……………………… 167
FOB …………………………………………… 63

か行

解雇権濫用法理 …………………………… 500
解除 …………………………………………… 192
　　──後の第三者 ……………… 234, 235
　　──と損害賠償請求との関係 …… 239

　　──の効果 …………………………… 221
　　　──間接効果説 ……………… 222, 223
　　　──折衷説 …………………… 222, 223
　　　──遡及的構成 ……………… 222, 238
　　　──直接効果説 ……… 222, 223, 224, 234
　　　──非遡及的構成 …………… 222, 237
　　　──変容説 …………………… 222, 224
　　──の方式 …………………………… 216
　　──前の第三者 ……………… 234, 237
　　債務不履行による── ……… 193, 196
　　借地・借家契約の── ……………… 207
　　受領遅滞後の── …………………… 201
　　複数契約の── ……………… 240, 242
　　片務契約の── ……………………… 195
　　履行拒絶による── ………………… 211
　　履行遅滞による── ………………… 199
　　履行不能による── ………………… 208
解除権 ………………………………………… 192
　　──の消滅 …………………………… 242
　　──の消滅時効 ……………………… 246
　　──の不可分性 ……………………… 219
　　──の放棄 …………………………… 246
　　──放棄特約（委任者）……………… 542
解除条件 ……………………………………… 189
買戻し特約付き売買 ……………………… 342
解約申入れ ……………………………… 185, 468
　　雇用の── …………………………… 500
　　賃貸借の── ………………………… 423
学説継受 …………………………………… 3, 4, 6, 10
隔地者 ………………………………………… 79
瑕疵（改正前民法）………………………… 300
貸金庫契約 …………………………………… 545
瑕疵担保責任（売主。改正前民法）…… 328
加入（組合）………………………………… 588
環境契約 ……………………………………… 130
関係価値 ………………………………… 188, 474
関係的契約法 …………………… 50, 58, 138
完結条項 ……………………………………… 110
完備契約 ……………………………………… 53
機会主義的行動 ………………… 126, 187, 252

期間満了 ………………………………… 185
　雇用の―― ……………………………… 499
　賃貸借の―― …………………………… 422
危険の移転（売買）…………………… 323
　――前提としての特定と契約適合性 … 325
　――特定及び引渡しとの関係 ………… 326
　受領遅滞による―― ……………… 324, 325
危険負担 ………………………………… 162
　――債権者主義 …………………… 164, 165
　――債務者主義 …………………… 164, 165
　――反対給付債務の消滅 ……………… 166
　――履行拒絶権 ………………………… 166
期限前の返還（消費貸借）…………… 368
期限前の返還（定期預金）…………… 558
帰責事由 ………………………………… 165
　債権者の―― ……………………… 168, 171, 214
　債務者の―― …………………………… 171, 214
寄付 ……………………………………… 266
基本契約 ……………………… 76, 128, 253, 341
基本合意 ………………………………… 127
休業手当 ………………………………… 170
給付危険 …………………………… 164, 323
給付の均衡 ………………………………… 60
競業避止義務 ………………… 49, 184, 494
強行規定 …………………………………… 60
鏡像原則 ……………………………… 79, 91
共通参照枠草案（DCFR）…………… 7, 64
共同企業体 ……………………………… 561
共同体主義 ………………………………… 31
共同の事業 ……………………………… 570
競売（きょうばい）……………………… 82
業務執行者 ……………………………… 573
協力義務（委任者）…………………… 540
協力義務（注文者）…………………… 521
銀行取引 ……………………… 33, 127, 129
銀行預金契約　→預貯金契約
近代的契約法 ………… 47, 55, 56, 58, 59, 138
クーリング・オフ ……… 49, 87, 111, 139, 191
組合 ……………………………………… 561
　――と社団 ……………………………… 564
　――とハブ＝スポーク型契約 ………… 568
　――の解散 ……………………………… 592
　――の財産関係 ………………………… 581

――の清算 …………………………… 592, 594
非営利の―― ……………………………… 570
組合財産 ………………………………… 582
組合債務 ……………………………… 585, 591
組合代理 ………………………………… 576
継続的供給契約 …………………………… 75
継続的契約 ………………… 11, 42, 75, 185, 186, 187,
　　　　　　　　　　　　　189, 249, 363, 489
　――の終了に関わる諸理念 ………… 187
継続的売買 ……………………… 287, 341
競売（けいばい）………………………… 83
軽微な不履行 …………………………… 204
契約
　――と組織 …………………………… 568
　――による「仕組み」の創設 ……… 54
　――の違反に対する救済 …………… 145
　――の改訂 ……………………………… 46
　――の完結性 ……………… 23, 47, 53, 54
　　――固定性 ……………………… 48, 52
　　――個別性 ……………………… 47, 48
　――に関する合意 ……………………… 54
　――の原因 ……………………………… 78
　――の現実類型 ………………………… 65, 68
　――の構造 ……………………………… 60
　――の拘束力 ………… 29, 31, 43, 45, 51,
　　　　　　　　　　　　 74, 120, 124, 194
　――の個数 …………………………… 241
　――の熟度 …………………………… 137
　――の相対効 ………………… 51, 252, 518
　――の対抗可能性 …………………… 52
　――の段階化 ………………………… 126
　――の有効性 ………………… 143, 144
　――を破る自由 ………………………… 44
　狭義の―― ……………… 17, 18, 19, 20
　広義の―― ………………… 18, 20, 21
　プロセスとしての―― …………… 50, 137
契約期間 ………………………………… 186
契約交渉の破棄 ………………… 11, 48, 112
契約自由の原則 … 3, 23, 24, 31, 33, 61, 75, 132
　――相手方選択の自由 ……………… 24, 27
　――憲法上の根拠 ……………………… 29
　――成立に関する自由 ………… 24, 26, 27, 29
　――締結の自由 …………………… 24, 26, 29

―― 内容決定の自由 …………… 24, 27, 28
―― の制限 ……………… 25, 26, 29
―― 方式の自由 …… 24, 27, 29, 74, 138, 141
契約書 ………………………………… 138
　―― の機能 …………………………… 139
　―― の訂正 …………………………… 141
契約上の地位の移転 ………………… 255
　不動産賃貸借契約における ―― ……… 257
契約正義 …………………… 28, 31, 60
契約責任説　→担保責任（売主）
契約締結過程における信義則 …………… 135
契約締結上の過失責任 ……………… 114, 135
契約の解釈 ……………………… 11, 105
　―― 狭義の解釈 ………………………… 107
　―― 修正的解釈 ………………………… 107
　―― 補充的解釈 ………………………… 107
　―― 本来的解釈 ………………………… 107
契約の終了 …………………………… 183
　―― 原因 ……………………………… 185
　―― プロセス ………………………… 183
契約の成立 ……………………… 77, 79
　―― 意思主義 …………………… 105, 144
　―― 競争締結 ………………………… 82
　―― 契約の解釈との関係 ……………… 107
　―― 合意によるコントロール ………… 115
　―― 効果の観点 ……………………… 101
　―― の時期 …………………………… 85
　―― 表示主義 …………………… 106, 144
　―― 部分的不一致 …………………… 104
　―― 部分的未確定 …………………… 103
　―― 申込み＝承諾モデル …… 79, 98, 110
契約の変更 …………………… 42, 249
　―― 主体の変更 ……………………… 255
　―― 内容の変更 ……………………… 249
契約不適合（売買）
　―― 錯誤との関係 …………………… 305
　―― 法律上の制限 …………………… 314
　―― 買主の帰責事由による ―― ……… 309
　―― 権利の ―― ……………………… 313
　―― 種類・品質の ―― ……………… 302
　―― 数量の ―― ………………… 306, 311
　―― 目的物の ―― …………………… 301
研究開発契約 ………………………… 126

現在化 ………………………………… 48
現実贈与 …………………… 263, 268, 275
現実売買 …………………… 17, 20, 22, 288
原始的不能 …………………… 11, 136, 165
原状回復 ……………………………… 225
　―― 義務（使用貸借）………………… 381
　―― 義務（賃貸借）…………………… 406
懸賞広告 ……………………………… 95
限定合理性 ……………………… 31, 57
権利金 ………………………………… 412
権利失効の原則 ……………………… 247
権利保護要件としての登記 ……… 238, 455
合意解除 …………………… 188, 436
行為基礎論 …………………………… 44
合意内容の確定性 ……………… 99, 102
合意の構造化 ………………………… 60
合意の終局性 …………………… 99, 100
交叉申込み …………………………… 94
交渉力 ………………………………… 252
更新 ……………………………… 54, 185
　雇用の ―― …………………………… 499
　自動 ―― ……………………………… 187
　賃貸借の ―― ………………………… 422
　法定 ―― ………………………… 462, 468
　黙示の ―― …………………………… 463
更新料 ………………………………… 469
合同行為 …………………………… 21, 562
後発的不能 …………………………… 165
抗弁の接続 …………………………… 342
合有 …………………………………… 583
国際売買 ……………………………… 341
告知 …………………………………… 189
個別取引 ………………………… 76, 127
コミットメント・ライン契約 … 118, 363, 371
雇用と労働契約の関係 ……………… 491
混合寄託 …………………………… 545, 555
混合契約 …………………………… 67, 560
混合贈与 ……………………………… 271

さ行

再交渉条項 …………………………… 253
催告 …………………………………… 202

催告解除 …………………… 197, 198	収去と付合（賃貸借）………… 405
財産権移転義務（売主）……… 293, 294	終身定期金契約 ………………… 595
再売買の予約 …………………… 343	修繕義務 …………… 316, 408, 450
裁判外紛争解決手続　→ADR	重大な契約違反 …………… 206, 216
裁判上の和解 …………………… 600	受益の意思表示 ………………… 176
債務の代弁済義務（委任者）…… 537	受寄者
採用内定 ………………………… 125	——解除権 ………………… 547
指図遵守義務（受任者）………… 531	——損害賠償請求 ……… 547, 552
サブリース ……… 46, 253, 436, 479	——第三者との関係 ……… 553
三分説（債務不履行）…………… 198	出資 ……………………………… 569
残余財産 ………………………… 594	——債務 …………………… 571
死因贈与 ………………………… 283	守秘義務 ………………………… 133
敷金 ……………………… 411, 412	受領義務（買主）………………… 339
——返還請求権の発生時期 … 413	受領遅滞中の履行不能 ………… 214
当事者の変更と—— ……… 416	受領不能 ………………………… 169
敷引特約 ………………………… 413	シュリンクラップ契約 …………… 94
指揮命令（使用者）… 491, 493, 526, 559	準委任 …………………………… 525
資源開発契約 ……………… 65, 126	準消費貸借 ……………………… 359
自己決定 ………………………… 132	場屋営業者の責任 ……………… 549
——権 ……………………… 28	商事売買 ………………………… 340
自己執行義務（受任者）………… 533	使用収益許容義務（使用貸主）… 379
自己借地権 ……………………… 467	使用収益させる義務（賃貸人）… 397
仕事完成義務（請負人）………… 506	使用貸借 ………………………… 373
獅子組合 ………………………… 570	——の解除 ………………… 384
事実上の使用容認 ……………… 376	——の期間満了 …………… 383
事実的契約関係理論 ……………… 32	——片務契約性 …………… 373
市場型契約 ………………… 57, 568	経済的取引の一環としての—— … 375
事情変更の原則（法理）… 11, 43, 44, 52	承諾（契約の）…………………… 91
——と契約内容確定論 ……… 46	——の到達主義 ……… 83, 84, 93
システム開発契約 ………… 65, 126	——の発信主義 …………… 84
下請負 …………………… 127, 517, 518	承諾期間 ………………………… 86
示談 ……………………………… 610	承諾義務 ……………………… 27, 91
失権約款 …………………… 189, 217	消費寄託 …………………… 545, 556
私的自治の原則 …………………… 31, 56	消費者契約 …… 36, 40, 58, 62, 67, 341, 560
試味売買 …………………… 118, 342	消費者売買 ……………………… 340
事務処理義務（受任者）………… 529	消費生活協同組合 ……………… 562
借地権の対抗力 ………………… 485	消費貸借 ………………………… 349
借地上の建物の賃借人 ………… 481	——貸しておく義務 ………… 363
借家権の対抗力 ………………… 486	——貸す義務 …………… 363, 365
射倖契約 ………………………… 597	——借りる義務 …………… 357
社団設立行為 ………………… 21, 562	——の要物性 ……………… 350
社団法人 …………………… 564, 569	情報提供義務 ……… 49, 109, 130, 132
収去義務 ……………………… 381, 405	契約上の—— ……………… 134

―― 契約締結過程における ―― ………… 11
―― 契約締結前における ―― ………… 131
使用利益 …………………………… 228, 298
助言義務 …………………………… 133
書式の戦い ………………………… 104
書面でする消費貸借 ……………… 349, 356
書面によらない贈与 …………… 49, 275, 277
書面による使用貸借 ……………… 378
信義則と合意 ……………………… 125
人的信頼関係（論）……………… 426
信認関係 …………………………… 53
信認法 ……………………………… 59
信頼関係破壊法理（理論）…… 207, 213, 227, 385, 424, 440
数量指示売買（改正前民法）……… 308
スライド条項 ……………………… 253
製作物供給契約 ………………… 67, 503
誠実努力義務 ……………………… 128
正当の事由（借地）……………… 462
正当の事由（借家）……………… 468
説明義務 ………………………… 49, 130
責めに帰すべき事由　→帰責事由
善管注意義務（受任者）………… 532
前近代的な契約意識 ……………… 120
善処義務（受任者等）…………… 544
造作買取請求権 …………………… 477
双方未履行双務契約 ……………… 150
双務契約 ………………………… 69, 146
―― 債務の牽連性 ……………… 70, 146
贈与 ………………………………… 263
―― 贈与者の義務 …………… 271, 272
―― の解消 ……………………… 275
―― の互酬性 ………………… 72, 266
―― 他人の財産の ―― ………… 270
組織型契約 …………………… 57, 114, 568
損益分配 …………………………… 586

た行

対価危険 …………………………… 164, 323
代金減額請求（買主）…… 299, 310, 314, 323
代金支払義務（買主）…………… 336
第三者のためにする契約 ………… 171

―― 許容 ………………………… 171
―― 対価関係 …………………… 174
―― 第三者（受益者）…… 172, 176, 179
―― 諾約者 …………… 172, 176, 178
―― 判定 ………………………… 180
―― 補償関係 …………………… 174
―― 要約者 …………… 172, 178, 179
対話者 …………………………… 79, 86
諾成契約 …………………………… 73
諾成主義 …………………………… 73
―― 方式の自由との関係 ……… 74
諾成的消費貸借 ………… 351, 355, 362
諾約者　→第三者のためにする契約
脱退（組合）…………………… 588, 589
建物（借地借家法）……………… 460
建物買取請求権 ………………… 475, 482
建物賃借人の死亡 ………………… 483
他人物売買　→売買
短期賃貸借 ………………………… 396
担保責任（請負人）…………… 510, 513
担保責任（売主）………………… 299
―― 期間制限 …………………… 316
―― 法的性質 …………………… 299
―― 免除特約 …………………… 322
―― 競売における ―― ………… 320
担保責任（賃貸人）……………… 399
中間的合意 ………………………… 124
忠実義務（受任者）……………… 533
直接請求権 ………………………… 518
賃借権の譲渡 ……………………… 430
―― の許可 ……………………… 481
―― 承諾のある ―― …………… 431
―― 承諾のない ―― …………… 439
賃貸借 ……………………………… 387
―― の契約期間 ………………… 394
―― 自己の物の ―― …………… 394
―― 他人の物の ―― ………… 393, 434
賃貸人たる地位の移転 …………… 449
―― 賃貸人の地位を留保する合意 … 452
賃料 ………………………………… 387
―― 支払義務 …………………… 401
―― 修繕義務との関係 ………… 409
―― 増減請求権 ………………… 477

——の当然減額	402, 403, 410
——の減額請求	402, 410
——の支払拒絶	404, 411
追完請求（買主）	299, 309, 314, 323
追完請求（注文者）	510
通常損耗及び経年変化	382
通信販売	81
通知義務（賃借人）	401
定期行為	212
定期借地権	464
定期贈与	283
定期建物賃貸借（定期借家権）	472
定期売買	212, 213
定型取引	38, 41
——合意	38, 39, 41
定型約款	33, 37, 38, 39
——の変更	41
——みなし合意	38
適合性の原則	131
適用契約	129
デジタル化	141, 142
撤回	190
手付	118
——による解除	119
違約——	119
解約——	49, 118, 119, 120, 123, 124
証約——	119
諾成的——契約	124
典型契約	60, 64
電子取引	287, 341
転借人の保護	482
電信送金契約	180
転貸	
——の許可	481
承諾のある——	432
承諾のない——	439
転貸借	430, 433
——終了時期	434
——転借人の義務	437
等価交換方式	348
同時履行	157
継続的供給契約における——	160
賃貸借契約における——	159

弁済と受取証書の交付との——	158
同時履行の抗弁	147
——沿革	148
——効果	149
——「抗弁権」構成	156
——主張の要否	155
——要件	151
——留置権との比較	161
徳義上の約束	20, 268, 269
特定継続的役務提供契約	192
特定物のドグマ	274
匿名組合	65, 567
特約店契約	50, 76, 127
取次ぎ	527

な行

内的組合	567
仲立ち	65, 527
二重賃貸借	456
日本的契約観	55
日本の「生きた法」	289
任意解除（委任）	540
任意解除（注文者）	522
任意規定	60, 61
——の秩序づけ機能	66
ネガティブ・オプション	92
農業協同組合	562
ノーワーク・ノーペイの原則	495, 496

は行

ハードシップ	44
背信行為論	440
売買	287
——果実	297, 298
——代金の利息	297, 298, 337
——費用	292
他人に属する権利の——	295
売買は賃貸借を破る	390, 391, 446
破産	
委任の当事者の——	544
組合員の——	590

契約当事者の—— …………………… 190
使用貸主の—— ………………………… 386
使用者の—— …………………………… 501
消費貸借の当事者の—— ……………… 359
注文者の—— …………………………… 523
パンデクテン体系 ……………… 2, 78, 146, 289
引換給付判決 …………………………………… 149
被災借地借家法 ………………………………… 486
ひな型 ……………………………………………… 38
非法（non-droit） ………………………………… 72
秘密保持義務 ………………………… 49, 128, 494
費用支払義務（委任者） ……………………… 536
費用支払義務（寄託者） ……………………… 554
費用償還請求（買主） ………………………… 315
費用負担（使用貸借） ………………………… 379
費用負担（賃貸借） …………………………… 397
不安の抗弁権 …………………………………… 160
不意打ち条項 ………………………………… 40, 41
不確実性の均衡 …………………………………… 60
不完備契約理論 …………………………………… 57
複数契約 ……………………… 11, 12, 50, 54, 240, 258
附合契約 ………………………………………… 34
負担付贈与 ……………………………………… 281
不動産賃貸借の対抗力 ………………………… 446
不動産取引 ……………………………………… 131
不動産売買 ……… 111, 112, 124, 288, 339, 341
不当条項 ……………………………………… 36, 40, 41
不法占拠者等との関係（賃借人） …………… 457
不予見理論 ……………………………………… 44
フラストレーション …………………………… 44
フランチャイズ契約 …… 65, 127, 131, 528, 568
プレカリウム …………………………………… 376
分割履行契約 ………………………… 43, 75, 207
紛争解決合意 …………………………………… 610
併存的債務引受 ………………………………… 179
別損害説 ………………………………………… 610
返還義務（賃貸借） …………………………… 405
弁護士法人 ……………………………………… 566
片務契約 ………………………………………… 69
　——補集合性と多様性 ………………………… 71
報告義務（受任者） …………………………… 534
方式主義 ……………………………………… 27, 74
報酬減額請求（請負人） ……………………… 510

報酬支払義務（委任者） ……………………… 537
報酬支払義務（使用者） ……………………… 494
報酬支払義務（注文者） ……………………… 519
法性決定（法的性質決定） ………… 504, 559
　——契約の解釈との関係 …………………… 108
　契約の—— ……………………………… 68, 78
　申入れの—— …………………………………… 80
法定解除権 ……………………………………… 192
法定責任説　→担保責任（売主）
保証金 …………………………………………… 412
補足金 …………………………………………… 347
保存行為受忍義務 ……………………………… 401
発起人団体 ……………………………………… 561
本質的部分（契約の） ………………………… 102

ま行

マンションの管理組合 ………………………… 562
身分から契約へ ………………………………… 22
見本売買 ………………………………………… 342
民法（債権関係）部会 ………………………… 8
民法典論争 ……………………………………… 1
無催告解除 ………………………… 197, 207, 213
　——特約 ……………………………………… 208
無償契約 ………………………………………… 71
申込み（契約の） …………………………… 80, 82
　——の拘束力 ……………………………… 85, 87
　——の効力（承諾期間） ……………………… 88
　——の撤回 ……………………………… 85, 87, 88
　——の誘引 ……………………………… 80, 82
申込者の死亡 …………………………………… 89
目的物受取り前の解除権 ………………………
　——解除権の消滅との関係 ……… 243, 245
　——期限前返還との関係 …………………… 369
　寄託における—— …………………………… 546
　使用貸借の貸主の—— ……………………… 377
　消費貸借の借主の—— ……………………… 357
目的物の滅失 ………… 191, 326, 429, 508, 555
目的物引渡義務（請負人） …………………… 507
目的物返還義務（受寄者） …………………… 551
　——第三者の権利主張 ……………………… 552
目的物保管義務（受寄者） …………………… 548
モラル・ハザード ……………………………… 126

や行

約因 …………………………………… 22
約定解除権 …………………………… 192
約款 ……………………………………… 33
　――契約説 …………………………… 34
　――の開示 …………………………… 35
　――の解釈 …………………………… 35
　――の組入れ要件 …………………… 35
　――の拘束力 …………………… 33, 34
　――の内容規制 ……………………… 35
有限責任事業組合 …………………… 567
有償契約 ………………………………… 71
有料老人ホーム契約 ………………… 126
ユニドロワ国際商事契約原則 …… 7, 64
容仮占有 ……………………………… 376
要式契約 ………………………………… 74
　――消費貸借 ………………………… 355
要物契約 ………………………………… 73
　――寄託（改正前民法）…………… 546
　――使用貸借（改正前民法）……… 374
　――消費貸借 ………………………… 353
　――諾成化 …………………………… 74
用法遵守義務 ………………………… 399
　――善管注意保存義務との関係 …… 399
要約者　→第三者のためにする契約
ヨーロッパ共通売買法（草案）…… 7, 64
ヨーロッパ契約法原則（PECL）…… 7, 64
預金規定 ………………………… 38, 558
余後効 …………………………………… 50
預貯金契約 …………… 76, 253, 528, 557
予約 …………………………… 116, 117
　一方の―― …………………………… 116
　消費貸借の―― ………………… 361, 362
　双方の―― …………………………… 116
　双務―― ……………………………… 116
　片務―― ……………………………… 116
予約完結権 …………………………… 116

ら行

ライセンス契約 ………………………… 65
リース
　オペレーティング―― ……………… 388
　ファイナンス―― …… 65, 103, 126, 388
履行拒絶 ……………………………… 211
履行の着手 …………………………… 121
利息
　――の規制 …………………………… 370
　消費貸借の―― ……………………… 369
　売買代金の――　→売買
利息付き消費貸借契約 ………………… 71
領域説 ………………………………… 169
両替 …………………………………… 347
礼金 …………………………………… 412
レセフェール …………………………… 25
レセプトゥム責任 …………………… 549
レンダー・ライアビリティ ………… 364
連帯主義 ………………………………… 31
レンタル ……………………………… 387
労働組合 ……………………………… 562
労働契約 ……………… 38, 170, 491, 560

わ行

和解 …………………………………… 599
　――契約の解除（債務不履行）…… 608
　――契約の性質 ……………………… 601
　――と錯誤 …………………………… 606
　――の確定効 …………… 600, 603, 604
　――の要件
　　――争いの存在 …………………… 604
　　――争いをやめること …………… 602
　　――互譲 ……………………… 602, 605
枠契約 ………………………… 76, 129, 558

判例索引

大判明 37・6・22 民録 10 輯 861 頁 ………………………………… 515
大判明 37・9・15 民録 10 輯 1115 頁 ………………………………… 246
大判明 37・10・1 民録 10 輯 1201 頁 ………………………………… 523
大判明 38・12・6 民録 11 輯 1653 頁 ………………………………… 354
大判明 40・5・6 民録 13 輯 503 頁 …………………………………… 276
大判明 40・6・13 民録 13 輯 648 頁 ………………………………… 578
大判明 41・1・20 民録 14 輯 9 頁 ……………………………………… 602
大判明 41・4・23 民録 14 輯 477 頁 ………………………………… 152
大判明 41・9・22 民録 14 輯 907 頁 ………………………………… 175
大判明 42・5・14 民録 15 輯 490 頁 ………………………………… 235
大判明 43・11・28 民録 16 輯 847 頁 ………………………………… 226
大判明 43・12・9 民録 16 輯 910 頁 ………………………………… 202
大判明 43・12・23 民録 16 輯 982 頁 ………………………………… 588
大判明 44・1・25 民録 17 輯 5 頁 ……………………………………… 522
大判明 44・11・9 民録 17 輯 648 頁 ………………………………… 354
大判明 44・12・11 民録 17 輯 772 頁 ……………………………… 149, 155
大判明 45・2・9 民録 18 輯 83 頁 ……………………………………… 244
大判大元・8・5 民録 18 輯 726 頁 ………………………………… 122, 217
大判大 2・2・19 民録 19 輯 87 頁 ……………………………………… 368
大判大 2・6・28 民録 19 輯 573 頁 …………………………………… 583
大判大 3・10・27 民録 20 輯 818 頁 ………………………………… 478
大判大 3・12・8 民録 20 輯 1058 頁 ………………………………… 122
大判大 4・5・12 民録 21 輯 687 頁 ………………………………… 542, 543
大判大 4・5・29 民録 21 輯 858 頁 …………………………………… 339
大判大 4・12・21 民録 21 輯 2135 頁 ………………………………… 298
大判大 4・12・24 民録 21 輯 2182 頁 ………………………………… 34
大判大 5・5・10 民録 22 輯 936 頁 …………………………………… 246
大判大 5・5・22 民録 22 輯 1011 頁 ……………………………… 410, 411
大判大 5・6・26 民録 22 輯 1268 頁 ………………………………… 175
大判大 5・7・5 民録 22 輯 1325 頁 ………………………………… 602, 605
大判大 5・7・5 民録 22 輯 1336 頁 …………………………………… 176
大判大 5・11・27 民録 22 輯 2120 頁 ………………………………… 152
大判大 6・4・19 民録 23 輯 649 頁 …………………………………… 150
大判大 6・6・27 民録 23 輯 1153 頁 ………………………………… 203
大判大 6・9・18 民録 23 輯 1342 頁 ………………………………… 607
大判大 6・10・5 民録 23 輯 1531 頁 ………………………………… 602
大判大 6・11・5 民録 23 輯 1737 頁 ………………………………… 283
大判大 6・11・14 民録 23 輯 1965 頁 ………………………………… 246
大判大 7・4・13 民録 24 輯 669 頁 …………………………………… 247
大判大 7・5・2 民録 24 輯 949 頁 …………………………………… 155

大判大 7・7・10 民録 24 輯 1480 頁	561, 579
大判大 7・8・14 民録 24 輯 1650 頁	151
大判大 7・9・25 民録 24 輯 1811 頁	235
大判大 7・11・1 民録 24 輯 2103 頁	292
大判大 7・11・5 民録 24 輯 2131 頁	176
大判大 8・2・1 民録 25 輯 246 頁	175
大判大 8・6・3 民録 25 輯 955 頁	277
大判大 8・6・10 民録 25 輯 1007 頁	117
大判大 8・7・8 民録 25 輯 1270 頁	241
大判大 9・4・7 民録 26 輯 458 頁	227
大判大 9・4・24 民録 26 輯 562 頁	542
大判大 9・7・15 民録 26 輯 983 頁	608
大判大 9・9・24 民録 26 輯 1343 頁	344
大判大 9・11・15 民録 26 輯 1779 頁	213
大判大 9・11・22 民録 26 輯 1856 頁	297
大判大 10・1・18 民録 27 輯 79 頁	227
大判大 10・2・10 民録 27 輯 255 頁	241
大判大 10・4・23 民録 27 輯 757 頁	532
大判大 10・5・17 民録 27 輯 929 頁	225, 237
大判大 10・5・30 民録 27 輯 1013 頁	451
大判大 10・6・13 民録 27 輯 1155 頁	608
大判大 10・6・30 民録 27 輯 1287 頁	201
大判大 10・7・11 民録 27 輯 1378 頁	447
大判大 10・9・26 民録 27 輯 1627 頁	159, 410
大判大 10・12・15 民録 27 輯 2160 頁	305
大判大 11・3・16 民集 1 巻 109 頁	401
大判大 11・4・1 民集 1 巻 155 頁	318
大判大 11・8・21 民集 1 巻 493 頁	551
大判大 11・10・25 民集 1 巻 621 頁	354
大判大 11・11・25 民集 1 巻 684 頁	211
大判大 12・6・1 民集 2 巻 417 頁	220
大判大 13・7・15 民集 3 巻 362 頁	203
大連判大 13・9・24 民集 3 巻 440 頁	298
大判大 14・3・13 民集 4 巻 217 頁	333
大判大 14・5・12 民集 4 巻 256 頁	577
大判大 14・10・29 評論 14 巻民 812 頁	150
大判大 14・12・15 民集 4 巻 710 頁	219
大判大 15・7・12 民集 5 巻 616 頁	412
大判大 15・11・25 民集 5 巻 763 頁	211, 506
大判昭 2・1・26 裁判例 2 巻民 100 頁	536
大判昭 2・2・2 民集 6 巻 133 頁	203
大判昭 2・12・27 民集 6 巻 743 頁	337
大判昭 3・2・28 民集 7 巻 107 頁	218

大判昭3・7・11 民集7巻559頁 ……………………………………… 393
大判昭3・10・30 民集7巻871頁 …………………………………… 155, 200
大判昭3・12・12 民集7巻1071頁 …………………………………… 333
大判昭3・12・12 民集7巻1085頁 …………………………………… 211
大判昭4・6・19 民集8巻675頁 ……………………………………… 432
大判昭4・12・16 民集8巻944頁 ……………………………………… 459
大判昭5・1・29 民集9巻97頁 ………………………………………… 367
大判昭5・3・10 民集9巻253頁 ………………………………………… 416
大判昭5・6・4 民集9巻595頁 ………………………………………… 368
大判昭5・10・2 民集9巻930頁 ………………………………………… 175
大判昭5・10・28 民集9巻1055頁 ……………………………………… 520
大判昭5・12・24 民集9巻1197頁 ……………………………………… 355
大判昭6・5・13 民集10巻252頁 ……………………………………… 337
大判昭6・9・1 新聞3313号9頁 ……………………………………… 583
大判昭6・11・14 新聞3344号13頁 …………………………………… 211
大判昭7・1・13 民集11巻7頁 ………………………………………… 478
大判昭7・3・3 民集11巻274頁 ………………………………………… 298
大判昭7・4・19 民集11巻837頁 ……………………………………… 563
大判昭7・4・30 民集11巻780頁 ……………………………………… 520
大判昭7・5・9 民集11巻824頁 ………………………………………… 514
大判昭7・9・30 民集11巻1868頁 ……………………………………… 609
大判昭7・10・8 民集11巻1901頁 ……………………………………… 438
大判昭8・2・8 民集12巻60頁 ………………………………………… 398
大判昭8・2・13 新聞3520号9頁 ……………………………………… 603
大決昭8・3・6 民集12巻325頁 ………………………………………… 355
大判昭8・4・8 民集12巻561頁 ………………………………………… 196
大判昭8・5・9 民集12巻1123頁 ……………………………………… 456
大判昭8・7・5 民集12巻1783頁 ……………………………………… 448
大判昭8・12・11 裁判例7巻民277頁 ………………………………… 439
大判昭9・3・7 民集13巻278頁 ………………………………………… 436
大判昭9・6・27 民集13巻1745頁 ……………………………………… 434
大判昭10・4・25 新聞3835号5頁 ……………………………………… 268
大判昭10・5・13 民集14巻876頁 ……………………………………… 398
大判昭10・9・30 新聞3898号7頁 ……………………………………… 436
大判昭10・10・1 民集14巻1671頁 …………………………………… 514
大判昭10・11・18 民集14巻1845頁 …………………………………… 434
大判昭11・2・25 民集15巻281頁 ……………………………………… 585
大判昭11・5・11 民集15巻808頁 ……………………………………… 228, 229
大判昭11・6・16 民集15巻1125頁 …………………………………… 354, 355
大判昭12・2・9 民集16巻33頁 ………………………………………… 160
大判昭12・4・19 民集16巻524頁 ……………………………………… 433
大判昭12・5・26 民集16巻730頁 ……………………………………… 352
大判昭13・2・12 民集17巻132頁 ……………………………………… 584

大判昭13・3・1民集17巻318頁 ……………………………………………………… 150
大判昭13・9・30民集17巻1775頁 …………………………………………………… 206
大判昭13・10・29大審院判決全集5輯1122頁 ……………………………………… 593
大判昭13・12・7民集17巻2285頁 …………………………………………………… 608
大判昭14・6・20民集18巻666頁 ……………………………………………………… 572
大判昭14・7・7民集18巻748頁 ……………………………………………………… 235
大判昭14・8・24民集18巻877頁 ……………………………………………………… 482
大判昭15・7・29大審院判決全集7輯1165頁 ………………………………………… 122
大判昭16・9・30民集20巻1233頁 …………………………………………………… 177
大判昭17・4・4法学11巻1289頁 ……………………………………………………… 213
大判昭18・7・20民集22巻660頁 ……………………………………………………… 515
大判昭19・6・28民集23巻387頁 ……………………………………………………… 105
大判昭19・12・6民集23巻613頁 ……………………………………………………… 45
最判昭24・10・4民集3巻10号437頁 ……………………………………………… 119, 123
最判昭25・11・30民集4巻11号607頁 ……………………………………………… 456
最判昭26・4・27民集5巻5号325頁 ………………………………………………… 445
最判昭26・5・31民集5巻6号359頁 ………………………………………………… 445
最判昭27・4・25民集6巻4号451頁 ……………………………………………… 207, 425
最判昭27・5・6民集6巻5号506頁 ………………………………………………… 265
最判昭27・12・26民集6巻12号1338頁 …………………………………………… 469
最判昭28・6・16民集7巻6号629頁 ………………………………………………… 158
最判昭28・9・25民集7巻9号979頁 ………………………………………………… 440
最判昭28・12・18民集7巻12号1446頁 …………………………………………… 239
最判昭28・12・18民集7巻12号1515頁 …………………………………………… 456
最判昭29・1・14民集8巻1号16頁 ………………………………………………… 477
最判昭29・1・21民集8巻1号64頁 ………………………………………………… 119
最判昭29・2・12民集8巻2号448頁 ……………………………………………… 45, 46
最判昭29・3・11民集8巻3号672頁 ………………………………………………… 476
最判昭29・7・20民集8巻7号1408頁 ……………………………………………… 458
最判昭30・4・5民集9巻4号431頁 ………………………………………………… 458
最判昭30・9・29民集9巻10号1472頁 …………………………………………… 257, 449
最判昭30・10・7民集9巻11号1616頁 …………………………………………… 242
最判昭30・11・22民集9巻12号1781頁 …………………………………………… 247
最判昭31・1・27民集10巻1号1頁 ………………………………………………… 276
最判昭31・4・6民集10巻4号356頁 ………………………………………………… 477
最判昭31・12・6民集10巻12号1527頁 …………………………………………… 203
最判昭32・3・8民集11巻3号513頁 ………………………………………………… 227
最判昭32・5・21民集11巻5号732頁 ……………………………………………… 284
最判昭32・12・3民集11巻13号2018頁 …………………………………………… 191, 429
最判昭33・6・6民集12巻9号1373頁 ……………………………………………… 370
最判昭33・6・14民集12巻9号1449頁 …………………………………………… 237
最判昭33・6・14民集12巻9号1492頁 …………………………………………… 305, 607
最判昭34・9・17民集13巻11号1412頁 …………………………………………… 297, 444

判例索引

最判昭 34・9・22 民集 13 巻 11 号 1451 頁 …………………………………… 228
最判昭 35・2・9 民集 14 巻 1 号 108 頁 ……………………………………… 475
最判昭 35・4・12 民集 14 巻 5 号 817 頁 ……………………………………… 377
最判昭 35・6・9 裁集民 42 号 187 頁 ………………………………………… 460
最判昭 35・6・23 民集 14 巻 8 号 1507 頁 …………………………………… 433
最判昭 35・7・8 民集 14 巻 9 号 1720 頁 ……………………………………… 159
最判昭 35・10・27 民集 14 巻 12 号 2733 頁 ……………………………… 150, 201
最判昭 35・11・1 民集 14 巻 13 号 2781 頁 …………………………………… 247
最判昭 35・11・29 民集 14 巻 13 号 2869 頁 ………………………………… 235
最判昭 35・12・9 民集 14 巻 13 号 2994 頁 …………………………………… 578
最判昭 36・5・26 民集 15 巻 5 号 1336 頁 …………………………………… 607
最判昭 36・6・22 民集 15 巻 6 号 1651 頁 …………………………………… 201
最判昭 36・7・31 民集 15 巻 7 号 1982 頁 …………………………………… 577
最判昭 36・8・8 裁集民 53 号 397 頁 ………………………………………… 217
最判昭 36・11・21 民集 15 巻 10 号 2507 頁 ………………………………… 206
最判昭 36・11・24 民集 15 巻 10 号 2573 頁 ………………………………… 226
最判昭 36・12・15 民集 15 巻 11 号 2852 頁 ………………………………… 333
最判昭 36・12・21 民集 15 巻 12 号 3243 頁 …………………… 429, 433, 434
最判昭 36・12・22 民集 15 巻 12 号 2893 頁 ………………………………… 221
最判昭 37・3・9 民集 16 巻 3 号 514 頁 ……………………………………… 204
最判昭 37・3・29 民集 16 巻 3 号 662 頁 ……………………………………… 435
最判昭 37・4・5 民集 16 巻 4 号 679 頁 ……………………………………… 208
最判昭 37・4・20 民集 16 巻 4 号 955 頁 ……………………………………… 296
最判昭 37・4・26 民集 16 巻 4 号 1002 頁 …………………………………… 276
最大判昭 37・6・6 民集 16 巻 7 号 1265 頁 …………………………………… 463
最判昭 37・6・26 民集 16 巻 7 号 1397 頁 …………………………………… 176
最判昭 37・7・20 民集 16 巻 8 号 1656 頁 …………………………… 170, 497
最判昭 37・12・25 民集 16 巻 12 号 2455 頁 ………………………………… 483
最判昭 38・2・21 民集 17 巻 1 号 219 頁 ……………………………… 188, 437
最判昭 38・3・1 民集 17 巻 2 号 290 頁 ……………………………………… 469
最判昭 38・5・24 民集 17 巻 5 号 639 頁 ……………………………… 448, 485
最判昭 38・5・31 民集 17 巻 4 号 600 頁 ……………………………………… 580
最判昭 38・9・27 民集 17 巻 8 号 1069 頁 …………………………………… 425
最判昭 38・11・14 民集 17 巻 11 号 1346 頁 ………………………………… 425
最判昭 39・2・25 民集 18 巻 2 号 329 頁 ……………………………………… 219
最判昭 39・7・28 民集 18 巻 6 号 1220 頁 ……………………………… 207, 425
最判昭 39・8・28 民集 18 巻 7 号 1354 頁 ……………………………… 451, 452
最判昭 39・10・13 民集 18 巻 8 号 1578 頁 ………………………………… 483
最大判昭 40・3・17 民集 19 巻 2 号 453 頁 ………………………………… 485
最判昭 40・3・23 裁集民 78 号 395 頁 ………………………………… 434, 444
最判昭 40・3・26 民集 19 巻 2 号 526 頁 …………………………………… 276
最判昭 40・6・18 民集 19 巻 4 号 976 頁 …………………………………… 440
最大判昭 40・6・30 民集 19 巻 4 号 1143 頁 ………………………………… 226

最判昭 40・7・2 民集 19 巻 5 号 1153 頁 ……………………………………… 208
最判昭 40・8・24 民集 19 巻 6 号 1435 頁 ……………………………………… 159
最判昭 40・9・21 民集 19 巻 6 号 1550 頁 ……………………………………… 440
最大判昭 40・11・24 民集 19 巻 8 号 2019 頁 ……………………………… 121, 123
最判昭 40・12・17 民集 19 巻 9 号 2159 頁 ……………………………… 441, 486
最判昭 40・12・17 裁集民 81 号 561 頁 ………………………………………… 542
最判昭 41・4・14 民集 20 巻 4 号 649 頁 ……………………………………… 314
最判昭 41・4・21 民集 20 巻 4 号 720 頁 ………………………………… 425, 428
最大判昭 41・4・27 民集 20 巻 4 号 870 頁 …………………………………… 485
最判昭 41・9・8 民集 20 巻 7 号 1325 頁 ……………………………………… 295
最判昭 41・10・21 民集 20 巻 8 号 1640 頁 …………………………………… 445
最判昭 41・10・27 民集 20 巻 8 号 1649 頁 …………………………………… 377
最判昭 42・2・21 民集 21 巻 1 号 155 頁 ……………………………………… 483
最判昭 42・6・2 民集 21 巻 6 号 1433 頁 ……………………………………… 460
最判昭 42・6・22 民集 21 巻 6 号 1468 頁 …………………………………… 191
最判昭 42・11・24 民集 21 巻 9 号 2460 頁 …………………………………… 385
最判昭 42・12・5 民集 21 巻 10 号 2545 頁 …………………………………… 460
最判昭 43・2・23 民集 22 巻 2 号 281 頁 ………………………………… 206, 207
最判昭 43・3・15 民集 22 巻 3 号 587 頁 ……………………………………… 610
最判昭 43・6・27 民集 22 巻 6 号 1427 頁 …………………………………… 412
最判昭 43・8・20 民集 22 巻 8 号 1692 頁 …………………………………… 308
最判昭 43・9・3 裁集民 92 号 169 頁 …………………………………………… 541
最判昭 43・11・21 民集 22 巻 12 号 2741 頁 ……………………………… 208, 411
最判昭 43・12・5 民集 22 巻 13 号 2876 頁 ……………………………… 180, 181
最判昭 44・1・31 判時 552 号 50 頁 …………………………………………… 270
最判昭 44・4・24 民集 23 巻 4 号 855 頁 ……………………………………… 440
最判昭 44・7・17 民集 23 巻 8 号 1610 頁 …………………………………… 420
最判昭 44・8・29 判時 570 号 49 頁 …………………………………………… 213
最判昭 44・9・12 判時 572 号 25 頁 …………………………………………… 515
最判昭 45・3・26 判時 591 号 57 頁 …………………………………………… 237
最判昭 45・8・20 民集 24 巻 9 号 1243 頁 …………………………………… 201
最大判昭 45・11・11 民集 24 巻 12 号 1854 頁 ……………………………… 561
最判昭 45・12・11 民集 24 巻 13 号 2015 頁 ……………………………… 258, 443
最判昭 46・2・19 民集 25 巻 1 号 135 頁 ……………………………………… 454
最判昭 46・3・5 判時 628 号 48 頁 ……………………………………………… 515
最判昭 46・4・9 民集 25 巻 3 号 264 頁 ………………………………………… 609
最判昭 46・4・23 民集 25 巻 3 号 388 頁 ……………………………………… 450
最判昭 46・6・10 民集 25 巻 4 号 492 頁 ……………………………………… 532
最判昭 46・10・14 民集 25 巻 7 号 933 頁 …………………………………… 394
最判昭 46・11・25 民集 25 巻 8 号 1343 頁 …………………………………… 469
最判昭 46・12・3 判時 655 号 28 頁 …………………………………………… 455
最判昭 46・12・16 民集 25 巻 9 号 1472 頁 …………………………………… 339
最判昭 47・3・9 民集 26 巻 2 号 213 頁 ……………………………………… 294

最判昭 47・5・25 民集 26 巻 4 号 805 頁 ……………………………………… 284
最判昭 47・6・22 民集 26 巻 5 号 1051 頁 …………………………………… 485
最判昭 47・9・7 民集 26 巻 7 号 1327 頁 ……………………………………… 158
最判昭 47・12・22 民集 26 巻 10 号 1991 頁 …………………………… 536, 537
最判昭 48・2・2 民集 27 巻 1 号 80 頁 …………………………… 414, 416, 421
最判昭 48・3・16 金法 683 号 25 頁 …………………………………………… 351
最判昭 48・4・19 裁集民 109 号 157 頁 ……………………………………… 202
最判昭 49・3・19 民集 28 巻 2 号 325 頁 ……………………………………… 456
最判昭 49・7・22 民集 28 巻 5 号 927 頁 ……………………………………… 499
最判昭 49・9・2 民集 28 巻 6 号 1152 頁 ………………………………… 159, 414
最大判昭 49・9・4 民集 28 巻 6 号 1169 頁 …………………………………… 296
最判昭 49・10・25 裁集民 113 号 83 頁 ……………………………………… 460
最判昭 49・12・20 判時 768 号 101 頁 ………………………………………… 434
最判昭 50・2・20 民集 29 巻 2 号 99 頁 …………………………………… 207, 425
最判昭 50・2・25 民集 29 巻 2 号 143 頁 ……………………………………… 498
最判昭 50・4・25 民集 29 巻 4 号 556 頁 ………………………………… 404, 444
最判昭 50・7・17 金法 768 号 28 頁 …………………………………………… 244
最判昭 51・2・13 民集 30 巻 1 号 1 頁 ……………………………………… 228, 232
最判昭 51・3・4 民集 30 巻 2 号 25 頁 ………………………………………… 412
最判昭 51・3・4 民集 30 巻 2 号 48 頁 …………………………………… 511, 512
最判昭 51・4・9 民集 30 巻 3 号 208 頁 ……………………………………… 535
最判昭 51・6・15 裁集民 118 号 87 頁 ………………………………………… 217
最判昭 51・6・21 判時 835 号 67 頁 …………………………………………… 455
最判昭 51・10・1 判時 835 号 63 頁 …………………………………………… 470
最判昭 52・2・22 民集 31 巻 1 号 79 頁 …………………………………… 170, 509
最判昭 53・2・17 判タ 360 号 143 頁 ……………………………………… 280, 283
最判昭 53・7・10 民集 32 巻 5 号 868 頁 ……………………………………… 543
東京高判昭 53・7・19 判時 904 号 70 頁 ……………………………………… 269
最判昭 53・9・21 判時 907 号 54 頁 …………………………………………… 512
最判昭 53・12・22 民集 32 巻 9 号 1768 頁 ……………………………… 417, 418
最判昭 54・1・25 民集 33 巻 1 号 26 頁 ……………………………………… 517
最判昭 54・7・20 民集 33 巻 5 号 582 頁 ………………………………… 125, 493
最判昭 56・1・19 民集 35 巻 1 号 1 頁 …………………………………… 542, 543
最判昭 56・2・17 判時 966 号 61 頁 ……………………………………… 226, 520
最判昭 56・6・16 民集 35 巻 4 号 763 頁 ………………………………… 246, 247
最判昭 57・1・21 民集 36 巻 1 号 71 頁 ……………………………………… 311
最判昭 57・4・30 民集 36 巻 4 号 763 頁 ……………………………………… 284
最判昭 58・1・20 民集 37 巻 1 号 1 頁 ………………………………………… 463
津地判昭 58・2・25 判時 1083 号 125 頁 ……………………………………… 532
東京地判昭 58・3・3 判時 1087 号 101 頁 …………………………………… 160
最判昭 58・7・5 裁集民 139 号 259 頁 ………………………………………… 237
最判昭 58・9・9 判時 1092 号 59 頁 …………………………………………… 460
最判昭 58・9・20 判時 1100 号 55 頁 …………………………………… 217, 541

最判昭 59・4・20 民集 38 巻 6 号 610 頁 ……………………………………… 471
最判昭 59・9・18 判時 1137 号 51 頁 …………………………………………… 112
最判昭 60・11・29 民集 39 巻 7 号 1719 頁 ………………………………… 275, 276
最判昭 61・3・13 民集 40 巻 2 号 229 頁 ……………………………………… 593
最判昭 61・12・4 判時 1221 号 134 頁 ………………………………………… 499
最判昭 62・2・13 判時 1228 号 84 頁 …………………………………………… 361
最判昭 62・2・20 民集 41 巻 1 号 159 頁 ……………………………………… 36
最判昭 62・3・24 判時 1258 号 61 頁 ……………………………………… 437, 443
最判昭 62・4・2 判時 1244 号 126 頁 …………………………………………… 497
最判昭 62・7・17 民集 41 巻 5 号 1283 頁 ………………………………… 171, 497
最判昭 62・10・8 民集 41 巻 7 号 1445 頁 ………………………………… 246, 247
最判昭 63・7・1 判時 1287 号 63 頁 …………………………………………… 435
東京地判昭 63・10・18 判時 1319 号 125 頁 …………………………………… 103
最判平元・2・7 判時 1319 号 102 頁 …………………………………………… 486
最判平元・2・9 民集 43 巻 2 号 1 頁 …………………………………………… 609
最判平 2・2・20 判時 1354 号 76 頁 …………………………………………… 242
最判平 2・7・5 裁集民 160 号 187 頁 ………………………………………… 112
東京地判平 2・12・20 判時 1389 号 79 頁 ……………………………………… 160
最判平 3・4・2 民集 45 巻 4 号 349 頁 ………………………………………… 316
最判平 4・9・22 金法 1358 号 55 頁 …………………………………………… 543
最判平 4・10・20 民集 46 巻 7 号 1129 頁 ……………………………………… 317
最判平 5・3・16 民集 47 巻 4 号 3005 頁 ……………………………………… 121
最判平 5・3・30 民集 47 巻 4 号 3262 頁 ……………………………………… 36
最判平 5・7・20 判時 1951 号 69 頁 …………………………………………… 351
最判平 5・10・19 民集 47 巻 8 号 5061 頁 ……………………………………… 518
東京高判平 6・2・1 判時 1490 号 87 頁 ………………………………………… 364
最判平 6・3・22 民集 48 巻 3 号 859 頁 ………………………………………… 122
最判平 6・7・18 判時 1540 号 38 頁 …………………………………………… 435
最判平 6・10・25 民集 48 巻 7 号 1303 頁 ……………………………………… 463
東京地判平 7・3・16 判タ 885 号 203 頁 ……………………………………… 408
最判平 7・5・30 判時 1553 号 78 頁 …………………………………………… 134
最判平 8・1・26 民集 50 巻 1 号 155 頁 ………………………………………… 314
最判平 8・4・26 民集 50 巻 5 号 1267 頁 ……………………………………… 558
最判平 8・7・12 民集 50 巻 7 号 1876 頁 ……………………………………… 479
最判平 8・7・12 民集 50 巻 7 号 1918 頁 ……………………………………… 258
最判平 8・10・14 民集 50 巻 9 号 2431 頁 ………………………………… 441, 442
最判平 8・10・28 金法 1469 号 49 頁 …………………………………………… 131
最判平 8・11・12 民集 50 巻 10 号 2673 頁 ……………………………… 206, 240
最判平 8・12・17 民集 50 巻 10 号 2778 頁 …………………………………… 375
最判平 9・2・14 民集 51 巻 2 号 337 頁 ………………………………………… 512
最判平 9・2・25 民集 51 巻 2 号 398 頁 ………………………………………… 434
最判平 9・7・1 民集 51 巻 6 号 2251 頁 ………………………………………… 485
最判平 9・7・1 民集 51 巻 6 号 2452 頁 ……………………………………… 45, 46

最判平 9・7・15 民集 51 巻 6 号 2581 頁 ………………………………………… 512
最判平 9・7・17 民集 51 巻 6 号 2882 頁 …………………………………… 441, 442
最判平 10・4・14 民集 52 巻 3 号 813 頁 …………………………………… 561, 586
最判平 10・4・30 判時 1646 号 162 頁 …………………………………………… 116
最判平 10・9・3 民集 52 巻 6 号 1467 頁 ………………………………………… 413
最判平 11・2・23 民集 53 巻 2 号 193 頁 ……………………………… 61, 561, 570, 590
最判平 11・2・25 判時 1670 号 18 頁 …………………………………………… 384
最判平 11・3・25 判時 1674 号 61 頁 …………………………………………… 453
最判平 11・11・30 民集 53 巻 8 号 1965 頁 ……………………………………… 345
最判平 11・11・30 判時 1701 号 69 頁 …………………………………………… 206
最判平 12・2・29 民集 54 巻 2 号 582 頁 ………………………………………… 134
東京高判平 12・3・8 判時 1753 号 57 頁 ………………………………………… 285
最判平 13・2・22 判時 1745 号 85 頁 …………………………………………… 318
最決平 13・11・21 民集 55 巻 6 号 1014 頁 ……………………………………… 417
最判平 13・11・27 民集 55 巻 6 号 1154 頁 ……………………………………… 134
最判平 13・11・27 民集 55 巻 6 号 1311 頁 ………………………………… 314, 319, 334
最判平 13・11・27 民集 55 巻 6 号 1380 頁 ……………………………………… 307
最判平 14・3・28 民集 56 巻 3 号 662 頁 ………………………………………… 436
最判平 14・3・28 民集 56 巻 3 号 689 頁 ………………………………………… 416
最判平 14・9・24 判時 1803 号 28 頁 …………………………………………… 134
最判平 15・2・21 民集 57 巻 2 号 95 頁 ………………………………………… 558
最判平 15・2・28 判時 1829 号 151 頁 …………………………………………… 36
最判平 15・6・12 民集 57 巻 6 号 595 頁 ………………………………………… 479
大阪地判平 15・7・30 金判 1181 号 36 頁 ………………………………………… 91
最判平 15・10・21 民集 57 巻 9 号 1213 頁 ………………………………… 46, 253, 479
最判平 15・10・21 判時 1844 号 50 頁 …………………………………………… 479
最判平 15・10・23 判時 1844 号 54 頁 …………………………………………… 479
最判平 15・11・7 判時 1845 号 58 頁 …………………………………………… 131
最判平 15・12・9 民集 57 巻 11 号 1887 頁 ……………………………………… 131
最判平 16・6・29 判時 1868 号 52 頁 …………………………………………… 479
最決平 16・8・30 民集 58 巻 6 号 1763 頁 …………………………………… 113, 125
最判平 16・11・5 民集 58 巻 8 号 1997 頁 ……………………………………… 280
最判平 16・11・8 判時 1883 号 52 頁 …………………………………………… 479
最判平 16・11・18 民集 58 巻 8 号 2225 頁 ……………………………………… 131
最判平 17・3・10 判時 1894 号 14 頁 …………………………………………… 480
最判平 17・3・10 判時 1895 号 60 頁 ………………………………………… 406, 442
最判平 17・7・14 民集 59 巻 6 号 1323 頁 ……………………………………… 131
最判平 17・7・19 民集 59 巻 6 号 1783 頁 ……………………………………… 50
東京地判平 17・9・2 判時 1922 号 105 頁 ……………………………………… 82
最判平 17・9・8 判時 1912 号 16 頁 …………………………………………… 134
最判平 17・9・16 判時 1912 号 8 頁 …………………………………………… 134
最判平 17・12・16 判時 1921 号 61 頁 ……………………………………… 398, 406, 428
最判平 18・2・7 民集 60 巻 2 号 480 頁 …………………………………… 343, 345

最判平 18・4・14 民集 60 巻 4 号 1497 頁 …………………………………………… 512
最判平 18・6・12 判時 1941 号 94 頁 ………………………………………………… 131
最判平 18・10・27 判時 1951 号 59 頁 ………………………………………………… 134
最判平 18・11・27 民集 60 巻 9 号 3437 頁 …………………………………………… 125
最判平 19・2・27 判時 1964 号 45 頁 ………………………………………………… 112
最判平 19・7・6 民集 61 巻 5 号 1769 頁 ……………………………………………… 512
最判平 20・2・29 判時 2003 号 51 頁 ………………………………………………… 480
最判平 20・7・4 判時 2028 号 32 頁 …………………………………………… 134, 528
最判平 21・1・19 民集 63 巻 1 号 97 頁 ……………………………………………… 409
最判平 21・1・22 民集 63 巻 1 号 228 頁 ………………………………… 134, 259, 528
最判平 21・7・17 判時 2056 号 61 頁 ………………………………………………… 158
最判平 22・6・1 民集 64 巻 4 号 953 頁 ……………………………………………… 304
最判平 22・7・16 判時 2094 号 58 頁 ………………………………………………… 472
最判平 23・3・24 民集 65 巻 2 号 903 頁 ……………………………………………… 413
最判平 23・4・22 民集 65 巻 3 号 1405 頁 ……………………………………… 114, 132
最判平 23・7・15 民集 65 巻 5 号 2269 頁 ……………………………………… 67, 471
最判平 23・10・25 民集 65 巻 7 号 3114 頁 …………………………………………… 242
最判平 24・9・13 民集 66 巻 9 号 3263 頁 …………………………………………… 472
最判平 25・4・16 民集 67 巻 4 号 1049 頁 …………………………………………… 532
最大決平 28・12・19 民集 70 巻 8 号 2121 頁 …………………………………… 528, 558
最判平 29・4・6 判時 2337 号 34 頁 ………………………………………………… 558
最大判平 29・12・6 民集 71 巻 10 号 1817 頁 ………………………………………… 27
最判平 29・12・14 民集 71 巻 10 号 2184 頁 ………………………………………… 516
最判令 2・3・6 民集 74 巻 3 号 149 頁 ……………………………………………… 530
最判令 2・9・11 民集 74 巻 6 号 1693 頁 ………………………………………… 511, 512

中 田 裕 康（なかた・ひろやす）

1951 年 大阪に生まれる
1975 年 東京大学法学部卒業
1977 年 弁護士登録（1990 年まで）
1989 年 東京大学大学院博士課程修了（法学博士）
1990 年 千葉大学助教授，1993 年 同教授，1995 年 一橋大学
　　　　教授，2008 年 東京大学教授，2017 年 早稲田大学教授を経て，
現　在　東京大学名誉教授，一橋大学名誉教授

専攻：民法

主著：『継続的売買の解消』（1994 年，有斐閣）
　　　『継続的取引の研究』（2000 年，有斐閣）
　　　『債権総論〔第 4 版〕』（2020 年，岩波書店）
　　　『私法の現代化』（2022 年，有斐閣）
　　　『継続的契約の規範』（2022 年，有斐閣）
　　　『研究者への道』（2023 年，有斐閣）

契約法〔新版〕

2017 年 9 月 30 日　初版第 1 刷発行
2021 年 10 月 20 日　新版第 1 刷発行
2024 年 8 月 30 日　新版第 5 刷発行

　　　　　　著　者　　　中　田　裕　康

　　　　　　発行者　　　江　草　貞　治

　　　　　　発行所　　　株式会社　有　斐　閣
　　　　　　〒101-0051 東京都千代田区神田神保町 2-17
　　　　　　　　　https://www.yuhikaku.co.jp/

印刷・株式会社精興社／製本・牧製本印刷株式会社
© 2021，中田裕康．Printed in Japan
落丁・乱丁本はお取替えいたします。
★定価はカバーに表示してあります
ISBN 978-4-641-13870-4

JCOPY　本書の無断複写（コピー）は，著作権法での例外を除き，禁じられています。複写される場合は，そのつど事前に（一社）出版者著作権管理機構（電話03-5244-5088，FAX03-5244-5089，e-mail:info@jcopy.or.jp）の許諾を得てください。